„AKTION REINHARDT"

D1720127

EINZELVERÖFFENTLICHUNGEN DES
DEUTSCHEN HISTORISCHEN INSTITUTS WARSCHAU

10

„Aktion Reinhardt"

Der Völkermord an den Juden
im Generalgouvernement
1941 – 1944

Herausgegeben von
Bogdan Musial

Titelabbildung:

Verladung Warschauer Juden zur Deportation in das Vernichtungslager Treblinka. Umschlagplatz Stawki-Straße, Warschau, Sommer 1942

Archiv des Jüdischen Historischen Instituts, Warschau

© fibre Verlag, Osnabrück 2004

Alle Rechte vorbehalten

ISBN 3-929759-83-7

www.fibre-verlag.de

Redaktion der Reihe: Andreas Kossert
Lektorat: Hans-Ulrich Seebohm
Reihen- und Umschlaggestaltung, Satz:
x7 – webdesign & more, Ulrike Stehling · www.x-7.de
Herstellung: Druckerei Hubert & Co, Göttingen

Printed in Germany 2004

INHALT

Bogdan Musial
Einleitung 7

Historiographie, Genese der „Aktion Reinhardt"
und Stellung des Distrikts Lublin im Holocaust

Dieter Pohl
Die „Aktion Reinhard" im Licht der Historiographie 15

Bogdan Musial
Ursprünge der „Aktion Reinhardt". Planung des Massenmordes
an den Juden im Generalgouvernement 49

Dieter Pohl
Die Stellung des Distrikts Lublin in der „Endlösung
der Judenfrage" 87

Deportationen, Übergangsghettos und Vernichtungslager

Janina Kiełboń
Judendeportationen in den Distrikt Lublin (1939–1943) 111

David Silberklang
Die Juden und die ersten Deportationen
aus dem Distrikt Lublin 141

Jacek Andrzej Młynarczyk
Organisation und Durchführung der „Aktion Reinhard"
im Distrikt Radom 165

Robert Kuwałek
Die Durchgangsghettos im Distrikt Lublin (u.a. Izbica,
Piaski, Rejowiec und Trawniki) 197

Tomasz Kranz
Das Konzentrationslager Majdanek und die
„Aktion Reinhardt" 233

Jacek Andrzej Młynarczyk
Treblinka – ein Todeslager der „Aktion Reinhard" 257

Täter

Patricia Heberer
Eine Kontinuität der Tötungsoperationen. T4-Täter
und die „Aktion Reinhard" 285

Peter Black
Die Trawniki-Männer und die „Aktion Reinhard" 309

Klaus-Michael Mallmann
„Mensch, ich feiere heut' den tausendsten Genickschuß".
Die Sicherheitspolizei und die Shoah in Westgalizien 353

Der Völkermord und die Außenwelt

Gunnar S. Paulsson
Das Verhältnis zwischen Polen und Juden
im besetzten Warschau, 1940–1945 383

Daniel Blatman
Reaktionen jüdischer Funktionäre und Organisationen
auf die Neuigkeiten aus Polen in den Jahren 1942/43 405

Stephen Tyas
Der britische Nachrichtendienst: Entschlüsselte
Funkmeldungen aus dem Generalgouvernement 431

Verzeichnis der Autorinnen und Autoren 449

Deutsch-polnische Ortsnamenskonkordanz 451

BOGDAN MUSIAL

EINLEITUNG

Im Zentrum des vorliegenden Sammelbandes steht die Geschichte des Massenmordes an den polnischen Juden während des Zweiten Weltkriegs. Obwohl sich die zeithistorische Forschung auf internationaler Ebene seit 1945 mit der Verfolgung der Juden im Zweiten Weltkrieg beschäftigt hat, ist das hier präsentierte Thema noch relativ wenig erforscht. Das liegt vor allem an einer regionalen und thematischen Unausgewogenheit. Im Ostblock brachten die politischen Verhältnisse erschwerte Forschungsbedingungen mit sich, während den westlichen Forschungen bis zur politischen Wende 1989 vielfach der Zugang zu den osteuropäischen Archiven verwehrt blieb. Daher verwundert es nicht, dass in den ersten vier Nachkriegsjahrzehnten der Forschungsschwerpunkt auf die Judenverfolgung in Westeuropa, und hier insbesondere in Deutschland, gesetzt wurde. In den letzten Jahren wiederum dominieren anstelle empirischer Arbeiten zum Ereignis selbst Publikationen zum Umgang mit der Geschichte des Holocaust sowie zur Geschichte des Holocaust-Gedächtnisses.

1939 lebte in Polen die Mehrheit der Juden Europas, und dort errichteten die NS-Täter auch alle – insgesamt fünf – Vernichtungslager, in denen der Massenmord vollzogen wurde. Kurzum: Der Holocaust fand im deutsch besetzten Polen statt. Über die Vorgänge in Polen, das Schicksal der dortigen Juden (etwa die Hälfte der ca. sechs Millionen Holocaustopfer) sowie die Institutionen und ihre Mitarbeiter, die für die Verfolgung der polnischen Juden verantwortlich waren, wusste man jedoch bisher vergleichsweise wenig. Erst seit einigen Jahren zeichnet sich eine neue Entwicklung ab. Eine Reihe bereits erschienener Arbeiten befasst sich mit der Geschichte der Judenverfolgung im deutsch besetzten Polen, andere stehen kurz vor der Publizierung oder sind im Entstehen begriffen.

Im vorliegenden Band, der diese Entwicklung aufgreift und weiterzuentwickeln sucht, präsentieren Wissenschaftlerinnen und Wissenschaftler aus Polen, Deutschland, Israel, Großbritannien, Kanada und den USA ihre Forschungsergebnisse zum Thema „Aktion Reinhardt". Mit diesem Begriff wird allgemein der Völkermord an den Juden im so genannten Generalgouvernement (GG)[1] und im Bezirk Bialystok[2] umschrieben. Das Zentrum der „Aktion Reinhardt" bildeten der Stab des SS- und Polizeiführers im Distrikt Lublin, Odilo Globocnik, sowie die drei Vernichtungslager Belzec, Sobibor und Treblinka, in denen nicht nur polnische Juden vergast wurden. Auch das Konzentrationslager Majdanek zählte zur „Aktion Reinhardt" (vgl. den Beitrag von Tomasz Kranz in diesem Band).

Am 16. März 1942 begann Odilo Globocnik mit seinen Einsatzkräften das Ghetto Lublin zu „räumen". Innerhalb weniger Tage wurden etwa 18 000 Juden in das Vernichtungslager Belzec deportiert, dessen Betrieb die Täter in jenen Tagen aufgenommen hatten, und dort ermordet (siehe den Beitrag von David Silberklang). Dieses Ereignis bildete den Auftakt zur „Aktion Reinhardt", der Ermordung der polnischen Juden im Generalgouvernement.

Man schätzt, dass im Rahmen der „Aktion Reinhardt" mehr als zwei Millionen Juden ermordet wurden. Die exakte Zahl der Opfer der „Aktion Reinhardt" wie des Holocaust insgesamt wird man wohl nie erfahren. Die Ermittlung der exakten Gesamtzahl der Holocaustopfer erweist sich unter anderem aus folgenden Gründen als schwierig: (1) Wir verfügen über keine genauen abschließenden Zahlen der in den Vernichtungslagern ermordeten Juden. Dafür haben die Täter selbst gesorgt, indem sie versuchten, die Spuren des Massenmordes zu beseitigen. (2) Nicht alle Holocaustopfer kamen in den Vernichtungslagern um. In der heutigen Ukraine, in Weißrussland sowie in den baltischen Ländern ermordeten mobile Kommandos über

---

[1] Das Territorium des GG bestand aus den Gebieten des von Deutschland besetzten Polen, die nicht in das Reich eingegliedert wurden. Das Gebiet des GG umfasste knapp über 95 000 Quadratkilometer und gliederte sich in vier Verwaltungsdistrikte (Krakau, Warschau, Radom und Lublin). Hauptstadt war Krakau. Die Distrikte waren in Kreishauptmannschaften (Landkreise) und Stadthauptmannschaften (Stadtkreise) aufgeteilt. Nach dem Überfall auf die Sowjetunion wurde dem GG zusätzlich der Distrikt Galizien zugeschlagen, so dass die Gesamtfläche 145 000 Quadratkilometer erreichte. Im Sommer 1940 lebten auf dem Gebiet des Generalgouvernements ohne den Distrikt Galizien über zwölf Millionen Menschen: 81 Prozent Polen, etwa elf Prozent Juden sowie Ukrainer, Deutsche (Volksdeutsche) und Sonstige. Die meisten Juden (80 Prozent) lebten in den Städten. Mit dem Distrikt Galizien betrug die Einwohnerzahl des GG im Jahre 1942 etwa 17,7 Millionen. Vgl. dazu MARTIN BROSZAT, Nationalsozialistische Polenpolitik 1939–1945, Stuttgart 1961, S. 31-37; CZESŁAW ŁUCZAK, Polityka ludnościowa i ekonomiczna hitlerowskich Niemiec w okupowanej Polsce, Poznań 1979, S. 13 ff., 209; JERZY TOMASZEWSKI, Najnowsze dzieje Żydów w Polsce w zarysie (do roku 1950), Warszawa 1993, S. 168; Czesław Madajczyk, Polityka III Rzeszy w okupowanej Polsce, Bd. 1, Warszawa 1970, S. 581-584.

[2] Der Bezirk Bialystok mit 31 000 Quadratkilometer Gesamtfläche umfasste Gebiete um die Städte Łomża und Białystok im Nordosten Polens, die von September 1939 bis Juni 1941 von der Sowjetunion besetzt waren. Nach dem deutschen Überfall auf die UdSSR wurde aus diesen Gebieten der Bezirk Bialystok gebildet und Erich Koch in dessen Eigenschaft als Gauleiter und Oberpräsident der Provinz Ostpreußen unterstellt.

eine Million Juden durch Massenerschießungen. Die Massenhinrichtungen bildeten dort die Regel, während der Tod in den Vernichtungslagern eher eine Ausnahme darstellte.

Auch im Rahmen der „Aktion Reinhardt" ermordeten die Täter Zigtausende Juden bereits während der „Aussiedlungsaktionen", wie die Täter das Zusammentreiben und die Deportation der Opfer in die Vernichtungslager euphemistisch umschrieben. Im Folgenden schildern Jacek Młynarczyk in seinem Beitrag über den Distrikt Radom und David Silberklang, wie „Aussiedlungsaktionen" im Rahmen der „Aktion Reinhardt" verliefen. Über die hierbei ermordeten Juden gibt es nicht einmal Schätzungen. Es handelte sich aber mit Sicherheit um Zehn-, wahrscheinlich sogar um Hunderttausende Opfer. Tatsache ist jedenfalls, dass rund 90 Prozent aller polnischen Juden den Zweiten Weltkrieg nicht überlebten. Sie wurden im Rahmen der nationalsozialistischen „Endlösung der Judenfrage" ermordet.

Im Falle Polens trifft die weit verbreitete Auffassung nicht zu, dass der Genozid an den Juden ein bürokratisch perfekt durchorganisierter und durchgeführter Massenmord war, wie etwa in Deutschland. Berücksichtigt man noch die Massaker an den sowjetischen Juden, so kennzeichnete eher eine Mischung aus mörderischer Improvisation, Chaos, Menschenjagden, Massakern und Massenerschießungen den Ablauf des Holocaust.

Im Folgenden präsentieren 14 Autoren in vier Abschnitten ihre Forschungsergebnisse zur Geschichte der Ermordung der Juden im Generalgouvernement. Im ersten Abschnitt stellt Dieter Pohl vom Institut für Zeitgeschichte in München den bisherigen Bestand der Historiographie zur „Aktion Reinhardt" vor. Zu den Ursprüngen der „Aktion Reinhardt" legt Bogdan Musial vom Deutschen Historischen Institut Warschau seine These dar, dass die Entscheidung zur Ermordung der Juden im GG im Oktober 1942 gesondert fiel und Odilo Globocnik, der SS- und Polizeiführer im Distrikt Lublin, eine herausragende Rolle in diesem Entscheidungsprozess spielte. In seinem zweiten Beitrag führt Dieter Pohl aus, dass dem Distrikt Lublin eine besondere Stellung in der „Endlösung der Judenfrage" zukam. Der Distrikt Lublin „war Versuchsgebiet und wichtiger Schauplatz", was vor allem Odilo Globocnik zuzuschreiben ist, einem entscheidenden Akteur der „Endlösung".

Der zweite Abschnitt behandelt die thematische Einheit „Deportationen, Übergangsghettos und Vernichtungslager". Janina Kiełboń vom Museum Majdanek befasst sich mit den vom Herbst 1939 bis 1943 durchgeführten Deportationen in den Distrikt Lublin sowie den in der Region erbauten Vernichtungslagern in den Jahren 1942/43. David Silberklang von der Gedenkstätte Yad Vashem in Jerusalem beschäftigt sich mit den Deportationen in die Vernichtungslager und untersucht, was die Juden im Distrikt Lublin darüber wussten oder vermuteten und wie sie darauf reagierten. Gleichzeitig zeigt Silberklang auf, wie gering die Überlebenschancen der

Holocaustopfer waren. Jacek Młynarczyk, Doktorand an der Universität Stuttgart und Stipendiat des DHI Warschau, untersucht den Verlauf der „Aktion Reinhardt" im Distrikt Radom, der innerhalb weniger Wochen etwa 360 000 Juden zum Opfer fielen. Robert Kuwałek, Leiter der Gedenkstätte Vernichtungslager Belzec, befasst sich mit den so genannten Durchgangs-ghettos im Distrikt Lublin. Es handelte sich um Ghettos, aus denen zunächst polnische Juden in ein Vernichtungslager deportiert wurden, um anschlie-ßend durch ausländische Juden ersetzt zu werden, die schließlich ebenfalls ermordet wurden. Tomasz Kranz vom Museum Majdanek geht auf das Konzentrationslager Majdanek und dessen Rolle bei der Vernichtung der Juden im Generalgouvernement ein. In seinem zweiten Beitrag befasst sich Jacek Młynarczyk mit der Geschichte Treblinkas, des größten unter den Vernichtungslagern der „Aktion Reinhardt", in dem über 700 000 Juden ermordet wurden.

Im dritten Abschnitt werden Beiträge präsentiert, die sich mit den Tätern befassen. Patricia Heberer vom United States Holocaust Memorial Museum in Washington setzt sich mit den „Euthanasie"-Tätern auseinander, die als „erfahrene" Experten für die Tötung mit Gas in den Vernichtungslagern der „Aktion Reinhardt" eingesetzt waren. Peter Black, ebenfalls vom United States Holocaust Memorial Museum, beschäftigt sich mit dem „Fußvolk der ‚Endlösung' im Generalgouvernement", den so genannten „Trawniki-Män-nern". Michael Mallmann, Leiter der Forschungsstelle Ludwigsburg, stellt die Sicherheitspolizei und ihr Mitwirken an der Shoah in Westgalizien in den Mittelpunkt seiner Untersuchung.

Der letzte Abschnitt richtet den Fokus auf die Reaktionen der Außenwelt, der nicht direkt Betroffenen, auf den Völkermord. Gunnar S. Paulsson aus Kanada untersucht das Verhältnis zwischen der polnischen Bevölkerung und den todgeweihten Juden im besetzten Warschau. Daniel Blatman aus Israel befasst sich mit den Reaktionen jüdischer Funktionäre und Organisationen im Westen auf die Nachrichten aus Polen über die Vernichtung der polni-schen Juden. Zum Schluss präsentiert Stephen Tyas aus Großbritannien vor kurzem entdeckte deutsche Funkmeldungen aus dem Generalgouvernement über die Vernichtung der Juden; diese waren während des Krieges vom britischen Nachrichtendienst abgefangen und entschlüsselt worden, ohne dass man damals die Tragweite dieser Meldungen erkannte.

Die vorliegende Publikation erhebt nicht den Anspruch, eine abschließen-de und zusammenfassende Darstellung der Geschichte des Völkermordes an den Juden im besetzten Polen zu sein. Sie bietet lediglich Einblicke in verschiedene Aspekte dieser Geschichte und zeigt zugleich, welche Desidera-te in diesem Bereich noch vorliegen. So fehlen beispielsweise umfangreiche-re Untersuchungen zur Vernichtung in den einzelnen Distrikten des General-gouvernements, dem Distrikt Radom (hier ist jedoch demnächst eine Untersuchung von Jacek Młynarczyk zu erwarten), dem Distrikt Krakau und Warschau. Relativ gut untersucht sind dagegen die Distrikte Lublin und Galizien. Den Stand der Forschung stellt Dieter Pohl in dem Beitrag zur Historiographie der „Aktion Reinhardt" dar.

Der Band geht auf die internationale Konferenz „‚Aktion Reinhardt'. Die Vernichtung der Juden im Generalgouvernement" zurück, die vom 7. bis 9. November 2002 in Lublin unter der Schirmherrschaft der Präsidenten Polens und Deutschlands stattfand. Auf dieser Konferenz präsentierten Wissenschaftlerinnen und Wissenschaftler aus Polen, Deutschland, Israel, Großbritannien, Kanada und den USA ihre Forschungsergebnisse. Im Mittelpunkt der Konferenz standen die Organisation und Durchführung des Völkermordes in den einzelnen Distrikten des Generalgouvernements und in den Vernichtungslagern, der jüdische Widerstand sowie das Verhältnis zwischen Juden und Polen.

Die Tagung wurde gemeinsam vom Institut für Nationales Gedenken (verantwortlich Dariusz Libionka und Rafał Wnuk aus Lublin) und dem Deutschen Historischen Institut Warschau (verantwortlich Bogdan Musial) unter Mitwirkung des Staatlichen Museums Majdanek organisiert und von der Stiftung für Deutsch-Polnische Zusammenarbeit gefördert.

Leider konnten nicht alle auf der Konferenz präsentierten Beiträge in diesen Band aufgenommen werden, denn der Herausgeber musste sich hinsichtlich des Umfangs an die strikten Vorgaben der Publikationsreihe und des Verlages halten. In der polnischen Ausgabe des Bandes, die das Institut für Nationales Gedenken noch in diesem Jahr herausbringen will, sollen hingegen alle Konferenzbeiträge erscheinen. Auch die Gedenkstätte Yad Vashem plant, eine Auswahl der auf der Lubliner Tagung präsentierten Beiträge zu veröffentlichen.

Entsprechend den zeitgenössischen Quellen sind auch in der heutigen Forschung mehrere Schreibweisen gebräuchlich, mit denen der Massenmord an den Juden im Generalgouvernement umschrieben wird: „Aktion Reinhardt" und „Aktion Reinhard", „Einsatz Reinhard" beziehungsweise „Einsatz Reinhardt". Peter Black (S. 309f., Fußnote 3) und Dieter Pohl (S. 15) gehen auf diese Problematik ein. Auf der Lubliner Konferenz wie auch für den vorliegenden Band spielte die Debatte, welche dieser Versionen die „richtigere" sei, eine zweitrangige Rolle. Im Mittelpunkt stand das Ereignis selbst, das heißt der Massenmord an den Juden im GG. Es bestand Einigkeit darüber, dass die Debatte über diesen Begriff die wissenschaftliche Diskussion über das eigentliche historische Ereignis nicht verdrängen dürfe. Der Herausgeber entschied, dass jede Autorin und jeder Autor selbst bestimmen durfte, welche Version sie oder er verwenden wollte. Daher findet sich in diesem Sammelband keine normierte Schreibweise des Begriffes.

Diejenigen Beiträge, die ursprünglich in polnischer Sprache vorlagen, hat Peter Oliver Loew (Darmstadt) ins Deutsche übertragen. Das sind die Beiträge von Janina Kiełboń, Robert Kuwałek und Tomasz Kranz. Die ursprünglich in englischer Sprache verfassten Aufsätze wurden von Klaus-Dieter Schmidt (Berlin) übersetzt. Dabei handelt es sich um die Aufsätze von David Silberklang, Peter Black, Patricia Heberer, Daniel Blatman, Gunnar S. Paulsson und Stephen Tyas. Die Redaktion sämtlicher Beiträge, sowohl der übersetzten als auch der in deutscher Sprache verfassten, lag in den Händen von Hans-Ulrich Seebohm (Berlin). Dem Direktor des Deutschen Historischen Instituts Warschau, Klaus Ziemer, sei an dieser Stelle für die Aufnahme in die institutseigene Publikationsreihe „Einzelveröffentlichungen des DHI Warschau" gedankt sowie Andreas Kossert als verantwortlichem Redakteur der Reihe für die Endredaktion.

Aus Vereinfachungsgründen wurde im vorliegenden deutschen Text auf die polnische Schreibweise der Ortsnamen, das heißt auf die Verwendung der im Polnischen üblichen diakritischen Zeichen, verzichtet (Belzec statt Bełżec). Gleichfalls wurden von den deutschen Besatzern eingeführte NS-Ortsnamensumbenennungen beibehalten (Warthbrücken statt Koło). Zur besseren Orientierung findet sich eine deutsch-polnische Ortsnamenskonkordanz am Ende des Bandes.

Warschau, Januar 2004   Bogdan Musial

Historiographie, Genese der „Aktion Reinhardt" und Stellung des Distrikts Lublin im Holocaust

DIETER POHL

DIE „AKTION REINHARD" IM LICHT DER HISTORIOGRAPHIE

In der Geschichte des Mordes an den europäischen Juden nimmt die „Aktion Reinhard"[1] einen zentralen Platz ein. So verwundert es nicht, dass in den seit 1943 vergangenen sechs Jahrzehnten eine Vielzahl von Publikationen erschienen sind, die sich ganz oder teilweise diesen Vorgängen widmen.[2] Von einer Historiographie der „Aktion Reinhard" lässt sich jedoch nicht ohne weiteres sprechen, da das Objekt selbst nicht ganz genau definiert werden kann. Für eine Definition gibt es freilich verschiedene Anhaltspunkte. Schon der SS- und Polizeiführer in Lublin, Odilo Globocnik, umriss die Aktion als von ihm geleitetes oder koordiniertes Vernichtungsprogramm gegen große Teile des polnischen Judentums, dem auch Juden aus anderen Ländern zum Opfer fielen. Dabei betonte er zudem die wirtschaftlichen Aspekte dieses Verbrechens, die Beraubung der Opfer und den Einsatz zur Zwangsarbeit.[3] Die Bezeichnung „Aktion Reinhard" oder „Reinhardt" findet sich jedoch auch außerhalb von Globocniks Machtbereich, so bezüglich des Raubs an den Opfern in Auschwitz oder gar in Verbindung mit dem Vernichtungslager in Chelmno (Kulmhof). Gelegentlich vermerkten Funktionäre aus anderen Distrikten als Lublin, sie seien unter dieser Chiffre am Judenmord beteiligt gewesen.

Insgesamt geht die Mehrheit der Zeugen und der Historiker davon aus, dass mit „Aktion Reinhard" der Mord an den Juden im Generalgouver-

---

[1] Zur Schreibung „Reinhard" bzw. „Reinhardt" vgl. Fußnote 3 im Beitrag von Peter Black in diesem Band.

[2] Vgl. FRANK GOLCZEWSKI, Zur Historiographie des Schicksals der polnischen Juden im Zweiten Weltkrieg, in: Verdrängung und Vernichtung der Juden unter dem Nationalsozialismus, hg. v. ARNO HERZIG/INA LORENZ, Hamburg 1992, S. 85–99; LUCJAN DOBROSZYCKI, Polska historiografia nad temat Zagłady. Przegląd literatury i próba syntezy, in: Holocaust z perspektywy półwiecza, Warszawa [1994], S. 177–187; JERZY TOMASZEWSKI, Historiografia polska o Zagładzie, in: Biuletyn Żydowskiego Instytutu Historycznego (BŻIH) H. 194, 2000, S. 155–170.

[3] Globocnik an Himmler, 5.1.1943 [richtig: 1944], in: Der Prozeß gegen die Hauptkriegsverbrecher vor dem Internationalen Militärgerichtshof, Nürnberg 1949, Bd. 34, S. 71.

nement und im Raum Bialystok gemeint ist. Den Kern der Aktion bildeten
Globocniks Stäbe und die drei Vernichtungslager Belzec, Sobibor und
Treblinka, in denen Juden nicht nur aus Polen zu Tode kamen. Daneben gab
es eine gewisse Integration des Konzentrationslagers Majdanek in diese
Mordkampagne sowie Berührungspunkte mit Auschwitz. Zur „Aktion
Reinhard" sind darüber hinaus die brutalen Ghettoräumungen und die
Deportationen in die Lager zu rechnen, am Rande wohl auch die Massen-
erschießungen im Umfeld der Ghettos. Schließlich dürfte zumindest jener
Teil der Arbeitslager für Juden, der Globocnik unterstand, als Teil der
„Aktion Reinhard" anzusehen sein. Als Anfangszeitpunkt gilt gemeinhin die
parallele Deportation aus den Ghettos in Lublin und Lemberg am 16./17.
März 1942, als Endpunkt entweder der Aufstand im Lager Sobibor am 14.
Oktober oder der Massenmord der „Aktion Erntefest" am 3./4. November
1943. Kurz danach legte Globocnik seinen „Abschlußbericht" vor.

Phasen der Erforschung

Trotz der versuchten Geheimhaltung wurden Informationen über dieses
Vernichtungsprogramm alsbald publik und im Untergrund oder im alliierten
Ausland veröffentlicht. Doch erst mit der Befreiung Polens und dem Ende
des Krieges begann die eigentliche Untersuchung dieser Vorgänge. Zunächst
waren es vor allem neu gebildete Kommissionen, etwa von Seiten der Roten
Armee, des polnischen Staates oder der überlebenden Juden, die sich damit
beschäftigten. Bereits in den ersten Nachkriegsjahren konnte dabei wertvol-
les Material gesammelt und publiziert werden.[4] Doch schon 1947/48 er-
lahmte das Interesse. In den fünfziger Jahren blieb es weitgehend dem
Jüdischen Historischen Institut in Warschau und einigen Überlebenden (unter
anderem in Buenos Aires) vorbehalten, die Vorgänge zu rekonstruieren. Als
Außenseiter versuchte lediglich Gerald Reitlinger in London, die „Aktion
Reinhard" im Rahmen seiner Gesamtdarstellung der „Endlösung" näher zu
beschreiben.

Ende der fünfziger Jahre, über fünfzehn Jahre nach den Geschehnissen,
bahnte sich dann ein Wandel an. Artur Eisenbach synthetisierte die Ergeb-

---

[4] Vgl. die ersten Bücher der Centralna Komisja Żydów Polskich, wie FILIP FRIEDMAN,
Zagłada Żydów polskich, Łódź 1946, und besonders die Dokumentationen: „Akcje" i
„wysiedlenia", hg. v. JÓZEF KERMISZ, Łódź u. a. 1946, und: Obozy, hg. v. NACHMAN
BLUMENTHAL, Łódź u. a. 1946, sowie einige Aufsätze im Biuletyn Głównej Komisji Badania
Zbrodni niemieckich w Polsce (fortan: BGK) mit wechselnden Titeln. Vgl. die englische
Auswahlübersetzung: German crimes in Poland, hg. von der CENTRAL COMMISSION FOR
INVESTIGATION OF GERMAN CRIMES IN POLAND, 2 Bde., Warsaw 1946/47.

nisse der polnischen Forschung zu seiner Gesamtdarstellung, die sich ausführlich mit der „Aktion Reinhard" beschäftigte, unter marxistischen Prämissen auch mit deren „wirtschaftlichem" Teil. Zugleich legte das Jüdische Historische Institut eine fundamentale Quellensammlung zur Geschichte der Verbrechen an den Juden in Polen vor.[5] Und jenseits des Atlantiks machte die Forschung einen qualitativen Sprung durch Raul Hilbergs monumentales Buch.[6] Im Rahmen der wieder auflebenden NS-Verfahren bemühten sich auch einige deutsche Historiker, meist im Rahmen von Prozessgutachten, die kaum bekannten Vorgänge zu rekonstruieren.[7]

Dieser kurzen Phase, in der die Forschungen erstmals in die Hände professioneller Historiker gelangten, folgte im Allgemeinen keine Vertiefung. In Polen brach die Forschung der jüdischen Historiker mit dem März 1968 alsbald ab, und auch andernorts wurde kaum mehr zum Mord an den polnischen Juden geforscht. Erst ab Mitte der siebziger Jahre bahnte sich, nach einigen eher isoliert stehenden Publikationen,[8] allmählich ein grundlegender Wandel an, der mit der weltweiten „Wiederentdeckung" der NS-Verbrechen 35 Jahre nach den Geschehnissen zusammenhing.

Den Anfang machte der Leiter der Zentralen Stelle zur Aufklärung nationalsozialistischer Verbrechen in Ludwigsburg, Adalbert Rückerl. Mit dokumentarischem Material aus den strafrechtlichen Ermittlungen machte er die meisten Aspekte der „Aktion Reinhard" einer deutschen Leserschaft zugänglich. Ihm folgte Yitzhak Arad, Überlebender aus Wilna, der die erste Monographie zu diesen Vernichtungslagern vorlegte und sich vor allem darum bemühte, die spärlichen Kenntnisse über die jüdischen Häftlinge

---

[5] ARTUR EISENBACH, Hitlerowska polityka zagłady Żydów, Warszawa 1961; eine erste Fassung stammt aus dem Jahre 1953; vgl. DERS., Operation Reinhard. Mass extermination of the Jewish population in Poland, in: Polish Western Affairs 3 (1962), S. 80–124; Faschismus – Getto – Massenmord. Dokumentation über Ausrottung und Widerstand der Juden in Polen während des 2. Weltkrieges, hg. vom JÜDISCHEN HISTORISCHEN INSTITUT WARSCHAU, Berlin 1961. Vgl. die Dokumentation von SZYMON DATNER, JANUSZ GUMKOWSKI, KAZIMIERZ LESZCZYŃSKI, Zagłada Żydów w obozach na ziemiach polskich, in: BGK 13 (1960), S. 59–178.

[6] Überarbeitete Neuauflage: RAUL HILBERG, Die Vernichtung der europäischen Juden. Die Gesamtgeschichte des Holocaust, Frankfurt/M. 1990, bes. Bd. 2, S. 505–569, 927–1047.

[7] Vgl. HANNS VON KRANNHALS, Die Judenvernichtung in Polen und die „Wehrmacht", in: Wehrwissenschaftliche Rundschau 15 (1965), S. 570–581.

[8] Nicht zur Kenntnis genommene Ausnahme in Deutschland: MANFRED BLANK, Zum Beispiel: Die Ermordung der Juden im „Generalgouvernement" Polen, in: NS-Prozesse. Nach 25 Jahren Strafverfolgung: Möglichkeiten – Grenzen – Ergebnisse, hg. v. ADALBERT RÜCKERL, Karlsruhe 1971, S. 35–64; GITTA SERENY, Into that Darkness. From Mercy Killing to Mass Murder, London 1974.

zusammenzutragen.[9] Seitdem sind eine Fülle von Monographien erschienen, die sich mit der „Aktion Reinhard" im engeren oder weiteren Sinne beschäftigen. Die Ergebnisse einer ersten Konferenz blieben jedoch unpubliziert.[10]

In den neunziger Jahren erweiterte sich die Quellenbasis dieser Forschungen enorm. Nun begann die internationale Historiographie, auf die polnischen Archive und die deutschen Ermittlungsakten zuzugreifen, aber sie trat auch in einen weltweiten Dialog ein. Derzeit ist die Forschungslandschaft durch eine Verschiebung der Themenschwerpunkte gekennzeichnet. Nicht mehr allein die Historiker in Israel,[11] sondern auch in Deutschland, Polen und den USA wenden sich vermehrt der „Opfergeschichte" zu. Erste Fragen nach dem Verhalten der polnischen, teilweise auch ukrainischen Gesellschaft im Angesicht des Massenmordes sind gestellt. Inzwischen hat sich dieser Sektor der Geschichtswissenschaft noch einmal stark intensiviert.[12] In den letzten zehn Jahren begannen mehr und mehr Universitäten, Arbeiten zum Thema „Aktion Reinhard" zu fördern. Selbst Magisterarbeiten enthalten nun eine Fülle neuer Einsichten und Informationen, die bisher nicht bekannt waren. Es ist allerdings kaum abzusehen, ob dieser „Boom" noch länger anhalten wird.

Konzepte und Quellen

Über die Jahre haben sich also die Konzepte der Historiker verändert, aber ebenso die Methoden und die Quellen, mit denen sie arbeiten. Eine eher pauschale Sicht auf ganz Polen ist einer Vielfalt von Ansätzen gewichen, mit Regional- und Lokalstudien, mit Untersuchungen zu einzelnen Lagern und

---

[9] NS-Vernichtungslager im Spiegel deutscher Strafprozesse. Belzec, Sobibor, Treblinka, Chelmno, hg. v. ADALBERT RÜCKERL, München 1977; YITZHAK ARAD, Belzec, Sobibor, Treblinka: The Operation Reinhard Death Camps, Bloomington, Ind., 1987; vgl. INO ARNDT/WOLFGANG SCHEFFLER, Organisierter Massenmord an Juden in nationalsozialistischen Vernichtungslagern. Ein Beitrag zur Richtigstellung apologetischer Literatur, in: Vierteljahrshefte für Zeitgeschichte 24 (1976), S. 105–135.

[10] Vgl. SZYMON LECZYCKI, Obozy zagłady w Bełżcu, Sobiborze i Treblince (Międzynarodowa konferencja, Lublin 22–27 VIII 1987), in: Państwo i Prawo 43 (1988), H. 2, S. 130–132; PIOTR MADAJCZYK, Bełżec, Sobibór, Treblinka jako obozy natychmiastowej zagłady, in: Przegląd Zachodni 44 (1988), H. 3, S. 191 ff. Nur im Manuskript liegen die Ergebnisse der Warschauer Konferenz von 1983 vor: Hitlerowskie ludobójstwo w Polsce i Europie 1939–1945. Główna Komisja Badania Zbrodni Hitlerowskich w Polsce, Międzynarodowa Sesja Naukowa, Warszawa, 14.–17. April 1983.

[11] Wichtigste integrative Gesamtdarstellung: LENI YAHIL, Die Shoah. Überlebenskampf und Vernichtung der europäischen Juden, München 1998.

[12] Vgl. die Konferenz in Warschau 1999: Nazi Europe and the Final Solution, hg. von DAVID BANKIER und ISRAEL GUTMAN, Jerusalem 2003.

Ghettos. Freilich gilt noch die von Raul Hilberg thematisierte Trennung in „Täter, Opfer, Zuschauer".[13] Gerade das Wesen der „Aktion Reinhard", als Tatkomplex eines Massenverbrechens, wirft Fragen zur Geschichte der NS-Täter auf. Aus den zeitgenössischen Akten der Täter lässt sich jedoch kaum ein schlüssiges Bild der „Aktion Reinhard" gewinnen, da diese Dokumente seit Ende 1943 systematisch vernichtet wurden. Generell gilt, dass der weitaus größte Teil der Schriftstücke, welche sich direkt auf die Morde bezogen, also vor allem SS- und Polizei-Dokumente, heute fehlt. Hingegen haben sich an anderer Stelle verschiedentlich Spuren der Ghettoräumungen erhalten, da diese meist einen tiefen Eingriff in das Leben der jeweiligen Städte bedeuteten. Die Tätergeschichte muss deshalb in erheblichem Ausmaß aus Justizakten rekonstruiert werden, die zunächst die polnischen (und sowjetischen) Ermittlungsbehörden produzierten, später dann vor allem die deutschen und österreichischen. Quantitativ und qualitativ ragen dabei die bundesdeutschen NS-Verfahren der sechziger und siebziger Jahre heraus. Doch auch polnischen Strafbehörden gelang es, einiger deutscher Täter und vieler ihrer auslandsdeutschen, polnischen oder ukrainischen Helfer habhaft zu werden. Freilich erschien die Strafverfolgung in Polen Anfang der fünfziger Jahre als abgeschlossen und wurde erst seit Mitte der Sechziger phasenweise wieder intensiviert, etwa um Rechtshilfe für westdeutsche Gerichte zu leisten. Sehr wenig ist bekannt über die sowjetischen Strafverfahren, die zuerst von der Geheimpolizei, dann auch von den regulären Ermittlungsorganen übernommen wurden. Dabei wurde kaum ein deutscher Täter aus dem Umfeld der „Aktion Reinhard" gefasst, jedoch viele einheimische Helfer von der Hilfspolizei des Generalgouvernements und aus dem Ausbildungslager Trawniki. Diese Ermittlungsakten lassen sich nur mit gehöriger quellenkritischer Vorsicht benutzen, da die Verfahren eindeutig nicht unter rechtsstaatlichen Bedingungen zustande kamen. Freilich stellt sich dieses methodische Problem, unter anderen Prämissen, auch für die Aussagen der Täter vor westdeutschen Behörden. Dort haben sie alles darauf angelegt, ihre Taten zu verbergen.

In erheblich geringerer Zahl liegen zeitgenössische Zeugnisse aus dem Kreis der Opfer vor, so Dokumente jüdischer Institutionen wie der Judenräte, Fürsorgeeinrichtungen oder des illegalen Untergrunds. Als ebenso authentisch und wertvoll sind die persönlichen Überlieferungen der Opfer aus der Kriegszeit einzustufen, vor allem Tagebücher und Briefwechsel. Die zahllosen Zeugenberichte und Memoiren aus der Nachkriegszeit bieten ein sehr schillerndes Bild, das je nach Nähe zum Gegenstand und Ausmaß der Traumatisierung variieren kann. Insbesondere in der unmittelbaren Zeit nach

---

[13] RAUL HILBERG, Täter, Opfer, Zuschauer. Die Vernichtung der Juden 1933–1945, Frankfurt/M. 1992.

Kriegsende entstanden höchst zuverlässige Zeugnisse, die unser Wissen bereichern.

Kaum erschlossen sind bisher die Dokumente von „dritter" Seite, hier vor allem aus dem polnischen Untergrund. Dabei kann sich die Überlieferung der Widerstandsgruppen, der polnischen Exilregierung in London oder ihrer Vertretung im Lande, der Delegatura, bisweilen als außerordentlich erhellend erweisen. Selbst die westalliierte Geheimdiensttätigkeit gegen das Reich birgt ungehobene Schätze für die hier interessierenden Fragen, wie die bisher ermittelten abgefangenen deutschen Funksprüche.

Freilich kann man, angesichts der weitgehenden Zerstörung der Quellen, nicht bei der schriftlichen Überlieferung stehen bleiben. Sowohl die Geschichte der Ghettoräumungen als auch die der Lager erfordert eine Beschäftigung mit Geographie und Topographie. Auch die kürzlich vorgenommenen Ausgrabungen auf den Lagergeländen bereichern die Detailforschung zu den Verbrechen. Eher wenig benutzte Quellen wie Fotos oder Luftbilder tragen, in Kombination mit anderen Erkenntnissen, zur Klärung mancher Frage bei. Deshalb erscheint eine systematische und kritische Katalogisierung aller derartigen Quellen immer noch dringend erforderlich.

Diese Vielfalt an Fragmenten deutet zugleich auf die Grenzen der Überlieferung hin, die gerade bei der Erforschung der „Aktion Reinhard" zu Tage treten: Im Gegensatz zur Rekonstruktion des Judenmordes in West- und Zentraleuropa ist es kaum mehr möglich, biographische Angaben zu allen Opfern zu ermitteln. Aus manch kleiner Gemeinde überlebte überhaupt niemand, so dass auch keine unmittelbaren Zeugenaussagen vorliegen. Ebenso fehlt es an Dokumentationen aus den Lagern, wie sie etwa für die meisten Konzentrationslager vorliegen. Die Verwischung der Spuren, die die Täter ab 1943 mit großer Energie betrieben, war zwar letzten Endes erfolglos, macht es dem Historiker aber dennoch außerordentlich schwer.

Themenfelder und Desiderate

Ebenso wie die Entscheidungsfindung zur „Endlösung" insgesamt ist auch der Weg zur „Aktion Reinhard" Gegenstand von historiographischen Diskussionen. Zweifellos bildeten sowohl die radikale Besatzungsherrschaft in Polen als auch die europaweiten Entscheidungen und der extremistische Funktionär Odilo Globocnik wichtige Voraussetzungen dafür, dass die Morde gerade im Osten des Generalgouvernements stattfanden. Doch besteht kein Konsens darüber, ob sich Überlegungen und Pläne zum massenhaften Mord an Juden bereits vor dem Sommer 1941, bei Himmlers Lublin-Besuch am 20. Juli 1941 oder erst später materialisierten. Manche Historiker sehen vielmehr einen Entscheidungsprozess, der sich bis in den Juni 1942, ja sogar bis zum berüchtigten Befehl Himmlers am 19. Juli 1942 hinzog. Während radikale antisemitische Vorschläge Globocniks schon für die Frühzeit der Besatzung nachweisbar sind, dürfte die unmittelbare Vorbereitung des Massenmordes in die Monate ab September/Oktober 1941 gefallen sein. Kein Konsens besteht darüber, ob dies auf Globocniks Vorschläge zurückging oder auf eine europaweite Planung in Berlin, und ob schon zu diesem Zeitpunkt 1941 geplant war, alle Juden in absehbarer Zeit zu ermorden.[14] Überhaupt konnte der Anteil der zentralen Verfolgungsinstanz im Nationalsozialismus, des Reichssicherheitshauptamts, an den Morden im Generalgouvernement bisher nicht geklärt werden.

Im Kern der „Aktion Reinhard" steht die Organisation dieses Massenmordes, also vor allem der Apparat des SS- und Polizeiführers (SSPF) in Lublin. Zwar liegen inzwischen zahlreiche detaillierte Informationen zu den wichtigsten Tätern vor, die aus Synthesen und Regionalstudien gewonnen werden konnten. Dennoch sind Biographien oder Studien zum Stab des SSPF eher Mangelware. Kaum Zweifel bestehen an der zentralen Bedeutung von Odilo Globocnik, der aus einem radikalen österreichischen NSDAP-Milieu stammte und seinen Antislawismus wie auch seinen Antisemitismus im Osten ausleben konnte.[15] Im Vergleich dazu sind die Kenntnisse über den eigentlichen „Geschäftsführer" der „Aktion Reinhard" und späteren Stabsführer des SSPF, Hermann Höfle, spärlich. In manchen Publikationen wird er bis heute mit dem falschen Vornamen „Hans" geführt. Dabei wies Höfle zahlreiche Parallelen zu dem ranggleichen, aber ungleich besser erforschten Adolf Eichmann auf: Lebensjahre in Österreich, ähnliche Funktion bei der Koordinierung des Massenmordes, die persönliche Leitung mindestens einer großen Mordaktion und schließlich ein fast paralleles Nachkriegsschicksal.[16] Vergleichsweise gut ist die Tätigkeit von Globocniks Personal für die Zeit ab Herbst 1943 erforscht, als es seine verbrecherische

---

[14] BOGDAN MUSIAL, The Origins of „Operation Reinhard". The decision-making process for the mass murder of the Jews in the Generalgouvernement, in: Yad Vashem Studies 28 (2000), S. 113–153; PETER KLEIN, Die Rolle der Vernichtungslager Kulmhof (Chełmno), Belzec (Bełżec) und Auschwitz-Birkenau in den frühen Deportationsvorbereitungen, in: Lager, Zwangsarbeit, Vertreibung und Deportation, hg. v. DITTMAR DAHLMANN/GERHARD HIRSCHFELD, Essen 1999, S. 459–481; CHRISTOPHER BROWNING, Die Entfesselung der „Endlösung". Nationalsozialistische Judenpolitik 1939-1942, München 2003, S. 515 ff.

[15] PETER R. BLACK, Odilo Globocnik, „Himmlers Vorposten im Osten", in: Die Braune Elite II, hg. v. RONALD SMELSER/ENRICO SYRING/RAINER ZITELMANN, Darmstadt 1993, S. 103–115; DERS., Rehearsal for „Reinhard"? Odilo Globocnik and the Lublin Selbstschutz, in: Central European History 25 (1992), S. 204–226; ZYGMUNT MAŃKOWSKI, Odilo Globocnik und die Endlösung der Judenfrage, in: Studia Historiae Oeconomicae 21 (1994), S. 147–155. MAURICE WILLIAMS, Friedrich Rainer e Odilo Globocnik. L'amicizia insolita e i ruoli sinistri di due nazisti tipici, in: Quaderni di Qualestoria 25 (1997), H. 1.

[16] BERTRAND PERZ, Wien, arbeitet an einer Untersuchung zum Stab des SSPF Lublin.

Tätigkeit in den italienisch-jugoslawischen Grenzraum bei Triest verlegte und ein Lager in San Sabba errichtete.[17]

Der Stab des SSPF agierte in Polen jedoch nicht autonom, sondern stellte eher eine nachrangige SS-/Polizeistruktur dar, die besonders von Himmler aufgewertet wurde. Doch weder die übergeordnete Instanz, der Höhere SS-und Polizeiführer in Krakau,[18] noch die anderen Herrschaftsstrukturen wie insbesondere die Sicherheitspolizei im Generalgouvernement sind gründlich erforscht. Indizien deuten darauf hin, dass in der Sicherheitspolizeischule von Zakopane der Massenmord regelrecht geübt wurde.[19] Während für Gebiete außerhalb Polens gerade diese Teile der Exekutive einer gründlichen Untersuchung unterzogen wurden, ist man für die polnischen Territorien weitgehend auf ältere, oft verdienstvolle polnischsprachige Publikationen angewiesen. Diese konzentrieren sich jedoch auf Polizeistrukturen sowie die Bekämpfung des Widerstands und thematisieren den Judenmord höchstens am Rande.[20]

Die größten Schwierigkeiten der Rekonstruktion ergeben sich an den eigentlichen Schauplätzen der „Aktion Reinhard", den Vernichtungslagern Belzec, Sobibor und Treblinka.[21] Die grundlegenden Arbeiten von Rückerl

---

[17] FERRUCCIO FÖLKEL, La Risiera di San Sabba. Trieste e il litorale adriatico durante l'occupazione nazista, Milano 1979; CAPIRE LA RISIERA, A Trieste un lager del sistema nazista. Atti del Corso di Formazione per Guide Didattiche alla Risiera di San Sabba di Trieste, gennaio–febbraio 1995, Trieste 1996; MICHAEL KOSCHAT, Das Polizeihaftlager in der Risiera di San Sabba und die deutsche Besatzungspolitik in Triest 1943–1945, in: Zeitgeschichte 19 (1992), S. 157–171; jetzt umfassend: MICHAEL WEDEKIND, Nationalsozialistische Besatzungs- und Annexionspolitik in Norditalien 1943 bis 1945. Die Operationszonen „Alpenvorland" und „Adriatisches Küstenland", München 2003.

[18] LARRY V. THOMPSON, Friedrich-Wilhelm Krüger – Höherer SS- und Polizeiführer Ost, in: Die SS: Elite unter dem Totenkopf, hg. v. RONALD SMELSER/ENRICO SYRING, Paderborn 2000, S. 320–331.

[19] Vgl. JÓZEF KASPEREK, Podhale w latach wojny i okupacji niemieckiej 1939–1945, Warszawa 1990; und KLAUS-MICHAEL MALLMANN, „Mensch, ich feiere heut' den tausendsten Genickschuß". Die Sicherheitspolizei und die Shoa in Westgalizien, in: Die Täter der Shoah. Fanatische Nationalsozialisten oder ganz normale Deutsche?, hg. v. GERHARD PAUL, Göttingen 2002, S. 109–136.

[20] WŁODZIMIERZ BORODZIEJ, Terror und Politik. Die deutsche Polizei und die polnische Widerstandsbewegung im Generalgouvernement 1939–1944, Mainz 1999 (zuerst 1985; KdS Radom); STANISŁAW BIERNACKI, Okupant a polski ruch oporu. Władze hitlerowskie w walce z ruchem oporu w dystrykcie warszawskim 1939–1944, Warszawa 1989 (KdS Warschau); JÓZEF BRATKO, Gestapowcy, 2. erw. Aufl. Kraków 1990 (KdS Krakau). Schwach: ALWIN RAMME, Der Sicherheitsdienst der SS, Berlin 1970.

[21] Vgl. allgemein ZYGMUNT MAŃKOWSKI, Obozy zagłady na terenie dystryktu lubelskiego, ich system i funkcje, in: Zeszyty Majdanka 17 (1996), S. 39–50; JÓZEF MARSZAŁEK, System obozów śmierci w Generalnym Gubernatorstwie i jego funkcje (1942–1943), ebd., S.

und Arad, aber auch ein Sammelband zu den Massenmorden durch Gift-gas,[22] stießen hier bald an Grenzen. Sie werden jetzt durch einen Versuch ergänzt, den „Inspekteur der Sonderkommandos Einsatz Reinhard", Christi-an Wirth, zu porträtieren, der von einem kleinen Büro in Lublin aus die Lager koordinierte.[23] Augenscheinlich ist der Zusammenhang zwischen dem Massenmord an Behinderten im Reich, der so genannten Aktion T4, und den Vernichtungslagern in Polen. Mit dem Personal wurden auch Konzepte und Erfahrungen beim Massenmord in den Osten transferiert.[24] Freilich fehlt es gerade an Informationen aus der Frühzeit der Lager, über Vorgeschichte und Lagerbau.

In den letzten Jahren konnten erste Erkenntnisse über das nichtdeutsche Wachpersonal aller dieser Lager, die so genannten Trawnikis, gewonnen werden. Sie rekrutierten sich bis Ende 1942 nahezu ausschließlich aus kriegsgefangenen Rotarmisten, vorzugsweise Russlanddeutschen und Ukrai-nern, die im Ausbildungslager des SSPF Lublin in Trawniki zu paramilitäri-schen Einheiten herangebildet wurden. Die Publizität dieser Hilfstruppe durch den spektakulären Prozess gegen Ivan Demjanjuk in Jerusalem hat auch zu einigen problematischen Veröffentlichungen geführt.[25] Doch ist, dank neuer Erkenntnisse aus postsowjetischen Geheimdienstarchiven und dank der Ermittlungen nordamerikanischer Strafbehörden, eine wissenschaft-liche Erforschung in Gang gekommen.[26]

17–38; wenig Neues in: MICHAŁ MARANDA, Nazistowskie obozy zagłady. Opis i próba analizy zjawiska, Warszawa 2002.

[22] Nationalsozialistische Massentötungen durch Giftgas. Eine Dokumentation, hg. v. EUGEN KOGON/HERMANN LANGBEIN/ADALBERT RÜCKERL u. a., Frankfurt/M. 1983, S. 146–193.

[23] MICHAEL TREGENZA, Christian Wirth. Inspekteur der Sonderkommandos „Aktion Reinhard", in: Zeszyty Majdanka 15 (1993), S. 7–55.

[24] Siehe den Beitrag von PATRICIA HEBERER in diesem Band; ERNST KLEE, Was sie taten – was sie wurden. Ärzte, Juristen und andere Beteiligte am Kranken- oder Judenmord, Frankfurt/M. 1986; HENRY FRIEDLANDER, Der Weg zum NS-Genozid. Von der Euthanasie zur Endlösung, Berlin 1997; aus der umfangreichen Forschung zur „Euthanasie" zuletzt, mit Bezug zu Belzec: THOMAS SCHILTER, Unmenschliches Ermessen. Die nationalsozialistische „Euthanasie"-Tötungsanstalt Pirna-Sonnenstein 1940/41, Leipzig 1999.

[25] TOM TEICHOLZ, The Trial of Ivan the Terrible. State of Israel vs. John Demjanjuk, New York 1990; The Demjanjuk Trial, hg. v. ASHER FELIX LANDAU [Tel Aviv 1991]; MENAHEM GRILAK, Sha'ul Maizlish El ha-gardom uva-hazarah: Sipuro ha-nora shel mahaneh ha-hashmadah Treblinkah ba-shanim 702–703 1942-3, 'al reka' mishpato shel G'on Ivan Demyanyuk, Yerushalayim 746–753/1986–93, Yerushalayim [1993 oder 1994]. YORAM SHEFTEL, Parashat Demjanjuk, Tel Aviv 1993.

[26] Vgl. den Beitrag von PETER BLACK in diesem Band; DAVID RICH, Reinhard's Footsol-diers. Soviet Trophy Documents and Investigative Records as Sources, in: Remembering for the Future. The Holocaust in an Age of Genocide, hg. v. JOSEPH K. ROTH/ELISABETH MAXWELL, Basingstoke, New York 2002, Bd. 1, S. 687–701. Zuerst: WOLFGANG SCHEFF-

Betrachtet man nun die Lager im Einzelnen, so finden sich die wenigsten Erkenntnisse zu Belzec, weil hier nicht nur alle Akten zerstört wurden, sondern es auch fast keine überlebenden Opfer gab (ihre Zahl, zwischen zwei und fünf, ist nicht geklärt).[27] Nicht zuletzt deshalb verliefen auch die Strafverfahren wegen der Morde in Belzec recht dürftig, und man war lange Zeit auf ältere, oft ungenaue Veröffentlichungen angewiesen.[28] Zwar lässt sich inzwischen einiges über den ersten Lagerkommandanten Wirth und seinen „Adjutanten" Josef Oberhauser ermitteln, kaum jedoch etwas über den zweiten Kommandanten Gottlieb Hering und die deutsche Lagermannschaft.[29] Daneben hat vor allem ein Lagerbesuch des SS-Hygienikers Kurt Gerstein viel Aufmerksamkeit erfahren, dessen unpräzise Niederschriften unmittelbar nach Kriegsende im Westen lange Zeit als zentrale Dokumente angesehen wurden. Doch selbst diese Inspektionen sind noch nicht völlig ausgeleuchtet.[30] Um mehr über das Lager zu erfahren, erweist sich eine detaillierte Recherche vor Ort als unumgänglich. Auch hier gilt es noch zu erforschen, was die Anwohner und der polnische Untergrund vom Lager wussten.[31] Nach den Grabungen auf dem Lagergelände Ende der neunziger Jahre und nach dem Auffinden der Abschlussstatistik der „Aktion Reinhard"

LER, Probleme der Holocaust-Forschung, in: Deutsche – Polen – Juden. Ihre Beziehungen von den Anfängen bis ins 20. Jahrhundert, hg. v. STEFI JERSCH-WENZEL, Berlin 1987, S. 259–281. Einige Dokumente in: MARIA WARDZYŃSKA, Formacja Wachmannschaften des SS- und Polizeiführers im Distrikt Lublin, Warszawa 1992.

[27] Der „klassische" Überlebendenbericht: RUDOLF REDER, Bełżec, Kraków [2]1999 (zuerst 1946, 2. Aufl. poln. und engl.).

[28] EUGENE SZROJT, Obóz zagłady w Bełżcu, in: BGK 3 (1947), S. 31–48; NELLA ROST-HOLLANDER, Belzec, cámara de gas; tumba de 600 000 mártires judíos, [Montevideo 1963]; MICHAEL TREGENZA, Belzec Death Camp, in: Wiener Library Bulletin 30 (1977) H. 41/42, S. 8–25; Mahaneh hashmadah Belz'ets, Hefah 1982.

[29] MICHAEL TREGENZA, Christian Wirth a pierwsza faza „Akcji Reinhard", in: Zeszyty Majdanka 14 (1992), S. 7–37; DERS., Bełżec - okres eksperymentalny, listopad 1941 – kwiecień 1942, ebd., 21 (2001), S. 165–209; zu Oberhausers Aktivitäten in Italien vgl. SERGIO KOSTORIS, Contro Joseph Oberhauser. Processo al nazismo per i crimini della risiera di Trieste, Trieste 1978.

[30] SAUL FRIEDLÄNDER, Kurt Gerstein oder die Zwiespältigkeit des Guten, Gütersloh 1968; PIERRE JOFFROY, Der Spion Gottes. Kurt Gerstein - ein SS-Offizier im Widerstand? Erw. Ausg. Berlin 1995; JÜRGEN SCHÄFER, Kurt Gerstein - Zeuge des Holocaust. Ein Leben zwischen Bibelkreisen und SS, Bielefeld 1999. FLORENT BRAYARD (Paris) bereitet eine größere Studie zu Gerstein vor.

[31] MICHAEL TREGENZA, Belzec - das vergessene Lager des Holocaust, in: Jahrbuch des Fritz-Bauer-Instituts 2000, S. 241–267; vgl. JANUSZ PETER, Tomaszów za okupacji, Tomaszów Lubelski 1991.

von Ende 1942 konnten immerhin neue Detailkenntnisse gewonnen werden.[32]

Das – chronologisch gesehen – zweite Vernichtungslager bei Sobibor hat dagegen mehr Aufmerksamkeit erfahren, weil hier eine Häftlingsrevolte glückte und einige der Flüchtigen ihr Leben retten konnten.[33] Zunächst war es wieder die polnische Hauptkommission, die erste Untersuchungsergebnisse publizierte, dann das Jüdische Historische Institut und freie Autoren.[34] Viele Überlebende verfassten Memoiren,[35] einige unter ihnen gingen allmählich dazu über, weiteres Material zusammenzutragen und eigenständige Forschungen zu betreiben. Deshalb kann Sobibor inzwischen als dasjenige der drei Vernichtungslager angesehen werden, das am besten untersucht ist.[36] Insbesondere die Revolte der Häftlinge am 15. Oktober 1943 erweckte nach dem Krieg große Publizität. Einer der führenden Aufständischen begann bereits unmittelbar nach Kriegsende mit der Veröffentlichung seiner Erlebnisse.[37] Zahlreiche Darstellungen und romanhafte Rekonstruktionen folgten.[38]

Vergleichbar gut ist das größte der drei Vernichtungslager, Treblinka, untersucht. Obwohl es nur vierzehn Monate existierte, wurden dort etwa ähnlich viele Juden ermordet wie in Auschwitz. Trotzdem finden sich, abgesehen von ein paar Dokumentensplittern, kaum noch zeitgenössische Quellen. Hier sind besonders die Akten der zwei Treblinka-Prozesse in Düsseldorf heranzuziehen. Es hat viele Versuche gegeben, Zeugnisse zur Lagergeschichte zu sammeln, angefangen bei den frühen Broschüren von

---

[32] ROBIN O'NEIL, Belzec – the „Forgotten" Death Camp, in: East European Jewish Affairs 28 (1998), H. 2, S. 49–62; ANDRZEJ KOLA, Hitlerowski obóz zagłady w Bełżcu w świetle źródeł archeologicznych: badania 1997–1999, Warszawa, Waszyngton 2000; PETER WITTE/STEPHEN TYAS, A New Document on the Deportation and Murder of Jews during „Einsatz Reinhard" 1942, in: Holocaust and Genocide Studies 15 (2001), S. 468–486.

[33] Einen ausführlichen Überblick zur Forschung bietet: ROBERT KUWAŁEK, Obóz zagłady w Sobiborze w historiografii polskiej i obcej, in: Zeszyty Majdanka 21 (2001), S. 115–160.

[34] Sobibor. Martyrdom and Revolt. Documents and Testimonies, hg. v. MIRIAM NOVITCH, New York 1980.

[35] STANISLAW SZMAJZNER, Inferno em Sobibor; a tragédia de um adolescente judeu, Rio de Janeiro 1968; DOV FRAIBERG, Sarid mi-Sobibor, Ramlah [1988].

[36] J. SCHELVIS, Vernietigingskamp Sobibor, Amsterdam 1993 (auch gekürzte deutsche Ausgabe); THOMAS TOIVI BLATT, Nur die Schatten bleiben. Der Aufstand im Vernichtungslager Sobibór, Berlin 2000.

[37] A. PETSHORSKI, Der oifshtand in Sabibur, Moskve 1946; A. PECZORSKI, Powstanie w Sobiborze, in: BŻIH H. 3, 1952, S. 3–45.

[38] ROMUALD KARAŚ, SS-mani do przymiarki przychodzili pojedynczo. Bunt w obozie Sobibór, 1943, in: Odra 18 (1978) H. 4, S. 7–25; A. RUTKOWSKI, Ruch oporu w hitlerowskim obozie straceń Sobibór, in: BŻIH Nr. 65/66 (1968), S. 3–49. Romanhaft: MICHAIL LEV, Sud posle prigovora, Moskva 1982 (jidd.: Lange shots, Roman, Moskve 1988); RICHARD RASHKE, Flucht aus Sobibor, Roman, Gerlingen 1998.

Jankel Wiernik und Vasilij Grossman.[39] Ein umfassenderer Blick war freilich erst möglich, als die Prozessmaterialien zugänglich wurden. Teilweise
wurden sie von polnischen Autoren verwendet.[40] Yitzhak Arads erste Darstellung des Lagers ging dann in seine Synthese zur Geschichte der „Aktion
Reinhard" ein.[41] Auch hier ist der Häftlingsaufstand vom 2. August 1943
vor allem Gegenstand von Memoiren oder fiktionalisierten Darstellungen
geworden.[42] Obwohl schon einige Untergrundberichte zum Lager veröffentlicht wurden, fehlt es an Untersuchungen zum Umfeld von Treblinka.[43]

In der Diskussion bleibt die Frage, inwieweit das Konzentrationslager
Majdanek an die „Aktion Reinhard" angebunden war. Zweifelsohne organisierte Globocnik den frühen Aufbau dieses Lagers. Doch verlor er bald an
Einfluss, als die Inspektion der Konzentrationslager die Haftstätte betrieb. So
fiel Majdanek zeitweise eine Art „Ausweichfunktion" für Globocniks Mordaktionen zu. Frühzeitig wurden beim Lagergelände Lubliner Juden erschossen, und es gelangten slowakische Juden in das Lager. Vermutlich gehörten
die systematischen Mordaktionen an Juden ab Herbst 1942 zwar formell zur
„Aktion Reinhard", waren jedoch kein integraler Bestandteil. Über das
Lager „Alter Flughafen", in dem geraubte Kleidung bearbeitet wurde,
bestand ein personeller Zusammenhang zwischen Majdanek und dem Stab
des SSPF. Und schließlich wurde das Massaker der „Aktion Erntefest" im

[39] JANKEL WIERNIK, A Jor in Treblinke, New York 1944; WASSILIJ GROSSMANN, Die
Hölle von Treblinka, Moskau 1946; RACHELA AUERBACH, Ojf di felder fun Treblinke,
Warshe 1947; Treblinka, hg. v. J. GUMKOWSKI/A. RUTKOWSKI, [Warszawa ca. 1962];
MIRIAM NOVITCH, La vérité sur Treblinka, o.O. 1967; The Death Camp Treblinka. A
Documentary, hg. v. ALEXANDER DONAT, New York 1979 (darin auch WIERNIK).

[40] S. WOJTCZAK, Karny obóz pracy Treblinka I i ośrodek zagłady Treblinka II, in: BGK
26 (1975), S. 117–185; RYSZARD CZARKOWSKI, Cieniom Treblinki, Warszawa 1989.
Angekündigt ist: WITOLD CHROSTOWSKI, Extermination Camp Treblinka, London, Portland,
Oreg., 2003.

[41] YITZHAK ARAD, Treblinka: Avdan u-mered, Tel Aviv 1983.

[42] SELEK BERKOWITZ, Treblinka. Det största massmordet i mänsklighetens historia.
Dokument och vittnesbörd, [Stockholm] 1988; SAMUEL WILLENBERG, Surviving Treblinka,
Oxford, New York 1989; RICHARD GLAZAR, Die Falle mit dem grünen Zaun: Überleben in
Treblinka, Frankfurt/M. 1992; EDI WEINSTEIN (EDDÎ WAYNSTEYN), Quenched Steel. The
story of an escape from Treblinka, Jerusalem 2002. Romanhaft: JEAN-FRANÇOIS STEINER,
Treblinka. Die Revolte eines Vernichtungslagers, Oldenburg, Hamburg 1966.

[43] K. MARCZEWSKA/W. WAZNIEWSKI, Treblinka w świetle akt delegatury Rzadu RP na
kraj, in: BGK 19 (1968), S. 129–164; vgl. FRANCISZEK ZĄBECKI, Wspomnienia dawne i
nowe, Warszawa 1977.

November 1943 auch durch den SSPF Sporrenberg, Globocniks Nachfolger, organisiert.[44]

Nach der Auswertung der wenigen erhaltenen zeitgenössischen Dokumente, vor allem aber der Zeugenaussagen von Tätern und Opfern, schien es lange so, als seien weitere Forschungen kaum mehr möglich. Doch hat schon das Auffinden der statistischen „Zwischenmeldung" in britischen Geheimdienstakten gezeigt, dass noch an den entlegensten Stellen gesucht werden muss. Allein dieses Dokument deutet darauf hin, dass die Gesamtzahl der Opfer in den Lagern der „Aktion Reinhard" niedriger ist, als bisher angenommen, nämlich bei etwa 1,5 Millionen liegt. Damit werden die Forschungsergebnisse von Wolfgang Scheffler bestätigt, die er in den sechziger und siebziger Jahren unter erheblich schwierigeren Bedingungen, als sie heute herrschen, ermittelt hat.[45] Sowohl die Kenntnisse der Untergrundbewegungen über die Lager als auch die individuelle Verflechtung mit den Anwohnern muss noch genauer untersucht werden. Schließlich bergen die Hunderte von Geheimpolizeiverfahren gegen Trawnikis in der Sowjetunion noch zahllose Informationen[46], so etwa zu den Revolten unter den Wachmännern in Belzec.

Die meisten Opfer lebten wohl nur einige Stunden oder gar Minuten in den Lagern, dagegen gelang es nur wenigen, sich in die „Sonderkommandos" zu retten. Während die Geretteten aus Sobibor und Treblinka ausführlich über das Leben der jüdischen Häftlinge berichten konnten, bleiben solche aus Belzec fast völlig anonym. Zu wünschen bleiben schließlich auch Erkenntnisse über das Schicksal nichtjüdischer Personen, die in die Lager deportiert wurden. Einige spärliche Informationen zu polnischen Roma sind vorhanden, darüber hinaus gibt es nur vage Indizien für die Anwesenheit

---

[44] TATIANA BERENSTEIN/ADAM RUTKOWSKI, Żydzi w obozie koncentracyjnym Majdanek (1941-1944), in: BŻIH Nr. 58 (1966) S. 3–57; TOMASZ KRANZ, Das KL Lublin – zwischen Planung und Realisierung, in: Die nationalsozialistischen Konzentrationslager, hg. v. ULRICH HERBERT/CHRISTOPH DIECKMANN/KARIN ORTH, Göttingen 1998, S. 363–398; DERS., Eksterminacja Żydow na Majdanku i rola obozu w realizacji „Akcji Reinhardt", in: Zeszyty Majdanka 22 (2003), S. 7–55; ROBERT KUWAŁEK, Żydzi lubelscy w obozie koncentracyjnym na Majdanku, in: ebd., S. 77–120; und demnächst BARBARA SCHWINDT (Köln) in ihrer Dissertation: Das Konzentrations- und Vernichtungslager Majdanek – Funktionswandel im Kontext der „Endlösung".

[45] Täter und Gehilfen des Endlösungswahns, hg. v. HELGE GRABITZ, Hamburg 1999, S. 167 ff.

[46] Neotvratimoe vozmezdie. Po materialam sudebnych processov nad izmennikami rodiny, fašistskimi palačami i agentami imperialističeskich razvedok, hg. v. S. S. MAKSIMOV, Moskva ²1979, S. 148–159.

von Roma aus anderen Ländern.[47] Nicht ganz geklärt ist auch, wie viele nichtjüdische Polen, etwa Gefängnisinsassen, Opfer der Lager geworden sind.

Erheblich besser sieht die Quellen- und Forschungssituation aus, wenn man nicht nur auf die Lager selbst, sondern auf das Umfeld der „Aktion Reinhard" blickt, die so genannten Ghettoräumungen. Alle Deportationen, die in die Lager Belzec, Sobibor und Treblinka führten, sind als Teil der „Aktion Reinhard" anzusehen. Nicht nur ist hierzu die Aktenüberlieferung der Besatzungsherrschaft erheblich dichter als für die Lager selbst, auch sind nahezu alle Überlebenden aus diesen Regionen irgendwann einmal Zeugen dieser blutigen Aktionen geworden. Bei den Ermittlungen deutscher Behörden zu NS-Straftaten spielten die Verfahren wegen Ghettoräumungen eine nicht unerhebliche Rolle.

Es war wiederum Wolfgang Scheffler, der als Prozessgutachter auch die Geschichtswissenschaft auf die Bedeutung dieser Vorgänge aufmerksam gemacht hat.[48] Zwar existierten schon vorher zahllose Gedenkbücher, Memoiren und vereinzelt auch Monographien, die die Geschichte der Ghettos thematisierten. Doch wurde in diesen Publikationen der Räumung der Ghettos zur Ermordung der Insassen meist nur ein kleines Unterkapitel gewidmet, in dem oftmals weder die Zusammenhänge der Verfolgung herausgearbeitet noch alle verfügbaren Quellen herangezogen wurden. Dies hat sich erst seit den neunziger Jahren geändert, und zwar mit einer Reihe von Regional- und Mikrostudien, in denen die Razzien in den Städten im Detail rekonstruiert wurden.

Bei diesen Untersuchungen, die sich auf die Täter konzentrierten, wurde zusehends die vielfältige Involvierung und Arbeitsteilung fast aller Besatzungsbehörden beim Massenmord deutlich.[49] Neben dem SS- und Polizeiapparat drängte besonders die Zivilverwaltung mit ihren vielen Fachressorts auf die Ermordung der Juden und beteiligte sich aktiv daran.[50] Einige Hi-

---

[47] MICHAEL ZIMMERMANN, Rassenutopie und Genozid. Die nationalsozialistische „Lösung der Zigeunerfrage", Hamburg 1996, S. 280; ELENA MARUSHIAKOVA/VESSELIN POPOV, Die bulgarischen Roma während des Zweiten Weltkriegs, in: Sinti und Roma unter dem Nazi-Regime, hg. v. DONALD KENRICK, Bd. 2, Berlin 2000, S. 93–98.

[48] WOLFGANG SCHEFFLER, The Forgotten Part of the „Final Solution". The Liquidation of the Ghettos, in: Simon Wiesenthal Center Annual 2 (1985), S. 31–51.

[49] Vgl. CHRISTOPHER BROWNING, Mehr als Warschau und Lodz. Der Holocaust in Polen, in: DERS., Der Weg zur „Endlösung". Entscheidungen und Täter, Bonn 1998, S. 127–148; DIETER POHL, Die Ermordung der Juden im Generalgouvernement, in: Nationalsozialistische Vernichtungspolitik 1939 bis 1945, hg. v. ULRICH HERBERT, Frankfurt/M. 1998, S. 100–126.

[50] BOGDAN MUSIAL, Deutsche Zivilverwaltung und Judenverfolgung im Generalgouvernement. Eine Fallstudie zum Distrikt Lublin 1939–1944, Wiesbaden 1999; DERS., Verfolgung und Vernichtung der Juden im Generalgouvernement. Die Zivilverwaltung und die Shoah, in:

storiker sehen dahinter die Folgen bestimmter Konzepte der Zivilverwalter, die stark demographisch oder ökonomisch motiviert waren.[51]

Nicht nur an der Organisation, sondern auch an der Durchführung der Menschenjagden beteiligten sich die unterschiedlichsten Behörden. Zwar ist die Sicherheitspolizei hier als federführend anzusehen, doch wurde fast durchweg zugleich auch die Ordnungspolizei eingesetzt. Nach einigen polnischen Veröffentlichungen[52] hat dies Christopher Browning in einer bahnbrechenden Studie am Beispiel des im Raum Lublin eingesetzten Polizeibataillons 101 nachgezeichnet.[53] Für die stationäre Ordnungspolizei, also die Gendarmerie auf dem Lande und die Schutzpolizei in den größeren Städten, steht eine solche Analyse noch aus.[54] Ebenso mangelt es an systematischen Untersuchungen zur Beteiligung der Arbeitsämter an den Planungen und an den Selektionen zur Auswahl der Opfer, zum Einsatz von Wehrmachteinheiten bei Ghettoräumungen und so weiter. Lediglich die Männer vom Zoll sind unter diesem Gesichtspunkt näher erforscht worden.[55]

Eine fundamentale Funktion hatte die Deutsche Reichsbahn bei der „Aktion Reinhard" inne. Über die Generalbetriebsleitung Ost und die Gene-

---

Die Täter der Shoah. Fanatische Nationalsozialisten oder ganz normale Deutsche?, hg. v. GERHARD PAUL, Göttingen 2002, S. 187–203. Vgl. JULIAN LESZCZYŃSKI, Hitlerowska administracja cywilna a zagłada getta warszawskiego, in: BŻIH H. 86/87, 1973, S. 179–188.

[51] GÖTZ ALY/SUSANNE HEIM, Vordenker der Vernichtung. Auschwitz und die deutschen Pläne für eine neue europäische Ordnung, Hamburg 1991; diess., The Economics of the Final Solution. A Case Study from the General Government, in: Simon Wiesenthal Center Annual 5 (1988), S. 3–48; GÖTZ ALY, „Endlösung". Völkerverschiebung und der Mord an den europäischen Juden, Frankfurt/M. 1995; CHRISTIAN GERLACH, Die Bedeutung der deutschen Ernährungspolitik für die Beschleunigung des Mordes an den Juden 1942, in: DERS., Krieg, Ernährung, Völkermord. Forschungen zur deutschen Vernichtungspolitik im Zweiten Weltkrieg, Hamburg 1998, S. 167–257.

[52] STANISŁAW BIERNACKI/BLANDYNA MEISSNER/JAN MIKULSKI, Policja Porządkowa w Generalnej Guberni. Wybór dokumentów. I: Lata 1939–1942, in: BGK 31 (1982), S. 128–288; WOJCIECH ZYŚKO, Eksterminacyjna działalność Truppenpolizei w dystrikcie lubelskim w latach 1943–1944, in: Zeszyty Majdanka 6 (1972), S. 155–210.

[53] CHRISTOPHER R. BROWNING, Ganz normale Männer. Das Reserve-Polizeibataillon 101 und die Endlösung in Polen, Reinbek 1993; vgl. als andere Interpretation: DANIEL JONAH GOLDHAGEN, Hitlers willige Vollstrecker. Ganz gewöhnliche Deutsche und der Holocaust, Berlin 1996, S. 243–313; daneben PAUL DOSTERT, Luxemburger im Reserve-Polizei-Bataillon 101 und der Judenmord in Polen, Luxembourg 2000; STEFAN KLEMP, Freispruch für das „Mord-Bataillon". Die NS-Ordnungspolizei und die Nachkriegsjustiz, Münster 1998 (Polizeibataillon 61).

[54] Fallstudie: THOMAS GELDMACHER, „Wir als Wiener waren ja bei der Bevölkerung beliebt". Österreichische Schutzpolizisten und die Judenvernichtung in Ostgalizien 1941–1944, Wien 2002.

[55] THOMAS SANDKÜHLER, Von der „Gegnerabwehr" zum Judenmord. Grenzpolizei und Zollgrenzschutz im NS-Staat, in: Beiträge zur Geschichte des Nationalsozialismus 16 (2000), S. 95–154.

raldirektion der Ostbahn in Krakau übernahm sie die Koordination und Ausführung der Transporte in den Tod, ohne Zweifel in genauer Kenntnis des Schicksals der Verschleppten. Sowohl die fast vollständige Vernichtung aller Akten bei Kriegsende als auch die komplizierten organisatorischen und technischen Zusammenhänge haben die Erforschung dieses Themas bisher erschwert. In diesem Themenfeld sind noch dringend Analysen vonnöten.[56]

Leider fehlt bis heute eine moderne Bestandsaufnahme zur Geschichte der Ghettos in Polen, in der sowohl die verantwortlichen Dienststellen der Besatzung als auch das Schicksal der ansässigen Juden ermittelt werden können.[57] Bei den Ghettoräumungen selbst ergibt sich zunächst ein nach Regionen unterschiedliches Bild. Der SSPF organisierte nicht nur in seinem Hoheitsgebiet, dem Distrikt Lublin, die Razzien, sondern schickte Teams auch an andere Orte, die ihm eigentlich nicht unterstanden. Dies gilt in erster Linie für die Mordaktionen an den Juden in Warschau und Bialystok, aber auch im Ostteil des Distrikts Warschau. Die Trawnikis wurden darüber hinaus in andere Städte des Generalgouvernements geschickt, um bei der Ermordung der Juden zu helfen. Der Forschungsstand ist dort am weitesten entwickelt, wo man sowohl Studien zur Tätergeschichte als auch zum Schicksal der Verfolgten findet. Unter diesem Gesichtspunkt ragen die Distrikte Lublin und Galizien hervor.

Der Distrikt Lublin, Globocniks zentrales Aktionsfeld, ist Gegenstand zahlreicher Regional- und Lokalstudien geworden. Nach dem neuartigen Forschungsansatz von Christopher Browning erschienen detaillierte Darstellungen zur Tätigkeit der Lubliner Behörden beim Mord an den Juden.[58] Diese konnten sich auf die älteren Arbeiten von Tatiana Berenstein stützen, die das Geschehen bereits in den fünfziger Jahren aufgehellt hatte, sowie auf Zygmunt Mańkowskis Synthese zur Geschichte der Besatzung.[59] Darüber hinaus ist vor allem das Schicksal der jüdischen Gemeinde in Lublin selbst

---

[56] Grundlegend: RAUL HILBERG, Sonderzüge nach Auschwitz, Mainz 1981. CZESŁAW BAKUNOWICZ, Wykorzystanie kolei w generalnym gubernatorstwie do deportacji Żydów, in: BGK 35 (1993), S. 82–99. Weitere Forschungen sind von ALFRED GOTTWALDT (Berlin) zu erwarten.

[57] Bisher am umfassendsten, wenn auch ohne Ostpolen: Obozy hitlerowskie na ziemiach polskich 1939–1945. Informator encyklopedyczny, hg. v. CZESŁAW PILICHOWSKI, Warszawa 1979.

[58] DIETER POHL, Von der „Judenpolitik" zum Judenmord. Der Distrikt Lublin des Generalgouvernements 1939–1944, Frankfurt/M. u. a. 1993 (vgl. auch meinen anderen und David Silberklangs Beitrag in diesem Band); MUSIAL, Zivilverwaltung.

[59] TATIANA BERENSTEIN, Martyrologia, opór i zagłada ludności żydowskiej w dystrykcie lubelskim, in: BŻIH H. 21, 1957, S. 21–92; ZYGMUNT MAŃKOWSKI, Między Wisłą a Bugiem 1939–1944, Lublin 1978; vgl. JANINA KIEŁBOŃ, Migracje ludności w dystrykcie lubelskim w latach 1939–1944, Lublin 1995.

Gegenstand von Dokumentationen und Darstellungen geworden.[60] Davon abgesehen existieren kaum Spezialstudien zur Ermordung der Juden in den einzelnen Städten. Meist werden diese Vorgänge kurz in den Büchern zur Besatzungszeit der einzelnen Orte abgehandelt.[61] Spezifisch für den Raum Lublin waren nicht nur die Rolle Globocniks und die Existenz zweier Vernichtungslager (neben Majdanek), sondern auch seine überragende Bedeutung als Deportationsziel für Juden aus dem Reich und der Tschechoslowakei.

Der Distrikt Galizien beherbergte hingegen eine viel stärkere jüdische Minderheit, die aber erst im Sommer 1941 unter deutsche Herrschaft geriet. Allein in diesem Distrikt des Generalgouvernements begannen die systematischen Massenmorde bereits vor der „Aktion Reinhard", zunächst an jüdischen Männern, ab Oktober 1941 auch an Frauen und Kindern. Während bis 1944 weiterhin die meisten Opfer bei Massenerschießungen ums Leben kamen, wurden weit über 200 000 Menschen nach Belzec und weitere nach Sobibor verschleppt. Zwar hat auch für diesen Bereich Tatiana Berenstein grundlegende Forschungen vorgelegt[62], ansonsten aber wurde er im kommunistischen Polen aus politischen Rücksichten weitgehend ausgespart. Sowjetische Historiker trugen nur sehr wenig zur Rekonstruktion der dortigen Geschehnisse bei.[63] Dies hat sich inzwischen gründlich geändert. Zwei Regionalstudien mit Schwerpunkt auf der Tätergeschichte versuchen, den Verlauf des Massenmordes in der ganzen Region nachzuzeichnen.[64] Ihre Ergebnisse wurden ergänzt durch mehrere Studien jüdischer Historiker, die

---

[60] Documents from Lublin Ghetto. Judenrat without direction. Te'udot mi-geto lublin – yudenrat le-lo derekh, hg. v. NACHMAN BLUMENTAL, Jerusalem 1967; ZYGMUNT MAŃKOWSKI, Życie i zagłada Żydów w Lublinie, in: BGK 38 (1995), S. 91–109; TADEUSZ RADZIK, Lubelska dzielnica zamknięta, Lublin 1999.

[61] Beispielsweise: ZYGMUNT KLUKOWSKI, Niedola i zagłada Żydow w Szczebrzeszczynie, in: BŻIH H.19/20, 1956, S. 207–241; JERZY DOROSZUK u.a., Zbrodnie hitlerowskie w regionie bielskopodlaskim 1939–1944, Lublin 1977; EUGENIUSZ KOSIK, Martyrologia i zagłada Żydów w Opolu Lubelskim, in: BŻIH H. 150, 1989, S. 73–84; WIT SZYMANEK, Z dziejów Kraśnika i okolic w okresie okupacji niemieckiej w latach 1939–1944, Kraśnik 1989.

[62] TATIANA BERENSTEIN, Eksterminacja ludności żydowskiej w dystrykcie Galicja, in: BŻIH H. 61, 1967, S. 3–58 (erste jiddische Fassung 1953).

[63] Ausnahme: ALEKSANDR KRUGLOW, Deportacja ludności żydowskiej z dystryktu Galicja do obozu zagłady w Bełżcu w 1942 r., in: BŻIH H. 151, 1989, S. 101–118.

[64] DIETER POHL, Nationalsozialistische Judenverfolgung in Ostgalizien 1941–1944. Organisation und Durchführung eines staatlichen Massenverbrechens, München 1996; THOMAS SANDKÜHLER, „Endlösung" in Galizien. Der Judenmord in Ostpolen und die Rettungsaktionen von Berthold Beitz 1941–1944, Bonn 1996.

den Blick stärker auf die Verfolgten werfen.[65] Zudem hat die neue ukrainische Forschung zahlreiche Werke, Lexika, Dokumentationen und Sammel-
bände zum Thema hervorgebracht, die immer Ostgalizien mit einbezie-
hen.[66]

Für die übrigen Distrikte des Generalgouvernements ergibt sich ein
anderer Stand der Forschung. Insbesondere bezüglich der größten Einzel-
aktion der „Aktion Reinhard", der Massendeportation aus dem Warschauer
Ghetto von Juli bis September 1942, müsste man eigentlich annehmen, dass
sie bis ins Detail untersucht wurde. Zwar liegen eine Reihe von vorzügli-
chen Studien über das Ghetto, den Alltag der Verfolgten und über ihren
Widerstand vor, die berüchtigte „Große Aktion" wird dort jedoch nur kurz
abgehandelt.[67] Gerade hier, beim Zusammenspiel von Stadt- und Distriktverwaltung, von örtlicher Polizei und Lubliner Kommando, fehlt es noch an
genauen Kenntnissen. Dabei ist die Quellenlage sogar vergleichsweise gut,
nicht zuletzt wegen der diesbezüglichen NS-Prozesse in Hamburg.[68] Die
Vorgänge in Warschau im Jahre 1943 sind bisher – zu Recht – vorzugsweise
unter dem Aspekt des jüdischen Widerstandes betrachtet worden. Doch aus
Sicht der Täter handelte es sich um eine nur teilweise geglückte Aktion zur
Verlagerung der jüdischen Zwangsarbeiter in den Distrikt Lublin.[69] Auch
diese Perspektive sollte noch näher in Augenschein genommen werden.
Erheblich weniger ist über die Ghettoräumungen im Ostteil des Distrikts
bekannt, die zeitlich parallel zur „Großen Aktion" verliefen. Der frühen

---

[65] JA. S. CHONIGSMAN, Katastrofa evrejstva Zapadnoj Ukrainy. L'vov 1998; ELJACHU
JONES, Evrej L'vova v gody Vtoroj Mirovoj voiny i katastrofy evropejskogo evrejstva
1939–1944, Moskva–Ierusalim 1999.

[66] ALEKSANDR KRUGLOV, Enciklopedija Cholokosta, Kiev 2000; DERS., Katastrofa
ukrainskogo evrejstva 1941–1944 gg. Enciklopediceskij slovar, Char'kov 2001; Sbornik
dokumentov i materialov ob unictozenii nacistami evreev Ukrainy v 1941–1944 godach, hg.
v. A. KRUGLOV, Kiev 2002; Katastrofa ta opir ukraïns'koho jevreistva (1941–1944), hg. v.
S. JA. JELISAVETS'KYJ, Kyïv 1999.

[67] YISRAEL GUTMAN, The Jews of Warsaw, 1939–1943. Ghetto, Underground, Revolt,
Bloomington, Ind., 1982, S. 197 ff.; RUTA SAKOWSKA, Menschen im Ghetto. Die jüdische
Bevölkerung im besetzten Warschau 1939–1943, Osnabrück 1999; BARBARA ENGELKING/
JACEK LEOCIAK, Getto warszawskie. Przewodnik po nieistniejącym mieście, Warszawa 2001,
S. 661 ff.; vgl. YISROEL LICHTENSZTAJN, La grande déportation de Varsovie, juillet–septem-
bre 1942, in: Revue d'histoire de la Shoah 162, 1998, S. 164–182.

[68] Vgl. TADEUSZ KUR, Sprawiedliwość pobłażliwa. Proces kata Warszawy Ludwiga
Hahna w Hamburgu, Warszawa 1975; GÜNTHER SCHWARBERG, Das Getto, Göttingen 1989.

[69] HELGE GRABITZ/WOLFGANG SCHEFFLER, Letzte Spuren. Ghetto Warschau – SS-
Arbeitslager Trawniki – Aktion Erntefest. Fotos und Dokumente über Opfer des Endlösungs-
wahns im Spiegel der historischen Ereignisse, Berlin 1988; DIESS., Der Ghetto-Aufstand
Warschau 1943 aus der Sicht der Täter und Opfer in Aussagen vor deutschen Gerichten,
München 1993.

Rekonstruktion durch Tatiana Berenstein sind erst in den letzten Jahren einige Lokalstudien hinzugefügt worden.[70] Ähnlich wie im Fall des Distrikts Warschau starben auch die meisten jüdischen Einwohner des Distrikts Radom im Vernichtungslager Treblinka. Einerseits spielte sich in diesem Distrikt eine der radikalsten Deportationswellen der „Aktion Reinhard" ab – an die 300 000 Menschen gelangten in nur etwa sechs Wochen nach Treblinka, um dort ermordet zu werden –, andererseits hatte im Distrikt Radom, der zentrale Teile der polnischen Vorkriegsindustrie beherbergte, die Zwangsarbeit eine besondere Bedeutung. Den bis heute gültigen Überblick über die Mordaktionen im Distrikt hat Adam Rutkowski verfasst.[71] Seitdem sind ein paar Untersuchungen zum Schicksal der zahlreichen großen Gemeinden dieser Gegend erschienen, oft eingebunden in die allgemeine Besatzungsgeschichte der jeweiligen Stadt.[72] Eine moderne Gesamtdarstellung, die die vielfältigen Aspekte berücksichtigt, ist in Vorbereitung.[73]

---

[70] TATIANA BERENSTEIN-BRUSTIN, Deportacje i zagłada skupisk żydowskich w dystrykcie warszawskim, in: BŻIH H. 3, 1952, S. 83–125; MIECZYSŁAW BARTNICZAK, Eksterminacja ludności w powiecie Ostrów Mazowiecka w latach okupacji hitlerowskiej (1939–1944), in: Rocznik Mazowiecki 5 (1974), S. 147–213; TOMASZ SZCZECHURA, Życie i zagłada społeczności żydowskiej w powiecie węgrowskim w latach 1939–1945, in: BŻIH H. 105, 1978, S. 39–51; EDWARD KOPÓWKA, Żydzi siedleccy, Siedlce 2001; SYLWIA SZYMAŃSKA, Ludność żydowska w Otwocku podczas drugiej wojny światowej, Warszawa 2002.

[71] ADAM RUTKOWSKI, Martyrologia, walka i zagłada ludności żydowskiej w dystrykcie radomskim podczas okupacji hitlerowskiej, in: BŻIH H. 15/16, 1955, S. 75–182; vgl. Żydzi dystryktu radomskiego w okresie II wojny światowej. Materiały z sesji popularno-naukowej odbytej w Radomiu 27 wrzesniu 1997, in: Biuletyn Kwartalny Radomskiego Towarzystwa Naukowego 1997, H. 3/4, S. 1–95.

[72] JAN PIETRZYKOWSKI, Zbrodnie hitlerowskie na ludności żydowskiej powiatu częstochowskiego (1939–1945), in: Ziemia Częstochowska 8/9 (1970), S. 115–137; DERS., Cień Swastyki nad Jasną Górą. Częstochowa w okresie hitlerowskiej okupacji 1939–1945, Katowice 1985; ANDRZEJ BRZEZIŃSKI, Eksterminacja ludności powiatu piotrkowskiego w latach 1939–1945, in: Rocznik Łódzki 16 (1972), S. 129–155; JANUSZ SKODLARSKI, Eksterminacyjna działalność okupanta w powiecie skierniewickim (1939–1945 r.), in: Rocznik Łódzki 16 (1972), S. 177–216; KRZYSZTOF URBAŃSKI, Zagłada ludności żydowskiej Kielc 1939–1945, Kielce 1994; W. R. BROCIEK u.a., Żydzi ostrowieccy. Zarys dziejów, Ostrowiec Świętokrzyski 1996; JERZY WOJNIŁOWICZ, Ludność żydowska w Tomaszowie Mazowieckim w latach 1939–1943, in: Biuletyn Okręgowej Komisji Badania Zbrodni przeciwko Narodowi Polskiemu 5 (1997), S. 79–101; JEANNE LIST-PAKIN, Le ghetto d'une ville de province: Kielce son instauration et sa liquidation, in: Revue d'histoire de la Shoah H. 166, 1999, S. 144–165; vgl. auch KAZIMIERZ JAROSZEK/SEBASTIAN PIĄTKOWSKI, Martyrologia Żydów w więzieniu radomskim 1939–1944. Radom 1997.

[73] Von JACEK ANDRZEJ MŁYNARCZYK (Ludwigsburg/Warschau), vgl. seinen Beitrag zum Distrikt Radom in diesem Band und: Bestialstwo z urzędu. Organizacja hitlerowskich akcji deportacyjnych w ramach „Operacji Reinhard" na przykładzie likwidacji kieleckiego getta, in: Kwartalnik historii Żydów 3, 2002, S. 354–379.

Nahezu umgekehrt stellt sich die Forschungslage für den Distrikt Krakau dar, in dem vergleichsweise die wenigsten Juden im Generalgouvernement wohnten. Für diesen Bereich fehlt eine brauchbare Regionalstudie, hingegen existiert eine Vielzahl von Werken zu einzelnen Ghettos. Es verwundert nicht, dass sich die Untersuchungen zumeist auf Krakau selbst gerichtet haben. Dabei herrscht oftmals die „Opferperspektive" vor; die großen Deportationen, die sowohl nach Belzec als auch nach Auschwitz führten, werden nur am Rande thematisiert.[74] Im Gegensatz zu allen anderen Distrikten wurden eine Reihe von Studien zu einzelnen Ghettos außerhalb der Distrikthauptstadt verfasst, so etwa zu Bochnia, Przemysl[75] oder Rzeszow.[76] Auch andere Gegenden fanden breitere Berücksichtigung.[77]

Bekanntlich griff Globocnik bei seinen Mordaktionen auch über das Generalgouvernement hinaus. Während eine geplante Übernahme der Ghettobetriebe in Lodz scheiterte, schickte er seine Mitarbeiter in den Bezirk Bialystok, um die Juden von dort in Zwangsarbeits- oder Vernichtungslager zu deportieren. Bis heute kann nicht genau geklärt werden, welche Trans-

---

[74] W 3-cia rocznicę zagłady ghetta w Krakowie (13. III 1943 – 13. III 1946), Kraków 1946; ROMAN KIEŁKOWSKI, … zlikwidować na miejscu. Z dziejów okupacji hitlerowskiej w Krakowie, Kraków 1981; Krakowskie getto, hg. von KAJA BILAŃSKA [u.a.], Kraków 1983; ALEKSANDER BIEBERSTEIN, Zagłada Żydów w Krakowie, Kraków–Wrocław 1986 (Neuaufl. 2001); YAEL PELED, Krakov ha-Yehudit, 1939–1943. Amidah, mahteret, ma'avak, [Lohame h-Geta'ot, Tel Aviv 1993].

[75] J. CHROBACZYŃSKI/J. GOŁĘBIOWSKI, Getto w Bochni i zagłada ludności żydowskiej 1939–1945, in: BŻIH H. 121/122, 1982, S. 51–55; ANTONI RACHFAŁ, Eksterminacja ludności żydowskiej w latach wojny 1939–1944 na terenie woj. przemyśkiego, in: Studia nad Okupacją Hitlerowską Południowo-Wschodniej Części Polski 4 (1985), S. 71–84.

[76] S. PORADOWSKI, Zagłada Żydów rzeszowskich, in: BŻIH H. 126/127, 1983, S. 37–49, H. 129/130, 1984, S. 89–108, H. 135/136, 1985, S. 77–101; TADEUSZ KOWALSKI, Eksterminacja ludności na Rzeszowszczyznie w okresie II wojny światowej 1939–1945, Rzeszów 1987; FRANCISZEK KOTULA, Losy Żydów rzeszowskich 1939–1944. Kronika tamtych dni, Rzeszow 1999.

[77] WACŁAW BIELAWSKI, Zbrodnie hitlerowskie w Sądecczyźnie, in: Rocznik Sądecki 13 (1972), S. 181–219; ZOFIA CHYRA, Eksterminacja Żydów na Spiszu i Orawie (ze szczególnym uwzględnieniem powiatu Nowy Targ), in: Podhale w czasie okupacji 1939–1945, hg. v. JANUSZ BERGHAUZEN Warszawa 1972, S.127–135; Jasło oskarża. Zbrodnie hitlerowskie w regionie jasielskim 1939–1945, hg. v. STANISŁAW CYNARSKI/JÓZEF GARBACIK, Warszawa 1973; JÓZEF BENBENEK, Martyrologia mieszkańców Przeworska w czasie II wojny światowej, Rzeszów 1978; CZESŁAW CYRAN/ANTONI RACHWAŁ, Eksterminacja ludności na Sanocczyźnie w latach 1939–1944, in: Rocznik Sanocki 4 (1979), S. 31–77; ANDRZEJ WIŚNIEWSKI, Martyrologia sądeckich Żydów w okresie 1939–1943, in: Okupacja w Sądecczyźnie. Praca zbiorowa, Warszawa 1979, S. 297–311; F. KOTULA, Miasteczko na przykładzie Głogowa Małopolskiego i jego sąsiadów, Rzeszów 1980; CZESŁAW LEOSZ, Zarys badań nad zagładą Żydów na Podkarpaciu (1939–1944), in: Studia nad Okupacją Hitlerowską Południowo-Wschodniej Cześci Polski 4 (1985), S. 85–95; W. BOCZON, Żydzi gorliccy, Gorlice 1998; Elżbieta Rączy, Ludność żydowska w Krosnie 1939–1946, Krosno 1999.

porte nach Treblinka und welche nach Auschwitz fuhren. Obwohl die Besatzung im Bezirk Bialystok insgesamt nur unzureichend untersucht ist[78], gibt es doch eine Reihe von Forschungen zum Schicksal der Juden in diesem Raum[79], vorzugsweise zu Bialystok selbst, wo die Mörder auf heftigen Widerstand trafen.[80]

Auch aus anderen Gebieten gerieten Juden in die Fänge der „Aktion Reinhard", ohne dass das Personal des SSPF Lublin dort eingesetzt worden wäre. Der parallele Beginn der Deportationen im Generalgouvernement und in weiten Teilen Europas führte dazu, dass das Reichssicherheitshauptamt viele Transporte, die von außerhalb Polens kamen, nicht wie später nach Auschwitz, sondern in den Distrikt Lublin und danach direkt in die Lager der „Aktion Reinhard" schickte. In den Distrikt Lublin, in Einzelfällen auch nach Warschau, gelangten im Frühjahr und Sommer 1942 etwa 30 000 Juden aus Deutschland, Österreich, der Slowakei und den tschechischen Gebieten. Sie mussten die „Transitghettos" beziehen, deren Insassen meist unmittelbar zuvor ermordet worden waren. Das Verhältnis zwischen „Westjuden" und „Ostjuden", das bisher nur bezüglich Lodz und des Baltikums näher betrachtet wurde, gilt es im Distrikt Lublin noch zu erforschen. Besonders hervorzuheben ist jedoch, dass die wohl erste wissenschaftliche Biografie eines „durchschnittlichen" Verfolgungsopfers viel zur Erhellung der Deportation nach Izbica beigetragen hat.[81] Während die Geschehnisse an den Ausgangsorten der Deportationen aus Mitteleuropa[82] allgemein recht

---

[78] Vgl. aber CHRISTIAN GERLACH, Kalkulierte Morde. Die deutsche Wirtschafts- und Vernichtungspolitik in Weißrussland 1941–1944, Hamburg 1999, besonders S. 723 ff.

[79] SZYMON DATNER, Eksterminacja ludności żydowskiej w okręgu białostockim, in: BŻIH H. 60, 1966, S. 3–50; BOGDAN CHRZANOWSKI, Eksterminacja ludności polskiej i żydowskiej na terenach północnego Mazowsza i Białotocczyzny w świetle akt Delegatury Rządu RP na Kraj, in: Stutthof. Zeszyty Muzeum 4 (1981), S.109–143; EVA HOFFMAN, Shtetl. The life and death of a small town and the world of Polish Jews, London 1998 (Bransk); TIKVAH FATAL-KENAANI, Zo lo otah Grodnoh: Kehilat Grodnoh u-sevivatah ba-milhamah uva-Sho'ah, 1939–1943, Jerusalem 2001.

[80] SZYMON DATNER, Walka i zagłada białostockiego getta, Łódź 1946; WALDEMAR MONKIEWICZ/JÓZEF KOWALCZYK, Zagłada ludności żydowskiej w Białymstoku, Białystok 1983; diess., Z tragicznych losów białostockiego getta, Białystok 1988; SARA BENDER, Mul mavet ve-ayin: Yehude Byalistok be-Milhemet ha-Olam ha-Sheniyah, 1939–1943, Tel Aviv 1997; vgl. Darkho shel Judenrat (Conduct and actions of a Judenrat. Documents from the Bialystok ghetto), hg. v. NACHMAN BLUMENTAL, Jerusalem 1962.

[81] MARK ROSEMAN, In einem unbewachten Augenblick. Eine Frau überlebt im Untergrund, Berlin 2002. Vgl. den Beitrag von ROBERT KUWAŁEK in diesem Band.

[82] Erste Überblicke, z.T. mit ungenauen Angaben: ALEKSANDER KRUGLOW, Deportacja przez hitlerowców ludności żydowskiej z Niemec, Austrii i Czech na wschód w okresie od listopada 1941 do listopada 1942 r, in: Studia nad faszyzmem i zbrodniami hitlerowskimi 14 (1991), S. 373–396; YEHOSHUA BÜCHLER, The Deportation of Slovakian Jews to the Lublin District of Poland in 1942, in: Holocaust and Genocide Studies 6 (1991), S. 151–166. Vgl.

gut erforscht sind, verliert sich das Schicksal der Verschleppten meist bald.[83] Erst die neuere Detailforschung konnte nachweisen, dass viele dieser Deportierten nicht sofort in die Vernichtungslager geschickt wurden, sondern entweder den Ghettoräumungen bis Herbst 1942 zum Opfer fielen oder als Zwangsarbeiter noch etwas länger lebten.[84]

Ab Juni 1942 freilich sind erste Transporte aus diesen Ländern direkt in die Vernichtungslager dokumentiert. Fast durchweg traf dieses Schicksal die niederländischen Juden, die nicht nach Auschwitz, sondern nach Sobibor geleitet wurden. Immerhin blieb auch hier einigen der sofortige Tod erspart, weil sie kurz vor der Ankunft aussortiert und in Zwangsarbeitslager geschickt wurden.[85] Ihnen folgten Gruppen von Juden aus Frankreich, 1943 auch aus den bulgarisch besetzten Gebieten Mazedonien und Thrakien.[86] Die Pläne, Juden aus Rumänien nach Belzec zu deportieren, scheiterten glücklicherweise.[87] Erst mit der Evakuierung der besetzten sowjetischen Gebiete durch die Wehrmacht 1943 kamen vereinzelt auch Deportationszüge aus den Gebieten östlich des Bug, so aus Wilna und aus Minsk, an.

Diese gesamteuropäischen Zusammenhänge müssen noch näher ausgeleuchtet werden, um die Stellung der „Aktion Reinhard" innerhalb der „Endlösung" genauer bestimmen zu können. In einem größeren Kontext stehen auch die Bemühungen des SSPF Lublin, ein umfängliches System der Zwangsarbeit einzurichten. Zwar wurden einheimische Juden bereits seit 1939/40 massiv zu Zwangsarbeiten herangezogen, die frühen Lager aber dann wieder durchweg geschlossen. Erst im Frühherbst 1942, als sich sowohl die Arbeitskräftekrise des Reiches als auch die Auseinandersetzungen

---

insgesamt JANINA KIEŁBOŃ, Deportacje Żydów do dystryktu lubelskiego (1939–1943), in: Zeszyty Majdanka 14 (1992), S. 61–91.

[83] Als Überblick: DETLEV SCHEFFLER, Die Forschung in der Bundesrepublik Deutschland zur Deportation der deutschen Juden während der nationalsozialistischen Herrschaft (1949–1990), [Mikrofiche] Diplomarbeit FU Berlin 1993. Dazu kommt die umfangreiche neuere Forschung zum Gebiet der DDR und der deutschen Ostgebiete sowie: HANS-GÜNTHER ADLER, Theresienstadt 1941–1945. Das Antlitz einer Zwangsgemeinschaft. Geschichte, Soziologie, Psychologie, Tübingen ²1960; MIROSLAV KÁRNÝ, Das Schicksal der Theresienstädter Osttransporte im Sommer und Herbst 1942, in: Judaica Bohemiae 24 (1988), S. 82–97.

[84] JAKOV TSUR, Der verhängnisvolle Weg des Transportes AAy, in: Theresienstädter Studien und Dokumente 1995, S. 107–120; PETER WITTE, Letzte Nachrichten aus Siedliszcze, in: Theresienstädter Studien und Dokumente 1996, S. 98–114.

[85] E. A. COHEN, De negentien treinen naar Sobibor, Amsterdam 1979.

[86] FREDERICK B. CHARY, The Bulgarian Jews and the Final Solution 1940–1944, Pittsburgh/Pa. 1972, S. 101–128.

[87] JEAN ANCEL, Plans for Deportation of Rumanian Jews and Their Discontinuation in the Light of Documentary Evidence (July–October 1942), in: Yad Vashem Studies 16 (1984), S. 381–420.

um die jüdischen Arbeiter zuspitzten, expandierte Globocniks Zwangsar-beitssystem wieder.[88] Mit dem Abschluss der Ghettoräumungen im Distrikt, der praktisch fast nur Zwangsarbeiter am Leben ließ, und mit der Über-nahme von Ghettobetrieben aus Warschau und Bialystok wurde die Zwangs-arbeit zum Bestandteil der „Aktion Reinhard" als eines Vernichtungs- und Ausbeutungsprogramms. Insbesondere die Lager Poniatowa, Trawniki, Budzyn, Dorohucza und Krasnik unterstanden dem SSPF. Zwar liegen zu diesen bereits einige Publikationen vor[89], eine gründliche Erforschung ist aber angesichts der Größe mancher dieser Lager (bis zu 20 000 Häftlingen) ein dringendes Desiderat. Inzwischen ist Globocniks Wirtschaftätigkeit stärker in den Kontext der SS-Wirtschaft überhaupt gerückt worden. Der Versuch, die Lager in der „Ostindustrie" zusammenzuführen, scheiterte weitgehend schon in den Anfängen.[90] Vielmehr ordnete vermutlich Himm-ler die Ermordung aller jüdischen Zwangsarbeiter im Distrikt Lublin an, die am 3./4. November vor allem in Majdanek, Poniatowa und Trawniki vor-genommen wurden. Dieses Massaker, eines der größten der „Endlösung" überhaupt, ist zwar von Justizbehörden bis ins Detail aufgehellt worden, eine genaue geschichtswissenschaftliche Rekonstruktion steht jedoch noch aus.[91] Obwohl einige Tausend Juden verschont blieben, galt die „Aktion Reinhard" offiziell als beendet.

---

[88] TATIANA BERENSTEIN, O podłożu gospodarczym sporów między władzami administra-cyjnami a policyjnami w Generalnej Guberni (1939–1944), in: BŻIH H. 53 (1965) S. 33–88; FELICJA KARAY, Spór między władzami niemieckimi o żydowskie obozy pracy w Generalnej Guberni, in: Zeszyty Majdanka 18 (1997), S. 27–47; CHRISTOPHER R. BROWNING, Jewish Workers in Poland. Self-maintanance, Exploitation, Destruction, in: DERS., Nazi Policy, Jewish Workers, German Killers, Cambridge 2000, S. 58–88.

[89] JÓZEF MARSZAŁEK, Obozy pracy w Generalnym Gubernatorstwie w latach 1939–1945, Lublin 1998; TATIANA BERENSTEIN, Obozy pracy przymusowej Żydów w dystrykcie lubels-kim, in: BŻIH H. 24, 1957, S. 3–20; RYSZARD GICEWICZ, Oboz pracy w Poniatowie (1941–1943), in: Zeszyty Majdanka 10 (1980), S. 88–104; SAM H. HOFFENBERG/PATRICK GIRARD, Le camp de Poniatowa. La liquidation des derniers Juifs de Varsovie, Paris 1988; CZESLAW RAJCA, Lubelska filia Niemieckich Zakładów Zbrojenowych, in: Zeszyty Majdanka 4 (1969), S. 237–299; BRONISŁAW WRÓBLEWSKI, Obóz w Budzyniu, in: Zeszyty Majdanka 5 (1971), S.179–189. Vgl. GRABITZ/SCHEFFLER, Letzte Spuren.

[90] JAN ERIK SCHULTE, Zwangsarbeit und Vernichtung: Das Wirtschaftsimperium der SS. Oswald Pohl und das SS-Wirtschafts-Verwaltungshauptamt 1933–1945, Paderborn u.a. 2001, S. 276 ff.; MICHAEL THAD ALLEN, The Business of Genocide. The SS, Slave Labor and the Concentration Camps, Chapel Hill, N.C., 2002, S. 133 ff.; vgl. HERMANN KAIENBURG, Die Wirtschaft der SS, Berlin [im Druck].

[91] ADAM RUTKOWSKI, L'opération „Erntefest" (Fête de la moisson) ou le massacre de 43 000 Juifs les 3–5 novembre 1943 dans les camps de Majdanek, de Poniatowa et de Trawniki, in: Le Monde Juif H. 72, 1973, S. 12–33; TOMASZ KRANZ, Egzekucja Żydów na Majdanku 3 listopada 1943 r. w świetle wyroku w procesie w Düsseldorfie, in: Zeszyty Majdanka 19 (1998), S. 139–150.

Nun beschäftigten sich die Täter mit einer Begleiterscheinung des Massenmordes, die erst in den letzten Jahren grell ins Licht gerückt wurde: der Beraubung der Opfer. Zielte die Enteignung der Juden anfangs noch auf wirtschaftliche Unternehmen, Wertsachen oder Immobilien, so wurden die Raubaktionen in der Phase der Massenverbrechen immer hemmungsloser. Den Opfern wurde vor der Ermordung ihre letzte Habe genommen, selbst danach noch schlachtete man die Leichen aus. Zwar sind Globocniks wirtschaftliche Abschlussberichte längst bekannt, doch wurde dieser Aspekt bisher kaum beachtet.[92] Die neuere Forschung hat die Wege des Raubgutes nachverfolgt und die Zentralisierung rekonstruiert.[93] Man ist sogar so weit gegangen, nicht nur die Beuteaktionen unter dem Decknamen „Reinhard", sondern auch die Massenmorde in Auschwitz darunter zu subsumieren.[94] Ob es dafür substantielle Beweise gibt, bleibt abzuwarten.

Die Beraubung stand am Anfang wie am Ende des Verfolgungsprozesses gegen die polnischen Juden. Die Geschichte der Opfer der „Aktion Reinhard" wurde aber bisher weitgehend isoliert von der Geschichte der Täter und deren Taten geschrieben. Nun existiert zwar ein umfassender Literaturkorpus, der sich mit dem Leben der Juden unter der Verfolgung beschäftigt. Das Lexikon der jüdischen Gemeinden ermöglicht eine Erstinformation für jeden Ort.[95] Allerdings konzentrieren sich die Untersuchungen zumeist auf den Alltag und die Selbstbehauptung in den Ghettos, weniger auf die Wahrnehmung und das Erleben der Ghettoräumungen, Deportationen und der letzten Stunden in den Lagern.[96] Dies erscheint verständlich, da Letzteres nur einen kleinen Zeitabschnitt in der individuellen Verfolgungsgeschichte ausmacht und Quellen hier nur spärlich vorhanden sind; Millionen Ermordeter können nicht mehr Zeugnis ablegen.

Dennoch wird eine „Opfergeschichte" der „Aktion Reinhard" betrieben, und dies sollte noch vertieft werden. Als erster Themenkomplex ist die

---

[92] Vor allem bei EISENBACH, Hitlerowska polityka, und bei STANISŁAW PIOTROWSKI, Misja Odyla Globocnika. Sprawozdania w wynikach finansowych zagłady Żydów w Polsce, Warszawa 1949.

[93] Die Schweiz und die Goldtransaktionen im Zweiten Weltkrieg, hg. von der UNABHÄNGIGEN EXPERTENKOMMISSION SCHWEIZ – ZWEITER WELTKRIEG, Zürich 2002.

[94] BERTRAND PERZ/THOMAS SANDKÜHLER, Auschwitz und die „Aktion Reinhard" 1942–45, in: Zeitgeschichte 26 (2000), S. 283–316.

[95] PINKAS HAKEHILLOT, Encyclopedia of Jewish Communities. Poland, 7 Bde., Jerusalem 1976–1999 (in hebräisch); englischsprachige Auswahl für ganz Europa: The Encyclopedia of Jewish Life Before, During and After the Holocaust, hg. v. SHMUEL SPECTOR u. a., 3 Bde. New York 2001.

[96] Überblick über die neuere Forschung: KLAUS-PETER FRIEDRICH, Juden in Polen während der Schoa. Zu polnischen und deutschen Neuerscheinungen, in: Zeitschrift für Ostmitteleuropa-Forschung 47 (1998), 231–274.

Kenntnis von den Massenmorden innerhalb der Ghettos ab Frühjahr 1942 anzusprechen. Diese dürfte am besten gewesen sein im Umfeld der Vernichtungslager und beim jüdischen Untergrund. Gemeint ist dabei besonders die Warschauer Gruppe um Emanuel Ringelblum, die systematisch Informationen sammelte. Zwar sind inzwischen zahlreiche dieser Dokumente veröffentlicht worden[97], eine monographische Beschäftigung steht jedoch noch aus.[98] Darüber hinaus scheinen Kenntnisse von den Massenmorden gelegentlich in der Untergrundpresse der Ghettos auf.[99] Erheblich schwieriger ist es, den „normalen" Informationsfluss in die Ghettos zu rekonstruieren, also Postverkehr, bisweilen Telefonate oder die Ankunft von Flüchtlingen. Mit den Massenmorden brach diese Kommunikation allmählich zusammen.[100] So ist die Analyse auf individuelle Zeugnisse angewiesen, die weit verstreut zu finden sind.

Zu erbitterten Debatten führte während des Krieges und danach das Verhalten der noch verbliebenen jüdischen Institutionen im Angesicht der Massenmorde. Zwar hat die Forschung zu den Judenräten deren Bild auf breiter Basis differenziert und ihre wichtige Bedeutung zur Aufrechterhaltung des Lebens herausgearbeitet[101], aber ihre Rolle bei den Deportationen bleibt Gegenstand moralischer Kontroversen. Nicht selten wird dabei zwischen „Helden" und „Schuften" unterschieden. Auf diesem Feld sind die Spezialstudien bei weitem noch nicht abgeschlossen. Noch düsterer erscheint das Bild des Jüdischen Ordnungsdienstes, also der jüdischen Ghettopolizei, die an vielen Ghettoräumungen beteiligt war. Doch auch hier wird man

---

[97] Aus den zahlreichen Dokumentationen v.a. Archiwum Ringelbluma. Getto warszawskie lipiec 1942–styczeń 1943, hg. v. RUTA SAKOWSKA, Warszawa 1980; jetzt die auf 12 Bde. geplante Edition: Archiwum Ringelbluma. Konspiracyjne archiwum getta Warszawy, Bd. 1: Listy o zagładzie, Warszawa 1997.

[98] MARK BEYER, Emmanuel Ringelblum. Historian of the Warsaw Ghetto, New York 2001; A Commemorative Symposium in Honour of Dr. Emanuel Ringelblum and His „Oneg Shabbat" Underground Archives, Jerusalem 1983.

[99] Ittonut-ham-mahteret ha-yehudit be-Warsha, Bd. 6, hg. v. J. KERMISH u.a., Jerusalem 1997; Geto warsha – sipur itonai. Reportage from the Ghetto. A Selection from the Jewish Underground Press in Warsaw, 1940–1943, hg. v. DANIEL BLATMAN, Jerusalem 2002; S. DATNER, „Wiadomości", organ prasowy w getcie warszawskim po wielkim wysiedleniu, in: BŻIH H. 76, 1970, S. 49–80.

[100] RUTA SAKOWSKA, Łączność pocztowa getta warszawskiego, in: BŻIH H. 45/46, 1963, S. 94–109.

[101] ISAIAH TRUNK, Judenrat. The Jewish Councils in Eastern Europe Under Nazi Occupation, New York 1972; AHARON WEISS, Jewish Leadership in Occupied Poland – Postures and Attitudes, in: Yad Vashem Studies 12 (1977), S. 335–365; VERENA WAHLEN, Selected Bibliography on Judenraete Under Nazi Rule, in: Yad Vashem Studies 10 (1974), S. 277–294; SEBASTIAN PIĄTKOWSKI, Organizacja i działalność Naczelnej Rady Starszych Ludności Żydowskiej Dystryktu Radomskiego (1939–1942), in: BŻIH H. 195, 2000, S. 342–355.

genau hinsehen und sich vor vorschnellen Urteilen hüten müssen, was Kenntnisstand und Handlungsspielräume angeht.[102]

Besonders dramatisch gestaltete sich für die Opfer das Erleben der Mordaktionen, zumeist die letzten Tage ihres Lebens. Zwar werden diese von Nachkriegszeugen immer wieder thematisiert, eine genauere Untersuchung dieser Wahrnehmung fehlt jedoch. Erst kürzlich sind die Ghet토räumungen als Teil der Ghetto-Geschichte allgemein untersucht worden.[103] Entscheidende Erlebnisse waren hierbei zweifellos die Gewalt, die bereits in den Ghettos ihren Anfang nahm, und das Auseinanderreißen der Familien. So ist man immer wieder auf das Schicksal der Kinder zu sprechen gekommen, die fast durchweg bis Ende 1942 ermordet wurden. Auch Frauen hatten vergleichsweise geringere Überlebenschancen als Männer.

Sowohl das Erleben der Deportationen als auch die unmittelbare Ermordung in den Vernichtungslagern lassen sich fast ausschließlich durch die Nachkriegsaussagen der Juden rekonstruieren, die entweder sofort aus den Lagern weiterdeportiert wurden oder als Häftlinge der Sonderkommandos überlebten. Darunter befanden sich nicht nur Juden aus Polen, sondern oft auch solche mit ganz unterschiedlichem nationalen und biographischen Hintergrund. Diese sehr eingegrenzte Gruppe von Überlebenden, ihre traumatischen Erfahrungen und deren Verarbeitung könnten noch näher erforscht werden, etwa wie die der Sonderkommandos in Auschwitz. Bisher konzentrierten sich die Untersuchungen immer wieder auf die Revolten in Treblinka und Sobibor.[104]

Erheblich mehr Spuren hat das Leben der Insassen der Zwangsarbeitslager im Distrikt Lublin hinterlassen, die der „Aktion Reinhard" angeschlossen waren. In Poniatowa etwa bekamen es die Häftlinge mit den Massenmördern zu tun, die gerade aus dem Vernichtungslager Belzec versetzt worden waren. Wer die „Aktion Erntefest" überlebt hatte, musste im Rahmen der Evakuierung nach Westen meist eine Odyssee durch verschiedenste Lager durchmachen.

---

[102] AHARON WEISS, Ha'mishtara ha'yehudit be'general gouvernement u'ba'shlezia ilit bi'tekufat ha'shoa, Diss. phil., Jerusalem 1973; ALINA PODOLSKA, Służba porządkowa w getcie warszawskim w latach 1940–1943, Warszawa 1996; TADEUSZ RADZIK, Żydowska Służba Porządkowa w getcie lubelskim, in: Res Historica H. 11, 2000, S. 143–149. Als eindrucksvolles Zeugnis aus Otwock: CALEL PERECHODNIK, Bin ich ein Mörder? Das Testament eines jüdischen Ghetto-Polizisten, Lüneburg 1997.

[103] GUSTAVO CORNI, Hitler's Ghettos. Voices from a beleaguered society, 1939–1944, London 2002, S. 262–292.

[104] STANISŁAWA LEWANDOWSKA, Powstania zbrojne w obozach zagłady w Treblince i Sobiborze, in: BGK 35 (1993), S. 115–127; insgesamt ARAD, Belzec, Sobibor, Treblinka, und die Literatur zu den Lageraufständen.

Vergleichsweise großes Interesse der Forschung haben indessen die Versuche der Opfer erregt, sich der Ermordung zu entziehen. Vor allem das Untertauchen bei „Ariern" ist untersucht worden, mit Schwerpunkt auf dem Verhalten der (meist) polnischen Retter.[105] Weniger ist über das autonome Überleben im Versteck bekannt, sei es in den Städten oder in den Wäldern, oder die Annahme einer neuen Identität mit „arischen Papieren".[106] Einige der so Untergetauchten ließen sich sogar gezielt als Arbeiter für das Reich oder die Organisation Todt anwerben.

Der aktive Widerstand gegen die Mordaktionen, der im Generalgouvernement vor allem ab Anfang 1943 einsetzte, sich dann auch in Bialystok der „Aktion Reinhard" entgegenstellte, kann als das bisher am besten untersuchte Kapitel der Geschichte der Opfer der „Aktion Reinhard" gelten. Sowohl in Warschau und Bialystok als auch in kleineren Ghettos und Arbeitslagern ereigneten sich bewaffnete Revolten und Massenfluchten.[107]

Die dritte Perspektive, die der nichtjüdischen Einwohner, ist erst in den letzten Jahren genauer betrachtet worden[108], obwohl auch sie schon in der

---

[105] NECHAMA TEC, When Light Pierced the Darkness. Christian rescue of Jews in Nazi-occupied Poland, New York, Oxford 1986; BEATE KOSMALA, Ungleiche Opfer in extremer Situation. Die Schwierigkeiten der Solidarität im okkupierten Polen, in: Solidarität und Hilfe für Juden während der NS-Zeit. Regionalstudien 1, hg. v. WOLFGANG BENZ/JULIANE WETZEL, Berlin 1996, S. 19–98; jetzt grundlegend: GUNNAR PAULSSON, Secret City. The Hidden Jews of Warsaw, 1940–1945, New Haven/Conn. 2002.

[106] MICHAL WEICHERT, Arishe Papirn, 3 Bde., Buenos Aires 1955.

[107] Beginnend mit MELECH NOY [NEISTAT], Hurban u-mered shel Yehudei Varsha, Tel Aviv 1946; vgl. SHMUEL KRAKOWSKI, The War of the Doomed. Jewish Armed Resistance in Poland, 1942–1944, New York 1984 (ohne Ostgalizien); ISRAEL GUTMAN, Resistance. The Warsaw Ghetto uprising, Boston, Mass., u.a. 1994; SARA BENDER, From Underground to Armed Struggle. The Resistance Movement in the Bialystok Ghetto, in: Yad Vashem Studies 23 (1993), S. 145–172.

[108] JAN T. GROSS, Polish-Jewish Relations During the War. An Interpretation, in: European Journal of Sociology 27 (1986), S. 199–214; DERS., A Tangled Web. Confronting Stereotypes Concerning Relations between Poles, Germans, Jews, and Communists, in: The Politics of Retribution in Europe. World War II and Its Aftermath, hg. v. ISTVAN DEÁK/JAN T. GROSS/TONY JUDT, Princeton/N.J., 2000, S. 74–129. Ziemlich kritisch: YITZHAK GUTMAN/SHMUEL KRAKOWSKI, Unequal Victims. Poles and Jews during World War Two, New York 1987; LEO COOPER, In the Shadow of the Polish Eagle. The Poles, the Holocaust and beyond, Basingstoke u.a. 2000; dagegen: Społeczeństwo polskie wobec martyrologii i walki Żydów w latach II wojny światowej. Materiały z sesji w Instytucie Historii PAN w dniu 11.III.1993 r., hg. v. KRZYSZTOF DUNIN-WĄSOWICZ, Warszawa 1996; KLAUS-PETER FRIEDRICH, Kollaboration und Antisemitismus in Polen unter deutscher Besatzung (1939–1944/45). Zu verdrängten Aspekten eines schwierigen deutsch-polnisch-jüdischen Verhältnisses, in: Zeitschrift für Geschichtswissenschaft 45 (1997), S. 818–834.

unmittelbaren Nachkriegszeit eine Rolle spielte.[109] Mitte der achtziger Jahre setzte dann eine publizistische Diskussion ein, die im Jahre 2000 durch die Jedwabne-Debatte eine ganz neue Dimension erhielt. Freilich stellen sich die Zusammenhänge in Bezug auf die „Aktion Reinhard" anders dar als bei den Pogromen. Zunächst erscheint von Interesse, welche Kenntnisse und welches Verhalten die Polen im direkten Umfeld der Vernichtungslager an den Tag legten.[110] Unter ganz anderen Voraussetzungen ist diese Fragestellung für die Konzentrationslager in Deutschland und Österreich bereits untersucht worden. Während die Untersuchung der polnischen Bevölkerung, die in der Nähe der Lager lebte, kaum in vergleichendem Maße möglich erscheint, hat sich die Forschung weitgehend auf das Verhalten der nicht-jüdischen Einheimischen gegenüber den Ghettos konzentriert. Die Strukturen der Lebensrettung durch Nichtjuden sind inzwischen erheblich differenzierter dargestellt worden, als dies früher der Fall war.[111] Nicht nur politische Einstellung und menschliche Nähe spielten dabei eine Rolle, sondern auch Zufälle und gelegentlich materielle Interessen. Gerade angesichts der Total-vernichtung der Juden ab Spätherbst 1942 und der Kriegswende von Stalingrad zeigten sich mehr Einheimische bereit, Juden zu verstecken. Dies geschah in Polen vergleichsweise oft, und es stellte für die Helfer und meist deren gesamte Familien ein lebensgefährliches Unterfangen dar. Es sind jedoch nicht alle Polen umgebracht worden, die man unter dem Verdacht, Juden zu verstecken, inhaftiert hatte.[112]

Freilich blieb die Gefahr der Denunziation allgegenwärtig, auch und gerade während der Zeit der Deportationen. Einige Historiker haben frühzeitig mit der Erforschung der Denunziationen für die Besatzungsmacht begonnen, doch ist dieses Phänomen in Bezug auf die Juden noch nicht systematisch untersucht. Etwas besser sind die Kenntnisse bezüglich dessen, was man gemeinhin „Kollaboration" beim Judenmord nennt. Die generelle, europaweite Kollaborationsforschung hat in den letzten Jahre große Fortschritte gemacht, sie hat auch dieses Konzept differenziert und die vielfältigen Formen der Arbeit Einheimischer für die Besatzungsmacht aufgezeigt. Freilich bleibt umstritten, ob das Konzept der „Kollaboration" auf Polen

---

[109] MICHAEL M. BORWICZ, Organizowanie wściekłości, Warszawa 1947; vgl. als eines der wichtigsten Zeugnisse: ZYGMUNT KLUKOWSKI, Dziennik z lat okupacji Zamojszczyzny 1939–1944, Lublin 1958 (eine kritische Neuedition wäre dringend erforderlich).

[110] Vgl. NATHAN BEYRACK, Testimonies of Non-Jewish Witnesses in Poland, in: Bulletin trimestriel de la Fondation Auschwitz no. 61, 1998, S. 99–104.

[111] Erste Ansätze auf Mikroebene: ROSA LEHMANN, Symbiosis and Ambivalence. Poles and Jews in a Small Galician Town, New York, Oxford 2001; angekündigt ist: MAREK J. CHODAKIEWICZ, Between Nazis and Soviets. A Case Study of Occupation Politics in Poland, 1939–1947.

[112] Vgl. Fußnote 105. MICHAŁ GRYNBERG, Księga sprawiedliwych. Warszawa 1993.

überhaupt anwendbar ist. An erster Stelle zu nennen, aber so gut wie un-
erforscht, ist die Rolle der „Volksdeutschen" im Generalgouvernement.
Manche von ihnen standen in Polizeidiensten, arbeiteten in der Kommunal-
verwaltung oder beim so genannten Sonderdienst. Hier fehlen Untersuchungen.[113] Vorhanden sind sie hingegen zur Geschichte der einheimischen
„dunkelblauen Polizei", die in vielen Fällen an den Ghettoräumungen teil-
nahm.[114] Freilich müssen diese allgemeinen Erkenntnisse, die auch die
Infiltrierung der polnischen Polizei durch den Untergrund aufgezeigt haben,
für die Beteiligung an der Judenverfolgung noch vertieft werden, etwa
bezüglich der polnischen Mitarbeiter der Kriminalpolizei. Während die
einschlägige Tätigkeit des „Baudienstes" bereits thematisiert wurde[115],
vermisst man dies weitgehend für die Rolle der Kommunalverwaltungen
oder der polnischen Eisenbahner. Es ist jedoch zu betonen, dass die Polen
in deutschen Diensten durchweg Hilfstätigkeiten ausübten und in ihren
Handlungsspielräumen deutlich begrenzt waren. Insgesamt befanden sich die
Polen im europäischen Vergleich unter einem der härtesten Unterdrückungs-
und Mordregime.

Etwas differenzierter sind die polnischen Institutionen zu sehen, die sich
eine gewisse Unabhängigkeit bewahren konnten. Dies gilt insbesondere für
die katholische Kirche. Zwar haben zweifelsohne viele Priester und Klöster
zur Rettung verfolgter Juden beigetragen[116], es bleibt jedoch die Frage, ob
die antijüdischen Tendenzen aus den dreißiger Jahren auch noch während
des Krieges weiterwirkten, nicht zuletzt unter dem Eindruck des verhee-
renden Stereotyps der „żydokomuna". Für diesen Bereich stehen wissenschaftliche Publikationen noch aus.[117]

---

[113] Vgl. allgemein DORIS L. BERGEN, The Nazi Concept of „Volksdeutsche" and the
Exacerbation of Anti-Semitism in Eastern Europe, 1939–45, in: Central European History 29
(1994), S. 569–582.

[114] ADAM HEMPEL, Pogrobowcy klęski. Rzecz o policji „granatowej" w Generalnym
Gubernatorstwie 1939–1945, Warszawa 1990.

[115] MŚCISŁAW WRÓBLEWSKI, Służba Budowlana (Baudienst) w Generalnym Gubernatorstwie, 1940–1945, Warszawa 1984.

[116] Beispielsweise EWA KUREK, Your Life is Worth Mine. How Polish Nuns Saved
Hundreds of Jewish Children in German-occupied Poland 1939–1945, New York 1997.

[117] Aus kirchlicher Sicht: F. STOPNIAK, Duchowieństwo katolickie i Żydzi w Polsce w
latach II wojny światowej, in: Studia nad faszyzmem i zbrodniami hitlerowskimi 11 (1987),
S. 196–217; DARIUSZ LIBIONKA hat eine Dissertation zum Thema abgeschlossen, vgl. DERS.,
Duchowieństwo diecezji łomżyńskiej wobec antysemityzmu i zagłady Zydów, in: Wokół
Jedwabnego, hg. v. PAWEŁ MACHCEWICZ/KRZYSZTOF PERSAK, Band 1, Warszawa 2002, S.
105–128; DERS., Die Kirche in Polen und der Mord an den Juden im Licht der polnischen
Publizistik und Historiographie nach 1945, in: Zeitschrift für Ostmitteleuropa-Forschung 51
(2002), S. 188–215.

Die einzige von der deutschen Besatzungsherrschaft wirklich unabhängige Organisation stellte der Untergrund dar, dessen Schattierungen von ganz links bis ganz rechts reichten. Die durch die Verzerrung des Geschichtsbildes im kommunistischen Polen entstandene Schieflage wird inzwischen allmählich korrigiert, insbesondere durch eine intensive Auswertung der Untergrundpresse.[118] Freilich bleibt als Ergebnis bestehen, dass die meisten Juden vom kommunistischen Untergrund aufgenommen wurden und dieser auch die massivste Kritik an der Verfolgung übte. Zweifellos distanzierte sich die zentrale polnische Untergrundbewegung, die *Armia Krajowa*, ebenso von den Massenmorden. Viele ihrer Gruppen halfen verfolgten Juden, manche exekutierten notorische Denunzianten, die Juden den Tod gebracht hatten; freilich gab es auch unter dem Dach der *Armia Krajowa* antisemitische Tendenzen.[119] Als durchgehend antisemitisch sind die rechtsradikalen Nationalen Streitkräfte NSZ einzuschätzen, die in der kommunistischen Historiographie extrem negativ dargestellt worden sind und deren Rehabilitierung momentan diskutiert wird. Es bleibt jedoch umstritten, ob NSZ-Verbände versteckte Juden ermordet haben, wie vielfach behauptet wird. Kaum umstritten ist heute allerdings, dass die gesamte Untergrundbewegung streckenweise über hervorragende Kenntnisse von der „Aktion Reinhard" verfügte, ja sogar einzelne Dokumente aus dem Mordapparat erbeuten konnte.[120] Es ist freilich nicht erkennbar, dass irgendwelche Befreiungsaktionen, etwa durch Sprengung von Gleisanlagen, geplant waren. Vielmehr richtete die Vertretung der Exilregierung im Lande, die *Delega-*

[118] Grundlegende Dokumentation für einen Sektor: Wojna żydowsko-niemiecka. Polska prasa konspiracyjna 1943–1944 o powstaniu w getcie Warszawy, hg. v. PAWEŁ SZAPIRO. Londyn 1992; ANDRZEJ FRISZKE, Publicystyka Polski Podziemnej wobec zagłady Żydów, in: Polska – Polacy – mniejszości narodowe, hg. v. EWA GRZEŚKOWIAK-ŁUCZYK, Wrocław u.a. 1992, S. 193–213; JERZY JAROWIECKI, Holokaust w okresie hitlerowskim w polskiej prasy konspiracyjnej, in: Rocznik Historii Prasy Polskiej 2 (1999), H. 2, S. 51–80; vgl. demnächst KLAUS-PETER FRIEDRICH, Der nationalsozialistische Judenmord in polnischen Augen. Einstellungen in der polnischen Presse 1942–1947, Diss. phil. Univ. Köln 2002. Konventionell: Polskie podziemie polityczne wobec zagłady Żydów w czasie okupacji niemieckiej. Referaty z sesji, Warszawa, 22 kwietnia 1987, hg. v. IZABELLA BOROWICZ, Warszawa 1988.

[119] FRANK GOLCZEWSKI, Die Heimatarmee und die Juden, in: Die Heimatarmee. Geschichte und Mythos der Armia Krajowa, hg. v. BERNHARD CHIARI, München 2003, S. 635–676.

[120] B. CHRZANOWSKI, Eksterminacja ludności żydowskiej w świetle polskich wydawnictw konspiracyjnych, in: BŻIH H. 133/134, 1985, S. 85–103; JÓZEF MARSZAŁEK, Rozpoznanie obozów smierci w Bełżcu, Sobiborze i Treblince przez wywiad Delegatury Rządu Rzeczypospolitej Polskiej na Kraj i Armii Krajowej, in: Zeszyty Majdanka 14 (1992), S. 39–59; MARIA TYSZKOWA, Eksterminacja Żydów w latach 1941–1943 (Dokumenty Biura Informacji i Propagandy Komendy Głównej Armii Krajowej ze zbiorów oddziału rękopisów Biblioteki Uniwersytetu Warszawskiego), in: BŻIH H. 162/163, 1992, S. 35–61.

tura, einen Hilfsrat für Juden ein, der einige begrenzte Hilfsaktionen in Gang setzen konnte.[121] Die Exilregierung selbst publizierte die Nachrichten vom Massenmord in Polen, allerdings sehr zurückhaltend, wie einige Forscher meinen[122] Demgegenüber fehlte es den polnischen Juden, die sich ins Exil retten konnten, zumeist an Einflussmöglichkeiten.[123]

Kompliziert wird die Betrachtung der einheimischen Bevölkerung und ihres Verhältnisses zum Massenmord durch die ethnischen Mischlagen, vor allem in den ukrainischen Siedlungsgebieten im Südosten des Generalgouvernements. Nicht zuletzt infolge der antisemitischen Wahrnehmung der sowjetischen Herrschaft von 1939 bis 1941 und durch den Einfluss der Organisation Ukrainischer Nationalisten herrschte in Teilen der ukrainischen Bevölkerung eine tiefe Abneigung gegen die jüdische Minderheit.[124] Jedoch scheint sich dies angesichts der Massenverbrechen von 1942 graduell verändert zu haben. Insbesondere der Metropolit der griechisch-katholischen Unierten Kirche von Galizien, Andrij Šeptyc'kyj, versuchte sich davon zu distanzieren.[125] Inwieweit dies auch für seine Priester gilt, bleibt unklar. Die verspätet aufgenommenen Ermittlungen zu den ukrainischen „Gerechten unter den Völkern" haben inzwischen zahlreiche ukrainische Lebensretter ausfindig gemacht.[126] Ohne Zweifel spielte die ukrainische Hilfspolizei, insbesondere die Helfer in der Sicherheitspolizei, im Distrikt Galizien jedoch eine bedeutende Rolle beim Mord an den dortigen Juden.[127] Und der nationalukrainische Widerstand der UPA begann sich erst relativ spät und halbherzig von den Massenmorden zu distanzieren. Auch hier stehen einzelne

---

[121] TERESA PREKEROWA, Konspiracyjna Rada Pomocy Żydom w Warszawie 1942–1945, Warszawa 1982.

[122] DAVID ENGEL, In the Shadow of Auschwitz. The Polish Government-in-Exile and the Jews, 1939–1942, Chapel Hill/N.C., London 1987; DERS., Facing the Holocaust. The Polish Government-in-Exile and the Jews, 1943–1945, Chapel Hill/N.C., 1993.

[123] DARIUSZ STOLA, Nadzieja i zagłada. Ignacy Schwarzbart – żydowski przedstawiciel w Radzie Narodowej RP (1940–1945), Warszawa 1995, und den Beitrag von DANIEL BLATMAN in diesem Band.

[124] Vgl. die Fallstudien von JOHN-PAUL HIMKA, Krakivski Visti and the Jews, 1943. A Contribution to the History of Ukrainian-Jewish Relations during the Second World War, in: Journal of Ukrainian Studies 21 (1996), S. 81–95; SHIMON REDLICH, Together and Apart in Brzezany. Poles, Jews and Ukrainians 1919–1945, Bloomington, Ind., 2002.

[125] Morality and Reality. The Life and Times of Andrei Sheptyts'kyi, hg. v. PAUL MAGOCSI, Edmonton, Alberta, 1989.

[126] FRANK GOLCZEWSKI, Die Revision eines Klischees. Die Rettung von verfolgten Juden im Zweiten Weltkrieg durch Ukrainer, in: Solidarität und Hilfe für Juden während der NS-Zeit, hg. v. WOLFGANG BENZ/JULIANE WETZEL, Band 2, Berlin 1998, S. 9–82. Dagegen einseitig: žanna Kovba, Ljudjanist' u bezodni pekla. Povedinka miscevoho naselennja Schidnoï Halyčyny v roky „ostatočnoho rozv'jazannja jevreis'koho pytannja", 2. erw. Aufl. Kyïv 2000.

[127] DIETER POHL, Ukrainische Hilfskräfte beim Mord an den Juden, in: PAUL, Täter der Shoah, S. 205–234.

Gruppen im Verdacht, in den Wäldern versteckte Juden umgebracht zu
haben.

Letzten Endes kann es aber nicht das zentrale Ziel der Forschung sein,
diese oder jene Organisation „anzuschwärzen". Vielmehr ist es erforderlich,
dieses schwerste Massenverbrechen auf polnischem Boden in die allgemeine
Gesellschaftsgeschichte unter Besatzung zu integrieren, um zu zeigen,
welchen Rahmen die Besatzer setzten und wie sich die Besetzten darin
verhielten. Dabei wurden natürlich auch längerfristige Strukturen wirksam,
sei es aus der polnischen Gesellschaft der dreißiger Jahre oder infolge der
sowjetischen Besatzung Ostpolens. Jedenfalls wird man konstatieren müssen,
dass die gesellschaftlichen Beziehungen und damit oftmals auch die moralischen Standards im Krieg immer weiter deformiert wurden.

Schlussbemerkung

Schon angesichts der Schwierigkeiten bei der Definition erweist sich die
„Aktion Reinhard" als außerordentlich komplexer, weit verzweigter Gegenstand der Historiographie. Zwar wurde dazu viel publiziert, aber im Vergleich zu anderen Komplexen wie etwa Auschwitz ist das Mordprogramm
bei weitem nicht so intensiv erforscht. Noch drastischer fällt der Vergleich
mit der Forschung zur Verfolgung der deutschen oder westeuropäischen
Juden aus, die inzwischen einen vertieften Kenntnisstand erreicht hat. Dass
sich hier enorme Unterschiede auftun, liegt zweifelsohne auch an der
schwierigen Quellenlage. Erschwerend wirkt die internationale Verstreuung
der Wissenschaft, die meist im nationalen Zusammenhang isoliert blieb. Ein
Blick in die polnischen Publikationen zeigt, dass bereits in den frühen
fünfziger Jahren viele Vorgänge rekonstruiert waren, dieses Wissen aber
weitgehend verloren ging und oft erst 40 Jahre später wieder auftauchte!
Deshalb erscheint ein internationaler Dialog, wie er seit zwei Jahrzehnten in
Gang gekommen ist, dringend nötig, auch wenn sich ihm sprachliche Barrieren entgegenstellen.

Ein erheblicher Teil der Quellen ist ausgewertet worden, bei weitem aber
noch nicht alle. Für die Historiker kommt es vielmehr darauf an, sich neben
einer Rekonstruktion aller wichtigen Vorgänge um neue Fragestellungen zu
bemühen, die Licht in die Geschichte des Grauenhaften bringen. Insbesondere muss es darum gehen, die Perspektiven von „Tätern, Opfern, Zuschau-
ern" stärker zusammenzuführen und die gegenseitige Wahrnehmung und
Interaktion herauszuarbeiten. Dabei wird die Frage von Kenntnisstand und
Handlungsspielräumen sicher eine große Rolle spielen. Wir sind uns immer
noch nicht im Klaren darüber, wie es zu einer solchen menschlichen Ver-
rohung unter den Besatzern kommen konnte. Sodann erscheint es notwendig,

diese oft auf der Mikroebene gewonnenen Erkenntnisse mit anderen Fallbeispielen zu vergleichen, auch über die „Aktion Reinhard" und die jüdischen Opfer hinaus. Die internationale Forschung zur „Aktion Reinhard", ausgerüstet mit breitester Kenntnis von Quellen, Quellenkritik und Sprachkompetenz, hat noch große Aufgaben vor sich.

BOGDAN MUSIAL

URSPRÜNGE DER „AKTION REINHARDT". PLANUNG DES MASSENMORDES AN DEN JUDEN IM GENERALGOUVERNEMENT[*]

Die Frage, wie der Entscheidungsprozess für den Mord an den europäischen Juden während des Zweiten Weltkrieges verlief, ist in der Forschung immer noch umstritten. Die bisherige Geschichtsschreibung hat ein breites Spektrum verschiedener Interpretationen erarbeitet, was die Motivation der Täter und die zeitliche Abfolge der zum Holocaust hinführenden Entscheidungen betrifft. Nichtsdestoweniger bildete sich in den letzten Jahren eine Art Konsens heraus, dass der Entschluss dazu in einem komplexen und stufenförmigen Prozess entstand und die wichtigsten Entscheidungen in der zweiten Jahreshälfte 1941 fielen.[1]

Zumeist wird die These von zwei zeitlich getrennten Entscheidungen vertreten, welche die „Endlösung" in Gang brachten. Die erste, auf die Ermordung der sowjetischen Juden hinauslaufend, soll im Juli oder August 1941 gefallen sein.[2] Erst als die Ermordung der sowjetischen Juden bereits in Gang war, soll der Entschluss gefasst worden sein, alle europäischen

---

[*] Dieser Beitrag ist eine überarbeitete Fassung des Aufsatzes „The Origins of ‚Operation Reinhard'. The Decision-Making Process for the Mass Murder of the Jews in the Generalgouvernement", in: Yad Vashem Studies 28 (2000), S. 113-153.

[1] Einen Überblick über die neueste Forschung bieten: CHRISTOPHER R. BROWNING, Judenmord. NS-Politik, Zwangsarbeit und das Verhalten der Täter, Frankfurt/M. 2001, S. 47–92; ders., Der Weg zur „Endlösung". Entscheidungen und Täter, Bonn 1998; ders.: Die Entfesselung der „Endlösung". Nationalsozialistische Judenpolitik 1939-1942. Mit einem Beitrag von Jürgen Matthäus, München 2003; CHRISTIAN GERLACH, Die Wannsee-Konferenz, das Schicksal der deutschen Juden und Hitlers politische Grundsatzentscheidung, alle Juden Europas zu ermorden, in: WerkstattGeschichte 18 (1997), S. 7–44.

[2] Überzeugend RALF OGORRECK, Die Einsatzgruppen und die „Genesis der Endlösung", Berlin 1996, S. 176–222. Ogorreck argumentiert, dass im August 1941 der umfassende Befehl gegeben wurde, alle sowjetischen Juden, ohne Rücksicht auf Alter und Geschlecht, zu liquidieren; ähnlich PHILIPPE BURRIN, Hitler und die Juden. Die Entscheidung für den Völkermord, Frankfurt/M. 1993. CHRISTOPHER BROWNING, The Path to Genocide, Cambridge/Mass. 1992, argumentiert dagegen, dass dieser Beschluss im Juli 1941 gefasst worden sei.

Juden, auch die polnischen, zu vernichten. Diese zweite Entscheidung wird auf September/Oktober beziehungweise Dezember 1941 datiert.[3]

Einiges spricht jedoch dafür, dass der Beschluss, die Juden im General-gouvernement – dort lebten die meisten polnischen Juden – zu ermorden, gesondert gefallen ist. Es handelte sich dabei immerhin um über zwei Millionen Menschen. Es ist auch bemerkenswert, dass in der bisherigen Forschung dem Schicksal der polnischen Juden relativ wenig Aufmerksamkeit gewidmet wird. Die internationale Forschung konzentriert sich eher auf das Schicksal der deutschen Juden, etwa 2,6 bis 3,2 Prozent aller Holocaustopfer, und das Vernichtungslager Auschwitz, das zum Symbol der „Endlösung" wurde. Das Schicksal der polnischen Juden, etwa der Hälfte aller Holocaustopfer, bleibt dabei nach wie vor unterbeleuchtet.

Dieses Ungleichgewicht halte ich für einen grundsätzlichen Mangel der bisherigen Forschung, der eine ausgewogene und sachliche Diskussion erschwert. Erfreulich ist jedoch, dass sich in den letzten Jahren in dieser Hinsicht einiges geändert hat. Es sind mehrere Arbeiten veröffentlicht worden, die sich mit der Judenverfolgung in verschiedenen Regionen Osteuropas befassen, andere werden vorbereitet.

Die Rolle des rassischen Antisemitismus in der nationalsozialistischen Ideologie

In der Debatte über die Entscheidungsfindung zum Genozid an den europäischen Juden spielt die Motivation der Täter neben der zeitlichen Abfolge eine zentrale Rolle. Auch hier hat die Forschung ein breites Spektrum unterschiedlicher Interpretationen erarbeitet. In den siebziger und achtziger Jahren dominierte die wissenschaftliche Kontroverse zwischen den so genannten Intentionalisten und Funktionalisten (Strukturalisten). Die Ersteren argumentierten, dass der Genozid an den europäischen Juden auf einen ideologisch motivierten „Vernichtungsplan" zurückgehe. Hitler habe diesen Plan konsequent verfolgt und durch einen „Führerbefehl" im Laufe des Jahres 1941 in Kraft gesetzt. Dies ist auch die „klassische" Interpretation. Die Funktionalisten gingen hingegen davon aus, dass die „Endlösung" stückweise und ohne einen gesonderten „Führerbefehl" zustande kam – als „ein zwingendes Resultat des Systems kumulativer Radikalisierung" im Dritten Reich.[4]

---

[3] So z. B. BURRIN, Hitler, S. 133 ff. (September) und BROWNING, Path to Genocide (Oktober).

[4] Ausführlich dazu IAN KERSHAW, Der NS-Staat. Geschichtsinterpretationen und Kontroversen im Überblick, Reinbek 1994, S. 149–194, Zitat S. 162 f.

In den neunziger Jahren verlor diese wissenschaftliche Kontroverse an Bedeutung, obwohl das Interesse an der Problematik stieg. Es erschienen zahlreiche weitere Beiträge und Untersuchungen, die sich mit der Judenverfolgung in der NS-Zeit und Motivation der Täter befassen. Bemerkenswert ist, dass den Vorgängen im Osten Europas mehr Aufmerksamkeit gewidmet wird als bisher. Dies brachte neue Impulse in die Debatte über die Entscheidungsfindung zur „Endlösung". Sie konzentriert sich einerseits auf regionale Initiativen, andererseits auf quasi „rationelle" Motive wie die „Vergeltung" für Partisanenüberfälle, sowjetische Verbrechen oder den Kriegseintritt der USA, über wirtschaftliche Schwierigkeiten (Ernährungskrise) bis zu Germanisierungs- und Umsiedlungsplänen im Osten. Dieser Trend hält an.

Auf den ersten Blick mögen diese Interpretationen mindestens teilweise widersprüchlich erscheinen. Bei näherer Betrachtung lässt sich jedoch feststellen, dass ein Motiv das andere nicht unbedingt ausschließt. Im Generalgouvernement überlagerten sich beispielsweise die so genannten utilitaristischen Beweggründe der deutschen Zivilverwaltung, die Juden zu „entfernen", mit den rassenideologischen Motiven von SS und Polizei. Dies verlieh dem Entscheidungsprozess eine zusätzliche Dynamik, die schließlich zum Genozid führte.[5] Es konnte sich also durchaus um ein Bündel von verschiedenen „irrationalen" und „rationalen" Motiven handeln, welche die Entscheidung zum Massenmord an den Juden beeinflussten.

Ferner haben alle diese Motive, die bei gesonderter Betrachtung widersprüchlich erscheinen mögen, einen gemeinsamen Nenner, und zwar den rassischen Antisemitismus der Nationalsozialisten. Der rassische Antisemitismus spielte in der NS-Ideologie eine zentrale Rolle und zielte von Anbeginn auf die restlose „Entfernung", das heißt die Eliminierung der Juden ab. Daher ist der Begriff des eliminatorischen Antisemitismus, den Daniel Goldhagen vor der breiten Öffentlichkeit geprägt hat, meines Erachtens zutreffend.[6] Der rassische Antisemitismus, der exemplarisch bei Hitler, dem Führer und Ideologen der NS-Bewegung, vorzufinden ist, zeichnete sich durch die „Erkenntnis" aus, die Juden seien ein „Bazillus", der jede Volksgemeinschaft zersetze. Daraus resultierte das Ziel, die Juden zu eliminieren, damit die Volksgemeinschaft und die Welt „genesen" und zur „natürlichen Ordnung" zurückkehren könnten.

---

[5] BOGDAN MUSIAL, Deutsche Zivilverwaltung und Judenverfolgung im Generalgouvernement, Wiesbaden 1999, S. 200–212.

[6] DANIEL JONAH GOLDHAGEN, Hitlers willige Vollstrecker. Ganz gewöhnliche Deutsche und der Holocaust, Berlin 1996.

Die Juden als „Bazillus", „Parasiten" und „Weltvergifter"

In *Mein Kampf* schrieb Hitler: „Er [der Jude] ist und bleibt der typische Parasit, ein Schmarotzer, der wie ein schädlicher Bazillus sich immer mehr ausbreitet, sowie nur ein günstiger Nährboden dazu einlädt. Die Wirkung seines Daseins aber gleicht ebenfalls der von Schmarotzern: wo er auftritt, stirbt das Wirtsvolk nach kürzerer oder längerer Zeit ab."[7] Bis zum Ende seines Lebens blieb Hitler bei dieser Auffassung. Hier einige Beispiele: Im Jahre 1928 schrieb Hitler: „Die Existenz des Juden selbst wird damit zu einer parasitären innerhalb des Lebens anderer Völker. Das letzte Ziel des jüdischen Lebenskampfes ist dabei die Versklavung produktiv tätiger Völker."[8] Am 22. Februar 1942 erklärte er: „Zahllose Erkrankungen haben die Ursache in einem Bazillus: dem Juden!"[9] Und am 29. April 1945 verfasste Hitler sein Testament an das deutsche Volk, in dem er auch auf die „Judenfrage" einging: „Der eigentlich Schuldige an diesem mörderischen Ringen [dem Zweiten Weltkrieg] ist: Das Judentum! […] Vor allem verpflichte ich die Führung der Nation und die Gefolgschaft zur peinlichen Einhaltung der Rassengesetze und zum unbarmherzigen Widerstand gegen den Weltvergifter aller Völker, das internationale Judentum."[10]

Nach Hitlers Auffassung waren die Juden verantwortlich beziehungsweise mitverantwortlich unter anderem für den Niedergang der Antike (sic!)[11], den Kommunismus, den Bolschewismus, die deutsche Niederlage im Ersten Weltkrieg, für die angebliche Entartung der Kunst und des geistigen sowie kulturellen Lebens, für wirtschaftliche und soziale Verwerfungen und Krisen in Deutschland und in der Welt. Es gab kaum einen Bereich des gesellschaftlichen Lebens, in dem für echte und angebliche negative Erscheinungen und sonstige Verwerfungen nach Auffassung Hitlers die Juden nicht verantwortlich oder zumindest mitverantwortlich gewesen wären.

Hitler rühmte sich selbst, dass er derjenige wäre, der das angeblich schädigende und zersetzende Wirken der Juden erkannt hätte. Am 10. Juli

---

[7] ADOLF HITLER, Mein Kampf, München 1940, S. 334.

[8] Hitler im Jahre 1928, in: Hitlers Zweites Buch. Ein Dokument aus dem Jahre 1928, eingel. und komment. von GERHARD L. WEINBERG. Geleitwort von HANS ROTHFELS, Stuttgart 1961, S. 221.

[9] ADOLF HITLER, Monologe im Führerhauptquartier 1941–1944, aufgez. v. HEINRICH HEIM, hg. u. komment. v. WERNER JOCHMANN, München 2000 (genehmigte Sonderausgabe), S. 293.

[10] Zitiert nach EBERHARD JÄCKEL, Hitlers Weltanschauung. Entwurf einer Weltherrschaft, Tübingen 1969, S. 78.

[11] Hitler am 17. Februar 1942: „Der gleiche Jude, der damals das Christentum in die Antike eingeschmuggelt und diese wunderbare Sache umgebracht hat." HITLER, Monologe, S. 279.

1941 erklärte er: „Ich fühle mich wie Robert Koch in der Politik. Der fand den Bazillus [...] und wies damit der ärztlichen Wissenschaft neue Wege. Ich entdeckte den Juden als Bazillus und das Ferment aller [...] gesellschaftlichen Dekomposition."[12] Tatsächlich entstand jedoch dieses Feindbild des Juden bereits im 19. Jahrhundert[13], wenn auch erst Hitler und die NS-Bewegung dieses Feindbild in Deutschland „popularisierten" und schließlich zur Staatsdoktrin erhoben.

Die Konsequenz aus der „Erkenntnis", die Juden seien ein Bazillus, war das Ziel, den Kampf mit ihnen aufzunehmen und sie aus der „Volksgemeinschaft" zu entfernen. Hitler hatte anfangs keinen konkreten Plan gehabt – es ist jedenfalls nicht bekannt –, wie nun die Juden eliminiert werden sollten. Er ließ diese Frage zunächst offen, obwohl er von Anfang an in seinen Reden deutlich über die physische Vernichtung der jüdischen Bevölkerung sprach.[14] In *Mein Kampf* schrieb er auf Seite 272: „Die Nationalisierung unserer Rasse wird nur gelingen, wenn bei allem positiven Kampf um die Seele unseres Volkes ihre internationalen Vergifter [die Juden, *B.M.*] ausgerottet werden." Auf Seite 772 schrieb Hitler hingegen:

> „In eben dem Maße aber, in dem im Laufe des Krieges der deutsche Arbeiter und deutsche Soldat wieder in die Hand der marxistischen Führer zurückkehrte, in eben dem Maße ging er dem Vaterland verloren. Hätte man zu Kriegsbeginn und während des Krieges einmal zwölf- oder fünfzehntausend dieser hebräischen Volksverderber so unter Giftgas gehalten, wie Hunderttausende unserer allerbesten deutschen Arbeiter aus allen Schichten und Berufen es im Felde erdulden mußten, dann wäre das Millionenopfer der Front nicht vergeblich gewesen. Im Gegenteil: Zwölftausend Schurken zur rechten Zeit beseitigt, hätten vielleicht einer Million ordentlicher, für Zukunft wertvoller Deutschen das Leben gerettet."

Es ist nicht zu leugnen, dass Hitler bereits in der frühen Phase seiner politischen Tätigkeit die physische Vernichtung der Juden als eine Option einkalkulierte, um die Juden „unschädlich" zu machen und zu eliminieren.

Nachdem Hitler das „wahre" Wesen „des Juden" erkannt zu haben glaubte, war es aus seiner Sicht nur konsequent, den Kampf mit dem Judentum aufzunehmen. Dies war in der Tat eines der Hauptziele seiner politischen Tätigkeit.[15] Im Jahre 1928 schrieb Hitler: „Das erbittertste Ringen um den Sieg des Judentums spielt sich zur Zeit in Deutschland ab. Hier ist

---

[12] Zitiert nach IAN KERSHAW, Hitler 1936–1945, Stuttgart 2000, S. 627.

[13] ALEXANDER BEIN, Der moderne Antisemitismus und seine Bedeutung für die Judenfrage, Vierteljahrshefte für Zeitgeschichte (VfZ) 6 (1958), S. 340–360; ders., „Der jüdische Parasit". Bemerkungen zur Semantik der Judenfrage, VfZ 13 (1965), S. 121–149.

[14] IAN KERSHAW, Hitler 1889–1936, Stuttgart 1998, S. 197 ff., 303–321.

[15] KERSHAW, Hitler 1889–1936, S. 197 ff.

es die nationalsozialistische Bewegung, die als einzige den Kampf gegen dieses fluchwürdige Menschheitsverbrechen aufgenommen hat."[16]

Zunächst beschränkten sich Hitler und seine Bewegung im Kampf gegen das Judentum auf Reden und Propagandatätigkeit. Sie bemühten sich, das deutsche Volk über den „destruktiven" Charakter und das „zersetzende" Wirken der Juden „aufzuklären", um das „Problembewußtsein" zu schaffen; hierbei knüpften sie an den bereits relativ verbreiteten konservativen Antisemitismus an. Konkrete Pläne, wie nun die „Judenfrage" in Deutschland und der Welt künftig zu lösen sei, wurden nicht entwickelt.[17]

Die Machtergreifung im Jahre 1933 änderte diese Konstellation. Den Reden konnten nun Taten folgen. Die Nationalsozialisten erhoben den rassischen Antisemitismus zum Leitprinzip der staatlichen Politik, zur Staatsdoktrin. Es wurden Pläne entworfen und umgesetzt, die darauf abzielten, die Juden aus der deutschen „Volksgemeinschaft" zu „entfernen". Es ist kennzeichnend, dass Hitler persönlich keine konkreten Pläne in dieser Hinsicht entwickeln musste. Das Ziel, die „Entfernung" der Juden aus der deutschen Volksgemeinschaft, war ja vorgegeben.

So wurden nach der Machtergreifung antijüdische Maßnahmen ergriffen, um die Juden aus allen Bereichen des gesellschaftlichen Lebens (Staatsapparat, Kultur, Wissenschaft, Wirtschaft) zu entfernen. Im Jahr 1935 wurden die so genannten Ariergesetze erlassen, die die Isolierung der Juden gesetzlich festhielten. Das Ziel war, die „Judenfrage" in Deutschland durch Auswanderung zu lösen.

Alle gegen die Juden gerichteten Maßnahmen flankierten die Nationalsozialisten mit einer massiven antijüdischen Propaganda, für die alle damaligen Medien zur Verfügung gestellt wurden, wie Rundfunk, Presse, Kundgebungen oder Flugblätter. Damit erreichte die Ideologie des rassischen Antisemitismus die ganze deutsche Gesellschaft.[18]

Die antijüdische Politik im Generalgouvernement 1939–41: Beschleunigung des Radikalisierungsprozesses

Eines der Hauptziele der NS-Führung nach der Machtergreifung war es, die deutschen Juden aus dem gesellschaftlichen Leben auszuschließen und sie zur Auswanderung zu zwingen. Gegenüber den relativ wenigen deutschen Juden wurden diese Pläne konsequent und „erfolgreich" umgesetzt. Im

---

[16] Hitlers Zweites Buch, S. 223.
[17] KERSHAW, Hitler 1889–1936, S. 372.
[18] Ebd., S. 702–721.

Sommer 1939 schien die „Judenfrage" in Deutschland in absehbarer Zeit gelöst zu werden: Ende 1939 lebten im Reich in den Grenzen von 1937 nur noch 190 000 von den etwa 500 000 Juden im Jahre 1933. Damit sank ihr Anteil an der Gesamtbevölkerung innerhalb von sechs Jahren von 0,77 auf 0,28 Prozent.[19] Der Krieg gegen Polen und die Besetzung des Landes änderten die Lage jedoch grundsätzlich. Im deutschen Machtbereich befanden sich im Herbst 1939 mit einem Schlag etwa 2,5 Millionen polnische Juden. Den Entscheidungsträgern in Berlin wurde klar, dass die „Judenfrage" durch Auswanderung nicht mehr zu lösen war. Kein Land auf der Welt wäre bereit, Millionen der zumeist armen polnischen Juden aufzunehmen. Damit begann die Suche nach anderen Lösungen.

Bereits die direkte Konfrontation mit der Masse der polnischen Juden, den so genannten Ostjuden, scheint die antijüdischen Ressentiments in Deutschland weiter gesteigert zu haben. Dies bezieht sich vor allem auf die NS-Führung und die im besetzten Polen eingesetzten Soldaten, Polizisten und die übrigen Angehörigen des deutschen Besatzungsapparates. So soll Hitler nach seinen Frontfahrten in Polen am 29. September 1939 Alfred Rosenberg gegenüber geäußert haben, die Juden seien für ihn „das grauenhafteste, was man sich überhaupt vorstellen konnte".[20] Eine Woche später sprach Hitler im kleinen Kreis „über die Judenprobleme, die ihm während seiner Besuche in Polen wieder so recht vor Augen getreten wären, und welche nicht nur in Deutschland, sondern auch in den unter deutschem Einfluß stehenden Ländern gelöst werden müßten".[21] Goebbels wiederum notierte in seinem Tagebuch am 6. Oktober 1939: „Mittags beim Führer. Große Gesellschaft. [...] Das Judenproblem wird wohl am schwierigsten zu lösen sein. Diese Juden sind gar keine Menschen mehr. Mit einem kalten Intellekt ausgestattete Raubtiere, die man unschädlich machen muß".[22]

Auch für viele Durchschnittsdeutsche, die seit 1933 einer massiven antisemitischen Propaganda ausgesetzt waren, bedeutete die Begegnung mit polnischen Juden unter den anormalen Verhältnissen der Besatzung die

---

[19] Dimension des Völkermordes. Die Zahl der jüdischen Opfer des Nationalsozialismus, hg. v. WOLFGANG BENZ, München 1991, S. 23, 32, 34.
[20] ALFRED ROSENBERG, Das politische Tagebuch Alfred Rosenbergs 1934/35 und 1939/40, hg. v. HANS-GÜNTHER SERAPHIM, München 1964, S. 81, Eintrag für den 29.9.1939, zitiert nach MICHAEL ALBERTI, Die Anfänge und die Durchführung der „Endlösung". Die Verfolgung und Vernichtung der Juden im Reichsgau Wartheland 1939–1945, Diss. phil., Freiburg i. Br. 2001, S. 41.
[21] Heeresadjutant bei Hitler 1938–1943. Aufzeichnungen des Majors Engel, hg. v. HILDEGARD VON KOTZE, Stuttgart 1974, S. 65, Eintrag für den 8.10.1939.
[22] Die Tagebücher von Joseph Goebbels, hg. v. ELKE FRÖHLICH, München u.a. 1994–1998, Teil I, Bd. 7, S. 141.

Bestätigung und sogar eine Verstärkung ihrer antijüdischen Ressentiments.[23] Des Weiteren ist zu bemerken, dass die deutschen Besatzer gegen die polnischen Juden von Beginn an brutaler und rücksichtsloser vorgingen als gegen die deutschen. Es gibt aber keinen Hinweis darauf, dass diese Radikalisierung bereits vor dem Überfall auf Polen geplant gewesen war.

Unmittelbar nach der Besetzung Polens durch die deutsche Wehrmacht kam es an vielen Orten zu Massakern, Übergriffen und Ausschreitungen gegen die polnische Bevölkerung allgemein, aber auch speziell gegen Juden. Nach bisherigen Schätzungen sollen in ganz Polen bis zur Jahreswende 1939 etwa 7000 Juden der deutschen Herrschaft zum Opfer gefallen sein. Neben Morden kam es zu zahllosen Ausschreitungen und Erniedrigungen, die sich besonders gegen Juden richteten. Sie reichten vom Abschneiden der Bärte orthodoxer Juden über das erzwungene Absingen von Liedern bis zu öffentlicher „Gymnastik". Juden wurden als Geiseln genommen, man erlegte ihnen Kontributionen auf, und sie waren beliebte Objekte von Raubzügen und Plünderungen.[24]

Die meisten polnischen Juden lebten während der deutschen Besatzung auf dem Territorium des so genannten Generalgouvernements (GG). Dieses bestand aus den Gebieten des von Deutschland besetzten Polen, die nicht in das Reich eingegliedert waren. Es umfasste knapp über 95 000 Quadratkilometer und war in vier Verwaltungsdistrikte (Krakau, Warschau, Radom und Lublin) unterteilt. Hauptstadt war Krakau. Die Distrikte bestanden aus Kreishauptmannschaften (Landkreisen) und Stadthauptmannschaften (Stadtkreisen). Nach dem Überfall auf die Sowjetunion wurde dem GG zusätzlich der Distrikt Galizien zugeschlagen.[25] Im Sommer 1940 lebten auf dem Gebiet des Generalgouvernements ohne den Distrikt Galizien über zwölf Millionen Menschen: 81 Prozent Polen, etwa elf Prozent Juden sowie Ukrainer, Deutsche (Volksdeutsche) und Sonstige. Die meisten Juden (80 Prozent) lebten in den Städten.[26]

In der Zeit vom Herbst 1939 bis zum Sommer 1940 gelang es dem Generalgouverneur Hans Frank, dem Chef der deutschen Zivilverwaltung im Generalgouvernement, sich alle Kompetenzen für die Judenangelegenheiten

---

[23] Vgl. MUSIAL, Zivilverwaltung, S. 183–188.

[24] CZESŁAW ŁUCZAK, Polityka ludnościowa i ekonomiczna hitlerowskich Niemec w okupowanej Polsce, Poznań 1979, S. 68–76; TATJANA BERENSTEIN, Eksterminacja ludności żydowskiej na lubelszczyźnie, (Manuskript), S. 1–4, DIETER POHL, Von der „Judenpolitik" zum Judenmord. Der Distrikt Lublin des Generalgouvernements 1939–1944, Frankfurt/M. 1993, S. 23–30; ALBERTI, Die Anfänge, S. 37–43.

[25] ŁUCZAK, Polityka, S. 13 ff., 209.

[26] JERZY TOMASZEWSKI, Najnowsze dzieje Żydów w Polsce w zarysie (do roku 1950), Warszawa 1993, S. 168; CZESŁAW MADAJCZYK, Polityka III Rzeszy w okupowanej Polsce, Bd. 1, Warszawa 1970, S. 581–584.

zu sichern – außer dem sicherheitspolizeilichen Aspekt. Dies stand im Gegensatz zu den Verhältnissen im Reich, wo der SS- und Polizeiapparat diesen Bereich beherrschte.[27] So bestimmte die Zivilverwaltung die Judenpolitik in den ersten zwei Jahren der Besatzung weitgehend selbständig, allerdings waren die Inhalte durch das Vorbild des Reiches vorgegeben. Ihre erklärten Ziele waren es, die jüdische Bevölkerung zu isolieren, sie aus der Wirtschaft auszuschalten und gleichzeitig zur Zwangsarbeit heranzuziehen. Als Endziel galt mittelfristig, die Juden im Rahmen der „territorialen Lösung" endgültig und restlos aus dem Generalgouvernement wie aus dem gesamten Machtbereich des Dritten Reiches zu „entfernen".

Die Rahmenbedingungen der Judenpolitik wurden in Krakau entworfen. Im Amt des Generalgouverneurs arbeitete man einschlägige Verordnungen, Erlasse und allgemeine Richtlinien aus. Für die praktische Umsetzung der Judenpolitik vor Ort sorgten vor allem die Kreis- und Stadthauptleute. Der rechtliche Rahmen der „Judenpolitik" war so weit gespannt, dass er Improvisationen und Alleingänge der Kreishauptleute eher herausforderte als zu unterbinden vermochte. Darüber hinaus betrieben vor allem die Abteilungen Bevölkerungswesen und Fürsorge sowie die Arbeitsämter „praxisbezogene Judenpolitik", aber auch die Wirtschafts- und Gesundheitsverwaltungen sowie die Propaganda-Abteilungen griffen in die „Judenpolitik" ein.[28]

Die nationalsozialistische „Lösung der Judenfrage" setzte die Isolierung der Juden voraus. Die Juden wurden stigmatisiert, entrechtet und von der polnischen Bevölkerung isoliert. Dies wurde durch Maßnahmen wie die Kennzeichnungspflicht, die Verdrängung der Juden aus dem öffentlichen Dienst und schrittweise aus der Wirtschaft sowie die pseudorechtlichen Bestimmungen des Begriffs „Jude" erreicht. Die nächste Stufe war die Ghettoisierung. Juden wurde verboten, sich außerhalb von Ghettos, „jüdischen Wohnbezirken" oder „Judensammelorten" frei zu bewegen. Unzutreffend ist aber die Vorstellung, alle Juden seien von Anfang an in geschlossenen Ghettos isoliert gewesen.[29]

Alle diese Maßnahmen waren von einer massiven antisemitischen Propaganda begleitet, die Juden als Parasiten, Wucherer, Schieber, Schleichhändler, Seuchenträger und Bettler darstellte. Die NS-Propaganda zielte darauf ab, Juden nicht als Menschen, sondern als eine besondere Gattung gefährlicher Schädlinge erscheinen zu lassen.[30]

---

[27] Zur Durchsetzung der Zuständigkeit durch die Zivilverwaltung für antijüdische Politik ausführlich MUSIAL, Zivilverwaltung, S. 110–123.

[28] Ebd., S. 123–157.

[29] Über die Ghettoisierung ebd., S. 124–145.

[30] Ebd., S. 145 f.

Die Gesamtheit dieser Maßnahmen hatte katastrophale Folgen für die Juden im Generalgouvernement. Sie wurden schrittweise entrechtet und im Endeffekt für vogelfrei erklärt. Durch Kennzeichnung, Absonderung in Ghettos sowie eine massive antisemitische Propaganda wurde ihre totale Isolierung von der Außenwelt, ihre Stigmatisierung erreicht. Am verhängnisvollsten wirkten sich zunächst die Enteignungen und die weitgehende Ausschaltung der Juden aus der Wirtschaft aus. Dadurch verloren die meisten Juden ihre Existenzgrundlage. Sie mussten von nun an von der Substanz leben; mittel- und langfristig konnten sich dies nur die Reichen unter ihnen leisten. Die anderen, die große Mehrheit, waren gezwungen, zu betteln oder sich auf dem Schwarzmarkt zu betätigen. Auf den Schwarzmarkt waren die Juden ohnehin angewiesen, denn die offiziellen Lebensmittelzuteilungen für Juden bedeuteten den Hungertod. Im Warschauer Ghetto beispielsweise entsprachen sie dem Nährwert von etwa 190 Kalorien pro Tag und pro Person.[31]

Hinzu kam, dass die Ghettoisierung und die Konzentrierung in jüdischen Wohnbezirken sowie die Deportationen aus den in das Deutsche Reich eingegliederten Ostgebieten eine unvorstellbare Wohnraumknappheit bewirkten. Reinigungsmittel waren für Juden ebenfalls nicht vorgesehen und zugänglich. Die Verelendung der meisten Juden, die Hungerrationen, die katastrophalen Wohnungs- und Hygieneverhältnisse führten dazu, dass sich verschiedene, vor allem ansteckende Krankheiten ausbreiteten. Besonders gefürchtet war das Fleckfieber. Dies führte zu noch schärferen Isolierungsmaßnahmen, um die Ausbreitung der Seuchen zu verhindern. In diesem Zusammenhang wurde im Herbst 1941 die Todesstrafe für unerlaubtes Verlassen der Ghettos eingeführt. Durch die Gesamtheit dieser Maßnahmen wurde die jüdische Bevölkerung zu einer willenlosen, durch Hunger und Krankheit entkräfteten Masse gemacht, über die beliebig verfügt werden konnte.[32]

Wie erwähnt, dienten als Vorbild für die im Generalgouvernement praktizierte Politik gegenüber den Juden die im Reich getroffenen Maßnahmen, allerdings wirkten sich diese im Generalgouvernement ungleich dramatischer auf die sozialen und wirtschaftlichen Verhältnisse aus. Im Reich stellten die Juden im Jahre 1933 eine relativ geringe Minderheit von weniger als einem Prozent der Bevölkerung dar; ein Großteil von ihnen konnte außerdem bis 1939 auswandern. Im Alt-Generalgouvernement handelte es sich dagegen schätzungsweise um 1,5 Millionen Menschen, die etwa elf Prozent der Gesamtbevölkerung ausmachten; für sie gab es keine Auswanderungsmöglichkeiten.

---

[31] MADAJCZYK, Polityka III, Bd. 2, S. 227.
[32] MUSIAL, Zivilverwaltung, S. 157 ff., 172–178.

Die „Judenfrage", die im Herbst 1939 für die deutschen Besatzer ein rassenideologisches Problem war, wurde im Laufe der Besetzung vor allem zu einem realen wirtschaftlichen und sozialen Problem, für das die Besatzer selbst verantwortlich waren und das dringend gelöst werden musste. Die zivilen Behörden reagierten darauf mit einer Radikalisierung der antijüdischen Maßnahmen, die zwangsläufig die Lage der Juden verschlechterte und die verfahrene Situation noch verschärfte. Es entstand ein Teufelskreis: Je kritischer die materielle Lage der Juden wurde, desto mehr jüdische „Vergehen" gegen die deutschen Anordnungen gab es und desto größer wurde die Zahl der hilfsbedürftigen Juden. Aus deutscher Sicht entstand im Generalgouvernement ein Heer von „nutzlosen Essern", die das Regieren nachhaltig erschwerten.[33]

Die Behörden in Krakau waren sich bewusst, wie verfahren die Lage war. Man sah jedoch keinen Bedarf für langfristig angelegte Planungen, um dieses Problem zu lösen. Spätestens seit dem Sommer 1940, nachdem die Idee mit dem Judenreservat im Distrikt Lublin fallen gelassen worden war, ging man davon aus, dass das Generalgouvernement nach einem schnellen Sieg gänzlich „judenfrei" gemacht werden würde. Im Zusammenhang mit den Vorbereitungen zum Krieg gegen die UdSSR wurde in Berlin der Plan entwickelt, alle europäischen Juden in die sowjetischen Ostgebiete zu deportieren. So versprach am 19. Juni 1941 Hitler Hans Frank, dass „die Juden in absehbarer Zeit aus dem Generalgouvernement entfernt würden".[34] Folgerichtig unterband Frank alle weiteren Maßnahmen der gerade auf Hochtouren laufenden Ghettoisierung und ordnete die Vorbereitung der Abschiebung von „Juden und anderen asozialen Elementen" an.[35]

Im Sommer 1941 schien der deutschen Zivilverwaltung die aus ihrer Sicht notwendige Lösung der „Judenfrage" im Generalgouvernement in greifbare Nähe gerückt zu sein. Diese Hoffnung hing eng mit den Plänen zusammen, alle europäischen Juden nach dem Osten zu deportieren, nachdem der geplante Krieg gegen die Sowjetunion schnell, das heißt innerhalb weniger Wochen, gewonnen worden sei. Bald sollte es sich jedoch zeigen, dass auch diese Pläne – ähnlich dem „Judenreservat" im Distrikt Lublin und dem so genannten Madagaskar-Plan – illusorisch waren.

---

[33] Ebd., S. 179 ff.

[34] Das Diensttagebuch des deutschen Generalgouverneurs in Polen 1939–1945, hg. v. WOLFGANG PRÄG/WOLFGANG JACOBMEYER, Stuttgart 1975, S. 386.

[35] Ebd., S. 386, 389; MUSIAL, Zivilverwaltung, S. 133–138.

Odilo Globocnik: Pläne zur Besiedlung des Distrikts Lublin mit Volksdeutschen und die „Judenfrage" – *der Entschluss zum Massenmord*

Um jedoch den Weg zur Entscheidung, Juden im Distrikt Lublin (und meines Erachtens im gesamten Generalgouvernement) zu ermorden, zu rekonstruieren, muss in erster Linie auf die Person und Tätigkeit von Odilo Globocnik, dem SS- und Polizeiführer (SSPF) im Distrikt Lublin, eingegangen werden. Globocnik war es nämlich, wie ich vermute, der diesen Massenmord erst initiierte.

In der bisherigen Forschung wurde Globocnik als Intimus und Befehlsempfänger von Himmler und vor allem als Leiter der „Aktion Reinhardt" angesehen. Dabei wurde jedoch übersehen, dass er durch seinen ungeheuren volkstumspolitischen Aktivismus und seine Ideen maßgeblich die Besatzungspolitik und auch den Entschluss, die Juden im Generalgouvernement zu ermorden, beeinflusste. Eine umfassende Biographie über Globocnik steht aber bis heute aus.[36]

Globocnik wurde im Jahre 1904 in Triest geboren. In den Jahren 1915 bis 1919 besuchte er die Militär-Unterrealschule in Sankt Pölten. 1919 bis 1923 absolvierte er die Höhere Staatsgewerbeschule für Maschinenbau in Klagenfurt. Im Jahre 1931 trat er der NSDAP und 1934 der SS bei und war aktiv am „Anschluss" beteiligt. 1938 wurde Globocnik Gauleiter in Wien, ein Jahr später musste er aber zurücktreten. Im November 1939 ernannte ihn Himmler zum SSPF im Distrikt Lublin.[37]

Für Globocnik und seinen Apparat wie auch für andere SS- und Polizeiführer im Generalgouvernement bedeutete die „Judenfrage" seit dem Sommer 1940, nachdem die Zivilverwaltung faktisch alle Kompetenzen dafür übernommen hatte, vor allem ein ideologisches Problem. Diese Konstellation änderte sich aus Sicht Globocniks in dem Augenblick, als er und sein „Mentor" Himmler sich entschlossen, die Pläne zur Besiedlung des Distrikts Lublin mit Volksdeutschen im Rahmen des Generalplans Ost in die Tat umzusetzen. Den engen Zusammenhang zwischen den deutschen Besied-

---

[36] Im Jahre 1997 erschien zwar eine knappe Biographie Globocniks von SIEGFRIED PUCHER, „... in der Bewegung führend tätig". Odilo Globocnik – Kämpfer für den ‚Anschluß' und Vollstrecker des Holocaust, Klagenfurt 1997, allerdings wird dort nur im Überblick Globocniks Zeit in Lublin behandelt, ohne die ausschlaggebenden bundesdeutschen Gerichtsverfahren gegen seine ehemaligen Mitarbeiter und die in Polen lagernden Aktenbestände auszuwerten.

[37] Bundesarchiv, Berlin Document Center (fortan: BA-BDC) (Globocnik); ausführlich PUCHER, Globocnik, S. 16–69.

lungsplänen im Allgemeinen und der Vernichtung von Juden hat Götz Aly in seiner Studie „Endlösung" dargelegt.[38]

Zeitgenössische Dokumente und Zeitzeugen weisen übereinstimmend darauf hin, dass bei der Entwicklung der Pläne zur Germanisierung des Ostens gerade Odilo Globocnik eine außerordentliche Initiative entfaltete. Ein ehemaliger Nachrichtenoffizier der Wehrmacht, der sicherlich gut informiert war, sagte im Jahre 1960 aus: „Vom SS-Gruppenführer Globocnik habe ich bei meinem zweiten Aufenthalt in Polen viel gehört.[...] Es war bekannt, daß er *von einer großen Siedlungsidee besessen war* und den Regierungsbezirk Lublin teilweise eindeutschen wollte. Es war auch bekannt, daß er dabei brutal vorging. [...] Himmler [sei] von den Plänen und Karten Globocniks sehr begeistert gewesen."[39] Jakob Sporrenberg, Nachfolger von Globocnik als SSPF in Lublin, sagte im Dezember 1949 im polnischen Gefängnis aus: „Globocnik hatte eine Menge verrückter Ideen, auf die er stolz und zugleich eifersüchtig war."[40] Dr. Boepple, der Staatssekretär in der Regierung des Generalgouvernements, sagte im Jahre 1946 im Internierungslager aus, „Globocnik sei der Vater dieses verrückten Gedankens [Germanisierung des Distrikts Lublin – *B.M.*] gewesen und habe die Pläne Himmler eingeredet."[41]

Globocniks Adjutant gab in den sechziger Jahren zu Protokoll: „Ich wußte, daß die Juden aus dem Generalgouvernement rauskommen sollten, und daß Globocnik für die Besiedlung des Gebietes große Pläne entwickelte."[42] Rudolf Höß, der Lagerkommandant von Auschwitz, schrieb nach seiner Auslieferung nach Polen im Krakauer Gefängnis, Globocnik habe „phantastische Pläne von Stützpunkten bis zum Ural" entwickelt. „Schwierigkeiten gab es dabei für ihn nicht. Vorwürfe tat er mit einer Handbewegung ab. Die Juden in diesen Gebieten wollte er, soweit er sie nicht für die Arbeiten an ‚seinen' Stützpunkten brauchte, an Ort und Stelle vernichten."[43] Konrad G., ein Wehrmachtoffizier, der während des Krieges das Referat Gegenspionage in Warschau leitete, sagte 1960 aus, der damalige Kommandeur der Sicherheitspolizei und des SD im Distrikt Lublin, Johannes

---

[38] Götz Aly, „Endlösung". Völkerverschiebung und der Mord an den europäischen Juden, Frankfurt/M. 1995.

[39] Vernehmung Hans W., 21.10.1960. Niedersächsisches Hauptstaatsarchiv Hannover (fortan: HStA), Nds, 721 Hild, Acc 39/91, Nr. 28/55, Bl. 141 f. (Hervorhebung B.M.).

[40] Vern. Jakob Sporrenberg, 16. und 17.12.1949. Archiwum Instytutu Pamięci Narodowej in Warschau (fortan: AIPN) SAL 193/4, Bl. 996.

[41] Vern. Ernst Boepple, 11.5.1946, Zuffenhausen. AIPN SAKr 1, Bl. 18.

[42] Vern. Max R., 28.01.1963. HStA, Nds, 721 Hild, Acc 39/91, Nr. 28/188 (ohne Paginierung).

[43] Rudolf Höß über Globocnik, Januar 1947. Institut für Zeitgeschichte, München (fortan: IfZ) F 13/6.

Müller, habe ihm gesagt, Globocnik habe beabsichtigt, Hitler einen „Modellfall über die Judenvernichtung vorzuführen".[44] Johannes Müller war ein enger Mitarbeiter von Globocnik.

Die Häufung dieser Nachkriegsaussagen, die auf einen außerordentlichen volkstumspolitischen Aktivismus Globocniks im Distrikt Lublin hinweisen, ist auffallend. Aber nicht nur Zeitzeugen, sondern auch die überlieferten zeitgenössischen Quellen bestätigen teils direkt, teils indirekt diese Aktivitäten Globocniks im Distrikt Lublin und im Generalgouvernement überhaupt.

Bereits im August 1940 unterbreitete Globocnik Himmler ein Projekt zur Errichtung von Wehrbauernhöfen im Distrikt Lublin. Himmler wünschte zu diesem Zeitpunkt jedoch keine Wehrsiedlungen, sondern lediglich die Errichtung von SS- und Polizeistützpunkten. Diese wurden dann tatsächlich im Herbst 1940 auf sechs Liegenschaftsgütern eingerichtet und im Frühjahr 1941 mit SS-Führern und -Männern besetzt. Die Aufgabe dieser Stützpunkte war u.a.: „Sie werden in Zukunft einen wesentlichen Beitrag durch die gesammelten Erfahrungen für den Aufbau einer neuen Boden- und Siedlungsordnung im gesamten Generalgouvernement leisten. Sie werden deutsche Lebenszentren auf dem flachen Lande sein."[45] Globocnik war der Auffassung, dass das deutsche Volkstum „im Osten durch die Ansiedlung rein deutscher, gesunder und kräftiger Bauern als Grenzbollwerk gegen alle fremdvölkischen Einflüsse" gesichert werden müsse, wie er im November 1940 in einer Rede in Klagenfurt erklärte.[46]

Im Frühjahr 1941 ließ Globocnik in Lublin ein SS-Mannschaftshaus aufbauen, wo unter anderem Pläne und Projekte für zukünftige Siedlungen erarbeitet wurden. Sein reger Aktivismus führte dazu, dass er den einschlägigen Planungen des Rassen- und Siedlungshauptamtes der SS in Berlin, das eigentlich für diesen Bereich zuständig war, voraus war.[47] Globocniks Adjutant sagte 1968 aus:

„Ich war manchmal im SS-Mannschaftshaus, um dort Besucher aus dem Reich herumzuführen. Dort wurden wissenschaftlich fundierte Planungen vorbereitet, die gigantisch anmuteten.[...] Es wurden Kräfte von überall hergeholt: Professo-

---

[44] Vern. Konrad G., 15.12.1960. Bundesarchiv-Aussenstelle Ludwigsburg (fortan: BA-L) 208 AR-Z 74/60, Bl. 447.

[45] GERHARD EISENBLÄTTER, Grundlinien der Politik des Reiches gegenüber dem Generalgouvernement 1939–1945. Diss. phil. Frankfurt/M., 1969, S. 202 f.; Bericht über den Aufbau der SS- und Polizeistützpunkte (o.D.). BA-BDC (Globocnik).

[46] Volks-Zeitung, 24.11.1940. Zitiert nach PUCHER, Globocnik, S. 93.

[47] Hellmut Müller, Bericht über die Verhältnisse in Lublin, 15.10.1941. BA-BDC (Globocnik); JÓZEF MARSZAŁEK, Majdanek, obóz koncentracyjny w Lublinie, Warszawa 1981, S. 17 f.

ren, Architekten, Techniker und Wissenschaftler. Globocnik hatte nach meinem Eindruck das Bestreben, den Distrikt Lublin zur Blüte zu führen."[48]

Globocnik beschränkte sich aber nicht nur darauf, Projekte erarbeiten und SS- und Polizei-Stützpunkte errichten zu lassen, sondern ging bereits im Frühjahr 1941 dazu über, die ersten Dörfer im Distrikt Lublin zu „germanisieren". Es handelte sich um fünf Dörfer in der Nähe von Zamosc, wo im 18. Jahrhundert tatsächlich deutsche Bauern angesiedelt und dann im Laufe des 19. Jahrhunderts polonisiert worden waren.[49] Dies war der erste derartige Versuch im Generalgouvernement überhaupt. Am 15. Juni 1941 erklärte Globocnik auf einer NSDAP-Kundgebung in Zamosc, dass das Lubliner Gebiet ein rein deutsches Siedlungsgebiet werde. Auch im Frühjahr 1941 nahmen die von Globocnik angesetzten so genannten anthropologischen Kommissionen im Distrikt Lublin ihre Tätigkeit auf.[50] Es handelte sich dabei um die so genannte Aktion „Fahndung nach deutschem Blut".[51]

Für Globocniks Projekte und Pläne interessierte sich Heinrich Himmler, der deswegen den Distrikt Lublin oft besuchte, sehr lebhaft. Darauf weisen auch die zahlreichen und übereinstimmenden Nachkriegsaussagen hin. Bei einem solchen Besuch am 20. Juli 1941, einen Monat nach dem Überfall auf die UdSSR, traf Himmler mehrere schicksalsträchtige Entscheidungen, so etwa: „Die alte deutsche Stadt [Lublin] ist in den Gesamtbebauungsplan des SS- und Polizeiviertels einzubeziehen" und „Die Aktion ‚Fahndung nach deutschem Blut' wird auf das gesamte Generalgouvernement erweitert und ein Großsiedlungsgebiet in den deutschen Kolonien bei Zamosc geschaffen."[52]

Als unabdingbare Voraussetzung, um diese Pläne zu verwirklichen, galt aber aus der Sicht der Handelnden die „Säuberung" dieses Gebietes von Juden und auch von Polen. Denn die Gebiete, die man besiedeln wollte, waren keineswegs menschenleer. Dies wird geradezu exemplarisch durch

---

[48] Vern. Max R., 29.5.1968. BA-L 208 AR-Z 74/60, Bl. 8685–91.

[49] Lagebericht des Kreishauptmannes Weihenmaier vom 4.2.1941. AIPN NTN 280, Bl. 185.

[50] Krakauer Zeitung vom 15. VII. 1941; CZESŁAW MADAJCZYK, Generalna Gubernia w planach hitlerowskich, Warszawa 1961, S. 116.

[51] Unter der Bezeichnung „Fahndung nach deutschem Blut" leitete Globocnik bereits im Herbst 1940 die Suche nach „verschüttetem" deutschem Volkstum ein. Es ging um deutsche Siedler, die sich im 18. und 19. Jh. auf dem Gebiet des späteren Generalgouvernements angesiedelt und im Laufe der Zeit polonisiert hatten; sie sollten „regermanisiert" werden. Vgl. BRUNO WASSER, Hitlers Raumplanung im Osten. Der Generalplan Ost in Polen 1940–1944, Basel, Berlin, Boston 1993, S. 11.

[52] Vermerk Himmlers vom 21.7.1941. BA-BDC (Globocnik); Zamojszczyzna – Sonderlaboratorium SS, hg. v. CZESŁAW MADAJCZYK, Warschau 1979, T. 1, S. 26 f.

den Bericht des SS-Hauptsturmführers Hellmut Müller vom 15. Oktober 1941 bestätigt:

> „[Globocnik] hält [...] die allmähliche Säuberung des gesamten G.G. von Juden und auch Polen zwecks Sicherung der Ostgebiete usw. für notwendig. [...] Er steckt in diesem Zusammenhang voller weitgehender und guter Pläne, an deren Durchführung ihn lediglich die in dieser Beziehung beschränkte Einflußgewalt seiner jetzigen Dienststellung hindert. [...] Der Gedanke des Brif. [Brigade-führers Globocnik – *B.M.*] ist nun, aus einem Teilstück heraus die Deutsch-besiedlung des gesamten Distrikts Lublin durchzusetzen und darüber hinausge-hend (Zielbild) im Anschluß an die nordisch bzw. deutschbesiedelten baltischen Länder über den Distrikt Lublin einen Anschluß an das deutschbesiedelte Sieben-bürgen herzustellen. Er will so im westlichen Zwischengebiet das verbleibende Polentum siedlungsmäßig „einkesseln" und allmählich wirtschaftlich und biolo-gisch erdrücken."[53]

Bemerkenswert dabei ist die veränderte Planungsperspektive Globocniks im Sommer 1941. Bis zum Sommer 1941 konzentrierte er sich offensichtlich vor allem darauf, Vorbereitungen zu treffen, das Lubliner Gebiet zu germa-nisieren. Im Sommer 1941, nach dem Überfall auf die UdSSR, erweiterte er seine Pläne, sicherlich mit Billigung Himmlers, auf das gesamte Gebiet des Generalgouvernements. Diese erweiterte Planungsperspektive wird durch die Tatsache bestätigt, dass Globocnik im Spätsommer 1941 die „Planungs- und Forschungsstelle im GG" aufbauen ließ, die ihm „die wissenschaftlich-technische Grundierung und Vorbereitung seiner Pläne und Gedanken lie-fern" sollte.[54] Bis dahin waren diese Fragen im SS-Mannschaftshaus in Lublin bearbeitet worden.

In diesem Zusammenhang sei angemerkt, dass Hitler bereits im März 1941 verkündete, dass das gesamte Generalgouvernement in naher Zukunft germanisiert werden sollte. In einer Sitzung der Regierung des GG am 25. März 1941 teilte Hans Frank seinen Mitarbeitern mit:

> „Das Generalgouvernement als Zweckgründung steht vor seinem Ende[55] [...]. Das Generalgouvernement [...] wird mehr Förderung erfahren und wird vor allem entjudet werden. [...] Mit den Juden werden auch die Polen dieses Gebiet verlassen. Der Führer ist entschlossen, aus diesem Gebiet im Laufe von 15 bis 20 Jahren ein rein deutsches Land zu machen."[56]

---

[53] Hellmut Müller, Bericht über die Verhältnisse in Lublin, 15.10.1941, BA-BDC (Glo-bocnik) (Herv. B.M.).

[54] Ebd.

[55] Ursprünglich sollte das Generalgouvernement als eine Art Reservat für dort lebende Polen und „unerwünschte Elemente" (Polen, Juden, Zigeuner) aus dem Reich dienen. Ausführlich dazu EISENBLÄTTER, Grundlinien der Politik, S. 66–109.

[56] Diensttagebuch des deutschen Generalgouverneurs, S. 335.

Konkrete Pläne hierfür gab es aber in Berlin offensichtlich noch nicht. Globocnik war aber derjenige, der solche Pläne entwickelte und sie sofort zumindest teilweise umsetzen wollte. Dafür fand er Gehör bei Himmler und auch wohl über Himmler bei Hitler, die beide für solche Ideen mit Sicherheit sehr empfänglich waren.

Sommer und Herbst 1941: Siedlungspläne im Distrikt Lublin und die militärische Lage

Um jedoch das Umfeld der Entscheidung Himmlers vom 20. Juli 1941 (Ansiedlung von Volksdeutschen im Distrikt Lublin) und die spätere Entwicklung dieser Pläne bis Herbst 1941 beurteilen zu können, ist es zunächst notwendig, sich die militärische Situation und die Stimmung Hitlers und seiner engsten Mitarbeiter in Erinnerung zu rufen.

Als Himmler am 20. Juli 1941 die oben erwähnte Entscheidung traf, glaubte man, dass der Krieg gegen die Sowjetunion in wenigen Wochen siegreich beendet sein würde. Im Generalgouvernement und im Reich gingen die Entscheidungsträger daher davon aus, man werde die Juden bald nach dem Osten abschieben können. Es herrschte die Auffassung, dass man bald große territoriale Spielräume im Osten haben werde, um Bevölkerungsverschiebungen in großem Ausmaß durchführen zu können. Allein im Distrikt Lublin mussten Hunderttausende, ja Millionen Menschen „verschoben" werden, um dort Deutsche ansiedeln zu können.

In den ersten Wochen des Ostfeldzuges schienen die Erwartungen auf einen schnellen Sieg in Erfüllung zu gehen. Am 9. Juli 1941 erklärte Hitler Goebbels gegenüber, „daß der Krieg im Osten in der Hauptsache gewonnen ist. Wir werden noch eine Reihe von schweren Schlachten zu schlagen haben, aber von den bisherigen Niederlagen wird sich die Wehrmacht des Bolschewismus nicht mehr erholen können."[57] Das bedeutet, dass die Entscheidung vom 20. Juli 1941, den Distrikt Lublin zu germanisieren, im Zustand verfrühter Siegeseuphorie und eines Allmachtgefühls gefällt wurde.

Bald jedoch schlug die Stimmung im Führerhauptquartier im Hinblick auf die militärische Lage im Osten um. Goebbels trug am 1. August 1941 in sein Tagebuch ein: „Man gibt offen zu, daß man sich in der Einschätzung der sowjetischen Kampfkraft etwas geirrt hat." Zehn Tage später, am 10. August, hielt Goebbels fest: „Es wird noch sehr harter und blutiger Ausein-

---

[57] Die Tagebücher von Joseph Goebbels, hg. v. ELKE FRÖHLICH (fortan: Goebbels Tagebücher), Teil II, Diktate 1941–1945, München u.a. 1995. Bd. I, S. 35.

andersetzungen bedürfen, bis die Sowjetunion zerschmettert am Boden liegt."[58] Im August 1941 verflog die anfängliche Siegeseuphorie im Führerhauptquartier endgültig. Der „Führer" erlitt einen schweren mehrtägigen Durchfall, weil ihn die militärischen Vorgänge im Osten so mitgenommen hätten, wie Goebbels zu berichten wusste. Man ging nicht mehr von einem schnellen Sieg im Osten aus. Am 10. September schrieb Goebbels: „Im übrigen vertrete ich den Standpunkt, daß wir das Volk allmählich auf eine längere Kriegesdauer einstellen müssen. [...] Die Illusionsmacherei ist nun zu Ende."[59]

Im September 1941 erholte sich Hitler allmählich von dem anfänglichen Schock und fasste neuen Optimismus. Er hoffte jetzt bis zum Wintereinbruch wichtige Schlachten zu gewinnen. Ansonsten dachte er an Winterquartiere für die Wehrmacht im Osten.[60] Anfang Oktober war Hitler wieder fest davon überzeugt, dass der Krieg gewonnen werde, ohne jedoch einen konkreten Termin zu nennen. Am 4. Oktober erklärte er Goebbels gegenüber: „Man kann zwar im Augenblick noch nicht sagen, was der kommende Winter uns bringen wird; man muß da auf alles gefaßt sein." Abschließend kam jedoch Hitler „zu dem eindeutigen Schluß, daß uns der Sieg nicht mehr genommen werden kann".[61]

In der Nacht vom 26. auf den 27. Oktober 1941 erklärte Hitler bei einem seiner Tischgespräche: „Zur Auswertung des europäischen Indiens, der Ukraine, brauche ich nur Frieden im Westen, nicht auch den Frieden im Osten: [...] Auf eine Kriegsbeendigung juristischer Art lege ich für den Osten gar keinen Wert."[62] Zwei Wochen später, am 10. November, äußerte Hitler Goebbels gegenüber, „[w]ie lange der Krieg gegen die Sowjetunion dauere, das könne man gar nicht sagen. Ob hier jemals überhaupt Frieden abgeschlossen werde, sei noch ganz unbestimmt. [...] Unter Umständen könnte man noch *jahrelang* dort kämpfen."[63]

Im September und Oktober 1941 herrschte im Führerhauptquartier zwar keine Siegeseuphorie mehr, aber auch der Schock von Ende Juli und August 1941 war inzwischen überwunden. Man fasste neuen Optimismus, dass man den Krieg doch noch gewinnen werde, wenn man auch nicht genau wusste, wie lange man noch zu kämpfen hätte.

Unterdessen arbeitete Globocnik daran, die Vorbereitungen zur Ansiedlung von Volksdeutschen im Distrikt Lublin abzuschließen. Ende September

---

[58] Goebbels Tagebücher, Bd. I, S. 160, 208.

[59] Ebd., S. 33, 257–265, 392.

[60] Goebbels Tagebücher, Eintrag vom 24.9.1941, Bd. I, S. 480–483.

[61] Goebbels Tagebücher, Eintrag vom 4.10.1941, Bd. II., S. 49–56

[62] HITLER, Monologe, S. 110.

[63] Goebbels Tagebücher, Eintrag vom 10.11.1941, Bd. II, S. 263 (Herv. B.M.).

1941 schien für ihn die Zeit gekommen, die von ihm und seinem Stab erarbeiteten Pläne in die Praxis umzusetzen.[64] Zunächst musste aber das Gebiet von Juden und auch Polen „gesäubert" werden. Die in der Anfangsphase des Krieges gegen die UdSSR erwartete baldige „Abschiebung" der Juden in den Osten blieb aus, weil sich der Krieg unerwartet hinzog. Man rechnete jetzt mit Kriegshandlungen, die über den Winter und sogar Jahre dauern würden.

Eine kurzfristige Deportation von Hunderttausenden von polnischen Juden (allein im Distrikt Lublin lebten über 300 000) in die rückwärtigen Gebiete der Ostfront schloss die militärische Lage aus. Eine Abschiebung nach Osten wäre erst nach „Bereinigung der militärischen Fragen" möglich gewesen, wie es Hitler im September 1941 gegenüber Goebbels ausdrücklich erklärte.[65] Diese „Bereinigung" zeichnete sich aber in nächster Zukunft, in Monaten, vielleicht Jahren, nicht ab.

Hypothetisch gab es noch die Alternative, eine „Umsiedlung" innerhalb des Generalgouvernements vorzunehmen. Dies war jedoch genauso wenig durchführbar, weil das Generalgouvernement an einer akuten Wohnungsnot litt und so überfüllt war, dass daran z. B. im Frühjahr 1941 der Versuch der Zivilverwaltung scheiterte, Juden im Distrikt Lublin zu ghettoisieren.[66] Ebenfalls daran scheiterten in den Jahren 1939 bis 1941 alle Versuche, die eingegliederten Ostgebiete, vor allem den Warthegau, von „unerwünschten Elementen" – Polen, aber auch Juden, gänzlich zu „säubern". Die Städte und Dörfer im Generalgouvernement waren mit Vertriebenen, Flüchtlingen und Ausgesiedelten (Polen und Juden) überfüllt. Eine „Umsiedlung" innerhalb des Generalgouvernements war ausgeschlossen.

Dieser territoriale Engpass, der jede „großzügigere" Massenumsiedlung verhinderte, wird exemplarisch durch Folgendes bestätigt. Als Franz Rademacher vom Auswärtigen Amt bei Adolf Eichmann nachfragte, ob die Möglichkeit bestehe, serbische Juden nach Polen oder Russland zu schicken, bekam er am *13. September 1941* eine Antwort, die er in einem Vermerk festhielt: „Aufenthalt in Rußland und GG unmöglich. Nicht einmal die Juden aus Deutschland können dort untergebracht werden. Eichmann schlägt Erschießen vor."[67] Im September 1941 lebten in Deutschland etwa 160 000 Juden, im Distrikt Lublin dagegen rund 300 000.[68]

---

[64] In einem Schreiben Globocniks an Himmler vom 1. Oktober 1941 hieß es: „Da die Vorbereitungen zu einer Zusammensiedlung beendet sind, könnte mit der Durchführung sofort begonnen werden." BA-BDC (Globocnik).

[65] Goebbels Tagebücher, Eintrag vom 24.9.1941, Bd. I., S. 480.

[66] Vgl. MUSIAL, Zivilverwaltung, S. 141–145.

[67] Vermerk Rademachers. Zitiert nach CHRISTOPHER R. BROWNING, Der Weg zur Endlösung. Entscheidungen und Täter, Bonn 1998, S. 114.

[68] Dimension des Völkermordes, S. 36; MUSIAL, Zivilverwaltung, S. 102.

Hinzu kommt, dass eine „Abschiebung" der Juden nach Osten keine dauerhafte und langfristige Lösung bedeutete, denn diese Gebiete sollten, wie es ja im Generalplan Ost vorgesehen war, von Deutschen beherrscht und nach und nach kolonisiert und germanisiert werden. Im Machtbereich des Deutschen Reiches war aber aus grundsätzlichen ideologischen Gründen kein Platz für die Juden vorgesehen. Dies wird exemplarisch durch eine kaum anders zu deutende Äußerung Hitlers vom *17. Oktober 1941* bestätigt. An diesem Tag entwickelte Hitler beim Tischgespräch Zukunftsvisionen über die Besiedlung des Ostens mit deutschen Siedlern; dabei stellte er sich die rhetorische Frage, was mit den dort lebenden Menschen zu geschehen habe: „Die Eingeborenen? Wir werden dazu übergehen, sie zu sieben. Den destruktiven Juden setzen wir ganz hinaus."[69] Somit schlossen die Kriegshandlungen kurz- und mittelfristig, und die ideologischen Überlegungen langfristig die „Abschiebung" der polnischen wie auch der übrigen europäischen Juden nach dem Osten aus.

Es blieb nun aus der Sicht Himmlers, Globocniks und ihresgleichen folgerichtig nur noch übrig, die polnischen Juden umzubringen, anstatt darauf zu warten, bis sie nach dem Osten „abgeschoben" werden konnten, weil das ideologisch gesehen ohnehin verfehlt gewesen wäre. Im Spätsommer 1941 richteten sich denn auch die Überlegungen der NS-Führung auf eine „Lösung der Judenfrage" im Generalgouvernement im Sinne des Massenmordes.

Wenn man Globocniks rastlosen Aktivismus bedenkt – sein Adjutant bescheinigt ihm „ein unerhörtes Arbeitstempo"[70] –, ist es durchaus möglich, dass er selbständig auf den Gedanken kam, die Juden vor Ort zu töten. Darauf deutete unter anderem die bereits zitierte Aussage von Rudolf Höß hin. Hierbei sei auch angemerkt, dass zu dieser Zeit der Massenmord an sowjetischen Juden in vollem Gange war, so dass der Gedanke, die Juden systematisch umzubringen, nicht neu war. Globocnik war auch wegen seines Judenhasses und seiner Brutalität berüchtigt, worauf noch einzugehen sein wird. Er konnte aber in seiner Eigenschaft als SSPF und Bevollmächtigter des Reichskommissars zur Festigung deutschen Volkstums (RKF) im Distrikt Lublin eine Frage von derart historischer Bedeutung nicht selbständig entscheiden. Auch Hellmut Müller wies in seinem Bericht vom 15. Oktober 1941 auf dieses Dilemma Globocniks hin: „Er steckt in diesem Zusammenhang [Germanisierung des Distrikts Lublin – *B.M.*] voller weitgehender und

---

[69] HITLER, Monologe, S. 90.
[70] Vern. Max R., 29.5.1968. BA-L 208 AR-Z 74/60, Bl. 8685.

guter Pläne, an deren Durchführung ihn lediglich die in dieser Beziehung beschränkte Einflußgewalt seiner jetziger Dienststellung hindert."[71]

Globocnik konnte aber Heinrich Himmler, der als RKF die zuständige Instanz war, einen entsprechenden Vorschlag unterbreiten. Das Schreiben Globocniks an Himmler vom 1. Oktober 1941 ist meines Erachtens als ein solcher Vorschlag zu interpretieren:

> „Reichsführer! Im Vollzug Ihrer Absichten in der Verdeutschung des Distriktes habe ich gestern Obergruppenführer Krüger die *ausgearbeiteten Unterlagen* übergeben und wollte SS-Obergruppenführer Krüger diese Unterlagen Ihnen, Reichsführer, sogleich zur Vorlage bringen. Die Dringlichkeit dieser Vorlage ist dem Obergruppenführer deshalb erschienen, weil die Notlage der Volksdeutschen im Generalgouvernement ein Ausmaß angenommen hat, von dem man ruhig behaupten kann, daß ihre Lage unter polnischen Zeiten besser war. [...] Da die Vorbereitungen zu einer Zusammensiedlung beendet sind, könnte mit der Durchführung sofort begonnen werden. [...] In diesem Zusammenhang darf ich aber auch darauf hinweisen, daß eine Zusammensiedlung und eine durchgreifende Entsiedlung der Fremdvölkischen hier im Distrikt Lublin zu einer wesentlichen, politischen Beruhigung führen kann, da sowohl der politische Aktivismus der Polen und Ukrainer als auch der Einfluß der Juden vermehrt durch den Zuzug der zu tausenden ausgebrochenen Kriegsgefangenen eine Form angenommen hat, daß auch hier rein sicherheitspolitisch gesehen, rasch zugegriffen werden muß. [...] SS-Obergruppenführer Krüger [hat mir] befohlen, Sie, Reichsführer, um die Möglichkeit einer baldigen Vorsprache zu bitten."[72]

Aus dem Schreiben geht Folgendes hervor:

- Die Vorbereitungen zu der von Himmler persönlich befohlenen „Verdeutschung" des Distrikts Lublin waren praktisch beendet bis auf die „Entsiedlung".
- Die Pläne zur „Entsiedlung" und „Zusammensiedlung" wurden in Lublin ausgearbeitet: „...habe ich gestern Obergruppenführer Krüger die ausgearbeiteten Unterlagen übergeben ..."
- Globocnik drängte auf eine kurzfristige Entscheidung, um zuerst mit der „Entsiedlung" und dann mit der „Zusammensiedlung" beginnen zu dürfen.
- Globocnik bat Himmler um einen Termin, um dieses Problem persönlich zu besprechen. Dieser Termin wurde ihm tatsächlich gewährt und die Fragen wurden erörtert, denn auf dem Dokument ist handschriftlich vermerkt: „mündlich bespr.".

---

[71] Hellmut Müller, Bericht über Verhältnisse in Lublin, 15.10.1941. BA-BDC (Globocnik).

[72] Globocnik an Himmler, 1.10.1941. BA-BDC (Globocnik) (Herv. B.M.).

Kurz nach dem 1. Oktober 1941 dürfte Himmler Globocniks Schreiben
erhalten haben. Die Entscheidung war aber von einer derart grundsätzlichen
politischen Relevanz, dass Himmler den Vorschlag seines Bevollmächtigten
dem Führer – sicherlich befürwortend – vorgetragen haben muss. Aus Sicht
der Handelnden ging es ja um eine Entscheidung von größter geschichtlicher
Bedeutung, und die traf der Führer immer persönlich, wenn auch gewiss
nicht in schriftlicher Form. Darüber hinaus waren die geplanten Maßnahmen
ein so schwerwiegender Eingriff in die Zuständigkeit Hans Franks, dass
Himmler einen Weg suchen musste, um entweder Franks Einverständnis
einzuholen oder ihn zu überspielen.[73] Dass Himmler einen Konsens mit
Frank in dieser Frage suchte, dafür gibt es nicht einmal ein Indiz. Einiges
deutet aber darauf hin, dass Himmler, indem er diese Entscheidung durch
Hitler herbeiführte, Hans Frank in seiner Eigenschaft als Generalgouverneur
gewissermaßen neutralisierte.

Auf eine persönliche Entscheidung Hitlers deuten auch folgende Indizien
hin: Am 17. Oktober 1941 sprach Hans Frank in Lublin beiläufig von einem
„Sonderauftrag des Führers" im Distrikt Lublin.[74] Es dürfte sich dabei um
die Ermordung von Juden und die deutsche Neubesiedlung des Distrikts
Lublin gehandelt haben. Zu dieser Zeit gab es meines Wissens keinen
anderen Auftrag, der eines besonderen Befehls oder einer Weisung Hitlers
bedurft hätte. Auch ist es wohl kein Zufall, dass Hitler am 17. Oktober, wie
bereits geschildert, im vertrauten Kreis, dem auch Reichsminister Fritz Todt
angehörte, Zukunftsvisionen über die Besiedlung des Ostens mit deutschen
Siedlern entwickelte, wobei er, wie erwähnt, auch die Absicht äußerte, die
dort lebenden Menschen „zu sieben" und „den destruktiven Juden [hin-
auszu]setzen". Ferner führte er bei dieser Gelegenheit aus:

> „Es gibt nur eine Aufgabe: eine Germanisierung durch Hereinnahme der Deut-
> schen vorzunehmen und die Ureinwohner als Indianer zu betrachten. [...] Ich
> gehe an diese Sache eiskalt heran. Ich fühle mich nur als der Vollstrecker eines
> geschichtlichen Willens. [...] Todt, Sie müssen auch Ihr Programm erweitern!
> Arbeitskräfte kriegen Sie."[75]

Diese Ausführungen lassen sich als ein Indiz dafür deuten, dass Hitler kurz
zuvor mit dieser Frage auf irgendeine Weise, zum Beispiel dienstlich,
konfrontiert worden war. Zugleich geben sie aber einen eindeutigen Hinweis
auf den hierbei gefassten Beschluss, Juden „ganz hinaussetzen", die übrigen
„Eingeborenen", in diesem Fall Polen, zu „sieben", das heißt „deutschstämmige" Polen zu „germanisieren", arbeitsfähige, aber nicht „eindeutsch-

---

[73] Zu Stellung Hans Franks als Generalgouverneur vgl. MUSIAL, Zivilverwaltung, S.
24–32.

[74] AIPN, Diensttagebuch Bd. XVII/1, S. 30.

[75] HITLER, Monologe, S. 90 f.

ungsfähige" zur Zwangsarbeit ins Reich zu bringen, nichtarbeitsfähige zunächst in „Rentendörfern" unterzubringen. Später spielte man aber auch zeitweilig mit dem Gedanken, die nicht arbeitsfähigen Polen wie die Juden zu vernichten.[76] Reichsminister Todt, den Hitler bei diesem Gespräch anwies, sein Bauprogramm zu erweitern, nahm offensichtlich die Anweisung ernst, wie anders nicht zu erwarten. Der Adjutant Globocniks weiß zu berichten: „Bezeichnend ist, daß der Reichsleiter Todt, der Vorgänger von Speer, ständig mit Globocnik im Kontakt war, um sich mit ihm über die Ostverhältnisse hinsichtlich der zu planenden Bauaufgaben zu beraten."[77] Diese Kontakte können aber nur vor Anfang Februar 1942 stattgefunden haben, als Todt tödlich verunglückte. Dies ist auch ein zusätzlicher Hinweis auf die Vorreiterrolle Globocniks in den Planungen, den Osten zu germanisieren.

Hierbei muss auch ausdrücklich hervorgehoben werden, dass Hitler mit dem Krieg gegen die Sowjetunion das primäre Ziel verfolgte, „Lebensraum" für das deutsche Volk zu erobern. Bereits im Jahre 1923 schrieb Hitler Folgendes dazu:

> „Wir Nationalsozialisten (müssen) unverrückbar an unserem außenpolitischen Ziele festhalten, nämlich dem deutschen Volk den ihm gebührenden Grund und Boden auf dieser Erde zu sichern. Und diese Aktion ist die einzige, die vor Gott und unserer deutschen Nachwelt einen Bluteinsatz gerechtfertigt erscheinen läßt. [...] Wenn wir aber heute in Europa von neuem Grund und Boden reden, können wir in erster Linie nur an Rußland und die ihm untertanen Randstaaten denken."[78]

In einer Unterredung mit seinen engsten Mitarbeitern am 16. Juli 1941 führte Hitler aus, bei dem Krieg gegen die Sowjetunion bahne sich eine endgültige Regelung an. „Grundsätzlich kommt es [...] darauf an, den riesenhaften Kuchen handgerecht zu zerlegen, damit wir ihn erstens beherrschen, zweitens verwalten und drittens ausbeuten können. [...] Aus den neu gewonnenen Ostgebieten müssen wir einen Garten Eden machen; sie sind für uns lebenswichtig."[79] Hier muss die Frage gestellt werden, welche Rolle in diesem „Garten Eden" „der zersetzende Jude" zu spielen hatte.[80] Als Hitler am 17. Oktober 1941 von den Zukunftsaussichten im Osten schwärmte,

---

[76] MUSIAL, Zivilverwaltung, S. 345 f.

[77] Vern. Max R., 29.5.1968. BA-L 208 AR-Z 74/60, Bl. 8686.

[78] ADOLF HITLER, Mein Kampf, München, 661.–665. Auflage 1942, S. 739, 742.

[79] Aufzeichnungen Bormanns über ein Gespräch Hitlers mit seinen Mitarbeitern über die Ziele im Krieg gegen die UdSSR, 16. Juli 1941, in: IMT, Bd. 38, S. 88; Vom Generalplan Ost zum Generalsiedlungsplan, hg. von CZESŁAW MADAJCZYK, München u.a. 1994, S. 61–64.

[80] BROWNING, Path to Genocide, S. 105.

betonte er „mehrere Male, daß er 10 oder 15 Jahre jünger sein möchte, um diese Entwicklung weiter mitzuerleben."[81] Die konkreten Siedlungspläne Globocniks im Distrikt Lublin liefen also darauf hinaus, jetzt schon den politischen Traum und die Zukunftsvision Hitlers zumindest ansatzweise zu verwirklichen.

Nachdem Hitler diese aus seiner Sicht geschichtliche Entscheidung getroffen hatte, so meine These, übernahm Himmler die Aufgabe, Globocnik – der ja darauf drängte – dementsprechend anzuweisen. Am 13. Oktober 1941 fand tatsächlich eine Besprechung statt, an der Himmler, Krüger und Globocnik teilnahmen. Dies war die einzige verzeichnete Besprechung Himmlers an diesem Tag, und sie dauerte insgesamt zwei Stunden.[82] Über ihren Inhalt wurde zwar nichts überliefert, es ist aber anzunehmen, dass dabei die Ansiedlung von Volksdeutschen und die Ermordung der Juden gleichermaßen besprochen und genehmigt wurden. Der HSSPF Friedrich Wilhelm Krüger nahm an der Besprechung teil, weil er erstens der direkte Vorgesetzte von Globocnik war und zweitens die besprochenen Maßnahmen einen über die Grenzen des Distrikts Lublin hinausgehenden Charakter hatten. Für das gesamte Generalgouvernement war aber der HSSPF Krüger zuständig.

Es scheint, dass das Hauptmotiv Hitlers, Himmlers und Globocniks, die Juden aus dem Distrikt Lublin und dem Generalgouvernement überhaupt zu dem genannten Zeitpunkt zu „entfernen", durch die Siedlungsvisionen bedingt war. Der rassenpolitische Gesichtspunkt und der paranoide Judenhass, der die Existenz von Juden im deutschen Machtbereich grundsätzlich ausschloss, waren entscheidend.

Es gibt aber noch andere Faktoren, die dem Entschluss vom Anfang Oktober 1941 zusätzliche Dynamik verliehen haben dürften. Hierbei sei vor allem daran erinnert, dass zu dieser Zeit der Massenmord an den sowjetischen Juden im vollen Gange war, so dass eine Entscheidung für den Massenmord an den polnischen Juden qualitativ nichts Neues war. Die Schwelle zum Massenmord war bereits überschritten. Hinzu kamen die Umsiedlung von Wolgadeutschen und die sich deutlich abzeichnende Ernährungskatastrophe.

So verkündete Anfang September 1941 die sowjetische Führung, dass sie die etwa 400 000 Wolgadeutschen nach Sibirien und Kasachstan umsiedele,

---

[81] Notiz des persönlichen Referenten von Alfred Rosenberg, Dr. Koeppen, über das Gespräch mit Hitler am 17. Oktober 1941. Abgedruckt in: Vom Generalplan Ost zum Generalsiedlungsplan, S. 22 f.

[82] Der Dienstkalender Heinrich Himmlers 1941/42, hg. von PETER WITTE u.a., Hamburg 1999, S. 233 (Termine des Reichsführers-SS am 13.10.1941). Die Herausgeber des Dienstkalenders Himmlers interpretieren die oben erwähnte Unterredung zwischen Himmler, Krüger und Globocnik ähnlich wie ich.

„da die Möglichkeit nicht ausgeschlossen werden kann, daß sich unter ihnen Mitglieder der 5. Kolonne befinden".[83] Im Weltbild der Nazis waren die Bolschewiken, die nun die Wolgadeutschen nach Sibirien deportierten, den Juden gleichzusetzen. So machte man die Letzteren für diese Maßnahme wenigstens mitverantwortlich.

Zur gleichen Zeit zeichnete sich immer deutlicher, insbesondere in den von Deutschen besetzten Ostgebieten, eine Hungerkatastrophe ab. Goebbels trug am 9. Oktober 1941 in sein Tagebuch ein: „... die Ernährungslage in den besetzten Gebieten entwickelt sich doch so katastrophal, daß sie alle anderen Überlegungen mehr und mehr überschattet". Am 17. Oktober hielt Goebbels fest: „Über einem großen Teil Europas steht für den kommenden Winter das furchtbare Wort: Hungersnot."[84] Am gleichen Tag erklärte Frank in einer Sitzung der Regierung des Generalgouvernements in Lublin, dass die „Ernährungssorge" das Hauptproblem in allen Distrikten des GG darstelle.[85] Die Millionen Juden im Generalgouvernement waren aber aus deutscher Sicht „unnütze Esser", weil sie nicht in der deutschen Rüstungswirtschaft eingesetzt waren. In einer Rede am 16. Dezember beschimpfte Hans Frank die Juden im GG sogar als „schädliche Fresser".[86]

Wie oben geschildert, gab es in den Monaten September und Oktober 1941 eine auffallende Häufung von Anlässen, Umständen und Ereignissen, die – vermengt mit dem paranoiden Judenhass – die Ermordung von polnischen Juden aus der Sicht Hitlers und seiner Schergen rechtfertigten. Zunächst musste man sich aber auf polnische Juden „beschränken". Um die deutschen Juden zu ermorden, war die Zeit noch nicht reif, denn man fürchtete Widerstand seitens bestimmter Schichten der deutschen Bevölkerung wie zum Beispiel der Kirche oder intellektueller Kreise.[87] Unnötige Unruhe wollte man aber auf jeden Fall vermeiden.

So hatte man gerade im August 1941 das Euthanasie-Programm abbrechen müssen, um die dadurch aufgebrachte deutsche Bevölkerung zu beruhigen. Hier klaffte deutlich eine Lücke zwischen der Absicht, Juden physisch zu vernichten, und den Möglichkeiten, sie in der Praxis umzusetzen. Hitler und seine engsten Mitarbeiter waren sich bewusst, dass die Ermordung von deutschen Juden unauffällig geschehen müsse. Zu dieser Zeit wusste man

---

[83] Völkischer Beobachter vom 11.9.1941; vgl. STÉPHANE COURTOIS u.a., Das Schwarzbuch des Kommunismus. Unterdrückung, Verbrechen und Terror, München, Zürich 1998, S. 240–243.

[84] Goebbels Tagebücher, Bd. 2, S. 82, 133.

[85] AIPN Diensttagebuch, Vol. XVII/1, S. 29

[86] Diensttagebuch des deutschen Generalgouverneurs, S. 458.

[87] HANS MOMMSEN, Was haben die Deutschen vom Völkermord gewußt?, in: Der Judenpogrom 1938. Von der „Reichskristallnacht" zum Völkermord, hg. v. WALTER H. PEHLE, Frankfurt/M. 1988, S. 178.

aber noch nicht, wie das geschehen könnte. Der Osten, so auch das General-gouvernement, war dagegen ein rechtsfreier Raum, wo die einheimische Bevölkerung durch permanenten Terror paralysiert war und die Nazis nach Gutdünken schalten und walten konnten.

Vernichtungslager mit stationären Gaskammern als Voraussetzung für die Entscheidung zum Mord an Juden im Generalgouvernement

Eine der wichtigsten Voraussetzungen, welche die konkrete Entscheidung zum Massenmord an Juden im Generalgouvernement erst ermöglichte, war eine neue und effiziente Mordtechnik, und zwar das Vernichtungslager mit stationären Gaskammern. Mit den bis dahin angewandten Methoden, das heißt Erschießungen, wäre der Massenmord im Generalgouvernement schwer durchführbar gewesen. Immerhin handelte es sich um Hunderttausen-de, wenn nicht Millionen von Menschen. Dieser Massenmord sollte ja möglichst unauffällig und mit geringen Kräften durchgeführt werden. Die technische Frage war hierbei äußerst bedeutsam.

In den besetzten sowjetischen Gebieten wurde der Massenmord an den Juden unter dem Vorwand der Partisanenbekämpfung durchgeführt, wobei zahlenmäßig starke Exekutionskräfte bei Erschießungen eingesetzt werden mussten. Diese standen im Generalgouvernement nicht zur Verfügung, auch gab es dort keinen Partisanenkrieg. Als Stalin am 3. Juli 1941 öffentlich zum Partisanenkrieg hinter der deutschen Front aufforderte, fand Hitler dabei auch „positive" Seiten. So erklärte er am 16. Juli 1941: „Dieser Partisanenkrieg hat auch seinen Vorteil; er gibt uns die Möglichkeit auszu-rotten, was sich gegen uns stellt."[88] Aus der Sicht der Nationalsozialisten waren aber die sowjetischen Juden in doppelter Hinsicht Feinde, rassisch als Juden und weltanschaulich als vermeintliche Bolschewisten.

Darüber hinaus bedeuteten Massenerschießungen eine schwere psychische Belastung für die Schützen. Die Verwendung von Gaswagen versprach dagegen – wegen ihrer relativ geringen Mordkapazitäten – aus der Sicht der Täter keine entscheidende Abhilfe, denn diese Aktion hätte zu lange gedau-ert. Dies bedeutet, dass keine der bis dahin angewandten und bekannten Mordtechniken unter den im Spätsommer 1941 gegebenen Verhältnissen einsetzbar war, um die etwa zwei Millionen Juden im Generalgouvernement

---

[88] Aufzeichnungen Bormanns über die Besprechung Adolf Hitlers mit seinen Mitarbeitern über die Ziele des Krieges gegen die Sowjetunion. Abgedruckt in: Vom Generalplan Ost zum Generalsiedlungsplan, S. 16.

zu ermorden. Die Äußerung Franks vom 16. Dezember 1941, als er in einer Sitzung der GG-Regierung die Liquidierung aller Juden verkündete, bestätigt dies exemplarisch: „Diese 3,5 Millionen [sic!] Juden können wir nicht erschießen, wir können sie nicht vergiften, werden doch Eingriffe vornehmen können, die irgendwie zum Vernichtungserfolg führen."[89]

Die Ermordung der deutschen Juden, deren Zahl sich im September 1941 in den Grenzen Deutschlands von 1937 auf etwa 160 000 Personen belief,[90] konnte dagegen, so zynisch das auch klingen mag, rein technisch gesehen notfalls mit den schon angewandten Tötungsmethoden (Erschießung oder Gaswagen) durchgeführt werden.

Die Idee, Vernichtungslager mit stationären Gaskammern zu errichten, die an Mordkapazität und Effizienz alles bis dahin Gekannte um ein Vielfaches übertrafen, stellte sich als *die* Lösung heraus. Die Vernichtungslager mit stationären Gaskammern waren technische Voraussetzung der „Endlösung". Hierbei ist Christopher Browning zuzustimmen, der feststellt: „Vernichtungslager mit Vergasungsvorrichtungen waren schließlich keine Erfindung, die sich zwangsläufig ergeben mußte, sobald Hitler beschloß, die Juden zu töten."[91] Mit anderen Worten: Die Entwicklung von Vernichtungslagern mit stationären Gaskammern setzte den *konkreten Entschluss* zum Massenmord an den polnischen und auch den europäischen Juden voraus und nicht umgekehrt. Andererseits war der Wille zum Massenmord eine Bedingung für die Entwicklung dieser Tötungseinrichtungen. Dies ist kein Widerspruch, denn wir müssen strikt unterscheiden zwischen den Absichten (dem Willen) und den Möglichkeiten, diese zu verwirklichen. Hier bedingten sich situative und kognitive Faktoren der Entschlussbildung für die „Endlösung" gegenseitig.

Die Idee, die stationären Gaskammern zum Massenmord an den Juden zu verwenden, muss spätestens im September 1941 entstanden sein, denn bereits Ende Oktober wurde damit begonnen, das Vernichtungslager in Belzec mit eben solchen Gaskammern aufzubauen. Es ist auch denkbar, dass Globocnik mit seinem Stab unabhängig den Gedanken entwickelte, die Juden in stationären Gaskammern zu ermorden, wofür es einige Indizien gibt. Es handelt sich dabei um Nachkriegsaussagen von Dieter Wisliceny, Adolf Eichmann und Rudolf Höß, Männern, die in vorderster Front an der „Endlösung" beteiligt waren. Wisliceny, ein enger Mitarbeiter Eichmanns, sagte 1946 aus: „Nach Eichmanns eigenen Angaben, die er mir gegenüber

---

[89] Diensttagebuch des deutschen Generalgouverneurs, S. 458.
[90] Dimension des Völkermords, S. 36.
[91] BROWNING, Der Weg zur „Endlösung", S. 100.

machte, hat Globocnik als erster Gaskammern zur Massenextermination von Menschen angewandt."[92]

Adolf Eichmann selbst gab in Jerusalem zu Protokoll, dass ihm Heydrich zwei bis drei Monate nach dem Überfall auf die UdSSR mitgeteilt habe, der „Führer habe die physische Vernichtung der Juden befohlen". Ferner habe ihn Heydrich angewiesen: „Fahren Sie zu Globocnik. Der Reichsführer hat ihm bereits entsprechende Weisungen gegeben. Sehen Sie sich an, wie weit er mit seinem Vorhaben gekommen ist."[93] Eichmann setzt offensichtlich den Zeitpunkt für den Befehl zur Ermordung aller Juden falsch auf den Sommer 1941 an, was sich durch die zeitliche Distanz zum Ereignis erklären lässt. Es ist aber unwahrscheinlich, dass er sich in Bezug auf den „Kern" des Ereignisses irrte, nämlich dass er sich die Tötungstechnik mittels Gaskammern bei Globocnik anschauen sollte. Dies tat er dann auch, nachdem Hitler befohlen hatte, alle Juden zu vernichten.

Auch Rudolf Höß berichtet, dass es im Generalgouvernement bereits Vernichtungslager gegeben habe, als ihm Himmler befahl, Vernichtungsstätten in Auschwitz zu errichten.[94] An den Plänen für das Vernichtungslager Auschwitz-Birkenau wurde erst seit Februar 1942 gearbeitet.[95] Zu dieser Zeit war das Vernichtungslager Belzec bereits funktionsfähig.

Die Annahme, dass Globocnik selbständig die Tötungstechnik mit stationären Gaskammern entwickeln ließ, stützt auch die Aussage des damaligen Kommandeurs der Gendarmerie des Distrikts Lublin, Ferdinand Hahnzog. Dieser berichtete nach dem Krieg über „eine tief im Grenzwalde gegen Galizien bei Belzec verborgene primitive Anlage [...], die aus einem abgedichteten Schuppen bestand, in den die Sicherheitspolizei und der SD aus Zamosc die Abgase von Kraftfahrzeugen hineinleitete, mit denen die ‚morituri' herangeführt worden waren!" Diese Versuche hätten bereits „im Frühjahr 1941, wenn nicht schon im Herbst 1940" stattgefunden.[96] Solche Ver-

---

[92] Bericht, D. Wisliceny, 18.11.1946. IfZ Fa 164 (Wisliceny), S. 8.

[93] Das Eichmann-Protokoll. Tonbandaufzeichnungen der israelischen Verhöre, hg. v. JOCHEN VON LANG, Berlin 1982. S. 69 f.

[94] KARIN ORTH, Rudolf Höß und die „Endlösung der Judenfrage". Drei Argumente gegen deren Datierung auf den Sommer 1941, in: WerkstattGeschichte 18 (1997), S. 52 f.

[95] BROWNING, Der Weg zur „Endlösung", S. 154.

[96] Zustände und Begebenheiten im Distrikt Lublin des Generalgouvernements von Januar 1940 bis April 1942 aufgrund persönlicher Erinnerungen von Ferdinand Hahnzog, Juli 1962. HStA, Nds, 721 Hild, Acc 39/91, Nr. 28/113, Bl. 245. Hahnzog blieb in Lublin vom Januar 1940 bis April 1942, so dass ein möglicher Fehler in der zu frühen Datierung dieser Versuche als gering eingeschätzt werden muss. Auch sonst sind seine Angaben zuverlässig und korrekt. Darüber hinaus handelt es sich hier nicht um ein Vernehmungsprotokoll, sondern um Aufzeichnungen, die Hahnzog in Ruhe vornehmen konnte, so dass er reichlich Zeit hatte, sich an bestimmte Ereignisse zu erinnern.

suche mit neuen Mordtechniken waren zu dieser Zeit keineswegs etwas Außergewöhnliches. Erinnert sei hier an ähnliche „Experimente" im Sommer 1941 in Auschwitz, Minsk oder Mogilew.[97] Dies würde also bedeuten, dass Globocnik bereits vor oder spätestens im Sommer 1941 an diese Tötungsmethode dachte und sie selbständig weiter entwickeln ließ. Ihm stand ja ein Stab von Experten aus verschiedenen Bereichen zur Verfügung, die an den einzelnen „Projekten" arbeiteten.

In diesem Zusammenhang sei auch daran erinnert, dass etwa zu gleicher Zeit, aber anscheinend unabhängig voneinander die Entscheidung fiel, Juden im Warthegau und im Generalgouvernement zu ermorden. Wenn die Idee mit den Vernichtungslagern mit stationären Gaskammern nicht in Lublin, sondern beispielsweise in Berlin entwickelt worden wäre, ist nicht ersichtlich, warum man nicht auch im Warthegau stationäre Gaskammern errichten ließ. Es sei auch noch einmal daran erinnert, dass es Vernichtungslager mit stationären Gaskammern ausschließlich in Belzec, Sobibor, Treblinka und in Auschwitz-Birkenau gab. Die drei ersten unterstanden Globocnik.

Darüber hinaus ist es schwer vorstellbar, dass Globocnik, als er am 1. Oktober 1941 um Erlaubnis zur „Entsiedlung" bat, keinen ausgearbeiteten Plan gehabt hatte, wie er diese nun durchzuführen gedenke. Als er am 13. Oktober 1941 die ersehnte Genehmigung zur „Entsiedlung" erhielt, waren außerdem ausgearbeitete Pläne zur Errichtung des Vernichtungslagers offensichtlich bereits in Lublin vorhanden. Ende Oktober 1941 begann man mit dem Aufbau des Vernichtungslagers Belzec.[98]

Die Vernichtungslager mit stationären Gaskammern waren aber die technische Voraussetzung der „Endlösung" und ein sehr wichtiger Schub zum endgültigen Beschluss für die Ermordung aller europäischen Juden. Die bis Spätsommer 1941 angewandten Mordmethoden, Erschießungen oder der Einsatz von Gaswagen, waren aus der Sicht der Täter unzulänglich, um kurzfristig Millionen von Menschen systematisch zu töten. Sie waren relativ ineffizient, denn sie erforderten einen großen Bedarf an Personal und verursachten dazu psychische Belastungen bei den Ausführenden.

Darüber hinaus war es schwierig, mit diesen Mordmethoden einen Massenmord von der Dimension des Holocaust unauffällig und schnell durchzuführen. Diese wichtige Bedingung der Entscheidung für die „Endlösung" wird exemplarisch durch zeitgenössisch überlieferte Äußerungen von Adolf Hitler, Heinrich Himmler und Odilo Globocnik bestätigt. Hitler erklärte am 25. Januar 1942:

---

[97] ORTH, Rudolf Höß, S. 50 f. (Auschwitz); OGORRECK, Einsatzgruppen, S. 211 ff. (Minsk und Mogilew).
[98] WITTE, Zwei Entscheidungen, S. 61, Anm. 16; POHL, „Judenpolitik", S. 100.

„Wenn ich heute den Juden herausnehme, dann wird unser Bürgertum unglücklich: Was geschieht denn mit ihm? [...] Man muß es schnell machen, es ist nicht besser, wenn ich einen Zahn alle drei Monate um ein paar Zentimeter herausziehen lassen – wenn er heraußen ist, ist der Schmerz vorbei. Der Jude muß aus Europa heraus. [...] Ich sage nur, er muß weg. Wenn er dabei kaputtgeht, da kann ich nicht helfen. Ich sehe nur eines: die absolute Ausrottung, wenn sie nicht freiwillig gehen." [99]

Viktor Brack berichtete dagegen am 23. Juni 1942 über seinen Besuch in Lublin:

„Globocnik [vertrat] die Auffassung, die ganze Judenaktion so schnell wie nur irgend möglich durchzuführen, damit man nicht eines Tages mittendrin steckenbliebe, wenn irgendwelche Schwierigkeiten ein Abstoppen der Aktion notwendig machen. Sie selbst, Reichsführer, haben mir gegenüber seinerzeit schon die Meinung geäußert, daß *man schon aus Gründen der Tarnung so schnell wie möglich arbeiten müsse.*" [100]

Dass Globocnik vor Massenmord nicht zurückschreckte, ist hinreichend belegt. So schlug er z. B. am 16. Februar 1940 in einer Besprechung über die Versorgung der vertriebenen Polen und Juden aus dem Warthegau vor, „die evakuierten Juden und Polen sollten sich selbst ernähren und von ihren Landsleuten unterstützen lassen.[...] Falls dies nicht gelänge, sollte man sie verhungern lassen." [101] Darüber hinaus leitete Globocnik als SSPF in Lublin seit Beginn der Besatzung den Terror gegen die Polen. Hierbei sei als Beispiel die „AB-Aktion" (Tarnwort für die Vernichtung der polnischen Intelligenz) erwähnt, in deren Verlauf Tausende ermordet worden waren. Globocniks direkter Vorgesetzter im Generalgouvernement, der HSSPF Krüger, beurteilte ihn im April 1941 wie folgt: Globocnik erfasse „ideenmäßig die Größe dieser uns gestellten Aufgaben" und besitze „die ausgesprochene Härte", um diese Aufgaben *einzuleiten* und *zu führen.* [102] Ähnlich wurde Globocnik von SS-Gruppenführer von Herff beurteilt:

„Vollnatur mit all ihren großen Licht- und Schattenseiten. Wenig auf das äußerliche gebend, *fanatisch von der Aufgabe besessen,* sich bis ins Letzte für die einsetzend ohne Rücksicht auf Gesundheit oder äußerlichen Dank. Einer der besten und stärksten Pioniere im GG. Verantwortungsbewußt, mutig, Tatsachenmensch. Sein Draufgängertum läßt ihn oft die gegebenen Grenzen sprengen und die innerhalb des Ordens gezogenen Grenzen vergessen, jedoch nicht aus per-

---

[99] HITLER, Monologe, S. 228 f.

[100] Brack an Himmler, 23.6.1942. BA-BDC (Globocnik), auch Nürnberger Dokument NO-205 (Herv. B.M.).

[101] Bericht über die Sitzung am 14.2.1940 in Lublin. APL GDL 61, Bl. 17.

[102] Krüger an Himmler, 2.4.1941. BA-BDC (Globocnik).

sönlichem Ehrgeiz, sondern vielmehr aus Besessenheit um der Sache willen. Der Erfolg spricht unbedingt für ihn. [...] Will zuviel alleine machen!"[103]

Auch Himmler bezeugt Globocnik „die ungeheure Arbeitskraft und Dynamik [...], der wie kein zweiter für die Kolonisation im Osten geschaffen ist".[104]

Es dürften daher kaum Zweifel bestehen, dass Globocnik und seine Schergen die psychologische Schwelle zum Massenmord im Herbst 1941 längst überschritten hatten. Vielmehr ist es fraglich, ob Globocnik überhaupt eine solche Hemmschwelle hatte. Ein Fanatiker wie er, der bereit war, seine eigene Freiheit und sein eigenes Leben für eine Wahnidee einzusetzen, dürfte umso weniger Skrupel gehabt haben, die Freiheit und das Leben von Menschen, die er verachtete und hasste, seiner Ideologie zu opfern.[105] Diese Menschen standen ihm aus seiner Sicht im Wege, wenn er seine „Visionen" realisieren wollte.

Es stellt sich auch die Frage, ob der Beschluss von Anfang Oktober 1941, die Juden zu ermorden, nur für den Distrikt Lublin oder für das gesamte Generalgouvernement galt. Christian Gerlach geht davon aus, dass der Bau des Vernichtungslagers in Belzec nicht mit der Entscheidung, alle Juden im GG zu ermorden, gleichzusetzen sei, denn die ursprünglichen „Mordkapazitäten" dieses Vernichtungslagers seien unzureichend gewesen. Er schließt sich dabei Dieter Pohl an, der vermutet, dass der Auftrag Globocniks zunehmend erweitert worden sei.[106]

Ich vermute dagegen, dass man bereits im Oktober 1941 davon ausging, dass die Vernichtung der Juden im gesamten Generalgouvernement bald beginnen würde. Für diese These sprechen folgende quellenkritische Überlegungen: Am 21. Oktober 1941 wurde die Neubildung von Ghettos im Distrikt Galizien verboten, „da die Hoffnung besteht, daß die Juden in naher Zukunft aus dem Generalgouvernement abgeschoben werden könnten".[107] Wie ausgeführt, war aus militärischen Rücksichten eine tatsächliche „Abschiebung" nach dem Osten ausgeschlossen. Hierbei sei auch daran erinnert, dass sechs Tage zuvor Rosenberg eine baldige Abschiebung nach

---

[103] Beurteilungsnotiz anläßlich der Dienstreise des SS-Gruppenführers von Herff durch das Generalgouvernement im Mai 1943. Ebd. (Herv. B.M.).

[104] Himmler an Wendler, 4.8.1943. Ebd.

[105] Vor dem Anschluss Österreichs saß Globocnik wegen politischer Betätigung in der NSDAP insgesamt 11 Monate im Gefängnis. Vgl. dazu PUCHER, Globocnik, S. 22–30.

[106] GERLACH, „Die Wannsee-Konferenz", S. 9; POHL, „Judenpolitik", S. 101.

[107] Diensttagebuch des deutschen Generalgouverneurs, S. 436; das Verbot zur Neubildung von Ghettos im Generalgouvernement erging bereits am 17. Juli 1941 (ebd., S. 386); der Distrikt Galizien bekam offensichtlich im September 1941 eine Sondergenehmigung. POHL, Nationalsozialistische Judenverfolgung, S. 141.

dem Osten ausschloss.[108] Ferner waren Frank und seine engsten Mitarbeiter vom Beschluss zur Ermordung von Juden im Generalgouvernement unterrichtet, worauf handfeste Indizien hindeuten.[109]

Von der gleichen Voraussetzung dürfte auch Globocnik im Oktober 1941 ausgegangen sein, worauf der bereits zitierte Bericht von Hellmut Müller vom 15. Oktober 1941 hinweist. Müller berichtete nämlich, dass Globocnik „die allmähliche Säuberung *des gesamten G.G.* von Juden und auch Polen zwecks Sicherung der Ostgebiete usw." für notwendig halte.[110] Nach Globocniks Auffassung war das gesamte Generalgouvernement als „deutscher Binnenraum" zu betrachten, der „daher auch bald 100% deutsch besiedelt sein" werde. Und: „Innerhalb des Generalgouvernements ist die Bevölkerungspolitik deswegen geschlossen."[111] Somit dachte Globocnik zumindest in mittelfristiger Perspektive daran, alle Juden aus dem Generalgouvernement zu „entfernen", um dieses Gebiet germanisieren zu können.

Das Argument, die „Mordkapazitäten" des Lagers Belzec seien zu gering gewesen, um dort alle Juden aus dem Generalgouvernement kurzfristig zu ermorden, ist nicht unbedingt stichhaltig. Nach Ermittlungen von Dr. Kiełboń wurden dort zwischen dem 15. und 31. März 1942 insgesamt fast 58 000 Juden vergast.[112] Höfle, ein Mitarbeiter Globocniks, erklärte am 16. März 1942, „er könne täglich 4–5 Transporte zu 1000 Juden mit der Zielstation Belzec aufnehmen".[113] Die Täter rechneten also damit, unmittelbar vor der „Inbetriebnahme" der Vernichtungsanlagen in Belzec dort 4000 bis 5000 Juden pro Tag ermorden zu können. Für die geplante „allmähliche Säuberung des gesamten G.G. von Juden" waren also die „Mordkapazitäten" des Vernichtungslagers Belzec durchaus ausreichend.

Die Mörder konnten vor dem Anlaufen der „Aktion Reinhardt" davon ausgehen, dass in Belzec innerhalb von zwei Jahren die etwa 2 Millionen Juden aus dem Generalgouvernement getötet werden konnten. Mitte Juni 1942 wurden die alten Gaskammern abgerissen und neue, größere gebaut;[114] das bedeutet aber, dass die Täter die begrenzte „Mordkapazität" des Lagers Belzec erst dann feststellten, als es in Betrieb war.

---

[108] Diensttagebuch des deutschen Generalgouverneurs, S. 413.

[109] MUSIAL, Origins, S. 116 ff.

[110] Hellmut Müller, Bericht über die Verhältnisse in Lublin, 15.10.1941. BA-BDC (Globocnik).

[111] Globocniks Stellungnahme zu der Frage: „Behandlung Fremdvölkischer" vom 15.3.1943. AIPN NTN 255, Bl. 210 f.

[112] KIEŁBOŃ, Migracje, S. 149, 170.

[113] Vermerk Reuters vom 17.3.1942. Staatsarchiv Lublin (fortan: APL) GDL 270, Bl. 34.

[114] YITZHAK ARAD, Belzec, Sobibor, Treblinka. The Operation Reinhard Death Camps, Bloomington, Ind., 1987, S. 73.

Hinzu kommt, dass nicht ausgeschlossen werden kann, dass gleichzeitig mit dem Bau des Vernichtungslagers in Belzec die ersten Vorbereitungen zur Errichtung des Vernichtungslagers Sobibor getroffen worden sind. Dieser Auffassung ist auch Peter Witte, dem zufolge am 13. Oktober 1941 „über die ersten Maßnahmen zur ‚Eindeutschung' des Distrikts wie über den Aufbau der Vernichtungslager Belzec und Sobibor entschieden" wurde.[115] Er stützt seine These unter anderem auf Interviews mit in der Nähe des Lagers Sobibor noch lebenden Zeitzeugen. Diese berichteten nämlich übereinstimmend, dass bereits im Herbst 1941 das Gelände, wo später das Vernichtungslager Sobibor entstand, von SS-Männern inspiziert und offensichtlich ausgewählt worden sei. Auch sei bereits vor dem ersten Schnee, das heißt im Herbst 1941, Baumaterial herangeschafft worden.[116]

Ferner bestätigt diese These der bereits zitierte damalige Kommandeur der Gendarmerie im Distrikt Lublin, Ferdinand Hahnzog. Er berichtet nämlich, dass es zunächst „Experimente" mit Gaskammern in Belzec gegeben habe. Dann sei im Oktober 1941 plötzlich eine nie da gewesene Revision seiner Dienststelle erfolgt. Sie sei von dem neuen Kommandeur der Ordnungspolizei im Distrikt Lublin, einem Oberst der Schutzpolizei und SS-Standartenführer Griphan durchgeführt worden. Nach der Revision habe Griphan Hahnzog unter vier Augen beiseite genommen,

„um [...] klipp und klar zu erklären, daß ‚nunmehr der Zeitpunkt gekommen sei, mit allen Reichsfeinden – Polen, Juden und Deutschen selber! – aufzuräumen'. [...] Diesem ersten Schock folgte kurz darauf ein zweiter, als ich, wohl im November 1941, was wiederum völlig neu und bisher nie dagewesen war, eines Abends ebenso plötzlich und unerwartet zu Globocnik selber befohlen wurde, der mich mit einem jüngeren SS-Führer bekannt machte, der mit der Errichtung des Lagers Sobibor beauftragt war und dazu die Unterstützung des Gendarmeriepostens Wlodawa verlangte."[117]

Der Bericht von Hahnzog ist eindeutig und lässt wenig Raum für Spekulationen, vorausgesetzt, dass Hahnzog tatsächliche Ereignisse schildert. Ich halte aber diesen Bericht für glaubwürdig.[118] Wenn man also im Herbst 1941 dabei war, gleichzeitig zwei Vernichtungslager im Distrikt Lublin aufzubauen, dann beabsichtigte man nicht nur Juden aus dem Distrikt Lublin zu ermorden.

---

[115] WITTE, Zwei Entscheidungen, S. 61, Anm. 16.
[116] Mündliche Auskünfte von Wacław Wójtowicz und Marcin Lesiuk an Jules Schelvis und Peter Witte. Vgl. JULES SCHELVIS, Vernichtungslager Sobibór, Berlin 1998, S. 38, mit weiteren Verweisen.
[117] Zustände und Begebenheiten im Distrikt Lublin (vgl. FN 96), S. 245 f.
[118] Siehe dazu FN 100.

Darüber hinaus hätte, wenn man davon ausgeht, dass die im Distrikt Lublin geplanten Siedlungsmaßnahmen die konkrete Entscheidung zur Ermordung der Juden unmittelbar auslösten, die physische Vernichtung von Juden „nur" aus dem Distrikt keine endgültige Lösung bedeutet. Denn die Juden stellten nur einen Teil der Menschen dar, die nun im Distrikt „entsiedelt" werden sollten. In der Stadt Lublin lebten beispielsweise etwa 40 000 Juden, aber 100 000 Polen, die gleichwohl zu verschwinden hatten. Im ganzen Distrikt lebten über 300 000 Juden, dafür aber etwa 1,8 Millionen Polen und 300 000 Ukrainer.[119] Das bedeutet: Die Ermordung von Juden im Distrikt hätte die erforderlichen territorialen Spielräume noch nicht ergeben, um Hunderttausende von Menschen kurzfristig im Distrikt Lublin oder gar im ganzen Generalgouvernement verschieben und somit eine erfolgreiche „Entsiedlung" durchführen zu können. Eine kurzfristige Abschiebung von Polen nach dem Osten war, ebenso wie die von Juden, unrealistisch.

Die bevorstehenden Bevölkerungsverschiebungen, die allein mit den Siedlungsvorhaben im Distrikt Lublin zusammenhingen, setzten große territoriale Spielräume voraus, die es im Herbst 1941 nicht gab. Die Ermordung aller Juden im Generalgouvernement versprach dagegen, solche Spielräume zu verschaffen. Man beabsichtigte nämlich, die arbeitsfähigen Polen zur Zwangsarbeit ins Reich zu verschleppen und die nichtarbeitsfähigen in den inzwischen geräumten Ghettos unterzubringen.

Dass dies keine Spekulation ist, beweisen die Ereignisse vom Herbst 1942, als man dazu überging, die inzwischen „entjudete" Stadt Lublin auch von den Polen zu „säubern". Die zur Aussiedlung vorgesehenen Polen aus der Stadt Lublin sollten in den geräumten oder noch zu räumenden Ghettos des Kreises Pulawy und der nördlichen Teile des Kreises Lublin-Land untergebracht werden. In einem Aktenvermerk vom 15. Oktober 1942 hieß es: „In beiden Kreisen ist eine sofortige Anfuhr von Polen noch nicht möglich, da die Judenumsiedlung noch im Gange ist."[120] Anfang Oktober 1942 erklärte der Kreishauptmann von Pulawy, Brandt, „daß auch Opole mit Kudl (Dorf) sofort belegt werden könne, wenn die jetzt noch dort befindlichen 8000 Juden entfernt würden".[121] Im Herbst 1942 wurden aber nur relativ wenige Lubliner Polen (etwa 3000) wegen der damit verbundenen wirtschaftlichen Schwierigkeiten ausgesiedelt. Am 23. November 1942 einigten sich Globocnik und der Stadthauptmann in Lublin, Dr. Englaender darauf, „daß nunmehr das Tempo der Umsiedlungen den Umständen gemäß wesent-

---

[119] Konfessionelle Gliederung der Bevölkerung des Distrikts Lublin nach dem Stand vom 9.12.1931 (Schätzung). APL GDL 728, Bl. 8.

[120] Aktenvermerk vom 15.10.1942. AIPN OKBZH w Lublinie 257, Bl. 1 f.

[121] Aktenvermerk vom 14.10.1942. Ebd., Bl. 3.

lich verlangsamt werden kann, damit empfindliche Eingriffe in die Lubliner Wirtschaft vermieden werden".[122]

Die andersartige Behandlung der Polen ist vor allem auf die Ideologie zurückzuführen. So wurden im Reich dringend „Arbeitssklaven" gebraucht, diese Rolle wurde in der NS-Ideologie den Polen zugewiesen. Ein dauerhafter Verbleib von Juden im deutschen Machtbereich war dagegen ideologisch a priori ausgeschlossen.

Schlussbemerkung

Nur vor dem Hintergrund der Ideologie des rassischen Antisemitismus ist die nationalsozialistische Judenverfolgung in Europa zu begreifen. Der Entscheidungsprozess zum Mord an den Juden im Generalgouvernement ist ein Musterbeispiel dafür, wie rassischer Antisemitismus und ideologische Grundsatzentscheidungen durch aktuelle Problemlagen radikalisiert wurden und schließlich im Genozid mündeten. Dieser Prozess zeigt auch exemplarisch, wie einzelne Akteure an der Peripherie eigene Initiativen ergriffen, um die „Judenfrage" durch physische Vernichtung vor Ort zu lösen.

Von der Machtergreifung bis zum Juni 1941 war die gesamte antijüdische Politik der Nationalsozialisten weitgehend von dem Vorhaben bestimmt gewesen, die Juden aus dem deutschen Machtbereich zu vertreiben. Dieses Ziel resultierte aus der NS-Ideologie, die vorsah, die Juden aus der Volksgemeinschaft zu eliminieren. Die deutschen Juden, relativ gering an Zahl, waren seit 1933 zur Emigration gezwungen worden. Als im September 1939 Millionen polnischer Juden in deutsche Hände fielen, erhielt die „Judenfrage" eine neue Dimension. Eine Auswanderung war nicht mehr möglich. Damit begann die Suche nach anderen Lösungen. Zunächst entstand in Berlin der kurzlebige Plan, im Distrikt Lublin ein Judenreservat zu errichten. Im Frühjahr 1940 trat der so genannte Madagaskar-Plan an seine Stelle. Bald wurde jedoch klar, dass auch diese Lösung unrealistisch war.

Im Herbst 1939 war die „Judenfrage" für die deutschen Besatzer in Polen zunächst ein ideologisches Problem. Unmittelbar nach der Besetzung Polens führten die deutschen Behörden antijüdische Maßnahmen ein, die durch ideologische Vorgaben bestimmt waren. Diese Maßnahmen wirkten sich katastrophal auf die Lage der jüdischen Bevölkerung aus. Die meisten Juden verloren ihre Existenzgrundlage, gleichzeitig wurden sie aus dem Versorgungssystem mit Lebensmitteln ausgeschlossen. Hinzu kamen die zahlreichen Vertreibungen und Umsiedlungen, die zur Überfüllung von Ghettos

---

[122] Aktenvermerk über die Besprechung vom 23.11.1942. Ebd., Bl. 35 f.

und jüdischen Wohnbezirken bei mangelnder medizinischer Versorgung und katastrophalen hygienischen Verhältnissen führten. Die Folgen waren Verelendung, Hunger, Krankheiten und Seuchen. Um zu überleben, waren die Juden auf den Schwarzmarkt angewiesen, der in Polen, so auch im Generalgouvernement, überall entstand. Andererseits waren immer mehr Juden, die sich auf dem Schwarzmarkt nicht behaupten konnten, auf Fürsorge angewiesen. Diese Verhältnisse erschwerten aus deutscher Sicht nachhaltig das Regieren im Generalgouvernement.

Die „Judenfrage" entwickelte sich im Generalgouvernement zum tatsächlichen wirtschaftlichen und sozialen Problem, das dringend gelöst werden musste. Hierbei dachten die deutschen Entscheidungsträger zunächst an eine „territoriale" Lösung. So entstand im Umfeld der Vorbereitungen zum Überfall auf die UdSSR die Idee, nach dem schnell gewonnenen Krieg alle Juden, auch die aus dem Generalgouvernement, nach Russland zu deportieren.

Parallel dazu entwickelte Odilo Globocnik in Lublin die im Juli 1941 von Heinrich Himmler genehmigten Pläne, das Gebiet um Zamosc zu germanisieren. Auch Himmler und Globocnik gingen davon aus, dass ein schnell beendeter Krieg gegen die Sowjetunion territoriale Spielräume eröffnen würde, um große Bevölkerungsverschiebungen vornehmen zu können. Das endgültige Ziel bestand darin, das gesamte Generalgouvernement deutsch zu besiedeln.

Im August 1941 erwiesen sich die Hoffnungen auf einen schnellen Sieg und damit auch die Option, die Juden nach Osten zu deportieren, als illusorisch. Mit dem Beginn des Krieges gegen die UdSSR begannen in den von der Wehrmacht besetzten Gebieten systematische Massenerschießungen sowjetischer Juden. Dies geschah unter dem Vorwand, sowjetische Verbrechen zu rächen sowie Übergriffe von Heckenschützen und Partisanen wie auch Sabotageakte zu vergelten und ihnen vorbeugen zu wollen. Auch diese Massaker waren in der NS-Ideologie begründet. Demnach waren die Juden die Träger des sowjetischen Kommunismus und somit für die sowjetischen Verbrechen und den sowjetischen Widerstand verantwortlich beziehungsweise mitverantwortlich. Diese Massenerschießungen waren der Beginn des Holocaust. Die Grenze zur systematischen Ermordung der Juden war überschritten.

Als Globocnik seine Vorbereitungen zur Germanisierung im Distrikt Lublin im September 1941 abgeschlossen hatte, war bereits klar, dass die „Abschiebung" der Juden nach Osten in naher Zukunft unrealistisch war. Um sein Vorhaben trotzdem verwirklichen zu können, entwickelte Globocnik den Plan, die Juden vor Ort umzubringen, um so die notwendigen territorialen Spielräume zu schaffen. Himmler und Hitler genehmigten diesen Plan. Im deutschen Machtbereich war aus ideologischen Gründen ohnehin kein Platz für die Juden vorgesehen, sie mussten so oder so „entfernt" werden. Die neue Mordtechnik, die eigens dazu errichteten Vernichtungslager mit stationären Gaskammern, ermöglichte es den Tätern, den Massenmord schnell und mit relativ wenig Personal durchzuführen. Der Krieg im Osten lenkte die Aufmerksamkeit vom Genozid ab. Die Opfer selbst hatten keine realistische Chance, organisierten und erfolgreichen Widerstand zu leisten. Auch die Ermordung der sowjetischen Juden war bereits im Gange. Aus Sicht der Täter war die Zeit gekommen, um die „Judenfrage" im besetzten Polen ebenfalls durch Massenmord zu lösen.

Der rassische Antisemitismus war also die Triebkraft des eliminatorischen Programms bis hin zum Völkermord. Für Hitler und seine Anhänger war es selbstverständlich, dass die Juden aus dem deutschen Machtbereich verschwinden mussten. Auf der Grundlage dieser Überzeugung entstanden erst die Pläne, Deutschland und die Welt vom „jüdischen Einfluss" zu befreien, die dann in die Tat umgesetzt wurden. Damit will ich nicht behaupten, dass es von vornherein einen Gesamtplan über Art, Inhalt und Umfang der Judenverfolgung gegeben und Hitler die physische Vernichtung der Juden von Anfang an angestrebt habe. Die physische Vernichtung kristallisierte sich konkret „erst" während des Russlandfeldzuges heraus. Sie bezog sich zunächst auf die sowjetischen Juden, dann wurden die polnischen Juden und erst zum Schluss alle übrigen europäischen Juden erfasst.

Der rassische Antisemitismus wirkte wie ein Katalysator: Hitler und seinesgleichen führten tatsächliche und angebliche Probleme und Schwierigkeiten auf das „zersetzende" Wirken der Juden zurück. Vor diesem Hintergrund sollte es nicht verwundern, dass Hitler und seine Anhänger tatsächlich glaubten, aktuelle und künftige Krisensituationen durch Eliminierung der Juden bewältigen, mildern oder ihnen vorbeugen zu können. Somit war es gewissermaßen vorprogrammiert, dass die Nationalsozialisten ihre antijüdische Politik in Krisensituationen radikalisierten: Je schwieriger die Lage, desto radikalere Maßnahmen waren zu ergreifen und desto brutaler war das Vorgehen gegen die Juden. Die Ursprünge der „Aktion Reinhardt" wie auch der „Endlösung" überhaupt sind auf den rassischen Antisemitismus zurückzuführen, den die Nationalsozialisten zur Staatsdoktrin erhoben hatten.

DIETER POHL

DIE STELLUNG DES DISTRIKTS LUBLIN IN DER „ENDLÖSUNG DER JUDENFRAGE"[*]

Die Erkenntnis, dass der Distrikt Lublin des Generalgouvernements eine besondere Rolle bei der „Endlösung der Judenfrage" spielte, ist nicht neu. Es ist das Verdienst Tatiana Berensteins, die Geschichte der Judenverfolgung im Raum Lublin zuerst detailliert nachgezeichnet zu haben.[1] Ihre Erkenntnisse wurden jahrzehntelang von der westlichen Forschung weitgehend ignoriert; die polnische Historiographie hat sie genutzt, aber lange nicht weiterentwickelt. Erst in den 1990er Jahren bahnte sich eine völlige Neuerforschung des NS-Judenmords in Polen und der Sowjetunion an, aber auch die zentralen Entscheidungen in Berlin erscheinen in neuem Licht.[2] Deshalb soll hier versucht werden, die Stellung des Distrikts Lublin im Rahmen dieser Neubetrachtung der „Endlösung" zu umreißen.

Hierbei muss auch auf die ideologische Vorgeschichte hingewiesen werden. Viel stärker als bisher angenommen zeigt sich, dass die so genannten Ostjuden eine besondere Stellung in der NS-Ideologie, aber auch in der praktizierten Judenverfolgung hatten.[3] Dies ist zwar weniger bei Hitler selbst als im NS-Apparat insgesamt nachzuweisen. Auch Lublin wurde in diesem Zusammenhang thematisiert. So wurde etwa die zentrale Rabbiner-Schule in Lublin als geistige Quelle des Ostjudentums angesehen. Laut NS-Propaganda befand sich hier einer der Ausgangspunkte für das „jüdische

---

[*] Aktualisierte Fassung von: Rola dystryktu lubelskiego w „ostatecznym rozwiązaniu sprawa żydowskiego", in: Zeszyty Majdanka 17 (1997), S. 7–25.

[1] TATIANA BERENSTEIN, Martyrologia, opór i zagłada ludności żydowskiej w dystrykcie lubelskim, in: Biuletyn Żydowskiego Instytutu Historycznego (BZIH) Nr. 21, 1957, S. 21–92. Dieser Aufsatz erschien in einer ersten Fassung auf jiddisch in Bleter far Geszichte.

[2] DIETER POHL, Von der „Judenpolitik" zum Judenmord. Der Distrikt Lublin des Generalgouvernements 1939–1944. Frankfurt/M. u.a. 1993; BOGDAN MUSIAL, Deutsche Zivilverwaltung und Judenverfolgung im Generalgouvernement. Eine Fallstudie zum Distrikt Lublin 1939–1944, Wiesbaden 1999.

[3] JOHN P. FOX, Reichskristallnacht 9 November 1938 and the Ostjuden Perspective to the Nazi Search for a „Solution" to the Jewish Question, in: Polin 5 (1990), S. 74–102; JERZY TOMASZEWSKI, Auftakt zur Vernichtung. Die Vertreibung polnischer Juden aus Deutschland im Jahre 1938, Osnabrück 2002.

Übel".[4] Im Polenfeldzug spielte dies jedoch kaum eine Rolle, da die Wojewodschaft Lublin nach dem Hitler-Stalin-Pakt zunächst in die sowjetische
Einflusssphäre fallen sollte. Erst infolge der Grenzrevision vom 27. September 1939 änderte sich das. Ab diesem Zeitpunkt wurden Überlegungen
angestellt, Juden statt in den Raum östlich von Krakau noch weiter Richtung
Osten abzuschieben. An dieser Nahtstelle steht das so genannte Nisko-
Projekt der Konzentration von Juden, die aus dem Westen und Süden dorthin
verschleppt wurden. Nisko selbst lag aber nicht im Distrikt Lublin, die
Bildung des Barackenlagers auf der anderen Seite des San im Raum Lublin
wurde bald wieder aufgegeben.

Erst gegen Ende Oktober 1939 rückt der ganze Distrikt als „Judenreservat Lublin" kurzzeitig in den Mittelpunkt der NS-Planung.[5] Die Grundlinien
der späteren „Endlösungs"-Konzepte bis zum Sommer 1941 zeichnen sich
bereits hier ab: Ermordung der – hier vor allem polnischen – Intelligenz-
schicht und der unheilbar Kranken, Vertreibung der Juden in möglichst
unwirtliche Gegenden wie Sümpfe und – mit zeitlicher Verzögerung –
Zwangsarbeit für deutsche Interessen. Auch die Einbeziehung der Roma ist
ein typisches Kennzeichen der späteren Politik.[6]

Der Plan des „Judenreservats" bestimmte zwar zeitweise die Diskussion,
wurde aber nur als Fortsetzung des Nisko-Projekts realisiert. Bereits im
März 1940 scheiterte das Vorhaben am Widerstand der Zivilverwaltung des
Generalgouvernements. Die Idee blieb bestehen, so sprach der neu ernannte
Amtschef in Lublin, Losacker, noch im Februar 1941 über „Judenreser-
vate".[7] Ab dem Sommer 1940 wurde dieses Konzept im so genannten
Madagaskar-Plan[8] weiterverfolgt, seit dem Frühjahr 1941 rückten die weiß-
russischen Sümpfe in das Zentrum der Überlegungen.

---

[4] HERMANN ERICH SEIFERT, Der Jude an der Ostgrenze, Berlin 1940; J. SOMMERFELDT,
Lublin und die Juden, in: Das Generalgouvernement 2 (1942) H. 1, S. 20–25; MUSIAL,
Zivilverwaltung, S. 183 ff.

[5] JONNY MOSER, Nisko. The First Experiment in Deportation, in: Simon Wiesenthal
Center Annual 2 (1985), S. 1–30; MIROSLAV KARNY, Nisko in der Geschichte der
„Endlösung", in: Judaica Bohemiae 23 (1987), H. 2, S. 69–84; Nisko 1939–1994. Der Fall
Nisko in der Geschichte der „Endlösung der Judenfrage", hg. v. LUDMILA NESLÁDKOVÁ,
Ostrava 1995.

[6] MICHAEL ZIMMERMANN, Rassenutopie und Genozid. Die nationalsozialistische „Lösung
der Zigeunerfrage", Hamburg 1996, S. 167–184.

[7] Tagesordnung Kreishauptleutetagung, 20.2.1941, Archiwum Państwowe w Lublinie
(APL), Amt Distrikt Lublin/106, Bl. 403.

[8] MAGNUS BRECHTKEN, „Madagaskar für die Juden". Antisemitische Idee und politische
Praxis 1885 bis 1945, München 1997; HANS JANSEN, Der Madagaskar-Plan. Die beabsichtigte
Deportation der europäischen Juden nach Madagaskar, München 1997; GÖTZ ALY,
„Endlösung". Völkerverschiebung und der Mord an den europäischen Juden, Frankfurt/M.
1995.

Die Deportationen von westpolnischen Juden in den Distrikt waren nicht Teil des „Reservatsplans", sondern Folge der Umsiedlungspolitik Himmlers. In den eingegliederten Gebieten sollte Platz geschaffen werden für volksdeutsche „Rücksiedler" aus der Sowjetunion. In diesen Deportationszügen waren mehr Polen als Juden, sie fuhren in alle Distrikte des Generalgouvernements, nicht nur nach Lublin. Erst im Februar 1941 knüpfte man an die Deportationen reichsdeutscher Juden wieder an, unmittelbar bevor die Umsiedlungen ganz gestoppt wurden.

Die ersten großen Massenmorde an Juden im Distrikt verübten Einheiten der Waffen-SS Ende 1939. Nach dem berüchtigten Todesmarsch von Cholm nach Hrubieszow meldete die 5. Schwadron der SS-Totenkopf-Reiterstandarte: „Auf der Flucht wurden 440 Juden erschossen."[9] Fünf Wochen später, am 13. Januar 1940, traf ein Bahntransport mit 600 Juden aus Lublin in Cholm ein, die auf Weisung des Schwadronchefs erschossen wurden. Der zuständige Landrat stellte dafür Gendarmen zur Verfügung.[10] Einem vergleichbaren Massaker waren am Tag zuvor in der Heilanstalt in Cholm etwa 420 Kranke zum Opfer gefallen.[11] Diese Massenmorde begannen im Distrikt Lublin etwas später als in anderen Gebieten Polens. Ähnliche Massaker waren während des Polen-Feldzuges vor allem an Polen, gemeinsam an Polen und Juden sowie an den Insassen der Heilanstalten verübt worden. Vergleichbar sind die Verbrechen der so genannten Einsatzgruppe z.b.V. von Woyrsch im Raum Krakau, die im September 1939 500 Juden in Przemysl ermordete; 200 Juden wurden in Dynow vermutlich von einer Wehrmacht-Einheit massakriert.[12] Allerdings muss man davon ausgehen, dass für die Morde an den nichtjüdischen Polen zentrale Befehle bestanden, die Massaker an Juden aber mehr auf lokaler Initiative beruhten.

Insgesamt gesehen, waren die Massenerschießungen an Juden in Polen bis Anfang 1940 die bis dahin schwersten Verbrechen im Rahmen der

---

[9] Bericht 5. Schwadron der SS-Totenkopf-Reiterstandarte, 2.12.1939, Bundesarchiv, Abt. Militärarchiv (fortan: BA-MA), RS 4/60; vgl. MARTIN CÜPPERS, „Befriedung", „Partisanenbekämpfung", Massenmord. Waffen-SS-Brigaden des Kommandostabes Reichsführer-SS in der ersten Phase des Russlandfeldzuges, Unveröff. M.A.-Arbeit Humboldt-Univ. Berlin 2000, S. 21 f.

[10] 5. Schwadron der SS-Totenkopf-Reiterstandarte an Stab, 14.1.1940, BA-MA, RS 4/60.

[11] VOLKER RIEß, Die Anfänge der Vernichtung „lebensunwerten Lebens" in den Reichsgauen Danzig-Westpreußen und Wartheland 1939/40, Frankfurt/M. u. a. 1995, S. 12.

[12] TATIANA BERENSTEIN/ADAM RUTKOWSKI, Prześladowania ludności żydowskiej w okresie hitlerowskiej administracji wojskowej na okupowanych ziemiach polskich (1 IX 1939 – 25 X 1939), in: BŻIH Nr. 38, 1961, S. 3–38, S. 16–28; ALEX B. ROSSINO, Nazi anti-Jewish Policy during the Polish Campaign. The Case of the Einsatzgruppe von Woyrsch, in: German Studies Review 24 (2001), S. 35–53.

nationalsozialistischen Judenverfolgung.[13] Ab Sommer 1940 folgte dann die systematische Ermordung jüdischer Anstaltsinsassen. Es ist sicher kein Zufall, dass zur Tarnung den Angehörigen mitgeteilt wurde, die Kranken wären in das Generalgouvernement verlegt worden. Ihr Tod wurde vom fiktiven Standesamt „Cholm II" beurkundet.[14] Dann verlagerte sich das Massensterben auf die Großghettos von Lodz und Warschau; eine neue Stufe des Völkermordes brachte das „Unternehmen Barbarossa".

Für die Geschichte der „Endlösung" ist wichtig, dass sich bei der Judenverfolgung im Distrikt Lublin Organisationsformen entwickelten, wie sie für die späteren Massenmorde typisch waren: so etwa die Zusammenarbeit von Sicherheitspolizei, Ordnungspolizei und Waffen-SS. Auch die Einheit Dirlewanger, die sich bis 1941 im Distrikt befand und dort Judenmorde verübte,[15] baute auf diese Erfahrungen. Aus dem Volksdeutschen Selbstschutz im Distrikt ging ein großer Teil der Funktionäre der „Endlösung" in den Distrikten Lublin und Galizien hervor.[16]

Neben der Lage an der Peripherie des deutschen Machtbereichs wies der Distrikt vor allem ein Spezifikum auf: den SS- und Polizeiführer Odilo Globocnik. Es ist als wahrscheinlich anzusehen, dass Globocnik besonders für diesen Raum ausgesucht worden ist; er überragte alle anderen SS- und Polizeiführer an Bedeutung in der NS-Bewegung. Die genauen Hintergründe seiner Ernennung sind bis heute nicht ganz geklärt, sie mag auf seiner Radikalität, seiner Verwicklung in die Wiener Skandale oder seiner Herkunft aus einem „völkischen Kampfgebiet" beruhen. Die Stellung des SS- und Polizeiführers war bis 1941 zwar nur subaltern, der Radikalismus Globocniks ließ ihn aber bald zu einem der wichtigsten Gesprächspartner Himmlers im Osten werden.[17] Spätestens seit Herbst 1940 verfolgte Globocnik Pläne zur „Germanisierung" seines Herrschaftsbereichs. Damit zielte er auf nichts weniger als die komplette Umdrehung der bisherigen Volkstumspolitik ab. Die Cholmer Deutschen waren nämlich im Frühjahr 1940 zum größten Teil

---

[13] Nicht geklärt ist die Zahl der Morde an den im November 1938 kurzzeitig in die Konzentrationslager eingewiesenen jüdischen Männern.

[14] HENRY FRIEDLANDER, The Origins of Nazi Genocide. From Euthanasia to the Final Solution, Chapel Hill, N.C., 1995, S. 270 ff., bes. S. 277. Allerdings kann auch er die Rolle von Cholm nicht befriedigend klären.

[15] HANS-PETER KLAUSCH, Antifaschisten in SS-Uniform. Schicksal und Widerstand der deutschen politischen KZ-Häftlinge, Zuchthaus- und Wehrmachtgefangenen in der SS-Sonderformation Dirlewanger, Bremen 1993, S. 46–56.

[16] PETER R. BLACK, Rehearsal for „Reinhard"? Odilo Globocnik and the Lublin Selbstschutz, in: Central European History 25 (1992) S. 204–226.

[17] PETER BLACK, Odilo Globocnik, Himmlers Vorposten im Osten, in: Die Braune Elite II, hg. v. RONALD SMELSER/ENRICO SYRING/RAINER ZITELMANN, Darmstadt 1993, S. 103–115.

in den Warthegau umgesiedelt worden, in umgekehrter Richtung verlief die Deportation von Juden und „unerwünschten" Polen aus den so genannten eingegliederten Gebieten.[18]

Der SS- und Polizeiführer unternahm eine „Fahndung nach deutschem Blut" in seinem Herrschaftsbereich, das heißt, er suchte unter den ansässigen Polen nach deutschen Vorfahren. Für diese Aktion interessierte sich der Rassenmystiker Heinrich Himmler ganz besonders. Dieser vereinbarte am 26. Oktober 1940 bei einem Besuch in Lublin, dass Globocnik diese „Fahndung" intensivieren und zugleich die Grundlage für ein SS-Siedlungssystem im Distrikt anlegen sollte. In Lublin sollte ein SS- und Polizeiviertel entstehen, im ganzen Distrikt sechs so genannte SS- und Polizeistützpunkte eingerichtet werden.[19] Gleichzeitig sollte ein „Forschungsinstitut für den Osten" errichtet werden: „Von selbst entwickelt sich hierdurch der große geistige Umschlagplatz Lublin in den fernen Osten."[20] Tatsächlich wurde Lublin 1942/43 zum „Umschlagplatz" für den Massenmord.

Das Schicksal der Juden im Distrikt hing allerdings bis in den Herbst 1941 in der Luft. Zwar galt immer noch die Devise, die meisten europäischen Juden würden nach dem Sieg über Frankreich und England nach Madagaskar deportiert. Aber diese Perspektive wurde Anfang 1941 immer unwahrscheinlicher; ebenso ungeklärt ist, ob überhaupt alle polnischen Juden jemals für die Verschickung nach Madagaskar vorgesehen waren. Es ist vielmehr wahrscheinlich, dass parallel dazu große Zwangsarbeitsprojekte in Polen bestehen bleiben sollten, und dies war ein Schwerpunkt von Globocniks Politik:

> „Brigadeführer Globocznik [sic!] hält es für notwendig, daß nunmehr im Distrikt Lublin mit größerer Schärfe gegen die Juden vorgegangen werde. Er empfiehlt die Unterbringung der Juden in eigens hierfür zu bestimmenden Orten, wo sie Zwangsarbeit zu leisten hätten."[21]

---

[18] Im Einzelnen Janina Kiełboń, Deportacja Polaków wysiedlonych z ziem włączonych do Rzeszy na teren dystryktu lubelskiego w latach 1939–1941 i związane z tym przesiedlenie Niemców lubelskich, in: Studia i Materiały do Dziejów Wielkopolski i Pomorza 14 (1980) S. 105–135; Dies., Deportacja Żydów do dystryktu lubelskiego (1939–1943), in: Zeszyty Majdanka 14 (1992) S. 61–91, und generell: Dies., Migracje ludności w dystrykcie lubelskim w latach 1939–1944, Lublin 1995.

[19] Vermerk Globocniks, 5.11.1940, Instytut Pamięci Narodowej – Główna Komisja Badania Zbrodni przeciwko Narodowi Polskiemu, Warschau (IPN-GK), CA 891/6, Bl. 16.

[20] Notiz über Besprechung Globocniks in Lublin am 3.2.1941, IPN-GK, CA 891/6, Bl. 15; vgl. auch den Abdruck bei Michael G. Esch, Die „Forschungsstelle für Ostunterkünfte" in Lublin, in: 1999. Zeitschrift für Sozialgeschichte des 20. und 21. Jahrhunderts 11 (1996) H. 2, S. 62–96.

[21] Polizeibesprechung des Generalgouvernements, 13.12.1940, in: Das Diensttagebuch des deutschen Generalgouverneurs in Polen 1939–1945, hg. v. Werner Präg/Wolfgang Jacobmeyer, Stuttgart 1975, S. 311.

Anfang 1941 legte Globocnik seinem Vorgesetzten, dem Höheren SS- und Polizeiführer Friedrich-Wilhelm Krüger, einen entsprechenden Gesamtplan – vermutlich für das ganze Generalgouvernement – vor.[22] Im Distrikt versuchte Globocnik, seinen Einfluss in der Judenverfolgung noch weiter auszudehnen: Er beanspruchte seit 1940 die alleinige Regelung aller „Judenfragen". Allerdings wehrte sich die Zivilverwaltung auch 1941 relativ erfolgreich gegen das Eindringen in ihre Kompetenzen.[23] Lediglich in der Zwangsarbeit der Juden, für deren Bewachung die SSPF offiziell zuständig waren, erzielte Globocnik einen leichten Geländegewinn: Hier verfügte er über sein eigenes Lager in der Lipowastraße.[24]

Erst im März 1941 zeichnete sich eine Wende in der gesamten „Volkstumspolitik" ab: Die Vorbereitungen des „Barbarossa"-Feldzuges führten zu einer völlig neuen Lage. Am 15. März stoppte das Reichssicherheitshauptamt den so genannten 3. Nahplan, also die Deportationen aus dem Reich und den eingegliederten Gebieten in das Generalgouvernement. Am 17. März kündigte Hitler selbst dem Generalgouverneur die Abschiebung aller Juden nach Osten an. In Berlin wurde nun intensiv an einer „Gesamtlösung der Judenfrage" gearbeitet. Nicht mehr Madagaskar, sondern der sowjetische Raum sollte die europäischen Juden aufnehmen.[25]

Zusammenfassend lässt sich sagen, dass der Distrikt Lublin nach dem kurzen Intermezzo des „Reservats" Anfang 1940 bis zum Frühjahr 1941 keine herausragende Rolle in der NS-Judenverfolgung mehr spielte. Allerdings entwickelten sich im regionalen Rahmen die Strukturen heraus, die mit dem „Unternehmen Barbarossa", vor allem aber mit seinem Scheitern, den Distrikt Lublin in das Zentrum der „Endlösung" rückten: die radikale „Germanisierungs"-Planung, das Sonderverhältnis Globocniks zu Himmler, die große Bedeutung der Zwangsarbeitsprojekte und die Bereitschaft zum Massenmord.

---

[22] HSSPF Krüger auf der Besprechung des Generalgouvernements vom 15.1.1941, ebd., S. 328. Krüger an Himmler, 2.4.1941, Bundesarchiv, Berlin Document Center (fortan: BA-BDC), SSO-Akte Globocnik.

[23] Aktennotiz für Losacker, 12.5.1941, APL, Amt Distrikt Lublin/108, Bl. 39 f.; Losacker an Globocnik, 13.5.1941, IPN-GK, M-117-B. MUSIAL, Zivilverwaltung, S. 113 ff.

[24] Sachstandvermerk der Staatsanwaltschaft Hamburg zum Lager Lipowa, [1968], BA-L, 208 AR-Z 74/60, Band 46, Bl. 8359–8440; CZESŁAW RAJCA, Lubelska filia Niemieckich Zakładów Zbrojeniowych, in: Zeszyty Majdanka 4 (1969) S. 237–299.

[25] ALY, „Endlösung", S. 275–278.

Die Entwicklung von Globocniks Sonderposition

Im Frühjahr 1941 wurde der Distrikt zum Aufmarschgebiet der Wehrmacht gegen die Sowjetunion. Dies führte einerseits dazu, dass die Verschleppungen in das Generalgouvernement abgebrochen wurden, andererseits zur Bildung des Ghettos in Lublin und einigen anderen Distrikt-Hauptstädten. Die Wehrmacht wollte die Wohnungen der Polen übernehmen, diese sollten in die Quartiere der Juden umziehen, die man ihrerseits in ein Ghetto pferchte. Der Raum Lublin diente nicht nur als Aufmarschgebiet für die Wehrmacht, aus dem Distrikt kamen auch Mordkommandos, die in der besetzten Sowjetunion eingesetzt wurden. Unter der Bezeichnung Einsatzkommando z.b.V. Brest gelangten einige Angehörige des Kommandos der Sicherheitspolizei und des SD Lublin nach Pinsk. Zusammen mit den ebenfalls in Lublin stationierten SS-Reitereinheiten unter Franz Magill veranstalteten sie Anfang August 1941 in Pinsk Massenmorde an Juden. Hier sammelte Hermann Worthoff, der Judenreferent des KdS Lublin, seine Erfahrungen mit dem Massenmord.[26]

In der zweiten Julihälfte 1941 radikalisierte sich die nationalsozialistische „Rassenpolitik" erneut. Am 16. Juli wurde – in Abwesenheit Himmlers – das Schicksal der sowjetischen Gebiete besprochen, am 31. Juli ließ sich Heydrich die Vollmacht zur „Gesamtlösung der Judenfrage" von Göring unterschreiben, der seit 1938 für die allgemeine Judenpolitik zuständig war. Schon in der Planungsphase des „Unternehmens Barbarossa" waren Überlegungen zum weiteren Vorgehen gegen die Juden angestellt worden. Heydrich organisierte – gemäß den Weisungen Hitlers – die Ermordung der angeblich „jüdisch-bolschewistischen" Führungsschicht der Sowjetunion. Zusammen mit dem zukünftigen Ostminister Rosenberg stellte er Überlegungen an, die europäischen Juden in die weißrussischen Sümpfe, die östlich an den Distrikt Lublin grenzten, zu deportieren.[27] Funktionäre der Wirtschaftsverwaltungen kalkulierten den Tod von Millionen Menschen besonders in den Großstädten der Sowjetunion. Die Kanzlei des Führers, die gerade die Ermordung von Kranken organisierte, legte einen Plan zur Sterilisierung aller europäischen Juden vor. Nach dem Beginn der Massenmorde kamen auch aus anderen besetzten Gebieten Tötungsvorschläge, so der bekannte Brief des SD-Chefs im Warthegau an Eichmann, „irgendein schnell wirkendes Mittel" gegen arbeitsunfähige Juden anzuwenden.

---

[26] CHRISTIAN GERLACH, Kalkulierte Morde. Die deutsche Wirtschafts- und Vernichtungspolitik in Weißrussland 1941–1944, Hamburg 1999, S. 560 f.

[27] ALY, „Endlösung", S. 272 f.; THOMAS SANDKÜHLER, „Endlösung" in Galizien. Der Judenmord in Ostpolen und die Rettungsaktionen von Berthold Beitz 1941–1944, Bonn 1996, S. 63 ff.

Für den Distrikt Lublin war aber nicht Heydrich, sondern Himmler von entscheidender Bedeutung. Sein Hauptinteresse galt den großen Siedlungsplanungen. Er gab im Juli 1941 nicht nur eine Neufassung des „Generalplans Ost" in Auftrag,[28] die erstmals den Raum Lublin in die „Germanisierung" einbezog, sondern erteilte auf seinen Reisen in den Osten auch eine Reihe von Einzelanweisungen zum Judenmord. So befand er sich am 8. Juli 1941 in Bialystok, vom 29. bis 31. Juli in Kauen (Kaunas) und Riga und schließlich am 14./15. August in Minsk. Dabei verschärfte er jeweils die Gangart der dort schon stattfindenden Massenmorde an Juden.[29]

Bekanntlich war Himmler am 19. und 20. Juli 1941 auch in Lublin. Durch seinen Vermerk wissen wir ziemlich genau, welche Weisungen er Globocnik bei dieser Gelegenheit erteilte.[30] Sicher haben auch die Juden dabei eine gewisse Rolle gespielt. Dass Himmler den Befehl zu größeren Massenmorden gegeben hat, erscheint allerdings äußerst zweifelhaft. Vielmehr ordnete er die Konkretisierung der „Germanisierungspläne" und den Bau eines großen Lagers für Nichtjuden an. Die Rolle Globocniks beim Aufbau des Konzentrationslagers Majdanek ist bisher jedoch überschätzt worden. Insgesamt dürfte sie eher gering gewesen sein. Selbst die Zentralbauleitung der Waffen-SS in Lublin unterstand ihm nicht unmittelbar; das Lager wurde von der Inspektion der Konzentrationslager in Oranienburg geleitet, die seit März 1942 zum Wirtschaftsverwaltungshauptamt (WVHA) der SS gehörte.

Die Entwicklung der „Endlösung" im Distrikt in der Zeit vom Besuch Himmlers am 20. Juli 1941 bis zum Baubeginn des Lagers Belzec Anfang November 1941 liegt noch weitgehend im Dunkeln. Bekannt sind hingegen die umfangreichen Vorarbeiten Globocniks für die Errichtung der SS- und Polizeistützpunkte. Hier lag zweifellos der Schwerpunkt der Aktivitäten des SS- und Polizeiführers in dieser Zeit. Globocnik stand dauernd mit Himmler, dem SS-Wirtschaftschef Oswald Pohl sowie den Leitern des Hauptamtes

---

[28] Vom Generalplan Ost zum Generalsiedlungsplan, hg. v. CZESŁAW MADAJCZYK, München u. a. 1994; BRUNO WASSER, Himmlers Raumplanung im Osten. Der Generalplan Ost in Polen 1940–1944, Basel, Stuttgart 1993.

[29] Der Dienstkalender Heinrich Himmlers 1941/42, hg. v. PETER WITTE u. a., Hamburg 1999, S. 183 ff.

[30] Zamojszczyzna – Sonderlaboratorium SS. Zbiór dokumentów polskich i niemieckich z okresu okupacji hitlerowskiej, hg. v. CZESŁAW MADAJCZYK, Warszawa 1977, Band 1, S. 26 f. Dort ist als Besuchsdatum versehentlich der 30.7. angegeben, dies widerspricht jedoch allen anderen Dokumenten, z. B. BA-BDC, SSO-Akte Hermann Kintrup. Am 30.7.1941 befand sich Himmler in Kaunas.

Ordnungspolizei und des Rasse- und Siedlungshauptamtes wegen der Siedlungsplanung in Kontakt.[31]

Im September 1941 befand sich die „Endlösung der Judenfrage" in einem Übergangsstadium. Seit geraumer Zeit drängten einige deutsche Gauleiter auf die Abschiebung der Juden aus den Großstädten. Obwohl Hitler diese Frage zunächst auf das Kriegsende verschieben wollte, sondierte Himmler bereits, ob nicht wieder Juden aus dem Reich oder den eingegliederten Gebieten in das Generalgouvernement abgeschoben werden könnten.[32] Am 17. September entschied Hitler über die Abschiebung, sie erfolgte dann jedoch nach Lodz.[33] In der Sowjetunion hatten SS- und Polizeieinheiten mit Massenerschießungen erwachsener jüdischer Männer begonnen, ab Ende Juli 1941 zusehends aber auch Frauen und Kinder einbezogen. Ab September liefen die ersten Versuche mit der zweiten Generation der so genannten Gaswagen; feste Gaskammern wurden schon seit längerem beim Krankenmord eingesetzt.

Nachweislich im September 1941 trafen zwei Funktionäre der Aktion T4 in Lublin ein: Josef Oberhauser und Gottfried Schwarz.[34] Bis heute ist allerdings nicht geklärt, was die beiden in Lublin bis Ende Oktober unternommen haben und ob sie überhaupt Globocnik unterstellt waren. Nach dem offiziellen Abbruch der „Euthanasie" wäre eine Vielzahl von Möglichkeiten denkbar: 1. die Verlegung der Krankenmorde in das Generalgouvernement, 2. der Einsatz im Rahmen der Siedlung oder aber 3. die Ermordung von Juden. Dennoch ist nicht nachweisbar, dass bereits vor September 1941 in Lublin Vernichtungslager geplant wurden. Für die polnischen Juden war zu diesem Zeitpunkt noch vorgesehen, sie in die polesischen Pripjetsümpfe oder aber an das Eismeer abzuschieben.

Am 1. Oktober schrieb Globocnik an Himmler wiederum in Sachen volksdeutscher Siedlung.[35] Dabei erwähnte er auch die Frage der Juden und

---

[31] JAN ERIK SCHULTE, Zwangsarbeit und Vernichtung: Das Wirtschaftsimperium der SS. Oswald Pohl und das SS-Wirtschafts-Verwaltungshauptamt 1933–1945, Paderborn u. a. 2001; MICHAEL THAD ALLEN, The Business of Genocide. The SS, Slave Labor and the Concentration Camps, Chapel Hill, N.C., 2002, S. 133 ff.

[32] Dienstkalender Heinrich Himmlers, S. 203.

[33] PETER WITTE, Zwei Entscheidungen in der „Endlösung der Judenfrage". Deportationen nach Lodz und Vernichtung in Chelmno, in: Theresienstädter Studien und Dokumente 1995, S. 38–68.

[34] Vernehmung Erna S., 20.12.1945, BA Dahlwitz-Hoppegarten, EVZ I/26, A.2, Bl. 69; Schreiben an RuSHA, 9.10.1941, BA-BDC, RuS-Akte Josef Oberhauser. Auch Christian Wirth soll angeblich im September 1941 nach Osten versetzt worden sein, vgl. MICHAEL TREGENZA, Christian Wirth a pierwsza faza „Akcji Reinhard", in: Zeszyty Majdanka 14 (1992) S. 7–37, S. 7.

[35] BA-B, SSO-Akte Globocnik. Auf dem Dokument ist handschriftlich vermerkt „mündl. bespr.".

forderte, „daß auch hier, rein sicherheitspolitisch gesehen, zugegriffen werden muß". HSSPF Krüger habe Globocnik nun angewiesen, Himmler „um die Möglichkeit einer baldigen Vorsprache zu bitten". Diese Besprechung fand am 13. Oktober 1941 in Rastenburg bei Hitlers Hauptquartier statt.[36] Am Tag darauf konferierte Himmler fünf Stunden lang mit Heydrich. Globocnik hingegen reiste weiter nach Berlin.[37] In seiner Begleitung befand sich Gustav Hanelt, der die Siedlungen für Globocnik entwarf. Hanelt war auch mit der Planung in der „Judenfrage" befasst.[38]

Erst ab diesem Zeitpunkt scheint das weitere Vorgehen klar gewesen zu sein. Eine Abschiebung in das Reichskommissariat Ukraine wurde nicht mehr erwogen.[39] Mit den Leitern der „Euthanasie"-Aktion T4, Bouhler und Brack, stand Globocnik schon in Kontakt.[40] In der Folge sah die Kanzlei des Führers die Vernichtungslager wohl als ihre eigenen an, bis dieser Konflikt im Mai 1942 gelöst wurde. Hauptsturmführer Hermann Höfle schickte die T4-Männer nun in den Distrikt, um geeignete Plätze für solche Lager zu finden. Bekanntermaßen gelangten sie nach Belzec, wo früher ein Zwangsarbeitslager bestanden hatte. Aber auch an der Eisenbahnstation in der Nähe des Dorfes Sobibor war möglicherweise schon im Herbst 1941 der Bau eines weiteren Lagers geplant.[41] Vermutlich wegen technischer Probleme wurde er aber erst im März 1942 aufgenommen.

Es ist umstritten, ob die Lager Belzec und Sobibor von vornherein zur Ermordung *aller* Juden im Generalgouvernement geplant waren.[42] Die Vergasungseinrichtungen waren bis dahin eher eine vergrößerte Kopie derjenigen aus den „Euthanasie"-Anstalten gewesen. Die Erfahrung brachten Christian Wirth und seine T4-Kollegen aus dem Reich mit. Sie hatten bisher Zehntausende, aber nicht Hunderttausende Menschen ermordet. Es ist

---

[36] Dienstkalender Heinrich Himmlers, S. 233.

[37] Zamojszczyzna – Sonderlaboratorium SS, Bd. 1, S. 31.

[38] Notiz Hanelt für Globocnik, 9.8.1941; Vermerk Hanelt, (nach dem 18.3.1942), IPN-GK, CA 891/6, Bl. 11, 18. Vgl. auch HSSPF an SSPHA, 2.12.1941, BA-BDC, SSO-Akte Hanelt; ESCH, „Forschungsstelle für Ostunterkünfte".

[39] Dies teilte Rosenberg dem Generalgouverneur einen Tag später, am 14.10.1941 mit, Diensttagebuch des deutschen Generalgouverneurs, hg. v. PRÄG/JAKOBMEYER, S. 413.

[40] Vernehmung Viktor Brack, 12.9.1946, BA-K, All. Proz 2 F, Rolle 8, FC 6068 P. Hier gibt Brack das Datum Herbst 1940 an, erwähnt jedoch auch die Umsiedlung von Juden in die Ukraine, könnte also auch 1941 meinen. Vgl. FRIEDLANDER, Origins of Nazi Genocide, S. 297.

[41] CHRISTOPHER BROWNING, L'origine de la solution finale, in: La politique nazie d'extermination, hg. v. FRANÇOIS BÉDARIDA, Paris 1989, S. 156–176, S. 170; Vernehmung Ferdinand Hahnzog, 31.1.1963, BA-L, 208 AR 914/63, Bl. 22–28.

[42] So BOGDAN MUSIAL, The Origins of „Operation Reinhard". The Decision-making Process for the Mass Murder of the Jews in the Generalgouvernement, in: Yad Vashem Studies 28 (2000), S. 113–153.

offensichtlich, dass Globocnik dorthin vor allem die angeblich arbeitsunfähigen Juden aus Lublin und dem Süden des Distrikts, wo bald Deutsche angesiedelt werden sollten, deportieren wollte. Die Zivilverwaltung behauptete Mitte Oktober 1941 zumindest offiziell noch, dass die Juden über den Bug vertrieben würden:

> „Die Juden sollen – bis auf unentbehrliche Handwerker und dergl. – aus Lublin evakuiert werden. Zunächst werden 1000 Juden über den Bug überstellt werden. Den Vollzug übernimmt der SS- und Polizeiführer. Die Auswahl der zu evakuierenden Juden erfolgt durch den Stadthauptmann."[43]

Der Großteil der „Euthanasie"-Funktionäre gelangte in zwei Schüben – kurz vor Weihnachten 1941 und im Februar 1942 – nach Belzec. Der Transfer von T4-Personal in den Osten war aber keine Besonderheit Lublins. Bekannt sind die Bemühungen im Reichskommissariat Ostland, die „Brackschen Hilfsmittel", das heißt Vergasungsinstallationen, zu nutzen. Sogar in Mogilew, im östlichen Weißrussland, war möglicherweise ein Vernichtungslager geplant.[44] Darüber hinaus gibt es Indizien dafür, dass einzelne T4-Mitarbeiter auch in den Warthegau kamen und an der Vorbereitung des Lagers Chelmno (Kulmhof) mitwirkten. Der Chemiker Helmut Kallmeyer steht für den Zusammenhang einiger dieser Projekte. Er wurde zunächst nach Riga geschickt, um dort den Einsatz von Gaswagen zu prüfen. Vermutlich im Januar/Februar 1942 kam er nach Lublin.[45]

Die stationären Projekte im Ostland wurden nur zum Teil verwirklicht. Im gesamten besetzten Teil der Sowjetunion wurden vielmehr Gaswagen von der örtlichen Sicherheitspolizei mobil und in großen Städten (Kiew, Minsk, Riga) stationär eingesetzt, Ähnliches galt für das Lager Semlin bei Belgrad.[46] Chelmno blieb weitgehend in der Hand der regionalen SS- und Polizeiführung.[47] Nur in Lublin übte die Kanzlei des Führers noch länger erheblichen Einfluss auf die Vernichtungslager aus. Insgesamt war Belzec in dieser Phase eines von vielen Projekten zum technisierten Massenmord in Osteuropa.

---

[43] Diensttagebuch des Generalgouverneurs, Institut für Zeitgeschichte (fortan: IfZ), Fb 105, Bd. 16, Bl. 3952.

[44] ALY, „Endlösung", S. 342–347; CHRISTIAN GERLACH, Failure of Plans for an SS Extermination Camp in Mogilev, Belorussia, in: Holocaust and Genocide Studies 11 (1997), H. 1, S. 60–78.

[45] FRIEDLANDER, Origins of Nazi Genocide, S. 211–214.

[46] Nationalsozialistische Massentötungen durch Giftgas. Eine Dokumentation, hg. v. EUGEN KOGON/HERMANN LANGBEIN/ADALBERT RÜCKERL u. a., Frankfurt/M. 1983, S. 87–97, 107 f.

[47] IAN KERSHAW, Improvised Genocide? The Emergence of the „Final Solution" in the „Warthegau", in: Transactions of the Royal Historical Society, 6th Series 2 (1992) S. 51–78.

Eine personelle Besonderheit Lublins war auch das SS-Ausbildungslager Trawniki. Seine Entstehungsgeschichte hing zwar eng mit der Rekrutierung so genannter Schutzmannschaften in allen besetzten Ostgebieten zusammen, doch waren die „Trawnikis" vor allem für Globocniks Polizeistützpunkte vorgesehen. Da diese aber schließlich nicht zustande kamen, wurden die Hilfswilligen vor März 1942 kaum eingesetzt. Immerhin gelangten Einzelne schon Ende 1941 als Wachmänner in das Zwangsarbeitslager Treblinka I. Danach verwendete Globocnik Teile dieser Einheit als Wachpersonal in den Vernichtungslagern und bei den Ghettoräumungen, auch in den anderen Distrikten des Generalgouvernements und in Bialystok.[48]

Vielfach wurde bisher übersehen, dass seit dem Spätherbst 1941 die Zahl der Erschießungen im Generalgouvernement wieder rapide zunahm. In Ostgalizien waren Zehntausende jüdischer Männer bereits seit Juni/Juli ermordet worden, ab September erschoss man dort jüdische Flüchtlinge – einschließlich Frauen und Kindern – aus der Karpato-Ukraine, im Oktober begann der Massenmord an allen Juden.[49]

Ebenfalls seit September 1941 liefen die großen Massenerschießungen an sowjetischen Kriegsgefangenen in den Stammlagern im Generalgouvernement. „Unerwünschte" Kriegsgefangene wie Politruks, Juden und so weiter wurden von der Sicherheitspolizei in den Lagern aussortiert und anschließend in der Nähe erschossen. Dabei mordete nicht nur die Gestapo selbst, sondern ebenso die Waffen-SS und nach einem zentralen Befehl Daluges auch die Ordnungspolizei.[50] Das Polizeibataillon 306 erschoss vom 21. bis 28. September bei Biala-Podlaska mindestens 5000 sowjetische Kriegsgefangene und am 1. November mindestens weitere 780 bei Zamosc.[51] Auch im Stalag Cholm waren Massenmorde an der Tagesordnung.[52] Hier spielte der Distrikt wegen der großen Zahl der Kriegsgefangenen eine zentrale Rolle.

---

[48] WOLFGANG SCHEFFLER, Probleme der Holocaustforschung, in: Deutsche – Polen – Juden. Ihre Beziehungen von den Anfängen bis ins 20. Jahrhundert. Beiträge zur einer Tagung, hg. v. STEFI JERSCH-WENZEL, Berlin 1987, S. 259–281; DAVID RICH, Reinhard's Footsoldiers. Soviet Trophy Documents and Investigative Records as Sources, in: Remembering for the Future. The Holocaust in an Age of Genocide, hg. v. JOSEPH K. ROTH/ELISABETH MAXWELL, Basingstoke, New York 2002, Bd. 1, S. 687–701. Vgl. den Beitrag von PETER BLACK in diesem Band.

[49] DIETER POHL, Nationalsozialistische Judenverfolgung in Ostgalizien 1941–1944. Organisation und Durchführung eines staatlichen Massenverbrechens, München 1996, S. 139 ff.

[50] HSSPF an SSPF Warschau, Radom, Lublin, Lemberg, 5.9.1941, IPN-GK, KdS Radom/173, Bl. 76.

[51] Urteil LG Frankfurt 4 Ks 1/71 ./. Kuhr u. a., 6.2.1971, Bl. 30–34, IfZ, Gf 04.42.

[52] EUGENIUSZ KOZŁOWSKI, Das Schicksal der sowjetischen Kriegsgefangenen auf polnischem Territorium, Manuskript, Warszawa 1983.

Frühzeitig wurde von der deutschen Polizeiführung Befehl gegeben, entflohene sowjetische Kriegsgefangene zu erschießen. Schon seit Ende 1940 gab es in Warschau Überlegungen, Juden zu ermorden, die das Ghetto „illegal" verließen, wie dies schon seit längerem in Lodz praktiziert wurde. Jedoch erst im Herbst 1941 trat die Diskussion in die entscheidende Phase, als Seuchen von den Stammlagern für Kriegsgefangene auf die Ghettos mit ihren unmenschlichen Lebensbedingungen übergriffen. Besonders die Distriktverwaltung in Warschau forcierte nun den Erlass der 3. Verordnung über Aufenthaltsbeschränkungen im Generalgouvernement, die die Todesstrafe für das „unbefugte" Verlassen des Ghettos vorsah. Doch die zuständigen Sondergerichte wurden bald mit solchen Verfahren überhäuft. Deshalb erließ der Befehlshaber der Sicherheitspolizei, Schöngarth, am 21. November 1941 einen Befehl, aufgegriffene Juden im Regelfall zu erschießen. Da auch das Personal von Gestapo und Kripo mit diesen Morden überfordert war, wurden besonders im Distrikt Lublin bald die Waffen-SS und die Ordnungspolizei zur Ermordung geflohener Juden eingesetzt.[53] Bei dieser Integration der SS- und Polizeizweige scheint der Distrikt eine Vorreiterfunktion erfüllt zu haben. Den „Schießbefehlen" fielen im Distrikt bis Anfang 1944 vermutlich weit mehr als 10 000 Juden, im ganzen Generalgouvernement Zehntausende zum Opfer. Dieser Massenmord ist jedoch in engem Zusammenhang mit der Ermordung anderer Gruppen zu sehen, die im Generalgouvernement „unkontrolliert" wanderten, wie entlaufene Kriegsgefangene, nichtsesshafte Zigeuner und Landstreicher.

Welche Stellung der Distrikt in der Genesis der „Endlösung" wirklich einnahm, lässt sich nur bestimmen, wenn man die Entscheidungs- und Planungsprozesse in Berlin einigermaßen rekonstruieren kann. Mit ziemlicher Sicherheit lässt sich dort von einer Abfolge von Entscheidungen zwischen Frühjahr 1941 und Frühjahr 1942 sprechen, wahrscheinlich mit einem Wendepunkt zwischen Mitte September und Anfang Oktober 1941. Obwohl um diese Zeit die Umrisse eines umfassenden Massenmords sichtbar werden, fehlen bis jetzt Hinweise auf eine europaweite Planung, das heißt konkrete Vorstellungen von der Zahl der zu ermordenden Juden, der Abfolge der Länder, dem Zeithorizont und den Tötungsorten. Zunächst hieß es, die Juden im Reich würden zuerst deportiert, dann sollte laut „Wannsee-Protokoll" eine „Räumung" von West nach Ost erfolgen. Offensichtlich bald nach der Konferenz lagen entsprechende Planungen vor.

---

[53] POHL, „Judenpolitik", S. 92–95; zur Realisierung: CHRISTOPHER R. BROWNING, Ganz normale Männer. Das Reserve-Polizeibataillon 101 und die Endlösung in Polen, Reinbek 1993, S. 165–178; DANIEL JONAH GOLDHAGEN, Hitler's Willing Executioners. Ordinary Germans and the Holocaust, New York 1996, S. 234–238.

Bis zum Frühjahr 1942 lag die Sonderstellung des Distrikts Lublin vor allem in der engen Verbindung zwischen den Ansiedlungs- und den Deportationsplänen. Beide Komplexe hingen eng zusammen. Vom Herbst 1941 an entwickelte sich in Lublin die Organisation des Judenmordes, die später vom gesamten Generalgouvernement übernommen wurde. Der SSPF spielte die zentrale Rolle in der Planung und Durchführung der Massenmorde, von Lublin aus begann die Errichtung der Mordzentren. Deren begrenzte Kapazität zeigte aber bereits an, dass es auch im Generalgouvernement Massenerschießungen geben würde. Die Grundlage hierfür bildeten die Erfahrungen mit der Ermordung der sowjetischen Kriegsgefangenen und mit den „Schießbefehlen". Beides bezog auch die Ordnungspolizei in den Massenmord ein. Der Plan, von Lublin aus ein riesiges SS-Imperium in der besetzten Sowjetunion einzurichten, ging jedoch mit dem Scheitern des „Barbarossa"-Feldzuges unter. Für die Judenverfolgung im gesamten Europa nahm Lublin jedoch noch keine zentrale Stellung ein, es war als eines von vielen Vernichtungszentren geplant.

Die „Aktion Reinhardt"

Die eigentliche Eingliederung in den gesamteuropäischen Massenmord erfolgte mit der Ankunft reichsdeutscher, tschechischer und slowakischer Juden im Distrikt. Unter dem Druck der deutschen Gauleiter wurden Juden zunächst nach Lodz, dann in das Baltikum verschleppt. Bis auf Ausnahmen (Kaunas, Riga) ließ man sie dort noch eine Zeit lang am Leben. Für Lublin kündigte Staatssekretär Bühler dem Gouverneur Zörner am 3. März 1942 zunächst den vorübergehenden Aufenthalt von 14 000 Juden an,[54] später wurden es weit mehr. Etwa zu dieser Zeit besuchte auch Heydrichs Judenreferent Eichmann Lublin, um – entsprechend Heydrichs Kompetenzen – mit Globocnik eine Vereinbarung „wegen der Aussiedlungen und Umsetzungen von Polen und Juden" zu treffen.[55] Die endgültigen Weichen stellte der Reichsführer-SS vermutlich selbst, und zwar bei seinen Besuchen am 6. Januar und 14. März 1942 in Lublin.[56]

---

[54] IfZ, Fb 84.
[55] Zur Datierung TREGENZA, Christian Wirth a pierwsza faza, S. 9. Heydrichs Kompetenzanspruch in seinem Runderlass an alle BdS vom 25.1.1942, BA-K, ZSg. 144/2. Man beachte bei diesem Exemplar des BdS Riga den Eingangsstempel, der erst auf den 26.2.1942 datiert ist. Zitat in: Tageskopie Brief Greifelt an Krüger, 21.2.1942, BA-B R 49/2608. Für den Hinweis auf dieses Dokument danke ich Christoph Dieckmann.
[56] Dienstkalender Heinrich Himmlers, S. 311, 379.

Am 17. März begann – unmittelbar nach derjenigen in Lemberg – die Räumung des Lubliner Ghettos, die als Vorbild für die Vorgehensweise im Generalgouvernement dienen sollte. Danach traf die jüdischen Gemeinden entlang der Bahnlinie nach Belzec, wo Platz für die aus dem Westen und der Slowakei kommenden Juden geschaffen werden sollte, das gleiche Schicksal. Erst mit der Eröffnung des Lagers Sobibor setzten die kreisweiten Deportationen ein. Allerdings dürften in dieser Phase kaum Westtransporte direkt nach Belzec oder Sobibor geleitet worden sein. Vielmehr gelangten die meisten reichsdeutschen und tschechoslowakischen Juden nach Majdanek und in die Lager der Wasserwirtschaftsinspektion.[57] Dort lebten viele bis 1943. Erst am 14. Juni 1942 ist ein direkter Transport von Wien nach Sobibor nachweisbar.[58]

Es gibt einige Anzeichen dafür, dass deutsche Juden im Osten grundsätzlich erst ab Februar 1942 systematisch ermordet wurden, so – nach Weisung Himmlers – ab dem 4. Mai jene aus dem Ghetto Lodz, und in Minsk – auf Weisung Heydrichs – erst ab dem 11. Mai 1942.[59] In Kaunas hingegen brachte das Einsatzkommando 3 – vermutlich auf Initiative seines Leiters Karl Jäger – am 25. und 29. November 1941 die reichsdeutschen Juden sofort um, in Riga kam ein Befehl Himmlers zur Schonung der deutschen Juden vom 30. November 1941 zu spät. Allerdings begannen dort im Februar 1942 weitere Massenmorde an reichsdeutschen Juden.[60] Offensichtlich sollten die deutsche Öffentlichkeit, und insbesondere die deutschen Juden bis zum Abschluss der „Osttransporte" nicht beunruhigt werden.

Vergleicht man alle Entwicklungen in Europa zwischen Ende April und Anfang Juni 1942, so zeichnet sich ein letzter Wendepunkt in der „Endlösung" ab. Zahlreiche Indizien sprechen dafür, dass Himmler erst in dieser Phase die Vorbereitungen für den Massenmord abgeschlossen hatte. Dies lässt sich an der Entwicklung im Warthegau, in Auschwitz und im ganzen Generalgouvernement ablesen.[61] Auch das Vernichtungssystem

---

[57] PETER WITTE, Letzte Nachrichten aus Siedliszcze, in: Theresienstädter Studien und Dokumente 1996, S. 98–114. Zu den Wasserwirtschaftslagern vgl. Obozy hitlerowskie na ziemiach polskich 1939–1945. Informator encyklopedyczny, hg. v. CZESŁAW PILICHOWSKI, Warszawa 1979, S. 259 (Krychów), S. 445 (Sawin) usw.

[58] HANS SAFRIAN, Die Eichmann-Männer, Wien, Zürich 1993, S. 179.

[59] WITTE, Zwei Entscheidungen, S. 59; JAKOV TSUR, Der verhängnisvolle Weg des Transportes AAy, in: Theresienstädter Studien und Dokumente 1995, S. 107–120.

[60] Der Ausnahmefall Kaunas wird untersucht in der Dissertation von CHRISTOPH DIECKMANN, Frankfurt, über die deutsche Besatzung in Litauen. Zu Riga vgl. SAFRIAN, Eichmann-Männer, S. 153 f., 167, 180 ff.; Dienstkalender Heinrich Himmlers, S. 278.

[61] Vgl. dazu POHL, Nationalsozialistische Judenverfolgung, S. 203 ff. STANISLAV ZÁMECNIK, K sporum o genezi tzv. konecného reseni zidovské otázky, in: Cesky Casopis Historicky 91 (1993) S. 73–94.

Globocniks erreichte eine neue Stufe: Am 17. April ordnete Himmler bei einem Besuch in Warschau wahrscheinlich Vorbereitungen für die Ermordung der dortigen Juden an.[62] Im Mai konferierte Globocnik deshalb mit der Kanzlei des Führers über den Bau eines dritten Lagers, Treblinka. Die Gaskammern von Belzec wurde inzwischen durch neue ersetzt.

Globocnik erhielt in dieser Phase anscheinend eine erneute Vollmacht von Heydrichs Abgesandten Eichmann, eine bestimmte Anzahl von Juden zu ermorden. Als Heydrich nach dem Prager Attentat vom 27. Mai im Sterben lag, benannte Globocnik sein erweitertes Vernichtungs- und Ausbeutungssystem nach dessen Vornamen „Aktion Reinhardt"[63] und bat Himmler um eine Vorsprache, damit die Kompetenzen offiziell neu geregelt würden. Allerdings ging die Zuständigkeit für Judenfragen am 3. Juni 1942 offiziell auf die Sicherheitspolizei, nicht aber auf die SS- und Polizeiführer über. So schrieb Globocnik am selben Tag an Himmler einen Brief, in dem „Mängel und Fragen aufgezeigt werden, die eines Befehls zur Erledigung bedürfen". Gleichzeitig übersandte Globocnik mehrere Mappen mit seinen „Lösungsvorschlägen".[64]

Erst über einen Monat später, am 9. Juli, kam es zu dem Gespräch zwischen Himmler, Krüger und Globocnik. Der SSPF Lublin sollte nun auch die Deportation der Warschauer Juden organisieren. Doch zuerst würde Himmler selbst nach Lublin kommen. Nachdem er den Massenmord in Auschwitz in Augenschein genommen hatte, traf der Reichsführer-SS am 18. Juli 1942 in Lublin ein.[65] Am Tag darauf wollte er das Vernichtungslager Sobibor besichtigen, dessen Bahnlinie zu diesem Zeitpunkt allerdings defekt war. Genau an diesem 19. Juli unterschrieb Himmler den Befehl an Krüger, alle Juden mit einigen Ausnahmen (Arbeitsfähige im Alter von 16 bis 35 Jahren[66]) bis Jahresende in die Vernichtungslager zu deportieren. Dass es sich auch hier wieder um eine formale Ermächtigung handelte, zeigt die Tatsache, dass Krüger an diesem Tag auch in Lublin war.[67] Alle Vor-

---

[62] Vgl. Dienstkalender Heinrich Himmlers, S. 410 f.; am 11.5.1942 sprach Staatssekretär Bühler von „neuen Nachrichten" über die Auflösung der Ghettos, Diensttagebuch des deutschen Generalgouverneurs, hg. v. PRÄG/JACOBMEYER, S. 495.

[63] Dies ist die durchgängige Schreibweise auf zeitgenössischen Dokumenten, wie schon JOSEPH BILLIG, Les camps de concentration dans l'économie du Reich Hitlerien, Paris 1973, S. 187, festgestellt hat.

[64] BA-B, NS 19/1755 (Abschriften).

[65] Dienstkalender Heinrich Himmlers, S. 466 f.

[66] Aktenvermerk des Stabsführers beim SSPF Krakau vom 27.7.1942, Die Ermordung der europäischen Juden, hg. v. PETER LONGERICH, München, Zürich 1989, S. 202.

[67] Der Sobibor-Besuch war vorgesehen im Besuchsplan RFSS für 18./19.7.1942, IPN-GK, CA 891/4, Bl. 144, ist aber nicht verzeichnet in Himmlers Dienstkalender. Zu weiteren, z.T. kaum nachweisbaren Himmler-Besuchen in den Vernichtungslagern vgl. MICHAEL TREGENZA,

bereitungen waren abgeschlossen, die Deportationen aus dem Distrikt Krakau schon längst im Gange. Mit der Inbetriebnahme des Lagers Treblinka und der „Räumung" der Ghettos in den Distrikten Warschau und Radom begann die Realisierung dieser neuen Phase der „Endlösung". Anscheinend drängte die Zivilverwaltung im August 1942 erneut auf eine Beschleunigung der Massenmorde.[68] Doch nicht mehr Lublin stand im Zentrum der Entwicklung, sondern das gesamte Generalgouvernement. Die Organisation der „Aktion Reinhardt" blieb jedoch in Lublin; Wirth verfügte nun über ein eigenes kleines Büro in der Stadt.[69]

Die Stellung des Konzentrationslagers Majdanek im Zusammenhang der „Endlösung" bedarf noch der Klärung, obwohl es oft in einem Atemzug mit Auschwitz genannt wird. Jüdische Kriegsgefangene spielten eine größere Rolle beim Aufbau des Lagers. Im Frühjahr 1942 wurde Majdanek vor allem für ausländische Juden – in erster Linie aus der Slowakei – zum Ort der „Vernichtung durch Arbeit". Massenmorde an Juden durch Giftgas setzten erst später ein. Aus dem Distrikt selbst kamen nur vergleichsweise wenige Juden in das Lager. Insgesamt hat man den Eindruck, dass Majdanek 1942 mehr eine Ausweichfunktion für die überlasteten Lager der „Aktion Reinhardt" zufiel, wie auch Globocniks Einfluss auf das Lager zunehmend schwand.[70] Lediglich das Lager „Alter Flughafen", in dem jüdische Häftlinge aus Majdanek arbeiteten, unterstand Globocnik und Wirth.[71]

Die Ermordung der einheimischen Juden aus dem Distrikt war am 9. November 1942 weitgehend abgeschlossen. Damit war nicht nur Himmlers Befehl vom 19. Juli erfüllt worden, sondern auch die Voraussetzung für eine weitere Anordnung des Reichsführers-SS vom 12. November 1942 geschaffen, die die Besiedlung des Raumes Zamosc mit Volksdeutschen vorsah.[72] Deshalb nahm der Distrikt auch nach dem Abschluss des regionalen Massenmordes an den Juden eine Sonderstellung im besetzten Europa ein. Im Raum

---

Christian Wirth, Inspekteur der Sonderkommandos „Aktion Reinhard", in: Zeszyty Majdanka 15 (1993) S. 7–55, S. 22–25.

[68] So die These von CHRISTIAN GERLACH, Die Bedeutung der deutschen Ernährungspolitik für die Beschleunigung des Mordes an den Juden 1942, in: DERS., Krieg, Ernährung, Völkermord. Forschungen zur deutschen Vernichtungspolitik im Zweiten Weltkrieg. Hamburg 1998, S. 167–257.

[69] TREGENZA, Christian Wirth.

[70] TOMASZ KRANZ, Das KL Lublin – zwischen Planung und Realisierung, in: Die nationalsozialistischen Konzentrationslager, hg. v. ULRICH HERBERT/CHRISTOPH DIECKMANN/KARIN ORTH, Göttingen 1998, S. 363–398; näher untersucht diese Frage BARBARA SCHWINDT (Köln), deren Dissertation, Das Konzentrations- und Vernichtungslager Majdanek – Funktionswandel im Kontext der „Endlösung", vor dem Abschluss steht.

[71] Majdanek 1941–1944, hg. v. TADEUSZ MENCEL, Lublin 1991, S. 386–391.

[72] Anordnung 17C des Reichskommissars für die Festigung deutschen Volkstums, 12.11.1942, Zamojszczyzna – Sonderlaboratorium SS, Bd. 1, S. 167.

Zamosc, im Süden des Distrikts, spielte sich eine der brutalsten Umsiedlungs- und Mordaktionen an Nichtjuden ab, 110 000 Personen wurden deportiert, viele Tausende von ihnen kamen um.[73]

Nach den SS-Statistiken lebten vor Beginn der „Endlösung" im Distrikt 260 705 Juden, am Jahresende 1942 seien es nur noch 20 000 gewesen.[74] Diese Zahlen täuschen zwar Exaktheit nur vor, belegen aber die Größenordnung des Massenmordes. Genauso radikal war man in Warschau und im Distrikt Radom verfahren; von dort wurden zusammen über eine halbe Million Menschen in nur sechs Wochen nach Treblinka deportiert und ermordet.[75] Allein im Distrikt Lublin war bis Jahresende die fast vollständige Ermordung all jener Juden gelungen, die nicht für deutsche Interessen arbeiteten. Die Überlebenschancen für die einheimischen Opfer blieben also selbst im polnischen Vergleich gering. Auch machte die kleinstädtische Struktur ein Untertauchen schwierig; in den Wäldern versteckt, gerieten viele Juden 1943 in den Strudel des deutschen Anti-Partisanenkrieges.

Die brutalen Ghetto-Räumungen vollzogen sich vor den Augen der Öffentlichkeit, sie konnten im Herbst 1942 niemandem mehr verborgen bleiben. Doch selbst im Reich war die „Aktion Reinhardt" verschiedenen Stellen bis ins Detail bekannt. Dies zeigen nicht nur die vielen Materialanforderungen aus „Judenbesitz" an den SS- und Polizeiführer, sondern auch die Überprüfung der „Aktion Reinhardt" durch den Reichsrechnungshof: „Im GG fand Massenabführung von beschlagnahmten Juwelen an SS-Einsatzstab Reinhard bzw. SS- und Polizeiführer Lublin ohne Einzelfeststellung und Aufzeichnung der Erfassungskommandos statt."[76]

Eine Sonderstellung in Europa nahm auch Globocniks Zwangsarbeits-Politik ein. Schon 1939 verfügte er über ein erstes Lager in der Lipowa-Straße, 1940 kamen die Lager am so genannten Buggraben hinzu, einem völlig nutzlosen Bauprojekt. Darüber hinaus übernahm die SS die Bewachung der Lager der Zivilverwaltung, besonders der Wasserwirtschaftsverwaltung. Wegen der katastrophalen Zustände, aber auch wegen mangelnder Rentabili-

---

[73] Vgl. dazu die Konferenz des IPN „Niemiecka akcja wysiedleńczo-osadnicza na Zamojszczyźnie 1942–1943", Lublin, 27.11.2002.

[74] Statistik zum 1.3.1942 von Stanglica (Stab SSPF), 5.3.1943, IPN-GK, CA 891/6, Bl. 487. Korherr-Bericht, 23.3.1943, BA, NS 19/1570. MUSIAL, Zivilverwaltung, S. 341, geht von 320 000 jüdischen Einwohnern Anfang 1942 aus.

[75] ADAM RUTKOWSKI, Martyrologia, walka i zagłada ludności żydowskiej w dystrykcie radomskim podczas okupacji hitlerowskiej, in: BZIH Nr. 15/16, 1955, S. 75–182, S. 138–165; insgesamt starben bis Jahresende 1942 in Treblinka 711 000 Menschen, vgl. PETER WITTE/STEPHEN TYAS, A new Document on the Deportation and Murder of Jews during „Einsatz Reinhardt" 1942, in: Holocaust and Genocide Studies 15 (2001), S. 468–486.

[76] Bericht Reichsrechnungshof, (27.10.1944), BA-B, 23.01/2073/2, Bl. 86.

tät wurde Globocniks Lagersystem aber schon im Herbst 1940 wieder geschlossen.[77] Außer dem Sonderfall Majdanek spielte die Zwangsarbeit für Juden in SS-Lagern von 1941 bis in den Herbst 1942 keine große Rolle. Danach verwalteten die SS- und Polizeiführer fast die gesamte Zwangsarbeit für Juden, während gleichzeitig die Auflösung der Ghettos begann. Himmler selbst hatte nach einem Zwischenfall im Distrikt Lublin angeordnet, dass der Einsatz nur mehr in hermetisch abgeschlossenen Lagern erfolgen sollte,[78] er plante sogar die Umwandlung des Mordzentrums Sobibor in ein Arbeitslager.

Globocnik verhandelte seit dem Herbst 1942 die Übernahme der Warschauer Ghettobetriebe in den Distrikt Lublin, 1943 kam das Ghetto Bialystok auch auf die Agenda; entsprechende Pläne für Lodz scheiterten an den dortigen Behörden. Im Frühsommer 1943 stellte Globocniks Lagersystem einen der Hauptkomplexe der Zwangsarbeit in Europa dar: Ähnlich viele Häftlinge arbeiteten in den Lagern des SSPF Galizien, in der Organisation Schmelt und im Ghetto von Lodz. Rechnet man die Vielzahl der anderen Zwangsarbeitslager für Juden – besonders in den Distrikten Radom und Krakau – hinzu, so kommt man insgesamt auf ähnlich hohe Häftlingszahlen wie im gesamten Bereich der Konzentrationslager zu dieser Zeit, nämlich kurzzeitig über 200 000 Personen. Auf dem zahlenmäßigen Höhepunkt befanden sich 45 000 Juden in den Lagern des Distrikts Lublin. Soweit sie in Majdanek interniert waren, hatte Globocnik aber nur begrenzte Verfügungsgewalt.[79]

Allerdings war der Plan der Errichtung eines dauerhaften Lagersystems von Anfang an gefährdet: Das WVHA strebte danach, alle Lager unter seiner Führung zu vereinigen. Die so genannte Ostindustrie, die es zu einem großen Teil nur auf dem Papier gab, kann als eine Art Kompromiss mit Globocnik gelten. Als äußerst gefährlich erwies sich auch das Strukturproblem, dass im Distrikt Lublin kaum kriegswichtige Industrie vorhanden war, die Kriegswichtigkeit der Zwangsarbeit also erst geschaffen werden musste. Doch nach der Versetzung Globocniks nach Triest wurde die Entwicklung von Berlin diktiert. Seit dem Aufstand im Warschauer Ghetto fürchteten Hitler und Himmler den Widerstand der Juden. Als die Ostfront näher

---

[77] CHRISTOPHER R. BROWNING, Nazi Germany's initial attempt to exploit Jewish labor in the General Government. The early Jewish work camps 1940–1941, in: Die Normalität des Verbrechens. Festschrift für Wolfgang Scheffler zum 65. Geburtstag, hg. v. HELGE GRABITZ/KLAUS BÄSTLEIN/JOHANNES TUCHEL, Berlin 1994, S. 171–185.

[78] Himmler an HSSPF Krüger, 15. und 17.11.1942, BAB, NS 19/1433, Bl. 31–32.

[79] DIETER POHL, Die großen Zwangsarbeitslager der SS- und Polizeiführer für Juden im Generalgouvernement 1942–1945, in: Die nationalsozialistischen Konzentrationslager, S. 415–438; Majdanek 1941–1944; TATIANA BERENSTEIN/ADAM RUTKOWSKI, Żydzi w obozie koncentracyjnym Majdanek (1941–1944), in: BZIH Nr. 58, 1966, S. 3–57.

rückte und in Treblinka wie in Sobibor Massenausbrüche gelangen, ordnete Himmler die Ermordung der Zwangsarbeiter an. Sie wurde als „Aktion Erntefest" vom neuen SS- und Polizeiführer Sporrenberg organisiert.

Zwar lebten auch danach noch jüdische Zwangsarbeiter im Distrikt, der Schwerpunkt der Zwangsarbeit verlagerte sich jedoch nach Westen, vor allem in den Distrikt Radom und 1944 auf die ungarischen Juden. Mit dem 4. November 1943 war die Sonderrolle des Distrikts Lublin in der „Endlösung" endgültig beendet.

Zusammenfassung

Sucht man nach den Faktoren der Sonderstellung des Distrikts in der „Endlösung", so war dies zunächst die Lage an der Peripherie des deutschen Herrschaftsbereichs 1939/40. Hätte Stalin nicht so großes Interesse am Tausch mit Litauen gehabt, wäre die Geschichte des Judenmordes anders verlaufen. So aber bot der Distrikt Lublin Voraussetzungen, die ihn für ein „Judenreservat" geeignet zu machen schienen: Er lag weit entfernt vom Reich, und es gab fast keine Industrie. Dazu kam dann die Einsetzung Odilo Globocniks als SS- und Polizeiführer. Diese eher mittelmäßige formale Stellung musste Globocnik erst im Kampf gegen andere Instanzen ausbauen. Globocnik unterschied sich erheblich von seinen Kollegen in den anderen Distrikten: Mit Ausnahme von Friedrich Katzmann in Lemberg wurden sie alle bis Frühjahr 1942 abgelöst; der neue SSPF in Krakau, Julian Scherner, hatte auch darüber hinaus noch Probleme mit Himmler. Herbert Böttcher bat 1943 selbst um Versetzung.[80] Katzmann musste sich im Distrikt Galizien erst langsam eine zentrale Kompetenz in der Judenverfolgung erkämpfen, indem er eigene Zwangsarbeits-Projekte entwickelte. Obwohl er letztlich für die Ermordung von 430 000 Juden verantwortlich war, hat er doch nie die planerische Initiative ergriffen wie Globocnik, der im ständigen Austausch mit Himmler stand.[81]

Im Frühjahr 1942 war der Distrikt zentraler Vernichtungsraum für Juden in Europa, danach erfolgte die Verlagerung nach Treblinka und in den Nordwesten des Reichskommissariats Ukraine. Ab 1943 lag der Schwerpunkt bei Auschwitz. Zieht man diesen zeitlichen Rahmen, so zeigen sich auch die Grenzen der Sonderstellung des Distrikts Lublin. Dies verdeutlicht auch ein Vergleich mit anderen Gebieten. Eine Sonderstellung bei der „Endlösung" nahmen ein:

---

[80] Vgl. die SSO-Akten Scherner und Böttcher im BA-B.
[81] POHL, Nationalsozialistische Judenverfolgung, Kap. III.2.

1. der Warthegau, der als „Mustergau" geplant war, wo aber die Abschiebung der Juden in das Generalgouvernement scheiterte und deshalb ein eigenes Vernichtungslager in Chelmno eingerichtet wurde;
2. das Baltikum, wo Ansiedlungspläne, Transporte von Juden aus dem Westen und die einheimische Kollaboration eine große Rolle spielten;
3. Ostgalizien, wo Massenerschießungen und Deportationen zur Ermordung der Juden eingesetzt wurden;
4. der Bezirk Bialystok, in dem die eigentliche „Endlösung" erst im November 1942 im Anschluss an die Aktion in Polesien begann;
5. Ostoberschlesien, das ähnlich wie der Warthegau gelagert war, aber schließlich mit dem Lager Auschwitz ab Herbst 1942 allmählich zum Zentrum der „Endlösung" wurde.

Von den Opferzahlen her erreicht der Distrikt Lublin mit seinen Vernichtungslagern die Dimension von Auschwitz. Vermutlich starben hier an die 700 000 Juden.[82] Somit kann kein Zweifel bestehen, dass der Raum Lublin von zentraler Bedeutung beim Mord an den europäischen Juden war. Er übernahm eine Vorreiterrolle, war Versuchsgebiet und wichtiger Schauplatz. Dies ist vor allem Odilo Globocnik zuzuschreiben, einem entscheidenden Akteur der „Endlösung" in der Übergangsphase zwischen Frühjahr 1941 und Frühjahr 1942, in der zwar in der NS-Führung der Wille zum Massenmord vorhanden war, aber konkrete Ziele und Maßnahmen erst entwickelt werden mussten. Globocnik beschleunigte die Verbrechen und bestimmte wichtige Schauplätze. Wie kaum ein anderer verkörpert er die Beziehung zwischen Zentrum und Peripherie bei den NS-Verbrechen, angetrieben durch seine Radikalität und seine katastrophalen Großraumplanungen.

---

[82] Vgl. KIEŁBOŃ, Migracje, die von weniger als einer Million Opfer ausgeht.

DEPORTATIONEN, ÜBERGANGSGHETTOS UND VERNICHTUNGSLAGER

JANINA KIEŁBOŃ

JUDENDEPORTATIONEN IN DEN DISTRIKT LUBLIN (1939–1943)

Im Verlauf der Judendeportationen in den Distrikt Lublin zeichnen sich zwei Zeiträume deutlich ab. Zwischen 1939 und 1941 handelte es sich um vorläufige Aktionen, um die Juden in Ghettos und Arbeitslagern zu konzentrieren, wo sie durch Hunger und schwere Arbeit vernichtet wurden. Im folgenden Zeitraum bildeten die Deportationen die erste Phase der Vernichtung. Offiziell als „Umsiedlungen" bezeichnet und nach einem bestimmten Szenario durchgeführt, sollten sie die Verschleierung des wirklichen Ziels erleichtern. Man bemühte sich darum, den Schein zu wahren, dass die Deportierten in neue Siedlungsräume im Osten führen, während sie in Wirklichkeit in Vernichtungslager kamen.[1]

Das am Rande der deutschen Einflusssphäre liegende Lubliner Gebiet wurde bereits zu Kriegsbeginn als Ort für ein so genanntes Judenreservat ins Auge genommen.[2] Früher hatte man an die Gegend von Nisko gedacht, wo am Ufer des San sogar mit dem Bau eines Lagers begonnen wurde. Bald aber trat das „jüdische Reservat im Lubliner Land" in den Mittelpunkt der nationalsozialistischen Pläne. Der Plan wurde vom SS- und Polizeiführer für den Distrikt Lublin, Odilo Globocnik, enthusiastisch aufgenommen, der sich von Anfang an darum bemühte, entscheidenden Einfluss auf alle mit der Judenpolitik zusammenhängenden Fragen zu erlangen. Doch die Verwaltungsbehörden sperrten sich erfolgreich gegen dieses Vorhaben und

---

[1] Das vorliegende Referat entstand aufgrund früherer Forschungen der Verfasserin, die in den „Zeszyty Majdanka" sowie in folgender Monographie veröffentlicht wurden: JANINA KIEŁBOŃ, Deportacja Żydów do dystryktu lubelskiego (1939–1943), in: Zeszyty Majdanka 14 (1992), S. 61–91; DIES., Migracje ludności w dystrykcie lubelskim w latach 1939–1944, Lublin 1995, S. 127–176.

[2] Näheres zu den Plänen im Lubliner Land in: CZESŁAW MADAJCZYK, Lubelszczyzna w polityce okupanta, in: Zeszyty Majdanka 2 (1967), S. 5–21; ZYGMUNT MAŃKOWSKI, Między Wisłą a Bugiem 1939–1944. Studium o polityce okupanta i postawach społeczeństwa, Lublin 1972; DIETER POHL, Von der Judenpolitik zum Judenmord. Der Distrikt Lublin des Generalgouvernements 1939–1944, Frankfurt 1993; DERS., Rola Dystryktu Lubelskiego w „ostatecznym rozwiązaniu kwestii żydowskiej", in: Zeszyty Majdanka 18 (1997), S. 7–24.

machten nur bei der Zwangsarbeit gewisse Zugeständnisse. Der Widerstand der Verwaltungsbehörden im GG führte dazu, dass die Konzeption eines Reservats im Lubliner Gebiet im März 1940 fallen gelassen wurde.

Zur Idee eines „Reservats" kehrte man jedoch zurück, als der „Madagaskar-Plan" entwickelt und der Angriff auf die UdSSR vorbereitet wurde. Als Ort für die Konzentration der Juden zog man nun die weißrussischen Sümpfe in Erwägung.[3] Schwierigkeiten bei der Unterwerfung einzelner Landstriche in der Sowjetunion führten schließlich dazu, dass das Lubliner Gebiet als Ort für die Konzentration der jüdischen Bevölkerung aus den unterworfenen Ländern gewählt wurde.

Die frühesten Deportationen hingen mit der deutschen Umsiedlungspolitik zusammen. Dies betraf unter anderem die Juden aus den polnischen, nun vom Reich annektierten Westgebieten, von wo sie entfernt wurden, um Platz für die Volksdeutschen aus Wolhynien zu schaffen. Eine Weisung Heinrich Himmlers vom 30. Oktober 1939 an das RSHA sowie alle höheren SS- und Polizeiführer sah die Aussiedlung aller Polen und Juden aus den polnischen Westgebieten in das GG zwischen November 1939 und Ende Februar 1940 vor. Die Zahl der Juden in den vom Reich annektierten Gebieten betrug rund 600 000, von denen 400 000 im „Warthegau" lebten.[4]

Die Durchführung der Umsiedlung wurde der Polizei auferlegt, die mit der Wehrmacht zusammenarbeitete. Die Verwaltung des Generalgouvernements sollte sich mit der Übernahme und Verteilung der Umsiedler im GG befassen. Bald aber stellte sich heraus, dass die Aussiedlungen einen Arbeitskräftemangel verursachten und dadurch ernste wirtschaftliche Schwierigkeiten entstanden. Auch Hans Frank war entschieden dagegen, da der Zustrom zahlreicher Aussiedler ohne Existenzgrundlage in das GG gewaltige Probleme heraufbeschwor. Deshalb befahl Göring am 23. März 1940, alle Umsiedlungsaktionen bis auf Widerruf einzustellen, was die rasche Beseitigung aller Juden aus den angegliederten Gebieten vereitelte.[5]

Im Sommer und Herbst 1940 konzentrierte sich die Aufmerksamkeit der deutschen Behörden auf die Aussiedlung der polnischen Bevölkerung. In der Judenfrage kehrte man kurzzeitig zu der noch vor dem Krieg erwogenen

---

[3] GÖTZ ALY, Endlösung. Völkerverschiebung und der Mord an den europäischen Juden, Frankfurt/M. 1995.

[4] Biuletyn Głównej Komisji Badania Zbrodni Hitlerowskich w Polsce (fortan: Biuletyn GKBZHwP) Bd. 12 (1960). Verordnung H. Himmlers Nr. 1/II vom 30.10.1939, S. 36 ff.; STANISŁAW WASZAK, Bilans walki narodowościowej rządów Greisera, in: Przegląd Zachodni, Nr. 6 (1946), S. 483 f.; DANUTA DĄBROWSKA, Zagłada skupisk żydowskich w „Kraju Warty" w okresie okupacji hitlerowskiej, in: Biuletyn Żydowskiego Instytutu Historycznego (fortan: BŻIH), Nr. 13–14 (1955), S. 122.

[5] ARTUR EISENBACH, Przesiedlenia ludności żydowskiej w okresie II wojny światowej, Zamość 1972, S. 28.

Konzeption eines afrikanischen Reservats zurück. Nach dem Angriff auf Frankreich rechnete die Regierung des Dritten Reichs mit der Übernahme der französischen Kolonien in Afrika, was die Deportation der europäischen Juden auf die Insel Madagaskar ermöglicht hätte. Rasch jedoch stellte sich heraus, dass dies unrealistische Pläne waren. Daraufhin wurden die Umsiedlungen von Juden aus den dem Reich angegliederten Gebieten in das GG nach acht Monaten Pause wieder aufgenommen. Die diesbezügliche Entscheidung fiel am 2. Oktober 1940 auf einer Konferenz bei Hitler, wobei besonderer Wert auf die Deportation der Juden aus Wien und aus dem Ostpreußen zugeschlagenen Bezirk Zichenau gelegt wurde.

Die ersten, brutal durchgeführten Aussiedlungen, die mit dem Raub von Eigentum, Quälereien und Morden einhergingen, riefen eine intensive Fluchtbewegung hervor.[6] Nach deutschen Schätzungen verließen bis Ende November 1939, also ehe die Aussiedlungen geplant organisiert wurden, zwischen 30 000 und 40 000 Personen durch Flucht oder aufgrund von Zwangsmaßnahmen die vom Reich annektierten Gebiete und gingen in das Generalgouvernement.[7] Es ist unbekannt, wie viele Juden unter ihnen waren. Aus fragmentarischen Daten, die sich in Berichten und Tagebüchern aus der Kriegszeit finden, ergibt sich, dass sich Anfang Dezember 1939 in Biala Podlaska 4000 jüdische Flüchtlinge aufgehalten haben, in Miedzyrzec Podlaski 1300, in Chelm Lubelski (Cholm) 1000, in Krasnystaw 1400, in Janowo Podlaskie 1000, insgesamt also befanden sich in diesen fünf Ortschaften 8700 Menschen.[8] Angesichts dieser Zahlen überstieg ihre Zahl im gesamten Distrikt sicherlich die Marke von 10 000.

Die ersten Deportationen (1939–1941)

Die ersten organisierten Transporte von Juden aus den vom Reich annektierten polnischen Gebieten gelangten im Dezember 1939 nach Lublin. Für sie

---

[6] Ruta Sakowska hat hierzu geschrieben: „Tausende von Juden aus den vom Reich annektierten Gebieten machten sich in das GG auf, ohne auf Hitlers Befehle zu warten. Den wohlhabenderen, die sich die Bezahlung eines Transports leisten konnten, gelang es so, ihre Habe zu retten. Den aus diesen Gebieten ausgesiedelten Juden wurden keine neuen Wohnorte zugewiesen. Sie zogen auf eigene Faust in Ortschaften mit größeren jüdischen Gemeinschaften […]", RUTA SAKOWSKA, Ludzie z dzielnicy zamkniętej, Warszawa 1975, S. 71.

[7] CZESŁAW ŁUCZAK, Polityka ludnościowa i ekonomiczna hitlerowskich Niemiec w okupowanej Polsce, Poznań 1979, S. 117.

[8] Archiwum Państwowego Muzeum na Majdanku (Archiv des Staatlichen Museums Majdanek, fortan: APMM), Sign. VII-643. DWOJRA ZIELONA, Moje przeżycia, S. 422; EMANUEL RINGELBLUM, Kronika getta warszawskiego IX 1939 – I 1943, Warszawa 1983, S. 41–44.

wurden Baracken auf einem Platz an der Lipowa-Straße vorbereitet. Die nach Lublin deportierten Juden stammten hauptsächlich aus den Städten des „Warthegaus"; 3000 kamen aus dem Bezirk Zichenau. Am 15. Dezember 1939 traf ein tausend Juden zählender Transport aus dem Kreis Posen ein. Er wurde nach Ostrow Lubelski und in die benachbarten Orte geleitet. Die aus Leslau angekommenen Juden wurden nach Zamosc und Umgebung gewiesen. Im Dezember 1939 wurde zudem ein aus Warthbrücken kommender Transport von 1200 Juden nach Izbica gebracht.[9]

Es ist bekannt, dass es viele weitere derartige Transporte gab, doch fehlen Daten zu ihrer Größe. Artur Eisenbach gibt an, dass bis zum 20. Dezember 1939 rund 11 200 Juden in den Distrikt Lublin kamen.[10] Dagegen ergibt sich aus den Berichten der Abteilung für Bevölkerungswesen und Fürsorge im Amt des Generalgouverneurs, dass zwischen dem 11. und 19. Dezember 1939 aus den vom Reich annektierten Gebieten 134 460 Personen ausgesiedelt wurden, von denen rund 25 000 in das Lubliner Gebiet geleitet wurden.[11] Es wird aber nicht angegeben, wie viele Polen und wie viele Juden unter ihnen waren. Wenn man jedoch berücksichtigt, dass die deutschen Behörden in dieser Zeit hauptsächlich daran interessiert waren, die Juden zu entfernen (die Konzeption des Reservats war immer noch aktuell), so darf man annehmen, dass die Mehrzahl der Aussiedler – mindestens 15 000 – Juden waren.

In der ersten Jahreshälfte 1940 gab es aus den genannten Gebieten keinen organisierten Transport mit Juden, doch am 16. Februar 1940 trafen 1200 Menschen aus Stettin ein. Anfangs wurden sie im Lager an der Lipowa-Straße in Lublin untergebracht und anschließend in nahe gelegene Städtchen wie Belzyce, Glusk und Piaski geschickt.[12] Aus den annektierten Gebieten

---

[9] Archiwum Państwowe w Lublinie (Staatsarchiv Lublin, fortan: APL), Rada Żydowska w Lublinie (Judenrat Lublin, fortan: RŻ-L), Sign. 10. Bekanntmachung Nr. 4 vom 5.12.1939; ebd., Polizei Batallion Zamość, Sign. 17. Bericht des Batallions 102 für Dezember 1939; DĄBROWSKA, Zagłada skupisk, S. 130; ARTUR EISENBACH, Hitlerowska polityka zagłady Żydów, Warszawa 1961, S. 169; LUDWIK LANDAU, Kronika lat wojny i okupacji, Bd. 1, S. 236; CZESŁAW BAKUNOWICZ, Wykorzystanie kolei w Generalnym Gubernatorstwie do deportacji Żydów, in: Biuletyn Głównej Komisji Badania Zbrodni przeciwko Narodowi Polskiemu 35 (1993), S. 82–99.

[10] EISENBACH, Hitlerowska polityka, S. 157.

[11] Bericht der Abteilung für Bevölkerungswesen und Fürsorge (ohne Datum): Archiwum Instytutu Pamięci Narodowej (fortan: AIPN), Prozeßakten J. Bühler, Bd. 36. Bl. 79.

[12] Unterwegs erlitten viele wegen der sehr niedrigen Temperaturen Erfrierungen an Füßen und Händen, die teilweise so stark waren, dass die Gliedmaße amputiert werden mußten. Ein gutes Dutzend Menschen starb gleich nach der Ankunft aufgrund starker Erkältung. Den unvollständigen Daten zufolge, die erhalten geblieben sind, starben bis April 1942 von diesem Transport 329 Menschen. APMM, Fot. nr. 101. Verzeichnis der aus Stettin in den Distrikt Lublin ausgesiedelten Juden, Bl. 1–52 (Original im ITS Arolsen); APL, Gubernator Dystryktu

kamen auch weiterhin viele einzelne Flüchtlinge. Am 21. Januar 1940 waren in Lublin 4329 Flüchtlinge registriert, die sich mit einem Hilfsersuchen an den Judenrat gewandt hatten.[13] Ihre tatsächliche Zahl war viel größer, da nicht alle um Hilfe nachsuchten. Viele gelangten nicht bis nach Lublin, sondern blieben in kleineren Städten, unter anderem in Krasnik, wo bis zum 18. Januar 1940 1230 Juden angelangt waren.[14]

Im Dezember 1940 gelangten Judentransporte aus dem Bezirk Zichenau in das Lubliner Gebiet, hauptsächlich aus Mlawa, Zichenau und Umgebung. Der erste traf mit 1004 Menschen am 15. Dezember in Biala Podlaska ein. Der zweite vom 16. Dezember zählte 1000 Juden, die nach Lubartow gebracht wurden, der dritte vom 17. Dezember erreichte mit 957 Menschen Lukow.[15] Im selben Monat kam noch ein Transport mit 1000 Menschen an. Insgesamt trafen im Dezember also 3961 Juden ein.[16] Zusammen mit den Anfang des Jahres nach Lublin und Krasnik gebrachten Menschen waren 1940 9520 Juden in den Distrikt Lublin deportiert worden.

Im Januar 1941 wurden keinerlei Transporte verzeichnet. Im Februar kamen 2140 Juden, die wegen des Baus von Truppenübungsplätzen für die Wehrmacht aus dem Kreis Konin ausgesiedelt wurden. Sie wurden in Izbica und Jozefowa Bilgorajska untergebracht.[17] Im März trafen zwei weitere Transporte ein. Am 10. März 1941 kamen 1070 Personen nach Zwierzyniec, am 12. März eine identische Zahl nach Krasnystaw.[18] Somit wurden im Februar und März 1941 6280 Juden aus den vom Reich annektierten Gebieten in den Distrikt Lublin deportiert; es handelte sich um die letzten von dort kommenden Transporte. Nun war nämlich ein grundlegender Wandel in der Nationalitätenpolitik zu verzeichnen, der durch die Vorbereitungen zum Überfall auf die UdSSR verursacht war. Am 15. März 1941 stoppte das Reichssicherheitshauptamt die Deportationen aus den annektierten Gebieten in das Generalgouvernement; zwei Tage später informierte Hitler Hans

---

Lubelskiego (Gouverneur für den Distrikt Lublin, fortan: GDL), Sign. 892. Namentliche Verzeichnisse der Stettiner Juden, die im Distrikt Lublin gestorben sind, S. 3, 89, 159, 161, 257–284; ebd., Sign. 256. Bericht vom 3.6.1941, S. 63; ebd., RŻ-L, Sign. 3, S. 21 f.

[13] APL, RŻ-L, Sign. 7. Materialien für den Jahresbericht des RŻ-L 1939–1940, Verzeichnis der Flüchtlinge, o. Pag.

[14] APMM, Sign. VI-21. Materialien von den Schulzenversammlungen der Jahre 1939–1940. Protokoll von der Versammlung am 18.1.1940.

[15] Biuletyn GKBZHwP 21 (1970), S. 105.

[16] AIPN, Prozeßakten J. Bühler, Bd. 30. Bericht des Chefs für den Distrikt Lublin für Dezember 1940, S. 138.

[17] TATIANA BERENSTEIN, Martyrologia, opór, zagłada ludności żydowskiej w dystrykcie lubelskim, in: BŻIH, Nr. 21 (1957), S. 27; DĄBROWSKA, Zagłada skupisk, S. 134; LANDAU, Kronika, Bd. 1, S. 236.

[18] AIPN, Prozeßakten J. Bühler, Bd. 8. Verzeichnis der im Rahmen des 3. Nahplans in das GG geleiteten Transporte, Bl. 79.

Frank, dass alle Juden in den Osten deportiert werden sollten. Dies bedeutete, dass man von dem 1940 erwogenen „Madagaskar-Plan" Abstand nahm
und nun sowjetische Gebiete in Erwägung zog, genauer gesagt die weißrussischen Pripjet-Sümpfe, in denen die europäischen Juden konzentriert und
vernichtet werden sollten. Das Generalgouvernement, das bislang im Reich
unerwünschte Menschen aufgenommen hatte, sollte dagegen germanisiert
werden.

Ehe es jedoch zu dieser Wende in der deutschen Politik kam, begannen
gegen Ende 1940 die Transporte von aus Krakau ausgesiedelten Juden in das
Lubliner Gebiet; in Krakau hatten vor Kriegsbeginn 56 540 jüdische Menschen gelebt.[19] Nach dem Willen der Deutschen, die hier die Zentralver-
waltung des Generalgouvernements angesiedelt hatten, sollten alle Juden
entfernt werden; nur unabkömmliche Handwerker sollten bleiben. Die
Entscheidung in dieser Angelegenheit fiel am 12. April 1940; das Enddatum
für das freiwillige Verlassen der Stadt wurde auf den 15. August 1940
festgelegt und später zweimal verschoben – zunächst auf den 31. August und
dann auf den 7. September 1940. Danach sollte die Zwangsaussiedlung
einsetzen.[20] Da aber nur wenige Juden Krakau verließen, die sich zumeist
in stadtnahe Orte begaben, rief man die Übrigen dazu auf, sich im Lager an
der Mogilska-Straße einzufinden, wo die Transporte organisiert wurden.
Zugleich wurde das freiwillige Verlassen der Stadt verboten. Ludwik Landau schreibt dazu:

„Es begann eine panische Flucht der Juden aus der Stadt, für die Transporte
meldete sich nur eine ganz geringe Zahl von Menschen. Die Juden machten sich
zu Fuß auf die Wanderschaft und nahmen das Risiko in Kauf, unterwegs aufgegriffen zu werden. Die mutigsten nahmen ihre Armbinden ab und reisten mit
Zügen. Durch diese deutschen Eingriffe schmolz die jüdische Bevölkerung in
Krakau auf 30 000 Menschen zusammen. Diese Unbotmäßigkeit führte bei den
Deutschen zu einem Wutausbruch, und die Gestapo nahm den Handlungsplan in
die Hand. Man begann die Juden bei Morgengrauen aus den Häusern zu treiben
und fuhr sie gleich in das Arbeitslager an der Mogilska-Straße; einige Tage
später werden die Jungen in Arbeitslager sowie die älteren Männer und Frauen
in Städtchen an der Grenze zum Lubliner Gebiet geschickt. Die solcherart
Ausgesiedelten werden im Handumdrehen zu Bettlern, die auf die Hilfe ihrer
verelendeten Glaubensgenossen angewiesen sind."[21]

---

[19] ERNA PODHORIZER-SANDEL: O zagładzie Żydów w dystrykcie krakowskim, in: BŻIH,
Nr. 15–16 (1955), S. 109.
[20] TADEUSZ WROŃSKI, Kronika okupowanego Krakowa, Kraków 1974, S. 89; A. BIEBER-
STEIN, Zagłada Żydów w Krakowie, Kraków 2001, S. 35–42.
[21] LANDAU, Kronika, Bd. 3, S. 712.

Tab. 1: Transporte der in den Jahren 1940 und 1941 aus Krakau in den Distrikt Lublin ausgesiedelten Juden

Lfd. Nr.	Ankunftsdatum	Personenzahl	Zielort
1	29. 9. 1940	319	Miedzyrzec Podlaski
2	9. 12. 1940	265	Lublin
3	13. 12. 1940	433	Cholm
4	24. 1. 1941	48	Lublin
5	31. 1. 1941	107	Osmolice
6	2. 2. 1941	108	Lublin
7	3. 2. 1941	206	Lublin
8	12. 2. 1941	21	Cholm
9	13. 2. 1941	–	Lublin
10	16. 2. 1941	–	Piaski
11	18. 2. 1941	26	Biskupice
12	25. 2. 1941	61	Lublin
13	26. 2. 1941	49	Bychawa
14	27. 2. 1941	52	Bychawa
15	3. 3. 1941	145	Lublin
16	4. 3. 1941	101	Lublin
17	6. 3. 1941	85	Lublin
18	7. 3. 1941	118	Lublin
19	8. 3. 1941	61	Lublin
20	10. 3. 1941	57	Biala Podlaska
21	11. 3. 1941	65	Biala Podlaska
22	13. 3. 1941	69	Biala Podlaska
23	14. 3. 1941	100	Biala Podlaska
24	15. 3. 1941	168	Biala Podlaska
25	17. 3. 1941	106	Biala Podlaska
26	17. 3. 1941	27	Biala Podlaska
27	18. 3. 1941	80	Biala Podlaska
28	19. 3. 1941	121	Biala Podlaska
29	20. 3. 1941	170	Miedzyrzec Podlaski
30	20. 3. 1941	153	Miedzyrzec Podlaski
31	21. 3. 1941	54	Miedzyrzec Podlaski
32	21. 3. 1941	17	Miedzyrzec Podlaski
33	24. 3. 1941	15	Miedzyrzec Podlaski
34	25. 3. 1941	12	Miedzyrzec Podlaski
35	26. 3. 1941	5	Opole Lubelskie
36	2. 4. 1941	12	Miedzyrzec Podlaski
37	Nov. 1941	2000	Kr. Hrubieszow
	Summe	5436	

Quellen: APL, GDL, Sign. 892, S. 360 ff.; AIPN, Prozeßakten J. Bühler, Bd. 93, S. 74–309; APL, Der Kreishauptmann in Lublin, Sign. 140, Bl. 10–16.

Der erste Transport Krakauer Juden kam am 29. November 1940 in den Distrikt Lublin. Er bestand aus 319 Personen und wurde nach Miedzyrzec Podlaski geleitet. Bis Ende 1940 trafen drei Transporte aus Krakau ein, die insgesamt 1017 Personen zählten.

Zu Beginn des Jahres 1941 nahm das Deportationstempo der Krakauer Juden erheblich zu. Die meisten Transporte umfassten zwischen einigen Dutzend und einigen hundert Menschen. Sie wurden nach Lublin sowie in die Kreise Cholm, Lublin, Pulawy, Radzyn und Biala Podlaska gebracht. In einem Bericht des Chefs für den Distrikt Lublin vom 6. März 1941 wird angegeben, dass im Distrikt 1540 Juden aus Krakau untergebracht worden seien.

Auf der Grundlage der zugänglichen Materialien ließ sich feststellen, dass zwischen dem 24. Januar und dem 2. April 1941 33 Transporte in das Lubliner Gebiet geschickt wurden, die 2419 Personen zählten. Weitere Transporte mit 2000 Personen trafen im November 1941 ein.[22]

Insgesamt wurden zwischen September 1940 und November 1941 5436 Juden aus Krakau in den Distrikt Lublin deportiert. Davon trafen 1017 von September bis Dezember 1940, 2219 zwischen Ende Januar und Anfang April 1941 und weitere 2000 im November 1941 ein.[23]

Anfang 1941 begann die Aussiedlung der Juden aus Wien. Bereits am 3. Dezember 1940 hatte der Chef der Reichskanzlei, Dr. Hans Lammers, Generalgouverneur Hans Frank darüber informiert, dass aufgrund einer Entscheidung des Führers 50 000 Wiener Juden in das Generalgouvernement geschickt würden. Ihre Ankunft wurde auch von Staatssekretär Dr. Josef Bühler in einem geheimen Rundschreiben vom 17. Januar 1941 angekündigt.

Die ersten Transporte kamen am 16. und 27. Februar 1941 im Distrikt Lublin an und zählten 2006 Menschen. Sie wurden nach Opole Lubelskie geleitet. Unter den Ankömmlingen befanden sich viele Angehörige der

---

[22] RINGELBLUM, Kronika, S. 207; AIPN, Prozeßakten J. Bühler, Bd. 93. Aufstellung der Transporte der in den Jahren 1940 und 1941 aus Krakau ausgesiedelten Juden, S. 74–309; ebd., Bd. 35. Bericht des Chefs für den Distrikt Lublin an das Amt des GG für Februar 1941, S. 15 f.; APL, Der Kreishauptmann in Lublin, Sign. 140. Schreiben des Amts des Chefs für den Distrikt Lublin vom 13. März 1941, Bl. 21; PODHORIZER-SANDEL, O zagładzie, S. 92.
[23] APL, GDL, Sign. 892. Namentliche Verzeichnisse der aus Krakau in den Distrikt Lublin ausgesiedelten Juden, S. 360–612; ebd., Der Kreishauptmann in Lublin-Land, Sign. 140. Korrespondenz über die Aussiedlungen aus Krakau, Bl. 10–16; TADEUSZ PANKIEWICZ, Apteka w getcie krakowskim, Kraków 1982, S. 131; TATIANA BERENSTEIN, Eksterminacja ludności żydowskiej w dystrykcie Galicja (1941–1943), in: BŻIH Nr. 61 (1967), S. 9; KIEŁBOŃ, Migracje, S. 137 ff.

Wiener Intelligenz. Am 5. März 1941 traf der dritte und letzte Wiener Transport des Jahres ein, der 981 Menschen umfasste und in Modliborzyce untergebracht wurde. Insgesamt waren 1941 aus Wien 5000 Juden in das Generalgouvernement gekommen, von denen 2987 ins Lubliner Gebiet gelangten.[24]

Ab 1940 kamen zudem Transporte mit jüdischen Kriegsgefangenen aus den Stalags im Reich nach Lublin.[25] Dies hing mit der Konferenz in Karinhall zusammen, wo Göring „die Umwandlung der Kriegsgefangenen in freie Arbeiter" gefordert hatte. In den Gefangenenlagern waren sie durch die Genfer Konvention geschützt, während sie durch die Freilassung diesen Schutz verloren. Ein Teil der jüdischen Gefangenen wurde in den Distrikt Lublin geschickt, wo die ersten Arbeitslager bereits 1939 entstanden waren, obschon sie erst 1940 richtig aufblühten. Sie wurden von Polizeieinheiten, der Armee und der Zivilverwaltung errichtet. Laut Reinhard Heydrich wollte man in diesen Lagern einige hunderttausend Juden unterbringen, hauptsächlich für den Bau von Befestigungsanlagen im Osten. In den Kreisen Bilgoraj und Zamosc wurde 1940 eine ganze Reihe von Lagern eingerichtet, das Einsatzzentrum lag in Belzec. Die in diesen Lagern gefangen gehaltenen Juden wurden beim Bau von Befestigungen an der Grenze des Generalgouvernements mit der Sowjetunion eingesetzt. In der Nähe der bestehenden Flugplätze in Biala Podlaska, Deblin, Malaszewice, Miedzyrzec und Zamosc entstanden Lager mit dem Ziel, die Flugplätze zu erweitern. Im gesamten Distrikt Lublin wurden Lager für den Straßenbau geschaffen. Die meisten entstanden in den Kreisen Hrubieszow, Pulawy und Lublin. Zahlreich waren auch die von der Wasserwirtschaftsinspektion zur Melioration von Wiesen, zur Flussregulierung, zum Bau kleiner Brücken etc. gegründeten Lager. 1940 gab es im Distrikt Lublin 21 Lager, insgesamt entstanden 58, davon 50 für Juden. Die meisten von ihnen befanden sich in den Kreisen Cholm, Pulawy, Radzyn und Zamosc. Nach den bisherigen Forschungsergebnissen wurden zwischen 1939 und 1944 im Distrikt Lublin 137 Arbeitslager für Juden eingerichtet.[26]

Die erste, 1367 Personen zählende Gruppe von Kriegsgefangenen traf im Februar 1940 ein. In den nächsten Monaten (März bis Mai) wurden weitere

---

[24] Siehe die Feststellungen JONNY MOSERs in: Dimension des Völkermords. Die Zahl der jüdischen Opfer des Nationalsozialismus, hg. v. WOLFGANG BENZ, München 1991, S. 76; EUGENIUSZ KOSIK, Martyrologia i zagłada Żydów w Opolu Lubelskim, in: BŻIH, Nr. 150 (1989), S. 74.

[25] APL, RŻ-L, Sign. 1. Bericht des Arbeitsamts beim Judenrat für den Zeitraum vom 24.10.1939 bis zum 31.7.1940; ebd., GDL, Sign. 749, S. 113.

[26] EDWARD DZIADOSZ/JÓZEF MARSZAŁEK, Więzienia i obozy w dystrykcie lubelskim w latach 1939–1944, in: Zeszyty Majdanka 3 (1969), S. 54–129; JÓZEF MARSZAŁEK, Obozy pracy w Generalnym Gubernatorstwie w latach 1939–1945, Lublin 1998, S. 114.

1857 Menschen herangeschafft, was zusammen 3224 Kriegsgefangene ergibt. Von der im Februar eingetroffenen Gruppe wurden 884 freigelassen, doch wurden sie nach einigen Wochen dazu aufgerufen, sich zur Arbeit auf dem Platz an der Lipowa-Straße 7 einzufinden. Die übrigen 483 wurden zu Fuß nach Biala Podlaska getrieben; unterwegs wurden viele von ihnen ermordet. Ein großer Teil wurde im Gut Palecznica erschossen. Das auf der Marschroute liegende Parczew erreichten nur mehr 287.[27] Nach einer langen Pause ordnete die Wehrmachtsführung im Oktober 1940 an, weitere Gefangenentransporte in den Distrikt Lublin zu schicken. Im Oktober und November wurden aus dem Stalag II B Hammerstein in Hinterpommern 1550 Personen auf den Weg geschickt. Ein Teil von ihnen kam in Biala Podlaska, der Rest in Ryki unter. Von den in Biala Podlaska angekommenen Kriegsgefangenen eigneten sich 250 wegen ihres schlechten Gesundheitszustands nicht zur Arbeit.[28] Am 23. Oktober trafen aus Königsberg 800 Personen ein, die ebenfalls im Arbeitslager Biala Podlaska untergebracht wurden.[29] Insgesamt kamen 1940 5547 jüdische Kriegsgefangene.

Im Januar 1941 erreichte noch ein Kriegsgefangenentransport den Distrikt Lublin, mit dem 1532 Personen kamen.[30] Zusammen mit den im Vorjahr Eingetroffenen ergibt dies eine Zahl von 7106 jüdischen Kriegsgefangenen, die 1940 und 1941 deportiert wurden.

Aufgrund der Bemühungen Globocniks zur Vergrößerung des Imports jüdischer Arbeitskräfte wurde am 9. August 1940 bei einer Beratung in der Abteilung für Arbeit des Amts des Generalgouverneurs beschlossen, Arbeiter aus den Distrikten Radom und Warschau in das Lubliner Land zu schicken.[31] Mit der Durchführung dieser Deportationen waren die Arbeitsämter der betroffenen Distrikte unter Aufsicht des SS- und Polizeiführers für den Distrikt Lublin betraut.

---

[27] APL, RŻ-L, Sign. 8. Bericht über die Tätigkeit des Judenrats für den Zeitraum zwischen 1.10.1939 und 1.9.1940, S. 21 f.; AIPN, Okręgowa Komisja Badania Zbrodni Niemieckich w Lublinie (Bezirkskommission zur Erforschung der deutschen Verbrechen in Lublin, fortan: OKBZNL), Sign. 26.

[28] RINGELBLUM, Kronika, S. 99.

[29] APL, GDL, Sign. 746; AIPN, Prozeßakten J. Bühler, Bd. 30. Bericht des Amtschefs für den Distrikt Lublin für November 1940, Bl. 100.

[30] APL, RŻ-L, Sign. 6. Bericht von der Tätigkeit der Abteilung für Registrierung und Information vom 31.3.1941. Wahrscheinlich handelte es sich um einen Transport aus dem Kriegsgefangenenlager Görlitz. APMM, VII-239. JÓZEF REZNIK: Zeznanie świadka, S. 6.

[31] APL, GDL, Sign. 906. Protokoll der Sitzung in der Abteilung für Arbeit des Amts des GG vom 9.8.1940, S. 1–7; Eksterminacja Żydów na ziemiach polskich w okresie okupacji hitlerowskiej. Zbiór dokumentów, bearb. v. TATIANA BERENSTEIN u. a., Warszawa 1957, S. 216 f.

Tab. 2: Transporte von Juden aus dem Distrikt Radom 1940

Lfd. Nr.	Ankunftsdatum	Personenzahl	Ausgangsort
1	14. 8. 1940	469	Konskie
2	15. 8. 1940	526	Radom
3	15. 8. 1940	400	Konskie
4	15. 8. 1940	441	Kielce
5	16. 8. 1940	136	Opatow
6	16. 8. 1940	421	Radom
7	16. 8. 1940	623	Konskie
8	16. 8. 1940	300	Radom
9	16. 8. 1940	453	Tschenstochau
10	16. 8. 1940	400	Opoczno
11	17. 8. 1940	334	Konskie
12	17. 8. 1940	420	Ostrowiec
13	20. 8. 1940	120	Opatów
14	22. 8. 1940	421	Radom
15	22. 8. 1940	55	Opatow
16	22. 8. 1940	313	Konskie
17	23. 8. 1940	330	Radom
18	23. 8. 1940	460	Tschenstochau
19	23. 8. 1940	736	Kielce
20	23. 8. 1940	71	Konskie
21	24. 8. 1940	23	Konskie
22	28. 8. 1940	271	Radom
23	28. 8. 1940	71	Opatow
24	31. 8. 1940	504	Tschenstochau
25	4. 9. 1940	252	Ostrowiec
26	5. 9. 1940	74	Petrikau
27	7. 9. 1940	421	Petrikau
28	24. 9. 1940	252	Ostrowiec
29	25. 9. 1940	74	–
	Summe	9371	

Quelle: APL, GDL, Sign. 749, Bl. 37–85.

Die ersten Transporte aus dem Distrikt Radom kamen Mitte August 1940 in die Lubliner Lager. Ihnen gehörten ausschließlich junge, gesunde Männer an. Sie stammten hauptsächlich aus folgenden Ortschaften: Tschenstochau,

Busko, Glowaczow, Jedrzejow, Kielce, Konskie, Opatow, Petrikau, Radom, Starachowice und Zawichost.[32] Alle Judentransporte wurden nach Lublin auf den Platz an der Lipowa-Straße 7 gebracht, der im August 1940 zum Sammelpunkt wurde. Hier wurde die Selektion vorgenommen, von hier aus wurden Arbeiter in die verschiedenen Lager geschickt. Die meisten kamen nach Belzec, das bald nach seiner Inbetriebnahme zur Zentrale für das Netz von Arbeitslagern im Abschnitt zwischen Bug und San wurde. Die hier untergebrachten Juden wurden bei Befestigungsarbeiten eingesetzt. Wie aus einem Bericht des Zentralen Lagerrats hervorgeht, wurden 1940 im Lager Belzec und seinen Unterlagern 10 136 Juden beschäftigt, darunter in Belzec selbst 2800, in Lipsko 2086, in Plazow 1250, in Cieszanow 3000 und in Dzikow 1000.[33] Sie stammten sowohl aus dem Distrikt Lublin als auch aus den Distrikten Krakau, Radom und Warschau.

Ein Teil der Radomer Juden wurde auch in die Lager in Narol, Mircze und Trawniki geschickt. Die Existenzbedingungen in diesen Lagern waren geradezu tragisch. Die Gefangenen wurden dazu gezwungen, über ihre Kräfte zu arbeiten, sie wurden ausgehungert, und die geringsten Versuche zu Widerstand oder Arbeitsverweigerung wurden mit dem Tod bestraft. Nachrichten darüber, die aus den Lagern heraussickerten, alarmierten die jüdische Bevölkerung und riefen Widerstand gegen alle Verschickungen hervor, so dass bei der Durchführung der nächsten Transporte die Hilfe der Polizei in Anspruch genommen werden musste.[34]

Insgesamt wurden 1940 aus dem Distrikt Radom mindestens 9371 Juden in das Lubliner Land geschickt.[35] Von den 29 Transporten, die belegt werden können, kamen 24 in der zweiten Augusthälfte 1940. Täglich trafen mehrere Transporte mit einigen Dutzend bis zu einigen hundert Menschen ein.

Ein Teil der Radomer Juden wurde nach dem Ende der Arbeiten und der Auflösung einiger Lager im Herbst 1940 an ihre Wohnorte zurückgeschickt, ein Teil kam in andere Lager. Bekannt ist, dass im Oktober 1940 acht Transporte mit 3740 Personen aus dem Lager Belzec in den Distrikt Radom

---

[32] APL, GDL, Sign. 749. Korrespondenz des Arbeitsamts Lublin, Bl. 37–85.

[33] APL, RŻ-L, Sign. 47. Bericht des Zentralen Lagerrats in Bełżec; Gazeta Żydowska vom 9.8.1940, S. 10.

[34] ADAM RUTKOWSKI, Zagłada Żydów w dystrykcie Radom, in: BŻIH, Nr. 15–16 (1955), S. 125; DERS., Hitlerowskie obozy pracy dla Żydów w dystrykcie Radom, in: BŻIH, Nr. 17–18 (1956), S. 110 ff..

[35] Diese Zahlen wurden auf der Grundlage der Korrespondenz der Abteilung für Arbeit beim Amt des Chefs für den Distrikt Lublin mit der Abteilung für Arbeit im Distrikt Radom sowie mit dem SS- und Polizeiführer Odilo Globocnik errechnet. APL, GDL, Sign. 749. Siehe auch: MARTIN GILBERT, Endlösung. Die Vertreibung und Vernichtung der Juden. Ein Atlas, Reinbek 1982, S. 47.

zurückgingen.[36] Von den Übrigen waren viele aufgrund der unmenschlichen Bedingungen, die in den Lagern herrschten, oder bei einer der zahlreichen Hinrichtungen ums Leben gekommen.

Gleichzeitig mit den Deportationen aus dem Distrikt Radom begannen die Verschleppungen Warschauer Juden in die Lubliner Arbeitslager. Bereits Anfang August 1940 informierte das Arbeitsamt Warschau das Arbeitsbataillon des Judenrats über die Notwendigkeit, ein Kontingent an Arbeitern zu liefern. Die Judentransporte aus Warschau trafen ab Mitte August 1940 in Lublin ein. Die ersten wurden nach Jozefow, Opole Lubelskie, Cholm, Plazow, Cieszanow, Lipsko und Dzikow geleitet. In einigen dieser Lager stellten die Warschauer Juden einen erheblichen Prozentsatz der Beschäftigten.[37] Die nächsten Transporte, die im September und Oktober 1940 eintrafen, wurden in den Kreisen Biala Podlaska, Cholm, Hrubieszow, Pulawy und Zamosc untergebracht – hauptsächlich in Lagern, die der Wasserwirtschaftsinspektion unterstanden. Die bei der Flussregulierung und Melioration von Wiesen Beschäftigten arbeiteten bis zur Fertigstellung der jeweiligen Projekte und wurden dann an andere Orte gebracht. Juden aus Warschau wurden auch bei Befestigungsarbeiten, auf Flugplätzen und Ähnlichem, in Zamosc und Deblin sowie beim Straßenbau eingesetzt. Im Dezember 1940 arbeiteten 200 Warschauer Juden beim Straßenbau in den Abschnitten Pulawy–Jastkow und Leczna–Milejow.[38] Insgesamt gesehen wurden sie auf den ganzen Distrikt Lublin verteilt, obschon die Mehrzahl im Osten des Distrikts eingesetzt wurde. Anfangs tauschte man die Arbeiter in gewissen Zeitabständen aus, sah aber später wegen der Schwierigkeiten, neue Arbeiter zu gewinnen, davon ab.

Aus einem Bericht des Gouverneurs des Distrikts Warschau, Ludwig Fischer, geht hervor, dass allein im August 1940 in vier Transporten 2800 Juden in die Lubliner Arbeitslager geschickt wurden und dass diese Zahl bis zum 3. Dezember 1940 auf 5253 Personen gestiegen war, von denen 4118 aus dem Warschauer Ghetto stammten.[39] Somit wurden bis Ende 1940 etwas über 5000 Juden aus dem Distrikt Warschau in das Lubliner Gebiet deportiert, um die Hälfte weniger als aus dem Distrikt Radom.

---

[36] APL, GDL, Sign. 749. Korrespondenz des Arbeitsamts Lublin, Bl. 85; ebd., Sign. 748. Schreiben der Abteilung für Arbeit im Amt des Chefs für den Distrikt Lublin, S. 103, 109.

[37] TATIANA BERENSTEIN, Żydzi warszawscy w obozach pracy przymusowej, in: BŻIH, Nr. 67 (1968), S. 42; Adama Czerniakowa dziennik getta warszawskiego 6 IX 1939–23 VII 1942 r., hg. v. MARIAN FUKS, Warszawa 1983, S. 144–150.

[38] AIPN, Prozeßakten J. Bühler, Bd. 30. Bericht des Amts des Chefs für den Distrikt Lublin für Dezember 1940, Bl. 138.

[39] Raporty Ludwiga Fischera gubernatora dystryktu warszawskiego 1939–1944, Warszawa 1987, S. 206; Eksterminacja Żydów, S. 217 ff.; TATIANA BERENSTEIN, Obozy pracy przymusowej dla Żydów w dystrykcie lubelskim, in: BŻIH, Nr. 24 (1957), S. 7.

1941 gingen die Deportationen von Juden aus Warschau weiter. Sie wurden hauptsächlich für Meliorationsarbeiten eingesetzt. Nach Tatiana Berenstein verließen in der ersten Jahreshälfte 1941 19 Transporte die Hauptstadt, die insgesamt rund 2200 Juden zählten. Sie kamen in die Lager Krychow, Ossowa, Sajczyce, Sawin und Szczekarkow.[40] Insgesamt wurden 1940 und 1941 fast 24 000 Menschen in die Arbeitslager des Distrikts Lublin deportiert, darunter 7453 Juden aus dem Distrikt Warschau, 9371 aus dem Distrikt Radom und 7106 aus den Kriegsgefangenenlagern.

Aus dem In- und Ausland wurden in diesem Zeitraum mindestens 64 430 Juden in den Distrikt Lublin geschickt, darunter, neben den oben erwähnten, 30 800 aus den vom Reich annektierten Gebieten, 1200 aus Stettin, 5440 aus Krakau und 2990 aus Wien. Ein Teil von ihnen wurde in Ghettos untergebracht, ein Teil in Arbeitslagern.

Tab. 3: Übersicht über die Zahl der zwischen 1939 und 1941 in den Distrikt Lublin deportierten Juden

Ausgangsort	1939	1940	1941	Summe
vom Reich eingegliederte Gebiete	15 000	9 520	6 280	30 800
Stettin	–	1 200	–	1 200
Kriegsgefangenenlager	–	5 570	1 530	7 100
Distrikt Radom	–	9 450	–	9 450
Distrikt Warschau	–	5 250	2 200	7 450
Krakau	–	1 020	4 420	5 440
Wien	–	–	2 990	2 990
Summe	15 000	32 010	17 420	64 430

Die größte Intensität der Transporte fiel in das Jahr 1940, als über 32 000 Juden in das Lubliner Gebiet deportiert wurden. Der Jahresbeginn 1941 war von den verstärkten Vorbereitungen für den Krieg gegen die Sowjetunion geprägt. Dies verursachte eine Schwächung der gesamten Umsiedlungsaktion, da Transportmittel gebunden waren, während zugleich strategische Straßen repariert und die Produktion vergrößert werden musste, wozu eine gewaltige Zahl von Arbeitern benötigt wurde. Ausschlaggebender Faktor war jedoch die Veränderung der Pläne hinsichtlich des Generalgouvernements, insbesondere zu dessen Ostgebieten, die germanisiert werden sollten.

---

[40] BERENSTEIN, Żydzi warszawscy, S. 42 f.; BERNARD MARK, Walka i zagłada warszawskiego getta, Warszawa 1959, S. 57 f.

Die Transporte aus West- und Mitteleuropa in die Durchgangsghettos und Vernichtungslager (1942/43)

Die nächste Welle von Juden kam 1942 in den Distrikt Lublin, als die Pläne zur Massenvernichtung umgesetzt wurden. Die Konzeption „Endlösung der Judenfrage" setzte die Massenaussiedlung der Juden aus den besetzten europäischen Ländern in die Vernichtungslager im Osten voraus.[41] Die Entscheidung über ihre Ermordung war schrittweise gereift, doch bereits am 31. Juli 1941 wies Göring Heydrich an, einen Generalplan für die Deportation auszuarbeiten. Die zweite Jahreshälfte 1941 verlief im Zeichen der organisatorischen und technischen Vorbereitungen der Massenumsiedlungen. Das Zentrum dieser Vorbereitungen war das Referat Adolf Eichmanns im RSHA.

Am 20. Januar 1942 wurde auf der Wannsee-Konferenz in Berlin entschieden, wie die „Endlösung der Judenfrage" durchgeführt werden sollte. Reinhard Heydrich tat bei dieser Gelegenheit kund, dass die geplante Aktion alle europäischen Juden umfassen würde, deren Zahl auf 11 Millionen geschätzt wurde. Lediglich die in Betrieben der Kriegsindustrie beschäftigten Juden wurden vorerst von der Aktion ausgenommen. Ganz Europa sollte von West nach Ost „durchgekämmt" werden. In erster Linie sollte das Protektorat Böhmen und Mähren von den Deportationen betroffen sein. Die Deportierten sollten anfangs in so genannten Übergangsghettos oder in Arbeitslagern untergebracht werden, von wo aus sie anschließend in Lager zu bringen waren, in denen ihre sofortige Vernichtung erfolgen würde.[42] Ein Teil sollte direkt in die Konzentrationslager gelangen, wovon Heinrich Himmler den Inspekteur dieser Lager, SS-Brigadeführer Richard Glücks, in Kenntnis setzte. Die Umsetzung der Judenvernichtung im Generalgouvernement vertraute das RSHA dem für seine Aktivität bekannten SS- und Polizeiführer für den Distrikt Lublin, Odilo Globocnik, an. Die Organisation der Deportation oblag dem Stabsleiter der Aktion Reinhardt, SS-Sturmbannführer Hermann Höfle, der eng mit den Stellen von SS, Polizei, Ostbahn und RSHA zusammenarbeitete. Um die Aktion zu erleichtern, wurden die Juden im Juni 1942 der Aufsicht durch die Staatsverwaltung entzogen und der Sicherheitspolizei unterstellt.

Als erste wurden 1942 die aus dem Protektorat Böhmen und Mähren ausgesiedelten Juden in den Distrikt Lublin gebracht. Vor der Verschickung

---

[41] GERARD REITLINGER, Die Endlösung. Hitlers Versuch der Ausrottung der Juden Europas 1939–1945, Berlin 1979, S. 40, 105 f.
[42] Das Protokoll der Wannseekonferenz wurde veröffentlicht in der Dokumentensammlung: Eksterminacja Żydów, S. 268; siehe auch: LEON POLIAKOV/JOSEPH WULF, Das Dritte Reich und die Juden, Berlin 1983, S. 119–126.

wurden sie im Ghetto Theresienstadt zusammengefasst, wo sich 73 608 Personen zusammenfanden.[43] Den zu Deportierenden erklärte man, sie sollten zur Arbeit gebracht werden. Der erste Transport aus Theresienstadt wurde am 11. März 1942 nach Izbica in Marsch gesetzt, wo er nach zwei Tagen Fahrt eintraf. Seine Ankunft sorgte bei den Verwaltungsbehörden für Verwirrung und rief Proteste hervor, da sie sich vor die Aufgabe gestellt sahen, die Menschen zu verteilen. Das Landratsamt Krasnostaw protestierte gegen weitere Transporte in das Kreisgebiet, da es an Platz fehle. Es sprach in dieser Angelegenheit sogar beim Stab der „Aktion Reinhardt" vor, doch Hermann Höfle änderte seine Entscheidung nicht. Einige Tage später, am 17. März 1942, wurde ein weiterer, tausend tschechische Juden zählender Transport nach Izbica geleitet.[44]

Im April 1942 wurden weitere sechs Transporte aus Böhmen und Mähren in den Distrikt Lublin geschickt, jeder mit rund tausend Personen. Im Mai verringerte sich die Zahl auf drei, im Juni auf zwei. Der letzte Transport traf am 28. Juni 1942 ein und wurde in das Lager Majdanek gewiesen. Alle Transporte begannen in Theresienstadt, nur einer, der seine Reise am 10. Juni begann, kam aus Prag. Insgesamt gelangten zwischen Mai und Juni 1942 mit 14 Transporten 14 001 tschechische Juden in den Distrikt Lublin.[45]

Die Mehrzahl von ihnen gelangte nach der langen Fahrt unter schweren Bedingungen erschöpft und psychisch gebrochen ans Ziel. In den Transporten gab es viele Frauen mit Kindern sowie alte und kranke Menschen. So befanden sich zum Beispiel in dem am 27. April 1942 abgegangenen Transport 547 Frauen und 92 Kinder unter 14 Jahren, im Transport vom 17. März hatte es 710 Frauen, außerdem Kinder sowie alte Männer gegeben. Junge und gesunde Juden wurden nach Majdanek und in die Arbeitslager gebracht. Sie wurden unter anderem in Janowice, Komarow, Labunie, Ossowa, Sawin, Staw, Trawniki und Zamosc beschäftigt.[46] Ein erheblicher Teil der tsche-

---

[43] HANS GÜNTHER ADLER, Theresienstadt 1941–1945, Tübingen 1955; RAUL HILBERG, Die Vernichtung der europäischen Juden, Berlin 1982, S. 308.

[44] APL, GDL, Sign. 273. Notizen R. Türks vom 18. und 20.1.1942; ZYGMUNT KLUKOWSKI, Dziennik z lat okupacji na Zamojszczyźnie (1939–1944), eingel. u. hg. v. ZYGMUNT MAŃKOWSKI, Lublin 1959, S. 252; ZOFIA LESZCZYŃSKA, Kronika obozu na Majdanku, Lublin 1980, S. 59.

[45] KAREL LAGUS/JOSEF POLAK: Město za mřízemi, Praha 1964, S. 305–310, 347; APL, GDL, Sign. 749 und 893. Korrespondenz des Gouverneurs für den Distrikt Lublin zum Thema Juden aus Böhmen und Mähren; MIROSLAV KRYL, Deportacja więźniów terezinskiego getta do obozu koncentracyjnego na Majdanku w 1942 roku, in: Zeszyty Majdanka 11 (1983), S. 23–41.

[46] APL, GDL, Sign. 749. Schreiben Höfles an den Leiter der Abteilung für Arbeit vom 14.3.1942 sowie Schreiben des Arbeitsamts Zamość an die Abteilung für Arbeit Lublin vom 27.3.1942. Aus dem Transport, der am 9. April aus Theresienstadt abfuhr und am 11. April in Lublin eintraf, wurden in Lublin 220 junge Männer ausgewählt und nach Majdanek

chischen Juden wurde in den Ghettos angesiedelt, aus denen die örtlichen Juden entfernt worden waren. Sie blieben hier nur bis zum Herbst 1942, als im gesamten Distrikt Lublin Massendeportationen in die Vernichtungslager stattfanden.

Tab. 4: Der Transport der 1942 aus dem Protektorat Böhmen und Mähren in den Distrikt Lublin deportierten Juden

Lfd. Nr.	Abfahrtsdatum	Personenzahl	Zielstation
1	11. 3. 1942	1 001	Izbica
2	17. 3. 1942	1 000	Izbica
3	1. 4. 1942	1 000	Piaski
4	18. 4. 1942	1 000	Rejowiec
5	23. 4. 1942	1 000	Lublin, Piaski
6	27. 4. 1942	1 000	Lublin, Izbica
7	28. 4. 1942	1 000	Zamosc
8	30. 4. 1942	1 000	Zamosc
9	9. 5. 1942	1 000	Ossowa, Siedliszcze
10	17. 5. 1942	1 000	Lublin
11	25. 5. 1942	1 000	Lublin, Ujazdow
12	10. 6. 1942	1 000	Majdanek
13	12. 6. 1942	1 000	Trawniki, Sawin
14	13. 6. 1942	1 000	Majdanek, Sobibor
	Summe	14 001	

Quelle: APL, GDL, Sign. 749, 893; K. LAGUS, J. POLAK, Město za mřízemi, Praha 1964.

Ab März 1942 kamen Transporte mit Juden aus der Slowakei, wo nach dem Protokoll der Wannsee-Konferenz vom 20. Januar 88 000 Juden lebten.[47] Über deren Aussiedlung hatte die Reichsregierung 1941 ein Abkommen mit der Regierung der Slowakischen Republik getroffen. Obschon verkündet wurde, dass die Juden zur Arbeit gebracht würden, versuchten diese, sich der Deportation zu entziehen. Die offizielle Propaganda warf den sich verbergenden Juden vor, sie seien arbeitsscheu und wollten nicht zu den von der slowakischen Regierung ausgesuchten und vorgesehenen Orten fahren. Eine derartige Argumentation konnte noch bei der ersten Phase der Deportation verwendet werden, als junge jüdische Männer und Frauen „zum Ar-

---

geschickt. Die übrigen kamen nach Ossowa und Siedliszcze. Siehe PETER WITTE, Poslední zapravy deportowanych transportem Ax, in: Terezinské studia a dokumenty (1996), S. 53–65.
[47] POLIAKOV/WULF, Das Dritte Reich und die Juden, S. 122.

beitseinsatz" ausgesiedelt wurden, doch beim Abtransport ganzer Familien
verlor sie ihren Sinn. Am 24. März 1942 benachrichtigte die Zentrale der
Konzentrationslager in Oranienburg telegraphisch den Kommandanten von
Majdanek, SS-Standartenführer Karl Otto Koch, dass in der nächsten Zeit
10 000 slowakische Juden nach Majdanek gebracht werden würden. Dieser
Ankündigung entsprechend, trafen zwischen dem 29. März und dem 5. April
1942 die ersten vier Transporte ein, die ausschließlich aus arbeitsfähigen
Männern bestanden.[48] Vor der Verschleppung wurden sie in fünf Sammellagern in den Orten Preßburg, Sered, Novaky, Deutschendorf und Sillein
zusammengeführt. Mit den nächsten Transporten kamen bereits ganze
Familien. Bis Mitte Juni wurden 38 Transporte mit Juden aus der Slowakei
in den Distrikt Lublin geschickt, insgesamt 39 899 Personen.[49] Ein Teil
von ihnen, insbesondere die letzten Transporte, gelangte direkt in das Lager
Sobibor,[50] ein Teil der Arbeitsfähigen wurde in das Lager Majdanek gebracht. Die Übrigen wurden auf verschiedene Orte verteilt, u.a. Lubartow,
Rejowiec, Naleczow, Cholm, Pulawy, Deblin und Izbica, wo sie zur Arbeit
herangezogen wurden. Im Herbst 1942 wurden sie gemeinsam mit den
ansässigen Juden in die Vernichtungslager abtransportiert.[51]

---

[48] IVAN KAMENEC, Przymusowe wysiedlenia ludności z terytorium Słowacji w okresie II
wojny światowej, in: Przesiedlenia ludności przez III Rzeszę i jej sojuszników podczas II
wojny światowej, Lublin 1974, S. 319; APMM, mikr. 1509, Telegramm der Inspektion der
Konzentrationslager an den Kommandanten des Lagers Majdanek vom 24.3.1942, Bl. 125;
ebd., Sign. I d. 5. Aufstellung der abgelegten Effekten Verzeichnis, S. 1; JANINA KIEŁBOŃ,
Dokumenty dotyczące Żydów w Archiwum Państwowego Muzeum na Majdanku, in: Zeszyty
Majdanka 18 (1997), S. 66; JÓZEF MARSZAŁEK, Majdanek – obóz koncentracyjny w Lublinie,
Warszawa 1981, S. 66; ZOFIA LESZCZYŃSKA, Kronika, S. 44 f.. Siehe auch: GÜNTHER
SCHWARBERG, Der Juwelier von Majdanek. Geschichte eines Konzentrationslagers, Hamburg
1981.

[49] APL, Der Kreishauptmann in Lublin-Land, Sign. 141. Korrespondenz über die ein-
treffenden Judentransporte, Bl. 80, 98, 106; ebd., GDL, Sign. 893, 749; APMM, Fot. 425.
Verzeichnis der Transporte der 1942 aus der Slowakei deportierten Juden. Dokument aus den
Mereshet Archives Givat Chaviva-Izrael; YEHOSHA BÜCHLER, The Deportations of Slovakian
Jews to the Lublin District of Poland in 1942, in: Holocaust and Genocide Studies 6 (1991),
H. 2.

[50] Nach Jules Schelvis kamen bis zu 26 000 slowakische Juden nach Sobibor. Die Gesamtzahl der in den Distrikt Lublin deportierten Juden gibt Schelvis mit 39 000 Menschen an.
JULES SCHELVIS, Vernichtungslager Sobibór, Berlin 1998, S. 270. Die Bibliographie zu
Sobibor hat genau besprochen ROBERT KUWAŁEK, Obóz zagłady w Sobiborze w historiografii
polskiej i obcej, in: Zeszyty Majdanka 21 (2001), S. 115–160.

[51] Insgesamt wurden 57 000 Juden aus der Slowakei deportiert, darunter ein Teil nach
Auschwitz. Dimension des Völkermords, S. 379; FRANCISZEK PIPER, Ilu ludzi zginęło w KL
Auschwitz. Liczba ofiar w świetle źródeł i badań 1945–1990, Oświęcim 1992, S. 72; SCHEL-
VIS, Vernichtungslager Sobibór, S. 270.

Tab. 5: Die Transporte der 1942 in den Distrikt Lublin deportierten slowakischen Juden

Lfd. Nr.	Datum der Deportation	Personenzahl	Zielstation
1	27. 3. 1942	1 000	Lublin-Majdanek
2	30. 3. 1942	1 000	Lublin-Majdanek
3	31. 3. 1942	1 003	Lublin-Majdanek
4	5. 4. 1942	1 495	Lublin-Majdanek
5	12. 4. 1942	1 040	Lubartow
6	14. 4. 1942	1 038	Lubartow
7	16. 4. 1942	1 040	Rejowiec
8	20. 4. 1942	1 030	Rejowiec
9	22. 4. 1942	1 001	Naleczow, Opole
10	27. 4. 1942	1 251	Naleczow, Opole
11	5. 5. 1942	1 040	Lubartow
12	6. 5. 1942	1 038	Lukow
13	7. 5. 1942	1 040	Lukow
14	8. 5. 1942	1 001	Miedzyrzec Podlaski
15	11. 5. 1942	1 002	Cholm
16	12. 5. 1942	1 002	Cholm
17	13. 5. 1942	1 040	Deblin
18	14. 5. 1942	1 040	Deblin
19	17. 5. 1942	1 028	Pulawy
20	18. 5. 1942	1 025	Naleczow, Opole
21	19. 5. 1942	1 005	Naleczow, Opole
22	20. 5. 1942	1 001	Pulawy
23	23. 5. 1942	1 630	Rejowiec
24	24. 5. 1942	1 022	Rejowiec
25	25. 5. 1942	1 000	Rejowiec
26	26. 5. 1942	1 000	Naleczow, Opole
27	29. 5. 1942	1 052	Izbica
28	30. 5. 1942	1 000	Izbica
29	1. 6. 1942	1 000	Sobibor
30	2. 6. 1942	1 014	Sobibor
31	5. 6. 1942	1 000	Sobibor
32	6. 6. 1942	1 001	Sobibor
33	8. 6. 1942	1 000	Sobibor
34	9. 6. 1942	1 010	Sobibor
35	11. 6. 1942	1 000	Sobibor

Lfd. Nr.	Datum der Deportation	Personenzahl	Zielstation
36	12. 6. 1942	1 000	Sobibor
37	13. 6. 1942	1 000	Sobibor
38	14. 6. 1942	1 000	Sobibor
	Summe	39 899	

Quellen: APL, GDL, Sign. 749, 893; ebd., Der Kreishauptmann in Lublin, Sign. 141; TATIANA BERENSTEIN, Adam Rutkowski. Żydzi w obozie koncentracyjnym Majdanek 1941–1944, in: BŻIH Nr. 58 (1966); APMM, fot. 425 – Verzeichnis der 1942 in das GG geleiteten Transporte slowakischer Juden.

Im Frühjahr 1942 wurden weitere Juden aus Wien und Umgebung in das Lubliner Land gebracht. Zwischen April und Juni 1942 wurden sechs Transporte, die insgesamt 6000 Menschen zählten, nach Izbica, Wlodawa und Sobibor geleitet.[52] Wenn man die im Vorjahr eingetroffenen 2987 Juden hinzuzählt, so ergibt sich eine Zahl von 8987 Juden, die 1941 und 1942 aus Österreich in den Distrikt Lublin deportiert wurden.

Am 3. März 1942 wurde der Gouverneur des Distrikts Lublin darüber benachrichtigt, dass die Regierung des Generalgouvernements ihre Zustimmung gegeben habe, im Laufe der kommenden Monate rund 14 000 aus dem Reich ausgesiedelte Juden im Lubliner Land unterzubringen.[53] Diese Transporte wurden, wie auch die früheren, in Lublin einer Selektion unterzogen, um die arbeitsfähigen Menschen herauszusuchen. Zwischen Mitte März und Ende Juni 1942 wurden über 19 000 deutsche Juden in den Distrikt Lublin deportiert. Sie stammten aus Städten wie Berlin, Darmstadt, Dortmund, Düsseldorf, Frankfurt am Main, Kassel, Koblenz, Köln, Leipzig, München, Nürnberg, Stuttgart und Würzburg.[54]

---

[52] Von dem Transport, der am 17.6.1942 nach Sobibor gelangte, blieben drei Waggons mit Gepäck und Lebensmitteln in Trawniki. CHRISTOPHER R. BROWNING, Ganz normale Männer. Das Reserve-Polizeibatallion 101 und die „Endlösung" in Polen, Reinbek 1993, S. 50. Aus Österreich wurden zwischen 1939 und 1945 insgesamt 46 791 Juden deportiert. Vgl. die Berechnungen bei Jonny Moser in: Dimension des Völkermords, S. 72, 76.

[53] APL, GDL, Sign. 270. Schreiben der Regierung des GG vom 3.3.1942 an den Gouverneur des Distrikts Lublin, S. 49. Einen Vorschlag zur Deportation der deutschen Juden in den Distrikt Lublin hatte Himmler Hitler am 2. Oktober 1941 vorgelegt. RAUL HILBERG, Auschwitz and the Final solution, in: Anatomy of the Auschwitz Death Camp, hg. v. ISRAEL GUTMAN/MICHAEL BERENBAUM, Washington 1994, S. 84.

[54] APMM, Fot. Nr. 94, 100, 103–104. Namenslisten der deutschen Juden; APL, GDL, Sign. 749 und 893. ALEKSANDER KRUGŁOW, Deportacja przez hitlerowców ludności żydowskiej z Niemiec, Austrii i Czech na wschód w okresie od listopada 1941 do listopada 1942 r., in: Studia nad faszyzmem i zbrodniami hitlerowskimi 14 (1991), S. 373–376. Vgl. die Ergebnisse INO ARNDTs und HEINZ BOBERACHs in: Dimension des Völkermords, S. 65 sowie S. 23 ff. In dem Gedenkbuch, das die Namen von 128 091 Juden aus der damaligen

Tab. 6: Transporte von Juden aus dem Reich in den Distrikt Lublin 1942

Lfd. Nr.	Ankunftsdatum	Personenzahl	Zielbahnhof
1	13. 3. 1942	1 003	Izbica
2	19. 3. 1942	1 000	Izbica
3	23. 3. 1942	1 000	Piaski
4	25. 3. 1942	1 000	Izbica
5	27. 3. 1942	1 000	Izbica, Piaski
6	30. 3. 1942	972	Piaski, Trawniki
7	6. 4. 1942	776	Piaski, Trawniki
8	24. 4. 1942	941	Izbica
9	28. 4. 1942	955	Krasniczyn
10	29. 4. 1942	1 000	Izbica
11	1. 5. 1942	1 000	Zamosc, Izbica
12	3. 5. 1942	1 000	Krasniczyn
13	9. 5. 1942	938	Majdanek, Sobibor
14	12. 5. 1942	1 000	Belzyce
15	14. 5. 1942	800	Majdanek, Sobibor
16	17. 5. 1942	1 000	Majdanek, Sobibor
17	26. 5. 1942	930	Majdanek, Sobibor
18	13. 6. 1942	1 016	Majdanek, Sobibor
19	15. 6. 1942	748	Majdanek, Sobibor
20	19. 6. 1942	1 066	Majdanek, Sobibor
21	20. 6. 1942	201	Majdanek, Sobibor
	Summe	19 046	

Quellen: APMM, Fot. Nr. 94, 100, 103 f. Listen der Judentransporte; APL, GDL, Sign. 749 und 893; A. I. KRUGŁOW, Deportacja przez hitlerowców ludności żydowskiej z Niemiec, Austrii i Czech na wschód w okresie od listopada 1941 do listopada 1942 r., in: Studia nad faszyzmem i zbrodniami hitlerowskimi 14 (1991), S. 373–376.

Bundesrepublik einschließlich Westberlin enthält, heißt es, dass 11 974 von ihnen in unterschiedlichen Ortschaften des Lubliner Landes umkamen, darunter in Izbica 3934, Sobibor 2932, Majdanek 2039, Trawniki 1713, Piaski 979, Zamosc 268, Cholm 90 und in Belzec 19. Gedenkbuch Opfer der Verfolgung der Juden unter der nationalsozialistischen Gewaltherrschaft in Deutschland 1933–1945, Koblenz 1986, S. 1746. Insgesamt werden die Verluste an deutschen Juden während des Krieges auf 160 000 beziffert. Sie wurden nicht nur nach Polen, sondern auch in das Gebiet der Sowjetunion (Kaunas, Minsk, Riga) sowie nach Theresienstadt deportiert.

Transporte mit jüdischer Bevölkerung aus den vom Reich besetzten oder von ihm abhängigen Staaten fanden auch 1943 statt. Sie kamen unter anderem aus den Niederlanden, wo die Juden vor der Deportation im Polizeilichen Durchgangslager Westerbork gesammelt wurden, das in der nördlichen Provinz Drente unweit der deutschen Grenze lag. Zwischen dem 2. März und dem 20. Juli 1943 wurden von hier aus 19 Transporte mit 34 313 Personen nach Sobibor auf den Weg gebracht.[55] In Lublin wurde eine erste Selektion einiger Transporte vorgenommen, bei der ein Teil der jungen Leute zur Arbeit dabehalten wurde. Sie arbeiteten unter anderem auf dem früheren Flughafen in Lublin sowie in Majdanek.

Tab. 7: Zusammenstellung der 1942 und 1943 aus West- und Mitteleuropa in den Distrikt Lublin deportierten Juden

Jahr	Herkunft	Personenzahl
1942	Protektorat Böhmen und Mähren	14 001
1942	Slowakei	39 899
1942	Drittes Reich	19 050
1942	Österreich	6 000
1942	Niederlande	34 310
1943	Frankreich	4 000
1943	Reichskommissariat Ostland	12 700
	Summe	129 960

Im März 1943 wurden auch vier Transporte mit Juden aus Frankreich in den Distrikt Lublin geschickt. Vor dem Abtransport wurden sie im Sammellager Drancy bei Paris zusammengefasst. Vier dieser Transporte, und zwar jene mit den Nummern 50-53, die jeweils 1000 Personen zählten, gingen im März 1943 in den Distrikt Lublin. Nur wenige der Insassen gelangten nach Majdanek, die Mehrzahl kam nach Sobibor.[56]

---

[55] Insgesamt wurden aus den Niederlanden 107 000 Juden deportiert, von denen 102 000 ums Leben kamen. Sie wurden nach Auschwitz, Sobibor, Theresienstadt, Bergen-Belsen, Mauthausen und Buchenwald gebracht. Siehe die Ergebnisse Gerhard Hirschfelds in: Dimension des Völkermords, S. 165. Einer der überlebenden niederländischen Juden, der nach der Selektion an der Rampe in Sobibor in das Arbeitslager Dorohuczy und dann in andere Lager gelangt war, hat eine Monographie des Lagers Sobibor geschrieben: JULES SCHELVIS, Vernichtungslager Sobibór (s. FN 50).

[56] Insgesamt wurden aus Frankreich 75 721 Juden deportiert, hauptsächlich nach Auschwitz. SERGE KLARSFELD, Memorial to the Jews Deported from France 1942–1944, New York 1983, S. XXVI. Vgl. auch die Ergebnisse von JULIANE WETZEL in: Dimension des Völkermords, S. 95–135; HILBERG, Vernichtung, S. 454.

Im September und Oktober 1943 kamen im Distrikt Lublin auch Transporte mit Juden aus dem Reichskommissariat Ostland an, unter anderem aus Minsk (16.–19. und 23. September), Lida und Wilna (23.–24. September). Sie wurden nach Trawniki und Sobibor geleitet. Insgesamt trafen aus dem Reichskommissariat fast 13 000 Juden ein.[57]

Insgesamt wurden 1942/43 mindestens 130 000 Juden aus den Ländern Mittel- und Westeuropas in das Lubliner Land deportiert, davon 79 000 im Jahr 1942 und 51 000 im Jahr 1943.

Die Deportationen aus dem GG in das Lager Belzec 1942

Im März 1942 begann die Deportation von Juden in das Lager Belzec. Mit als Erste kamen Transporte aus dem Distrikt Galizien an, wo die Judenvernichtung bereits in der zweiten Jahreshälfte 1941 mit zahlreichen Exekutionen (unter anderem in Lemberg, Tarnopol, Boryslaw und Zloczow) begonnen hatte, bei denen vor allem Vertreter der Intelligenz, Persönlichkeiten des gesellschaftlichen und politischen Lebens sowie so genannte unproduktive Elemente, das heißt alte und kranke Menschen sowie Invaliden ums Leben kamen. Exekutionen fanden auch in Brzezany, Buczacz, Stryj und Zbaraz statt. Nach Berechnungen von Tatiana Berenstein verloren zwischen Ende Juni 1941 und Mitte März 1942 rund 100 000 galizische Juden ihr Leben.[58]

In der zweiten Märzhälfte 1942 begannen die Massendeportationen in das Lager Belzec, doch kam ein Teil der jüdischen Bevölkerung Galiziens auch im Zwangsarbeitslager Lemberg-Janowska um.

Die Deportationen nach Belzec begannen mit dem Abtransport von arbeitsuntauglichen Menschen. Als Erste trafen hier im März 1942 Juden aus Lemberg, Rawa Ruska, Drohobycz und Zolkiew ein. Im April 1942 folgten die Kreise Zadniestrzanski, Stanislau und Kolomyja. Wegen des Umbaus des Lagers Belzec kam es zwischen Mitte April und Ende Juni zu einer Pause bei den Transporten. In den letzten Junitagen wurden sie wieder aufgenommen. Zugleich wurden die Synagogen niedergebrannt und Massenerschießungen durchgeführt. Viele Personen kamen während der Fahrt in den vollgepferchten Güterwaggons sowie bei Fluchtversuchen ums Leben. Wie Kurt

---

[57] FRANCISZEK ZĄBECKI, Wspomnienia dawne i nowe, Warszawa 1977, S. 98; YITZHAK ARAD, Belzec, Sobibor, Treblinka. The Operation Reinhard Death Camps, Bloomington, Ind., 1987, S. 398; ALEKSANDER PIECZERSKI, Powstanie w Sobiborze, in: BŻIH Nr. 3 (1952), S. 4; SCHELVIS, Vernichtungslager, S. 274–277.

[58] BERENSTEIN, Eksterminacja, S. 3–58; siehe auch: FRIEDRICH KATZMANN, Rozwiązanie kwestii żydowskiej w dystrykcie Galicja, bearb. v. ADAM ŻBIKOWSKI, Warszawa 2001, S. 7–12; ELIYAHU JONES, Żydzi Lwowa w okresie okupacji 1939–1945, Łódź 1999.

Gerstein mitteilt, starben 1450 der 6700 Juden des Transports vom 19. August 1942.[59]

Die systematischen Verschleppungen dauerten bis zum 5. Dezember 1942 und umfassten den gesamten Distrikt Galizien. Nach Berechnungen von Aleksander Krugłow wurden zwischen März und Dezember 1942 in 71 Transporten 251 700 Menschen nach Belzec deportiert.[60] Doch schon im September und Oktober wurden viele jüdische Siedlungen ganz aufgelöst und der Rest der Bevölkerung an bestimmten Orten konzentriert. Aus statistischen Berechnungen des Stabs von Heinrich Himmler geht hervor, dass sich am 31. Dezember 1942 in diesem Distrikt etwas über 160 000 Juden aufhielten.[61] Die Mehrzahl von ihnen war in Ghettos gesperrt worden. Sie starben hier bei Hinrichtungen, aufgrund der unmenschlichen Existenzbedingungen sowie durch Epidemien. Am 5. und 6. Januar 1943 kam es zu einem Massaker im Lemberger Ghetto, bei dem Häuser niedergebrannt, versteckte Menschen herausgezerrt und an Ort und Stelle ermordet wurden. Die Auflösung der zweitrangigen Ghettos dauerte bis Juni 1943. Am 1. Juni wurde das so genannte Judenlager in Lemberg aufgelöst.

1942 gelangten auch zahlreiche Transporte aus dem Bezirk Krakau in den Distrikt Lublin. Anfang 1942 hatten dort rund 218 000 Juden gelebt.[62] Als Erste kamen zwischen dem 13. und dem 16. März 1942 in drei Transporten insgesamt 3 600 Juden aus Mielec an, vorwiegend Frauen und Kinder. Nur ein kleiner Prozentsatz bestand aus arbeitsfähigen Männern.[63] Rund 500 Menschen wurden direkt in das Lager Belzec gewiesen, die übrigen vorübergehend in Wlodawa, Sosnowica, Miedzyrzec Podlaski, Cieszanow und Dubienka untergebracht. Weitere Transporte kamen im Juni 1942 aus Krakau, Tarnow und Dabrowa Tarnowska. Insgesamt wurden 7500 Personen antransportiert. Im Juli trafen Transporte aus dem Kreis Rzeszow mit ins-

---

[59] Aussage von Kurth Gerstein vom 4.5.1945, in: BŻIH Nr. 3 (151) 1989, S. 110. Die Aufnahme der Transporte wird im Einzelnen besprochen von MICHAEL TREGENZA, Bełżec – okres eksperymentalny. Listopad 1941–kwiecień 1942, in: Zeszyty Majdanka 21 (2001), S. 165–209.

[60] ALEKSANDER KRUGŁOW, Deportacja ludności żydowskiej z dystryktu Galicja do obozu zagłady w Bełżcu w 1942 r., in: BŻIH Nr. 3/151 (1989), S. 101–107. Siehe auch: THOMAS SANDKÜHLER, Endlösung in Galizien. Der Judenmord in Ostpolen und die Rettungsinitiativen von Berthold Beitz 1941–1944, Bonn 1966, sowie DIETER POHL, Nationalsozialistische Judenverfolgung in Ostgalizien 1941–1944. Organisation und Durchführung eines staatlichen Massenverbrechens, München 1996.

[61] Der Bericht Korherrs ist veröffentlicht worden in der Dokumentensammlung: Eksterminacja Żydów, S. 321, 338.

[62] PODHORIZER-SANDEL, O zagładzie; vgl. auch die Ergebnisse Frank Golczewskis in: Dimension des Völkermords, S. 454.

[63] Bericht für März 1942 sowie Korrespondenz: APL, GDL, Sign. 893, Bl. 162, 184, 223, 230.

gesamt 22 000 Menschen ein. Die größten Deportationen aus dem Distrikt Krakau fanden im August 1942 statt, als über 58 000 Juden nach Belzec geschafft wurden. Sie stammten aus den Kreisen Przemysl, Nowy Targ, Krakau, Jaslo und Krosno. Rund 18 500 Menschen kamen im September aus den Kreisen Tarnow, Krakau und Sanok. Im Oktober trafen 6000 Juden aus Krakau ein, im November dann wiederum 12 070 Menschen aus den Kreisen Rzeszow, Krakau und Przemysl. Der letzte, 400 Personen umfassende Transport traf im Dezember 1942 aus Krosno ein. Insgesamt wurden 129 270 Menschen aus dem Distrikt Krakau in das Lubliner Land deportiert.[64]

Die Liquidierung der Juden im Bezirk Krakau ging wie auch in den anderen Distrikten mit Massenmorden einher. Besonders blutig verlief die Aktion in den Ghettos Bochnia, Tarnow, Rzeszow, Przemysl und Debica sowie in Krakau selbst, wo im Oktober 1942 auf bestialische Weise ein Altenheim und ein Waisenhaus aufgelöst wurden. Ende 1942 befand sich in den Ghettos in Debica, Tarnow, Przemysl, Bochnia und Rzeszow sowie in den Arbeitslagern, unter anderem in Pustkow, Stalowa Wola, Szebnia, Plaszow, Mielec und Tarnobrzeg nur eine geringe Zahl von Juden. Diese Ghettos und die meisten Arbeitslager wurden 1943 aufgelöst; die Juden wurden von dort nach Auschwitz gebracht.

Im Oktober 1942 wurden Juden aus dem Distrikt Radom nach Belzec deportiert; zu Beginn der Besatzungszeit hatte es hier rund 360 000 jüdische Menschen gegeben.[65] Die Vernichtungswelle war hier relativ spät angekommen, was mit Transportproblemen und dem gewaltigen Bedarf an Arbeitskräften in den hier befindlichen Industriebetrieben zusammenhing. Erst im August 1942 begannen die Deportationen nach Treblinka mit dem Abtransport der ersten Juden aus Radom. Bis Mitte November 1942 wurden fast alle jüdischen Wohngebiete aufgelöst. Nur in den vier zweitrangigen Ghettos Sandomierz, Szydlowiec, Radomsko und Ujazd wurden jene konzentriert, die überlebt hatten. Sie blieben hier bis 1943 und wurden dann in Arbeitslagern zusammengefasst, u.a. in Kielce im Lager „Hasag-Granat", in der Munitionsfabrik „Hasag" in Skarzysko-Kamienna, in den Metallwerken Tschenstochau sowie in Blizyn.

---

[64] GILBERT, Endlösung; ARAD, Belzec, S. 387–388. Arad gibt überhöhte Daten an und zählt den Kreis Przemysl, der zum Distrikt Krakau gehörte, fälschlich zum Distrikt Galizien.

[65] ADAM RUTKOWSKI, Martyrologia, walka i zagłada ludności żydowskiej w dystrykcie radomskim podczas okupacji hitlerowskiej, in: BŻIH, Nr. 15–16 (1955), S. 77.

Die große Mehrzahl der Juden aus dem Distrikt Radom wurde nach Auschwitz und Treblinka deportiert. Nur 8330 kamen nach Belzec, darunter 5000 aus Zawichost und 3329 aus Sandomierz.[66]

Die Transporte nach Majdanek und in die SS-Arbeitslager im Distrikt Lublin 1942 und 1943

Die Vernichtung der Juden verursachte einen Arbeitermangel in der Industrie, insbesondere in der Rüstungsindustrie, weshalb die für den militärischen Bedarf produzierenden Unternehmen bei den für die Vernichtung zuständigen SS- und Polizeibehörden intervenierten und den vorläufigen Verbleib der jüdischen Belegschaften oder ihre Ersetzung durch Polen beantragten. Ersatz war allerdings nicht leicht zu beschaffen, da die Verschleppung von Polen zur Zwangsarbeit in das Reich zunahm. In Zusammenhang damit ordnete Heinrich Himmler durch eine Weisung vom 9. Oktober 1942 an, alle jüdischen Arbeiter, die für den Rüstungssektor arbeiteten, in besonderen Lagern in Warschau und Lublin zu konzentrieren, in deren Nähe Industrieunternehmen unter SS-Verwaltung entstehen sollten.

In den Lagern im Distrikt Lublin sollten hauptsächlich Juden aus dem Warschauer Ghetto in der Produktion beschäftigt werden, worum sich der SSPF des Distrikts, Odilo Globocnik, intensiv bemühte. In Warschau bestanden große Unternehmen der Bekleidungs-, Pelz- und Schuhindustrie sowie Bürstenmacher-, Sattler-, Tischlerwerkstätten und andere. Die Zahl der Juden, die sich im Januar 1942 im dortigen Ghetto befanden, wird mit 400 000 angegeben, im gesamten Distrikt Warschau lebten seinerzeit 520 925.[67] Im Frühjahr 1942 wurde die jüdische Bevölkerung aus einigen bei Warschau gelegenen Ortschaften in das Warschauer Ghetto gepfercht. Sie blieb hier bis zum Beginn der Großen Deportation am 22. Juli 1942. Diese Aktion, in deren Rahmen die Juden nach Treblinka gebracht wurden, dauerte bis zum 21. September. Das Recht zum Verbleib im Ghetto war 32 000 bis 35 000 Fachleuten zuerkannt worden, doch blieben in Wirklichkeit viel mehr zurück.

Himmler wies am 9. Januar 1943 den HSSPF des Generalgouvernements, Friedrich Wilhelm Krüger, an, die Warschauer Betriebe zusammen mit mehr als 10 000 Juden in die Lubliner Lager zu verlegen. Die ersten Transporte

---

[66] Ebd., S. 109; CZESŁAW MADAJCZYK, Polityka III Rzeszy w okupowanej Polsce, Bd. 2, Warszawa 1970, Band 2, S. 323.

[67] TATIANA BERENSTEIN/ADAM RUTKOWSKI, Liczba ludności żydowskiej i obszar przez nią zamieszkiwany w Warszawie w latach okupacji hitlerowskiej, in: BŻIH Nr. 26 (1958), S. 79; BARBARA ENGELKING/JACEK LEOCIAK, Getto warszawskie. Przewodnik po nieistniejącym mieście, Warszawa 2001, S. 103.

von Handwerkern hatten bereits vor dieser Anordnung stattgefunden, näm-
lich im Juli 1942, als 400 Männer in das Lager an der Lipowa-Straße einge-
wiesen wurden. Zwischen August und November 1942 kamen weitere
Transporte; unter anderem wurden am 15. August 1942 1500 Warschauer
Juden nach Majdanek gebracht, im Oktober weitere 2000 Menschen. Insgesamt wurden rund 5000 Juden von Warschau nach Lublin deportiert.[68]
Am 2. Februar 1943 teilte Dr. Ferdinand von Sammern-Frankenegg, der
SS- und Polizeiführer für den Distrikt Warschau, Himmler mit, dass die
Vorbereitungen zur Auflösung der Betriebe im Warschauer Ghetto und zu
ihrer Verlegung mit den Belegschaften in die Lubliner Arbeitslager beendet
worden seien. Die Deportationen sollten am 3. Februar 1943 beginnen. Der
bewaffnete Widerstand der Ghettoeinwohner führte jedoch dazu, dass 1943
die ersten Transporte aus Warschau erst im April in den Distrikt Lublin
gelangten. Sie wurden in die so genannten Produktionsarbeitslager der SS in
Budzyn, Lublin, Poniatowa und Trawniki eingewiesen. In das Lager Poniatowa wurden im April und Mai 1943 rund 15 000 Juden geschickt, Arbeiter
der Textilfabrik „Walter Caspar Toeboens". Zur selben Zeit wurden rund
10 000 Arbeiter der Firma „Fritz Schulz & Co" eingewiesen, die Rauchwa-
ren-, Bürstenmacher- und Schneiderwerkstätten betrieb.[69] Auch nach Lublin
kamen nun rund 16 000 Warschauer Juden, die teilweise in das Lager
Majdanek gebracht wurden, unter anderen am 27. April 1943 rund 3500
Personen. Die nächsten Transporte aus Warschau trafen am 28. und 30.
April 1943 ein. Auch zwischen dem 1. und 4. Mai kamen Transporte mit
Warschauer Juden, doch fehlen hier Daten über ihren Umfang. Am 7. Mai
1943 traf ein Transport mit 1290 Personen ein (529 Frauen und 761 Männer), am 8. Mai kamen 761 Männer, am 9. Mai 1442 Personen (547 Frauen
und 895 Männer), am 10. Mai 1371 Personen (496 Frauen und 875 Männer), am 14. Mai 459 Männer. In vielen Transporten gab es auch Kinder.
Im Lager fand eine Selektion statt, nach der nur junge und gesunde Menschen am Leben blieben, die sich zur Arbeit eigneten.[70] Ein Teil der Juden

---

[68] EISENBACH, Hitlerowska polityka, S. 431; MARK, Walka; BERENSTEIN, Żydzi warszawscy, S. 63, 65; JÓZEF MARSZAŁEK, Żydzi warszawscy w Lublinie i na Lubelszczyźnie w
latach 1940–1944, in: Żydzi w Lublinie. Materiały do dziejów społeczności żydowskiej
Lublina, hg. v. TADEUSZ RADZIK, Lublin 1995, S. 264 f.

[69] LESZCZYŃSKA, Kronika, S. 95; RYSZARD GICEWICZ, Obóz pracy w Poniatowej
(1941–1943), in: Zeszyty Majdanka 10 (1980), S. 90–98; APMM, VII-643. Erinnerungen von
Juden, S. 201–211; EISENBACH, Hitlerowska polityka, S. 415.

[70] In den Warschauer Transporten befanden sich auch viele Vertreter der Wissenschaften
und der Künste sowie das gesamte weibliche Personal des Krankenhauses „Na Czystem",
darunter 22 Ärztinnen und 40 Krankenschwestern. APMM, Fot. 31 und 597. Benachrichti-
gung über die Ankunft von Transporten aus Warschau; ebd., VII-65. Bericht von Edward
Karabanik, S. 87 ff.; LESZCZYŃSKA, Kronika, S. 156–165; MADAJCZYK, Polityka III, Bd. 2,

aus Warschau wurde auch in das Lager Budzyn geschickt, so traf hier in den letzten Apriltagen 1943 ein 800 Personen zählender Transport ein.[71]

Insgesamt wurden im April und Mai 1943 rund 40 000 Juden aus Warschau in das Lubliner Land deportiert, was 75 Prozent der noch verbliebenen Ghettoeinwohner ausmachte.[72] Gemeinsam mit den im Vorjahr deportierten Juden betrug ihre Zahl 45 000. Anfangs wurden die Arbeitsfähigen beschäftigt, dann ermordet. Die meisten kamen bei der Massenhinrichtung ums Leben, die am 3. November 1943 im Rahmen der Aktion „Erntefest" stattfand.

Im August und September 1943 wurden einige Transporte aus dem am 1. August 1941 eingerichteten Ghetto Bialystok in den Distrikt Lublin geleitet. Nach Berechnungen Szymon Datners lebten vor dem 22. Juni 1941, dem Beginn des Angriffs auf die Sowjetunion, im künftigen Bezirk Bialystok rund 350 000 Juden.[73] Viele von ihnen flohen gleich nach dem Einmarsch der Deutschen nach Osten, da sie sich darüber klar waren, was sie erwarten würde. Die Massenvernichtung in der Ostpreußen angegliederten „Provinz Bialystok" begann am 2. September 1942. Im Laufe weniger Tage wurde die jüdische Bevölkerung der Städtchen und Dörfer in fünf Sammellagern zusammengeführt (Bogusze, Bialystok, Kielbasin, Wolkowysk und Zambrow) und anschließend nach Auschwitz und Treblinka gebracht, wobei mehrere Tausend ermordet wurden. Lediglich einige jüdische Wohngebiete blieben erhalten, unter anderem in Bialystok, Jasionowka und Pruzany sowie teilweise in Grodno, Krynki und Sokolka. Sie wurden im ersten Quartal 1943 aufgelöst. Seit März 1943 war der Bezirk Bialystok „judenrein", ausgenommen Bialystok selbst. Die endgültige Auflösung des dortigen Ghettos begann am 16. August 1943. Bewaffneter Widerstand der verzweifelten Juden konnte die Deportationen kurzzeitig aufschieben. Die meisten Einwohner des Ghettos, deren Zahl auf 35 000 bis 40 000 geschätzt wird,

---

S. 322; TATIANA BERENSTEIN/ADAM RUTKOWSKI, Żydzi w obozie koncentracyjnym Majdanek (1941–1944), in: BŻIH, Nr. 58, 1966, S. 3–57, S. 38 f.; HALINA BIRENBAUM, Nadzieja umiera ostatnia, Warszawa 1988, S. 84–115.

[71] APMM, Fot. Nr. 171. Verhörprotokoll Ignacy Falk, S. 38 f. Odilo Globocnik gab in einer Notiz vom 21.4.43 über den Ausbau der jüdischen Arbeitslager im Distrikt Lublin an, dass sich unter seiner Kontrolle in den Lagern in Poniatowa, Budzyn, Trawniki Deutsche Ausrüstungswerke (DAW), Bekleidungswerke (BKW) und im Konzentrationslager Majdanek rund 45 000 Juden befanden. HELGE GRABITZ/WOLFGANG SCHEFFLER, Letzte Spuren. Ghetto Warschau, Arbeitslager Trawniki, Aktion Erntefest, Berlin 1988, S. 324–327.

[72] ISRAEL GUTMANN, Żydzi warszawscy 1939–1943. Getto - podziemie - walka, Warszawa 1993, S. 552.

[73] SZYMON DATNER, Eksterminacja ludności żydowskiej w Okręgu Białostockim, in: BŻIH, Nr. 60 (1966), S. 8.

wurden nach Treblinka gebracht, über 11 000 in das Lubliner Land, darunter ein Teil in das Lager Majdanek.[74]

Die Transporte aus Bialystok nach Majdanek waren die letzten Massentransporte von Juden, die in den Distrikt Lublin gingen. Bis Ende 1943 sowie 1944 trafen nur noch vereinzelte kleine Gruppen ein, hauptsächlich aus Auschwitz nach Majdanek.

Zusammenfassung

Insgesamt kamen zwischen 1939 und 1943 mindestens 640 000 Juden in den Distrikt Lublin. Davon wurden im ersten Zeitraum, zwischen 1939 und 1941, als die Deportationen im Rahmen der NS-Umsiedlungspolitik erfolgten, deren Zweck es war, die Juden aus dem „deutschen Lebensraum" zu entfernen und als Arbeitskräfte zu nutzen, 64 430 deportiert. In den folgenden Jahren 1942 und 1943, also nach der Wannsee-Konferenz, als die Deportationen zum Bestandteil des Vernichtungsprozesses wurden, gelangten 575 450 Juden in den Distrikt Lublin. Die größte Konzentration von Transporten gab es 1942, also während der intensiven Umsetzung der Aktion Reinhardt.

Tab. 8: Deportationen von Juden in den Distrikt Lublin zwischen 1939 und 1943

Jahr	Zahl der Deportierten
1939	15 000
1940	32 010
1941	17 420
1942	473 240
1943	102 210
Summe	639 880

Von dieser Zahl stammte die große Mehrheit – 518 430 Menschen – aus polnischen Gebieten, 121 450 aus anderen Ländern. Die meisten Juden wurden aus dem Distrikt Galizien in das Lubliner Land deportiert – 251 700 Menschen. Den zweiten Platz nimmt der Distrikt Krakau mit 134 700 Menschen ein, den dritten der Distrikt Warschau mit 52 450 Menschen. Die

---

[74] Ebd., S. 12; FRANCISZEK ZĄBECKI, Wspomnienia, S. 98; BERNARD MARK, Ruch oporu w getcie białostockim. Samoobrona – zagłada – powstanie, Warszawa 1952; YITZHAK ARAD, Belzec, S. 396 f.; FRANCISZEK PIPER, Ilu ludzi, S. 68, 106 f. Die meisten Juden aus den Bezirken Bialystok und Ciechanow kamen in Treblinka und Auschwitz um.

weiteren Ränge entfallen auf die Slowakei (39 890), die Niederlande (34 310), die an das Reich angegliederten polnischen Westgebiete (30 800), auf das so genannte Altreich (20 250), auf den Distrikt Radom (17 780), Böhmen und Mähren (14 000), das Reichskommissariat Ostland (12 700), den Bezirk Bialystok (11 200), Österreich (9000), Gefangenenlager im Reich und auf polnischem Boden (7100) sowie Frankreich (4000). Nur wenigen gelang es zu überleben. Die meisten kamen in Belzec, Sobibor und Majdanek ums Leben, viele aber auch in den Ghettos und Arbeitslagern.

Dies sind mit Sicherheit nicht alle Juden, die während des Zweiten Weltkriegs in den Distrikt Lublin deportiert wurden. Zu einigen Transporten sind nur Hinweise erhalten, ohne dass ihre Größe bekannt ist. Es besteht heute keine Möglichkeit mehr, genau festzustellen, wie viele einzelne Juden auf der Flucht vor Verfolgung eintrafen, also unabhängig von den organisierten Transporten. Genauere Berechnungen werden durch die großen Lücken in den Archivmaterialien und das Fehlen von Einzelstudien über den Verlauf der Aktion Reinhardt in den einzelnen Distrikten erschwert.

DAVID SILBERKLANG

DIE JUDEN UND DIE ERSTEN DEPORTATIONEN AUS DEM DISTRIKT LUBLIN

Im Februar 1942 wurde Bertha Langer, eine 65-jährige Jüdin, die allein in Brünn im mährischen Teil des so genannten Protektorats Böhmen und Mähren lebte, krank. Als ihre Tochter Therese Borger im Lubliner Ghetto davon erfuhr, beschloss sie, ihre Mutter zu sich zu holen, um sie zu pflegen. Sie bat den Judenrat brieflich um eine Bescheinigung für die deutschen Behörden, in der bestätigt wurde, dass sie die finanziellen Mittel besaß, um für den Unterhalt ihrer Mutter aufzukommen. Am 23. Februar reichte sie bei der Abteilung Bevölkerungswesen und Fürsorge (BuF) der Distriktver-waltung zusammen mit dieser Bescheinigung den Antrag ein, ihre Mutter nach Lublin zu bringen. Am nächsten Tag leitete BuF-Chef Richard Türk den Antrag an den Bürgermeister von Brünn weiter, dessen zustimmende Antwort am 20. März in Türks Büro einging. Da Türk und seine Abteilung jedoch mit den Massendeportationen von Juden nach Belzec, die am 17. März begonnen hatten, voll ausgelastet waren, vergingen weitere sechs Tage, bis sich der BuF-Chef dieser Angelegenheit zuwandte. Am 26. März, inmitten von Deportationen und Mordaktionen, teilte er Therese Borger mit, dass die Umsiedlung ihrer Mutter nach Lublin genehmigt worden sei. Am 31. März traf Bertha Langer in Lublin ein. Ihr Zug wurde höchstwahr-scheinlich von Türk und SS-Obersturmführer Helmut Pohl vom Stab der „Aktion Reinhard" oder ihren Vertretern in Empfang genommen. Danach wurde Bertha Langer tatsächlich umgesiedelt, in des Wortes voller national-sozialistischer Bedeutung.[1]

Die Geschichte von Therese Borger und Bertha Langer verweist auf einige Fragen im Zusammenhang mit den Deportationen in den Distrikt Lublin des Generalgouvernements im Jahr 1942. Der erste Punkt ist, dass

---

[1] Siehe die Bescheinigung des Judenrats über die finanziellen Mittel von Therese Borger, 21. Februar 1942, unterzeichnet vom Vorsitzenden des Judenrats, Henryk Bekker; Therese Borger an BuF Lublin, 23. Februar 1942; Türk an Bürgermeister, Brünn, 24. Februar 1942; Dr. Karafiat, Obermagistrat, Brünn, an Gouverneur, Distrikt Lublin, 10. März 1942; Türk an Therese Borger, 26. März 1942; Zentralstelle für jüdische Auswanderung Prag an Gouver-neur, Lublin, 30. April 1942, alles in: Yad Vashem Archiv (fortan: YVA), O.53/83.

Juden unter der NS-Herrschaft miteinander kommunizieren konnten, wenn auch in engen Grenzen. Deshalb konnte Therese Borger von der Krankheit ihrer Mutter erfahren. Der zweite Punkt ist, dass Juden im Allgemeinen – in diesem Fall Therese Borger, der Lubliner Judenrat und Bertha Langer – weder wussten noch ahnten, was die Deutschen mit ihnen vorhatten. Darüber hinaus enthält diese Episode Belege für die deutschen Planungen der Deportationen und die Täuschung der Juden. In diesem Beitrag werden wir uns am Anfang kurz mit den Vorgängen beschäftigen, die als „Aktion Reinhard" bekannt werden sollten, und untersuchen, was die Juden im Distrikt Lublin über die Deportationen in den Tod, die sie 1942 miterlebten, wussten oder vermuteten. Es handelte sich um die ersten Juden im General-gouvernement, die in ein Vernichtungslager deportiert wurden, und hier testeten und verbesserten die Deutschen ihre Methoden. Viele Juden kommunizierten mit anderswo lebenden Juden. Sie berichteten, was in ihren Wohnorten geschah und wie sie es interpretierten, und ihre Mitteilungen und Beobachtungen gehörten zu den ersten Meldungen über die Deportationen polnischer Juden.

Die Lage der Juden vor den Deportationen

Um die Wahrnehmungen und Reaktionen der Juden besser zu verstehen, wollen wir einen kurzen Blick auf ihre Lage am Vorabend der Deportationen werfen. An den meisten Orten im Distrikt Lublin erlebten die Juden Ende 1941, Anfang 1942 eine Verschlechterung der Lebensbedingungen und der Behandlung, die sie von den Deutschen erfuhren. Die Bestrafungen für „Vergehen" wurden härter, die Restriktionen schärfer, Krankheiten griffen um sich, und die Sterblichkeit nahm zu, während Wintermäntel und Pelze beschlagnahmt wurden. Gleichzeitig wurden Informationssplitter und Ge-rüchte über Morde auf sowjetischem Territorium bekannt, und bereits am 4. Oktober 1941 waren dem Judenrat von Lublin Gerüchte über bevorstehende drastische Veränderungen im Ghetto zu Ohren gekommen – ein Euphemis-mus für Liquidation.[2] Auch von Diskussionen über Deportationen in den Distrikt Lublin, die im Januar 1942 unter den Deutschen in der Stadt geführt

---

[2] Teudot mi-Getto. Lublin Judenrat le-lo Dereh, hg. v. NACHMAN BLUMENTHAL, Jerusa-lem 1967, Protokoll 46 (107), 4. Oktober 1941, S. 272, siehe auch Protokoll 8 (132), 18. Februar 1942, S. 303, Anm. 3. Blumenthals Beobachtung trifft zu – die Kürze des Protokolls einer Besprechung, in der Marek Alten, der stellvertretende Vorsitzende des Lubliner Juden-rats, berichtete, was er auf einer Sitzung der Jüdischen Sozialen Selbsthilfe in Krakau erfahren hatte, ist vielsagend.

wurden, hatten die Juden offenbar erfahren.[3] Zudem waren sie nach der Wannsee-Konferenz Gegenstand einer neuen Volkszählung[4] und einer Durchsiebung nach Arbeitskräften. Wer in Lublin Arbeit hatte, erhielt am 8. März 1942 eine neue Arbeitskarte mit Sipo-Stempel.[5] Für viele war dies ein Augenblick großer Angst, und man hatte das Gefühl, dass es besser wäre, sich den neuen Stempel zu holen. Es herrschte weithin der Verdacht, dass eine neue Vertreibung bevorstünde, die noch umfangreicher sein würde als die vom März 1941.

Im Rahmen dieser allgemeinen Verschlechterung und zunehmenden Befürchtungen gab es jedoch lokale Unterschiede. Beispielsweise hatten auf dem Land lebende Juden weniger unter dieser Entwicklung zu leiden als städtische Juden. Auf dem Land lebten Anfang 1942 viele immer noch in ihren Wohnungen, bekamen selten einen Deutschen zu Gesicht und verfügten über mehr Lebensmittel als städtische Juden.[6] Es war eine Periode des Umbruchs und auch der Widersprüche. In Lublin, wo sich die Zustände in dieser Phase erheblich verschlechterten, beschäftigte sich der Judenrat – 30 Tage vor dem Beginn der Deportationen nach Belzec und vor dem Hin-

---

[3] Zu Juden aus dem Distrikt, die von der Absicht erfuhren, Juden aus Mielec zu deportieren, siehe: Notiz von Türk über die Umsiedlung nach Cholm und Hrubieszow, 20. Januar 1942; Türk an Ragger, 29. Januar 1942, YVA, O.51/10. Eine frühe deutsche Diskussion über die Deportation der Juden von Mielec findet sich in: Telegramme von Türk an Major Ragger, 6. und 21. Januar 1942, in: Dokumenty i Materiały do Dziejów Okupacji Niemieckiej w Polsce, Bd. 2: Akcje i Wysiedlenia, hg. v. JÓZEF KERMISZ, Warszawa, Łódź, Kraków 1946, S. 10–14; BuF Lublin an BuF Cholm, 9. Januar 1942, in: Wojewódstwo Archiwum Panstwowe w Lublinie (WAPL), Gouverneur des Distrikts Lublin (GDL) 893 (Kopie in: YVA, O.51/10); Türk an BuF Hrubieszow, 9. Januar 1942, und Reuter, BuF Lublin, an Ragger, 23. Januar 1942, WAPL, GDL 893 (Kopien in: YVA, JM/10455 und O.53/83). Siehe auch: Korrespondenz zwischen Weirauch von der Hauptabteilung Inneres der Regierung des Generalgouvernements und den BuF-Abteilungen in Cholm, Radzyn, Zamosc und Hrubieszow, 9.–10. Februar 1942, in: Dokumenty i Materialy, Bd. 2, S. 15–19. Diese Juden wurden im März in den Distrikt Lublin deportiert.

[4] BuF Krakau an BuF der Distrikte über „Gettobildung und Angabe der Einwohnerzahl", 20. Januar 1942, in: WAPL, GDL 270 (Kopie in: YVA, JM 10458); Dr. Steinbach, Dienststelle des Stadthauptmanns von Lublin, an den Judenrat, 30. Januar 1942, in: WAPL, Rada Żydowska w Lublinie (RZ) 24 (Kopie in: YVA, O.6/390).

[5] Teudot mi-Getto, Protokoll 12 (136), 7. März 1942, S. 63, 307–308; Aussage von Klajnman-Fradkopf, in: YVA, O.33/1134; Landgericht Wiesbaden, Urteil gegen Josef Hermann Worthoff, 8 Ks 1/70, in: YVA, TR.10/859 (fortan: Worthoff-Urteil), S. 49; DIETER POHL, Von der „Judenpolitik" zum Judenmord. Der Distrikt Lublin des Generalgouvernements 1939–1944, Frankfurt/M. u. a. 1993, S. 110 f., 123 f.

[6] Siehe z. B. folgende Briefe: Hanka an ihre Freundinnen über Sosnowice, 25. Januar 1942, in: YVA, M.10.AR.1/574; Josef Kirszenfeld in Bilgoraj an Hersz Wasser in Warschau, 27. Juli 1941, 15. Februar und 15. März 1942, in: YVA, M.10.AR.1/584 (auch in: YVA, JM 3489); HAROLD WERNER, Partisan im Zweiten Weltkrieg. Erinnerungen eines polnischen Juden, Lüneburg 1999, S. 50 ff., 94, 98 f.

tergrund von Gerüchten über eine drohende drastische Veränderung zum Schlechteren für die Lubliner Juden – immer noch mit Plänen zur Herstellung und Verteilung der Matze für das im April bevorstehende Pessachfest.[7] Und während die Juden in den meisten Orten zunehmenden Einschränkungen unterworfen waren, konnten sie anderswo noch bis weit in das Jahr 1942 hinein öffentliche Gottesdienste abhalten.[8]

Diese Widersprüche im Rahmen eines allgemeinen Trends zur Verschlechterung erschwerten es den Juden, ihre Lage richtig einzuschätzen. Genauso wenig hatten die in zwei Jahren im Umgang mit schwierigen Umständen und brutaler Behandlung gesammelten Erfahrungen sie auf das vorbereitet, was schließlich vom 16. März 1942 an über sie hereinbrach. Die Ursachen dafür lagen in eben diesen Umständen und in der Natur dieser bitteren Erfahrungen sowie in dem begrenzten Aspekt des Krieges in der Sowjetunion, dessen Zeuge sie wurden.

Obwohl sich ihre Lebensumstände deutlich verschlechterten, waren diese Menschen noch relativ besser dran als viele ihrer Verwandten und Freunde anderswo. Anfang 1942 waren die meisten Juden im Distrikt Lublin noch nicht in geschlossenen Ghettos eingesperrt; auch verhungern mussten sie nicht. Tatsächlich konnten einige von ihnen ihre eigene Lage mit derjenigen der Juden in Warschau und anderen Städten vergleichen, entweder aufgrund von Begegnungen mit Flüchtlingen, die in dieser Zeit weiterhin in geringer Zahl in den Distrikt kamen, oder anhand des Briefwechsels mit anderen Juden oder durch ihre Kontakte zu Polen.[9] Die Korrespondenz zwischen Juden ist ein bedeutender Aspekt der Entwicklung in dieser Phase, den man bei der Untersuchung der Lage der Juden unter der NS-Herrschaft im Auge behalten sollte. Die Kommunikation über verschiedene Kanäle – durch die auf Drängen der Deutschen geschaffene separate jüdische Post, über die Judenräte, durch Kuriere und sogar per Telefon – war seit dem Beginn der deutschen Besatzung nie abgebrochen. In den ersten beiden Kriegsjahren hatte die umfangreiche Kommunikation unter den Juden sowohl Kontakte zur Außenwelt und Hoffnung als auch in begrenztem Umfang materielle Unterstützung gebracht. Die Postabteilung des Lubliner Judenrats berichtete im Herbst 1940, sie habe im laufenden Jahr bis zu diesem Zeitpunkt 135 274 Postsendungen bearbeitet. Fast 90 Prozent davon waren ankommende Sen-

---

[7] Teudot mi-Getto, Protokoll 7 (131), S. 303.

[8] Siehe z. B.: Aussage von Rivka Dawidowicz über Goraj, in: YVA, O.3/4478; Aussage von Moshe Zylberszpan über Stezyce, in: YVA, M.49.E/4137; Aussage von Fiszelson im June 1942 über Zamosc, in: YVA, M.10.AR.1/946.

[9] Deutsche Dienststellen beklagten sich über den ständigen Zuzug von Flüchtlingen aus dem Distrikt Warschau (siehe z. B.: Gendarmerie Lukow an BuF Lublin, 12. November 1941, in: YVA, O.53/83).

dungen gewesen, aber es waren auch 15 000 Briefe aus Lublin verschickt worden.[10] Allerdings waren Inhalt und Umfang der Korrespondenz durch deutsche Vorschriften stark eingeschränkt, und die Kriegsbedingungen sowie der tägliche Überlebenskampf hatten zur Folge, dass die Menge der Briefe erheblich geringer war als in normalen Zeiten. Doch innerhalb dieser Grenzen brachte diese Kommunikation einen Schimmer von Normalität und Hoffnung in das Leben der Juden. Zusammen mit Umfang und Verschiedenartigkeit der Kommunikation stellt dieser Schimmer einen wichtigen Hintergrundaspekt dar, der für die im Frühjahr 1942 beginnenden Deportationen von Bedeutung ist.

Auch der Vergleich mit der Lage der kriegsgefangenen Rotarmisten, die in Lagern in Cholm, Wlodawa, Deblin, Zamosc, Majdanek und anderswo eingesperrt waren, fiel für die Juden im Distrikt Lublin positiv aus. Jüdische Arbeiter wurden häufig zusammen mit oder in Sichtweite von sowjetischen Kriegsgefangenen eingesetzt, und sie berichteten ihren Gemeinden über die furchtbaren Bedingungen, unter denen die Rotarmisten darbten und zu Tausenden starben. Es gab sogar jüdische Gemeinden, die versuchten, den abgehärmten, verhungernden Kriegsgefangenen in ihrer Nähe Lebensmittel zukommen zu lassen.[11]

So war das Bild, das sich den Juden im Distrikt Lublin am Vorabend der Deportationen bot, einerseits eines des Umbruchs, andererseits zeigte es keine substanzielle, sondern nur eine graduelle Veränderung. Wenn es ihnen inmitten eines erneuten Krieges und des massiven Sterbens auf allen Seiten weiterhin gelang, sich durchzuschlagen, und das vielleicht sogar besser als anderen, dann waren sie mit zwar beunruhigenden, aber keinesfalls bedrohlichen Umständen konfrontiert. Deshalb kam der Wechsel zu massiv gewalttätigen Deportationen im März 1942 für sie überraschend – wie ein Blitz aus heiterem Himmel. Sie wurden völlig überrumpelt.

Der Beginn der Deportationen

Die Deportationen von Lublin nach Belzec begannen in der Nacht vom 16. auf den 17. März 1942. Am 15. März schrieb die Warschauer zionistische Untergrundkämpferin Zivia Lubetkin in verschlüsselter Sprache an Nathan Schwalb, den Repräsentanten von He-Haluz in der Schweiz, der „shohet" (Schlächter) sei in Wilnicki (das heißt in Lublin, wo sich der Aktivist Mo-

---

[10] WAPL, RZ 21, 22, 52; Jahresbericht des Lubliner Judenrats, in: WAPL, RZ 8, S. 69 f. (Kopie in: YVA, O.6/389); Teudot mi-Getto, Protokoll 2 (63), 5. Februar 1941, S. 213.

[11] Siehe z. B. ZYGMUNT KLUKOWSKI, Diary from the Years of Occupation, 1939–1944, Urbana, Chicago, Ill., 1993, S. 173.

sche Wilnicki damals aufhielt) angekommen. Sie fürchte, er werde auch nach Warschau und dann in die *hachschara*-Ausbildungszentren kommen.[12] Was sie meinte, war, dass die Konzentration von Trawniki-Einheiten in Lublin keine bloße Übung darstellte. Am 16. März wurden die beiden Kompanien von in Trawniki ausgebildeten „Hiwis" (Rotarmisten, die zu den Deutschen übergelaufen waren) mit etwa 200 bis 250 Mann, die im Februar und März 1942 nach Lublin abkommandiert worden waren, durch Einheiten in gleicher Größe ergänzt.[13] Diese Truppen vereinigten sich mit den örtlichen SS-Einheiten von SS-Gruppenführer Odilo Globocnik, um sämtliche Lubliner Juden, mit Ausnahme einer kleinen Gruppe von Facharbeitern, zu deportieren.[14]

Während die Deportationstruppen um zehn Uhr abends aufmarschierten, um das Ghetto abzuriegeln, wurde der Judenrat zu einer außerordentlichen Sitzung zusammengerufen, auf der der SS-Hauptsturmführer Hermann Worthoff, der Befehlshaber der Deportationsoperation vor Ort, die „Umsiedlungs"-Anordnung verlas. Juden, die am 8. März eine neue Arbeitskarte erhalten hatten, müssten bis zum 19. März in das Ghetto B (das „Kleine Ghetto") umziehen. Die tägliche „Umsiedlungs"-Quote liege bei 1400; jeder dürfe 15 Kilogramm Gepäck mitnehmen. Wer sich nach einer entsprechenden Aufforderung nicht stelle, werde standrechtlich erschossen. Die Operation sei systematisch, Straße für Straße, von einem Ende des Ghettos A zum anderen durchzuführen, so dass es sich schrittweise verkleinere, bis es völlig verschwunden sei. Wohin die Deportierten gebracht werden und was sie dort tun sollten, ging aus der von Worthoff verlesenen Anordnung nicht hervor. Aber die Bestimmung, dass die Toten umgehend zu begraben seien, verhieß nichts Gutes.[15]

Worthoff richtete seinen Befehlsstand für die Dauer der Operation im Café der als Spitzel tätigen jüdischen Unterweltgröße Shamai Grajer ein.

---

[12] Mikhteve halutsim mi-Polin ha-kevushah, 1940–1944, hg. v. RUTH ZARIZ, Ramat Efal, Israel, 1994, S. 133 f.

[13] Landgericht [LG] Hamburg, Verfahren gegen Karl Richard Josef Streibel u. a., 147 Js 43/69, in: YVA, TR.10/756 (fortan: Streibel-Verfahren), S. 71–76; LG Hamburg, Schwurgericht, Urteil in der Strafsache gegen Karl Richard Josef Streibel u. a., 147 Ks 1/72, in: YVA, TR.10/869 (fortan: Streibel-Urteil), Bd. 3, S. 325–327, Bd. 5, S. 5–19.

[14] Worthoff-Urteil, S. 50-78; Staatsanwaltschaft Wien, Anklageschrift gegen Ernst Lerch und Helmut Pohl, 17. November 1971, 15 St 2.696/62, in: YVA, TR.10/736 (fortan: Lerch-Anklage), S. 26–30; Streibel-Verfahren, S. 63–72; Aussage von Ida Rapoport-Glikstein, in: Entsiklopediah shel Galuyot, polnische Reihe, Bd. 5: Lublin, hg. v. NACHUM BLUMENTHAL/ MEIR KORZEN, Jerusalem, Tel Aviv 1957, S. 694; desgl. in: Dos bukh fun Lublin, Paris 1952, S. 395; SARAH ERLICHMAN-BANK, Bi-yede teme'im, Tel Aviv 1976, S. 36.

[15] Teudot mi-Getto, Protokoll 14 (138), 17. März 1942, S. 310–312; POHL, Von der „Judenpolitik" zum Judenmord, S. 114.

Der Telefonanschluss des Cafés ermöglichte die Koordination der verschiedenen Facetten der Operation, die als Modell für nachfolgende Deportationen überall im Generalgouvernement dienen sollte.[16] Am 17. März um 5.00 Uhr früh rissen die Deutschen und die Hiwis die Juden aus dem Schlaf und ließen ihnen nur wenige Minuten, um ihre Wohnungen zu verlassen. Die ersten Augenblicke der Razzia – die Überraschung, die bellenden Rufe der Deutschen und Ukrainer, die Schreie der Opfer, die Schläge und Schüsse – versetzten die Juden in Angst und Schrecken. Hinzu kamen die Todesdrohungen und die von den Zivilbehörden statuierten Exempel für den Fall, dass jemand zu entkommen versuchte.[17] Schüsse begleiteten jede Phase der Operation. Juden wurden erschossen, während sie ihre Wohnungen verließen, während sie von den Hiwis zur Sammelstelle in der Maharshal-Synagoge getrieben wurden und während sie zum Zug marschierten. Sobald ein Bereich des Ghettos gesäubert war, wurden Trawniki-Einheiten zurückgeschickt, um die Juden zu finden, die zu krank waren, um aufzustehen, oder sich versteckten. Sie alle wurden auf der Stelle erschossen. Die Brutalität war enorm: Die Straßen waren buchstäblich von Blut überströmt. Am Ende jedes Tages sammelte die spezielle jüdische Bestattungseinheit die Leichen im Ghetto und am Deportationsweg ein und begrub sie auf dem jüdischen Friedhof. Bis zum 29. März waren 18 000 Juden deportiert und mindestens 1000 erschossen worden.

Im weiteren Verlauf der Razzia zögerten immer mehr Juden, ihre Wohnungen zu verlassen, wenn sie dazu aufgefordert wurden, und viele versuchten sich in improvisierten Verstecken zu verbergen. Daraus erwuchsen den Deutschen einige Schwierigkeiten, und der Judenrat wurde beauftragt, eine Bekanntmachung auszuhängen, die die Juden aufforderte, sich „zu

---

[16] Die Darstellung der Lubliner Deportationen stützt sich auf viele Quellen, unter anderem: Worthoff-Urteil, S. 50–78; Streibel-Urteil, Bd. 5, S. 8 f., 21 f.; Zentrale Stelle der Landesjustizverwaltungen in Ludwigsburg [BA-ZdL], 208 AR-Z 268/59, S. 955 f. (Aussagen von SS-Mann Hellmuth Schneider, 18. Mai 1960 und 21. Januar 1961), 1098 und 1614 (Aussagen von Abwehroffizier Konrad Gallen, 12. September und 15. Dezember 1960), S. 3523, 3535 (Aussagen von Fritz Stöcker, 1.–6. Februar 1963), 4255–58 (Aussagen von Johannes Erich Kalich, März–April 1965); BA-ZdL, 208 AR-Z 74/60, Aussage von Georg Werk, 16. März 1964 (Nürnberg), S. 4882 f.; Lerch-Anklage, S. 26–30; Streibel-Verfahren, S. 63–72; Brief von Daniel Lewkowicz an seine Schwester, 29. März 1942, in: YVA, M.10.A.R.1/552 (auch in JM.3489); Aussage von Yeshayahu Wajsfisz, in: YVA, M.1.E/649; Rapoport-Glikstein in: Entsiklopediah shel Galuyot, polnische Reihe, Bd. 5, S. 694 f.; desgl. in: Dos bukh fun Lublin, S. 395; ERLICHMAN-BANK, Bi-yede teme'im, S. 36 f.

[17] Aussage von Klajnman-Fradkopf, in: YVA, O.33/1134; Aussage von Yehoshua Kaniel, in: YVA, O.3/10622; Vermerk von Dr. Hasse für den Kreishauptmann Lublin-Land, 17. März 1942, über ein Gerichtsurteil vom 17. März 1942, in: WAPL, Kreishauptmannschaft Lublin-Land 75 (Kopie in: YVA, O.53/82).

ihrem eigenen Besten" zur Umsiedlung zu melden. Doch deren Bereitschaft, sich zur Deportation zu melden, wurde dadurch nicht gestärkt.[18]

Von den Deportationen wurden nicht nur die Schwächsten und Hilflosesten – Waisen, Krankenhauspatienten und Altersheiminsassen –, sondern auch viele, die im Vollbesitz ihrer Kräfte waren, erfasst. Am 24. März wurden an vorher ausgehobenen Gräben außerhalb der Stadt fast 200 Kinder im Alter zwischen drei und 18 Jahren erschossen.[19] Am selben Tag wurden auch alle 100 Patienten sowie das Personal des Krankenhauses für ansteckende Krankheiten erschossen, während gleichzeitig im Hof des Altersheims etwa 90 seiner Bewohner ermordet wurden. Am 27. März um 4.00 Uhr früh weckten SS-Offiziere das Personal des Jüdischen Krankenhauses in der Lubartowska-Straße und wiesen es an, die 300 Patienten des Hauses bis 7.00 Uhr für die „Umsiedlung" fertig zu machen. Kinder, die die Gefahr spürten, schrien, dass sie gesund seien und nach Hause wollten. Die Krankenschwester Sarah Erlichman gewann den Eindruck, dass die Patienten, vielleicht wegen der Konfrontation mit ihrer eigenen Sterblichkeit, schneller als das Krankenhauspersonal begriffen, was sie erwartete. Die Hiwis umstellten das Krankenhaus und befahlen dem Personal, die Patienten zu den wartenden Fahrzeugen zu bringen, die sie ostwärts in Richtung Lubartow brachten, wo sie alle an einem Massengrab erschossen wurden.[20]

---

[18] WAPL, RZ 162; Teudot mi-Getto, S. 313.

[19] Worthoff-Urteil, S. 169 f.; Bericht über die Deportationen aus Lublin, März 1942, in: YVA, M.10.AR.1/1172; Aussage von Klajnamn-Fradkopf, in: YVA, O.33/1134, S. 24 f.; Aussage von Karol Mulak in: Faschismus – Getto – Massenmord. Dokumentation über Ausrottung und Widerstand der Juden in Polen während des Zweiten Weltkrieges, hg. v. TATIANA BERENSTEIN/ARTUR EISENBACH/BERNARD MARK/ADAM RUTKOWSKI, Berlin 1960, S. 272 f.; Aussage von Nahman Korn, in: Entsiklopediah shel Galuyot, polnische Reihe, Bd. 5, S. 730; JÓZEF KASPAREK, The Situation and Extermination of Jewish Population in Lublin during the Nazi Occupation (1939–1942), Sonderdruck aus Główna Komisja, International Scientific Session on Nazi Genocide in Poland and in Europe 1939–1945, 4.–12. April 1983, S. 9. Das genaue Datum der Erschießung der Waisenkinder ist umstritten; in der Mehrzahl der Quellen wird der 24. März angegeben, aber bei einigen wird auch der 1. oder 2. April genannt.

[20] ERLICHMAN-BANK, Bi-yede teme'im, S. 39–41; Aussage von Ida Rapoport-Glikstein, in: Entsiklopediah shel Galuyot, polnische Reihe, Bd. 5, S. 695; desgl. in: Dos bukh fun Lublin, S. 396; Aussage von Klajnman-Fradkopf, in: YVA, O.33/1134, S. 26; Aussage von Janina Kucharska (Sara Zygielwaks), in: YVA, JM 3536A; Bericht über die Deportationen aus Lublin, März 1942, in: YVA, M.10.AR.1/1172; „Gehenna Żydów Polskich Pod Okupacją Hitlerowską", Juli 1942, in: YVA, M.10.AR.1/144 (auch JM 3489); Worthoff-Urteil, S. 50–78; Lerch-Anklage, S. 26–30; Streibel-Verfahren, S. 63–72; Aussage von Moshe Zylberberg, in: YVA, M.1E/1402; KASPAREK, Situation and Extermination, S. 9. Sarah Erlichman-Bank, die damals Krankenschwester war, datiert den Mord an Patienten und Personal des Jüdischen Krankenhauses ebenso auf den 26. März wie der zeitgenössische Untergrundbericht „Gehenna Żydów Polskich", während Janina Kucharska, die als Ärztin dort arbeitete, den 27.

Am 29. März unterbrachen die Deutschen die Aktion. Zwei Tage später hielt Worthoff um 14 Uhr eine Sondersitzung des Judenrats ab. Die meisten Mitglieder wurden an diesem Tag entlassen und deportiert, und ein neuer, zwölfköpfiger Judenrat wurde gebildet, dem sechs alte und sechs neue Mitglieder angehörten. Letztere waren überwiegend von Worthoff benannte Spitzel. Worthoff verkündete, dass die Deportationen fortgesetzt werden würden; die Arbeitskarte mit dem Sipo-Stempel werde durch ein neues Dokument ersetzt, einen vom deutschen Bürgermeister der Stadt ausgegeben „J-Ausweis", der nicht für Angehörige gelte, was hieß, dass weiterhin Familien auseinander gerissen werden würden.[21]

Als die Deportationen aus Lublin am 14. April 1942 beendet wurden, waren etwa 30 000 Juden in Lager abtransportiert und mehrere Tausend erschossen worden. Die verbliebenen Juden erhielten an diesem Tag den Befehl, bis zum 19. April in ein neues eingezäuntes Ghetto im Vorort Majdan Tatarski umzuziehen. Aber das neue Ghetto bot allenfalls Platz für 2000 Menschen, während noch 7000 bis 8000 Juden in Lublin waren, von denen die Hälfte keinen J-Ausweis besaß. Um 5.00 Uhr früh am 20. April umstellten ukrainische Hiwis das Ghetto Majdan Tatarski, und Worthoffs Männer überprüften die Juden und teilten sie in zwei Gruppen ein – solche mit J-Ausweis und diejenigen ohne. An 3300 Menschen wurden neue Dokumente ausgegeben, während die fast 4000 „illegalen" Juden, die man erwischt hatte, nach Majdanek getrieben wurden, wo sie auf offenem Feld übernachten mussten. Am nächsten Tag wurden sie mehrere Kilometer nach Süden in Richtung Piaski gefahren und in den Krepiec-Wald geführt, wo sie an Massengräbern erschossen wurden, die sie zuvor selbst hatten ausheben müssen.[22]

März angibt. Nach dem Krieg war in Verfahren vor westdeutschen Gerichten vom 28. März die Rede, während Ida Rapoport-Glikstein den 1. April, das katholische Osterfest, als Datum nennt. Der Ostersonntag fiel in jenem Jahr jedoch auf den 29. März, einen Tag, an dem die Deutschen, wie alle Quellen übereinstimmend berichten, bei den Deportationen aus Lublin eine Pause einlegten. Ich verlasse mich in Bezug auf das Datum der Erschießung auf den zeitgenössischen Bericht und die Aussagen der Augenzeuginnen Erlichman-Bank und Kucharska.

[21] Worthoff-Urteil, S. 50–78; Streibel-Verfahren, S. 65; Teudot mi-Getto, Protokoll 16 (140), 31. März 1942, S. 314–318.

[22] Teudot mi-Getto, Protokolle 22 (146) und 23 (147), 14. und 19. April 1942, S. 324–327; Anordnung von Zörner, 16. April 1942, Moreshet Archive (MA), D.1.5868; Worthoff-Urteil, S. 194–200; Lerch-Anklage, S. 33–35; Streibel-Verfahren, S. 68; Vernehmung von Worthoff, September–November 1960, in: YVA, TR.10/1146Z, S. 1357; Rapoport-Glikstein, Aussage von Ida Rapoport-Glikstein, in: Entsiklopediah shel Galuyot, polnische Reihe, Bd. 5, S. 701–708; desgl. in: Dos bukh fun Lublin, S. 399–402.

„Verfeinerung" der Operation

Parallel zur „Behandlung" Zehntausender von Juden, die von außerhalb des
Distrikts transportiert wurden, um in die Mordaktion einbezogen zu werden,
verfeinerten die Deutschen ihre Methoden und dehnten die Operation auf den
gesamten Distrikt aus. Die Deportationen aus anderen Teilen des Distrikts
folgten im Allgemeinen – mit größerer Effizienz und häufig auch größerer
Brutalität – dem Lubliner Muster. Jeder „Aktion" ging eine Einweisung
durch einen Mitarbeiter des Einsatzstabes „Reinhard" voraus, an der die
örtlichen SS- und Polizeikommandeure, Vertreter der Kreis- und Stadthaupt-
leute sowie der zuständige örtliche BuF-Beamte teilnahmen. Auch für die
Anforderung der benötigten Truppen aus Trawniki war ein Vertreter des
Einsatzstabes „Reinhard" verantwortlich. Die Rollen der verschiedenen
Einsatzkräfte entsprachen, mit örtlichen Abweichungen, ebenfalls dem
Lubliner Modell. Die Trawniki-Männer riegelten den Bereich ab, in dem
Juden ausgehoben werden sollten, und Einheiten aus Trawniki sowie des
KdS (Kommandeur der Sicherheitspolizei und des SD) und der jüdischen
Polizei führten die Razzia durch. Am 23. März wurden 3400 Juden aus
Piaski nach Belzec deportiert, weitere 1500 am 7. April. Beide Deportatio-
nen geschahen nach dem Lubliner Modell. Hermann Höfles Hauptabteilung
„Einsatz Reinhard" beim SSPF Lublin forderte in Trawniki die nötigen
Truppen an; ein KdS-Offizier aus Lublin befehligte die Operation vor Ort,
und Orpo-Einheiten bewachten die Juden auf dem Weg zu den Deportations-
zügen.[23]

Auch in Zamosc folgte man dem Lubliner Muster. Der Zeitplan der
Deportationen aus der Stadt und ihrer Umgebung wurde zwischen den
Dienststellen von Höfle und Türk in Lublin und den Chefs der örtlichen
BuF- und KdS-Stellen – Oskar Reichwein beziehungsweise Gotthardt Schu-
bert – abgesprochen. Kurz vor der für Samstag, den 11. April, geplanten
Deportation trafen Vertreter von Höfle in Zamosc ein, um die Aktivitäten
vor Ort zu koordinieren. Reichwein und Schubert gaben dem Judenrat am
Morgen den Deportationsbefehl bekannt. Die 2500 zur Deportation vor-
gesehenen Juden hatten sich am Nachmittag auf dem Platz an der Lwowska-
Straße einzufinden. In diesem Fall wurden offenbar keine Trawniki-Männer

---

[23] Streibel-Urteil, Bd. 6, S. 3–15, 31–36; Anklageschrift und Urteil gegen Georg Michal-
sen u. a., Hamburg, 147 Js 24/72 und 147 Ks 3/72, in: YVA, TR.10/813, S. 69–71, 81–82;
Lerch-Anklage, S. 25; Aussage von Mendel Korn, in: YVA, O.3/2941; Brief von Max und
Martha Bauchwitz, die aus Stettin nach Piaski deportiert worden waren, an ihre Tochter
Luise-Lotte Hoyer-Bauchwitz in München, 25. März 1942, in: Lebenszeichen aus Piaski.
Briefe Deportierter aus dem Distrikt Lublin 1940-1943, hg. v. ELSE ROSENFELD/GERTRUD
LUCKNER, München 1968, S. 91.

angefordert; stattdessen wurde ein Zug der berittenen Polizei unter Bruno Meiert eingesetzt, doch das änderte nichts an der Brutalität des Vorgehens. 153 Menschen wurden erschossen und ihre Leichen auf Schuberts Anordnung in den Deportationszug geladen; später wurden von einer kleinen, vom Judenrat nach der Deportation aufgestellten Gruppe in den Häusern 89 Leichen geborgen und begraben. Sie alle waren erschossen und viele andere geschlagen worden. Rund 3000 Juden waren in die 21 Waggons des wartenden Güterzuges verladen worden.[24]

Deportationen aus kleinen Ortschaften, die weit von allen Eisenbahnlinien entfernt und in einigen Fällen nicht einmal an einer gepflasterten Straße lagen, wurden häufig zu Fuß oder teils zu Fuß und teils mit der Eisenbahn oder Lastwagen durchgeführt. Im Kreis Pulawy beispielsweise diente Naleczow als wichtigster Deportationsbahnhof der Südhälfte des Kreises, während im Norden Deblin der wichtigste Bahnhof war. Juden aus kleinen Orten mussten sich zu diesen Sammelstellen begeben, um dort in die Deportationszüge zu steigen. So marschierten 2000 Juden aus Kazimierz Dolny vom 25. bis 28. März 22 Kilometer südwärts nach Opole Lubelskie, und am 31. März schleppten sich etwa 1900 Juden von Wawolnica aus mehr als 25 Kilometer nach Südwesten. Am gleichen Tag mussten 1950 Juden aus Opole, darunter auch einige der gerade erst eingetroffenen Deportierten, 30 Kilometer nordwärts nach Naleczow gehen, von wo sie nach Belzec gebracht wurden. Am 6. Mai wurden über 2500 Juden aus Michow 30 Kilometer südwärts nach Naleczow geführt, um am 10. Mai nach Sobibor deportiert zu werden. Am 8. Mai marschierten 2000 Juden 15 Kilometer von Kurow in südöstlicher Richtung zur gleichen Bahnstation, von der aus sie ebenfalls nach Sobibor abtransportiert wurden; und 1270 Juden aus Jozefow an der Weichsel wurden am 6. Mai rund 40 Kilometer nordwärts nach Naleczow getrieben und dort in den Zug nach Sobibor verfrachtet. Am 12. Mai wurde der zweite Schub von 2000 Juden aus dem Ghetto von Opole nach Sobibor geschickt. In derselben Fünftageperiode mussten mehr als 4000 Juden aus Kleinstädten und Dörfern nach Deblin marschieren, von wo sie zusammen mit 2500 Juden aus Deblin selbst mit dem Zug nach Sobibor gebracht wurden.[25]

---

[24] YVA, TR.10/1146Z, S. 2679–84 (Vernehmung von Reichwein), 3083–89, 3751–64, 3766–74 (Vernehmungen von Schubert), 3325–35 (Vernehmung von Meier), 3426–29 (Vernehmung von Kaussen), 3735–57 (Vernehmung von Garfinkel); Bericht von Fiszelzon, 6. Juni 1942, in: YVA, M.10.AR.1/946; MOSHE FRANK, Le-hi'sared ule-ha'id. Tera'umat ha-Sho'ah shel yeled Yehudi mi-Zamoshets', Tel Aviv 1993, S. 35–39.

[25] Brief von Pesach Goldbaum, Opole, an Josek Goldblum, Warschau, 29. März 1942, in: YVA, M.10.AR.1/587 (und JM 3489); Vermerk von Türk, 31. März 1942, in: WAPL, GDL 273 (Kopien in: YVA, JM 10458 und O.53/82); Aussage von Ester Kohn, in: YVA, O.3/3057; Aussagen von Baruch und Sarah Roizman, in: YVA, O.3/3554; Aussage von Moshe Zylberszpan, in: YVA, M.49.E/4137. Aus dem Kreis Pulawy waren nach deutschen

Ähnliches geschah im Kreis Krasnystaw. Dort wurden am 10. Mai die Juden aus den Dörfern in der Umgebung von Turobin in die Stadt getrieben. Zwei Tage später wurde ihnen und den Turobiner Juden befohlen, ihre Habseligkeiten und etwas Verpflegung einzupacken und sich auf dem Marktplatz einzufinden. Dutzende von Menschen wurden auf dem Platz selbst und in seiner Nähe erschossen, bevor sich die Menge auf den Marsch nach Nordosten zum 35 Kilometer entfernten Krasnystaw begab. Zusammen mit den Juden aus Wysokie (200), Zolkiewka (1000) und Gorzkow (400), die sich ihnen auf dem Weg anschlossen, waren es etwa 4000 Juden. Bewacht wurden sie von deutschen Polizisten und Ukrainern aus Trawniki, die ritten oder Fahrrad fuhren. Wer zurückblieb, taumelte oder strauchelte, wurde erschossen. Die abgekämpften Juden trafen nach dem langen Marsch nachts in Krasnystaw ein, wo sie in einen großen Hof an der Eisenbahnstrecke geführt wurden, auf dem sie die Nacht verbrachten. Die jüdische Gemeinde von Krasnystaw stellte Tische mit Kaffee und Brot für die erschöpften Deportierten auf, die am frühen Morgen des nächsten Tages (dem 13. oder 14. Mai) in Güterzüge getrieben und nach Sobibor abtransportiert wurden.[26]

Bei den Mai-Deportationen aus den Gebieten von Opole, Deblin und Turobin trat eine Veränderung der Vorgehensweise zutage: Die Deportationen konzentrierten sich jetzt auf systematische Aushebungen in ganzen Landkreisen, und als die ersten Mordaktionen im Distrikt abgeschlossen wurden, kam Sobibor als zweites Vernichtungslager hinzu. Das Morden ging jetzt in Form territorialer Konzentrationen vonstatten, wobei die Razzien jeweils einen ganzen Kreis umfassten. Die erste Razzia dieser Art fand, wie erwähnt, vom 6. bis 12. Mai 1942 im Kreis Pulawy statt, und zwar auf Drängen von Kreishauptmann Karl Brandt, der besonders erpicht darauf war, „seine" Juden loszuwerden. Es folgten Aushebungen in den Kreisen Krasnystaw (12.–15. Mai), Zamosc (22.–27. Mai), Cholm (18.–24. Mai) und Hrubieszow (1.–10. Juni) sowie eine begrenzte Razzia in Biala Podlaska (10. Juni).[27] Die systematischen kreisweiten Aushebungen wurden nach

---

Angaben 16 822 Juden „über den Bug" geschickt worden: Bericht von Kreishauptmann Brandt an BuF Lublin, 12. Mai 1942, in: WAPL, GDL 3 (Kopien in: YVA, 053/83, und: Faschismus - Getto – Massenmord, S. 438).

[26] YITZHAK ARAD, Belzec, Sobibor, Treblinka. The Operation Reinhard Death Camps, Bloomington, Ind., 1987, S. 58 f.; DOV FRAIBERG, 'Sarid mi-Sobibor, Ramle, Israel, 1988, S. 138–145; Aussagen von Jankiel Kleinman (YVA, M.49.E/11), Szmuel Lerer (YVA, M.49.E/104), Icek Lichtman (YVA, M.49.E/1204), Moszek Merenstein (YVA, M.49.E/2785), Leon Feldhendler (YVA, O.16/619).

[27] Zum allgemeinen Muster des Vorgehens siehe POHL, Von der „Judenpolitik" zum Judenmord, S. 120 ff.; BOGDAN MUSIAL, Deutsche Zivilverwaltung und Judenverfolgung im Generalgouvernement. Eine Fallstudie zum Distrikt Lublin 1939–1944, Wiesbaden 1999, S.

einem „Sommerloch" aufgrund fehlender Eisenbahnzüge und -strecken im August fortgesetzt. Himmlers Weisung vom 19. Juli 1942, die Mordaktion im Generalgouvernement bis zum Jahresende 1942 abzuschließen, stellte einen grundlegenden Wandel in der gesamten Mordpolitik dar, wie Christopher Browning und andere betont haben. Jetzt sollte nur noch eine kleine Zahl essenzieller jüdischer Arbeiter am Leben bleiben, und dies auch nur in bestimmten Konzentrationsgebieten.[28] Der Unterschied zwischen den Razzien im Mai und Juni und denen, die von August bis Dezember stattfanden, bestand nicht nur darin, dass zwischen ihnen eine Pause lag, sondern auch in der Totalität der letzten Phase der Operation. In der vierten Phase des Mordens waren alle drei Vernichtungslager der „Aktion Reinhard" in Betrieb, ebenso Majdanek, und bei den Razzien wurde auch die Zahl der jüdischen Zwangsarbeiter verringert; zudem umfassten sie wiederholte Durchsuchungen von Kreisen, aus denen bereits Juden deportiert worden waren, und weitere Massenerschießungen, sowohl im Rahmen der systematischen Aushebungen als auch im Zuge der Suche nach versteckten Juden. Zumindest im Distrikt Lublin wurde Himmlers Weisung vom 19. Juli in aller Gründlichkeit ausgeführt.

Abgeschlossen wurde diese Phase der Deportationen innerhalb des Distrikts mit der Verschleppung von 1500 Juden aus Slawatycze sowie den umliegenden Städten und Dörfern nach Sobibor, bei der es zu Verzögerungen kam: Die auf dem Land lebenden Juden wurden zunächst nach Slawatycze und von dort nach Lomazy gebracht, von wo sie in das Vernichtungslager abtransportiert werden sollten. Inzwischen hatte jedoch die Wehrmacht alle in der Gegend vorhandenen Eisenbahnzüge für ihre Sommeroffensive an

---

243 ff.; JANINA KIELBOŃ, Migracje Ludności w Dystrykcie Lubelskim w Latach 1939–1944, Lublin 1995, S. 170–175. Zu einzelnen Deportationen siehe z. B. TATIANA BRUSTIN-BEREN-STEIN, Expulsions as a Characteristic of the German Annihilation Policy for the Jewish People, in: Bleter far Geschichte, Bd. 3, Nr. 1-2 (Januar-Juni 1950), S. 72 f., Tab. 2–11; MUSIAL, Deutsche Zivilverwaltung, S. 248–254; ARAD, Belzec, Sobibor, Treblinka, S. 383–391; Aussage von Yehezkel Kesselbrener, YVA, O.3/2089; Anklageschrift gegen Otto Busse, Max Stöbner u. a., 9 Js 204/67, 5. Juni 1967, Hildesheim, passim, und Urteil, 9 Ks 2/67, 3 Mai 1968, passim, in: YVA, TR.10/742, S. 41 f., 83–124; Anklageschrift und Urteil gegen Richard Nitschke u. a., Hannover, 2 Js 165/61 und 2 Ks 4/63, in: YVA, TR.10/631, passim; „Hrubieszow – spichrz Polski", 30. Juni 1942, in: YVA, M.10.AR.1/914; Aussage von Mosze Zylberszpan, in: YVA, M.49.E/4137; Aussagen von Avraham und Shaindl Goldfarb, in: YVA, O.3/2140; Aussage von Dov Finger, in: YVA, O.3/2780; Anklageschrift (5. Januar 1965) und Urteil (24. Oktober 1968) gegen Hugo Raschendorfer, 113 Js 17/66, in: YVA, TR.10/655, passim.

[28] Himmler an Krüger, 19. Juli 1942, Nürnberger Dokument NO-5574 (Kopie in: YVA, O.51/246). Vgl. CHRISTOPHER R. BROWNING, Judenmord. NS-Politik, Zwangsarbeit, und das Verhalten der Täter, Frankfurt/M 2001, S. 112; MUSIAL, Deutsche Zivilverwaltung, S. 284 f.; POHL, Von der „Judenpolitik" zum Judenmord, S. 125–129.

der Ostfront requiriert, so dass die Juden warten mussten, bis am 17. August das Reservepolizeibataillon 101 verfügbar war, um sie allesamt zu erschießen.[29] In der Woche nach ihrer Aushebung (14.–20. Juni) brachten aus dem Westen eintreffende zusätzliche Züge weitere 5000 Juden nach Sobibor, und dann folgte besagte „Sommerpause" im Distrikt Lublin.

Nach Bogdan Musials überzeugender statistischer Analyse lebten am Anfang der Operation 300 000 bis 320 000 Juden im Distrikt Lublin.[30] Mit den 85 000 Juden, die zwischen dem 11. März und 20. Juni in den Distrikt gebracht wurden, hatte sich die Zahl der Juden, mit denen die Deutschen es in diesem Distrikt zu tun hatten, auf vielleicht 400 000 erhöht. Bis Mitte Juni wurden 140 000 von ihnen ermordet, und Ende des Jahres lebten, dem Korherr-Bericht zufolge, noch rund 20 000 in Zwangsarbeitslagern oder Restghettos.[31] Korherrs Angaben sind nicht ganz korrekt, da er die Juden, die sich überall im Distrikt versteckt hielten, nicht mitgezählt hatte. Doch selbst wenn man die untergetauchten Juden in die Rechnung einbezieht, waren Ende 1942 vermutlich nur noch weniger als zehn Prozent der Juden am Leben. Es war eine verheerend gründliche Mordaktion.

Im Angesicht des Unglaublichen

Was nahmen die Juden von den Deportationen wahr, als diese in Gang kamen? Anscheinend wurde zumindest einigen von ihnen schon wenige Tage nach Beginn der Deportationen klar, welches Schicksal die Deportierten erwartete. Am 17. März um 7.30 Uhr rief das Judenratsmitglied Josef Siegfried, der Vertreter von Marek Altens Jüdischer Sozialer Selbsthilfe (JSS) im Distrikt Lublin, die JSS-Zentrale in Krakau an, um sie darüber zu informieren, dass Massendeportationen der Lubliner Juden begonnen hatten und alle, die nicht unentbehrlich waren – insgesamt 20 000 Menschen –, mit einer Tagesrate von 1400 Personen umgesiedelt werden sollten. Zwei Tage darauf rief er erneut in Krakau an, um mitzuteilen, dass die Deportierten allesamt nach Belzec geschickt würden, und nicht in die Sowjetunion.[32]

Obwohl Siegfried das Schicksal der Deportierten nicht direkt ansprach, hatte er innerhalb von zwei Tagen doch wenigstens einen Teil der Wahrheit herausgefunden. Und die bloße Tatsache, dass Belzec der Zielort war, reichte aus, um alle Juden in Angst und Schrecken zu versetzen, zumal

---

[29] YVA, M.2/235, M.49.E/2424; CHRISTOPHER R. BROWNING, Ganz normale Männer. Das Reserve-Polizeibataillon 101 und die „Endlösung" in Polen, Reinbek 1993, S. 117–129.

[30] MUSIAL, Deutsche Zivilverwaltung, S. 102 f.

[31] Nürnberger Dokument NO-5194 (Korherr-Bericht).

[32] YVA, JM/1576, S. 122 ff.; vgl. auch: Teudot mi-Getto, S. 65 ff.

diejenigen in Lublin, denen die brutalen, mörderischen Zustände, die 1940 in dem dortigen Arbeitslager geherrscht hatten, bekannt waren. Siegfrieds Anrufe sind nicht der einzige Beweis dafür, dass manche Juden aus der Gegend von Lublin binnen weniger Tage nicht nur erfahren hatten, wohin die Deportierten gebracht wurden, sondern auch, was sie dort erwartete. Symcha Turkeltaub beispielsweise sagte bei verschiedenen Gelegenheiten aus, dass Juden aus Lublin bis zum 20. März bereits von polnischer Seite über das Schicksal der Deportierten unterrichtet waren.[33] Der frühere Vorsitzende des Judenrates und der JSS in Zamosc, Mieczysław Garfinkel, berichtete, Ende März 1942 habe der Lubliner Judenrat ihn telefonisch gebeten, herauszufinden, wohin die Lubliner Juden geschickt würden und was dort mit ihnen geschehe. Garfinkel rief daraufhin den Judenrat von Tomaszow Lubelski bei Belzec an und bat ihn, der Sache nachzugehen. Der Judenrat schickte Boten zu polnischen Eisenbahnern in dem Gebiet und erfuhr auf diese Weise, dass keiner der Juden, die das Lager betraten, es wieder verließ – sie würden alle getötet. Dies wurde Garfinkel durch einen Boten mitgeteilt, und er setzte seinerseits den Lubliner Judenrat ins Bild.[34] Andere hörten es von polnischen Freunden oder bezahlten polnische Kuriere, um an die Informationen zu gelangen. Jahre später sagten SS-Männer aus, bis zum 31. März seien alle Juden dazu übergegangen, sich zu verstecken. Am Vorabend des Pessachfests am 1. April wussten offenbar viele Lubliner Juden, was mit den Deportierten geschah.[35]

Dennoch darf man daraus nicht schließen, dass eine große Anzahl von Juden genau wusste, was vorging. Aber auch ohne Zugang zu solchen Informationen reichten die Deportationen völlig aus, ihnen Angst zu machen. Die Erinnerung sowohl an frühere gewalttätige nächtliche Razzien als auch an die extreme Brutalität der ersten Aushebungen in Lublin im Jahr 1942 schürte ihre Befürchtungen und bewirkte, dass viele versuchten, den Deportationen zu entgehen. Darüber hinaus setzten sich diejenigen, die Bescheid wussten und denen es gelungen war, die ersten Deportationen zu überleben, mit anderswo lebenden Verwandten und Freunden in Verbindung – zumeist brieflich oder per Kurier. Einige gaben einfach nur ihre Informa-

---

[33] Aussagen von Turkeltaub, in: Streibel-Verfahren, S. 75; YVA, TR.10/1146Z, Bd. 20, S. 4285.

[34] Aussagen von Garfinkel in: YVA, JM 3536a (vor der polnischen Kommission für Kriegsverbrechen in Lublin, 5. Dezember 1945); TR.10/1146, Bd. 17, S. 3724–3774; O.33/322; Worthoff-Urteil, S. 74 f. Vgl. auch: Pinkas Zamość, hg. v. MORDECHAI BERNSTEIN, Buenos Aires 1957, S. 1117–58.

[35] Interview mit Hava Goldminc (Kirszenblat), 16. Januar 2000, in: YVA, O.3/11397; Worthoff-Urteil, S. 61–65; vgl. auch die Vernehmungen während der Ermittlungen in: YVA, TR.10/1146Z.

tionen weiter,[36] andere baten um Hilfe oder drückten ihre Verzweiflung aus,[37] und wieder andere versuchten ihre Verwandten oder Freunde davor zu warnen, dass ihnen Gleiches bevorstünde.

Die Menge dieser Briefe ist ebenso erstaunlich wie die Tatsache, dass die Nationalsozialisten es zuließen, dass weiterhin ein offizielles Postsystem in Betrieb war. Viele Juden nutzten dies aus. Es ist nicht bekannt, wie viele Briefe von deutschen Zensoren abgefangen wurden und daher nie bei den Adressaten ankamen, aber den erhalten gebliebenen kann man entnehmen, mit welchem Erfindungsreichtum es viele Juden verstanden, die Zensur zu umgehen. So wimmelten die Briefe an Familienangehörige und Freunde in Polen oder im Ausland, unabhängig davon, ob sie geheim oder mit der amtlichen Post versandt wurden, von verschlüsselten Wendungen wie „Malach Hamowes is in die gass" (der Todesengel ist in der Straße),[38] oder „Onkel Gerush" (Deportation)[39] oder „Mar Kilayon" (Herr Vernichtung)[40] sei auf Besuch und habe den Absender weitgehend die Gesundheit gekostet, oder die Stadt sei ein „bajs olem" (Friedhof).[41] Es gibt viele

---

[36] Siehe z. B.: Daniel Lewkowicz an seine Schwester, 29. März 1942, in: YVA, M.10.AR.1/552 (auch in JM 3489).

[37] Siehe z. B. Pesach Goldblum, Opole-Lubelski, an seinen Bruder Josek in Warschau, 29. März 1942, in: YVA, M.10.AR.1/587 (auch JM 3489).

[38] Postkarte von Cholm nach Warschau, 13. April 1942, in: YVA, M.10.AR.1/568 (auch JM 3489). Siehe auch Postkarte von Janina Szylska in Sosnowiec (Kreis Cholm) an Ludwik Hirszberg in Warschau, 27. Mai 1942, in: YVA, M.10.AR.1/579 (und JM 3489); Brief von M. Altman in Miedzyrzec Podlaski an J. Berkal in Warschau, 5. Mai 1942, in: YVA, M.10.AR.1/558 (und JM 3489). Hela Ferstman hat berichtet, dass sie in Belzyce fast sofort von den Lubliner Deportationen erfahren habe (Tagebuch von Hela Ferstman, in: YVA, M.49.P/2).

[39] Brief von Shmuel Zitomirski, Hrubieszow, an Natan Schwalb, 29. März 1942, in: Mikhteve halutsim, S. 136 f. Vgl. auch: Brief von Moshe Wilnicki, Tschenstochau, an Natan Schwalb, 28. März 1942, in ebd., S. 135.

[40] Briefe von Isser Roizman, Zamosc, an Natan Schwalb, 20. April 1942, in: Mikhteve halutsim, S. 139.

[41] Postkarten von Fela Bajler, Szlamek und anderen Mitarbeitern des Judenrats von Zamosc an Hersh Wasser, April und Mai 1942, in: YVA, M.10.AR.1/596. Siehe auch RUTA SAKOWSKA, Two Forms of Resistance in the Warsaw Ghetto – Two Functions of the Ringelblum Archives, in: Yad Vashem Studies 21 (1991), S. 202. Sakowska ergänzt, dass der erwähnte Szlamek derselbe sei, der im Februar, als er vorübergehend einen Ausweis aus Piotrkow auf den Namen Jakob Grojanowski benutzte, dem Oneg Shabbat über Kulmhof berichtet habe. Siehe auch: Notiz aus Izbica (ohne Namen), in: YVA, M.10.AR.1/949. Der Hinweis auf den 8. April, als es keine Deportationen aus Izbica gab, bezieht sich wahrscheinlich auf die Deportationen aus Rejowiec und Piaski, die am Tag zuvor begonnen hatten. Beide Deportationszüge fuhren auf der Fahrt nach Belzec durch Izbica. Am nächsten Tag, dem 9. April, fuhr in Wien ein Zug mit 998 Juden nach Izbica ab.

solcher Beispiele aus der Korrespondenz der im Distrikt Lublin lebenden Juden.

Am beeindruckendsten sind vielleicht die Briefe und Anrufe, mit denen nahe Angehörige gewarnt werden sollten. Eine der detailliertesten und bewegendsten verschlüsselten Warnungen ist am 1. Juni 1942 von Wlodawa nach Warschau gesandt worden, vermutlich per Kurier. Das in Jiddisch geschriebene Original wurde von jemandem im „Oneg Shabbat"-Untergrund kopiert, wobei sowohl der Name des Adressaten als auch die Unterschrift fortgelassen wurde, um beide zu schützen. Am 22. und 23. Mai waren in einer äußerst brutalen „Aktion" 1300 Juden aus Wlodawa nach Sobibor deportiert worden, und danach waren viele der verbliebenen Juden aus der Stadt geflohen.[42] Der Brief lautet:

„Wir sind, Gott sei Dank, gesund. Wir wissen nicht, was wir wegen des Arztes tun sollen. Wir können uns nicht entscheiden, obwohl wir bereits beschlossen hatten, ihn aufzusuchen. Denn Onkel will, Gott behüte, sein Kinderfest, Gott behüte, bei Euch ausrichten, weshalb er dabei ist, eine Wohnung in Eurer Nähe zu mieten, ganz in Eurer Nähe. Vielleicht wißt Ihr es noch nicht einmal. Deshalb schreibe ich Euch jetzt, und wir teilen Euch dies eigens mit, damit Ihr es wißt. Gewiß solltet Ihr auch außerhalb der Stadt für alle unsere Brüder, die Kinder Israel, Wohnungen mieten. Er hat bereits eine neue Wohnung für alle vorbereitet – diejenige, die er in unserer Nähe hatte. Falls Ihr davon vielleicht noch nichts wißt, schreibe ich Euch eigens, damit Ihr es erfahrt, denn Onkel will den Menschen vertreiben [Anspielung an Genesis 3, 24], und dann werdet Ihr mit Shlomo Welwel, seligen Angedenkens, zusammen sein.
Wir sind uns dessen sicher, und Onkel wird die Wohnung in Eurer Nähe bald fertig haben. Das sollt Ihr wissen. Vielleicht fällt Euch ja etwas ein. Es dürfte allgemein bekannt sein, daß Onkel, Gott behüte, bei Euch bald einen Hochzeits-empfang geben will, und die Wohnung ganz in Eurer Nähe ist schon bereit.
Denkt daran, um jeden Preis in Eurer Wohnung [außerhalb der Stadt] zu sein, damit Ihr nicht bei Shlomo Welwel, seligen Angedenkens, seid, und um ruhig zu schlafen, ist, Wer im Schutz des Höchsten wohnt [Psalm 91], das einzig wahre Glück. Denkt stets daran, dass wir heilig sind, und wo etwas übrig bleibt bis morgen usw."[43]

Die verschlüsselten Bibelverweise und Akronyme waren damals so gut wie jedem polnischen Juden geläufig. Der letzte Verweis auf das erste Pessach-

---

[42] Zur Deportation aus Wlodawa siehe YVA, TR.11/01238 (Aussagen in den Ermittlungen der israelischen Polizei über die Vorgänge in Wlodawa); TR.10/631 (Anklageschrift und Urteil gegen Anton Müller u. a., Hannover, 2 Js 165/61 und 2 Ks 4/63). Nach Ruta Sakowskas Ansicht ist der Brief von Eliahu Gutkowski kopiert worden, dem zweiten Sekretär des Oneg Shabbat (SAKOWSKA, Two Forms of Resistance, S. 206).
[43] Brief aus Wlodawa nach Warschau, 1. Juni 1942, in: YVA, M.10.AR.1/563 (auch in JM 3489). Siehe auch SAKOWSKA, Two Forms of Resistance, S. 206, mit einer auszugsweisen und ungenauen englischen Übersetzung.

opfer der alten Israeliten wurde nicht vollendet: „... sollt ihr's mit Feuer verbrennen" (Exodus 12, 10). Der Absender war überzeugt, dass auch Warschau in die Mordaktion einbezogen werden würde – und, daraus folgend, alle Juden in Polen. Wusste er oder sie vom Bau Treblinkas? Oder nahm er oder sie an, dass die Warschauer Juden ebenfalls in Sobibor ermordet werden würden? Das ist nicht klar, und man wird es wahrscheinlich nie erfahren. Aber die Warnung war unmissverständlich: Versteckt euch, denn die Deutschen wollen auch euch umbringen.

Es gab zahlreiche solcher Warnungen und viele Informationen. Im Sommer bot sich ein schreckliches Bild der Naziaktivitäten im Generalgouvernement, ein wahrhaft unglaubliches Bild. In welchem Ausmaß lösten diese Informationen Reaktionen aus? Halfen die Warnungen den bedrohten Gemeinden? Es hat den Anschein, als hätten die Neuigkeiten zwar individuelle Reaktionen hervorgerufen, die Gemeinden insgesamt aber weniger beeindruckt. In Zamosc, zum Beispiel, wurden den Juden Anfang 1942 schärfere Vorschriften auferlegt und mehrere Dutzend von ihnen erschossen, weil sie das Ghetto unerlaubt verlassen hatten. Die dadurch ausgelöste Furcht wurde von den Nachrichten über die Lubliner Deportationen verstärkt, und viele Juden dachten an Flucht. Doch wie in Lublin hofften auch hier viele, die Deportationen würden nicht schlimmer sein als diejenigen, die ein Jahr zuvor stattgefunden hatten, als im Zuge der Ghettoisierung 500 Juden vertrieben worden waren. Als dann am 11. April die Deportation nach Belzec begann, scheinen die Juden von Zamosc ebenso überrascht worden zu sein wie vor ihnen die Juden von Lublin.[44]

In Annopol-Rachow hatten die Juden bis zum Tag des Pessachfestes durch einen Flüchtling sowohl von den Lubliner Deportationen als auch von Belzec erfahren. Dennoch glaubten sie, bis sich im Oktober ihre Lage änderte, nicht daran, dass ihnen das gleiche Schicksal blühte; immerhin arbeiteten sie für die Deutschen.[45] Auch in Hrubieszow trafen die ersten Nachrichten über die Ereignisse in Lublin kurz nach Beginn der Mordaktion ein, hinterließen aber wenig Eindruck. Erst als im März und April 1942 die Juden der umliegenden Dörfer gezwungen wurden, in die Stadt umzuziehen, wurde das Gefühl der Sicherheit erschüttert. Weiter untergraben wurde es durch die Nachrichten von der ersten Deportation aus dem nicht weit entfernten Zamosc. Als sich Ende Mai das Gerücht über eine bevorstehende

---

[44] Bericht von Fiszelson, 6. Juni 1942, in: YVA, M.10.AR.1/946; Aussagen von Garfinkel, in: YVA, JM 3536a, TR.10/1146, Bd. 17, S. 3724–3774, O.33/322; Pinkas Zamość, S. 1117–58. Vgl. auch Jan Bachrich, unveröffentlichte Aussage, im Besitz von Dr. Leopold Laufer. Ich danke Dr. Laufer dafür, dass er mir dieses Dokument zur Verfügung gestellt hat.

[45] DANIEL FREIBERG, Hoshekh kisah erets, Tel Aviv 1970, S. 87 f., 93; Gespräch mit Rabbi Eli Fiszman (Freehold, New Jersey), 2. August 2002.

siebentägige Deportation aus Hrubieszow verbreitete, wurde die jüdische Gemeinde von Panik ergriffen, und viele tauchten unter. Aber auch hier waren es nur Einzelne oder kleine Gruppen, die sich versteckten, und obwohl es einigen gelang, sich in Sicherheit zu bringen, wurden die meisten, die es versucht hatten, aufgespürt und am Ende der Deportationsoperation auf dem Friedhof erschossen.[46] Darüber hinaus standen die Flüchtlinge vor zwei schlimmen Dilemmata, die zu lösen sie keine Zeit hatten: Zum einen waren sie häufig auf die Hilfe von Außenstehenden angewiesen, und zum anderen bedeutete das Untertauchen oft, Angehörige zurücklassen zu müssen. Dies galt zum Beispiel für Yehezkel Kesselbrener, der von einem polnischen Kommunisten vor der bevorstehenden Liquidierung des Ghettos von Ryki gewarnt wurde und am Vorabend der am 6. Mai beginnenden Deportation fliehen konnte, dabei allerdings seine Frau und sechs Kinder zurücklassen musste.[47]

Die Nachricht von den Deportationen aus dem Warschauer Ghetto erreichte die verbliebenen Lubliner Juden unmittelbar nach dem Beginn der Aktion im Juli. Die Menschen, die am Telefon des Judenrats Schlange standen, um ihre Angehörigen in Warschau anzurufen, mussten zu ihrem Leidwesen erfahren, dass die Warschauer Juden offenbar zu den Deportationszügen gingen, ohne zu ahnen, welches Schicksal sie erwartete. Einige meinten zuversichtlich, dass ihre Arbeitsbescheinigung sie schützen würde.[48] Es war, wie es ein Jude aus Zamosc 1942 ausdrückte: „... eine Vertreibung ist wie eine Trauerprozession – wenn, Gott behüte, ein Trauerzug vorbeikommt, denkt jeder, er sei nicht für ihn. Genauso war es bei uns."[49]

Im Allgemeinen scheinen die Judenräte im Distrikt Lublin ohnmächtig zugeschaut zu haben, ohne zu wissen, wie sie Informationen und Warnungen weitergeben und wesentliche Teile ihrer Gemeinden retten konnten. So gehorchte Garfinkel in Zamosc den deutschen Anordnungen vom 11. April und danach, ohne die Juden zu warnen. Jokel Brand in Hrubieszow ließ zwar Einzelnen eine Warnung zukommen, aber nicht der gesamten Gemeinde, ganz zu schweigen davon, dass er einen Weg gefunden hätte, sie zu retten. In Lublin war der in den letzten sieben Monaten der Existenz des Ghettos tätige Restjudenrat durch die frühen Deportationen gelähmt, hinter

---

[46] „Hrubieszów – spichrz Polski", 30. Juni 1942, in: YVA, M.10.AR.1/814; Aussagen von Avraham und Shaindl Goldfarb, in: YVA, O.3/2140; Aussage von Ahuva Shamai Grossfeld, in: YVA, O.3/3135; Aussage von Yitzhak Leibusz Perec, in: YVA, O.3/4328.

[47] Aussage von Yehezkel Kesselbrener, in: YVA, O.3/2089. Vgl. auch die Aussagen von Yitzhak Leibusz Perec (YVA, O.3/4238), Mischa Stahlhammer (YVA, O.3/4312) und Ahuva Shamai-Grossfeld (YVA, O.3/3135).

[48] Dos bukh fun Lublin, S. 404; Entsiklopediah shel Galuyot, polnische Reihe, Bd. 5, S. 711.

[49] Bericht von Fiszelzon, in: YVA, M.10.AR.1/946, 6. Juni 1942.

dem Zaun von Majdan Tatarski eingesperrt und von dubiosen Gestalten durchsetzt, die ihm von der SS aufgezwungen worden waren. Mitgliedern des Judenrats gelang es zwar, die Zahl der „legalen" Juden im Restghetto bis zum Juni 1942 von 3000 auf über 4500 zu erhöhen und mindestens 130 weitere durch die Weitergabe von Ausweisen verstorbener Juden zu legalisieren. Aber die kommunale Reaktion auf die nachfolgenden Deportationen im September, Oktober und November blieb unverändert. Darüber hinaus war es schwieriger, sich zwischen den eingezäunten Baracken von Majdan Tatarski zu verstecken oder von dort zu fliehen, als es im ursprünglichen Lubliner Ghetto gewesen war. Auch die Kontaktaufnahme zu Polen, um Verstecke außerhalb des Ghettos vorzubereiten, war schwieriger. Infolgedessen gelang es nur wenigen, aus Majdan Tatarski zu fliehen.[50]

Als im Verlauf des Sommers in immer größeren Teilen des Generalgouvernements immer mehr Informationen über die Ermordung der Juden bekannt wurden, nahm die Zahl derer zu, die ihr Heil in der Flucht suchten. Aber reichte es zum Überleben aus, wenn man floh und sich versteckte? Die im Folgenden geschilderten Fälle von Yisrael Schleiner und der Juden von Lukow illustrieren das Problem. Schleiner und sein Vater gehörten zu mehreren hundert Juden, die im Juli 1942 in Jozefow vor den vom Reservepolizeibataillon 101 durchgeführten Erschießungen zur Zwangsarbeit ausgewählt und nach Lublin in das Lager in der Lipowa-Straße 7 gebracht worden waren. Zwei Monate später wurden sie zu Fuß nach Piaski geführt, wobei viele auf dem Weg erschossen wurden. Nach einem Tag in Piaski flohen Schleiner und sein Vater nach Jozefow, wurden aber bei Zolkiewka von Deutschen, die nach Partisanen suchten, aufgegriffen. Alle geflohenen Juden, die eingefangen worden waren, wurden erschossen, einschließlich Schleiners Vater. Schleiner selbst konnte wieder fliehen, wurde erneut eingefangen, als Jude erkannt, bewusstlos geschlagen und nach Zolkiewka gebracht. Als die Juden in Zolkiewka angewiesen wurden, sich nach Izbica zu begeben, floh Schleiner wieder, diesmal nach Turobin. Von dort ging er von sich aus nach Izbica und tauchte in einer Gruppe jüdischer Zwangsarbeiter unter, bevor er wieder nach Jozefow floh und sich schließlich den Partisanen anschloss, bei denen er mehrmals nur knapp der Gefangennahme entging.[51] Er hatte fünfmal fliehen müssen, bevor er die prekäre Sicherheit der Partisanen in den Wäldern erreichte.

---

[50] Siehe den an die SS gerichteten Antrag des Judenrats auf zusätzliche Ausweise, 5.–11. Mai 1942, in: WAPL, RZ 159, S. 17–110; auf den 12. Juni 1942 datierte handschriftliche Liste mit 130 Namen von Personen, die Ausweise von Verstorbenen erhalten hatten, ebd., S. 111–120; Liste von September 1942 mit den Namen von 4641 Juden, die in Lublin einen Ausweis erhalten hatten, in: WAPL, RZ 164.

[51] Aussage von Yisrael Schleiner, in: YVA, O.16/414.

In Lukow versteckte sich eine große Zahl von Juden an vorbereiteten Zufluchtsorten, als am Abend des 3. Oktober, dem Samstag vor dem Simchat-Tora-Fest, das Gerücht aufkam, dass 60 Viehwaggons für die 10 000 dortigen Juden bereit stünden. Zu diesem Zeitpunkt wussten die meisten Juden, was das bedeutete, genauso wie sie über Treblinka und dessen Zweck Bescheid wussten. Als am Montag, dem 5. Oktober, die Aushebungen begannen, zögerte die Tatsache, dass viele Juden sich versteckt hatten, den Beginn der Operation hinaus. Doch das massenhafte Untertauchen störte die Deutschen kaum; immerhin konnten sie 7000 Juden nach Treblinka deportieren. Am Donnerstag, dem 8. Oktober, ließen sie durch den Judenrat verkünden, dass sich alle zurückgebliebenen Juden, einschließlich der untergetauchten, beim Judenrat melden sollten, um neue Arbeitsstempel zu erhalten. 2000 kamen der Aufforderung nach und wurden von Deutschen und Ukrainern nach Treblinka geschafft. Im Verlauf der nachfolgenden Razzien wurde am 8. November um 4.00 Uhr früh auch ein junger Mann namens Finkelstein festgenommen und in den letzten Zug von Lukow nach Treblinka gesetzt. Während der Fahrt brachen einige junge Gefangene die Tür ihres Viehwaggons auf, und Hunderte von Juden entkamen, unter ihnen auch Finkelstein. Viele der Flüchtlinge wurden von örtlichen Bauern gefangen genommen, nach Lukow zurückgebracht und zwischen dem 8. und 11. November von Angehörigen des Reservepolizeibataillons 101 auf dem dortigen jüdischen Friedhof erschossen. Finkelstein erhielt zunächst nur einen Streifschuss am Kopf und wurde dann auch noch am Arm und am Hals getroffen. Nachdem die Deutschen abgezogen waren, kamen ortsansässige Polen, um die Leichen zu fleddern. Finkelstein floh zu einem polnischen Freund und schaffte es von dort in zwei Wochen nach Warschau zu seinem Bruder und seiner Schwester.[52]

In diesem Fall hatte die Flucht zumindest einen Aufschub bewirkt, aber für die große Mehrheit der Juden von Lukow erwies sich der Versuch, sich zu verstecken, als vergebliche Mühe, und für das Schicksal der jüdischen Gemeinden insgesamt machte es im Allgemeinen keinen Unterschied, ob sie über die Morde Bescheid wussten und wie sie auf die Informationen reagierten. Darüber hinaus wurde in den meisten Orten im Distrikt eine kleine Gruppe jüdischer Zwangsarbeiter verschont, was die kollektive Vorstellung erzeugte, die Deutschen würden einen am Leben lassen, solange man für sie arbeitete.

Vermutlich hatten viele Juden irgendwann begriffen, dass die deutschen Aktionen ihr Leben bedrohten. Aber es ist völlig unklar, was sie kollektiv

---

[52] Aussage von Finkelstein (zusammen mit seiner Schwester), „Hurban Lukow" (Jiddisch), in: YVA, M.10.AR.2/306, Ende November 1942; BROWNING, Ganz normale Männer, S. 151–154.

mit diesem Wissen hätten anfangen sollen. An dieser Stelle möchte ich mit einem Teil der Geschichte des Zwangsarbeitslagers in Janiszow bei Annopol-Rachow schließen.

Am Freitag, dem 6. November 1942, um 18 Uhr, als die 600 jüdischen Gefangenen sich in den Baracken zum Schlafengehen bereit machten, stürmten 18 überwiegend jüdische Partisanen mit dem Ruf „Juden, rettet euch!" das Lager.[53] Angeführt wurden sie von Yehoshua Pintel, einem früheren Häftling und jüdischen Polizisten in Janiszow, der einige Wochen zuvor geflohen war und sich geschworen hatte, an dem bösartigen Lagerkommandanten, Peter Ignor, und seinen Helfershelfern Rache zu nehmen. Die Partisanen zwangen Ignor, Waffen, Gold und andere Wertsachen zu übergeben, und schleiften ihn dann zum Appellplatz, wo sie ihn exekutierten. Da sie den Befehl hatten, nur wenige Juden mit in die Wälder zu nehmen, suchten sie zehn bis fünfzehn Gefangene aus. Als sie um 20.30 Uhr das Lager verließen, forderten sie die restlichen Lagerinsassen auf zu flüchten. Einige flohen, und andere blieben, doch wie kam jede der Gruppen zu ihrem Entschluss?

Die jüdischen Gefangenen reagierten rasch. Juden aus der Umgebung, die sich in der Gegend auskannten, bereiteten sich darauf vor, bei polnischen Freunden Unterschlupf zu suchen. Andere holten Vorräte aus den Lagerräumen. Es ist nicht klar, wie viele Juden flohen und wie viele blieben,[54] aber die Quellen stimmen darin überein, dass alle, die geflohen waren, einschließlich der von Juden angeführten Partisanen, in den nächsten Monaten getötet wurden, die meisten binnen weniger Tage. An der Jagd nach ihnen beteiligten sich sowohl die SS und die deutsche Polizei als auch ortsansässige Polen. Wenn sie Polen in die Hände fielen, wurden sie von ihnen entweder ermordet oder den Deutschen übergeben. Wer einen geflohenen Juden

---

[53] Die Darstellung der Befreiung des Lagers Janiszow beruht auf folgenden Quellen: Aussagen von P. Kristal (YVA, M.1.E/571), Hillel Borensztajn (YVA, M.1.E/595), Eli Fiszman (YVA, M.1.E/714 und 715), Yaakov Farber (YVA, M.1.E/716); FREIBERG, Hoshekh kisah erets, S. 107–113; Aussagen von B. Kleinman und Manes Brafman, in: Rachov-Annopol. Pirkei Edut Ve-Zikaron, Tel Aviv 1978; Gespräch mit Rabbi Eli Fiszman (vgl. FN 45); KdO Galizien, Hans Heitzinger, zusammenfassender Bericht des KdO Lublin über den Ausbruch von Annapol an alle Polizeidienststellen im Distrikt Galizien, 13. November 1942, Archiv des United States Holocaust Memorial Museum, RG 11.001, Microfilm Roll 82, Fond 1323, Opis 2, Folder 292b. Ich danke Professor Raul Hilberg, dass er mich auf dieses Dokument aufmerksam gemacht hat. Vgl. auch: SHMUEL KRAKOWSKI, The War of the Doomed. Jewish Armed Resistance in Poland, New York 1984, S. 86 ff.

[54] Nach einigen Quellen sind nur 100 bis 133 geflohen, während in anderen von nur 100 Zurückgebliebenen die Rede ist und wieder andere angeben, die Mehrheit der Insassen sei geblieben.

tot oder lebendig ablieferte, erhielt, nach Aussage von Überlebenden, als Belohnung mehrere Kilogramm Zucker.[55]

Die Gefangenen flohen in Panik mitten in der Nacht, aber viele wussten nicht, wohin sie gehen sollten. Bei denen, die zurückblieben, handelte es sich überwiegend um Juden, die nicht aus der Gegend stammten. Da sie in dem jetzt unbewachten Lager auf sich selbst gestellt waren und nicht wussten, was sie tun sollten, beschlossen sie, dem nächsten Polizeirevier den Vorfall zu melden und auf das Beste zu hoffen. Die Polizei forderte die zum Rapport Entsandten auf, in das Lager zurückzukehren und dort zu warten. Im Laufe der Nacht kehrten auch mehrere Geflohene in das Lager zurück, so dass sich schließlich wieder rund 160 Häftlinge dort befanden. Einige Juden, die nicht wussten, wohin oder an wen sie sich wenden sollten, versuchten in anderen Zwangsarbeitslagern unterzuschlüpfen. Zwanzig von ihnen trafen am frühen Morgen des 7. November im Lager Goscieradow ein und hofften, die hundert jüdischen Zwangsarbeiter, die dort festgehalten wurden, könnten sie verstecken. Aber eine zwanzigprozentige Zunahme der Lagerinsassen wäre nicht zu verheimlichen gewesen, und so gingen die Flüchtlinge aus Janiszow in die Wälder. Um 7.00 Uhr am selben Morgen umstellten SS, Feuerwehr und ukrainische Hilfspolizisten das Lager. Am Nachmittag führten sie einen Appell durch, und danach wurden die Lagerinsassen zu Fuß nach Annopol geführt. Etwa fünfzig Juden, die ins Stolpern geraten waren, wurden auf dem Marsch erschossen; die Leichen wurden auf einen Karren geladen. In Annopol mussten die übrig gebliebenen Juden in Güterwagen steigen, die sie in das Zwangsarbeitslager Budzyn brachten.

Zu den Juden, die in der Nacht zuvor aus dem Lager Janiszow geflohen waren, gehörte Leibl Muzykant. Zusammen mit dreißig anderen hatte er sich in einem unterirdischen Versteck im Wald verborgen. Er verließ die Gruppe mit einem Auftrag für eine Nacht, und als er am nächsten Tag zurückkehrte, fand er die anderen tot, entkleidet und verstümmelt vor. Sie waren von ortsansässigen Polen ermordet worden. Da er nicht wusste, wohin er gehen sollte, begab er sich nach Budzyn und stellte sich dort den Deutschen. Dort stieß er auch auf die anderen Überlebenden aus Janiszow. Am Ende überlebte er, nicht weil er geflohen und zu einem in den Wäldern kämpfenden Partisanen geworden war, sondern weil er sich in einem deutschen Zwangs-

---

[55] Aussagen von Hillel Borensztajn (YVA, M.1.E/595) und Eli Fiszman (M.1.E/714 und 715); Aussagen von B. Kleinman und Manes Brafman, in: Rachov-Annopol. Die Partisanen, die das Lager befreiten, gehörten einer Einheit der Gwardia Ludowa an, die unter dem Befehl von Grzegorz Korczyński stand, und offenbar war er es, der später zusammen mit anderen aus seiner Einheit die Partisanen tötete. Ich danke Dr. Shmuel Krakowski, dass er mich auf Korczyńskis Verrat aufmerksam gemacht hat, und Dr. Bogdan Musial, dass er mir die Quelle zur Verfügung gestellt hat, in der genauer auf den Vorfall eingegangen wird: PIOTR GONTARCZYK, Polska Partia Robotnicza. Droga do władzy 1941–1944, Warszawa, 2003, S. 179–191.

arbeitslager gestellt und in der Hoffnung, auf diese Weise überleben zu können, gearbeitet hatte.[56] 600 Juden hatten sich für das eine oder andere entschieden, aber überlebt hatten diejenigen, die geblieben waren, nicht jene, die versucht hatten, sich den Partisanen anzuschließen. Ein Überlebender meinte in Bezug auf die Ankunft von zwei anderen Flüchtlingen aus Janiszow in Budzyn: „In ihren Augen waren wir frei, und sie waren gefangen."[57]

Man sieht also eine parallele Entwicklung des deutschen und jüdischen Handelns. Als die deutschen Deportationen immer umfassender, systematischer und effizienter wurden, versuchte eine zunehmende Zahl von Juden, irgendetwas zu unternehmen. Doch alle Juden befanden sich zu diesem Zeitpunkt in einer äußerst prekären Lage. Nichts, was sie taten oder tun konnten, war „richtig"; was bei ihren Bemühungen um ein Überleben herauskam, war völlig unvorhersehbar. Etwas von den Ereignisse mitzubekommen und entsprechend aktiv zu werden erhöhte während des Holocaust nicht notwendigerweise die Überlebenschancen.

---

[56] Aussage von Eli Fiszman, in: YVA, M.1.E/714; FREIBERG, Hoshekh kisah erets, S. 104 f.

[57] FREIBERG, Hoshekh kisah erets, S. 104.

JACEK ANDRZEJ MŁYNARCZYK

ORGANISATION UND DURCHFÜHRUNG DER „AKTION REINHARD" IM DISTRIKT RADOM

Der Distrikt Radom umfasste neben den südöstlichen und östlichen Kreisen der Wojewodschaft Lodz hauptsächlich das Gebiet der ehemaligen Wojewodschaft Kielce. Auf einer Fläche von rund 24 500 qkm lebten hier drei Millionen Menschen. Administrativ war der Distrikt in zehn Kreishauptmannschaften (Busko, Jedrzejow, Kielce, Konskie, Opatow, Petrikau, Radom-Land, Radomsko, Starachowice und Tomaschow) sowie drei kreisfreie Städte (Kielce, Radom und Tschenstochau) unterteilt. Die Anzahl der dort im Jahre 1942 wohnenden Juden ist nicht einfach zu ermitteln: Laut offiziellen deutschen Angaben für 1940 belief sich der Anteil der jüdischen Bevölkerung auf exakt 282 380 Menschen.[1] Die Statistiken der jüdischen karitativen Organisationen gehen aber schon 1941 in ihren Berechnungen von 327 583 Juden aus. Wenn man noch die jüdischen Flüchtlinge und Deportierten aus anderen Gebieten im Jahre 1941, die ca. 70 000 betrug, sowie die vielen Migranten innerhalb des Generalgouvernements und den natürlichen Zuwachs mit einbezieht, kann man davon ausgehen, dass im Distrikt Radom kurz vor der großen Deportationswelle 1942 zwischen 360 000 und 400 000 Juden lebten.[2] Gegen diese Menschen sollten sich die Vernichtungsmaßnahmen der deutschen Besatzer im Rahmen der so genannten Aktion Reinhard richten.

---

[1] Angabe nach der Bevölkerungserhebung vom 10.03.1940, abgedruckt in: Das Deutsche Generalgouvernement Polen, hg. v. MAX FREIHERR DU PREL, Krakau 1940, S. 100.

[2] ADAM RUTKOWSKI, Martyrologia, walka i zagłada ludności żydowskiej w dystrykcie radomskim podczas okupacji hitlerowskiej, in: BŻIH 15-16/1955, S. 75–181, S. 76 f. Frank Golczewski beziffert dagegen – leider ohne Quellenangabe – die exakte Zahl der Juden im Distrikt Radom auf 375 809, vgl. sein Aufsatz „Polen", in: Dimensionen des Völkermords. Die Zahl der jüdischen Opfer des Nationalsozialismus, hg. v. WOLFGANG BENZ, München 1991, S. 411–497, S. 456 f.

Die deutsche „Judenpolitik"
im Distrikt Radom vor der „Aktion Reinhard"

Unmittelbar nach dem Einmarsch der deutschen Truppen in das Gebiet des späteren Distrikts Radom begannen die nationalsozialistischen Verfolgungsmaßnahmen gegen die Juden. An den anfangs eher spontanen Ausschreitungen beteiligten sich Angehörige aller Dienststellen: einfache Soldaten wie Offiziere der Wehrmacht, Angehörige der Militärverwaltung sowie auch Polizisten verschiedener Einheiten. Die Juden wurden als Geiseln genommen, erpresst und zu diversen Aufräumarbeiten gezwungen. Auch der individuelle Verfolgungswille der einzelnen Weltanschauungstäter stieß kaum auf Grenzen: Jüdische Männer und Frauen wurden beschimpft, verprügelt, entwürdigt und gedemütigt. Noch unter der Militärverwaltung kam es zu ersten antisemitischen Gewalttaten, die auch Todesopfer forderten.[3]

Nach der Etablierung der Zivilverwaltung am 26. Oktober 1939 verschlimmerte sich die Situation der Juden erheblich: Neben den spontanen Repressalien erließen die zentralen Behörden des Generalgouvernements neue antisemitische Anordnungen. Ziel dieser Gesetzgebung war es, die Juden zu entrechten und aus dem öffentlichen, kulturellen und wirtschaftlichen Leben der Region zu verdrängen. Konsequenz war die fortschreitende Proletarisierung und Verelendung der jüdischen Bevölkerung.

Es wurden Kennzeichnungspflicht, Ausgehverbote und Arbeitszwang eingeführt, wodurch der Zugriff auf jüdische Gemeinden erst gewährleistet wurde. Im Rahmen der so genannten Arisierung der Wirtschaft entzog man den Juden die wirtschaftliche Existenzgrundlage in der Region: Jüdisches Vermögen wurde konfisziert, Bankkonten gesperrt, Betriebe und Unternehmen unter Treuhandverwaltung gestellt. Um die Effizienz ihrer destruktiven Maßnahmen zu steigern, bildeten die Nazis allerorts Judenräte, die persönlich für die reibungslose Umsetzung der deutschen Auflagen verantwortlich gemacht wurden. So verloren immer mehr Juden ihre Arbeit und lebten am Rande des Existenzminimums von Tag zu Tag vom Verkauf des persönlichen Eigentums.

Den entscheidenden Schlag gegen die wirtschaftliche Existenz der Juden bildete die Errichtung von Ghettos. Durch die Ghettoisierungen fielen der größte Teil der zurückgelassenen Möbelstücke sowie sämtliche Gegenstände

---

[3] Vgl. zahlreiche Schilderungen von spontanen Übergriffen während der Militärverwaltung im Distrikt Radom in: Eugeniusz Fafara, Gehenna ludności żydowskiej, Warszawa 1983.

aus den verlassenen jüdischen Wohnungen, Betrieben und Geschäften den Besatzern in die Hände.[4]

Das erste Ghetto auf dem Gebiet des besetzten Polen wurde bereits im September 1939 in Petrikau gebildet.[5] Bis zum Frühling 1941 verlief die Ghettoisierungsaktion im Distrikt aufgrund von Anordnungen lokaler Behörden, durch welche sie eine Ad-hoc-Abhilfe für unterschiedlichste, oft selbst verursachte Probleme zu schaffen versuchten. Die Vorbereitungen zum „Unternehmen Barbarossa" lösten eine neue Ghettoisierungswelle aus: Die große Konzentration der Wehrmachtsoldaten in den vier Distrikten des Generalgouvernements bewirkte Einquartierungs- und Verpflegungsschwierigkeiten, die man vor allem auf jüdische Kosten zu lösen versuchte. Die kritische Wohnungslage spitzte sich durch die Errichtung des Truppenübungsplatzes „Mitte" im Frühling 1941 zu, als die Bewohner zahlreicher Ortschaften vollständig umgesiedelt wurden.[6] Auf einer Arbeitsversammlung aller Kreis- und Stadthauptleute des Distrikts Radom am 29. März 1941 forderte Distriktgouverneur Dr. Karl Lasch seine Untergebenen deshalb auf, bis zum 5. April 1941 in ihren jeweiligen Zuständigkeitsbereichen die Schaffung von jüdischen Wohnvierteln abzuschließen. So wurden zahlreiche jüdische Wohnbezirke in den umliegenden Städten und Gemeinden errichtet.

Weitere Ghettoisierungsmaßnahmen folgten im Winter 1941/42, und zwar aufgrund der 3. Verordnung über Aufenthaltsbeschränkungen im GG vom 15. Oktober 1941[7] und des Rundschreibens des stellvertretenden Amtschefs, Oswald, an die Kreis- und Stadthauptleute des Distrikts vom 11. Dezember 1941. Darin empfahl Oswald mit Nachdruck, bis zum 1. Januar 1942 „die Juden, die vereinzelt in verschiedenen Ortschaften wohnen, in einem Marktflecken zusammenzuziehen oder eine Ortschaft innerhalb einer Landgemeinde den Juden als Wohnort und damit als Wohnbezirk zuzuweisen".[8] Da-

---

[4] Vgl. z. B. die entsprechende Anordnung des Bürgermeisters von Kielce bei der dortigen Ghettoisierung, in: Anordnungsblatt für die Stadt Kielce v. 5.04.1941, in: Archiwum Państwowe w Kielcach, AmK, Sign. 2642.

[5] Bekanntmachungen aus Petrikau, in: AŻIH, Ring. I/340, I/1199; vgl. auch: RUTKOWSKI, Martyrologia, S. 79 ff.; LENI YAHIL, Die Shoah. Überlebenskampf und Vernichtung der europäischen Juden, München 1998, S. 239.

[6] Laut STANISŁAW MEDUCKI, Przemysł i klasa robotnicza w dystrykcie radomskim w okresie okupacji hitlerowskiej, Warszawa, Kraków 1981, S. 16, Fußnote 5, wurden im Kreis Radom-Land die Gemeinden Brzoza und Przytyk gänzlich, die Gemeinden Bialobrzegi (11 Ortschaften), Bobrowniki (18), Jedlinsk (27), Kozlow (21), Mariampol (17), Potworow (45), Radzanow (62), Swierze Gorne (6), Wieniawa (17), Wolanow (21), Zakrzow (39), Jedlnia (21) sowie im Kreis Tomaszow die Gemeinden Rusinow (30) und Skrzynsko (22) teilweise geräumt.

[7] Verordnungsblatt für das Generalgouvernement (fortan: VOBlGG) 1941, Nr. 99.

[8] Instytut Pamięci Narodowej – Komisja Ścigania Zbrodni przeciwko Narodowi Polskiemu – Biuro Udostępniania i Archiwizacji Dokumentów (fortan: AIPN), B-89 (NTN335), Bl. 99.

durch wurde die Bildung der jüdischen Wohnviertel in den Kreishauptmann-schaften Ilza, Konskie, Radom-Land und Opatow beschleunigt.[9] Dieser Schritt erfolgte im Zuge der „gesundheits-hygienischen Prophylaxe" seitens der Regierung des Generalgouvernements. Deren Ziel war es, Epidemien unter Kontrolle zu bringen, die sich im gesamten GG während des Winters 1941/42 aufgrund der katastrophalen Ernährungs- und Verpflegungssituation unter der jüdischen Bevölkerung ausbreiteten.

Alle diese Maßnahmen umfassten aber nur einen Teil der Gemeinden im Distrikt: So gab es am Vorabend der „Aktion Reinhard" immer noch zahl-reiche Ortschaften ohne ein „Judenviertel". Hier erfolgte die Ghettoisierung erst im Zuge der „Aktion Reinhard".

Vorbereitungsmaßnahmen für die „Aktion Reinhard" seitens der Zivilverwaltung

Obwohl die Erfassung, Deportation und Vernichtung der Juden in einzelnen Distrikten überwiegend durch die SS- und Polizeikräfte durchgeführt wurde, wäre sie ohne Unterstützung seitens der örtlichen Zivilverwaltung kaum möglich gewesen.[10] Vor allem die flächendeckenden Ghettoisierungs- und Konzentrationsmaßnahmen erwiesen sich als unverzichtbar für den schnellen Zugriff auf die jüdischen Gemeinden während der „Aktion Reinhard".

Bereits im Frühling 1942 führte die Zivilverwaltung Umsiedlungen durch. In einzelnen Kreishauptmannschaften wurde versucht, vor allem die dörflichen Judengemeinden in der Nähe von Eisenbahnstrecken und größeren Bahnhöfen anzusiedeln, um sie auf diese Weise griffbereit für die Abschie-bung zu haben. So entstanden jüdische Sammelorte in Opoczno, Gielniow, Lopuszno, Lipsk, Checiny, Garbatka, in den Dörfern rund um Baltow, in Zawichost und Blizyn.[11]

Die letzte Phase der Konzentration der jüdischen Bevölkerung erfolgte unmittelbar vor den Deportationen in die Vernichtungslager im Spätsommer und Herbst 1942. Sie wurde nicht mehr nur durch die Kräfte der Zivilver-

---

[9] Archiwum Żydowskiego Instytutu Historycznego (fortan: AŻIH), Niemieckie Materiały Okupacyjne (fortan: NMO), Fotokopie Dokumentów Niemieckich (fortan: Fotok.), Nr. 55, 56, 60, 67.

[10] BOGDAN MUSIAL, Deutsche Zivilverwaltung und Judenverfolgung im Generalgouver-nement. Eine Fallstudie zum Distrikt Lublin 1939–1944, Wiesbaden 1999; sowie DERS., Verfolgung und Vernichtung der Juden im Generalgouvernement. Die Zivilverwaltung und die Shoah, in: Die Täter der Shoah. Fanatische Nationalsozialisten oder ganz normale Deutsche?, hg. v. GERHARD PAUL, Göttingen 2002, S. 187–203.

[11] RUTKOWSKI, Martyrologia, S. 99 ff.

waltung, sondern durch die polizeilichen Räumungskommandos unmittelbar vor der jeweiligen Aussiedlung durchgeführt. Deren Aufgabe war es, ausgewählte Wohngebiete in den jeweiligen Kreisen in Sammelstellen für die gesamte jüdische Bevölkerung der Umgebung umzuwandeln. Diese Funktion erfüllten unter anderen die Ghettos in Jedrzejow für die Kreise Jedrzejow und Busko;[12] Sandomierz, Ostrowiec, Ozarow, Staszow, Opatow und Zawichost für den Kreis Opatow; Radom, Bialobrzegi, Kozienice, Szydlowiec und Zwolen für den Kreis Radom-Land; Radomsko und Koniecpol für den Kreis Radomsko; Kielce, Suchedniow und Checiny für den Kreis Kielce; das Ghetto Petrikau[13] für kleinere jüdische Gemeinden im gleichnamigen Kreis sowie das Ghetto in Tarlow für die jüdische Bevölkerung aus dem Kreis Starachowice.[14]

Parallel zu den Konzentrationsmaßnahmen erfolgte die statistische Erfassung der jüdischen Bevölkerung der einzelnen Gemeinden durch die Abteilungen „Arbeit" sowie „Bevölkerungswesen und Fürsorge" der jeweiligen Stadt- und Kreishauptmannschaft. Dies sollte die Unterteilung der jüdischen Bevölkerung in die „Arbeitsfähigen" und den zur Ermordung bestimmten „überflüssigen Rest" ermöglichen. Die Schonung aller arbeitsfähigen Juden zwischen dem 16. und 35. Lebensjahr im ganzen Generalgouvernement wurde von Himmler offenbar schon im April befohlen.[15] Am 9. Mai 1942 ordnete die Hauptabteilung „Arbeit" in der Regierung des Generalgouvernements die Registrierung aller jüdischen Facharbeiter an[16] und beschloss die Erfassung aller jüdischen Männer im Alter von 12 bis 60 Jahren in lokalen Arbeitsämtern, verbunden mit der Herausgabe von neuen Meldekar-

---

[12] Aussage: Dr. W. Schäfer (Kreishauptmann in Busko) v. 15.02.1965, in: Bundesarchiv – Außenstelle Ludwigsburg (fortan: BA-L), II 206 AR-Z 56/72, Bl. 96. Danach sollen die Bewohner der im Südosten liegenden jüdischen Gemeinden (Stopnica, Pacanow) nach Szczucin im Distrikt Krakau getrieben worden sein, um erst von dort aus im Zuge der Räumung von Westgalizien Anfang November 1942 „ausgesiedelt" zu werden.

[13] Aussage A. Buss (Kreishauptmann in Petrikau) v. 7.02.1956, in: BA-L, 206 AR-Z 363/59, Bl. 187RSf.

[14] RUTKOWSKI, Martyrologia, S. 101 f.

[15] DIETER POHL, Die großen Zwangsarbeitslager der SS- und Polizeiführer für Juden im Generalgouvernement 1942–1945, in: Die Nationalsozialistischen Konzentrationslager. Entwicklung und Struktur, hg. v. ULRICH HERBERT/KARIN ORTH/CHRISTOPH DIECKMANN, Bd. I, Göttingen 1998, S. 415–438, S. 418 sowie S. 434, FN 17.

[16] DIETER POHL, Von der „Judenpolitik" zum Judenmord. Der Distrikt Lublin des Generalgouvernements 1939–1944, Frankfurt/M. u.a. 1993, S. 120; MUSIAL, Deutsche Zivilverwaltung, S. 245 f.; vgl. Antwort des Judenrates in Tschenstochau v: 14.05.1942 mit der detaillierten Zusammenstellung aller jüdischen Handwerke, nach Geschlecht und Branchen aufgelistet, in: AŻIH, Rada Starszych w Częstochowie, Sign. 213/24, Bl. 42.

ten mit Lichtbild.[17] Darüber hinaus führten auch die lokalen Behörden ihre eigenen statistischen Bestandsaufnahmen durch, um Einfluss darauf zu nehmen, welche Personen deportiert werden sollten. In Kielce zum Beispiel wurden alle jüdischen Handwerker und Zwangsarbeiter registriert, deren Arbeitsstellen außerhalb des Ghettos lagen.[18]

Unmittelbar vor dem Beginn der Deportationen im Distrikt Radom veranstaltete Gouverneur Kundt eine „Aussiedlungskonferenz" für Vertreter aus der Zivilverwaltung, um diese über die anlaufenden Aktionen von SS und Polizei zu informieren.[19] Dort besprach man wahrscheinlich auch alle Details in Bezug auf die Zusammenarbeit mit den polizeilichen Dienststellen. Von diesem Zeitpunkt an setzte eine rege Korrespondenz zwischen den jeweiligen Kreishauptleuten und den polizeilichen Dienststellen in den einzelnen Kreisen ein, die der Vorbereitung der bevorstehenden Deportationen diente.[20]

Vorbereitungsmaßnahmen für die „Endlösung der Judenfrage" im Distrikt Radom durch SS- und Polizeistellen

Ebenso wie in anderen Distrikten des Generalgouvernements wurden auch im Distrikt Radom alle logistischen Vorbereitungen zur Deportation der jüdischen Bevölkerung dem regionalen SS- und Polizeiführer anvertraut.[21]

---

[17] Bekanntmachung des Stadthauptmanns von Tschenstochau, Dr. Franke, v. 17.06.1942, in: AAN, 214/III-8, Bl. 13 f. In Tschenstochau wurde diese Registrierung zwischen dem 22.06. und 16.07.1942 vorgenommen.

[18] KRZYSZTOF URBAŃSKI, Zagłada ludności żydowskiej Kielc 1939–1945, Kielce 1994, S. 105 f. Beachte auch das Erhebungsformular über das Kielcer Ghetto vom April 1942, in dem Fragen wie die nach der Gesamtzahl der Ghettoeinwohner, der Bevölkerungsdichte und den sanitären Verhältnissen sowie die Zahl der Infizierten behandelt werden, in: AŻIH, Jüdische Unterstützungsstelle (fortan: JUS) 281 (alt: 533), Bl. 87.

[19] MUSIAL, Deutsche Zivilverwaltung, S. 301, bes. FN 388.

[20] Vgl. z. B. Notizen über den Schriftverkehr mit dem Kreishauptmann des Kreises Tomaschow, Glehn, in: Dienstbuch der Sipoaußendienststelle Tomaszow, v. 3., 6. und 27.08.1942, in: Bundesarchiv Berlin (fortan: BA-B), R 70 Polen/125, Bl. 48 ff., betr.: Umsiedlung und Verkleinerung des Ghettos in Tomaszow (Problem der Einrichtungsgegenstände und Möbel) sowie der Umsiedlungsaktion der unberechtigt zugezogenen Juden von Bendkow und Ujazd nach Biala-Rawska, vgl. Brief des Amtes Innere Verwaltung beim Kreishauptmann Tomaszow an Gendarmerieposten v. 16.07.1942, BA-L, Verschiedenes XIX, Bl. 139, in der gleichen Angelegenheit.

[21] WOLFGANG SCHEFFLER, The Forgotten Part of the „Final Solution": The Liquidation of the Ghettos, in: The Nazi Holocaust. Historical Articles on the Destruction of European Jews, Bd. 3: The „Final Solution": The Implementation of Mass Murder, Teil 2, S. 814 f.; zum Distrikt Radom vgl.: Vern. H. Altman (Leiter der Gestapo-Petrikau) v. 15.11.1960, in:

In Radom handelte es sich hierbei um SS-Standartenführer Dr. Herbert Böttcher.[22] Er befehligte und koordinierte den so genannten Judeneinsatz mit Hilfe seines Stabes unter Führung von SS-Sturmbannführer Wilhelm Blum,[23] den er persönlich mit den Verhandlungen mit den Wehrmachtdienststellen, der Verwaltung sowie den Kommandeuren der Ordnungs- und Sicherheitspolizei betraute.[24] Der Stabsführer hatte auch Weisungsbefugnis gegenüber den operativen Kräften von SS und Polizei. Blum, der seit November 1941 als Referent im persönlichen Stab beim SSPF in Lublin, Odilo Globocnik, „in die Lehre ging", war weltanschaulich bestens auf seine Aufgabe vorbereitet.[25] Wie aus einer späteren Beurteilung zu entnehmen ist,

---

BA-L, 206 AR-Z 11/67, Bl. 15; auch im Zwischenbericht, in: BA-L, II 206 AR-Z 157/60, Bl. 359; zum Übergang der „Endlösung"-Kompetenzen von der Sicherheitspolizei auf die jeweiligen SSPFs vgl.: DIETER POHL, Nationalsozialistische Judenverfolgung in Ostgalizien 1941–1944, München 1996, S. 207.

[22] Dr. Herbert Böttcher wurde 1907 in Proküls (so genanntes Memelgebiet) geboren. Er studierte Jura in Memel und promovierte dort anschließend. 1934 wurde er durch ein litauisches Gericht zu einer achtjährigen Gefängnisstrafe wegen staatsfeindlicher Aktivitäten zu Gunsten des Dritten Reiches verurteilt und erst 1937 nach einer persönlichen Intervention Hitlers bei der litauischen Regierung entlassen. 1939 nach der Vereinigung des Memelgebietes mit dem Reich wurde er zum Polizeidirektor von Memel ernannt und trat der NSDAP und SS bei. 1941 wurde er im Rang des SS-Standartenführers zum Polizeipräsidenten von Kassel; von Mai 1942 bis Januar 1945 war er als der SS- und Polizeiführer im Distrikt Radom eingesetzt, wo er die Judenvernichtungsaktion leitete. Nach dem Krieg wurde er nach Polen ausgeliefert, 1948 in Radom zum Tode verurteilt und 1952 hingerichtet. Vgl. BA-B, SSO-Akte: Böttcher Herbert, sowie: Enzyklopädie des Holocaust, hg. v. EBERHARD JÄCKEL/PETER LONGERICH/ JULIUS H. SCHOEPS, München, Zürich, o. J., Bd. I, S. 234 (Stichwort: Böttcher).

[23] Wilhelm Blum wurde am 30.04.1890 in Dellwig (Kreis Essen) geboren. Er nahm am Ersten Weltkrieg als Kavalleriesergeant teil. Als gelernter Drogist übernahm er in den zwanziger Jahren den Automobilbetrieb – Handel und Fuhrgeschäft – von seinem Schwiegervater und versuchte sich als Geschäftsmann, jedoch ohne großen Erfolg. Aus seinem sorglosen Umgang mit Geld resultierten zahlreiche Vorstrafen in den Jahren 1928–1932, unter anderem wegen Steuerhinterziehung und Betrug. Danach sah er seine Rettung im politischen Engagement: 1930 trat er in die NSDAP, 1931 in die SS ein. Seit dem 15. Januar 1938 war er bei der SS-Stammabteilung West Bezirk 20. Von dort aus wurde er am 21. November 1941 in das Generalgouvernement beordert und übernahm dort die Funktion des K-Referenten bei Globocniks persönlichem Stab in Lublin. Am 1. August 1942 übernahm er die Stelle des Stabsführers bei SSPF Böttcher in Radom im Rang eines SS-Hauptsturmführers. Im November 1942 wurde er zum Sturmbannführer, 1943 zum Obersturmbannführer der Waffen-SS ernannt. Vgl. BA-B, SSO-Akte: Blum Wilhelm.

[24] Blums Ernennungsantrag v. 4.12.1943, in: BA-B, SSO-Akte: Blum Wilhelm. In seiner Beurteilung vom 20.09.1943, ebd., steht explizit: „[Er] hat sich als Stabsführer des SS- u.[nd] Pol.[izei] Führers Radom in der Zeit des schnellsten Aufbaues u.[nd] der äußersten Arbeitsüberlastung (Judenaussiedlung, Erfassung des jüd.[ischen] Vermögens, Schaffung des SS- u.[nd] Pol.[izei]-Wohnviertels) außerordentlich bewährt."

[25] Vgl. BA-B, SSO-Akte: Blum Wilhelm; Blum wurde zum 1.8.1942 nach Radom versetzt.

galt er als „alter Nationalist u.[nd] SS-Führer, der sich jederzeit zur Verfügung stellt".[26]

Mitglieder des Judenreferates beim Kommandeur der Sicherheitspolizei
(KdS) in Radom bildeten das so genannte Sonderkommando Feucht. Dessen
Aufgabe war es, die Aussiedlungsaktionen in den einzelnen Ghettos zu
planen, zu überwachen und zu leiten. Es wurde nach seinem Chef, dem
Kriminalkommissar und SS-Hauptsturmführer Adolf Feucht,[27] benannt, der
beim KdS-Radom unter anderem die Abteilung IV B leitete, die auch für
Judenangelegenheiten zuständig war. Das Sonderkommando konnte über alle
Angehörigen der KdS-Dienststelle in Radom verfügen, die nach Bedarf
abwechselnd zu den einzelnen Einsätzen befohlen wurden.[28] Zu den Aktio-
nen wurden außerdem jeweils eine Kompanie der Truppenpolizei und der
„Trawniki-Männer"[29] (140 Angehörige) abgeordnet.[30] Der Führer der

---

[26] Beurteilung Blums v. 30.9.1943, in: BA-B, SSO-Akte: Blum Wilhelm; vgl. Aussage:
Paul Degenhardt (Schupo-Dienstellenleiter in Tschenstochau) v. 16.4.1968, in: BA-L, AR-Z
11/67, Bl. 333 f.

[27] Adolf Gottfried Feucht wurde am 7.5.1909 in Malmsheim geboren; von Anfang 1940
bis Ende 1941 leitete er die Außendienststelle der Sicherheitspolizei in Tschenstochau, dann
wurde er nach Radom versetzt, wo er beim KdS die Referate IVB (Kirchen, Sekten, Freimau-
rer, Juden), IVC (Auskunft, Überprüfungen, Schutzhaft, Presse, Parteiangelegenheiten), IVD
(Emigration, Standgerichte) leitete; er nahm an der „Aktion Reinhard" im Distrikt Radom als
Führer eines nach ihm benannten Sonderkommandos teil, das durch SSPF Böttcher
zum Zwecke der Leitung und Koordinierung der Einzelaktionen vor Ort gebildet wurde. 1944
beteiligte er sich mit einem Sonderkommando der Sipo in Radom an der Niederschlagung des
Warschauer Aufstandes. Er soll am 8.5.1945 auf tschechischem Gebiet gefallen sein; vgl. BA-
L, Polen, 301 AAb, Bl. 223 f.; Vermerk, in: BA-L, II 206 AR-Z 11/67, Bl. 790; JAN
FRANECKI, Hitlerowski aparat policyjny i sądowniczy i jego działalność w dystrykcie radomskim ze szczególnym uwzględnieniem ziemi radomskiej, Radom 1978, S. 38.

[28] Walter Karl S. (Angehöriger des Sk. „Feucht"), in: BA-L, 206 AR-Z 11/67, Bl. 455,
sagte aus: „Das Kommando wurde von Fall zu Fall neu aufgestellt und zwar von Angehörigen
aller Abteilungen, also auch der Verwaltung und der Kripo, jedoch nicht vom SD. Dieser war
organisatorisch von der Sicherheitspolizei völlig getrennt." Er schätzt die Anzahl der Angehörigen zwischen zehn und fünfzehn; Hermann Altmann (Leiter der Gestapo-Petrikau) am
15.11.1960, ebd., Bl. 15, spricht von zwölf Mitgliedern des Sonderkommandos; Fritz R.
(Polizeireservekompanie „Köln") am 1.2.1966, in: ZSL II 206 AR-Z 157/60, Bl. 462 f.,
berichtete von 30 „SD-Männern" (Sk. „Feucht"), die einzelne Räumungen, unterstützt von
„Trawnikis", in Tschenstochau, Petrikau und Kielce leiteten.

[29] Zu den „Trawniki-Männern" vgl. MARIA WARDZYŃSKA, Formacja Wachmannschaften
des SS- und Polizeiführers im Distrikt Lublin, Warszawa 1992; YITZHAK ARAD, Belzec,
Sobibor, Treblinka. The Operation Reinhard Death Camps, Bloomington, Ind., 1987, S. 20
ff.; HELGE GRABITZ, Iwan Demjanjuk zum Tode verurteilt. Anmerkungen zur strafrechtlichen
Verantwortung der „Trawnikis", in: Tribüne 27/1988, Heft 108, S. 176–182; WOLFGANG
SCHEFFLER, Probleme der Holocaustforschung, in: Deutsche – Polen – Juden. Ihre Beziehun-
gen von den Anfängen bis ins 20. Jahrhundert, hg. v. STEFI JERSCH-WENZEL, Berlin 1987,
S. 259–281; Stichwort Trawniki in: Enzyklopädie des Holocaust, Bd. III, S. 1426 f.

letztgenannten Kompanie, SS-Untersturmführer Erich Kapke, bildete gleichzeitig in seiner Funktion als Referent für Judenangelegenheiten das Bindeglied zwischen dem Sonderkommando und dem SSPF-Aussiedlungsstab.[31]

Auf diese Weise wurden allein aus den SS- und Polizeikräften in Radom zu jeder größeren Ghettoräumung im Distrikt 150 bis 200 erfahrene „Aussiedlungsspezialisten" geschickt. Sie konnten sowohl auf die stationären Polizeikräfte vor Ort als auch auf die Polizeibataillone zurückgreifen.

Im Herbst 1942 befanden sich im Distrikt Radom folgende stationäre Polizeidienststellen:

1) Außendienststellen des KdS-Radom:[32]
- SD-Außenstellen in Kielce, Radom, Starachowice, Tomaschow und Tschenstochau;
- Gestapo-Außenstellen in Kielce, Ostrowiec, Petrikau, Tomaschow und Tschenstochau;
- Kripo-Außenstellen in Busko, Jedrzejow, Kielce, Konski[e], Opatow, Ostrowiec, Petrikau, Radomsko, Starachowice, Tomaschow und Tschenstochau.

2) Außendienststellen des KdO-Radom:
- Einzeldienstkommandos der Schutzpolizei in Tschenstochau, Kielce und Radom;[33] dazu kamen noch die Schupo-Dienstabteilungen in Ostrowiec, Petrikau, Starachowice und Tomaschow;
- Hauptmannschaften der Gendarmerie in Kielce, Petrikau, Radom und Tschenstochau.[34]

Außerdem gab es im Distrikt noch die Polizeireservekompanien „Köln" und „Leipzig", die zu größeren Aussiedlungen beordert wurden. Die Angehöri-

---

[30] Vern. Erich Kapke v. 2.03.1970, in: BA-L, 206 AR-Z 40/65, Bl. 1079; die exakte Größe der „Trawniki"-Einheit in Radom in: BA-B, SSO-Akte: Kapke Erich, Beförderungsantrag vom 19.10.43.

[31] Vgl. die Stellenbesetzung des Stabes des SSPF Radom, in: BA-L, Polen 361, Bl. 328. Nach dieser Liste bestand der gesamte SSPF-Stab in Radom aus nur zehn Personen. Außer Kapke befasste sich dort mit den Judenangelegenheiten in der Funktion eines Sachbearbeiters SS-Untersturmführer Paul Nell, der spätere Leiter des SSPF-Judenlagers in Blizyn.

[32] Geschäftsverteilungsplan des KdS-Radom vom 27.10.1942, in: BA-B, R 70 Polen/80, Bl. 9, 13, 15.

[33] STANISŁAW BIERNACKI/BLANDYNA MEISSNER/JAN MIKULSKI, Policja Porządkowa w Generalnej Guberni. Wybór dokumentów, in: BGKBZHwP, Bd. XXXI/1982, S. 128–288, S. 180, Dok. Nr. 18. Die dort angegebenen Sollstärken der Einzeldienstkommandos betrugen in Radom 40, in Tschenstochau 45 und in Kielce 40 Mann (2.7.1940).

[34] Ebd., Dok. Nr. 5, S. 155. Vgl. auch: FRANECKI, Hitlerowski aparat policyjny, S. 31 f. Die Hauptmannschaften zerfielen wiederum in Gendarmerie-Züge innerhalb der Kreise, und auf der Ebene der Dorfgemeinden in Gendarmerie-Posten, die nicht kleiner als zwölf Personen sein durften.

gen dieser Einheiten begleiteten in der Regel als Wachmannschaften die Deportationszüge nach Treblinka.[35] Gelegentlich wurde bei den Aussiedlungen auch auf die Kräfte der Waffen-SS, der Feuerwehr, der „blauen Polizei", des Bau- oder des Sonderdienstes zurückgegriffen.

Noch vor Beginn der Deportationen erließ der SS- und Polizeiführer Böttcher einen „Schießbefehl", wonach alle Juden, die nach Beendigung einer Aussiedlung noch angetroffen wurden, sofort zu erschießen waren.[36] Damit wurde jeder jüdische Flüchtling, der sich außerhalb der gebildeten Arbeitskommandos oder Zwangsarbeitslager befand, offiziell zum „Freiwild".

Noch bevor die eigentlichen Räumungsaktionen begonnen hatten, leitete die Gestapo-Abteilung des KdS-Radom unter Paul Fuchs eine Verhaftungsaktion gegen „jüdische Aufwiegler" und „kommunistische Agitatoren" ein, die – laut der Abteilung „Propaganda" in Krakau – in den Nachtstunden des 28. April 1942 „in den Städten Radom, Kielce, Tschenstochau, Petrikau, Tomaschow und Ostrowiec durchgeführt wurde [...]". Im Laufe der Aktion „wurden 300 Verhaftungen vorgenommen. Die Festgenommenen wurden in das Konzentrationslager Auschwitz gebracht. Über 200 Juden wurden auf der Flucht erschossen."[37] Auf diese Weise hoffte man in den größten Ghettos des Distrikts jeglichen Widerstandswillen von vornherein zu brechen.

Verlauf der Ghetto-Vernichtungsaktionen im Distrikt Radom

Obwohl die Vorbereitungen zu den Aussiedlungen im Distrikt Radom seitens der zuständigen Polizeistellen schon Mitte Juni 1942 abgeschlossen waren, wurden die Deportationen bis August 1942 verschoben, weil die Wehrmacht aufgrund der kritischen Frontsituation eine absolute Transportsperre für alle nichtmilitärischen Transporte im Generalgouvernement verhängt hatte.[38] Durch diese Verzögerung wurde die jüdische Bevölkerung des Distrikts

---

[35] Vern. Fritz K. (Angehöriger der Polizeireservekompanie „Köln") v. 1.2.1966, in: BA-L, II 206 AR-Z 11/67, Bl. 210.

[36] Vern. H. Altmann (Gestapochef in Petrikau) v. 15.11.1960, in: BA-L, 206 AR-Z 363/59, Bl. 548 f.

[37] Wochenberichte der Distrikte von der Abt. Propaganda in Krakau, Eintrag vom 1.5.1942 für Radom, in: BA-L, Verschiedenes 280, Bl. 1840.

[38] Vgl. die Aussage des stellvertretenden Amtschefs des Distriktes Radom, Oswald, auf der Polizeisitzung am 16.6.1942, in: DTB, S. 511; sowie ARTUR EISENBACH, Operation Reinhard Mass Extermination of the Jewish Population in Poland, in: Polish Western Affairs 3/1962, S. 80–124, S. 92 f.

nicht, wie ursprünglich geplant, in die Vernichtungslager Sobibor und Belzec, sondern nach Treblinka im Distrikt Warschau deportiert.

In der Regel begann jede Aussiedlungsaktion mit einer ein paar Tage oder bereits Wochen zuvor abgehaltenen Einsatzbesprechung mit den örtlichen Sicherheits- und Ordnungskräften, den Delegierten aus der Rüstungsindustrie sowie den zuständigen Abteilungsvertretern der lokalen Zivilverwaltung.[39] Nicht selten, besonders bei der Räumung von größeren Ghettos, erschien Böttcher persönlich oder lud die zuständigen Referenten zu einer Besprechung nach Radom ein. Während solcher Treffen wurde dann der gesamte räumliche und zeitliche Plan der jeweiligen Aktion festgelegt, die notwendigen Polizeikräfte wurden zugeteilt und mit spezifischen Einzelaufgaben versehen, und man legte die genaue Zahl der „entbehrlichen", also „arbeitsunfähigen" Juden vor Ort fest. Die empirische Grundlage für diese Erwägungen bildeten die statistischen Daten der jeweiligen städtischen Abteilung „Bevölkerungswesen und Fürsorge" über die jüdische Bevölkerungszahl und der Arbeitsämter über ihren Beschäftigungsanteil.[40] Der Stadthauptmann musste der Abriegelung eines großen Teils der Stadt einschließlich des Bahnhofsgeländes zustimmen sowie Vorschläge für die Unterbringung der Verwertungslager für den jüdischen Besitz unterbreiten. Auch der örtliche Vertreter der Ostbahn musste informiert werden, um die Ankunfts- und Abfahrtzeiten des Transports sowie seine Bewachung durch den Bahnschutz beaufsichtigen und koordinieren zu können.

Das bei der Besprechung erzielte Ergebnis, besonders in Bezug auf die Anzahl der jüdischen Zwangsarbeiter, die vor Ort gelassen werden sollten, resultierte – wie es Klaus-Michael Mallmann einmal formulierte – aus dem „Kräfteparallelogramm" der konferierenden Dienststellen. Allerdings verblieb dabei im Distrikt Radom, im Unterschied zu Westgalizien, die endgültige Entscheidungsbefugnis bei den Vertretern des SSPF-Aussiedlungsstabes,

---

[39] Degenhardt bezeugte beispielsweise für Tschenstochau eine ganze Reihe solcher Treffen, sowohl vor Ort als auch beim SSPF in Radom, von denen das erste schon zwei Monate vor dem Aussiedlungstermin stattfand, vgl. seine Vern. v. 16.4.1968, in: BA-L, 206 AR-Z 11/67, Bl. 333.

[40] Laut Runderlass Nr. 113/42 vom 25.6.1942, in: AIPN, B-89 (NTN 335), Bl. 89, ging die Kompetenz für die jüdische Zwangsarbeit im Generalgouvernement von der Hauptabteilung Arbeit bei der Regierung des GG auf den jeweiligen SS- und Polizeiführer über, womit die Arbeitsämter in den einzelnen Städten nicht mehr zuständig für die Selektion der jüdischen „Arbeitsfähigen" waren; vgl. MUSIAL, Deutsche Zivilverwaltung, S. 278 f.; POHL, Die großen Zwangsarbeitslager, S. 418.

und nur von ihnen hing es ab, ob sie die als erforderlich dargestellte Zahl dann auch akzeptierten.[41]

Die Leitung der gesamten Aktion lag – trotz der gegenteiligen Behauptungen von Angehörigen des „Sonderkommandos Feucht"[42] – in den Händen des Kommandoführers dieser mit der Zeit immer mehr an Erfahrung gewinnenden Spezialeinheit.[43] Unterstützt wurde sie durch die lokalen SS- und Polizeikräfte, die mit den Besonderheiten der jeweiligen Orte bestens vertraut waren.

Alle Deportationen im Distrikt verliefen nach einem für das gesamte Generalgouvernement gemeinsamen Muster, das auf die zwischen März und April durchgeführten „Schaudeportationen" Globocniks in Lublin zurückging. Dort wurde auch zum ersten Mal überprüft, ob ein solches Verfahren überhaupt effektiv sei.[44]

Die unmittelbaren Vorbereitungen für die Aktion vor Ort umfassten dann:

1) die Umstellung des jüdischen Wohnviertels durch die Einheit der „Trawniki-Männer", die dem Aussiedlungsstab des SSPF unmittelbar unterstellt war und die Aufgabe hatte, die Gegend hermetisch abzuriegeln und niemanden die Ghettogrenze übertreten zu lassen;

---

[41] Wie es Hermann Altmann (Gestapochef in Petrikau) in seiner Vern. v. 15.11.1960, in: BA-L, 206 AR-Z 363/59, Bl. 547, für die Einsatzbesprechung in Petrikau bezeugte: „Es war also die Rede [...], bei welchen Firmen und Behörden weiterhin Juden beschäftigt werden sollten. Diese Arbeitgeber mußten im Einzelnen über die Notwendigkeit ihrer jüdischen Arbeitskräfte an den SS und Polizeiführer berichten. Ich entsinne mich, daß zunächst etwa 3000 Juden als Arbeitskräfte [in Petrikau] weiter verwendet werden sollten, der SS und Polizeiführer jedoch entschied, daß er nur 2000 genehmigen könne." Zu Einsatzbesprechungen am Beispiel des Distriktes Krakau vgl. KLAUS-MICHAEL MALLMANN, „Mensch ich feiere heut' den tausendsten Genickschuß". Die Sicherheitspolizei und die Shoah in Westgalizien, in: Die Täter der Shoah. Fanatische Nationalsozialisten oder ganz normale Deutsche?, hg. v. GERHARD PAUL, Göttingen 2002, S. 109–136, S. 117.

[42] Vern. Walter Karl S., in: BA-L, 206 AR-Z 11/67, Bl. 456.

[43] Vern. K. Eßig (Leiter der Sipo-Außendienststelle in Kielce) v. 27.10.1965, in: BA-L, II 206 AR-Z 157/60, Bl. 1029; Herbert B. (Gestapo-Kielce) v. 18.2.1966, ebd., Bl. 1564, und Vern. Damian L. (Gestapo-Kielce) v. 4.3.1970, in: BA-L, AR-Z 40/65, Bl. 1100b („Feucht führte dabei [Ghettoauflösung in Kielce] mit einigen seiner Leute Aufsicht"). Bestätigt auch für andere Aussiedlungen, vgl. Vern. E. Michael (Leiter der Sipo-Außendienststelle in Tschenstochau) v. 2.4.1968, BA-L, 206 AR-Z 11/67, Bl. 302 in Bezug auf Tschenstochau; und Vern. H. F. Altmann (Leiter der Sipo-Außendienststelle in Petrikau) v. 15.11.1960, ebd., Bl. 15 f. für Petrikau.

[44] Auszüge aus den Wochenberichten der Abteilung Propaganda, für Lublin vom 28.03.1942, in: BA-L, Verschiedenes 280, Bl. 1815 f., wo es wörtlich heißt: „Die Judenumsiedlung [in Lublin] hat bewiesen, daß die Aktion auch im großen Stil, also für das ganze GG durchgeführt werden kann."

2) die Abordnung eines Deportationszuges am Vortag der Aktion an den jeweiligen örtlichen Bahnhof nach einem exakt ausgearbeiteten Fahrplan der Generaldirektion der Ostbahn (Gedob);

3) technische Vorbereitungen im jeweiligen Ghetto, wie die Vorbereitung der hölzernen Stiegen in die Waggons, die Anbringung von Lampen oder die Aushebung von Gruben für die Leichen der Erschossenen.

Die Aussiedlungsaktionen begannen in der Regel spät in der Nacht und wurden nach arbeitsteiligem Prinzip durchgeführt: Während die „Askaris" und die so genannte Truppenpolizei (oft aber auch die „blaue Polizei", die Angehörigen des Sonderdienstes, der Waffen-SS oder sogar der Feuerwehr) das Viertel umstellten, operierten die Funktionäre der Sicherheitspolizei, die örtlichen Schutzpolizisten (in ländlichen Gegenden Gendarmen) und der Rest der „Trawniki-Männer" innerhalb des jeweiligen Ghettos.

Zuerst erschienen im jüdischen Wohnviertel die Vertreter des Aussiedlungsstabes, begleitet von den örtlichen Schupo-, Sipo- und/oder Gendarmerieführern, und instruierten die kurz zuvor versammelten Angehörigen des jüdischen Ordnungsdienstes: Deren Aufgabe bestand darin, die Juden im zur Deportation vorgesehenen Viertel über die Aussiedlung zu informieren und sie bis zu einer bestimmten Uhrzeit, mit einem Handgepäck, das 20 kg nicht überschreiten durfte, auf die Straßen zu treiben. Dort wurden die Ghettobewohner mit lautem Schreien, Hundegebell, Schlägen und unaufhörlichen Schüssen seitens der Aussiedlungskräfte „begrüßt". Die erschrockene Menschenmasse wurde daraufhin in Marschkolonnen gruppiert und im Laufschritt zum Selektionsplatz getrieben. Die Selektionen führten in der Regel die Angehörigen der örtlichen Polizeidienststellen durch, die über die besten Kenntnisse „ihrer Juden" verfügten. Als Grundlage für die Aussonderung dienten die in den Monaten vor der Aussiedlungswelle herausgegebenen Arbeitsausweise, die außer dem Stempel des jeweiligen Arbeitgebers auch einen der zuständigen Sipo-Dienststelle trugen. Dieses Selektionsprinzip wurde jedoch oftmals durch Eigenmächtigkeiten der verantwortlichen NS-Polizisten durchbrochen: Oft wählten sie völlig beliebig die entsprechende Anzahl von Menschen aus, ohne nur einen einzigen Blick in deren Papiere zu werfen. Auch dieser Vorgang war von ständiger Gewalt begleitet.[45]

---

[45] Als exemplarisch kann hier die Schilderung einer Selektion durch einen Überlebenden aus Kielce gelten: Aussage Adam H. v. 6.7.1965, BA-L, II 206 AR-Z 157/60, Bl. 682: „Jede Kontrolle wurde von gewaltigen Fausthieben begleitet (wir erhielten auch welche), sowie von Fußtritten. Die meisten Schergen hatten Peitschen in den Händen und schlugen die Unglücklichen damit, wobei sie sie manchmal empfindlich verletzten. [...] Immer wieder zerrte irgendein Gestapo- oder SS-Mann einen alten Menschen oder einen Invaliden aus der Menge raus – ohne Rücksicht auf Geschlecht – und schoß dem erschrockenen Opfer ins Gesicht."

Nach der Selektion wurden die zum Arbeitseinsatz bestimmten Juden in der Regel in einem Gebäude (häufig in der örtlichen Synagoge) eingeschlossen, während der als „entbehrlich" eingestufte Rest zur Verladestelle getrieben wurde. Am Bahnhof pferchten die zuständigen Polizeikräfte die Menschen dann unter Anwendung brutalster Gewalt in die abgestellten Waggons. Nicht selten drängte man dabei bis zu 150 Personen in einen Waggon, so dass viele von ihnen während der mehrstündigen Reise,[46] bei der oft unerträglichen Hitze und ohne Wasser, aus Erschöpfung eines qualvollen Todes starben.

Schon während der Selektion begaben sich die Durchsuchungstrupps der Polizei, oft in Begleitung der durch Todesandrohung gezwungenen jüdischen Ordnungsdienstmänner, auf die Suche nach versteckten Juden. Nahezu alle, die in ihren Verstecken aufgespürt wurden, erschoss man auf der Stelle.

Wenn die Deutschen davon ausgingen, dass sich niemand mehr im Ghetto befand, befahlen sie den jüdischen Arbeitertrupps, die zurückgelassenen Güter einzusammeln und zu sortieren – eine Tätigkeit, die oft Wochen oder sogar Monate dauerte. Erst nach ihrer Erledigung galt das Gebiet als „ausgesiedelt".

Solange die Aufräumarbeiten andauerten, blieb das Ghettoviertel hermetisch von der Außenwelt abgeriegelt. Zum einen wurden die menschenleeren Ghettos bewacht, um die Beute der Deutschen vor polnischen Plünderern zu schützen.[47] Dass aber diese Maßnahme nicht ausschließlich gegen Polen gerichtet war, beweist der Eintrag im Monatsbericht der Oberfeldkommandantur in Kielce vom 20. Oktober 1942, wonach gegen sechs Soldaten der Wehrmacht eine Strafanzeige wegen Plünderung im leergeräumten Ghetto von Tschenstochau erstattet wurde.[48] Im Gegensatz zu Wehrmachtsoldaten,

---

[46] Obwohl die Entfernung zwischen den einzelnen Ghettos des Distriktes Radom und Treblinka in der Regel deutlich unter 300 km betrug, brauchten die Deportationszüge außergewöhnlich lange, denn sie mussten alle anderen Transporte und Personenzüge passieren lassen. Aus Kielce zum Beispiel brauchte ein Zug, laut Gedob-Bericht Nr. 901, in: AIPN, NTN 70, Bl. 24, 15 ½ Stunden (von 19.55 Uhr bis 11.24 Uhr am nächsten Tag) und aus Tschenstochau, laut Fahrplanordnung Nr. 594, ebd., Bl. 17, ca. 17 Stunden (von 12.29 Uhr bis 5.25 Uhr am nächsten Tag)!

[47] Über die Einstellung mancher polnischer Zivilisten nach den Ghettoräumungen waren auch die Vertreter des polnischen Untergrundes entsetzt: „Im Zusammenhang mit der Ghettoliquidierung benehmen sich unsere Leute skandalös; sie plündern, stehlen, brechen in die leer stehenden Häuser ein und nehmen alles mit, was man tragen kann", stand in einem Brief aus Petrikau, der in dem Bericht der Delegatur vom 27.10.1942 über die Lage der Juden außerhalb Warschaus zur Veranschaulichung zitiert wurde, in: AAN, Delegatura, 202/II-29, Bl. 54.

[48] Monatsbericht der OKF 372, für die Zeit zw. 16.09.–15.10.1942, in: BA-MA, RH 53-23/39, Bl. 110.

denen nur ein Disziplinarverfahren drohte, wurden alle im Ghetto ertappten Nichtdeutschen auf der Stelle exekutiert.

Bei allen Deportationen im Distrikt bestand also die Aussiedlungsstrategie der NS-Kräfte, wie es Artur Eisenbach richtig formulierte, in der Durchführung einer *„Blitzaktion; each operation was carried out quickly in conditions of untold terror, and every resistance was at once punished by death".*[49] Gerade diese zwei Elemente, die überraschende Geschwindigkeit des Zugriffs, gepaart mit dessen unvorstellbarer Brutalität, wurden geradezu zu konstitutiven Elementen jeder Ghettoräumung im Distrikt.

Die Aufgaben der Polizeikräfte waren klar definiert: Sie sollten innerhalb der vorgegebenen Zeit – vom Beginn der Aktion bis zum exakt vorgeschriebenen Abfahrtzeitpunkt des Zugtransportes[50] – die festgesetzte Anzahl der Juden aus ihren Häusern auf die Straßen zerren, zu den Selektionsplätzen jagen, dort die Trennung der so genannten Arbeitsfähigen von dem „entbehrlichen" Rest vornehmen, um sie anschließend auf den Bahnhof zu treiben und in die Waggons zu pferchen. Ein solches Unterfangen konnte nur dann gelingen, wenn die ganze Aktion reibungslos und in größter Eile vonstatten ging. Um dies zu gewährleisten, und zwar mit zahlenmäßig deutlich unterlegenen Kräften,[51] griffen die verantwortlichen SS- und Polizeiführer auf die Anwendung brutalster Gewalt als „Disziplinierungsmittel" zurück: An alle Durchsuchungstrupps erging ein Befehl, alle noch angetroffenen Juden auf der Stelle zu erschießen.[52] Auch wer in irgendeiner Form

---

[49] EISENBACH, Operation Reinhard, S. 94.

[50] Wie die erhaltenen Fahrplanordnungen von Gedob für den Distrikt Radom bezeugen, existierten für die Deportationszüge exakt festgelegte Fahrzeiten, die aufgrund der angespannten Lage im Transportwesen kaum dehnbar waren, vgl. z.B. in: AIPN, NTN 70, Bl. 14RS, Nr. 566 für Wloszczowa (in „Besondere Anordnungen"), wo es explizit heißt: „Der Sonderzug u.[nd] auch der Leerzug sind planmässig durchzuführen, damit die Ein- u.[nd] Ausladezeiten u.[nd] der Wagenumlauf eingehalten werden können. Es ist auf rechtzeitige Lokgestellung zu achten."); Bl. 15 f., Nr. 587 für Sedziszow, Szydlowiec, Kozienice (mit ähnlicher Anordnung auf Bl. 16); Bl. 17, Nr. 594 für Tschenstochau (mit ähnlicher Anordnung auf Bl. 17RS), alle drei abgedruckt in polnischer Übersetzung in: BGKBZHwP, Bd. XIII/1960, S. 59–177, hier entsprechend: S. 97 ff., 100–103, 103 ff.; sowie Gedob-Bericht Nr. 901 für Kielce, ebd., Bl. 24 f.

[51] Nach CHRISTOPHER R. BROWNING, Mehr als Warschau und Lodz: Der Holocaust in Polen, in: DERS., Der Weg zur „Endlösung". Entscheidungen und Täter, Bonn 1998, S. 142 f., wurden Ghettos bis zu einer Bevölkerungszahl von 20 000 Einwohnern mit Polizeikräften unter 500 Mann geräumt. Größere Ghettos wurden mit Kräften, die bis zu 1000 Polizisten zählten, ausgesiedelt.

[52] Die Existenz eines solches Befehls bezeugen: Herbert S. (Sipo-Tschenstochau), Vern. v. 10.7.1969, in: BA-L, II 206 AR-Z 11/67, Bl. 494; und der Dienststellenleiter der Schupo in Tschenstochau, Degenhardt, in: Vern. v. 16.4.1968, ebd., Bl. 335, der dort sogar von einem schriftlichen Schießbefehl spricht; ähnlich für Tomaszow Mazowiecki: Vern. Karl Grö-

den reibungslosen Ablauf der Deportation behinderte, wurde auf der Stelle exekutiert. Zum einen galt dies für alle „Transportunfähigen", wie z. B. Kranke, Behinderte, Babys, Alte, Schwangere, zum anderen für alle diejenigen, die versuchten, sich zu verstecken, zu langsam waren, unerlaubt ihre Selektionsgruppe wechselten usw.

Dass bei einer solchen, von vornherein auf Mord und Totschlag angelegten Verfahrensweise die zahlreichen Exzesstaten zu den bestimmenden Elementen jeder Deportation wurden, ist seit langem zum festen Bestandteil der historischen Forschung geworden.[53] Wie Mallmann in seinem erschütternden Befund für Westgalizien konstatierte: „Die Mordaktionen gerieten so zu öffentlichen Schauveranstaltungen, entfernten sich von jedwedem Kalkül und wurden zu Orgien lustvoll ausgelebter Gewalt."[54]

Auch im Distrikt Radom war die exzessive Gewalt allgegenwärtig. Trotzdem muss festgestellt werden, dass bei keiner der dortigen Deportationen die räumlichen und/oder zeitlichen Vorgaben durchbrochen wurden: Alle Ausschreitungen ereigneten sich auf dem zur Aussiedlung bestimmten Terrain und griffen nicht auf andere Sektoren des jüdischen Wohnviertels oder sogar der Stadt über; alle Ghettoräumungen wurden recht- oder sogar vorzeitig beendet; alle Transportzüge fuhren planmäßig ab.[55]

Außerdem musste sich auch die Tatsache, dass die Räumungen im Distrikt immer von der gleichen Personengruppe aus dem „Sonderkommando Feucht" organisiert und angeführt wurden, als „Bremse" für die Anwendung dysfunktionaler Formen von Gewalt auswirken: Wer die Aktionen tagtäglich erlebte und dazu noch unter einem enormen Zeit- und Erfolgsdruck stand, für den wurden – auch wenn er sich als ein begeisterter „Weltanschauungskrieger" begriff – alle überflüssigen und zeitraubenden Elemente zu Störfaktoren, die seine „Arbeit" einfach behinderten. Im Distrikt Radom war die brutale Gewalt also erwünscht und sogar befohlen, aber hauptsächlich als „Disziplinierung-" und „Einschüchterungsmittel". Die krankhaften All-

---

ßer (örtlicher Schupo-Leiter) v. 4.11.1964, in: BA-L, II 206 AR-Z 12/63, Bl. 626 (schriftlicher Schießbefehl aus Radom).

[53] Vgl. die Befunde für die Distrikte: Lublin, in: POHL, Von der „Judenpolitik", S. 142; MUSIAL, Deutsche Zivilverwaltung, S. 252 f.; für Galizien, in: THOMAS SANDKÜHLER, „Endlösung" in Galizien. Der Judenmord in Ostpolen und die Rettungsinitiativen von Berthold Beitz 1941–1944, Bonn 1996, S. 171; POHL, Ostgalizien, S. 290 f.; für Krakau, in: MALLMANN, Westgalizien, S. 121; für Radom, in: RUTKOWSKI, Martyrologia, S. 110; allgemein für das GG, in: SCHEFFLER, The Forgotten Part, S. 822.

[54] MALLMANN, Westgalizien, S. 121.

[55] So z.B. Karl H. (Sipo-Angehöriger aus Kielce) in: Vern. v. 2.07.1964, in: BA-L, II 206 AR-Z 157/60, Bl. 607, der bemerkte, dass seine Kameraden am ersten Tag der Aussiedlung in Kielce gegen 17.00 Uhr von der Aktion zurückkamen; nach der „Abfertigung" der nächsten zwei Deportationszüge hingegen bereits um 14.00 Uhr.

machtsphantasien oder sadistischen Vorstellungen konnten nur dann ausgelebt werden, wenn es in das Zeit- und Raumraster der jeweiligen Aktion passte, und oft nur, solange es sich als „Disziplinierungsmaßnahme" kaschieren ließ.

Diese „Funktionalisierung" der Gewalttaten im Dienste der „Effizienzsteigerung" während der Aussiedlungen ist auch manchen jüdischen Augenzeugen nicht entgangen: So berichtete einer der Überlebenden aus Starachowice, dass „[...] es im Laufe der Aussiedlung über 100 Tote gab. Ich habe selbst gesehen, wie B. und A. geschossen haben, und zwar auf Männer, Frauen und Kinder. Auch dies ganz sinnlos, *nur um uns einzuschüchtern.*"[56] In Kielce wurden 500 „arbeitsfähige" Männer und Frauen nach der Selektion im Gebäude der Synagoge eingesperrt: „Unter den sämtlichen Personen entstand große Unruhe. *Um diese abzuschrecken*, holte G. wahllos Frauen und Männer heraus, stellte sie an die Wand und schoß sie nieder."[57]

Aber nicht nur mit roher Gewalt paralysierten die NS-Schergen jeglichen Widerstandswillen unter der Ghettobevölkerung. Auch die häufige Verwendung von jüdischen Funktionsträgern im Dienste der Aussiedlungsaktion verfolgte anscheinend denselben Zweck. Vor allem die jüdischen Polizisten, terrorisiert durch Mordandrohung gegen sie selbst oder ihre Angehörigen, wurden dazu angehalten, alles zu tun, um den Aussiedlungsablauf zu erleichtern. Sie mussten die verängstigten Menschen aus ihren Häusern auf die Straße bringen und sich an der Treibjagd zu den Selektionsplätzen wie auch an der brutalen Verladung in die Viehwaggons beteiligen. Dabei kam es zu Beschimpfungen und Demütigungen ebenso wie zur Anwendung der rohesten Gewalt, und das sogar dann noch, als sie längst schon ahnten, welches Schicksal die Deportierten erwartete.[58] Oftmals ging ihre erzwungene Kollaboration noch viel weiter: Sie mussten bei den Exekutionen assistieren, die damit verbundenen Vorbereitungen erledigen und in Extremfällen sogar selbst zu aktiven Mördern werden. Dies geschah zum Beispiel in Kielce, wo die Ärzte und Sanitäter des jüdischen Krankenhauses dazu gezwungen wurden, ihre Patienten zu vergiften und, als das Gift ausgegangen war, den Rest von ihnen zu erdrosseln oder mit Skalpellen zu erstechen. Ebenfalls in

---

[56] Aussage Fred B. v. 16.5.1966, in: BA-L, II 206 AR-Z 39/62, Bl. 407 [Hervorhebung J.A.M.]; ähnliche Einschätzung der Morde in der Aussage: Morris P., undatiert [1966], ebd., Bl. 604.

[57] Aussage Mandel W. in: BA-L, II 206 AR-Z 157/60, Bl. 2910; es gibt zahlreiche derartige Beispiele in den Berichten der Überlebenden.

[58] Die Aussagen von CALEL PERECHODNIK, Czy ja jestem mordercą?, Warszawa 1995, S. 56 f., 87 ff., 121 f. sind in diesem Zusammenhang auch auf den Distrikt Radom übertragbar.

Kielce mussten Angehörige des Begräbniskommandos andere Juden bei lebendigem Leib begraben, die bei der Aussiedlungsaktion angeschossen worden waren.[59]

Genau nach diesem Muster verliefen Aussiedlungsaktionen im ganzen Distrikt. Die erste, als „Einübung" in den Massenmord gedachte Räumung auf diesem Gebiet erfolgte am 4./5. August 1942 in Radom, im kleineren jüdischen Ghetto im Stadtviertel Glinice.[60] Sie wurde unmittelbar durch den SSPF Böttcher, dessen Aussiedlungsstab und das „Sonderkommando Feucht" geleitet und mit den gemeinsamen Kräften der Sicherheits- und der Ordnungspolizei in Radom durchgeführt.[61]

Die übrigen Radomer Juden wurde am 16. und 17. August 1942 ausgesiedelt.[62] Danach erfasste die Deportationswelle den Kreis Kielce, wo zwischen dem 20. und 24. August zuerst die Stadt selbst und dann, seit dem 26. des Monats, die ländliche Umgebung geräumt wurde. Die erste auswärtige Zusammenarbeit des Aussiedlungsstabes des SSPF mit den Außendienststellen der Schutz- und Sicherheitspolizei vor Ort ging sogar manchem Nazi zu weit: In der Stadt wurden während der dreitägigen Aktion ca. 1500 Menschen ermordet, also fast zehn Prozent der gesamten dort lebenden jüdischen Bevölkerung.[63] „Solche Erlebnisse wie in Kielce habe ich bei der Räumung der Ghettos in den übrigen Städten nicht gehabt. Ich meine, es wäre dort etwa[s] ruhiger zugegangen, um die Juden nicht kopfscheu zu

---

[59] JACEK ANDRZEJ MŁYNARCZYK, Bestialstwo z urzędu. Organizacja hitlerowskich akcji deportacyjnych w ramach „Operacji Reinhard" na przykładzie likwidacji kieleckiego getta, in: Kwartalnik Historii Żydów (füher: BŻIH), Nr. 3 (203)/2002, S. 354–379, S. 367. Zu den Motiven der jüdischen Funktionsträger: ebd., S. 377 f.

[60] Es wurde das „Kleine Ghetto" im Stadtteil Radom-Glinice liquidiert, vgl. Zwischenbericht Nr. 1, in: BA-L, 206 AR-Z 40/65, Bl. 18.

[61] Schriftliche Erklärung vom 6.12.1946 von Richard Schöggl (Sk. „Feucht"), in: BA-L, 206 AR-Z 363/59, Bl. 603–634, Bl. 616. Laut Aussage: Mojzesz G. v. 29.7.1946, in: BA-L, Verschiedenes 274-275, Bl. 229, sollen sich an der Aussiedlung in Glinice Kompanien der Waffen-SS von der SS-Veterinär-Ersatzabteilung, der Standortverwaltung der Waffen-SS und von der Bauleitung der Waffen-SS beteiligt haben. Vgl. auch: Informacja bieżąca (fortan: Inf. bież.), Nr. 29/54 v. 13.8.1942, in: AAN, Delegatura, 202/III/7, Bd. 1., Bl. 135.

[62] Vgl. Inf. bież., Nr. 31/56 v. 26.8.1942, in: AAN, Delegatura, 202/III/7, Bd. 1, Bl. 142. Laut dieser Mitteilung wurde die „Aktion [...] auf bestialische Art und Weise, wie in Warschau, durchgeführt. Das Ghettogebiet Gliniki [Glinice] sieht aus, wie nach einem kriegerischen Wirbelsturm."

[63] URBAŃSKI, Zagłada, S. 129, gibt ca. 1000 Opfer an; ähnlich: Inf. bież., Nr. 34/59 v. 15.9.1942, in: AAN, Delegatura, 202/III/7, Bd. 1., Bl. 152; Biuletyn Informacyjny Nr. 38(142) v. 1.10.1942 spricht von 1200 Opfern, vgl. in: Biuletyn Informacyjny, Teil II: Przedruk roczników 1942-43, Przegląd Historyczno-Wojskowy, Jahr III(LIV), Nr. 2(195)/2002, S. 1095. Schätzungen des Autors fallen erheblich höher aus, vgl. MŁYNARCZYK, „Bestialstwo", S. 376, sowie FN 114.

machen", sagte einer der Reservepolizisten aus der zur Ghettoabsperrung abkommandierten Einheit aus.[64]

Als Nächstes sollte der Kreis Jedrzejow „judenfrei" werden.[65] Am 1. September 1942 wurde zunächst die Bevölkerung des Ghettos in Wloszczowa ausgesiedelt. Am 16. wurde das Ghetto in Jedrzejow selbst geräumt, und zum Schluss am 21. das in Sedziszow.

Während dieser Aktionen verbreiteten sich die Nachrichten über das mörderische Treiben der Nazis und lösten eine Massenflucht im Distrikt aus: Sobald die Deportationseinheiten erschienen, versuchten die Juden auf der „arischen Seite" unterzutauchen. Als Reaktion richtete Böttcher am 21. September ein Schreiben an den Gouverneur Kundt, in welchem er empfahl,

> „allen Bürgermeistern und Dorfvorstehern aufzugeben, ihren Dorfangehörigen auf das Eindringlichste klar zu machen, dass jeder Pole, der einen Juden aufnimmt, sich schuldig macht [...]. Ebenso sind als Gehilfen anzusehen die Polen, die den geflüchteten Juden wenn auch nicht Unterschlupf, so doch Beköstigung gewähren, oder ihnen Nahrungsmittel verkaufen. In allen Fällen trifft diese Polen die Todesstrafe."[66]

Auf diese Weise versuchte man den Juden jegliche Möglichkeit zu nehmen, sich der Deportation zu entziehen.

Unterdessen ging die Räumungsaktion weiter. Zwischen dem 22. September und 7. Oktober wurde das größte jüdische Wohnviertel im Distrikt Radom, das Ghetto in Tschenstochau, im Zuge von sechs Deportationen geräumt – über 33 000 Juden wurden in den Gaskammern von Treblinka ermordet.[67] An dieser Aktion waren die örtlichen Gestapo-Kräfte höchstwahrscheinlich nicht beteiligt, weil SSPF Böttcher eine große Abneigung gegen den dortigen Außenstellenleiter hegte, so dass er die ganze Verantwortung Hauptmann Paul Degenhardt übertrug, der die dortige Schutzpolizei befehligte. Degenhardt wurde diese „Ehre" zuteil, weil er schon während der Einsatzbesprechung mit tief gehenden Einblicken in das Innenleben des Ghettos beeindrucken konnte.[68]

---

[64] Vern. Fritz R. (Polizeireservekompanie „Köln") v. 1.2.1966, in: BA-L, 206 AR-Z 11/67, Bl. 213.

[65] Vgl. Inf. bież., Nr. 45/[?] v. 3.12.1942, in: AAN, Delegatura, 202/III/7, Bd. 1., Bl. 182.

[66] AŻIH, NMO, Fotok., Nr. 69a. Schon drei Tage danach veröffentlichte der Stadthauptmann von Tschenstochau, Dr. Franke, eine Bekanntmachung, in der er die polnische Bevölkerung unter Androhung der Todesstrafe vor jeglicher Form der Hilfe für Juden warnte, ebd., Plakate, Nr. 70.

[67] Vgl. Inf. bież., Nr. 47/71 v. 17.12.1942, in: AAN, Delegatura, 202/III/7, Bd. 1., Bl. 186; sowie: Gedob-Fahrplananordnung Nr. 594 v. 21.9.1942, in: AIPN, NTN 70, Bl. 17.

[68] Einstellungsverfügung: StA Wiesbaden 3 Js 757/70, in: BA-L, 206 AR-Z 11/67, Bl. 1249 f.; BROWNING, Mehr als Warschau und Lodz, S. 138.

Als Nächstes erschienen die Aussiedlungsspezialisten vom „Sonderkommando Feucht" in den Kreisen Busko, Radomsko und im Sammelghetto Petrikau und deportierten alle „nichtarbeitsfähigen" Ghettobewohner. Die Juden aus den Gemeinden in Pinczow, Chmielnik und Busko wurden im Zuge dieser Aktion Anfang Oktober nach Jedrzejow gebracht, weil es der Eisenbahnstrecke am nächsten lag. Als Letztes wurden Ende Oktober die Ghettos im Kreis Tomaschow und Anfang November 1942 die im Kreis Konskie aufgelöst.

Gleichzeitig begannen Teilkommandos des Aussiedlungsstabes mit der Räumung der östlichen Kreise des Distrikts. Diese Aktionen leitete der Referent für Judenfragen Schild,[69] der aus der Gestapoabteilung Feucht beim KdS-Radom stammte, oder der Angehörige des SSPF-Stabes Schippers. Bereits am 1. Oktober 1942 wurden die Juden des Kreises Radom-Land deportiert. Es folgten der Reihe nach am 11./12. Oktober das Ghetto in Ostrowiec; am 22. dasjenige in Opatow, am 27. das in Starachowice; am 29. das Sammelghetto in Sandomierz, und zuletzt wurden am 7. November die Mitglieder der jüdischen Gemeinde in Staszow deportiert.

Innerhalb von rund dreieinhalb Monaten wurden auf diese Weise fast 300 000 Juden aus dem Distrikt Radom in das Vernichtungslager Treblinka deportiert und dort ermordet. Obwohl die Räumungsaktionen noch bis Mitte November 1942 andauerten, teilte die Oberfeldkommandantur 372 in Kielce schon am 20. Oktober 1942 in ihrem Monatsbericht mit: „Die Judenaussiedlung ist im Bereich [des Distriktes] bis auf die zwangsläufig zurückgehaltenen beendet."[70] Diese Aussage war nicht nur in zeitlicher Hinsicht inkorrekt. Denn neben den planmäßig zurückgehaltenen 30 000 „Arbeitsjuden",[71] die teils zur Räumung in den Ghettos, teils in der Rüstungsindustrie eingesetzt werden sollten, hielten sich im ganzen Distrikt noch mehrere Tausend jüdischer Flüchtlinge auf. Ihnen war es entweder gelungen, auf der „arischen Seite" einen Unterschlupf zu finden, oder sie irrten auf dem Lande umher in der Hoffnung, sich irgendwann unbemerkt den ausselektierten „Arbeitsjuden" anschließen zu können.

Um auch solche Flüchtlinge im Rahmen der „Aktion Reinhard" zu erfassen, gab der Staatssekretär für das Sicherheitswesen bei der Regierung des GG und Höhere SS- und Polizeiführer Ost, Krüger, am 10. November 1942 eine Polizeiverordnung heraus, in der er für die Distrikte Radom, Krakau und Galizien neue Judenwohnbezirke bestimmte.[72] Laut § 2, Abs. 2

---

[69] Erlebnisbericht Icchak G. v. 1945, AŻIH, 301/47.
[70] BA-MA, RH 53-23/39, Bl. 115.
[71] Laut dem sog. Korherr-Bericht gab es am 31.12.1942 im Distrikt Radom offiziell 29 400 Juden.
[72] VOBlGG 1942, Nr. 98.

dieser Verordnung durfte sich unter Androhung der Todesstrafe vom „[...] 1. Dezember 1942 ab [...] kein Jude in den [genannten] Distrikten [...] ohne polizeiliche Erlaubnis außerhalb eines Judenwohnbezirks aufhalten oder ihn betreten".

Im Distrikt Radom wurden solche Sammelghettos in Sandomierz, Szydlowiec, Radomsko und Ujazd gebildet. Die Rechnung der SS- und Polizeikräfte ging auf: Viele Flüchtlinge waren am Ende ihrer Kräfte und auf ein Überleben während des Winters 1942/43 nicht vorbereitet. Sie nahmen in ihrer Verzweiflung das Angebot des HSSPF-Ost an und begaben sich in die neu gebildeten Wohnbezirke – oft auch dann, wenn sie sich im Klaren darüber waren, dass es sich dabei um eine Falle handeln könnte. Die Aussicht, sich endlich nicht mehr verstecken zu müssen und wieder normal schlafen und essen zu können, stellte sich als zu große Versuchung für die übermüdeten und zu Tode gehetzten Menschen dar, die seit Monaten ohne jegliche Hoffnung abseits der Gesellschaft vor sich hin vegetierten. So fanden sich schon bis zum Jahresende mehrere Tausend Juden in den Sammelghettos ein; davon rund 2000 in Ujazd (aus Przysucha, Opoczno, Drzewica, Rawa Mazowiecka u.a.), 6000 in Sandomierz (aus Klimontow, Ostrowiec, Staszow und Zawichost), 5000 in Szydlowiec (aus Konskie und Skaryszew) und ca. 4000 in Radomsko (aus Pilica, Wodzislaw und Zarki).[73]

Ihre schlimmsten Befürchtungen bewahrheiteten sich dann schneller als vermutet: Anfang 1943 wurden sie im Zuge zweier Blitzaktionen der KdS-Radom nach Treblinka deportiert und ermordet. Am 5./6. Januar 1943 wurden die Ghettos in Radomsko[74] und Ujazd[75] geräumt. Ein paar Tage danach folgten die Deportationen aus Sandomierz (am 10. Januar)[76] und Szydlowiec (am 13. Januar).[77] Damit war die Ermordung der Juden im Rahmen der „Aktion Reinhard" im Distrikt Radom offiziell beendet. Die wenigen überlebenden Juden durften sich ausschließlich in den abgesperrten Straßen der ehemaligen jüdischen Wohnbezirke, in so genannten kleinen Ghettos, oder in geschlossenen Zwangsarbeitslagern bei Rüstungsbetrieben aufhalten. Juden, die sich nach wie vor auf der Flucht befanden, blieben „vogelfrei": Sie waren zu ergreifen und der Polizei zu übergeben oder auf der Stelle „umzulegen".

---

[73] RUTKOWSKI, Martyrologia, S. 118 f.

[74] Inf. bież., Nr. 3/76 v. 20.01.1943, in: AAN, Delegatura, 202/III/7, Bd. 2, Bl. 11.

[75] Inf. bież., Nr. 10/83 v. 11.03.1943, in: AAN, Delegatura, 202/III/7, Bd. 2, Bl. 35; vgl. RUTKOWSKI, Martyrologia, Tab. X, S. 155, sowie FN 46, S. 178.

[76] RUTKOWSKI, Martyrologia, Tab. XIII, S. 165, sowie: FN 36, S. 182.

[77] Inf. bież., Nr. 8/81 v. 24.02.1943, in: AAN, Delegatura, 202/III/7, Bd. 2, Bl. 27; sowie Wagenzettel der Ostbahn-Bezirksdirektion Radom für den 13.1.1943, in: AIPN, NTN 70, Bl. 38.

Der wirtschaftliche Aspekt der „Aktion Reinhard" im Distrikt Radom

Die Verwertung des jüdischen Besitzes

Die Aktion gegen die jüdische Bevölkerung im Generalgouvernement verfolgte nicht nur das Ziel der physischen Vernichtung einer unerwünschten Bevölkerungsgruppe. Wichtig für die NS-Entscheidungsträger war auch der materielle Gewinn, den die Operation garantierte. Von Anfang an verbanden sich alle Verfolgungsmaßnahmen mit der Übernahme von jüdischem Besitz durch die Nazi-Täter. Die ausgesiedelten Juden mussten ihre gesamte Habe hinterlassen. Sogar ihr Handgepäck wurde ihnen oft schon während der Selektion abgenommen.[78] Man durchsuchte sie wiederholt nach Wertsachen und Geld, oft riss man ihnen sogar die bessere Kleidung vom Leibe. Das gleiche Prozedere wiederholte sich nach der Ankunft im Vernichtungslager: Mit Schlägen und Misshandlungen zwang man sie, ihr noch verbliebenes Gepäck abzuliefern und sich auszuziehen, weil ihnen angeblich eine Dusche bevorstand. Den Frauen wurden selbst die Haare abgeschnitten, die als wertvoller Rohstoff für die Industrie galten: Am 6. August 1942 erließ der Chef des SS-Wirtschaftsverwaltungshauptamtes, SS-Obergruppenführer Oswald Pohl, eine geheime Instruktion an die Kommandanten der Konzentrationslager: „Menschenhaare werden zu Industriefilzen verarbeitet und zu Garn versponnen. Aus ausgekämmten und abgeschnittenen Frauenhaaren werden Haargarnfüßlinge für U-Bootsbesatzungen und Haarfilzstrümpfe für die Reichsbahn angefertigt."[79]

Sogar vor den Leichen wurde nicht Halt gemacht: Noch während der Aussiedlungsaktionen hatten die jüdischen Ordnungskräfte die Toten aufzulesen und zu den bereits ausgehobenen Gruben zu bringen. Dort wurden sie durch das jüdische Begräbniskommando entkleidet und nach Wertsachen, Geld und Schmuck durchsucht. Dabei ging man so weit, den Leichen Goldzähne zu ziehen und sogar Finger abzuschneiden, um an ihre Ringe zu kommen.[80]

---

[78] So wurde die Einziehung des Handgepäcks in Kielce mit der zynischen Erklärung gerechtfertigt, dass „die betreffenden Juden dergleichen nicht mehr bräuchten, sie bekämen bei ihrer zukünftigen Arbeitsstelle genügend Bezahlung", in der eidesst. Erkl.: Natan G. v. 4.4.1966, in: BA-L, II 206 AR-Z 157/60, Bl. 1866.

[79] Dok. 511-USSR, in: Der Prozeß gegen die Hauptkriegsverbrecher vor dem Internationalen Militärgerichtshof. Nürnberg 14. November 1945 – 1. Oktober 1946. Urkunden und anderes Beweismaterial, Nürnberg 1949, Bd. XXXIX, S. 552.

[80] Vgl. z. B. die Aussage: Marek F. (Begräbniskommando in Kielce) v. 15.4.1966, in: BA-L, II 206 AR-Z 157/60, Bl. 1778.

Nach dem Abtransport der „arbeitsunfähigen" Juden nach Treblinka bildete die SS-Führung aus dem ausselektierten Rest Arbeitskommandos und führte sie unter Aufsicht der Schutzpolizei oder Gendarmerie in das geräumte Viertel zurück. Dort erhielten sie die Aufgabe, die hinterlassene Habe zu sortieren und an zu diesem Zweck festgelegten Sammelpunkten abzulegen. Von dort aus wurden die Sachen mit Pferdewagen in die zentralen Sammelstellen befördert, die sich in speziell dafür abgesonderten und bewachten Gebäuden befanden.[81] Wenn eine größere Menge zusammengekommen und sortiert worden war, wurde die Ausbeute per Zug oder LKW nach Radom geschickt. Dort gab es auf dem Gebiet der ehemaligen Gerberei „Korona" eine Zentralsammelstelle, die unmittelbar von SSPF Böttcher verwaltet wurde.[82] Nachdem die Sachen dort eingehend geprüft und gereinigt worden waren, wurden sie nach Lublin weitergeschickt, wo es ein zentrales Verwertungslager beim Stab der „Aktion Reinhard" gab. Hier verteilte und verarbeitete man sie gemäß Himmlers Instruktionen weiter.

Die Gegenstände, deren Zustand die deutschen Nutznießer nicht zufrieden stellte, wurden unmittelbar nach den Ghettoräumungen durch die Schutzpolizei auf eigens dafür angelegten Marktplätzen an die nichtjüdische Bevölkerung verkauft. Die Erlöse daraus wurden auf das Konto „Beschaffung" des SSPF Böttcher eingezahlt und von dort aus nach Berlin überwiesen.[83] Den gleichen Weg durchliefen sämtliche Gelder, die später während der zahlreichen Durchsuchungen und Exekutionen der „Arbeitsjuden" in den „kleinen Ghettos" und den Arbeitslagern der Betriebe vorgefunden wurden.

Die Ausbeutung der jüdischen Arbeitskraft

Nach der Aussiedlungsaktion in größeren jüdischen Wohnvierteln wurden die so genannten arbeitsfähigen Juden in den dicht abgeschotteten „kleinen Ghettos" untergebracht. Sie hatten entweder vor Ort zu arbeiten oder wurden täglich zu verschiedenen auswärtigen Arbeitseinsätzen unter strengster

---

[81] In Tschenstochau z. B. wurden die Verwertungsmagazine an der Ecke Garibaldi- und Wilsonstraße errichtet; laut eidesstattl. Erkl. Chaim B. v. 3.11.1969, BA-L, 206 AR-Z 11/67, Bl. 611: „Es gab in den einzelnen Häusern getrennt Abteilungen, in denen die Sachen gesammelt wurden: Kleider, Geschirr, Elektrosachen, Galanteriewaren, ein ganzes Haus mit Bettfedern usw."; JAN PIETRZYKOWSKI, Cień swastyki nad Jasną Górą, Katowice 1985, S. 172; in Kielce gab es solche Lagerräume im Keller des ehemaligen Bischofspalastes, vgl. Jan N., IPN-Kielce, Ds. 21/68, Bd. II, Bl. 85.

[82] RUTKOWSKI, Martyrologia, S. 115.

[83] In einem Brief von Gendarmerieposten Przedborz an den Gendarmerie-Zug in Konskie vom 5.6.1943, in: AŻIH, NMO, Radom, Bl. 175, heißt es z. B.: „Nach der Judenaussiedlung, die am 9.10.1942 erfolgte, wurde das jüdische Eigentum an die hiesige poln.[ische] Bevölkerung verkauft. Hierfür wurden 273 212,65 Zl. [Złoty] vereinnahmt."

Bewachung durch die Schupo oder die „blaue Polizei" eingeteilt. Diese kleineren, in der Regel nur mehrere Hundert Menschen umfassenden Arbeitsghettos beherbergten fast ausschließlich die Zwangsarbeiter mit ihren engsten Familienangehörigen. Sie wurden oft auf dem Gebiet einiger weniger Straßen im ehemaligen Wohnbezirk in unmittelbarer Nähe der früheren Ghettoshops angelegt.[84] So konnte deren Produktion schnell wieder aufgenommen werden, wie zum Beispiel in Tschenstochau, Staszow oder in Kielce. Sie unterstanden unmittelbar dem SS- und Polizeiführer und wurden strengstens durch die ukrainischen Wachmannschaften oder die Schutzpolizei bewacht.

Mehrere Monate lang wurden auf diese Weise jüdische Arbeiter vor allem zu Aufräumarbeiten und zur Verwertung des ehemaligen jüdischen Besitzes gezwungen. Mit der Zeit nutzten ihre Arbeitskraft zunehmend auch diverse Produktionsbetriebe in der näheren Umgebung aus. Verstärkt wurden sie in die neu entstandenen Zwangsarbeiterlager in Blizyn und Radom gebracht oder in einem der zahlreichen Hasag-Werke (z. B. in Kielce, Tschenstochau oder Skarzysko-Kamienna) eingesetzt. Die „kleinen Ghettos" wurden gemäß Himmlers Anordnung vom Mai 1943[85] im Frühling von den örtlichen Polizeidienststellen aufgelöst. Diese Aktionen waren im ganzen Distrikt von Massenexekutionen aller „überflüssigen" Familienangehörigen der Zwangsarbeiter, wie zum Beispiel Kinder oder ältere Menschen, begleitet. Wer diesen Erschießungen entgangen war, wurde entweder direkt auf dem Gelände der Betriebe interniert oder in ein Konzentrationslager deportiert.

Der umfangreiche Einsatz der jüdischen Zwangsarbeiter in den abgeschotteten Betriebslagern und in Konzentrationslagern des SS- und Polizeiführers stellte im Vergleich zu anderen Distrikten eine regionale Besonderheit dar, die durchaus erklärungsbedürftig ist. Der Distrikt Radom zeichnete sich durch eine für das Generalgouvernement vergleichsweise hohe Konzentration von Rüstungsbetrieben aus. Zu den wichtigsten gehörten die Filialen von Hugo Schneider A.G. („Hasag") in Skarzysko-Kamienna, Kielce und Tschenstochau; die Pulverfabrik in Pionki; die Stahlwerke Braunschweig G.m.b.H. in Starachowice und die Ostrowiecer Hochöfen und Werke A.G. in Ostrowiec.[86] Um den ständig steigenden Anforderungen der

---

[84] Als Ghettoshops wurden die jüdischen Handwerksbetriebe bezeichnet, die kurz vor der „Aktion Reinhard" in Ghettos der größeren Städte angelegt wurden, wo die deutschen Besatzer und die örtliche Bevölkerung die Dienste der jüdischen Handwerker entgeltlich in Anspruch nehmen konnten.

[85] Laut einem Vermerk zu einem Vortrag von Greifelt v. 12.5.1943, in: BA-B, NS 19/2648, Bl. 135, sollte es Himmler als eine „vordringliche Aufgabe im Generalgouvernement" ansehen, „die dort noch vorhandenen 3–400.000 Juden zu entfernen".

[86] Zur Rolle der Rüstungsbetriebe im Distrikt Radom, zusammen mit detaillierten Übersichten über ihre Produktion, vgl. STANISŁAW MEDUCKI, Przemysł i klasa robotnicza w dystrykcie radomskim w okresie okupacji hitlerowskiej, Kraków 1981, S. 63–82.

Wehrmacht nachkommen zu können, verhandelten sie unermüdlich durch den zuständigen Rüstungsinspektor mit dem HSSPF Krüger über die jüdischen Arbeitskräfte.[87]

Tab. 1: Die größten „kleinen Ghettos" im Distrikt Radom nach der Aussiedlungswelle im Herbst/Winter 1942

Stadt	Lage zwischen den Straßen ...	Insassen	Arbeitsstätten	Auflösungs-datum
Kielce	Jasna, Stolarska, Starozagnańska	1500–2000 (darunter: 250 Frauen, ca. 50 Kinder)	Steinbruch „Kadzielnia", Holzbetrieb von Śliwa, Ostbahn, Eisenwerk „Ludwigshütte"	30.05.1943
Ostrowiec	Iłżecka, Pierackiego, Sienkiewicza	2000–3000	Baufirmen: „Bauer und Losch", „Oemler", „Trawers", Ziegelei von Jäger, Ostrowiecer Hochöfen und Werke A.G.	Anfang April 1943
Petrikau	Garncarska und Żydowska	2000–3000	Rüstungsshops in den Hütten: „Karo", „Hortensja", „Rektyfikacja", „Feniks", Holzbetrieb in Bugaj	1.08.1943
Radom	Szwerlikowska, Ciasna, Szpitalna, Reja, Żytnia	ca. 3000	SS-Bauleitung, Gerberei „Korona", Metallurgie-Werke	Mai und November 1943
Tomaschow	Jerozolimska, Mała, Joselewicza, Wschodnia, Piekarska	900–1300	Werkstätte an der Pilicznastr. 12, Tischlereien der „Organisation Todt", Fabrik für künstliche Seide	29.05.1943
Tschenstochau	Jaskrowska, Nadrzeczna, Mostowa, Senatorska	5000–8000	örtliche „Hasag"-Werke	Ende Juni 1943

Quellen: PIETRZYKOWSKI, Cień swastyki; ADAM RUTKOWSKI, Hitlerowskie obozy pracy dla Żydów w dystrykcie radomskim, in: BŻIH, Nr. 17-18, 1956, S. 106–128; JERZY WOJNIŁOWICZ, Ludność żydowska w Tomaszowie Mazowieckim w latach 1939–1943, in: Biuletyn Okręgowej Komisji Badania Zbrodni przeciwko Narodowi Polskiemu w Łodzi, Bd. V, 1997,

---

[87] MiG O.Qu/Qu.2 an die OFK im GG v. 9.08.1942, betr.: Judeneinsatz, in: BA-L, Verschiedenes 276, Bl. 411.

S. 79-101; Untersuchungsverfahren in: BA-ZSL: II 206 AR-Z 157/60 (Kielce); 206 AR-Z
11/67 (Tschenstochau); II 206 AR-Z 12/63 (Tomaszow); 206 AR-Z 23/64 (Ostrowiec); 206
AR-Z 32/63 (Petrikau); II 206 AR-Z 15/65 (Radom); Inf. bież. 1943, in: AAN, Delegatura,
202/III/7, Bd. 2.

Bereits vor Beginn der „Aktion Reinhard" im Generalgouvernement spitzte
sich die Lage auf diesem Sektor zu: Im Jahre 1942 geriet die dortige Rüstungsindustrie aufgrund der zuwiderlaufenden Erfordernisse seitens unterschiedlicher Instanzen im Reich unter enormen Druck. Während die Wehrmacht auf der Intensivierung der Produktion und Einhaltung der Liefer-
termine beharrte, forderte der neu ernannte Generalbevollmächtigte für den
Arbeitseinsatz, Fritz Sauckel, immer neue Kontingente polnischer Zwangsarbeiter für den Einsatz im Reich. Zwischen Mai und August 1942 wurden
rund 340 000 Polen oftmals direkt aus den kriegswichtigen Betrieben her-
ausgeholt.[88] Die Situation verschlimmerte sich noch zusätzlich, als die Pläne
der Rüstungsinspektion im GG vom Mai 1942, ca. 100 000 jüdische
Zwangsarbeiter anstelle der ins Reich verschleppten Polen in ihren Betrieben
einzusetzen,[89] allmählich durch die „Aktion Reinhard" unterlaufen wurden:[90] Am 14. August 1942 setzte der HSSPF-Ost, Krüger, die Vertreter der
Rüstungsinspektion im GG offiziell davon in Kenntnis, dass „[d]er Plan, die
polnischen Arbeitskräfte bei den durch MiG [Militärsbefehlshaber im Gene-
ralgouvernement] betreuten Betrieben durch Juden zu ersetzten, [...] [durch
Himmler] aufgegeben worden" sei,[91] und außerdem: „Nach Auffassung des
Reichsmarschalls [Göring] müsse davon abgegangen werden, daß der Jude
unentbehrlich sei. Weder Rü[stung]-In[spektion] noch die sonstigen Dienststellen im GG. würden die Juden bis zum Kriegsende behalten."[92] Dies

---

[88] CHRISTIAN GERLACH, Die Bedeutung der deutschen Ernährungspolitik für die Beschleunigung des Mordes an den Juden 1942. Das Generalgouvernement und die Westukraine,
in: DERS., Krieg, Ernährung, Völkermord. Forschungen zur deutschen Vernichtungspolitik im
Zweiten Weltkrieg, Hamburg 1998, S. 167–257, S. 225 f.
[89] KTB MiG, OQu, Anträge v. 8. und 9.5.1942 in: BA-MA, RH 53-23/80 und die
Zusage seitens des HSSPF Krüger v. 20.05.1942, in: BA-MA, RH 53-23/87, Bl. 47–50.
[90] Laut der Mitteilung von Oberquartiermeister im GG, Forster, an Gen Qu v. 5.08.1942,
in: BA-L, Verschiedenes 276, Bl. 414, verursachte die unerwartete Aussiedlung am 4.8.1942
in Radom-Glinice erhebliche Probleme in manchen Wehrmachtsdienststellen, da die dort
arbeitenden Juden verschleppt wurden; auf diese Weise wurden 22 von 30 jüdischen Zwangsarbeitern bei der Heeresverpflegungsstelle Radom und 37 von 52 bei der Heeresbekleidungs-
stelle abgezogen, was die Arbeit zum Erliegen brachte. Ähnliche Fälle ereigneten sich auch
andernorts, wie z. B. im Lager des Oberkommandos des Heeres in Przemysl während der
Aussiedlung zwischen dem 27.7. und 2.8.1942 oder im Betrieb „Papapol" in Tarnow; die
Mitteilung wurde mit der Feststellung beendet: „Bei der restlosen Auskämmung der polnischen Arbeiter für das Reich ist Jude einzige verfügbare Arbeitskraft."
[91] [MiG], Qu. 2, Betr.: Judeneinsatz, v. 15.8.1942, BA-L, Verschiedenes 276, Bl. 406.
[92] Ebd:, Bl. 407.

bedeutete, dass auch die jüdischen Zwangsarbeiter ohne jegliche Ausnahme in den Vernichtungsprozess einbezogen werden sollten. Die Befürchtung der Rüstungsbetriebe wurde am 5. September 1942 bestätigt, als der Chef des OKW, Generalfeldmarschall Keitel, anordnete, alle jüdischen Arbeitskräfte, die im Generalgouvernement von der Wehrmacht für militärische Hilfsdienste und in der Rüstungsindustrie beschäftigt worden waren, sofort durch Polen zu ersetzen.[93]

Erst die persönliche Intervention von Rüstungsminister Albert Speer bei Hitler zwischen dem 20. und 22. September bewirkte eine „Gnadenfrist" für jüdische Rüstungsarbeiter im Generalgouvernement.[94] Einen Monat später, auf einem Treffen des Oberquartiermeisters des Militärbefehlshabers im GG, Oberst Forster, mit dem HSSPF-Ost, Krüger, wurde vereinbart, dass „die Aussiedlungsaktion gegen alle Juden, die bei Dienststellen der Wehrmacht und den für sie tätigen Betrieben eingesetzt sind, solange gestoppt wird, bis der W.i.G. [Wehrkreisbefehlshaber im GG] die erforderlichen Ausscheidungsmaßnahmen durchgeführt hat, die verhindern sollen, daß für die Fortführung kriegswichtiger Arbeiten benötigte Juden versehentlich abtransportiert werden."[95] Dies bedeutete zwar einen Aufschub, aber noch keinen Verzicht auf die totale Vernichtung der jüdischen Facharbeiter. Ihre Anzahl sollte auf den für den Bedarf der Wehrmacht absolut unverzichtbaren Bestand reduziert und anschließend nach Möglichkeit kontinuierlich verkleinert werden.[96] Im Zuge der Erfüllung der neuen Richtlinien zogen die zuständigen Polizeidienststellen im Distrikt Radom schon am 16. Oktober 1942 alle jüdischen Arbeitskräfte aus den so genannten A-Betrieben ab.[97]

Laut einer Vereinbarung der Rüstungsinspektion mit HSSPF Krüger wurden alle jüdischen Zwangsarbeiter im Distrikt Radom entweder unmittelbar dem SS- und Polizeiführer Böttcher oder den Wehrmachtsstellen (der

---

[93] GERLACH, Die Bedeutung, S. 228.

[94] Ebd., S. 229; POHL, Die großen Zwangsarbeitslager, S. 419, ARTUR EISENBACH, Hitlerowska polityka zagłady Żydów, Warszawa 1961 S. 362 f.

[95] [WiG], OQu/Qu 2, Betr.: Ersatz der jüdischen Arbeitskräfte, v. 20.10.1942, in: BA-L, Verschiedenes 276, Bl. 394.; vgl. auch: RAUL HILBERG, Die Vernichtung der europäischen Juden, Frankfurt a.M. 1994, Bd. 2, S. 554 f.

[96] Vgl. POHL, Die großen Zwangsarbeitslager, S. 419. Beachte in diesem Kontext die Anmerkung Himmlers zum Schreiben des WiG an OKW v. 9.10.1942, betr.: Ersatz der jüdischen Arbeitskräfte durch Polen, in: BA-B, NS 19/352, Bl. 11 f.; in Tomaszow z. B. wurden gerade in dieser Zeit alle bei Rüstungsbetrieben, Wehrmachtsdienststellen und Behörden beschäftigten Juden erfasst, vgl. Dienstbuch der Sipo-Außendienststelle Tomaszow, Antrag v. 8.10.1942, in: BA-B R 70 Polen/125, Bl. 55RS.

[97] KTB Rü.Kdo. Radom, in: BA-MA, RW 23/16, Bl. 44; zu der Aufteilung auf A- und W-Betriebe im GG, vgl. MEDUCKI, Przemyśl, S. 35 f.

Rüstungsinspektion beziehungsweise dem Wehrkreisbefehlshaber im GG) unterstellt.[98]

Auch die finanzielle Seite des Unterfangens wurde bis ins kleinste Detail geregelt: Für die Bereitstellung von jüdischen „Arbeitssklaven" an die Rüstungsfirmen aus den SSPF-Lagern sollte die SS täglich 5 Złoty pro Mann und 4 Złoty pro Frau, abzüglich 1,60 Złoty an die Firmen, als Unterhaltskosten erhalten. Die jüdischen Zwangsarbeiter sollten keinen Lohn bekommen, dafür aber in den Betrieben verpflegt werden.[99]

So entstanden im Distrikt Radom schon während der laufenden Aussiedlungen zahlreiche Judenlager (so genannte Julags) bei verschiedenen Rüstungsbetrieben,[100] in denen jüdische Zwangsarbeiter, bewacht durch den Werkschutz,[101] unmittelbar auf dem Fabrikgelände untergebracht wurden. Die größten solcher Lager wurden durch die „Hasag" Eisen- und Metallwerke GmbH in Skarzysko-Kamienna,[102] die Pulver- und Sprengstoff Fabrik Pionki GmbH und die Stahlwerke Braunschweig GmbH in Starachowice gebildet. Außerdem wurden mehrere Tausend Juden auf dem Gelände solcher Betriebe kaserniert, wie bei den „Hasag" Eisen- und Metallwerken GmbH („Granat") und der Zieleniewski Maschinen- und Waggonbau GmbH, Ludwigshütte, beide in Kielce, den Petrikauer Holzwerken Dittrich & Fischer in Petrikau, verschiedenen „Hasag"-Filialen (Apparatebau, Warthewerke, Eisenhütte) in Tschenstochau, der Rüstungsfabrik in Radom und der Ostrowiecer Hochöfen und Werke A.G. in Ostrowiec.

---

[98] WiG am 15.10.1942, betr.: Ersatz der jüdischen Arbeitskräfte, (KTB-Anlage MiG, OQu, Nr. 228), in: BA-MA, RH 53-23/70.

[99] Ebd.; vgl. HILBERG, Die Vernichtung, Bd. 2, S. 555; EISENBACH, Hitlerowska polityka zagłady, S. 387, FN 6.

[100] Nach dem Bericht von Böttcher an HSSPF-Ost, Krüger, v. 1.12.1943, betr.: Schutz der Rüstungsbetriebe und Judenlager, in: BA-B R 70 Polen/78, Bl. 184RS, gab es damals im Distrikt Radom noch 17 Werke, die unmittelbar dem Rüstungskommando und nicht dem SSPF unterstanden.

[101] Der Werkschutz in den Julags, die der Rüstungsinspektion unterstanden, wurde erst mit der RSHA-Weisung v. 19.9.1943 der Sicherheitspolizei unterstellt, die damit „federführend für die Bearbeitung aller Sicherheitsfragen der Rüstungswerke" wurde, in: Besprechungsnotiz beim SSPF Böttcher v. 25.10.1943, BA-B R 70 Polen/78, Bl. 189; diese Unterstellung erfolgte im Distrikt Radom am 19.10.1943, vgl. KTB Rü. Kdo. Radom, in: BA-MA, RW 23/17, Bl. 116.

[102] Laut LONGIN KACZANOWSKI, Hitlerowskie fabryki śmierci na Kielecczyźnie, Warszawa 1984, S. 48, begann der Einsatz der ersten jüdischen Zwangsarbeiter in Skarżysko-Kamienna noch im Sommer 1941 und betraf erstrangig die Juden aus Suchedniow und Umgebung. Die Zwangsarbeiter waren damals noch außerhalb des Betriebes einquartiert und bekamen sogar ein niedriges Gehalt. Das eigentliche Zwangsarbeitslager wurde dann während der anlaufenden „Aktion Reinhard" im August 1942 gegründet, vgl. Enzyklopädie des Holocaust, Bd. III, (Stichwort: Skarżysko-Kamienna), S. 1318 ff.

Außer den unmittelbar der Rüstungsinspektion unterstellten Lagern gab es im Distrikt noch die Zwangsarbeitslager des SS- und Polizeiführers, wie zum Beispiel das Zwangsarbeitslager bei den Deutschen Ausrüstungswerken GmbH in Blizyn, das am 8. März 1943 errichtet wurde, oder das Julag an der Szkolnastraße in Radom.

Die Verhältnisse in beiden Julag-Typen waren alles andere als gut und unterschieden sich kaum voneinander:[103] Die jüdischen Zwangsarbeiter wurden in hölzernen Baracken untergebracht, in denen es kaum sanitäre Einrichtungen gab. Das Lagergelände war mit Stacheldraht umzäumt und wurde von dem meistens aus Ukrainern rekrutierten Werkschutz rund um die Uhr bewacht. An der obersten Spitze der Lagerhierarchie standen dort allein die Lagerleiter als uneingeschränkte Herren über Leben und Tod, die diese Macht auch voll ausübten, oftmals auf sehr exzessive Art und Weise.

Die offizielle Judenpolitik aller NS-Entscheidungsträger – und Böttcher bildete hier keine Ausnahme – zielte auf eine sukzessive Ausblutung der übrig gebliebenen Juden im Prozess der so genannten Vernichtung durch Arbeit ab. Daher war der Alltag der jüdischen Zwangsarbeiter in allen Rüstungs- und SSPF-Judenlagern von Gewalt und Tod gekennzeichnet.[104] Wie Christopher Browning am Beispiel des Judenlagers in Starachowice treffend formulierte: „Die Dinge lagen einfach so, dass die Werksleitung sich der kranken und schwachen Juden lieber durch Mord entledigte, als für sie, wie für alle andere Häftlinge, die vereinbarten fünf Złoty täglich an die SS zu bezahlen."[105] Die jüdische Belegschaft wurde fast täglich todbringenden Selektionen, öffentlichen Exekutionen und exzessiven Übergriffen seitens des Werkschutzes, der Vorarbeiter, aber auch der nichtjüdischen

---

[103] Zu den Verhältnissen in einzelnen Judenlagern vgl. ADAM RUTKOWSKI, Hitlerowskie obozy pracy dla Żydów w dystrykcie radomskim, in: BŻIH, Nr. 17-18/1956, S. 106–128; KACZANOWSKI, Hitlerowskie fabryki śmierci (zu den Lagern in Skarżysko-Kamienna, Ostrowiec, Kielce, Radom, Pionki); URBAŃSKI, Zagłada, S. 144–151 (Julags in Kielce); CHRISTOPHER R. BROWNING, Die Arbeitsjuden und die Erinnerungen der Überlebenden. Der Fall des Arbeitslagers Starachowice, in: DERS., Judenmord. NS-Politik, Zwangsarbeit und das Verhalten der Täter, Frankfurt/M. 2001, S. 139–177 (zum Lager in Starachowice); FELICJA KARAY, Death Comes in Yellow. Skarzysko-Kamienna Slave Labor Camp, Amsterdam 1997 (Julag in Skarzysko).

[104] Besonders nachdem Himmler im Mai 1943 die Entfernung von den im GG noch vorhandenen Juden als eine vordringliche Aufgabe dargestellt hatte, wurden die brutalen Umgangsformen mit jüdischen Zwangsarbeitern zur alltäglichen Praxis der Lageraufsicht in fast allen Lagern; vgl. Vermerk zu Greifelts Vortrag beim RFSS v. 12.5.1943, in: BA-B, NS 19/2648, Bl. 135.

[105] BROWNING, Die Arbeitsjuden, S. 148.

Zwangsarbeiter und sogar eines eigenen Lagerordnungsdienstes unterzogen.[106] Auf Schwangerschaften oder körperliche Behinderungen wurde dort genauso wenig Rücksicht genommen wie auf physische Erschöpfung oder Krankheit. Wer nicht voll einsetzbar war – oft über alle Normen hinaus und bis zu 20 Stunden mörderischer Arbeit täglich –, wurde kurzerhand erschossen. Die Krankenstationen wurden oftmals dazu missbraucht, die Gebrechlichen auszusondern, um sie anschließend zu ermorden.[107] Andere tägliche Schikanen bestanden in fortdauernden Durchsuchungsaktionen und Erpressungsversuchen durch Lagerleitung und Werkschutz. Wurden dabei Bargeld oder Wertsachen konfisziert, die das Lagerpersonal nicht unterschlagen konnte, weil der Fund zum Beispiel während einer öffentlicher Durchsuchungsaktion gemacht wurde, so wurde die Ausbeute dem SSPF Böttcher mit einer kurzen Mitteilung überwiesen und ging dann auf eines der Geheimkonten der „Aktion Reinhard" über.[108]

Im Herbst 1943 erfolgte die flächendeckende Auflösung der jüdischen Zwangsarbeitslager in den meisten Distrikten des Generalgouvernements: Aufgrund der Sicherheitsbedenken Himmlers entschloss man sich, auch die arbeitenden Juden zu ermorden. Zum Inbegriff dieser Maßnahme wurde die im Distrikt Lublin durchgeführte „Aktion Erntefest", während derer ca. 40 000 jüdische Zwangsarbeiter innerhalb von zwei Tagen (3./4. November 1943) exekutiert wurden.[109] Ganz anders verfuhren die NS-Entscheidungsträger dagegen im Distrikt Radom: Es wurden dort zwar einige Exekutionen vorgenommen,[110] sie waren jedoch nicht als Ausrottungsmaßnahme gedacht, sondern standen eher in Verbindung mit neuen Judentransporten aus dem KL Plaszow: Am 18. November 1943 trafen im Distrikt die ersten 4000 jüdischen Zwangsarbeiter ein, die dann auf Julags der Rüstungsinspektion verteilt wurden. Namentlich waren dies die „Hasag"-Werke in Skarzysko-Kamienna, die Warthe- und Stahlwerke in Starachowice, die Ostrowiecer Hochofen-Werke, die Pulverfabrik in Pionki und die „Ludwigshütte" in

---

[106] Zum Verhalten der „Lagereliten" in Starachowice, in: ebd., S. 153–163; in Ostrowiec, in Erlebnisberichten v. 1945 von: Szlama G., AŻIH, 301/2545, Szyja G., ebd., 301/2779, Chil R., ebd., 301/3089; in Skarżysko-Kamienna, in: ebd., Rena T., 301/249, Hanka K., ebd., 301/502, Felicja B., ebd., 301/828.

[107] Vgl. dazu z. B. die Schilderung der von Althoff begangenen Morde auf der Krankenstation im Lager in Starachowice, in: BROWNING, Die Arbeitsjuden, S. 148.

[108] AŻIH, NMO, Radom, Nr. 11, mehrere Dutzend Erlösbelege verschiedener Polizeidienststellen für jüdische Sachen, die an Polen verkauft wurden, und von Geldbeträgen, die während der Durchsuchungen in Lagern beschlagnahmt wurden. Die Erlöse wurden auf das Konto „Beschaffung" des SSPF in Radom eingezahlt.

[109] POHL, Von der „Judenpolitik", S. 170 ff.

[110] Vgl. z. B. in: BROWNING, Die Arbeitsjuden, S. 150, über Selektion in Starachowice und anschließende Erschießungen in Firlej bei Radom.

Kielce.[111] Vor der Ankunft der neuen Zwangsarbeitertransporte ergriff man einfach die Gelegenheit, sich der schwächeren Arbeiter vor Ort zu entledigen.

Der nächste, 6400 Juden umfassende Transport wurde dann für die Zeit zwischen Januar und März 1944 angekündigt.[112]

Im Januar 1944 wurden die Lager des SS- und Polizeiführers im GG in Konzentrationslager umgewandelt und fielen damit aus ihrer Verantwortung heraus.[113]

Versuch einer Bilanz
der „Aktion Reinhard" im Distrikt Radom

Insgesamt wurden im Distrikt Radom im Rahmen der „Aktion Reinhard" rund 360 000 jüdische Frauen, Männer und Kinder in die Vernichtungslager Treblinka und Belzec gebracht und dort ermordet.[114] Etliche Tausend fanden den Tod während der Massenerschießungen, die alle Aussiedlungsaktionen begleiteten. Von ca. 50 000 Häftlingen, die in den Jahren 1943/44 durch die Zwangsarbeitslager des SS- und Polizeiführers oder der Rüstungsinspektion hindurchgingen, kamen etwa 30 000 ums Leben.[115] Die Zahl der jüdischen Flüchtlinge, die sich in den Wäldern, Städten und Dörfern versteckt hielten und dadurch der NS-Vernichtungsmaschinerie entkamen, lässt sich kaum exakt ermitteln. Es kann sich dabei aber um nicht mehr als ein paar Tausend Menschen handeln.

---

[111] KTB Rü. Kdo. Radom, in: BA-MA, RW 23/17, Bl. 129; vgl. Böttchers Bericht v. 1.12.43 für den HSSPF-Ost, in: BA-B, R 70 Polen/78, Bl. 184.

[112] Ebd.

[113] Stab W an Chef des Amtes W IV, v. 19.1.1944, betr.: Umwandlung der Zwangsarbeitslager in Krakau-Plaschow, Lenberg [Lemberg], Lublin und Radom-Blisyn [Blizyn] in Konzentrationslager (NO-1036), in: BA-L, Verschiedenes 299, Bl. 84–87.

[114] Laut Arad, Belzec, Sobibor, Treblinka, Tab. 3, S. 393 ff., wurden aus dem Distrikt Radom 364 400 Menschen nach Treblinka deportiert; dazu kommen noch 8230 Juden aus Sandomierz und Zawichost, die in Belzec umkamen, vgl. ebd., Tab. 1, S. 389; Rutkowski, Martyrologia, S. 138–165, kommt in seiner tabellarischen Zusammenstellung auf ca. 350 000 Deportierte nach Treblinka und Belzec.

[115] Kaczanowski, Hitlerowskie fabryki śmierci, S. 14 f.

ROBERT KUWAŁEK

DIE DURCHGANGSGHETTOS IM DISTRIKT LUBLIN (U.A. IZBICA, PIASKI, REJOWIEC UND TRAWNIKI)

Eine Besonderheit des Distrikts Lublin im Verlauf der „Aktion Reinhardt", insbesondere während deren erster Phase, waren die so genannten Durchgangsghettos. Sie wurden von den Nationalsozialisten in kleinen Städten mit Eisenbahnanschluss in die Vernichtungslager Belzec, Sobibor und Treblinka eingerichtet und waren vor allem für Juden vorgesehen, die aus dem Ausland in den Distrikt deportiert wurden, insbesondere aus dem Reich (darunter auch aus Österreich), aus dem Protektorat Böhmen und Mähren (Theresienstadt) sowie aus der Slowakei. Doch schon im Sommer und im Herbst 1942 wurden hier auch polnische Juden aus der näheren Umgebung dieser Städtchen konzentriert.

Die Existenz dieser Ghettos oder, wie manche Historiker sagen, Durchgangslager wurde bislang in der Literatur zur Shoah nicht ausreichend gewürdigt. Dies ist dadurch zu erklären, dass nicht allzu viele Archivalien und Berichte aus diesen Orten erhalten sind. Die große Mehrzahl der Menschen, die sich hier aufhielten, hat den Krieg nicht überlebt, kann also keine schriftlichen Berichte hinterlassen. Dies betrifft insbesondere die nichtpolnischen Juden, die in noch geringerem Maße eine Überlebenschance hatten als die einheimischen. Deutsches Quellenmaterial aber, in dem sich Informationen über die Existenz dieser Durchgangsghettos finden, ist – dies lässt sich mittlerweile mit Sicherheit sagen – so gut wie nicht vorhanden. Etwas mehr Informationen haben sich in den überlieferten Akten der Jüdischen Sozialen Selbsthilfe (*Żydowska Samopomoc Społeczna, ŻSS*) erhalten, einer Institution, die sich 1942 bemühte, den in diese Ghettos umgesiedelten Menschen Hilfe zu leisten. Es hat sich zudem ein wenig von jener Korrespondenz erhalten, die von den in diese Ghettos Deportierten geschrieben wurde (darunter auch Geheimberichte, die von polnischen Mittelsmännern meist in die Slowakei weitergeleitet wurden und in denen das Schicksal der in das Lubliner Land deportierten slowakischen Juden beschrieben wird). Dieses Material ist aber auf Archive praktisch in der ganzen Welt verstreut und wurde bislang nur in geringem Maße genutzt.[1] Es fehlt beispielsweise eine Monographie, die sich in ihrer Gänze diesen „Vorzimmern" der Vernichtungslager widmet, in denen das Schicksal vieler Hunderttausend Juden aus Polen und anderen Ländern sein Ende fand und aus denen viele Zehntausend in die Todeslager deportiert wurden.

Der Stab der „Aktion Reinhardt" wählte die Ortschaften für die Durchgangsghettos nicht zufällig aus. Wie bereits erwähnt, lagen alle an Eisenbahnstrecken, die in die Vernichtungslager führten, insbesondere in das Vernichtungslager Belzec. Außerdem hatte es in diesen Städtchen schon früher, noch vor dem Beginn der „Aktion Reinhardt", Sammelpunkte für Juden gegeben, die innerhalb des Distrikts Lublin umgesiedelt oder aus

---

[1] Die frühesten Arbeiten über die in das Lubliner Land deportierten deutschen Juden, Editionen ihrer Briefe oder auch Erinnerungen der wenigen Überlebenden der Durchgangsghettos sind in Deutschland bereits in den sechziger Jahren erschienen, z.B. JAKOB PEISER SELAND, Die Geschichte der Synagogen-Gemeinde zu Stettin. Eine Studie zur Geschichte des pommerschen Judentums, Würzburg [2]1965 (der letzte Teil dieser Arbeit ist dem Schicksal von über 1200 Stettiner Juden gewidmet, die im Februar 1940 in den Distrikt Lublin deportiert wurden, hauptsächlich nach Piaski und Belzec, die 1942 zu Durchgangsghettos wurden); ARNOLD HINDLS, Einer kehrte zurück. Bericht eines Deportierten, Stuttgart 1965 (die Erinnerungen eines 1942 aus Theresienstadt nach Piaski deportierten tschechischen Juden; Auszüge dieses Buches sind unlängst ins Polnische übersetzt und veröffentlicht worden: Piaski we wspomnieniach, hg. v. LUCJAN ŚWIETLICKI, Piaski 2000; oder auch: Lebenszeichen aus Piaski. Briefe Deportierter aus dem Distrikt Lublin 1940–1943, hg. v. ELSE R. ROSENFELD/ GERTRUD LUCKNER, München 1968 (hier vor allem Brieffragmente, insbesondere von Stettiner Juden, die sich in Piaski und Belzec aufhielten, sowie von Wiener Juden, die 1941 nach Opole Lubelskie deportiert wurden. Dies ist insofern für uns interessant, als die Autoren dieser Briefe noch 1942 Informationen über sich und das Leben in den Durchgangsghettos versandten). Aus der später erschienenen Literatur zum Schicksal der in den Distrikt Lublin deportierten ausländischen Juden erwähnenswert: YEHOSHUA BÜCHLER, The Deportation of Slovakian Jews to the Lublin District of Poland in 1942, in: Holocaust and Genocide Studies Vol. 6 (1991), H. 2 (der Artikel stützt sich auf 1942 in die Slowakei geschickte Berichte über das Schicksal der slowakischen Juden, die heute im Moreshet-Archiv in Israel aufbewahrt werden), oder PETER WITTE, Die letzten Nachrichten aus Siedliszcze. Der Transport Ax aus Theresienstadt in den Distrikt Lublin, in: Theresienstädter Studien und Dokumente 1996 (ein Artikel über die aus Theresienstadt nach Siedliszcze bei Cholm deportierten Juden, der sich auf erhaltene Briefe stützt, die von den Deportierten nach Tschechien geschickt wurden). Eine andere Veröffentlichung über die Deportation tschechischer Juden aus Theresienstadt in das Lubliner Land, genauer gesagt in das Ghetto Zamosc, sind die Erinnerungen von Jan Osers, einem Deportierten, der aus Zamosc fliehen konnte und sich bis nach Böhmen durchschlug: JAN OSERS, Flucht aus Zamosc, hg. v. RAIMUND KEMPER, in: Theresienstädter Studien und Dokumente, Prag 1998. Die jüngste Veröffentlichung mit sehr wertvollem Quellenmaterial über das Schicksal der nach Izbica deportierten deutschen Juden ist eine 2002 erschienene Arbeit: MARK ROSEMAN, In einem unbewachten Augenblick. Eine Frau überlebt im Untergrund, Berlin 2002.

anderen Teilen des besetzten Polen hierher transportiert wurden. Man besaß also eine gewisse Praxis bei der Organisation derartiger Orte.

Die wichtigsten Durchgangsghettos im Distrikt, deren Gründung und Nutzung die SS gleich zu Beginn der Deportationen in das Vernichtungslager Belzec plante (also im März 1942), waren Izbica im Kreis Krasnystaw und Piaski im Kreis Lublin. Diese Ortschaften wurden vor allem als Sammelpunkte für die aus dem Reich deportierten Juden bestimmt. In den einschlägigen deutschen Dokumenten bezeichneten NS-Beamte diese beiden Städtchen (Durchgangsghettos wurden überwiegend in kleinen Ortschaften angelegt, nur selten wurden Transporte aus dem Ausland in größere Kreisstädte geleitet, wie Cholm oder Zamosc) geradewegs als „Hauptunterbringungs- und Umschlagpunkte".[2] Daneben beabsichtigte die SS, Transporte mit deutschen Juden zusätzlich in Krasniczyn und Gorzkow unterzubringen, zwei Ortschaften in der Nähe von Izbica, die aber keine eigene Eisenbahnanbindung hatten, in Szczebrzeszyn (Kreis Bilgoraj) und Krasnobrod (Kreis Zamosc), zwei im Grunde direkt neben Belzec gelegenen Orten, sowie in Rejowiec (Kreis Cholm), wo sich die Eisenbahnlinien nach Cholm und Zamosc kreuzten, man die Menschen also sowohl nach Belzec als auch nach Sobibor schicken konnte, wo die SS im Frühjahr 1942 mit dem Lagerbau begann. Des weiteren konnten Transporte aus dem Reich auch nach Belzyce und Bychawa im Kreis Lublin geschickt werden (was teilweise auch geschah), deren gemeinsamer Bahnhof Niedrzwica Duza war. Das erwähnte Dokument nennt auch Opole Lubelskie als Ort für die Zusammenführung nichtpolnischer Juden, der vom Bahnhof Naleczow aus mit einer Schmalspurbahn zu erreichen war, sowie Wlodawa. Hinsichtlich Wlodawa findet sich kein Hinweis darauf, dass in der Nähe zu dieser Zeit bereits das Vernichtungslager Sobibor gebaut wurde (es war im Grunde schon fertig). Die deutschen Beamten legten aber fest, dass nach Wlodawa solche Transporte geschickt werden sollten, deren Endziel die jüdischen Arbeitslager der Wasserwirtschaftsinspektion waren.[3] Aus den genannten Ortschaften wurden

---

[2] Archiwum Państwowe w Lublinie (Staatsarchiv Lublin, fortan: APL), Gubernator Dystryktu Lubelskiego (Gouverneur für den Distrikt Lublin, fortan: GDL), Sign. 273, Judenaussiedlung, Notiz eines Beamten der Abteilung für Inneres und Bevölkerungsfragen beim Gouverneur des Distrikts Lublin vom 23. März 1942, S. 21 ff.

[3] Ebd. Seit 1941 gab es in der Gegend von Wlodawa einige derartige Lager, deren größtes sich seit 1940 in Krychow befand. Als die „Aktion Reinhardt" begann, vor allem aber, als die Deutschen das Vernichtungslager Sobibor in Betrieb nahmen, wurden aus den in dieses Lager geschickten Transporten, hauptsächlich aus den ausländischen, junge Männer ausgewählt, die für einige Zeit zur Arbeit in die kleinen Arbeitslager Krychow, Sajczyce, Osowa, Nowosiolki, Sawin und Adampol verlegt wurden. Wenn man sich eine Karte ansieht, so stellt man fest, dass sie einen Kreis rund um das Vernichtungslager Sobibor bilden. Die Auswahl der Arbeitsfähigen erfolgte auf der Rampe in Sobibor. Mehr zu diesem Thema bei HINDLS, Einer kehrte

die ausländischen Juden nicht nur nach Szczebrzeszyn und Krasnobrod geschickt. Wahrscheinlich gelangten für diese Städtchen bestimmte Transporte im April 1942 nach Zamosc.[4] Ein geschlossener Transport aus dem Ausland erreichte auch das nicht im Dokument genannte Bychawa, wo sich aber seit 1940 bereits eine Gruppe Stettiner Juden aufhielt.[5]

Wie bereits erwähnt, dienten die meisten dieser Ortschaften bereits vor dem Frühjahr 1942 als Sammelghettos. Beispielhaft hierfür sind Izbica, Opole Lubelskie und Rejowiec. In die ersten dieser Orte gelangten seit 1939 Transporte oder Gruppen von Juden, die aus polnischen Gebieten ausgesiedelt wurden, die zu Beginn der NS-Besatzung an das Reich angegliedert worden waren, hauptsächlich aus dem Warthegau. 1941 wurde eine große Gruppe von Juden hierher geschickt, die bei der Einrichtung des Ghettos aus Lublin ausgesiedelt wurden. Den Quellen zufolge lebten 1941 in Izbica rund 6700 Juden, darunter rund 2000, die aus den an das Reich angegliederten Gebieten (Lodz, Warthbrücken, Konin, Glowno) sowie aus verschiedenen Orten des Distrikts Lublin (Lublin, Krasnystaw) umgesiedelt worden waren.[6] Während dieser Aussiedlung Lubliner Juden (sie betraf rund 14 000 Menschen) wurde eine andere Gruppe nach Rejowiec gebracht, wo sich bereits Flüchtlinge aus Krakau aufhielten. In diesem Städtchen befanden sich

---

zurück; JULES SCHELVIS, Vernichtungslager Sobibór, Berlin 1998. Einige Informationen hierzu außerdem in folgendem Artikel: EDWARD DZIADOSZ/JÓZEF MARSZAŁEK, Więzienia i obozy w dystrykcie lubelskim w latach 1939–1944, in: Zeszyty Majdanka, 3 (1969). Zu diesen kleinen Arbeitslagern sowie zur Ausnutzung der jüdischen Arbeitskraft im Distrikt Lublin während der „Aktion Reinhardt" gibt es weiterhin keine Einzelstudie, obwohl das Thema überaus wichtig ist und gesondert erforscht werden müsste.

[4] Es handelte sich um zwei Transporte. Der erste kam am 30. April 1942 aus Theresienstadt mit rund 1000 tschechischen Juden, der zweite am folgenden Tag mit 1000 deutschen Juden aus Dortmund. Archiwum Żydowskiego Instytutu Historycznego (Archiv des Jüdischen Historischen Instituts, fortan: AŻIH), Pamiętniki Żydów ocalałych z Zagłady, Sign. 302/122, MIECZYSŁAW GARFINKEL, Monografia miasta Zamościa, S. 19.

[5] Ein namentliches Verzeichnis von rund 1200 deutschen Juden, die im Februar 1940 nach Belzyce, Bychawa, Piaski und Glusk deportiert wurden, befindet sich in den Akten des Judenrats Lublin im Staatsarchiv Lublin. Dieses Dokument enthält Informationen über das Schicksal der zwischen 1940 und 1942 in die erwähnten Ortschaften geschickten Menschen, z. B. über den Tod durch Typhus in einzelnen Ghettos oder, im Fall von Piaski, über die Deportation „ins Blaue" im Frühjahr 1942. APL, Rada Żydowska w Lublinie (Judenrat Lublin, fortan: RŻL), Sign. 166, Lista Żydów deportowanych ze Szczecina 1940, S. 29–33.

[6] AŻIH, Akta Żydowskiej Samopomocy Społecznej (Akten der Jüdischen sozialen Selbsthilfe, fortan: ŻSS), Sign. 211/138, Korrespondenz mit Dr. Marek Alten, dem ŻSS-Berater beim Chef des Distrikts Lublin, Bericht des ŻSS-Beraters beim Chef des Distrikts Lublin vom 16.8.1941 über die Lage in Izbica, S. 24 f.

1941 unter 2493 Einwohnern 540 Umsiedler.[7] Opole Lubelskie wurde dagegen zum zentralen Ghetto des Kreises Pulawy. Schon im Dezember 1939 wurden die meisten der soeben aus Pulawy ausgesiedelten Juden nach hier verbracht. Hier hielten sich auch polnische Juden auf, die im September 1939 vor dem Bombardement der umliegenden Orte geflohen waren, zum Beispiel aus Kurow und Markuszow. Im Frühjahr 1941 wurden zwei Transporte mit österreichischen Juden aus Wien hierher gebracht – über 2000 Menschen.[8] In Piaski hielt sich außer fast 4000 ansässigen polnischen Juden seit Februar 1940 eine umfangreiche Gruppe Stettiner Juden auf (über 800 Menschen), und 1941 brachten die Deutschen hier zusätzlich noch 100 aus Krakau ausgesiedelte Juden unter.[9] Bereits jetzt meldete die Jüdische Soziale Selbsthilfe in Lublin, dass die Sterblichkeit in Piaski unter den Ausgesiedelten 25 Prozent betrage; als Hauptgrund wurden die „anormalen Wohnungsbedingungen" genannt.[10]

Nur das Ghetto in Piaski war, als die Aktion „Reinhardt" begann, geschlossen. Es bestand aus zwei Teilen, die auf beiden Seiten der Hauptstraße dieses Städtchens lag, der Lubelska-Straße. In einem der beiden Teile gab es kein Wasser, im zweiten befand sich ein öffentlicher Brunnen. Die Einwohner des wasserlosen Ghettoteils gingen, einer deutschen Ortsvorschrift entsprechend, zu bestimmten Stunden hinüber, um Wasser zu holen. Dies führte zu unerträglichen sanitären und hygienischen Zuständen.[11] Über die schrecklichen Existenzbedingungen im Ghetto von Piaski berichteten die hierher deportierten Stettiner Juden in ihren Briefen:

---

[7] AŻIH, ŻSS, Sign. 211/286, Komitet Powiatowy i Miejski ŻSS w Chełmie Lubelskim (Kreis- und Stadtkomitee der ŻSS in Chełm Lubelski), Statystyka ludności żydowskiej w powiecie chełmskim, 7.5.1941, S. 24. In Rejowiec war die Zahl an Flüchtlingen und Umsiedlern im Kreis Lublin nicht am höchsten. In Wlodawa waren von insgesamt 5549 Juden seinerzeit 1014 Umsiedler, und in einer noch kleineren Ortschaft als Rejowiec, in Siedliszcze, waren von 2149 jüdischen Einwohnern sogar 824 Umsiedler.

[8] Diese Transporte kamen am 15. und 26.2.1941 nach Opole Lubelskie und zählten insgesamt 2006 Wiener Juden. Am 5.3.1941 kam noch ein Transport aus Wien in den Distrikt Lublin, der 981 Juden umfaßte und nach Modliborzyce im Kreis Janow Lubelski geleitet wurde. JANINA KIEŁBOŃ, Deportacje Żydów do dystryktu lubelskiego (1939–1941), in: Zeszyty Majdanka 14 (1992), S. 73.

[9] Piaski war in dieser Zeit das einzige geschlossene Ghetto im Distrikt Lublin.

[10] AŻIH, ŻSS, Sign. 211/646, Komitet Powiatowy ŻSS w Lublinie (Kreiskomitee der ŻSS in Lublin), Notatki z objazdu u wysiedlonych w rejonie lubelskim, podlaskim i chełmskim, 1941, S. 46. Im Juli 1941 lebten im Ghetto Piaski insgesamt 4904 Juden; vor dem Zweiten Weltkrieg hatte es in Piaski 4165 Juden gegeben. AŻIH, ŻSS, Sign. 211/787, Delegatura ŻSS w Piaskach (ŻSS-Außenstelle Piaski), Sprawozdanie z działalności Delegatury za okres 1–31.07.1941 r., S. 16.

[11] ANNA SZLĄZAKOWA, Getto w Piaskach, in: Piaski we wspomnieniach, hg. v. LUCJAN ŚWIETLICKI, Piaski 2000, S. 110.

„[...] wir wohnen nun schon elf Personen in unserem kleinen Stübchen, die Not ist an Wohnungen hier sehr groß. Am fürchterlichsten sind hier die Klosett-verhältnisse, in Gottes frischer, freier Natur, doch hier die Leutchen empfinden es nicht schlimm."[12]

Was die in Izbica oder Rejowiec herrschenden Zustände angeht, so gab es hier zwar bis Ende 1942 keine geschlossenen Ghettos, doch in sanitärer Hinsicht unterschieden sie sich kaum von Piaski. Keiner dieser Orte besaß eine Kanalisation, und in sehr vielen Häusern gab es keinen Strom. Zum Beispiel war die einzige Trinkwasserentnahmestelle in Rejowiec der öffentli-che Brunnen, der schon in den 1870er Jahren auf dem Marktplatz angelegt worden war.[13] In Izbica wurde das Wasser ebenfalls aus einem Brunnen geholt. Alle diese Ortschaften waren schon vor dem Ausbruch des Zweiten Weltkriegs armselige Provinznester gewesen, sie wurden überwiegend von orthodoxen Juden bewohnt, die sich noch längst nicht akkulturiert oder assimiliert hatten. Dies ist sehr wichtig, da es 1942 die gegenseitigen Bezie-hungen zwischen den polnischen und ausländischen Juden in diesen Orten beeinflusste. Die Städtchen waren bereits vor 1939 übervölkert und bestan-den zumeist aus primitiven Holzgebäuden. Die Straßen waren nicht gepfla-stert, was dazu führte, dass sie sich nach Regenfällen in große Tümpel verwandelten. Es waren typische Schtetl, wie sie aus der Literatur bekannt sind. Die oben für Piaski beschriebenen Zustände waren auch für Izbica typisch, wo es, wie bereits erwähnt, kein geschlossenes Ghetto gab. Schon vor dem Eintreffen der Transporte mit den deportierten Auslandsjuden war die Wohnungsnot in Izbica so groß, dass die Juden hier sogar in Geschäfts-lokalen lebten.[14]

Der Stab der Aktion „Reinhardt" ließ sich, als er die Umwandlung dieser Städtchen in Durchgangsghettos plante, natürlich nicht von der Frage leiten,

---

[12] Lebenszeichen aus Piaski, S. 102. Fragment aus einem Brief der Stettiner Jüdin A. Grünberg, geschrieben am 15.4.1940 an ihre Tochter in Holland und Margarita Lachmann.

[13] Dieser Brunnen besteht bis heute und ist eine lokale Sehenswürdigkeit.

[14] AŻIH, ŻSS, Sign. 211/138, Korrespondenz mit Dr. Marek Alten, dem ŻSS-Berater beim Chef des Distrikts Lublin, Bericht des ŻSS-Beraters beim Distriktchef vom 16.8.1941 über die Lage in Izbica, S. 24 f. Erwähnenswert ist, dass Izbica im Lubliner Land ein besonderer Ort war. Er war in der zweiten Hälfte des 18. Jahrhunderts ausschließlich für die jüdische Bevölkerung gegründet worden, die seinerzeit aus dem nahe gelegenen Tarnogora entfernt wurde. Beim Ausbruch des Zweiten Weltkriegs bestand die Einwohnerschaft Izbicas zu 92 Prozent aus Juden. Wie Izbica während der Besatzungszeit aussah, zeigen die 1941 angefertigten Farbfotografien des deutschen Fotografen Max Kirschenberger. Dieser diente damals als Wehrmachtsoffizier im GG und suchte dienstlich verschiedene Ortschaften auf, in denen er bei dieser Gelegenheit Aufnahmen machte, vor allem in den jüdischen Stadtteilen. Heute befindet sich seine Sammlung von sehr wertvollen, ja einzigartigen Fotografien im Deutschen Historischen Museum Berlin. Dr. Peter Johannsen aus Düren hat sie mir an dieser Stelle in digitaler Form zugänglich gemacht, wofür ich ihm an dieser Stelle herzlich danken möchte.

ob sie überhaupt dazu geeignet waren, eine solch große Zahl von Deportierten aufzunehmen. Wichtigster Faktor, der über ihre Auswahl entschied, war die Entfernung von Eisenbahnlinien. Die Deutschen wussten sehr wohl, welche Zustände dort herrschten. Im März 1942 stattete der Stabschef der Aktion „Reinhardt", SS-Hauptsturmführer Hermann Höfle, zumindest Izbica persönlich einen Besuch ab, um an Ort und Stelle die Zustände zu überprüfen; er war es, der entschied, Transporte aus dem Ausland hierher zu leiten, obwohl der deutsche Landrat in Krasnystaw dagegen protestierte und behauptete, Izbica sei übervölkert. Um Landrat Schmidt zu beruhigen, versprach ihm Höfle, dass der Kreis Krasnystaw als erster „von Juden befreit" werden würde.[15] Es handelte sich nämlich darum, Platz für die aus dem Reich und dem Protektorat hierher deportierten Juden zu machen. Ähnlich verhielt es sich auch im Falle der anderen Orte, wo der Stab der Aktion „Reinhardt" zunächst die polnischen Juden aussiedeln wollte, um Platz für die Juden aus dem Ausland zu machen. In ihren Planungen hatte die SS vorgesehen, alle polnischen Juden aus diesen Städtchen zu deportieren und erst dann weitere Transporte aus dem Ausland hierhin zu leiten. Die Realität sollte dann aber komplizierter aussehen; in keinem der Städtchen gelang es bis März oder April 1942, alle polnischen Juden abzutransportieren.

Die Transporte mit Juden aus dem Ausland kamen seit der ersten Märzhälfte 1942 im Distrikt Lublin an. Am 11. März 1942 traf in Izbica der erste Transport aus Theresienstadt mit 1000 Personen ein, zwei Tage später folgten die ersten 1003 Juden aus Deutschland.[16] Von nun an wurde praktisch täglich ein Transport aus dem Reich, aus Österreich, aus dem Protektorat Böhmen und Mähren oder aus der Slowakei in einer der Ortschaften im Distrikt Lublin entladen. Die Auslandsjuden wurden zunächst bis Anfang Juni 1942 in eines der Durchgangslager eingewiesen. Seit Juni fuhren die Transporte aus dem Ausland dann direkt in die Vernichtungslager, hauptsächlich nach Sobibor.

Bei genauerer Sichtung des Quellenmaterials finden sich jedoch auch Informationen, dass erste Transporte aus Deutschland bereits vor dem 11. März 1942 in das Lubliner Land gelangten. Bereits Ende Februar 1942 erreichte der erste Transport mit 1200 Menschen „aus dem Westen und Berlin" Piaski. Unter den Berlinern befanden sich viele ältere und kranke Menschen. Hinweise auf diesen Transport finden sich in einem Brief von Max und Martha Bauchwitz, Stettiner Juden, die sich seit Februar 1940 im

---

[15] APL. GDL, Sign. 273, Judenaussiedlung, Notiz Türk vom 20.3.1942, S. 19. Siehe auch: BOGDAN MUSIAL, Deutsche Zivilverwaltung und Judenverfolgung im Generalgouvernement. Eine Fallstudie zum Distrikt Lublin 1939–1944. Wiesbaden 1999, S. 233.

[16] KIEŁBOŃ, Deportacje Żydów, S. 75, 79.

Ghetto von Piaski aufhielten.[17] Es ist dies die einzige Information über diesen Transport; in der Literatur zur Deportation der deutschen Juden gibt es keine Hinweise auf so frühe Transporte in den Distrikt Lublin.

Das verstreute Quellenmaterial erlaubt es nicht, eine genaue Liste jener Ortschaften, vor allem in Deutschland, anzufertigen, von denen die Transporte mit Juden in die einzelnen Ghettos ihren Ausgang nahmen. Dadurch lässt sich auch nur schwer feststellen, wie viele Juden aus dem Ausland, später dann auch aus Polen, die aus dem Kreis Lublin nach Piaski und aus den Kreisen Krasnystaw und Zamosc (hauptsächlich aus Zamosc selbst) nach Izbica gebracht wurden, die Durchgangsghettos durchlaufen haben. Ein Teil der Transporte aus dem Ausland wurde in Lublin an der Eisenbahnrampe am Flughafen aufgehalten, wo junge Männer ausgesondert wurden, die in der Mehrzahl in das Konzentrationslager Majdanek gebracht oder im Arbeitslager auf dem Flugplatz gelassen wurden.[18] In diesem Fall ist auch kaum nachzuweisen, wie viele Transporte aus dem Ausland in Lublin der Selektion unterzogen wurden und wie viele Menschen von ihnen genau nach Majdanek gelangten. Es ist bekannt, dass bereits die im März und April 1942 im Distrikt Lublin eintreffenden Transporte einer solchen Selektion unterzogen wurden.[19]

---

[17] Lebenszeichen aus Piaski, S. 89. Der erste offiziell belegte Transport Berliner Juden in den Distrikt Lublin traf erst am 28.3.1942 ein und wird in der Fachliteratur als Transport nach Piaski und Trawniki bezeichnet. Er soll 972 bis 974 Menschen umfaßt haben. Die Grunewald-Rampe. Die Deportation der Berliner Juden, hg. v. Zentrum für Audio-Visuelle Medien, Landesbildstelle Berlin, Berlin 1993, S. 79; BEATE MEYER, Deportation, in: Juden in Berlin 1938–1945, hg. v. BEATE MEYER/HERMANN SIMON, Berlin 2000, S. 175.

[18] „Flugplatz" war die inoffizielle Bezeichnung für die vor dem Krieg in Lublin an der Wrońska-Straße bestehenden Flugzeugwerke Plage & Laśkiewicz. Seit Anfang 1942 bestand hier ein jüdisches Arbeitslager, in dem Männer und Frauen damit beschäftigt waren, die den Opfern der „Aktion Reinhardt" abgenommene Habe zu sortieren. Es gab hier auch ein Bahngleis, auf dem jüdische Transporte anhielten, die für Majdanek oder andere Lager im Distrikt Lublin bestimmt waren. Das Lager auf dem Flugplatz war anfangs dem Konzentrationslager Majdanek unterstellt, doch unterstand es die meiste Zeit seines Bestehens direkt dem Stab der „Aktion Reinhardt". Hierzu ausführlicher: CZESŁAW RAJCA, Podobozy Majdanka, in: Zeszyty Majdanka 9 (1977).

[19] Am 20.3.1942 wurde ein Transport nach Piaski abgefertigt, in dem sich 986 Juden aus Hessen und Rheinhessen befanden, darunter 77 aus Worms, der Rest aus Bingen, Darmstadt und Mainz. Dieser Transport kam in Lublin zur Selektion. Ähnlich war es zwei Transporten aus Theresienstadt, einer wahrscheinlich jener vom 1.4.1942, der andere von Ende April, vielleicht vom 23. oder 27., in denen sich tschechische Juden befanden (als Zielstation der beiden letzteren Transporte wird in der Fachliteratur Lublin genannt). Mit einem von ihnen traf Arnold Hindls ein, der die Auswahl junger Männer für Majdanek recht ausführlich beschrieben hat und später erwähnt, dass auch aus einem früheren Transport in Lublin Männer ausgewählt worden waren. Die in Lublin stattfindenden Selektionen sowie das Schicksal der tschechischen, slowakischen und deutschen Juden im Konzentrationslager

Auf der Grundlage der bisherigen Forschungen lassen sich lediglich einige Transporte bestimmten Durchgangsghettos im Lubliner Land zuordnen.

In vielen Fällen ist es mangels entsprechender Quellen schwer, überhaupt festzustellen, ob alle nach Izbica (oder in andere Durchgangsghettos) geleiteten Transporte überhaupt in Lublin der Selektion unterzogen wurden. Vielleicht fand diese Praxis auf alle oder fast alle Transporte Anwendung, da in den wenigen Berichten von Überlebenden dieser Transporte ausländischer Juden von Lublin als Ort der Selektion die Rede ist.[20] Ausgehend von älteren Forschungsergebnissen des tschechischen Historikers Miroslav Kryl, lässt sich mit an Sicherheit grenzender Wahrscheinlichkeit sagen, dass zum Beispiel die aus Theresienstadt in den Distrikt Lublin geleiteten Transporte zumeist in Lublin der Selektion unterzogen wurden.[21]

Majdanek sind bislang noch nicht eingehend behandelt worden. HINDLS, Einer kehrte zurück, S. 12 f., sowie HENRY R. HUTTENBACH, The Destruction of the Jewish Community of Worms 1933–1945. A Study of the Holocaust Experience in Germany, New York 1981, S. 38.

[20] Über die Selektion junger Männer aus den tschechischen und slowakischen Transporten finden sich einige Informationen in den Erinnerungen der wenigen überlebenden Insassen dieser Transporte. HINDLS, Einer kehrte zurück, S. 12 f.; APMM, Fotokopie i kserokopie, Sign. 1252 (Archiwum United States Holocaust Memorial Museum Washington – fortan USHMM, Sign. RG-50.030*233), Interview mit Kurt Thomas. Die Selektion der Transporte aus der Slowakei in den Bahnhöfen Naleczow und Lublin erwähnt auch BÜCHLER, The Deportations of Slovakian Jews, S. 156ff.

[21] MIROSLAV KRYL, Deportacja więźniów terezinskiego getta do obozu koncentracyjnego na Majdanku w 1942 r., in: Zeszyty Majdanka 11 (1983), S. 34 f.

Tab.1 : Nach Izbica gehende Transporte aus dem Ausland

Datum des Transports	Personenzahl	Herkunftsort der Deportierten
11.3.1942	1001	Theresienstadt
13.3.1942	1003	Deutschland (wahrscheinlich Rheinland)
17.3.1942	1000	Theresienstadt
19.3.1942	800–1000	Deutschland (wahrscheinlich Rheinland)
25.3.1942	955	Deutschland (wahrscheinlich Aachen und Koblenz, Kassel)
27.3.1942	1008	Deutschland (Franken, darunter 426 Personen aus Nürnberg, aber auch Juden aus Würzburg, Bamberg und Fürth – ein Teil der Menschen aus diesem Transport wurde nach Krasniczyn gebracht)
09.4.1942	998	Wien
22.4.1942	942	Deutschland (Düsseldorf, Essen, Krefeld, Duisburg, Mönchengladbach, Oberhausen, Wuppertal)
26.4.1942	628	Deutschland (Baden und Württemberg, Stuttgart)
27.4.1942	600[1]	Theresienstadt
28.4.1942	700–800[1]	Deutschland (Würzburg, Nürnberg, Schweinfurt, Bamberg, Fürth – ein Teil der Menschen, darunter 23 Juden aus Würzburg, wurde nach Krasniczyn gebracht)
08.5.1942	784[1] 154[2]	Deutschland (Frankfurt am Main)
12.5.1942	1001[3]	Wien
15.5.1942	1006[3]	Wien
24.5.1942	835[1] 122[2] 22	Deutschland (Frankfurt am Main, Wiesbaden)
29.5.1942	1052[1] 23	Slowakei (Zipser Neudorf)
30.5.1942	1000[1] 24	Slowakei (Deutschendorf)
05.6.1942	1001[3]	Wien
15.6.1942	1066[3]	Deutschland (Düsseldorf, Koblenz, Aachen, Köln, Essen, Duisburg, Krefeld, Mönchengladbach)[25]

---

[22] APMM, Sign. I.d.19, Sterbebuch der im KZ Majdanek Gestorbenen. Hier Einträge zum Ableben von Juden, die mit diesem Transport eingetroffen waren.

[23] BÜCHLER, Deportations, S. 162.

[24] Ebd.

[25] Informationen über diesen Transport finden sich nur in einer Arbeit von H. Berschel. In dem bereits erwähnten Artikel J. KIEŁBOŃs, Deportacje Żydów, gibt es einen Hinweis auf einen Transport am 15.6.1942, der 145 Personen zählte und aus Deutschland (keine genauere Herkunftsangabe) nach Izbica kam. Mit diesem Transport trafen tatsächlich 145 Personen ein, die aus Düsseldorf und benachbarten Städten (Essen, Krefeld, Duisburg und Mönchenglad-

Datum des Transports	Personenzahl	Herkunftsort der Deportierten
15.6.1942	947[1] 188[2]	Deutschland (Frankfurt am Main, Wiesbaden)[26]

[1] Selektion in Lublin
[2] Zahl der nach Majdanek eingewiesenen Männer
[3] Keine Informationen über eine Selektion vorhanden

Tab. 2: Nach Piaski gehende Transporte aus dem Ausland

Datum des Transports	Personenzahl	Herkunftsort der Deportierten
Ende Februar 1942	1200	Deutsche Juden (aus Berlin und „dem Westen", wahrscheinlich aus München)[27]
20.3.1942	986	Deutsche Juden (Worms, Darmstadt, Mainz, Bingen)
28.3.1942	972	Deutsche Juden (Berlin)
01.4.1942	1000[1])[28]	Tschechische Juden aus Theresienstadt
14.4.1942	659 (211)[2]	Deutsche Juden (Berlin)
23.4.1942	730[1] (270[3])[29]	Tschechische Juden aus Theresienstadt

[1] Selektion in Lublin
[2] Keine Hinweise auf eine Selektion in Lublin
[3] Zahl der nach Majdanek eingewiesenen Männer

---

bach) deportiert worden waren. Diese Juden wurden einem größeren Transport angegliedert, in dem sich bereits jüdische Einwohner von Aachen, Koblenz und Köln befanden. Im Falle dieses Transports stellt sich auch die Frage, ob er überhaupt nach Izbica gelangte oder bereits direkt in ein Vernichtungslager ging, zum Beispiel nach Sobibor. HOLGER BERSCHEL, Bürokratie und Terror. Das Judenreferat der Gestapo Düsseldorf 1935–1945, Essen 2001, S. 410.

[26] In der Fachliteratur findet sich ein Hinweis darauf, dass auch dieser Transport nach der Selektion in Lublin nicht nach Izbica, sondern direkt in das Vernichtungslager Sobibor geschickt worden sein könnte. MONICA KINGREEN, Gewaltsam verschleppt aus Frankfurt. Die Deportationen der Juden in den Jahren 1941–1945, in: „Nach der Kristallnacht". Jüdisches Leben und antijüdische Politik in Frankfurt am Main 1938–1945, hg. v. MONICA KINGREEN, Frankfurt/M., New York 1999, S. 374.

[27] Siehe FN 17.

[28] In den erhaltenen Archivmaterialien im Staatlichen Museum Majdanek („Sterbebuch" für 1942) findet sich eine Information über 21 Menschen aus diesem Transport, die im Konzentrationslager Majdanek starben. APMM, Sign. I.d.19, Sterbebuch der Häftlinge des Konzentrationslagers Majdanek; siehe auch: KRYL, Deportacja więźniów, S. 35.

[29] Nach den Archivmaterialien des Museums Majdanek stammten 102 Menschen, die im Lubliner Konzentrationslager gefangen gehalten wurden, aus diesem Transport. APMM, Sign. I.d.19, sowie KRYL, Deportacja więźniów.

Wir wissen nicht, ob der letzte Transport in dieser Tabelle überhaupt der letzte gewesen ist, der in das Durchgangsghetto Piaski gelangte. Am 27.4.1942 traf ein weiterer Transport aus Theresienstadt im Lubliner Land ein, der die Bezeichnung „Aq" trug und als dessen Zielbahnhof in den Dokumenten Lublin angegeben war. Tatsächlich gelangte eine Gruppe aus diesem Transport in das Konzentrationslager Majdanek, doch handelte es sich nur um junge Männer. Wohin die Frauen und Kinder gebracht wurden, ist nicht bekannt – vielleicht nach Piaski, so wie im Falle des vorangegangenen Transports.[30]

Ein weiteres Durchgangsghetto, in das die Deutschen im Frühjahr 1942 Transporte mit deportierten Juden aus der Slowakei sowie aus dem Protektorat schickten, war Rejowiec bei Cholm.

Tab. 3: Aus dem Ausland nach Rejowiec gehende Transporte

Datum des Transports (eingetroffen am)	Personenzahl	Herkunftsort der Deportierten
16.4.1942	1040[1] rund 200[2)31]	Slowakische Juden (Neutra)
18.4.1942	1000[3)32]	Tschechische Juden aus Theresienstadt
20.4.1942	1030[4]	Slowakische Juden (Neutra)
23.5.1942 (27.5.1942)[33]	1630[5]	Slowakische Juden (Zeben, Preschau)
24.5.1942 (28.5.1942)[34]	1022[4]	Slowakische Juden (Stropkov, Bartfeld)
25.5.1942[35]	1000[4]	Slowakische Juden (Deutschendorf)

[1] Selektion in Lublin
[2] Zahl der nach Majdanek eingewiesenen Männer
[3] Selektion wahrscheinlich in Lublin
[4] Keine Hinweise auf eine Selektion
[5] Selektion – die Männer wurden nach Majdanek eingewiesen

---

[30] Ebd.
[31] BÜCHLER, Deportation, S. 156.
[32] APMM, Sign. I.d.19 sowie KRYL, Deportacja więźniów, S. 35. Wir wissen von einer Person, die aus diesem Transport nach Majdanek gelangte.
[33] Archiv Moreshet in Givat Haviva, Israel, Sign. D.I. 1288, Brief eines nach Rejowiec deportierten slowakischen Juden vom 17.8.1943 an die Mitglieder der Chaluzza-Organisation in der Slowakei mit einer Beschreibung des Schicksals des Transports vom 24.5.1942. Der Briefschreiber beschrieb den Augenblick der Selektion – die Trennung der jungen Männer von den übrigen Deportierten, was direkt nach dem Überschreiten der Grenze zwischen der Slowakei und dem Generalgouvernement erfolgt sein soll. Für die Übersendung einer Kopie dieses Briefes möchte ich Dr. David Silberklang aus Israel herzlichst danken, ohne dessen Hilfe der dem Durchgangsghetto Rejowiec gewidmete Teil dieses Beitrags viel weniger Informationen enthielte.
[34] Ebd.
[35] Über diesen Transport berichtet BÜCHLER, Deportations, S. 166.

Andere Transporte, die in dieser Zeit im Lubliner Land eintrafen, wurden in zwei weitere Städtchen des Distrikts geleitet. Orte, an denen ausländische Juden konzentriert wurden, waren unter anderem Opole Lubelskie (fünf Transporte aus der Slowakei), Lubartow (drei Transporte aus der Slowakei), Lukow, Cholm und Deblin (jeweils zwei Transporte aus der Slowakei), Zamosc (zwei Transporte aus Theresienstadt und einer aus Deutschland, und zwar aus Dortmund), Pulawy und Miedzyrzec Podlaski (jeweils ein Transport aus der Slowakei), Siedliszcze (ein Transport aus Theresienstadt) sowie Wlodawa (ein Transport aus Wien).[36]

Offen bleibt die Frage von Transporten nach Trawniki. Einer Verordnung des SS-Hauptsturmführers Hermann Höfle vom 16.3.1942 zufolge sollte Trawniki Durchgangsstation für Transporte aus dem Ausland werden, doch als die „Aktion Reinhardt" begann, war der Ort noch nicht für die Aufnahme umfangreicher Transporte vorbereitet.[37] In dieser Ortschaft, bei der es sich eher um eine Siedlung beziehungsweise ein Fabrikdorf handelte, hatte es bereits vor dem Krieg eine kleine jüdische Gemeinschaft von kaum mehr als 100 Personen gegeben. Ein Ghetto gab es hier nicht, dafür aber seit 1941 zunächst ein Lager für sowjetische Kriegsgefangene, das mit einem Straflager für Polen vereint war und anschließend zu einem der größten Arbeitslager ausgebaut wurde, in dem auch Juden gefangen gehalten wurden. Wie gesagt, war das Lager Trawniki, obschon sich hier bereits eine Gruppe jüdischer Gefangener aufhielt, Anfang März 1942 nicht auf die Übernahme großer Transporte aus dem Ausland eingestellt. Offiziell aber wurden einige Transporte, die seit Frühjahr dieses Jahres in den Distrikt Lublin kamen, in den Dokumenten als „Transport nach Trawniki" bezeichnet.[38] Züge mit deportierten Juden aus Theresienstadt oder Deutschland trafen tatsächlich in Trawniki ein, doch nur, um umgeladen zu werden. Die Menschen, die hier eintrafen, mussten, nachdem sie die Züge verlassen hatten, die rund 14 Kilometer zum Ghetto in Piaski zu Fuß zurücklegen. Zugleich wurde den Deportierten in Trawniki das größere Gepäck abgenommen, das zum Sortieren in das dortige Arbeitslager gefahren wurde. Natürlich sagten die Deutschen den Juden, dass ihr Gepäck mit Fuhrwerken nach Piaski gebracht würde und sie sich ohne ihre Koffer auf den Weg machen sollten, da ihnen das Tragen solcher Lasten den Weg erschweren würde.[39] Wahrscheinlich fanden seit Ende März 1942, als hier ein jüdisches Arbeits-

---

[36] KIEŁBOŃ, Deportacje Żydów; BÜCHLER, Deportations; WITTE, Die letzten Lebenszeichen; OSERS, Flucht aus Zamość.

[37] APL, GDL, Sign. 270, Judenaussiedlungen, Notiz Reuter, S. 33 f.

[38] Dies traf zum Beispiel auf die Transporte mit deutschen Juden aus Berlin zu, die in Wirklichkeit in das Durchgangsghetto Piaski gelangten. MEYER, Deportationen, S. 175.

[39] HINDLS, Einer kehrte zurück, S. 13.

lager den Betrieb aufnahm, auf dem Bahnhof Trawniki auch Selektionen von Transporten aus dem Ausland statt. Ein Teil der Männer wurde zum Sortieren der Habe in das Lager gebracht. Derartige Fälle werden von polnischen Zeugen erwähnt – von Einwohnern Trawnikis, die sowohl die eintreffenden Transporte als auch den Raub des Eigentums am Bahnhof beobachteten.[40] Schon gegen Ende März 1942, als die SS die ersten Deportationen aus dem Ghetto Piaski durchführte, von denen auch Trawniki und das nahe gelegene Biskupice betroffen waren, wurde das Lager zu einem Ort der Konzentration für solche Juden, die zum Weitertransport in das Vernichtungslager Belzec (später dann auch Sobibor) bestimmt waren. Während dieser ersten „Aktion" wurden polnische Juden nach Trawniki getrieben. Ein Teil von ihnen wurde in der Lagerhalle der Fabrik eingesperrt. Bis heute ist niemand in der Lage, zu erläutern, was in dieser Lagerhalle geschah. Ein Teil der polnischen Zeugen sagte während der 1967 durchgeführten Untersuchungen aus, dass die in diesem Raum festgehaltenen Juden vergast wurden. Diese Information hatten ihnen, wie sie sagten, ukrainische Wachmänner vom Schulungslager Trawniki gegeben, die am Morgen die Leichen zum Zug gebracht hatten. Andere sagten aus, dass die Juden so eng in die Lagerhalle hineingezwängt worden waren, dass sie durch Sauerstoffmangel erstickten.[41] Zu einem derartigen Vorkommnis kam es nur einmal, obgleich Trawniki bis Herbst 1942 von den Deutschen als Durchgangsbahnhof für einen Teil der im Distrikt Lublin eintreffenden Transporte sowie für die aus den Ghettos Piaski und Izbica nach Belzec und Sobibor abgehenden Transporte diente (im Falle von Izbica betraf dies nicht alle, da Izbica einen eigenen Bahnhof besaß). Nur insofern können wir von Trawniki als einem Durchgangslager sprechen. Es war allerdings kein Durchgangsghetto – im Gegensatz zu Izbica, Piaski, Rejowiec oder Opole Lubelskie.

Die in den Distrikt Lublin deportierten Juden aus dem Ausland dachten meistens, dass sie nach dem Transport an Ort und Stelle nicht nur neue Wohnplätze, sondern auch Arbeit vorfänden, die ihnen und ihren Familien den Lebensunterhalt sichern würde. In diesem Sinne waren sie von der deutschen Propaganda bei der Aussiedlung informiert worden. Die Wirklichkeit war deshalb ein Schock. Bereits der Empfang der Transporte auf den Zielbahnhöfen durch die SS und ukrainische Wachmänner war schrecklich.

---

[40] Instytut Pamięci Narodowej w Polsce – Komisja Ścigania Zbrodni Przeciwko Narodowi Polskiemu, Oddział w Lublinie (Institut für nationales Gedenken in Polen, Kommission für die Verfolgung von Verbrechen gegen das polnische Volk, Abteilung Lublin; fortan: IPNwL), Okręgowa Komisja Badania Zbrodni Hitlerowskich w Lublinie (Bezirkskommission zur Erforschung der NS-Verbrechen in Lublin; fortan: OKL), Sign. Ds. 5/67, Untersuchungsakten über das jüdische Arbeitslager Trawniki, Aussagen von Bolesław Zagraba, Lucjan Flisiński, Jan Durakiewicz und Kazimierz Kaliniak.

[41] Ebd., Aussagen von Lucjan Flisiński, Jan Durakiewicz und Kazimierz Kaliniak.

Die Menschen wurden geschlagen und mussten vom Bahnhof aus einige Kilometer zu Fuß zurücklegen (Piaski und Rejowiec). Die Selektion der Männer stellte im Falle vieler Transporte ein schockierendes Erlebnis dar. Nach der Ankunft stellte sich heraus, dass für die Deportierten weder Wohnungen noch Arbeitsplätze vorhanden waren, da das Lubliner Land eine durch und durch landwirtschaftlich geprägte Gegend war.

Wie ein Einwohner von Trawniki berichtete, der direkten Kontakt zu Juden aus dem Ausland besaß, waren diese bis zum Ende davon überzeugt, dass man sie zur Fabrikarbeit hergebracht hätte:

„[...] sie wurden mit Waggons nach Trawniki gebracht; ein Teil der Juden, die aus dem Ausland, wurden in Konvois nach Piaski getrieben. Als Straßenwärter hatte ich die Gelegenheit, mit diesen Juden zu sprechen, und sie fragten mich, wie weit es nach Piaski sei, da die Deutschen ihnen gesagt hätten, sie sollten in Fabriken arbeiten, in Piaski. Da ich ein wenig Deutsch konnte, antwortete ich ihnen, dass es in Piaski keine Fabriken gäbe, sondern nur ein Judenlager. [...].“[42]

Alle Transporte, die aus dem Ausland in den Distrikt Lublin gelangten, besaßen einen besonderen Waggon oder auch mehrere solcher Waggons, in denen Nahrungsmittel für die Deportierten transportiert wurden, die theoretisch für rund eine Woche reichen sollten. Nur im Fall der ersten Transporte vom März 1942 konnten die Deportierten ihr ganzes Gepäck sowie Proviant mitnehmen. Bei späteren Transporten gingen diese Dinge verloren, da die Waggons mit dem Essen in Lublin oder Trawniki abgekoppelt wurden und den Deportierten das größere Gepäck weggenommen wurde. In einigen Fällen durften die Juden auch geringe Summen Bargeld mit sich nehmen. Die deutschen Vorschriften zur „Umsiedlung“ von Juden aus dem Reichsgebiet sahen vor, dass jeder Deportierte das Recht hatte, einen Koffer mit Kleidung und Waschzeug sowie guten Schuhen mitzunehmen. Jeder sollte diesen Koffer mit seinen persönlichen Daten sowie seiner Evakuierungsnummer versehen. Die Gestapo empfahl zudem, Essen für 14 Tage einzupacken. Dagegen durfte das Handgepäck aus einem Rucksack mit Trockenproviant für fünf Tage, einem Teller oder einem Topf, Löffeln, einer Decke, einer Garnitur Bettwäsche sowie Unterwäsche bestehen. Außer 80 Mark in bar durften keine anderen Wertgegenstände mitgenommen werden.[43] Im Falle der aus Theresienstadt deportierten tschechischen Juden waren diese Beschränkungen noch strikter. Es war ihnen überhaupt nicht gestattet, Bargeld mitzunehmen; auf den Schmuggel von Mark oder einer anderen Währung in das Generalgouvernement stand die Todesstrafe. Dies

---

[42] Ebd., Aussage von Józef Sałęga.
[43] HERBERT SCHULTHEIS, Juden in Mainfranken 1933–1945 unter besonderer Berücksichtigung der Deportationen Würzburger Juden, Bad Neustadt/Saale 1980, S. 580 f.

hieß aber nicht, dass die tschechischen Juden nicht doch versuchten, Geld zu schmuggeln, so wie übrigens die Deportierten aus dem Reich, dem Protektorat oder aus der Slowakei in der Regel irgendwelche wertvolleren Gegenstände bei sich hatten, die sie als Erstes gegen Lebensmittel eintauschten. Dies taten vor allem jene, die beim Eintreffen im Distrikt Lublin ihr ganzes Gepäck verloren hatten.[44]

Obwohl die Deutschen den aus dem Ausland eintreffenden Juden das Gepäck größtenteils oder gänzlich wegnahmen, kam es den polnischen Juden beim Kontakt mit ihnen vor, als seien sehr wohlhabende Glaubensgenossen aus dem Westen eingetroffen. In den Berichten der überlebenden polnischen Juden dieser als Durchgangsghettos dienenden Ortschaften sowie in den Erinnerungen der nichtjüdischen polnischen Einwohner, die das Eintreffen der ausländischen Juden beobachteten, erscheint wiederholt der Hinweis auf den sichtlichen Reichtum, vor allem auf das elegante Gepäck, mit dem die Deportierten reisten. In diesem Sinne beschrieb Frau Smorczewska, die Besitzerin des Guts Tarnogóra bei Izbica, die Ankunft des ersten Transports mit deutschen Juden in diesem Städtchen:

„Aus dem Zug stiegen elegante, pelzbekleidete Herren von östlichem Typus mit westlichem Aussehen, auch vornehme Damen und viele gelockte, lebhafte Kinder. Man trug Koffer mit ausländischen Aufklebern fort, schob weißlackierte Kinderwagen, hinter denen korrekte Nurses in hellen Uniformen und mit gestärkten Hauben einher schritten. Alle hatten den Zionsstern auf der Brust."

Wie die Verfasserin weiter schrieb, hatte Izbica in seiner ganzen Geschichte noch keine ähnliche Anhäufung von Reichtum gesehen.[45] Natürlich traf diese Beschreibung nur auf die ersten Transporte zu, die noch mit vollem Gepäck ankamen. Zum Beispiel hatte der Transport aus Wien, der am 12. Mai 1942 in Izbica eintraf, kein größeres Gepäck mehr, und dieselbe Autorin bemerkte, dass ebenso elegante Damen, unter denen es auch nicht an Vertreterinnen der österreichischen Aristokratie beziehungsweise des Bürgertums gefehlt habe, nur mit kleinen Täschchen aus dem Zug ausgestiegen seien.[46]

---

[44] Arnold Hindls schmuggelte 20 Mark in das Ghetto Piaski, für die er etwas zu essen kaufen konnte, als sich herausstellte, dass sein Gepäck nicht an seinen neuen Wohnort nachkommen würde. HINDLS, Einer kehrte zurück, S. 14 f.

[45] AŻIH, Relacje i zeznania, Sign. 301/6269, Bericht NN mit dem Titel „Ahaswerus". Ausgehend vom Inhalt dieser Erinnerungen, ist es ganz einfach festzustellen, dass es sich bei der Verfasserin um Frau Smorczewska (wahrscheinlich Zofia) handelte, die Eigentümerin des Gutes im nahe gelegenen Tarnogóra. Sie beschäftigte während des Krieges sogar einige deutsche, polnische und tschechische Juden auf ihrem Gut und übergab dem Archiv des ŻIH eine Liste dieser Arbeiter.

[46] Ebd.

Wenn man die Transportlisten der deutschen oder tschechischen Juden aber genauer studiert, so stellt sich heraus, dass unter den Deportierten Vertreter der Mittel- oder Unterschicht überwogen: Kaufleute, Geschäftsbesitzer, Arbeiter, sehr viele Frauen und Kinder, obwohl es auch nicht an Vertretern des Bildungsbürgertums mangelte.[47] Ein wenig zahlreicher war das Bildungsbürgertum sicherlich in den Transporten mit tschechischen und österreichischen Juden vertreten, obwohl auch hier Angehörige der Mittel- und Unterschichten überwogen. Wenn man natürlich bedenkt, dass die aus Böhmen und Mähren, Deutschland, der Slowakei und Österreich stammenden Juden vor dem Krieg stets wohlhabender gewesen waren als die polnischen Juden, insbesondere jene aus der Provinz, aus den armen Städtchen, und sie in ihren Herkunftsländern mehrheitlich zumindest akkulturiert oder sogar völlig assimiliert waren, so war der Unterschied zwischen den einzelnen Gruppen für jeden unbeteiligten Beobachter mit dem bloßen Auge zu erkennen.[48] Unter den aus dem Ausland deportierten Juden befand sich auch eine umfangreiche Gruppe von Personen, die getauft waren oder aus Mischehen stammten, im Sinne der Nürnberger Gesetze aber als Juden galten und deshalb der Deportation „in den Osten" unterlagen.[49] Es ist

---

[47] Informationen über den Beruf der Deportierten enthalten beispielsweise die Transportlisten der nach Izbica geschickten Juden aus Würzburg oder Stuttgart. APMM, Fotokopie i kserokopie, Sign. 104, Namentliche Verzeichnisse der aus dem Reich in das Lubliner Land deportierten Juden (Izbica, Krasnystaw), 1942, Gestapobereich München, sowie Sign. 111, Evakuierung von Juden aus dem Reich, 1942, Gestapobereich Württemberg-Baden. Das Original dieser Listen befindet sich beim Internationalen Suchdienst in Arolsen.

[48] Viele slowakische Juden hatten sich innerhalb der ungarischen Kultur assimiliert (die Slowakei war vor dem Ersten Weltkrieg ein Teil Österreich-Ungarns gewesen und hatte Oberungarn geheißen), weshalb in der polnischen Literatur über die ausländischen Juden im Lubliner Land oder über das Konzentrationslager Majdanek irrtümlich Transporte ungarischer Juden genannt werden. Die Deportationen ungarischer Juden in die Konzentrationslager, hauptsächlich nach Auschwitz-Birkenau, begannen erst im Frühjahr 1944, als Ungarn von deutschen Truppen besetzt worden war. In das Lubliner Land deportierten die Deutschen 1942 dagegen eine beträchtliche Zahl slowakischer Juden, deren Muttersprache traditionsgemäß das Ungarische war. Einige von ihnen besaßen die ungarische wie auch die slowakische Staatsbürgerschaft, lebten aber nicht in Ungarn. Informationen über diese angeblichen Transporte ungarischer Juden finden sich beispielsweise in einer Monographie des Konzentrationslagers Majdanek: ZOFIA LESZCZYŃSKA, Transporty, in: Majdanek 1941–1944, hg. v. TADEUSZ MENCEL, Lublin 1991, S. 438.

[49] Über diese Personen gibt es eine Information aus Izbica. Eine deutsche Halbjüdin, Käthe Leschnitzer, die zusammen mit einer Gruppe deutscher Juden deportiert worden war, versuchte sogar auf der Grundlage ihrer nicht hundertprozentigen jüdischen Abstammung aus Izbica herauszugelangen, doch entschieden die NS-Behörden in Lublin, dass sie wie jeder andere Jude zu behandeln sei. Schließlich gelang es ihr mit der Hilfe eines Polen, eines Fotografen aus Krasnystaw, bei dem sie arbeitete, zu fliehen und nach Kattowitz zu kommen; später hielt sie sich in Breslau auf. Den Krieg überlebte sie in Deutschland. Eine große

daher nicht verwunderlich, dass es zwischen den orthodoxen polnischen Juden und den aus dem Westen deportierten deutschen, tschechischen, österreichischen und slowakischen Juden bald zu Konflikten kam, die oft überaus tragische Ausmaße annahmen. Mehr dazu weiter unten.

Wie bereits erwähnt, waren die ersten Probleme, mit denen es die Deportierten zu tun bekamen, die Übervölkerung der Ghettos und der Lebensmittelmangel. Trotz der Versprechen Höfles gegenüber Vertretern der deutschen Lokalverwaltung, dass die polnischen Juden noch vor der Ankunft der Transporte aus dem Ausland abtransportiert werden würden, hatte es derartige Aktionen in den meisten Ortschaften noch nicht gegeben. Darum versuchten die Deutschen die Enge in den Ghettos provisorisch zu lösen. In Izbica beispielsweise wurden die polnischen Juden beim Eintreffen der ersten Transporte aus Theresienstadt, dem Rheinland und Franken einfach in die nahe gelegenen Orte Krasniczyn, Gorzkow und Siennica Rozana umgesiedelt, was jedoch nicht die beste Lösung war, da zum Beispiel im kleinen, dorfähnlichen Krasniczyn gleich darauf fast 2000 tschechische und deutsche Juden untergebracht wurden – obwohl sich hier schon 500 polnische Juden aus Izbica und 150 ansässige Juden befanden. Nicht verwunderlich, dass unter diesen Bedingungen in einer Stube bis zu 20 Menschen hausten und viele Deportierte in Kammern und Kellern lebten.[50] Ähnlich war die Lage auch in Izbica, Piaski und Rejowiec. Arnold Hindls erinnert sich folgendermaßen an die Lebensbedingungen im Ghetto Piaski:

> „Beim ersten informativen Rundgang durch das Getto fand ich die Frau eines mir befreundeten Ingenieurs, Altmann aus Brno [Brünn], von der ich erfuhr, daß ihr Mann eine Woche nach Ankunft in Piaski gestorben war. Sie lebte mit ihren beiden erwachsenen Töchtern und drei anderen Menschen zusammen in einem Raum, der etwa drei mal vier Meter groß war. Auf einem alten, hölzernen Bettgestell, dessen Bretter mit etwas Stroh bedeckt waren, schlief ein altes

---

Gruppe von Juden, die zum Katholizismus konvertiert waren, befand sich unter den aus Wien Deportierten. APL, GDL, Sign. 893, Judenaussiedlung, Schreiben der Bevölkerungsabteilung beim Gouverneur des Distrikts Lublin an SS-Hauptsturmführer Hermann Höfle vom 17.7.1942 über Käthe Leschnitzer; AŻIH, Relacje i zeznania , Sign. 301/1303, Bericht von Käthe Leschnitzer sowie Sign. 301/6269, Bericht von N.N. „Ahaswerus".

[50] Nach Krasniczyn leiteten die Deutschen zwei Transporte: Am 28.4.1942 fast 1000 deutsche Juden und am 3.5.1942 1000 tschechische Juden. Vor dem Krieg hatten in Krasniczyn rund 400 polnische Juden gelebt; die ganze Ortschaft hatte nicht mehr als 700 feste Einwohner. Vor der Ansiedlung der Juden aus Izbica sowie der Auslandsjuden hatte die SS bereits 250 ansässige Juden nach Belzec deportiert. AŻIH, ŻSS, Sign. 211/606, Die Kreisdelegatur der ŻSS in Krasnystaw, Schreiben des Jüdischen Hilfskomitees in Krasnystaw vom 8.5.1942, S. 88; Gespräch mit Stanisław Malinowski, einem Einwohner von Krasniczyn, am 23.8.2000, im Archiv des Autors; TATIANA BERENSTEIN, Martyrologia, opór i zagłada ludności żydowskiej w dystrykcie lubelskim, in: Biuletyn Żydowskiego Instytutu Historycznego (fortan: BŻIH), Nr. 21 (1957), S. 71.

Ehepaar, während alle anderen ihr Schlaflager auf dem Fußboden hatten, auf dem sie zur Nacht etwas Stroh ausbreiteten, das tagsüber unter das hölzerne Bettgestell geschoben wurde. Hier fanden ich, Ingenieur Bondy und dessen Frau, die mit mir im selben Transport angekommen waren und deren Sohn in Lublin aussteigen mußte, Unterkunft für die erste Nacht: wir Männer auf einem Hocker sitzend, der an den Tisch angelehnt war, während Frau Bondy auf dem Fußboden mit den andern Platz fand."[51]

Die Ende März 1942 von der SS durchgeführten Aussiedlungen, die zur Deportation von rund 3400 polnischen und Stettiner Juden aus Piaski und 2200 Juden aus Izbica in das Vernichtungslager Belzec führten, verbesserten die Wohnungslage in diesen Städtchen nur geringfügig. Nach der „Aktion" waren die Wohnungen verwüstet und ausgeraubt – im Fall von Izbica durch die ukrainischen Wachmänner und die örtliche polnische Bevölkerung. Außerdem trafen immerfort neue Transporte ein, so dass sich die Bevölkerungsdichte überhaupt nicht verringerte.[52]

Wegen der Lebensmittelversorgung der Deportierten versuchte die Jüdische Soziale Selbsthilfe nur in geringem Maße, bei den deutschen Behörden zu intervenieren. Die einzelnen Kreisdelegaturen der ŻSS im Distrikt Lublin schickten verzweifelte Telegramme an die Zentrale, in denen sie darum baten, nicht nur Geld für den Kauf von Lebensmitteln zu senden, sondern auch beim Gouverneur des Distrikts Lublin wegen jener Lebensmittel zu intervenieren, die den ausländischen Juden in Lublin abgenommen worden waren. Im letzteren Falle erhielten die jüdischen Institutionen keinerlei schriftliche Antwort. Das durch den Zustrom so vieler Tausend ausländischer Juden in den Distrikt Lublin verursachte Chaos wurde zusätzlich durch die Aussiedlungen in einzelnen Ortschaften noch vergrößert. Anfangs wusste niemand in den Ghettos, wohin die polnischen Juden gebracht wurden; man dachte, dass es sich um den Transport „zur Arbeit in den Osten" handele. Deshalb bemühte sich auch im Fall dieser Menschen die ŻSS darum, eine Hilfsaktion einzuleiten. Sehr oft erwies sich dies als unmöglich, da die Deportation auch die lokalen ŻSS-Aktivisten betraf, so in Krasnystaw oder Rejowiec. In Rejowiec siedelten die Deutschen einige Tage vor der Ansiedlung tschechischer und slowakischer Juden fast alle polnischen Juden aus. Rund 400 arbeitsfähige Menschen wurden in das Arbeitslager Krychow gebracht, wo sich unter anderem alle Mitglieder des Judenrats sowie der ŻSS-Außenstelle wiederfanden; die restlichen über 2000 Menschen wurden direkt in das Vernichtungslager Sobibor gebracht. Als die ausländischen Juden nach Rejowiec kamen, fanden sie hier außer rund 200 örtlichen Juden, die sich während der „Aktion" versteckt hatten, niemanden vor. Es gab

---

[51] HINDLS, Einer kehrte zurück, S. 15 f.
[52] AŻIH, Relacje i zeznania, Sign. 301/6269, Bericht von N.N. „Ahasuerus".

keine Volksküche und auch keine Organisation, die ihnen erste Hilfe erteilen konnte. Deshalb versuchte die Kreisstelle der ŻSS in Cholm, der Rejowiec unterstand, über die Zentrale in Krakau Calel Kraft aus Krychow freizubekommen, der Vertreter dieser Institution in Rejowiec gewesen war und theoretisch, den deutschen Verordnungen zur Deportation entsprechend, von der Aussiedlung hätte befreit werden müssen. Nach einer intensiven Korrespondenz zwischen Cholm, Krakau und den deutschen Behörden in Lublin ließen die Deutschen Anfang Mai 1942 Calel Kraft gemeinsam mit zwei Mitgliedern des ehemaligen Judenrats und der ŻSS aus dem Arbeitslager in Krychow frei, die in Rejowiec die Hilfe für die Umsiedler organisieren sollten. Dies war wahrscheinlich ein Aufsehen erregendes Ereignis für den gesamten Distrikt.[53] Während die Zentrale der ŻSS für die Bedürfnisse der nach Rejowiec Umgesiedelten 5000 Złoty bereitstellte, die noch nicht einmal ankamen, da das Geld nach Cholm gelangte, trafen weitere Transporte mit Juden aus dem Ausland ein.

„Wir teilen mit, dass gestern noch ein weiterer Transport in Rejowiec eingetroffen ist, rund 1000 Juden, die vorigen drei Transporte nicht eingerechnet. Vor einigen Tagen ist auch in Wlodawa ein Transport mit 1000 umgesiedelten Juden eingetroffen. Wir sind materiell und moralisch völlig erschöpft, da den Menschen unbedingt und dringend geholfen werden muß, aber womit? Obwohl ich bei den Behörden erreichen konnte, daß einzelne der nach Rejowiec Gekommenen beschäftigt werden, so ist dies doch nur ein Tropfen Wasser auf den heißen Stein."[54]

In den Durchgangsghettos hielt, obwohl für die Deportierten Volksküchen eingerichtet wurden, rasch der Hunger Einzug. Die von den Küchen ausgeteilten Rationen stellten sich als unzureichend heraus. Zum Beispiel wurde in Izbica nur einmal am Tag ein halber Liter so genannte Suppe ausgegeben, Wasser mit ein paar Kartoffeln und Schalen. In Piaski gab die Gemeinschaftsküche am Morgen Ersatzkaffee aus, zum Mittagessen Suppe ohne Fett

---

[53] AŻIH, ŻSS, Sign. 211/293, Kreisstelle der ŻSS in Cholm, Korrespondenz über die aus der Slowakei und dem Protektorat nach Rejowiec umgesiedelten Juden, S. 65–70. Es gelang aber nicht, Michel Szolsohn freizubekommen, den Vorsitzenden der Kreisstelle der ŻSS in Krasnystaw, der am 14.5.1942 mit Tausenden von Juden aus dem Kreis Krasnystaw in das Vernichtungslager Sobibor gebracht worden war. Obwohl sich Szolsohns Kinder um seine Freilassung bemühten und in Telegrammen nach Krakau angaben, dass er nach Sobibor gekommen sei, stellte sich seine Freilassung als unmöglich heraus, war die Deportation des Vaters doch von den deutschen Behörden beabsichtigt gewesen, die sich wegen irgendwelcher Streitigkeiten in Krasnystaw an ihm hatten rächen wollen. AŻIH, ŻSS, Sign. 211/607, Kreisstelle der ŻSS in Krasnystaw, Telegramm an das Präsidium der ŻSS in Krakau vom 31.5.1942, S. 4.
[54] AŻIH, ŻSS, Sign. 211/294, Kreisstelle der ŻSS in Cholm, Schreiben an das Präsidium der ŻSS in Krakau vom 6.5.1942, S. 9.

mit angefaulten Kartoffeln oder Zuckerrüben und zum Abendessen wiederum Kaffee sowie 50 Gramm Brot am Tag. Nicht verwunderlich, dass Hunger-ödeme in den Durchgangslagern an der Tagesordnung waren, auch der Tod durch Hunger und allgemeine Erschöpfung.[55] Eine weit verbreitete Erschei-nung waren, insbesondere unter so primitiven sanitären Verhältnissen und bei der immens dichten Belegung der Wohnungen, ansteckende Krankheiten, vor allem Typhus und Durchfall. Obwohl sich unter den Deportierten zahl-reiche Ärzte befanden, hatte keines der Durchgangsghettos ein Krankenhaus. Derartige Institutionen waren in den betreffenden Städtchen vor dem Krieg nicht bekannt gewesen. Zwar hatten 1941, als in den jüdischen Wohngebie-ten im Distrikt Lublin eine Typhusepidemie ausbrach, die örtlichen Judenrä-te und die Jüdische Soziale Selbsthilfe versucht, primitive Ambulanzen und Kleinkrankenhäuser einzurichten, doch waren diese kaum als Institutionen zu bezeichnen, in denen Kranke erfolgreich geheilt werden konnten. Angesichts des Zustroms vieler Tausend ausländischer Juden in diese kleinen Ortschaf-ten wurde die Lage noch schrecklicher. Zum Beispiel befand sich in Izbica ein primitives Krankenhaus im verwüsteten Gebäude der Synagoge; Opera-tionen wurden von hervorragenden Ärzten aus Wien oder Prag auf einem gewöhnlichen Küchentisch durchgeführt. In Piaski bestimmte man die einstige Leichenhalle zum Krankenhaus. Auch hier versuchten bekannte Ärzte, darunter ein namentlich nicht festzustellender bekannter Universitäts-professor aus München, medizinische Wunder zu vollbringen, ohne über irgendwelche medizinischen Hilfsmittel zu verfügen. Als Verbandmaterial wurde die sterilisierte Wäsche Verstorbener verwendet.[56]

Nur wer arbeitete, und das waren sehr wenige, konnte mit größeren Lebensmittelrationen rechnen oder hatte die Möglichkeit des Kontakts mit der polnischen Bevölkerung, von der durch Tauschhandel (Kleidung oder Wertgegenstände gegen Lebensmittel) zusätzliche Nahrung erworben werden konnte. In den einzelnen Ortschaften gab es aber für Tausende von Depor-tierten keinerlei Arbeit. Nur junge und kräftige Männer, und auch von diesen nicht einmal alle, später auch Frauen, konnten auf eine Arbeit hoffen. In der Regel handelte es sich um Feldarbeiten bei Landwirten der Umgebung oder bei Gutsbesitzern. Manchmal beschäftigte auch die Wasserbauinspek-tion bei Meliorationsarbeiten im Arbeitslager Sawino Juden, insbesondere solche aus Rejowiec. Eine Gruppe tschechischer und deutscher Juden aus Izbica arbeitete auf dem Gut der Smorczewskis in Tarnogora. Eine gewisse

[55] AŻIH, Relacje i zeznania , Sign. 301/1303, Bericht von Käthe Leschnitzer; APMM, Fotokopie i kserokopie, Sign. 1252 (USHMM, Sign. RG-50.030*233), Interview mit Kurt Thomas; HINDLS, Einer kehrte zurück, S. 22.
[56] AŻIH, Relacje i zeznania, Sign. 301/6269, Bericht von N.N. „Ahaswerus"; Sign. 301/ 1303, Bericht von Käthe Leschnitzer; HINDLS, Einer kehrte zurück, S. 21.

Zahl von Juden aus Izbica und Krasniczyn wurde zur Arbeit im nahe gelegenen Arbeitslager in Augustowka bei Suchowo herangezogen. Kleine Gruppen junger ausländischer Juden, die in Piaski untergebracht waren, wurden von den Deutschen beim Aufräumen des Städtchens eingesetzt oder zu Feldarbeiten eingeteilt. Diese Leute erhielten dafür zwar keine Entlohnung, konnten aber dank ihres Aufenthalts außerhalb des Ghettos Lebensmittel erwerben und in das Ghetto schmuggeln.[57] Den Kauf geschmuggelter Lebensmittel konnten sich aber nur jene leisten, die Bargeld besaßen; das waren aber nur wenige, meist Personen, die mit dem Judenrat oder anderen im Ghetto tätigen jüdischen Institutionen zusammenarbeiteten (Jüdische Soziale Selbsthilfe, Jüdischer Ordnungsdienst), also die Privilegiertesten. In einer besseren Lage befanden sich auch die polnischen Juden, die die Sprache und die örtlichen Verhältnisse kannten.[58] Eine gewisse Lösung des

---

[57] Zum Beispiel erhielt Kurt Thomas für seine Arbeit auf dem Gut Siedliczki – übrigens deutlichen deutschen Befehlen zuwider – vom polnischen Verwalter dieses Vorwerks einen Naturallohn: täglich Brot und einmal in der Woche 2 kg Mehl oder Bohnen, die er in das Ghetto schmuggelte, um seiner Familie zu helfen. Der verbreitete Tauschhandel in den Durchgangslagern führte dazu, dass die Menschen sich für den geringsten Gegenwert verkauften, nur um Nahrung zu ergattern. Im Ghetto Piaski gab es jede Nacht einen richtiggehenden Markt, auf dem polnische Bauern, die heimlich in das Ghetto kamen, Lebensmittel gegen Schuhe, Kleidung und Schmuck anboten. Die Preise waren natürlich sehr viel höher als außerhalb des Ghettos. Ein Kilogramm Brot kostete 12 zł., ein Kilogramm Wurst 80 zł. Auch dies waren im Vergleich zu Krasniczyn, wo die Menschen für einen Laib Brot der örtlichen Bevölkerung eine goldene Uhr oder Ohrringe gaben, noch „anständige" Preise. Der Hunger war unter den nach Krasnystaw Deportierten so groß, dass sie auf dem dortigen jüdischen Friedhof das Gras und die Brennesseln mähten, um daraus etwas zu essen zu kochen. Die Tatsache, dass die ausländischen Juden die Preisverhältnisse nicht kannten, wurde auch von polnischen Juden ausgenutzt, die oft bei diesem Tauschhandel vermittelten und dabei selbst nicht schlecht verdienten. Auch dies war eine Methode des Überlebens. Das Lager in Augustowka wurde bereits 1941 gegründet und mit Juden belegt, die bei Meliorationsarbeiten der Wasserwirtschaftsinspektion eingesetzt wurden. 1942 hielten sich hier rund 300–400 Juden auf. Außer den Arbeiten bei der Trockenlegung von Sümpfen gab es in diesem Lager auch eine Schuster- und eine Schneiderwerkstatt. AŻIH, ŻSS, Sign. 211/60, Kreisstelle der ŻSS in Krasnystaw, Schreiben über das Lager Augustowka vom 5.6.1942, S. 10 ff.; APMM, Fotokopie i kserokopie, Sign. 1252 (USHMM, Sign. RG-50.030*233), Interview mit Kurt Thomas; Archiv Moreshet, Sign. D.I. 1288, Brief eines slowakischen Juden über die Lage der Deportierten in Rejowiec; Gespräch des Autors mit Stanisław Malinowski, einem Einwohner von Krasniczyn, am 23.8.2000; HINDLS: Einer kehrte zurück, S. 22; OSERS, Flucht aus Zamość, S. 295.

[58] Über die Bedingungen, sogar über die genauen Schwarzmarktpreise in Izbica, lassen sich viele Informationen in dem bereits erwähnten Buch von M. Roseman finden. Es handelt von Marianne Strauss aus Essen, die sich als Jüdin in Deutschland verbarg. Am 22.4.1942 wurde ihr Verlobter Ernst Krombach aus Essen nach Izbica deportiert. Durch einen befreundeten Wehrmachtsoffizier konnte er Marianne Briefe schicken, in denen er, ohne Eingriffe der Zensur zu befürchten, die in Izbica herrschenden Bedingungen beschrieb. Dies ist eine der

Versorgungsproblems stellten auch die Pakete dar, die den Deportierten von Verwandten und Bekannten aus Deutschland oder Österreich zugeschickt wurden. Dies war allerdings nur im ersten Zeitraum der Deportation ausländischer Juden in den Distrikt Lublin möglich. Seit Juni 1942 riss die Korrespondenz mit dem Ausland fast völlig ab, da die Deutschen für die in das Generalgouvernement deportierten ausländischen Juden eine „Postsperre" erließen, das heißt ein totales Korrespondenzverbot.[59] Die aus dem Lubliner Land abgesandten Briefe fielen meist der Gestapo im Reich in die Hände; da sie in deutschen Archiven aber erhalten geblieben sind, können wir feststellen, wie lange Personen aus einzelnen Transporten in den Durchgangsghettos blieben. In fast allen Briefen wiederholen sich Bitten um Geld, Kleidung und Lebensmittel. Es gibt auch Briefe, in denen die Absender nur Grüße übermitteln. Vielleicht wurden die Deportierten im ersten Zeitraum der „Aktion Reinhardt" geradezu gezwungen, solche Postkarten zu verschicken, um die Verwandten und Bekannten in Deutschland zu beruhigen und den Eindruck zu erwecken, dass es sich nur um eine gewöhnliche „Umsiedlung in den Osten" handele. Die spätere Postsperre deutet darauf hin, dass wahrscheinlich im Reich selbst beunruhigende Informationen über das Schicksal der deportierten deutschen Juden und über die Bedingungen, die sie vorfanden, kolportiert wurden. Vor Ort, im Distrikt Lublin, sorgte sich die SS kaum darum, dass die brutalen und blutigen „Aktionen" nicht nur vor den Augen der Deportierten selbst, sondern auch der Polen stattfanden. Dagegen war aber immer die Furcht vorhanden, dass Nachrichten hierüber nach Deutschland gelangen und eine Panik hervorrufen könnten,

---

besten Quellen, um nicht so sehr das Schicksal einzelner Transporte, sondern die im Sommer 1942 in Izbica herrschenden allgemeinen Verhältnisse kennen zu lernen. Die Briefe wurden im August 1942 geschrieben. Durch sie wissen wir, dass z.B. ein Zwei-Kilo-Laib Brot in Izbica 24–28 Złoty kostete, ein Ei 1,30 zł, 1 Kilogramm Kartoffeln rund 4 zł, 1 Kilogramm Butter 80–100 zł, 1 Liter Milch 5 zł. Die von den Juden verkauften Sachen hatten ebenfalls ihren Geldwert, z.B. ein Paar Schuhe 200 zł, eine gute Uhr 300 zł, Strümpfe 50 zł. In Wirklichkeit kam es in vielen Fällen zu einem direkten Tausch der Habseligkeiten gegen Lebensmittel, und dabei stellte sich heraus, dass der Preis der Gebrauchsgegenstände auch viel geringer sein konnte. Die von Ernst Krombach angegebenen Preise waren um 25–50 Prozent höher als zur selben Zeit in Lublin, wo ebenfalls geschmuggelte Lebensmittel verkauft wurden. Izbica war andererseits ein Ort, in dem ein Teil der Einwohner, überwiegend Polen, von der Landwirtschaft lebte und wo es um Lebensmittel theoretisch besser bestellt war als in einer großen Stadt. ROSEMAN, In einem unbewachten Augenblick, S. 234 f.; siehe auch: JÓZEF KASPEREK, Kronika wydarzeń w Lublinie w okresie okupacji hitlerowskiej, Lublin 1983, S. 201.

[59] Eine Verordnung über das Verbot der Korrespondenz zwischen den aus dem Reich in das Generalgouvernement deportierten Juden wurde vom RSHA (Reichssicherheitshauptamt) am 15.5.1942 erlassen. KARL HEINZ MISTELE, The End of a Community. The Destruction of the Jews of Bamberg, Germany 1938–1942, New Jersey 1995, S. 167.

einerseits bei den noch nicht ausgesiedelten Juden und andererseits bei den Deutschen, die gegen die Art und Weise der „Evakuierung" deutscher Juden in der gleichen Weise hätten protestieren können, wie sie es im Fall der Euthanasie getan hatten. Von den Gegenmaßnahmen, die angesichts der zunehmenden Gerüchte über das Schicksal der Deportierten und über die katastrophalen Bedingungen, in welche die deutschen Juden gerieten, ergriffen wurden, zeugt ein heute in deutschen Archiven aufbewahrtes Dokument. Der von einem Beamten der Jüdischen Glaubensgemeinde in Stuttgart vorbereitete Bericht beschreibt geradezu idyllische Zustände, die in Izbica für die deportierten deutschen Juden geschaffen worden seien, die angeblich in einer für sie eigens vorbereiteten Siedlung untergekommen waren und für deren ärztliche Versorgung gesorgt war (der Bericht spricht von 25 Ärzten, die sich angeblich in Izbica aufhielten). Alle hätten auch ihr Gepäck behalten. In Izbica gäbe es auch „einen jüdischen Bürgermeister, ein jüdisches Wohnungsamt und eine jüdische Polizei, die vollständig aus Juden besteht, die aus Deutschland *emigriert* sind."[60]

Tatsache ist, dass die Lage in Polen eine andere war als im Reich, wo sich die NS-Behörden darum bemühten, Einzelheiten über das Schicksal der „in den Osten" Deportierten geheim zu halten; die Briefe der Deportierten wiesen eindeutig darauf hin, dass ihre Lage katastrophal war, obwohl sie sich nicht darüber im Klaren waren, dass ihnen in naher Zukunft noch Schlimmeres bevorstand. Die Deportierten erwähnten zwar „Aktionen", wussten aber selbst höchstwahrscheinlich nicht, dass diese im Endeffekt den Tod in den Gaskammern von Belzec, Sobibor oder Treblinka bedeuten würden.[61] Doch allein die Tatsache, dass in sehr vielen Briefen das Motiv

---

[60] In diesem Dokument findet sich auch eine ebenso idyllische Beschreibung des Arbeitslagers im nahe gelegenen Augustowka, wo deutsche Juden arbeiteten. Es heißt nun: „Das Lager ist in einer schönen Gegend gelegen (Felder, Wälder, kleine Flüsse und Seen). Kühe, Schafe und Hühner werden gehalten. Die Frauen arbeiten in der Küche und bei leichten Feldarbeiten. Einige Männer haben auch in der Ordnungspolizei Beschäftigung gefunden." Alfred Marx, der Verfasser dieses Berichts, ein Beamter der Jüdischen Glaubensgemeinde in Stuttgart, hob hervor, dass diese Nachrichten aus privaten Briefen der Deportierten stammten. Man kann sich leicht vorstellen, dass dieses Dokument präpariert wurde, um jene zu beruhigen, die richtige Informationen über das Schicksal der aus Württemberg deportierten Juden erhielten. Bundesarchiv-Außenstelle Ludwigsburg (fortan: BA-L), Sign. 208 AR-Z 252/59, Untersuchung gegen Josef Oberhauser und andere (Belzec-Prozeß), Bericht über die „Emigration ins Generalgouvernement", angefertigt am 23.5.1942 von der Jüdischen Glaubensgemeinde in Stuttgart. Der Autor des vorliegenden Artikels möchte Michael Tregenz herzlich für die Anfertigung einer Kopie dieses Dokuments danken. – Hervorhebung im Original.

[61] Der bereits erwähnte Kurt Thomas teilt mit, dass, selbst als er bereits im Ghetto in Piaski war, keiner der aus Theresienstadt hierher deportierten Menschen von Vernichtungslagern je gehört hatte. Er fügte hinzu, dass die polnischen Juden wahrscheinlich schon von der Existenz derartiger Lager wussten. Brief von Kurt Thomas an den Autor vom 18.8.2002.

der Lebensmittelversorgung und des Versands der nötigsten Dinge (Toilettenartikel, Wäsche, Kleidung) in das Lubliner Land genannt wird, konnte für die in Deutschland gebliebenen Verwandten und Freunde beunruhigend sein. Die Deportierten selbst aber machten sich die ganze Zeit über Illusionen oder waren sich zumindest nicht im Geringsten bewusst, dass die „Aktionen" in den Durchgangsghettos den sicheren Tod für alle bedeuteten. Immer wieder wird als Erklärung angegeben, dass nur die Arbeitsunfähigen umkämen, während die Starken überleben würden.[62]

Wahrscheinlich wusste auch Ernst Krombach nichts davon, obwohl ihn die Deportationen aus Izbica mit Schrecken erfüllten – er schrieb über sie an Marianne Strauss. ROSEMAN, In einem unbewachten Augenblick, S. 233.

[62] In praktisch jeder Veröffentlichung über das Schicksal der jüdischen Gemeinschaften in den deutschen Städten während des Krieges finden sich Informationen über die von der Gestapo aufbewahrte Korrespondenz aus dem Lubliner Land. Einige Briefe sind sehr lakonisch und enthalten lediglich die Bitte, den Kontakt nicht abbrechen zu lassen. Andere beschreiben die in den Durchgangsghettos herrschende Lage ganz offen. Als Beispiel sei die Nachricht eines aus Regensburg nach Piaski deportierten Juden genannt, die am 13.4.1942 abgeschickt wurde und wo der Absender ganz direkt darüber berichtete, dass in Piaski große Enge herrsche, dass die polnischen Juden wie übrigens auch die polnische Bevölkerung ihnen gegenüber nicht wohlgesonnen seien. Ein weiteres, ähnliches Beispiel, ebenfalls aus Izbica, das von Hugo Kolb aus Nürnberg, einem Mitglied der deutschen „Fraktion" des örtlichen Judenrats, als schmutziges, ratten- und insektenverseuchtes Städtchen beschrieben wird, in dem Hunger herrsche. Versuche, Briefe aus den Durchgangsghettos in das Reich zu senden, wurden mit dem Tode bestraft. Einige Deportierte versuchten, private Kontakte zur örtlichen polnischen Bevölkerung zu nutzen, um den Briefwechsel mit der Heimat aufrechtzuerhalten. Doch diese Versuche waren meist zum Scheitern verurteilt, da nur wenige Polen Deutsch konnten, eine Verständigung deshalb schwer war. Beispielsweise unterhielten in Izbica österreichische Juden, die zum Katholizismus konvertiert waren, bis zu einem gewissen Zeitpunkt eine heimliche Korrespondenz mit der Wiener Caritas; die hierher deportierte Schwester Weiß nutzte dabei die Vermittlung der Familie Smorczewski. Bei einer zufälligen Durchsuchung wurden diese Briefe von dem Volksdeutschen Kurt Engels und dem SS-Mann Ludwik Klemm (vor dem Krieg Unteroffizier der Polnischen Armee in Zamosc) in ihrer Handtasche gefunden. Klemm erschoss Schwester Weiß anschließend. Die slowakischen Juden unterhielten heimliche Kontakte mit zionistischen Kreisen in der Slowakei und schickten ihnen umfangreiche Berichte über das Schicksal der Deportierten, die über ein ganzes Netz von Kurieren aus der Podhale-Region in Südpolen weitergeleitet wurden, das bis in den Distrikt Lublin reichte. Die einzige Ortschaft, von der aus überhaupt keine Briefe nach Deutschland gelangten, war Krasniczyn. Hier waren die Postbeamten ortsansässige Ukrainer, die die an private Adressaten im Reich adressierten Briefe an Ort und Stelle vernichteten. AŻIH, Relacje i zeznania , Sign. 301/6269, Bericht N.N. „Ahaswerus"; Gespräch des Autors mit Stanisław Malinowski, Einwohner von Kraśniczyn, am 23.8.2000; Brief von Kurt Thomas vom 18.8.2002 an den Autor; KINGREEN, Gewaltsam verschleppt, S. 371; HERBERT SCHULTHEIS/ ISAAC E. WAHLER, Bilder und Akten der Gestapo Würzburg über die Judendeportationen 1941–1943, Bad Neustadt/Saale 1988, S. 362 f.; MARIA ZELZER, Weg und Schicksal der Stuttgarter Juden. Ein Gedenkbuch herausgeben von der Stadt Stuttgart, Stuttgart o.J., S. 225; BÜCHLER, Deportation of Slovakian Jews, S. 156.

Das Problem der Beschäftigung für zumindest einen Teil der in den Durchgangsghettos festsitzenden Juden wurde nur in Izbica teilweise gelöst, wo im Sommer 1942 ein paar Schneider-, Schuhmacher- und Gerberwerkstätten eingerichtet wurden. Die ausländischen Juden bemühten sich auch um das Aussehen des Städtchens, indem sie Müll von den Straßen räumten und vor den Häusern sogar Gärten anlegten. Die zuvor ausgesiedelten polnischen Juden hatten in Izbica Kleidung und Wäsche zurückgelassen, die in der Schneiderwerkstatt zu Mützen, Handschuhen und Westen für die deutsche Armee umgearbeitet wurden. Leider ist nicht bekannt, ob die in den Werkstätten Arbeitenden irgendeine Entlohnung für ihre Arbeit erhielten; immerhin schützte diese Beschäftigung teilweise vor der Deportation. Im Juni 1942 fand in Izbica eine weitere „Aktion" statt, die sich dieses Mal gegen die Arbeitslosen richtete. Offiziell sollten sich alle Personen im Alter von unter 15 und über 55 auf dem Marktplatz von Izbica einfinden. Einige Tage später erfasste eine weitere „Aussiedlung" alle, die nicht arbeiteten und keine entsprechenden Papiere besaßen. Nicht verwunderlich, dass ein groß angelegter Handel mit diversen Arbeitsbescheinigungen aufblühte, die angeblich vor der Deportation schützen sollten. Dies war für fast alle Ghettos auf polnischem Boden typisch.[63] Im Fall von Izbica wussten schon im Juni 1942 sehr viele polnische Juden, dass das Ziel der Deportationstransporte das Vernichtungslager Belzec war, das knapp 50 km südöstlich von Izbica lag. Nur die Juden aus dem Ausland machten den Eindruck, als seien sie sich dessen nicht bewusst. Wie Zeugen bestätigen, fanden sich trotz der Warnungen polnischer Juden, dass die Selektion den Tod bedeute, bei jeder Selektion, zu der der für den dortigen Massenmord verantwortliche Gestapo-Chef von Izbica, Kurt Engels, aufrief, gehorsam tschechische, deutsche, österreichische und slowakische Juden ein. Derweil versuchten die ortsansässigen Juden, die „Aktionen" in Verstecken zu überstehen, die letztlich sicherer waren als die unterschiedlichen Bescheinigungen.[64]

Diese Unterschiede im Verhalten der polnischen und der ausländischen Juden, Unterschiede der Mentalität und der Sitten, führten oft zu schwerwiegenden Konflikten zwischen den beiden Gruppen. Diese Konflikte wurden natürlich von den deutschen Behörden dazu genutzt, die Verwaltung der Durchgangslager zu rationalisieren; sie halfen ihnen auch bei der Durchführung der Deportationen in die Vernichtungslager. Wie bereits erwähnt, waren die in das Lubliner Land deportierten deutschen, tschechischen, slowakischen und österreichischen Juden in der großen Mehrzahl völlig an

---

[63] AŻIH, Relacje i zeznania , Sign. 301/6269, Bericht N.N. „Ahaswerus", sowie THOMAS-TOIVI BLATT, Nur die Schatten bleiben. Der Aufstand im Vernichtungslager Sobibór, Berlin 2000, S. 52 f., 56.

[64] BLATT, Nur die Schatten bleiben, S. 56.

die Kultur ihrer jeweiligen Herkunftsländer assimiliert. Unter ihnen befanden sich zahlreiche Menschen, die sich hatten taufen lassen oder aus getauften jüdischen Familien stammten und keine Beziehungen mehr zur jüdischen Tradition hatten. Selbst jene, die offiziell beim mosaischen Glauben geblieben waren, hielten die für orthodoxe Juden geltenden Regeln nicht ein, anders also als die meisten polnischen Kleinstadtjuden. Das Verhalten der westlichen Juden war ein ganz eigener Kulturschock für die polnischen Juden. Die Ersteren richteten sich überhaupt nicht nach den koscheren Regeln, sie hatten keine Talliths und beteten noch nicht einmal an Feiertagen. Ein solches Verhalten war den polnischen Juden völlig fremd. Auf der anderen Seite erlitten die Deportierten selbst einen ähnlichen Schock, da sie in unmittelbare Berührung mit den von ihnen verhöhnten Gebräuchen der Ostjuden kamen, die von den deutschen und tschechischen Juden, die sich für Menschen auf einer höheren Kultur-, ja Zivilisationsebene hielten, mit Verachtung und Spott behandelt wurden.

„Die aus den westlichen Staaten hergebrachten Juden hielten sich für eine höhere Klasse, sie waren verhältnismäßig gut ernährt, gut gekleidet und besaßen beträchtliche Geldvermögen; wenn auf legale oder illegale Weise Lebensmittel auftauchten, zahlten sie dafür jeden Preis. Dies selbst dann noch, als die jüdischen Armen schon wie Knochengerüste aussahen."[65]

Die Lage wurde zusätzlich dadurch erschwert, dass die Deportierten kein Jiddisch mehr sprachen, das die polnischen Juden gemeinhin verwendeten; untereinander sprachen sie Deutsch, da sowohl die deutschen wie auch die tschechischen und slowakischen Juden vor dem Krieg noch stark in der deutschen Kultur verankert gewesen waren. Daher zeichnete sich von Anfang an ein deutlicher Kulturkonflikt zwischen diesen beiden Gruppen ab. Hier ist nun festzustellen, dass sich zumindest die deutschen Juden – sogar im Angesicht der Deportation in die Vernichtungslager – der SS gegenüber loyal verhielten und sich nach wie vor als deutsche Staatsbürger fühlten. Es verwundert nicht, dass es unter ihnen auch Menschen gab, die zur offenen Zusammenarbeit mit den Deutschen bereit waren. Ganz deutlich wird dies am Beispiel der Lage in Izbica. Den Verordnungen der lokalen deutschen

---

[65] AŻIH, Relacje i zeznania , Sign. 301/5953, „Ostatni etap przed śmiercią", Bericht von Stefan Sendlak. Der Autor war vor dem Krieg ein bekannter PPS-Politiker im Zamoscer Land gewesen. Während der NS-Besatzung hatte er sich vor der Verhaftung eine Zeitlang in Izbica versteckt, wo er das Schicksal der dortigen jüdischen Bevölkerung beobachten konnte. Seit Ende 1942 war er im Lublin-Zamoscer Jüdischen Hilfskomitee (*Lubelsko-Zamojski Komitet Pomocy Żydom*) sehr aktiv, einer informellen Organisation, die der Judenhilfsrat (*Rada Pomocy Żydom*) „Żegota" zugeordnet war. Hier operiert der Autor mit dem selbst unter Polen verbreiteten Stereotyp, dass alle westlichen Juden wohlhabend wären. Es ist anzunehmen, dass sie einfach nur besser aussahen und besser angezogen waren als die polnischen Juden.

Behörden zufolge mussten den bereits bestehenden jüdischen Organisationen
(Judenrat, Jüdische Soziale Selbsthilfe und Jüdischer Ordnungsdienst) Vertreter der einzelnen Gruppen von Deportierten beitreten. Diese Prozedur
fand in allen Durchgangsghettos Anwendung.[66] Obwohl in Izbica zumindest
theoretisch ein Judenrat bestand, so gab es eigentlich zwei – einer bestand
aus polnischen Juden und wurde von Abram Blatt geleitet, der andere,
„tschechisch-deutsche", bestand aus Vertretern (meist den Leitern) der
einzelnen Transporte.[67] Es gab auch zwei eigene Abteilungen des Jüdischen
Ordnungsdienstes. Natürlich favorisierte SS-Hauptsturmführer Kurt Engels,
der auch Gestapo-Chef für den Kreis Krasnystaw war, sowie der volksdeutsche Bürgermeister von Izbica, Jan Szulc, theoretisch nur die aus dem
Ausland deportierten Juden. Drei tschechische Juden gruben sich ganz
besonders in das Gedächtnis der Überlebenden von Izbica ein: Willi Steiner,
Otto Lewi und Bruno Neugierkel, aus denen Bürgermeister Szulc eine Art
Leibpolizisten machte. An den Deportationen aus Izbica nahmen sie sehr
eifrig teil, bis sie am Ende von Szulc selbst in das Vernichtungslager Belzec
geschickt wurden.[68] Polnischen wie jüdischen Berichten zufolge kam es in
Izbica zu besonders tragischen Fällen, die durch den Konflikt zwischen den
ortsansässigen und den ausländischen Juden bedingt waren. Dieser Konflikt

---

[66] Zum Beispiel gehörten im Ghetto Piaski als Vertreter der aus Theresienstadt Deportierten Kurt Hirschmann und Ingenieur Ernst Boehm dem 12-köpfigen Judenrat an. Vorsitzender
blieb der ortsansässige Jude Mendel Polisecki. Bis zu einer gewissen Zeit waren hier die
meisten jüdischen Polizisten polnische Juden, obwohl der Kommandant des Jüdischen Ordnungsdienstes Piaski der aus Stettin deportierte Alfred Stapler war, doch schon im späten
Frühjahr 1942, als fast alle ortsansässigen Juden in die Vernichtungslager Belzec und Sobibor
deportiert wurden, bestand der Jüdische Ordnungsdienst fast ausschließlich aus tschechischen
und deutschen Juden, insgesamt aus 30 Personen. Zum Kommandanten dieser neuen Forma-
tion wurde der aus München deportierte Stefan Reinemann ernannt. Interessanterweise diente
in dieser Abteilung auch eine Frau – Bela Trattner. Ähnlich war es in Rejowiec, wo sowohl
ein Teil des Judenrats wie auch der jüdischen Polizei aus tschechischen und slowakischen
Juden bestand. Polizeikommandant war der tschechische Jude Kurt Kessler. In Zamosc übte
diese Funktion seit Mai 1942 der Leiter des deutschen Transports aus Dortmund, Alwin
Lippmann, aus, ein Fliegerheld des Ersten Weltkriegs und Freund Hermann Görings aus
gemeinsamen Fliegertagen. Er war eine sehr interessante Persönlichkeit, die einen eigenen
Artikel verdiente. APL, Kreishauptmannschaft Lublin-Land, Sign. 139, Judenviertel in Piaski,
Verzeichnis der jüdischen Polizisten im Ghetto Piaski, November 1941 sowie 20.5.1942, S.
102, 147, 150; APMM, Fotokopie i kserokopie, Sign. 1252 (USHMM, Sign. RG-
50.030*233), Interview mit Kurt Thomas; AŻIH, Pamiętniki, Sign. 302/122, GARFINKEL,
Monografia, S. 14; Archiv Moreshet in Givat Haviva, Sign. D.I.1288, Brief eines nach
Rejowiec deportierten slowakischen Juden vom 7.3.1943.

[67] Zu den zwei Judenräten in Izbica siehe auch: ROSEMAN, In einem unbewachten Augenblick, S. 231 f.

[68] AŻIH, Relacje i zeznania , Sign. 301/1303, Bericht von Käthe Leschnitzer sowie
Gespräch des Autors mit Tomasz Blatt am 24.9.2000.

wurde zusätzlich von Engels und Szulc angeheizt, die so die Deportationen aus Izbica besser durchführen konnten. Ihre deutliche Bevorzugung der ausländischen Juden führte dazu, dass sich in diesem Ort sehr viele Freiwillige zu Hilfstätigkeiten bei den „Aussiedlungen" fanden. Es entstand sogar eine Art Netz von jüdischen Spitzeln, die die lokalen deutschen Behörden über Personen informierten, die noch über einen gewissen Bargeldvorrat verfügten. Die Zusammenarbeit mit den Nationalsozialisten war in Izbica auch für diese Gruppe von Kollaborateuren eine Art des Überlebens, zumindest theoretisch. Darunter litten alle aus dem Ausland Deportierten, die von den polnischen Juden generell der Zusammenarbeit mit der SS bei Deportationen bezichtigt wurden.[69] Eine der früheren „Aktionen" in Izbica, wahrscheinlich jene vom April oder Mai 1942, führte auf Engels' Befehl hin jene „tschechische Fraktion" des Judenrats gemeinsam mit aus der Tschechei und Deutschland stammenden jüdischen Polizisten durch. Von der „Aktion" betroffen waren fast ausschließlich polnische Juden. Um die polnischen Juden daran zu hindern, sich zu verstecken, verbot Engels seinerzeit den ausländischen Juden, ortsansässige Juden in ihre Häuser aufzunehmen, was jene auch sorgsam befolgten. Später, als die Deportationen nach Belzec und Sobibor immer häufiger auch nichtpolnische Juden erfassten, erhielt die „polnische Fraktion" bei einer „Aktion" gegen ein saftiges Schmiergeld für Engels und Szulc das Einverständnis, eine eigene „Aussiedlung" durchführen zu können, die sich hauptsächlich gegen die ausländischen Juden richtete. Während dieser Aktion wurden auch einige Mitglieder der „tschechisch-deutschen Fraktion" aus Izbica nach Belzec deportiert.[70]

Izbica war in diesem Fall das Extrembeispiel für einen derartigen Konflikt. Es ist bekannt, dass es auch in anderen Ortschaften zu Konflikten zwischen den polnischen und den ausländischen Juden kam, doch nahmen sie nirgends solch schreckliche Ausmaße an. Vielleicht deshalb, weil es in den meisten Fällen, zum Beispiel in Rejowiec oder Piaski, nicht allzu viele polnische Juden gab, da immer größere Transporte aus dem Ausland eintrafen. Bekannt sind Beispiele für Missverständnisse in Rejowiec zwischen den aus dem Lager Krychow freigelassenen Mitgliedern der dortigen ŻSS-Außenstelle und dem Judenrat, der bereits mehrheitlich aus tschechischen

---

[69] Frau Smorczewska aus Tarnogora erinnert sich an mehrere Fälle, als ein wahrer Hass zwischen den polnischen und den ausländischen Juden zum Vorschein kam. Unter den deutschen und tschechischen Juden war die zurückhaltendste Bezeichnung polnischer Juden „Ein dreckiger polnischer Jud". Polnische Juden sagten über ausländische Juden: „Diese Deutschen, das sind jüdische Gestapoleute. Niederträchtige Menschen, die man nicht ins Haus lassen darf." Über das Spitzelunwesen unter den Juden in Izbica äußert sich auch Sendłak in sehr scharfen Worten. Siehe AŻIH, Relacje i zeznania , Sign. 301/5953, „Ostatni etap przed śmiercią", Bericht von Stefan Sendłak sowie Sign. 301/6269, Bericht N.N. „Ahaswerus".

[70] BLATT, Nur die Schatten bleiben, S. 54.

und slowakischen Juden bestand.[71] Als das Ghetto Rejowiec am 9. August 1942 aufgelöst wurde, führte hier eine SS-Einheit (einige deutsche Offiziere und eine Abteilung ukrainischer Wachmänner) die – übrigens sehr blutige – Deportation durch. Die Quellen schweigen darüber, ob bei dieser „Aktion" auch jüdische Polizisten eingesetzt wurden, zumal sie die gesamte jüdische Bevölkerung im Städtchen umfasste. Auf dem Hauptmarkt fand durch SS-Männer die Selektion statt; eine Gruppe von über 100 Arbeitern wurde da belassen, die anschließend in der örtlichen Zuckerraffinerie eingesetzt wurde. Wer zum Marsch bis zum Bahnhof nicht fähig war (Alte und Kranke aus dem Seuchenspital), wurde vor den Augen der versammelten Juden erschossen. Zusammen mit ihnen kamen auch die Ärzte um, die sich um die Kranken gekümmert hatten. Viele Menschen wurden auch auf dem Weg zum rund fünf Kilometer vom Städtchen entfernten Bahnhof erschossen. Dieser „Aktion" fielen sowohl ausländische als auch die wenigen polnischen Juden zum Opfer, die nach dem April 1942 hier geblieben waren.[72]

Auch im Ghetto Piaski nahm der Konflikt zwischen den polnischen und den ausländischen Juden keine katastrophalen Ausmaße an. Die „Aktionen" wurden hier seit Frühjahr 1942 von den Deutschen gemeinsam mit der polnischen („blauen") Polizei durchgeführt. Bis Juni 1942 betrafen die Aussiedlungen in die Vernichtungslager überwiegend polnische Juden. Die SS-Männer und Polizisten hatten in diesem Fall leichtes Spiel, da die einheimischen Juden anders gekennzeichnet waren als die zugereisten. Die polnischen Juden hatten Armbinden, die ausländischen trugen einen auf der Kleidung aufgenähten Davidstern. Es gab also keine größeren Schwierigkeiten, die aus Piaski stammenden Juden herauszufischen. Wie Kurt Thomas angibt, bestand der Kern des Jüdischen Ordnungsdienstes im Ghetto aus polnischen Juden, doch kam es nicht vor, dass diese die Zugereisten beson-

---

[71] Dies zeigte sich insbesondere in der Aktivität der ŻSS in Rejowiec, wo vor allem polnische und slowakische Juden tätig waren. Hier kam es wahrscheinlich über die Lebensmittelverteilung zum Konflikt. Die Außenstelle der ŻSS hatte auch gewisse Probleme bei der Zusammenarbeit mit dem ausschließlich aus tschechischen und slowakischen Juden bestehenden Judenrat. AŻIH, ŻSS, Sign. 211/294, Kreisstelle der ŻSS in Cholm, Schreiben vom 28.6.1942 über die Prüfung der Außenstelle in Rejowiec, S. 49 f.

[72] Ein 1943 abgesandter Bericht erwähnt sogar die Namen der Ärzte, die auf dem Marktplatz in Rejowiec erschossen wurden (Dr. Abraham Borkenfeld und Dr. Josef Deutsch, beide aus Zeben [Sabinov]). Dem Bericht eines Zeugen zufolge, des polnischen Juden Hozenblatt, selbst Mitglied im Judenrat von Rejowiec, sollen die Deutschen während der „Aktion" an Ort und Stelle einige hundert Personen ermordet haben. Archiv Moreshet, Givat Haviva, Sign. D.I.1288, Brief eines unbekannten slowakischen Juden vom 7.3.1943.

ders peinigten. Später, als die Deportationen auch die ausländischen Juden erfassten, gab es in Piaski kaum noch polnische Juden.[73]

Die Forschung steht vor einem weiteren Problem, wenn es darum geht, die Auflösung der Durchgangsghettos, das heißt die Deportationen aus diesen Ortschaften in die Vernichtungslager, zu behandeln – nämlich vor der Schwierigkeit, die genauen Daten der einzelnen Deportationen sowie die jeweiligen Lager festzulegen, in die die Transporte gingen. Hauptinformationsquelle sind in diesem Fall meist die Berichte der wenigen Geretteten, die einander oft widersprechen. Es ist demnach schwer, eindeutig festzustellen, wie lange sich die ausländischen Juden in den einzelnen Durchgangsghettos aufgehalten haben. Deutsche Wissenschaftler, die sich mit dem Schicksal der Juden aus einzelnen deutschen Städten beschäftigen, beziehen sich oft auf erhalten gebliebene Briefe, die aus dem Distrikt Lublin nach Deutschland geschickt wurden. Die letzten derartigen Briefe waren ein Zeichen dafür, dass in dieser Zeit noch jemand aus dem betreffenden Transport am Leben war. In vielen Fällen ist dies eine logische Erklärung, doch ist die Existenz der erwähnten „Postsperre" zu berücksichtigen, welche den Briefverkehr zwischen den Deportierten und ihren Verwandten und Bekannten in Deutschland oder der Slowakei praktisch zum Erliegen brachte. Das heißt aber nicht, dass zum Beispiel jemand, der seinen letzten Brief aus Izbica im September 1942 abschickte, gleich darauf nach Belzec oder Sobibor deportiert wurde.[74]

---

[73] Brief vom 7.9.2002, Kurt Thomas an den Verfasser. Sehr viel mehr über die Beziehungen zwischen den aus Tschechien, Deutschland und Österreich deportierten Juden und den Juden aus Polen findet sich in den Veröffentlichungen zu größeren Ghettos, wo sich gegen Ende 1941 rund 20 000 aus dem Westen ausgesiedelte Juden befanden (aus Deutschland, Österreich, Böhmen und Mähren sowie aus Luxemburg). Hingewiesen werden soll vor allem auf eine unlängst veröffentlichte Essaysammlung des tschechischen Juden Oskar Singer, der nach Lodz gelangt war und hier in der Statistischen Abteilung beim Jüdischen Ältestenrat arbeitete. Seine Essays betreffen hauptsächlich die dorthin deportierten ausländischen Juden und enthalten viele interessante Informationen über die gegenseitigen Beziehungen zwischen deportierten und einheimischen Juden. Die Reaktionen und Verhaltensweisen der ausländischen und polnischen Juden in Lodz ähnelten im Grunde denen, die aus den Durchgangsghettos im Lubliner Land bekannt sind. Singers Berichte sind insofern wertvoll, als der Autor selbst den Krieg nicht überlebte. Er wurde 1944 im Lager Auschwitz-Birkenau ermordet; seine Notizen, die bislang von der Forschung praktisch nicht herangezogen worden sind, werden als Archivmaterial im Staatsarchiv Lodz sowie im YIVO-Institut in New York aufbewahrt. OSKAR SINGER, Przemierzając szybkim krokiem getto... Reportaże i eseje z getta łódzkiego, Łódź 2002.

[74] Derartige Informationen tauchen zumindest in einer Arbeit über das Schicksal deutscher Juden auf, die im April 1942 aus Düsseldorf nach Izbica deportiert wurden. Der Verfasser dieser Schrift stellt fest, dass die letzten Nachrichten von den Ausgesiedelten Anfang September 1942 nach Deutschland kamen, was darauf hinweise, dass gleich darauf die Juden aus Düsseldorf in das Vernichtungslager gebracht worden seien und kein Mitglied dieser Gruppe

Zu einer verstärkten Vernichtung der jüdischen Bevölkerung im Distrikt Lublin kam es im Herbst 1942. Dies hing mit der Ausführung von Heinrich Himmlers Befehl vom 19. Juli 1942 zusammen, in dem der Transport aller arbeitsunfähigen Juden, die sich im Generalgouvernement befanden, in die Vernichtungslager angeordnet wurde. Im Distrikt Lublin wurde dieser Befehl praktisch bis zum 9. November 1942 ausgeführt.[75] Den ganzen Oktober über und auch noch Anfang November hielten im Distrikt Lublin verstärkte Auflösungsaktionen in den einzelnen Ghettos an, also auch in den Durchgangsghettos. Zugleich wurden Ortschaften wie Piaski oder Izbica zum Sammelpunkt nicht nur für ausländische, sondern auch für polnische Juden, die aus kleineren Orten in den jeweiligen Kreisen dorthin gebracht wurden. In Piaski wurden die Juden aus den Städtchen und Dörfern des Kreises Lublin konzentriert, in Izbica jene aus dem Kreis Krasnystaw und teilweise auch aus dem Kreis Zamosc (hauptsächlich aus Zamosc selbst). Hier ergibt sich nun das Problem, festzustellen, wie viele polnische Juden vor der Deportation in diese Ortschaften gelangten.[76] Es ist auch nicht bekannt, wie

---

später mehr am Leben geblieben sei. Vielleicht ist dies nur eine Hypothese, aber man kann mit ebenso gutem Recht annehmen, dass es später keine Möglichkeit mehr gab, Briefe zu versenden, oder dass derartige Briefe einfach nicht erhalten sind, obwohl einige aus Deutschland hierher ausgesiedelte Personen durchaus noch im Spätherbst am Leben gewesen sein könnten, als in Izbica die größten „Aktionen" stattfanden. Es ist bekannt, dass zumindest im Ghetto Izbica die sich hier aufhaltenden Juden erfasst wurden; vielleicht könnte man in diesen Unterlagen Hinweise darauf finden, wann einzelne Personengruppen von hier in die Vernichtungslager deportiert wurden. Leider ist es mir nicht gelungen, im erhaltenen Archivmaterial derartige Dokumente zu finden. Wahrscheinlich wurden sie nach der Auflösung der einzelnen jüdischen Wohnbezirke vernichtet. BERSCHEL, Bürokratie und Terror, S. 405; M. ROSEMAN, In einem unbewachten Augenblick, S. 231.

[75] DIETER POHL, Rola Dystryktu Lubelskiego w „ostatecznym rozwiązaniu kwestii żydowskiej", in: Zeszyty Majdanka 18 (1997), S. 7–24, S. 20.

[76] Im Oktober 1942 tauchten in den kleinen Ortschaften des Kreises Lublin Bekanntmachungen der deutschen Lokalverwaltungen über die Konzentration der jüdischen Bevölkerung in ausgewählten Orten auf, in denen es noch größere jüdische Gruppen gab. Es handelte sich um Belzyce, Piaski und Lubartow, wohin zuvor auch ausländische Juden geschickt worden waren. Beispielsweise wurden nun in Belzyce rund 7000 Juden aus Bychawa, Osmolice, Zabia Wola, Bystrzyca, Strzyzowice, Kielczewice, Niedrzwica Duza und Krzczonow konzentriert (in dieser Zahl sind auch jene Juden berücksichtigt, die sich bereits in Belzyce befunden hatten). Am 11.10.1942 fand hier die Selektion statt; ein Teil der arbeitsfähigen Juden wurde in das Konzentrationslager Majdanek eingewiesen, während der Rest vom Bahnhof Niedrzwica Duza entweder direkt in das Vernichtungslager Belzec oder in ein weiteres Ghetto deportiert wurde – nach Piaski. In dieser Zeit hielten sich dort bereits Gruppen von Juden aus Leczna, Puchaczow und Glusk sowie aus den rund um Piaski gelegenen Dörfern auf. Leider ist nicht genau bekannt, wie groß die Zahl dieser Personen war. Am 16.10.1942 kam es auch zu einer Aussiedlung der nach einigen früheren „Aktionen" übrig gebliebenen rund 4000 Juden aus Zamosc. Sie wurden in das Durchgangsghetto Izbica gebracht, von wo sie bereits drei Tage später in größeren Abteilungen nach Belzec gefahren

viele Juden aus dem Ausland sich zu jener Zeit noch hier befanden. Wir wissen lediglich, dass der zusätzliche Zustrom polnischer Juden zu einer katastrophalen Wohnungs- und Versorgungslage führte, und zwar sowohl in Izbica wie auch in Piaski.

„Nach Izbica kamen die Juden in der Nacht [es handelt sich hier um die Zamoscer Juden –R.K.]. In Izbica gab es bereits zu viele Juden aus der Tschechoslowakei und aus den Städtchen rund um Izbica. Jede Stube, in die man trat, war voller Menschen, und jeder saß auf seinen Paketen. Auch die Straßen waren voller Menschen, die auf ihren Paketen saßen und schliefen. Izbica sah aus wie ein Bahnhof, auf dem die Menschen auf den Zug warten."[77]

Die letzten Gruppen der in die Durchgangsghettos deportierten polnischen Juden hielten sich hier nicht lange auf. Es handelte sich um einen Zeitraum von einigen wenigen Tagen bis hin zu zwei, drei Wochen, ehe die SS und die Gendarmerie (im Fall von Izbica auch Mitglieder der polnischen Feuerwehr) die generellen Aussiedlungen in die Vernichtungslager vornahmen. In Izbica gab es zweimal derartige Aktionen. Die erste erfolgte schon am 18. und 19. Oktober 1942, als Tausende von Menschen (auch hier ist niemand in der Lage, ihre Zahl genau festzustellen) in Züge verladen wurden, die zu den Lagern in Belzec und Sobibor pendelten. Offiziell sollten nur Juden deportiert werden, die nicht arbeiteten; die Selektion wurde von den Vorsitzenden der Judenräte in den jeweiligen Städtchen durchgeführt. In Izbica wurde nun ein einziger großer Judenrat gebildet, der aus den Vorsitzenden

---

wurden. In dieser Zeit hielten sich in Izbica bereits Juden aus Krasnystaw, Zolkiewka, Turobin und Gorzkow auf. AŻIH, Relacje i zeznania , Sign. 301/4401, Bericht von Chaim Dorfsman aus Swidnik; Sign. 301/4402, Bericht von Jankiel Grynberg aus Piotrowice (dieser gab an, dass einer Information zufolge, die er vom Vorsitzenden des Judenrats in Bychawa erhalten hatte, die in Belzyce konzentrierten Juden nach Piaski gebracht werden sollten, „das Judenstadt werden sollte"), Sign. 301/4404, Bericht Szaul Erlichs aus Puchaczow; Sign. 301/3806, Bericht von Róża Nasibirska aus Izbica; Sign. 301/72, Bericht von Leon Feldhendler aus Żółkiewka. AŻIH, Pamiętniki, Sign. 302/122, GARFINKEL, Monografia, S. 44. Bericht von Błażej Jaczyński aus Leczna vom 15.5.1999, im Besitz des Verfassers. ROBERT KUWAŁEK, Gmina Niedrzwica Duża pod okupacją hitlerowską, in: Niedrzwica w XIX i XX w., hg. v. KRZYSZTOF GĘBURA, Niedrzwica Duża 2000, S. 57 f. [= Zeszyty Niedrzwickie]; ROBERT KUWAŁEK/PAWEŁ SYGOWSKI, Z dziejów społeczności żydowskiej w Lubartowie XVI–XX w., in: Lubartów i Ziemia Lubartowska, Lubartów 2000, S. 83. ADAM KOPCIOWSKI, Demographic Structure of the Jewish Population of Zamość in the Light of Judenrat and other Documents, in: Everlasting Name. Zamość Ghetto Population List – 1940, hg. v. EVA BAR-ZEEV, Tel Aviv 2001, S. 9.

[77] JEKUTIEL CWILICH, Di Umkum fun di Zamoszczer Jidn, in: Pinkas Zamość. Izkor-Buch., hg. v. MORDECHAJ W. BERNSZTAJN, Buenos Aires 1957, S. 962.

der Judenräte aus den Kleinstädten bestand.[78] Diese große „Aktion" nannten selbst die Deutschen, die sie durchführten, „den schwarzen Tag von Izbica". An diesem Tag wurden nicht nur einige Tausend Personen deportiert, sondern an Ort und Stelle, genau genommen auf der Wiese vor dem Bahnhof, deutschen Untersuchungsergebnissen zufolge rund 500 Juden erschossen.[79] Zur nächsten „Aktion" in Izbica kam es am 2. November 1942, als von hier die Mehrzahl der noch verbliebenen Juden in das Vernichtungslager Sobibor gebracht wurde. Wer versuchte, sich in Bunkern zu verstecken, wurde mit Hilfe der örtlichen polnischen Bevölkerung aufgespürt, insbesondere von Mitgliedern der Feuerwehr, denen die Deutschen versprochen hatten, dass sie den Juden alle bei ihnen entdeckten Wertgegenstände abnehmen dürften. Diese Juden wurden anschließend in das Feuerwehrgerätehaus geführt, wo sie in qualvoller Enge mehrere Tage verbrachten und viele vor Durst oder durch Sauerstoffmangel umkamen. Anschließend wurden die noch Lebenden von SS-Männern gruppenweise auf den örtlichen jüdischen Friedhof geführt und in zuvor angelegten Massengräbern erschossen.[80] So hörte das Durchgangslager Izbica auf zu bestehen. Nach seiner Auflösung blieben im November und Dezember 1942 in Izbica noch einige hundert Menschen, die sich während der letzten „Aktion" in den umliegenden Wäldern versteckt hatten. Sie kehrten nach Izbica zurück und lebten bis April 1943 aufgrund eines Befehls des SS- und Polizeichefs im GG in einem Nebenghetto, das anstelle des Durchgangsghettos eingerichtet wurde.[81]

---

[78] AŻIH, Relacje i zeznania , Sign. 301/72, Bericht von Leon Feldhendler. Feldhendler übte während der Besatzungszeit das Amt eines Vorsitzenden des Judenrats in Zolkiewka aus; als solcher gehörte er im Herbst 1942 dem kollektiven Judenrat in Izbica an.

[79] Landgericht Kassel, Lfd. Nr. 316, Strafsache gegen einen ehemaligen deutschen Beamten des Landratsamts Krasnystaw (Andere Massenvernichtungsverbrechen. Izbica bei Lublin), S. 316a – 15. Der Verfasser möchte sich bei M. Tregenza dafür bedanken, dass er ihm diese Dokumente zugänglich gemacht hat. Nach den Feststellungen des Kasseler Gerichts soll diese „Aktion" am 15.10.1942 stattgefunden haben, während Zeugen aus Izbica und Zamosc den 18. und 19.10.1942 angegeben haben.

[80] CWILICH, Umkum, S. 963; BLATT, Nur die Schatten, S. 111. Der Autor weiß auch zu berichten, dass ein Teil der im Feuerwehrgerätehaus versammelten Personen mit Pferdewagen nach Trawniki und erst von dort aus nach Sobibor gebracht wurde.

[81] Rumpfghettos, in denen sich theoretisch nur arbeitsfähige Juden aufhalten sollten, wurden seinerzeit im Distrikt Lublin in Izbica, Piaski, Rejowiec, Wlodawa, Miedzyrzec Podlaski, Lukow und Parczewo eingerichtet. Bis einschließlich April 1943 hielten sich hier noch rund 20 000 Juden auf, die in verschiedenen deutschen Unternehmen arbeiteten. Gegen Ende April und Anfang Mai 1943 wurden diese Ghettos, auch Nebenghettos genannt, aufgelöst und ihre Einwohner nach Sobibor oder in das Konzentrationslager Majdanek gebracht. ARTUR EISENBACH, Hitlerowska polityka zagłady Żydów, Warszawa 1961, S. 425–428.

Von der Vernichtung des Ghettos Rejowiec war bereits die Rede. Die letzte „Aktion" in Piaski fand am 8. November 1942 statt. Die in das Ghetto einrückenden SS-Abteilungen und die örtliche Gendarmerie verkündeten, Piaski sei von diesem Tag an „judenrein"; alle Einwohner des jüdischen Wohnbezirks sollten sich zur Aussiedlung bereitstellen. Einige Tausend hier versammelte Juden wurden in das Vernichtungslager Sobibor gebracht. Unter ihnen befanden sich auch sehr viele tschechische und deutsche Juden. Wer in Verstecken geblieben war, wurde in den nächsten Tagen von SS-Männern aufgestöbert und anschließend bei einer Massenhinrichtung auf dem Judenfriedhof erschossen. Zeugen dieses Ereignisses haben bestätigt, dass bei diesem Mord zwischen 1000 und 2000 Menschen erschossen wurden.[82]

Auf diese Weise wurden im Herbst 1942 alle Durchgangslager im Distrikt Lublin aufgelöst. Ihr Bestehen hing eng mit der sich entfaltenden „Aktion Reinhardt" und allgemein mit der Vernichtung der jüdischen Bevölkerung Europas zusammen. Sie sollten kein Zielort für die Deportation ausländischer Juden in den Distrikt Lublin sein, sondern waren lediglich Orte, an denen sie vor der endgültigen Vernichtung konzentriert wurden. Dies erleichterte nicht nur die Nutzung der jüdischen Arbeitskraft, sondern ermöglichte auch eine bessere Durchführung des Raubs von jüdischen Wertsachen sowie der Vernichtung selbst. Die Bedingungen, unter denen sich die ausländischen Juden in Piaski, Izbica, Rejowiec und anderen Orten des Lubliner Lands aufzuhalten hatten, machte bereits zu diesem Zeitpunkt praktisch das Überleben oder die Existenz dieser Menschen unmöglich. Sie verzögerten nur die endgültige Vernichtung. Für den Stab der „Aktion Reinhardt" verbesserte die Existenz von Durchgangsghettos im Distrikt Lublin zusätzlich den gesamten Vernichtungsprozess – diese Ortschaften lagen in der Nähe der Todeslager sowie des Konzentrationslagers Majdanek. Die hier

---

[82] In vielen Erinnerungen an das Ghetto Piaski wird das Datum November 1943 als Zeitpunkt für die endgültige Vernichtung der dortigen Juden genannt. In Wirklichkeit fanden die Auflösung des Durchgangsghettos und die letzte Exekution hier im November 1942 statt, ähnlich wie in anderen Ortschaften des Distrikts Lublin. In Piaski war bis Frühjahr 1943 noch eine Gruppe von rund 300 Juden verblieben, die Häftlinge des örtlichen Arbeitslagers geworden waren, das auch Rumpf- oder Nebenghetto genannt wurde. Diese Menschen wurden anschließend in das jüdische Arbeitslager im nahe gelegenen Trawniki verlegt. APL, GDL, Sign. 256, Jüdische Soziale Selbsthilfe, Schreiben des Landrats in Lublin vom 17.2.1943 mit der Information, dass es in jener Zeit im Kreis Lublin zwei jüdische Arbeitslager gab – in Leczna und in Belzyce, sowie ein Nebenghetto in Piaski, in denen sich jeweils rund 300 Menschen aufhielten, S. 73; Brief von Kurt Thomas an den Verfasser vom 7.9.2002; Lucjan Świetlicki, Losy ludności żydowskiej w Piaskach w czasie okupacji, in: Region Lubelski, Nr. 4 (6) 1989/90, S. 60 (der Autor dieses Artikels gibt an, dass die letzte „Aktion" in Piaski im Frühherbst 1941 stattgefunden habe; dies ist jedoch am wenigsten glaubwürdig); Szlęzakowa, Getto w Piaskach, S. 116; Barbara Odnous, Nie wszystko widać z okna (kwestia żydowska w gminie Piaski), in: Piaski we wspomnieniach, S. 141.

bestehenden Bahnhöfe ermöglichten die rasche Verteilung der Opfer auf die einzelnen Lager, an denen ihre Ermordung stattfinden sollte. Die Tatsache, dass in den Durchgangsghettos zeitweise Tausende von ausländischen Juden festgehalten wurden, kann zumindest in der ersten Phase der „Aktion Reinhardt" auch eine propagandistische Funktion besessen haben. Diese Menschen wurden, so die Aussage, einfach an neue Wohnorte umgesiedelt. Erst während der verstärkten Auflösung der Ghettos im Distrikt Lublin ließen die Nationalsozialisten jeden Anschein fallen. Angesichts einer solchen Lage wurden auch die Durchgangsghettos zu Stätten des Massenmords, ähnlich wie die unweit gelegenen Vernichtungslager. Eine offene Frage ist hierbei die Zahl der Opfer, welche die Durchgangsghettos durchliefen oder hier ermordet wurden. Man kann vorsichtig annehmen, dass das größte der Lager Izbica war, durch das über 26 000 polnische und ausländische Juden gingen. Mindestens 2000 von ihnen wurden an Ort und Stelle ermordet. Über 11 000 polnische und ausländische Juden hielten sich zu verschiedenen Zeitpunkten in Piaski auf, über 8000 in Rejowiec. Dies sind sehr vorsichtige Schätzdaten. Mit Sicherheit müssen sie in Zukunft noch überprüft werden. Dieser Artikel kann die Frage der Durchgangsghettos im Distrikt Lublin nicht erschöpfend behandeln. Jedes Lager verdient im Grunde eine gesonderte Behandlung; zumindest sollten die Informationen hierzu in einer eigenen, größeren Veröffentlichung vereint werden.

TOMASZ KRANZ

DAS KONZENTRATIONSLAGER MAJDANEK UND DIE „AKTION REINHARDT"

Einleitung

In der Forschung zu Majdanek hat sich die Auffassung herausgebildet, dieses Lager sei, so wie auch der Komplex Auschwitz-Birkenau, eine Kombination von Arbeits- und Vernichtungslager gewesen. Diese Interpretation ist größtenteils zutreffend, insbesondere was die Rolle des KL Lublin-Majdanek in der Judenpolitik angeht. Aus einigen Arbeiten – nicht nur aus populär-, sondern auch strikt wissenschaftlichen – geht jedoch hervor, dass die Ausrottungsfunktion des KL Majdanek im Sinne einer organisierten Massenvernichtung dominiert hat. Als Beweis dafür wird vor allem eine – vom historischen Standpunkt oft absurd hohe – Opferzahl angegeben. In diversen amerikanischen Publikationen findet sich beispielsweise die Information, in Majdanek seien 1,5 Millionen Menschen umgekommen. Dagegen werden die in der polnischen Historiographie bis zum Ende der achtziger Jahre gültigen Daten, nach denen 500 000 Menschen das Lager passierten und 360 000 hier umkamen, auch weiterhin in vielen wissenschaftlichen Arbeiten und Fachpublikationen angegeben.[1] Auch ein Teil der polnischen Forschung geht davon aus, dass Majdanek – im Vergleich zu anderen Konzentrationslagern – einen ungewöhnlich hohen Prozentsatz von Opfern aufweist, nämlich fast 80 Prozent der allgemeinen Gefangenenzahl.[2]

Zu betonen ist aber, dass die oben genannten Zahlenangaben in der Mehrzahl der Fälle nicht auf Quellen beruhen und eher sehr allgemeine Schätzungen darstellen. Schon aus diesem Grund müssen sie überprüft

---

[1] Siehe z.B. Encyclopedia of the Holocaust, hg. v. YISRAEL GUTMAN, Bd. 3, London 1990, S. 937–940; DANIEL J. GOLDHAGEN, Hitler's Willing Executioners. Ordinary Germans and the Holocaust, London 1996, S. 293; JAN KOSIŃSKI, Niemieckie obozy koncentracyjne i ich filie, Stephanskirchen 1999, S. 439.

[2] Dem für das Staatliche Museum Majdanek arbeitenden Historiker Czesław Rajca zufolge passierten das Lager Majdanek insgesamt rund 300 000 Menschen, von denen 235 000 umkamen. CZESŁAW RAJCA, Problem liczby ofiar w obozie na Majdanku, in: Zeszyty Majdanka 1992, Bd. XIV, S. 127–132.

werden, vor allem auf der Grundlage von Archivmaterial über die Sterbefälle im Konzentrationslager Lublin-Majdanek; außerdem müssen diese Archivalien mit den Daten zur Sterblichkeit in anderen Konzentrationslagern
abgeglichen werden.[3] Auf der anderen Seite ist daran zu erinnern, dass die
Opferbilanz nicht das einzige Kriterium ist, wenn es gilt, den Charakter der
deutschen Konzentrationslager zu beschreiben, zumal ein Teil von ihnen
ganz unterschiedliche Funktionen besaß, die direkt oder indirekt mit der
nationalsozialistischen Verfolgungs- und Ausrottungspolitik zusammenhingen.[4]

---

[3] Um die genauen Verluste unter den Gefangenen von Majdanek bestimmen zu können,
müssen noch weitere Forschungen erfolgen. Das Problem ist recht kompliziert, weshalb ich
in diesem Artikel darauf verzichte, es zu behandeln, betrifft es doch letztlich nicht direkt das
hier zu erörternde Thema. Ohne eine detaillierte Analyse vorzunehmen, möchte ich aber
darauf hinweisen, dass die Schätzdaten von C. Rajca (siehe FN 2) nicht zu den vielen in der
Fachliteratur und den Quellen angegebenen Zahlen passen (allgemeine Statistiken, durch-
schnittliche Sterblichkeit im KL Lublin u. ä.). Wenn wir nämlich berücksichtigen, dass die
Mehrzahl der nichtjüdischen Häftlinge nicht der so genannten direkten Ausrottung unterlag,
sondern aufgrund der Existenzbedingungen und durch Krankheiten umkam, so lässt sich nur
schwer erklären, wie von 178 000 Menschen nach C. Rajca 123 000 (69 Prozent) das Leben
verloren. Das hieße nämlich, dass in Majdanek, wenn man die Berechnungen ein wenig
vereinfacht, monatlich über 4000 nichtjüdische Häftlinge starben. So hohe Zahlen werden aber
weder von den deutschen behördlichen Dokumenten noch vom Archivmaterial bestätigt. Aus
dem Bericht Oswald Pohls geht z.B. hervor, dass 1943 im Laufe von acht Monaten (Januar
bis August) in allen Konzentrationslagern über 60 000 Häftlinge starben, während das KL
Lublin für den August dieses Jahres 1054 Sterbefälle aufwies (Männer und Frauen zusammen). Vgl. das Nürnberger Dokument (fortan: Nürnb. Dok.), Sign. PS-1469. Selbst wenn wir
annehmen, dass nicht alle Todesfälle registriert wurden, so hat dies doch keinen größeren
Einfluss auf die angegebenen Zahlen. Aus anderen Quellen ist bekannt, dass die durchschnitt-
liche monatliche Sterberate im KL Lublin im dritten Quartal 1942 rund 2000 Menschen
betrug, von denen die meisten jüdische Häftlinge waren. Gegen Ende dieses Jahres stieg die
Zahl und schwankte um 3000. Im November wurden 809 Sterbefälle nichtjüdischer Häftlinge
verzeichnet, im Dezember 478. Siehe Archiwum Państwowego Muzeum na Majdanku (Archiv
des Staatlichen Museums Majdanek, fortan: APMM), KL Lublin, Sign. I d 19, Totenbuch;
Zbiór ksero- i fotokopii (Sammlung von Xero- und Fotokopien, fortan: Fotokopie), Sign. 407,
Totenbuch.

[4] Zur Entwicklung und Veränderung der Funktion der Konzentrationslager siehe vor
allem: Die nationalsozialistischen Konzentrationslager – Entwicklung und Struktur, hg. v.
ULRICH HERBERT/KARIN ORTH/CHRISTOPH DIECKMANN, Göttingen 1998; KARIN ORTH, Das
System der nationalsozialistischen Konzentrationslager. Eine politische Organisationsgeschich-
te, Hamburg 1999. Vgl. auch GUDRUN SCHWARZ, Die nationalsozialistischen Lager, Frank-
furt/M. 1996.

Die Fachliteratur zum Thema Konzentrationslager Lublin-Majdanek ist relativ umfang- und facettenreich.[5] Bei den Forschungen zu Majdanek ist jedoch eine deutliche Asymmetrie festzustellen. Bis zum Ende der 1990er Jahre beschäftigten sich vor allem polnische Wissenschaftler mit diesem Problem, die größtenteils aus dem Umfeld des Staatlichen Museums Majdanek und der Maria-Curie-Skłodowska-Universität Lublin stammten.[6] In der polnischen Historiographie zu Majdanek sind neben zahlreichen Artikeln in den „Zeszyty Majdanka" drei Überblickswerke von besonderem wissenschaftlichen Wert: die Monographie Józef Marszałeks, ein von Tadeusz Mencel herausgegebener Sammelband sowie ein Kalendarium der Ereignisse im Lager von Zofia Leszczyńska.[7]

Von der ausländischen Literatur zum Konzentrationslager Lublin sind die Beiträge des deutschen Historikers Wolfgang Scheffler zu erwähnen,[8] der Gutachten für den so genannten Majdanek-Prozess in Düsseldorf verfasste, ferner die parallel zu diesem Prozess entstandenen Berichte und Dokumentation deutscher Journalisten,[9] ein Artikel der amerikanischen Forscherin Elisabeth B. White über die Bedeutung des Lagers in Himmlers Plänen zur

---

[5] Zur Historiographie von Majdanek siehe JÓZEF MARSZAŁEK/CZESŁAW RAJCA, Stan badań nad dziejami Majdanka i postulaty badawcze, in: Zeszyty Majdanka 1971, Bd. V, S. 17–35; TOMASZ KRANZ/JANINA KIEŁBOŃ, Archival Sources and the State of Research Concerning the History of the Camp at Majdanek, in: Les archives de la Shoah, hg. v. JAQUES FREDJ, Paris 1998, S. 521–540.

[6] Siehe ausführlicher ZYGMUNT MAŃKOWSKI, Relikty – Funkcje – Problemy, in: Zeszyty Majdanka 1995, Bd. XVI, S. 21–29.

[7] JÓZEF MARSZAŁEK, Majdanek. Geschichte und Wirklichkeit des Vernichtungslagers, Reinbek 1982; Majdanek 1941–1944, hg. v. TADEUSZ MENCEL, Lublin 1991; ZOFIA LESZCZYŃSKA, Kronika obozu na Majdanku, Lublin 1980.

[8] WOLFGANG SCHEFFLER, Chelmno, Sobibor, Belzec und Majdanek, in: Der Mord an den Juden im Zweiten Weltkrieg, hg. von EBERHARD JÄCKEL/JÜRGEN ROHWER, Stuttgart 1985, S. 145–151; ders., Zur Judenverfolgung des nationalsozialistischen Staates – unter besonderer Berücksichtigung der Verhältnisse im Generalgouvernement und zur Geschichte des Lagers Majdanek im System nationalsozialistischer Vernichtungs- und Konzentrationslager, Archiwum Instytutu Pamięci Narodowej w Warszawie (Archiv des Instituts für Nationales Gedächtnis Warschau, fortan: AIPN), Wyroki i akty oskarżenia, Sign. 258.

[9] Von besonderer Bedeutung sind hier vier Bücher: HEINER LICHTENSTEIN, Majdanek. Reportage eines Prozesses, Frankfurt/M. 1979; GÜNTHER SCHWARBERG, Der Juwelier von Majdanek. Geschichte eines Konzentrationslagers, Hamburg 1981; INGRID MÜLLER-MÜNCH, Die Frauen von Majdanek. Vom zerstörten Leben der Opfer und der Mörderinnen, Reinbek 1982; E. FECHNER, Proces. Obóz na Majdanku w świetle wypowiedzi uczestników rozprawy przed Sądem Krajowym w Düsseldorfie. Übers. u. eingel. v. TOMASZ KRANZ, Lublin 1996 [auf Deutsch nur als Ms.: Prozeß. Eine Darstellung des sogenannten „Majdanek-Verfahrens" gegen Angehörige des Konzentrationslagers Lublin/Majdanek in Düsseldorf von 1975–1981].

Errichtung eines Wirtschaftsimperiums im Osten,[10] eine Arbeit Adam Rutkowskis über die Massenvergasung[11] sowie ein Artikel des Franzosen Jean-Claude Pressac zu technischen Aspekten der Vergasung.[12] Zu erwähnen ist außerdem ein als historisch-technische Studie verfasstes Buch zweier revisionistischer Historiker.[13] Besonders erwähnenswert ist ein unlängst erschienener Band mit Zeugenaussagen von Verhören während des Düsseldorfer Prozesses, zu dessen Autoren Dieter Ambach gehört, einer der damals beteiligten Staatsanwälte.[14]

Bei der Rekonstruktion und historischen Beschreibung des Lagers Majdanek stößt man nach wie vor auf ernsthafte Schwierigkeiten, insbesondere wenn es darum geht, Fragen zu behandeln wie die nach der tatsächlichen Bedeutung des Lagers in der nationalsozialistischen Politik, nach der Zahl der hier festgehaltenen Menschen oder nach der Bilanz der Verluste an Menschenleben. Hierbei ergeben sich immer wieder neue Probleme , auf die die Geschichtsschreibung bislang keine völlig zufriedenstellenden Antworten geben konnte. Dies liegt vor allem an der schlechten Quellenlage (insbesondere bei den Dokumenten zu Transporten, Belegstärken, Häftlingssterblichkeit und Judenvernichtung in Gaskammern), aber auch daran, dass bei den bisherigen Forschungen die Archivalien zum KL Lublin nur unvollständig herangezogen worden sind.[15]

Im vorliegenden Artikel soll die – sowohl direkte als auch indirekte – Rolle des Lagers Majdanek in der nationalsozialistischen Judenpolitik angesprochen werden; es geht also in erster Linie darum, die Verbindungen des

---

[10] ELISABETH B. WHITE, Majdanek. Cornerstone of Himmler's SS Empire in the East, in: Simon Wiesenthal Center Annual 7 (1990), S. 3–21.

[11] ADAM RUTKOWSKI, Majdanek, in: Nationalsozialistische Massentötungen durch Giftgas. Eine Dokumentation, hg. v. EUGEN KOGON u.a., Frankfurt/M. 1983, S. 241–245.

[12] JEAN-CLAUDE PRESSAC, K.L. Lublin – Majdanek, in: Truth Prevails. Demolishing Holocaust Denial: The End of „the Leuchter Report", hg. v. SHELLY SHAPIRO, New York, London 1990, S. 49–60.

[13] JÜRGEN GRAF, CARLO MATTOGNO, KL Majdanek. Eine historische und technische Studie, Hastings 1998. In Übereinstimmung mit den Grundannahmen der revisionistischen Literatur negieren die Autoren dieser Arbeit, dass in Majdanek Häftlinge in Gaskammern ermordet wurden und dass es am 3. November 1943 ein Massaker an Juden gab. Dabei bedienen sie sich einer zumindest zweifelhaften Argumentation; dennoch genügt das Buch in einigen Teilen wissenschaftlichen Anforderungen.

[14] DIETER AMBACH/THOMAS KÖHLER, Lublin-Majdanek. Das Konzentrations- und Vernichtungslager im Spiegel von Zeugenaussagen, Düsseldorf 2003 [= Juristische Zeitgeschichte, Bd. 12].

[15] Dies betrifft in erster Linie die Heranziehung von Materialien zu den in Deutschland geführten Verfahren und Prozessen sowie die Nutzung der Personalakten von Mitgliedern der Lagerverwaltung und der Mannschaften, die in den Abteilungen Ludwigsburg und Lichterfelde des Bundesarchivs aufbewahrt werden; weitere Quellen sind auch noch in einigen anderen Archiven vorhanden.

Lagers zu den Strukturen und Mechanismen der „Aktion Reinhardt" zu erhellen. Diese Aspekte sind in der Literatur zu Majdanek nur unzureichend behandelt worden. Zum Schicksal der Juden im Lager Majdanek gibt es gerade einmal zwei Arbeiten, die lediglich einen Überblick bieten.[16] Die Vernichtung selbst wird hier aber nur fragmentarisch behandelt und die besondere Rolle, die das KL Lublin im Prozess der Judenvernichtung spielte, nicht erläutert. Dagegen sind Fragen der Beziehung Majdaneks zu dem von SS-Gruppenführer Odilo Globocnik beaufsichtigten Massenmord an Juden im Generalgouvernement von einigen Historikern nur am Rande anderer Arbeiten behandelt worden;[17] stärker berücksichtigt werden sie lediglich in einer Veröffentlichung, und zwar in einem Artikel von Tomasz Kranz.[18]

Die Rolle des Lagers Majdanek für die „Aktion Reinhardt"

Bevor die Rolle Majdaneks als Werkzeug der Terrorpolitik gegenüber den Juden besprochen wird, ist eine allgemeine Charakterisierung des Lagers vorauszuschicken, denn sowohl seine Entstehung als auch seine Besonderheiten waren Faktoren, die für die Deportation jüdischer Häftlinge in das Lager von erheblicher Bedeutung waren, vor allem für die Herkunft, die Zusammensetzung und die Größe der Transporte.

In mancherlei Hinsicht war Majdanek ein untypisches Lager, das nicht nur Aufgaben umsetzte, die für Konzentrationslager die Regel waren, sondern auch zahlreiche besondere Funktionen innehatte. Dies ergab sich in hohem Maße aus der Politik des lokalen SS- und Polizeiapparats, insbesondere aus den hegemonistischen Bestrebungen seines Führers Odilo Globocnik, der – worauf bereits vielfach hingewiesen worden ist – gewissermaßen

---

[16] TATIANA BERENSTEIN/ADAM RUTKOWSKI, Żydzi w obozie koncentracyjnym Majdanek (1941–1944), in: Biuletyn ŻIH 1996, Nr. 58 , S. 3–57. HAIM HARPAZ, From Slavery to Annihilation. The Jews in Majdanek 1941–1944, Universität Tel Aviv 1990.

[17] Es handelt sich vor allem um die Arbeit von W. SCHEFFLER (siehe FN 8). Siehe auch PETER WITTE/STEPHEN TYAS, A New Document on the Deportation and Murder of Jews during „Einsatz Reinhardt" 1942, in: Holocaust and Genocide Studies, 15 (2001), H. 3, S. 468–486; PETER WITTE, „… zusammen 1 274 166", in: Die Zeit vom 10. Januar 2002, S. 82.

[18] TOMASZ KRANZ, Eksterminacja Żydów na Majdanku i rola obozu w realizacji „Akcji Reinhardt", in: Zeszyty Majdanka 22 (2003), S. 7–55. Einige Abschnitte dieses Artikels wurden für die vorliegende Abhandlung herangezogen. Anzumerken ist, dass im Jahre 2003 in Deutschland eine Dissertation über die Rolle Majdaneks im Prozess der Judenvernichtung entstanden ist: BARBARA SCHWINDT, Das Konzentrations- und Vernichtungslager Majdanek – Funktionswandel im Kontext der „Endlösung", Universität Köln.

mit den Zentralbehörden konkurrierte, indem er auf überregionaler Ebene Programme zur Bevölkerungspolitik gegenüber Slawen und Juden vorbereitete und ausarbeitete.[19] Folglich wurde Majdanek zu einem Mehrzwecklager, das in verschiedenen Phasen unter anderem als Straflager für die polnische Zivilbevölkerung, als Lazarett für sowjetische Kriegsinvaliden und als Durchgangslager für ausgesiedelte Bauernfamilien aus dem Zamoscer Land diente. Auch die Rolle Majdaneks als Konzentrationslager entzieht sich einer eindeutigen Klassifikation. Es ist daran zu erinnern, dass die offizielle Bezeichnung bis Frühjahr 1943 „Kriegsgefangenenlager der Waffen-SS Lublin" lautete.[20] Dennoch wird es in einigen amtlichen Dokumenten aus dem Jahre 1942 bereits als Konzentrationslager bezeichnet, was bisweilen zu Missverständnissen führt. Zweifel am Charakter des Lagers Majdanek räumte der Reichsführer-SS Heinrich Himmler in einem Schreiben an das Reichsverkehrsministerium vom 14. April 1942 aus, in dem er schrieb, dass „dieses Kriegsgefangenenlager gleichzeitig als Konzentrationslager" dienen solle.[21]

Die Entstehung des Konzentrationslagers Lublin hing eng mit dem deutschen Kolonisierungs- und Germanisierungsprogramm in Osteuropa zusammen. Einen entsprechenden Befehl erließ Himmler während seines Besuchs in Lublin im Juli 1941. Damit sollte Majdanek nicht nur das erste, sondern bis Ende 1943 auch das einzige Konzentrationslager im Generalgouvernement sein. Im ersten Planungsabschnitt, das heißt von Juli bis September 1941, war nicht völlig klar, welchen Strukturen des NS-Apparats das Lager Lublin unterstellt werden sollte, da im Juli 1941 nicht bekannt war, ob das geplante Lager vom Inspektor der Konzentrationslager gegründet werden sollte. Es ist daher anzunehmen, dass seine Organisatoren – sowohl Himmler selbst als auch Globocnik – für Majdanek eine etwas andere Funktion vorsahen, als sie die Konzentrationslager im Reich besaßen. Dies

---

[19] Zu Globocniks Initiativen und Aktivitäten siehe u.a. PETER BLACK, Odilo Globocnik, Himmlers Vorposten im Osten, in: Die Braune Elite II, hg. v. RONALD SMELSER u.a., Darmstadt 1993, S. 103–115; ZYGMUNT MAŃKOWSKI, Obozy zagłady na terenie dystryktu lubelskiego, ich system i funkcje, in: Zeszyty Majdanka 17 (1996), S. 39–49; SIEGFRIED PUCHER, „... in der Bewegung führend tätig. Odilo Globocnik – Kämpfer für den „Anschluß", Vollstrecker des Holocaust, Klagenfurt 1997.

[20] Eine Information über Himmlers Anordnung, den Namen Majdaneks mit dem 16. Februar 1943 in „Konzentrationslager" zu verändern, findet sich in einem Schreiben des Kommandanten an die ihm unterstehenden Abteilungen. APMM, KL Lublin, Sign. I f 17, Befehle der Kommandantur, Bl. 155. Eine diesbezügliche Verordnung wurde vom RSHA aber erst am 9. April 1943 erlassen. Siehe: Vorläufiges Verzeichnis der Konzentrationslager und deren Außenkommandos sowie anderer Haftstätten unter dem Reichsführer-SS in Deutschland und deutsch besetzten Gebieten (1933–1945), Arolsen 1969, S. 140.

[21] Kopie dieses Schreibens in: JÓZEF MARSZAŁEK, Geneza i początki budowy obozu koncentracyjnego na Majdanku, in: Zeszyty Majdanka 1 (1965), S. 63 f.

scheint sehr wahrscheinlich, da das Lager vom SS- und Polizeiführer Lublin gegründet und als solches Teil eines breit angelegten Ansiedlungsprogramms werden sollte, dessen Realisierung Himmler Globocnik anvertraute.[22] Da der von Himmler in dieser Angelegenheit erteilte Entscheidungsspielraum auch den Lagerbau mit einschloss, dürfte Globocnik – zumindest informell – auch für Majdanek zuständig gewesen sein. Auf der anderen Seite wissen wir, dass Majdanek schon im November 1941, also kurz nach dem Baubeginn des Konzentrationslagers Lublin, dem Inspektor der Konzentrationslager unterstellt wurde.[23]

Die Übernahme der mit dem Bau des Lagers Majdanek zusammenhängenden Fragen durch die Inspektion der Konzentrationslager und seine anschließende Unterstellung unter das SS-Wirtschafts- und Verwaltungshauptamt (WVHA) im März 1942 belegt, dass es noch während der Entstehungsphase zu einer teilweisen Änderung seiner Funktionen kam. Aus einem Lager für die Bedürfnisse Globocniks wurde ein Element des „SS-Staates", das von seinen zentralen Organen WVHA und RSHA (Reichssicherheitshauptamt) verwaltet wurde. Das heißt jedoch nicht, dass es vollständig zu einem typischen Konzentrationslager umgewandelt wurde, da es auch weiterhin mit dem SS- und Polizeiapparat in Lublin verbunden war und Globocnik sein direkter Vorgesetzter blieb. Dies wird unter anderem belegt durch ein Schreiben des Lagerkommandanten Majdanek, Hermann Florstedt, vom 11. Juni 1943. Globocnik wird hier als direkter Vorgesetzter von Majdanek genannt, der auch das Recht besaß, das Lagergelände zu betreten, ohne sich ausweisen zu müssen.[24] Bestätigt wird dies auch durch die Aussagen verschiedener Amtsträger, so von Globocniks Nachfolger Jakob Sporrenberg und dem Kommandanten des Konzentrationslagers Auschwitz, Rudolf Höß. Sporrenberg stellte während seines Verhörs zu den in Lublin und Umgebung gelegenen Konzentrationslagern fest, dass „die Arbeits- und Konzentrationslager unter Globocnik und der Aufsicht des Wirtschaftshauptamts waren".[25] Dagegen sagte Höß 1947 unter anderem aus, dass der SS-

---

[22] Den Befehlen zufolge, die Globocnik als Bevollmächtigter des Reichsführers SS von Himmler erhielt, sollte er „ein Konzentrationslager für 25–50 000 Häftlinge" anlegen, APMM, Pohl-Prozeß, Bd. 11, Sign. NO-3031, S. 148.

[23] Vorläufiges Verzeichnis der Konzentrationslager, S. 140.

[24] APMM, KL Lublin, Sign. I f 17, Rozkazy komendantury, Bl. 81. Im Verteiler auf den Befehlen der Kommandantur des SS- und Polizeiführers für den Distrikt Lublin wird er nach dem Wirtschafts- und Verwaltungshauptamt an zweiter Stelle genannt.

[25] Zit. nach: TOMASZ KRANZ, Das KL Lublin – zwischen Planung und Realisierung, in: Die nationalsozialistischen Konzentrationslager, S. 372.

und Polizeiführer Lublin die ihm unterstehenden Einrichtungen zur Judenvernichtung in Sobibor, Belzec, Treblinka und Lublin organisiert habe.[26]

Seit Frühjahr 1942 hatte Majdanek also zwei Oberinstanzen über sich:
das WVHA und den SS- und Polizeiführer für den Distrikt Lublin. Dies
hatte nicht nur Einfluss auf die Lage im Lager selbst, sondern prägte auch
die ihm gestellten Aufgaben. Globocnik, der sich in dieser Zeit sowohl auf
die Auslöschung der Juden wie auch auf Kolonisierungspläne für das Zamoscer Land konzentrierte, griff immer wieder kurzerhand in die Tätigkeit des
Lagers ein; bei Fragen zu den jüdischen Häftlingen waren diese Eingriffe
allerdings radikal. Er besuchte Majdanek des öfteren, manchmal auch des
Nachts, und während dieser Inspektionen interessierte er sich besonders für
die Gaskammern.[27]

Es ist daher anzunehmen, dass Globocnik mit dem Beginn der „Aktion
Reinhardt" im Frühjahr 1942 erneut die Verfügungsgewalt über Majdanek
erhielt, das in dieser Zeit – zumindest übergangsweise – als Ort zur Zusammenfassung arbeitsfähiger Juden dienen sollte.[28] Diese Absicht wird
auch durch ein Gespräch bestätigt, das am 16. März 1942 Fritz Reuter, ein
Angehöriger der Gouvernementsverwaltung im Distrikt Lublin, mit Globocniks Stabschef Hermann Höfle führte. Dabei ging es um die Aussonderung
der im Zusammenhang mit der „Aktion Reinhardt" in das Lubliner Gebiet
gebrachten Juden. In einer Gesprächsnotiz stellte Reuter fest, dass „Höfle
daran (ist), ein großes Lager zu bauen, in welchem die einsatzfähigen Juden
nach ihren Berufen karteimäßig erfaßt und wo von dort angefordert werden
können".[29]

Die in das Lubliner Gebiet deportierten Juden, die vor allem aus
Deutschland und der Slowakei stammten, sollten unter anderem beim Bau

---

[26] Zagłada Żydów w obozach na ziemiach polskich, Dok. 69, in: Biuletyn Głównej
Komisji Badania Zbrodni Hitlerowskich w Polsce 13 (1960), S. 148: „Alle diese Anstalten
wurden von Globocnik als seine Institutionen organisiert, also als Institutionen und Einrichtungen des SS- und Polizeiführers für den Distrikt Lublin. [...] Zur Vereinheitlichung der
Aktion [der Judenvernichtung, T.K.] und um ihr eine einheitliche Richtung zu verleihen,
wurde im Sommer 1941, kurz nach dem Beginn des Kriegs gegen Rußland, Globocniks Lager
in Lublin in Konzentrationslager umbenannt, das in der Hierarchie dem WVHA unterstand.
Trotz dieser organisatorischen Veränderung blieb das Lubliner Lager Majdanek aber weiter
eine Einrichtung zur Judenvernichtung."

[27] Nürnb. Dok., Sign. NO-1903, Aussage Friedrich W. Ruppert vom 6. August 1945.

[28] GERALD REITLINGER, Die Endlösung. Hitlers Versuch der Ausrottung der Juden
Europas 1939–1945, Berlin 1979, S. 330.

[29] Eksterminacja Żydów na ziemiach polskich w okresie okupacji hitlerowskiej. Zbiór
dokumentów, gesammelt und bearb. v. TATIANA BERENSTEIN/ARTUR EISENBACH/ADAM
RUTKOWSKI, Warszawa 1957, S. 280. Es ist fast sicher, dass es um das im Bau befindliche
Lager Majdanek ging, in das – seit Ende März 1942 – die arbeitsfähigen Männer aus den
vielen im Lubliner Gebiet ankommenden Judentransporten gebracht wurden.

des Lagers Majdanek beschäftigt werden, das in den Planungen der SS – wie bereits gesagt – ein durchaus wichtiges Element bei der Unterwerfung des Ostens bildete. Als Konsequenz spiegelte Majdanek seit dem Frühjahr 1942 die Bestrebungen Himmlers wider, zwei – objektiv gesehen – unvereinbare Ziele miteinander zu vereinen: die „Endlösung der Judenfrage" und die Lösung des Arbeitskräftemangels durch den Einsatz der Juden zur Zwangsarbeit.[30]

Deportationen jüdischer Gefangener in das Lager Majdanek gab es im Grunde während seiner gesamten Existenz, also vom Herbst 1941 bis zum Sommer 1944; die größten Transporte trafen zwischen Ende März und Juni 1942 sowie zwischen Ende April und Juni 1943 ein. Die Quellenlage erlaubt es nicht, die Zahl der nach Majdanek deportierten Juden genau zu beziffern. Nach neuesten Schätzungen durchliefen rund 74 000 Juden das KL Lublin, von denen die Mehrzahl (rund 75 Prozent) polnische Juden waren.[31]

Das KL Lublin war, wie bereits erwähnt, ein Mehrzwecklager. Dies betrifft auch seine Rolle in der Judenpolitik. Hier hatte es folgende Funktionen:

– Arbeitslager;
– Arbeitskräftereservoir für die Wirtschaftsvorhaben der SS;
– Ort für den Raub jüdischen Eigentums;
– Ort von Massenexekutionen und -morden.

Die Funktion Majdaneks als Arbeitslager für Juden schließt die Beschäftigung der jüdischen Häftlinge zunächst beim Lagerbau, anschließend dann in den Unternehmen und Magazinen der SS ein. Im ersten Fall handelt es sich vor allem um Zwangsarbeit von Männern, die aus den in Zusammenhang mit der „Aktion Reinhardt" in den Distrikt Lublin geleiteten Transporten ausgewählt wurden. Der Anteil der Ausgesonderten war unterschiedlich und betrug in der Regel rund 20 Prozent, doch gab es Transporte, aus denen mehr Menschen für die Arbeit in Majdanek ausgewählt wurden. Man nahm vor allem Personen zwischen 15 und 55 Jahren, doch kam es vor, dass – wie unter anderem aus dem erhaltenen Totenbuch hervorgeht – auch Jungen

---

[30] Die Herausbildung der auf die Wechselbeziehungen zwischen Zwangsarbeit und Judenvernichtung gestützten Politik Himmlers und die Beteiligung des SS-Wirtschafts- und Verwaltungshauptamts daran bespricht eingehend JAN E. SCHULTE, Zwangsarbeit und Vernichtung: das Wirtschaftsimperium der SS. Oswald Pohl und das SS-Wirtschafts-Verwaltungshauptamt 1939–1945, Paderborn u.a. 2001. Zur Entwicklung der Lage im Distrikt Lublin und zu den Aktivitäten bezüglich der Einrichtung der von Globocnik geplanten so genannten Stützpunkte siehe S. 239–331.
[31] KRANZ, Eksterminacja, S. 19 f.

unter 15 und Männer über 60 nach Majdanek kamen.[32] Dagegen wurden in den SS-Betrieben und -Gesellschaften sowohl Männer als auch Frauen beschäftigt. Die Mehrzahl von ihnen wurde auf der Eisenbahnrampe in Lublin oder auf dem „Umschlagplatz" in Warschau aus den zur Vernichtung bestimmten Transporten ausgesondert. Bisweilen wurden diese Personen sogar direkt aus den Vernichtungslagern herangeschafft.[33]

Zu den Häftlingen von Majdanek gehörte auch ein erheblicher Anteil Juden, die in den in Lublin gelegenen Sortieranstalten und Lagern für die den Opfern der „Aktion Reinhardt" geraubte Habe arbeiteten. In der Stadt Lublin gab es einige dieser Stellen. Die Juden waren hier kaserniert, doch als Häftlinge im Lager Majdanek registriert; sie trugen Lagernummern. Es fanden immer wieder Musterungen statt; die Schwächeren wurden in gewissen Abständen nach Majdanek geschickt. Eine dieser Brigaden arbeitete in der Standortverwaltung Waffen-SS in der Schatzkammer, wo Schmuck und Geld gesammelt und Gold eingeschmolzen wurde. Zentrales Lager, das zugleich als Lager, Sortieranstalt und Verladeplatz für die im Rahmen der „Aktion Reinhardt" geraubten Sachen fungierte, war der so genannte Flugplatz, ein Komplex von Hangars und Baracken auf dem früheren Flugplatz der bis zum Krieg bestehenden Flugzeugfabrik Plage & Laśkiewicz an der Chełmska-Straße. Mit Majdanek hing der „Flugplatz" über längere Zeit nur durch Häftlingsfragen und die Wachmannschaft zusammen, doch gegen Ende seines Bestehens wurde er de jure zum Außenlager von Majdanek. Dies geschah einige Tage vor der Ermordung der hier arbeitenden Juden im November 1943.[34]

Die Rolle Majdaneks als Reservoir für jüdische Arbeitskräfte hängt mit zwei Aspekten zusammen. Zum einen mit der Situation im Lager, wo es

---

[32] MIROSLAV KRYL, Deportacja więźniów terezinskiego getta do obozu koncentracyjnego na Majdanku w 1942 r., in: Zeszyty Majdanka 11 (1983), S. 33; JANINA KIEŁBOŃ, Księga więźniów zmarłych na Majdanku w 1942 r. Analiza dokumentu, in: Zeszyty Majdanka 15 (1993), S. 113.

[33] Im Februar 1943 wurden zum Beispiel aus Treblinka 104 Jüdinnen geholt, die ursprünglich aus Bialystok und Grodno stammten und zur Vernichtung nach Treblinka gebracht worden waren. Auch ein Teil der Juden aus dem Warschauer Ghetto kam zunächst nach Treblinka, wo nach einer Selektion die jungen und starken Männer zur Arbeit nach Majdanek geschickt wurden, so etwa am 13. Mai 1943 ein Transport von 308 Männern. LESZCZYŃSKA, Kronika, S. 136, 165.

[34] Ein diesbezügliches Schreiben verschickte das WVHA am 22. Oktober 1943; schon am 3. November wurden alle Jüdinnen und Juden vom „Flugplatz" nach Majdanek getrieben und hier bei der Aktion „Erntefest" erschossen. Die Geschichte des Lagers „Flugplatz" ist kaum erforscht; die meisten Informationen enthält die auf der Grundlage von Untersuchungsakten entstandene Arbeit des deutschen Staatsanwalts G. TAUBE, Das SS Zwangsarbeitslager am alten Flughafen Lublin, [Ms.] Hamburg 1973, APMM. Siehe ebenfalls CZESŁAW RAJCA, Podobozy Majdanka, in: Zeszyty Majdanka 9 (1977), S. 83–103.

nicht möglich war, alle mit dem Davidstern gekennzeichneten Häftlinge sinnvoll zu beschäftigen. Bereits im Juni 1943 wurden gerade einmal 50 Prozent der Juden verwendet; der Rest stellte – in Übereinstimmung mit Globocniks Plänen – eine Reserve für jene Betriebe dar, die dem Lubliner Konzentrationslager angegliedert werden sollten.[35] Der andere Aspekt ist das Fehlen von Rüstungsunternehmen in Lublin und Umgebung. Das KL Lublin hatte daher einen großen Arbeitskräfteüberschuss. Deshalb wurden viele Häftlinge, darunter auch jüdische, in andere Konzentrationslager geschickt. Eine beträchtliche Zahl von Juden aus Majdanek wurde im Sommer 1942 und 1943 in das KL Auschwitz sowie in das Arbeitslager in Skarzysko Kamienna verlegt. Kleine Gruppen kamen über Majdanek noch 1944 auch in andere Lager. Diesen Transporten ist es zu verdanken, dass ein Teil der Juden der Vernichtung im Lager entging und zumindest einige Hundert von ihnen das Kriegsende erlebten.[36]

Die Doppelrolle des KL Lublin ist auch beim Vermögensraub sichtbar. Majdanek musste als dem WVHA unterstehendes Lager einen Teil des Vermögens der gestorbenen jüdischen Häftlinge nach Berlin überweisen.[37] Doch wurden bei der Durchführung der „Aktion Reinhardt" den Juden weggenommene Valuta, Gold, Schmuck und auch Textilien in das Lager der „Aktion Reinhardt" in der Chopina-Straße 27 in Lublin geschickt. Im Juli 1942 gab Globocnik Anweisung, eine Zentralkartei zur Registrierung der bei dieser Operation gewonnenen Gegenstände anzulegen. Beginnend wahrscheinlich mit dem September 1942, wurden Geld und Wertgegenstände, die den Juden nach ihrem Eintreffen in Majdanek fortgenommen wurden, im Lager nicht im Einzelnen erfasst. Die Juden gaben sie nämlich nicht wie die anderen Häftlinge zur Aufbewahrung, sondern warfen sie in Kisten, die

---

[35] APMM, Pohl-Prozeß, Bd. 12, Sign. NO-485, S. 94-98, Notiz Odilo Globocniks vom 21. Juni 1943 über den Ausbau der SS-Arbeitslager. Faksimile des Dokuments in HELGE GRABITZ/WOLFGANG SCHEFFLER, Letzte Spuren. Ghetto Warschau, SS-Arbeitslager Trawniki, Aktion Erntefest, Fotos und Dokumente über Opfer des Endlösungswahns im Spiegel der historischen Ereignisse, Berlin 1993, S. 324–327, S. 325.

[36] Es gibt leider keine Verzeichnisse, denen man zuverlässige Daten entnehmen könnte. Fragmentarische Verzeichnisse der Geretteten, darunter auch ehemaliger Häftlinge von Majdanek, befinden sich in den vom Centralny Komitet Żydów Polskich w Lublinie (Zentralkomitee der polnischen Juden in Lublin) gesammelten Materialien, APMM, Fotokopie, Sign. 108. Das vom United States Holocaust Memorial Museum angelegte Register der Überlebenden des Holocaust gibt 776 Juden und Jüdinnen an, die Häftlinge des Lagers Majdanek waren. Es handelt sich aber hauptsächlich um Personen, die sich nach dem Krieg in den USA niederließen. BENJAMIN MEED/VLADKA MEED, Registry of Jewish Holocaust Survivors, Washington 2000 (CD-ROM).

[37] APMM, Pohl-Prozeß, Bd. 5, Sign, 858-PS, S. 197 f.

anschließend verplombt wurden.[38] Die Lagerverwaltung gab diese dann an den Stab der „Aktion Reinhardt" bei der SS-Standortverwaltung Lublin weiter. Von dort erhielt sie Empfangsbestätigungen, auf denen die Zahl der Kisten sowie deren Inhalt vermerkt waren.[39] Die Standortverwaltung der Waffen-SS in Lublin wiederum war durch Befehl des stellvertretenden Chefs des Wirtschafts- und Verwaltungshauptamts vom 26. September 1942 dazu verpflichtet, die Habe der umgebrachten Juden nach Berlin (an Reichsbank beziehungsweise WVHA) zu übersenden.[40] Diese zweigleisige Art der Übergabe der geraubten Gegenstände bestätigt auch Friedrich Wilhelm Ruppert, der vom 18. September 1942 an in Majdanek als technischer Leiter tätig war:

> „Die Sachen wurden zum Teil an den Inspekteur der Konzentrationslager in Oranienburg und zum Teil dem Büro des SS- und Polizeiführers Lublin übergeben. Der Effektenverwalter überwachte in verschiedenen Fällen die Überführung dieser Sachen durch Bahntransport nach Oranienburg persönlich. Ich habe ebenfalls gehört, dass das Büro des SS- und Polizeiführers solche Sachen in Empfang genommen hat, und ich weiß genau, dass dies der Fall war, wenn es sich um Gold in Zloty Währung handelte."[41]

Einer eindeutigen Einordnung entzieht sich auch die Ausrottungsfunktion von Majdanek bei der Vernichtung der hierher gebrachten Juden, denn bei aller Tragik kann man das Lager in dieser Hinsicht nicht zu den typischen Vernichtungslagern für jüdische Gefangene zählen. Nicht nur darum, weil es in der Judenpolitik auch ganz andere Aufgaben innehatte, sondern auch aus

---

[38] Aus diesem Grund wurde das den Juden weggenommene Geld in der Regel nicht in die entsprechende Rubrik in der Geldkartei des Lagers eingetragen. Siehe JANINA KIEŁBOŃ, Dokumenty dotyczące Żydów w Archiwum Państwowego Muzeum na Majdanku, in: Zeszyty Majdanka 18 (1997), S. 67.

[39] Vgl. APMM, Akcja Reinhardt, Sign. II-2. Ausführlicher wird dieses Thema behandelt von JÓZEF KASPEREK, Grabież mienia w obozie na Majdanku, in: Zeszyty Majdanka 6 (1972), S. 46–97.

[40] APMM, Pohl-Prozeß, Bd. 18, Sign. NO-724, S. 114 ff. Im Zusammenhang mit dem Raub ist daran zu erinnern, dass die Verwaltung des Konzentrationslagers Lublin und die SS-Standortverwaltung auseinander zu halten sind. In einigen Arbeiten werden diese beiden Stellen miteinander verwechselt. Darauf haben bereits hingewiesen: BERTRAND PERZ/THOMAS SANDKÜHLER, Auschwitz und die „Aktion Reinhardt" 1942–1945. Judenmord und Raubpraxis in neuer Sicht, in: Zeitgeschichte 1999, H. 5, S. 285. Die von Georg Wippern geleitete „Abteilung IV a Aktion Reinhardt" befand sich in einem Gebäude in der Straße Dolna 3 Maja. Hier befand sich auch die erwähnte Schatzkammer. Im Frühjahr 1943 wurde hier eine Ausstellung der geraubten Wertgegenstände veranstaltet, die von Himmler besucht wurde. Archiwum Żydowskiego Instytutu Historycznego (Archiv des Jüdischen Historischen Instituts, fortan: AŻIH), Relacje ocalałych z Holocaustu, Sign. 301-6260, Aussage von Ignacy Wieniarz, S. 11 f.

[41] Nürnb. Dok., Sign. NO-1903, Aussage Friedrich W. Rupperts vom 6. August 1945.

zwei anderen Gründen. Ins Lubliner Konzentrationslager wurden besonders 1942, also im wichtigsten Zeitraum der „Aktion Reinhardt", vor allem Juden gebracht, die als Arbeitskräfte ausgesondert worden waren. Dies war durch entsprechende Befehle geregelt, von denen an anderer Stelle noch die Rede sein wird. Zweitens kam eine erhebliche Zahl von Juden in Majdanek nicht infolge Ermordung durch Vergasung und Erschießen um, sondern aufgrund der schweren Arbeit und der ungeheuerlichen Existenzbedingungen. Diesen fielen auch nichtjüdische Häftlinge zum Opfer, doch war die Sterblichkeit unter den Juden am höchsten, insbesondere 1942. Dies deshalb, weil beim Lagerbau, der verhältnismäßig viele Opfer forderte, hauptsächlich Juden eingesetzt wurden; später wurden sie besonders brutal behandelt und genossen nicht die Hilfe karitativer Organisationen.

Die spezifische Rolle Majdaneks in der nationalsozialistischen Politik der Judenvernichtung wird am deutlichsten durch die Tatsache erhellt, dass das ausschlaggebende Motiv für das größte Massaker in der Geschichte des Lagers, als am 3. November 1943 rund 18 000 Juden erschossen wurden, nicht – auch wenn viel darauf hinweist – direkt die Ausrottungspolitik war, sondern eher ein Streit innerhalb der NS-Behörden um die Kontrolle über den Rest der jüdischen Arbeitskraft im Distrikt Lublin.[42]

Im Lichte dieser Erörterungen über die Bedeutung von Majdanek für die Politik der Verfolgung und Ermordung der Juden stellt sich eine grundlegende Frage: War das Konzentrationslager Lublin ein Element der „Aktion Reinhardt"? In der Forschung überwog bisher die Meinung, dass Majdanek kein Lager der „Aktion Reinhardt" gewesen sei.[43] In einigen Arbeiten wird diese Frage ein wenig anders gefasst, wenn die Beziehungen zwischen Majdanek und dem Stab der „Aktion Reinhardt" unterstrichen und die

---

[42] FELICJA KARAY, Spór między władzami niemieckimi o żydowskie obozy pracy w Generalnej Guberni, in: Zeszyty Majdanka 18 (1997), S. 27–47. Siehe auch TOMASZ KRANZ, Egzekucja Żydów na Majdanku 3 listopada 1943 r. w świetle wyroku w procesie w Düsseldorfie, in: Zeszyty Majdanka 19 (1998), S. 139–150.

[43] Vgl. u.a. SCHEFFLER, Zur Judenverfolgung, S. 186; ders., Chelmno, Sobibor, Belzec, S. 147; RAUL HILBERG, Die Aktion Reinhardt, in: Der Mord an den Juden im Zweiten Weltkrieg, S. 125–136; YITZHAK ARAD, Belzec, Sobibor, Treblinka. The Operation Reinhardt Death Camps, Bloomington, Ind., 1987, S. 125–136. Siehe auch: Enzyklopädie des Holocaust. Die Verfolgung und Ermordung der europäischen Juden, hg. v. EBERHARD JÄCKEL/PETER LONGERICH/JULIUS H. SCHOEPS, München 1998, Bd. 1, S. 14–18. In der polnischen Literatur wird ein ähnlicher Standpunkt z.B. in der unlängst erschienenen Arbeit von MICHAŁ MARANDA vertreten: Nazistowskie obozy zagłady. Opis i próba analizy zjawiska, Warszawa 2002.

jüdischen Opfer Majdaneks der allgemeinen Bilanz des unter dieser Bezeichnung vollzogenen Massenmords hinzugerechnet werden.[44]

Das Problem der Beziehungen zwischen Majdanek und der „Aktion Reinhardt" ist zweifelsohne kompliziert. Obschon das KL Lublin ein Mehrzwecklager war, so ist doch offensichtlich, dass die Ermordung der jüdischen Bevölkerung in den Gaskammern von Majdanek mit der Realisierung der „Aktion Reinhardt" zusammenhing. Das wird nicht nur dadurch belegt, dass das Lager in jüdischen Angelegenheiten Odilo Globocnik unterstellt war, sondern auch durch die drei folgenden Tatsachen:

An erster Stelle ist der Bericht Kurt Gersteins anzuführen, eines Desinfektionsexperten des SS-Hygieneinstituts, der im August 1942 eine Inspektionsreise durch die Lager der „Aktion Reinhardt" unternahm. Darin erwähnt er Majdanek neben den Lagern Belzec, Sobibor und Treblinka. Aus seiner Beschreibung geht hervor, dass er am 17. August 1942 von Globocnik selbst in Majdanek herumgeführt worden sei, während er die Lager in Belzec, Treblinka und auch noch einmal Majdanek mit Christian Wirth besichtigte. Da sich Majdanek seinerzeit noch im Aufbau befand, schenkte ihm Gerstein in seinem Bericht nicht viel Beachtung.[45]

Den zweiten wichtigen Beleg stellt die bereits erwähnte Aussage Friedrich Wilhelm Rupperts dar. Er stellte unter anderem fest, dass die Selektion der Juden aus dem Warschauer Ghetto auf Anweisung Globocniks stattfand; die Vernichtung der Juden in Majdanek sei auf seinen Befehl und unter seiner Aufsicht geschehen.[46]

Die dritte wichtige Information, die deutlich darauf hinweist, dass Majdanek ein Lager der „Aktion Reinhardt" war, ist ein unlängst entdeckter Funkspruch, in dem nicht nur die Zahl der 1942 ermordeten Opfer angege-

---

[44] MARSZAŁEK, Majdanek, S. 65; TOMASZ KRANZ, „Generalplan Ost" und „Endlösung" im Distrikt Lublin, in: Bildungsarbeit und historisches Lernen in der Gedenkstätte Majdanek, hg. v. TOMASZ KRANZ, Lublin 2000, S. 68.

[45] APMM, Pohl-Prozeß, Bd. 18, Sign. PS-1553, hier S. 72, 75; JÜRGEN SCHÄFER, Kurt Gerstein – Zeuge des Holocaust. Ein Leben zwischen Bibelkreisen und SS, Bielefeld 1999, S. 222. Der Plan zum Bau von Desinfektionskammern in Majdanek, die später in Kammern zur Menschenvernichtung umgewandelt wurden, stammt aus dem August 1942. In diesem Plan wurden nachträglich einige kleine Änderungen vorgenommen, was vermutlich mit dem Besuch Gersteins und Wirths zu tun hatte. Letzterer hatte wahrscheinlich ebenfalls Einfluss auf die Anpassung der Kammern im Lager Majdanek zur Ermordung von Menschen mit Hilfe von Kohlenmonoxid.

[46] Nürnb. Dok., Sign. NO-1903, Aussage Friedrich W. Ruppert vom 6. August 1945.

ben wird, sondern auch vier in dieses Programm einbezogene Lager genannt werden: Lublin, Belzec, Sobibor und Treblinka.[47]

Bei der Auslöschung der Juden im Verlauf der „Aktion Reinhardt" denkt man am häufigsten an die Massenvergasung in eigens für diesen Zweck vorbereiteten Gaskammern. Diese Tötungsart war die wichtigste, wenn auch nicht die einzige Methode zur Liquidierung der jüdischen Bevölkerung. Während die mörderischen Aktivitäten der direkt von Christian Wirth als Inspektor der Sonderkommandos „Einsatz Reinhardt" beaufsichtigten Lager recht gut erforscht ist, wissen wir über die Mordaktionen in den Gaskammern von Majdanek nicht viel.[48] Selbst die mühsamen Ermittlungen der deutschen Staatsanwaltschaft und die anschließenden Gerichtsverfahren haben hier kaum Aufklärung gebracht.[49]

Die Gaskammern wurden in Majdanek in einem Bunker eingerichtet, der nördlich der Badebaracke Nr. 41 lag. Ursprünglich waren sie als Desinfektionsräume geplant worden; erst während des Baus wurden sie für die Ermordung von Menschen ausgelegt. Es erscheint am wahrscheinlichsten, dass die ersten Exekutionen von Juden durch Vergasung im Oktober 1942 stattfanden; sie dauerten vermutlich bis Anfang September 1943. Mit dem Einsatz von Kohlenmonoxid oder Zyklon B wurden sowohl Personen getötet, die bei der Ankunft im Lager als arbeitsunfähig aus den Transporten ausgesondert wurden, als auch Opfer von Selektionen, die unter den im Lager befindlichen jüdischen Häftlingen durchgeführt wurden. Man suchte hauptsächlich ältere, kranke, ausgemergelte Frauen mit sichtbaren Wunden aus. Männer und junge Frauen wurden hingegen zur Arbeit herangezogen. Es gab auch Fälle, dass Kinder im Lager belassen wurden. Eine Gruppe kleiner Kinder aus dem Warschauer Ghetto wurde Mitte Mai 1943 in zwei Baracken auf Feld V einquartiert. Doch nach einigen Tagen wurden sie bei der so genannten „Kinderaktion" mit Lastwagen fortgebracht und vergast.[50]

---

[47] WITTE/TYAS, A New Document, S. 469–470; zu dem abgefangenen Funkspruch siehe auch den Artikel von Stephen Tyas in diesem Band. Hinzuweisen ist auf die Reihenfolge, in der diese Lager genannt wurden. Sie erscheinen weder in alphabetischer Ordnung noch nach der Zahl der Opfer. Wenn diese Reihenfolge nicht zufällig ist, so ist anzunehmen, dass sie nach dem Datum ihrer Inbetriebnahme erfolgte, was noch stärker belegt, dass Majdanek schon seit dem Frühjahr 1942 als Lager der „Aktion Reinhardt" angesehen wurde.

[48] CZESŁAW RAJCA, Eksterminacja bezpośrednia, in: Majdanek 1941–1944, S. 264–271, RUTKOWSKI, Majdanek. Mehr zu diesem Thema bei KRANZ, Eksterminacja, S. 23–39.

[49] Archiv des Instituts in Yad Vashem (fortan: AYV), Tr.-10/1172, Landgericht Düsseldorf, Urteil gegen Hackmann u.a. XVII 1/75 S, Bd. 1, S. 79 f.

[50] Wie den Quellenüberlieferungen zu entnehmen ist, gab es zwischen Mai und August 1943 drei derartige Aktionen. Die Opfer der ersten waren Kinder aus dem Warschauer Ghetto, die der zweiten eine Gruppe von Kindern aus Rejowiec, die der dritten Kinder aus dem Ghetto Bialystok. Siehe AYV, Tr.-10/1172, Landgericht Düsseldorf, Urteil gegen Hackmann u.a., XVII 1/75 S, Bd. 2, S. 403–456.

Wenig ist über die Zahl der in Majdanek Vergasten bekannt. Dokumente, die es erlauben würden, eine solche Bilanz aufzustellen, sind nicht erhalten. Ruppert behauptet, dass zwischen Oktober und Dezember 1942 in den Gaskammern von Majdanek wöchentlich 500 bis 600 Personen ermordet wurden. Von den aus dem Warschauer Ghetto im Sommer 1943 nach Majdanek gebrachten 15 000 Juden wurden seiner Aussage zufolge rund 4000 bis 5000 Personen vergast.[51]

Genauso schwer ist es, die genaue Zahl der in Majdanek umgekommenen Juden festzustellen. In der Literatur werden verschiedene Berechnungen angestellt. Ein besonders extremes Beispiel für die diesbezüglichen Unterschiede sind die Schätzungen amerikanischer Historiker. Raul Hilberg schätzt die Zahl der jüdischen Opfer von Majdanek auf mindestens 50 000, während nach Berechnungen von Lucy Dawidowicz, die allerdings aller rationalen Grundlagen entbehren, 1 380 000 Juden umgekommen sein sollen.[52]

In ihrem bereits angeführten Artikel kommen Tatiana Berenstein und Adam Rutkowski zu dem Schluss, dass in Majdanek rund 120 000 Juden das Leben verloren haben.[53] Eine etwas geringere Schätzung gibt Czesław Rajca an, der die Verluste an Juden im KL Lublin auf 110 000 beziffert.[54] Dagegen ist der israelische Historiker Aharon Weiss der Auffassung, dass die Zahl der jüdischen Opfer von Majdanek zwischen 120 000 und 200 000 liege.[55] Wesentlich niedrigere Daten finden sich bei Józef Marszałek und Wolfgang Scheffler, denen zufolge im Lager Majdanek 80 000 beziehungsweise 50 000 bis 60 000 Juden umgekommen sind.[56]

---

[51] Da die anderen Daten Rupperts, wie z. B. die Zahl der Häftlinge, die täglich im Lager starben (zwischen 100 und 120), mit anderen Quellen übereinstimmen, ist seine Schätzung als glaubhaft anzuerkennen. Siehe auch RAUL HILBERG, Die Vernichtung der europäischen Juden, Frankfurt/M. 1994, Bd. 2, S. 942.

[52] Ebd., S. 956; LUCY S. DAWIDOWICZ, The War against the Jews 1933–1945, New York u.a. 1975, S. 149.

[53] BERENSTEIN/RUTKOWSKI, Żydzi w obozie, S. 18. In ihren Schätzungen ist jedoch u.a. die Zahl der im Sommer 1943 aus den Ghettos Warschau und Bialystok nach Majdanek deportierten Juden stark überhöht.

[54] RAJCA, Problem liczby, S. 129.

[55] AHARON WEISS, Categories of Camps – Their Character and Role in the Execution of the „Final Solution of the Jewish Question", in: The Nazi Concentration Camps. Structure and Aims. The Image of the Prisoner. The Jews in the Camps, Jerusalem 1984, S. 132.

[56] JÓZEF MARSZAŁEK, Stan badań nad stratami osobowymi ludności żydowskiej Polski oraz nad liczbą ofiar obozów zagłady w okupowanej Polsce, in: Dzieje Najnowsze 26 (1994), H. 2, S. 38 ff.; ders., Bilanse II wojny światowej, in: Druga wojna światowa. Osądy, bilanse, refleksje, eingel. u. hg. v. ZYGMUNT MAŃKOWSKI, Lublin 1996, S. 61. SCHEFFLER, Chelmno, Sobibor, Belzec, S. 148.

Licht auf das Problem der Opferzahlen von Majdanek wirft der bereits erwähnte Höfle-Funkspruch, der von Peter Witte und Stephen Tyas ausführlich behandelt wird. Aus dieser Meldung geht hervor, dass 1942 im KL Lublin insgesamt 24 733 Juden ums Leben kamen. In dieser Aufstellung wird auch die Zahl der Todesfälle für die beiden letzten Dezemberwochen des Jahres angegeben (12 761). Im Vergleich zu der Bilanz für das gesamte Jahr 1942 ist diese Zahl überraschend hoch, was Witte mit der These zu erklären versucht, dass ein Teil der Opfer unter den Juden auf das Konto Globocniks ging, während die restlichen der Lagerverwaltung zuzurechnen sind.[57] Diese Vermutung ist aber nicht zutreffend, denn aus den Berechnungen ergibt sich, dass die Zahl der in Majdanek bis Mitte Dezember umgebrachten Juden – den im Funkspruch enthaltenen Daten zufolge – 11 972 betrug. Sie ist also der Zahl der registrierten jüdischen Häftlinge sehr ähnlich, die bis zu diesem Zeitpunkt im Lager gestorben waren und im Totenbuch verzeichnet sind. Bis Ende November übermittelte die Verwaltung von Majdanek der SS-Garnison vermutlich nur Daten über die im Lager gestorbenen registrierten Häftlinge. Diese Meldungen wurden regelmäßig an die Inspektion der Konzentrationslager in Oranienburg geschickt. Seit Dezember wurden die jüdischen Häftlinge nicht mehr in das Totenbuch des Lagers eingetragen, sondern getrennt gezählt.[58] In diesem Monat berechnete die Lagerschreibstube (oder Höfle selbst) aller Wahrscheinlichkeit nach die Gesamtzahl der im Lager und via Majdanek ermordeten (also im Krepiec-Wald bei Lublin erschossenen) Juden. Da es sich hier um Opfer einer vom SD durchgeführten Aktion handelte, waren sie zuvor nicht in der Lagerstatistik vermerkt worden. Die Zahl von 12 761 beinhaltet somit keine Juden, die in den letzten beiden Dezemberwochen ermordet wurden, sondern sie ist die Summe aller Exekutions- und Mordopfer im Lager im Jahre 1942, aber auch aller Juden, die in den letzten beiden Dezemberwochen *intra muros* starben. Das wird indirekt vom Korherr-Bericht bestätigt, in dem sich die Erläuterung findet, dass die Daten über die in Auschwitz und Majdanek gestorbenen Juden nicht jene Juden beinhalten, die dort „im Zuge der Evakuierungsaktion" untergebracht waren.[59]

Eine zusätzliche Bestätigung für die Richtigkeit dieser Annahme ist die Gegenüberstellung der im Funkspruch angegebenen Zahl an jüdischen Opfern von Majdanek und der Zahl der 1942 nach Majdanek deportierten

---

[57] WITTE, „... zusammen 1 274 166", S. 82.

[58] Es ist nicht auszuschließen, dass dies mit einem Rundschreiben der Inspektion der Konzentrationslager vom 21. November 1942 zusammenhing, in dem die Kommandanten angewiesen wurden, die Sterbefälle von Juden nur in Form einer Sammelliste zu erfassen. MARTIN BROSZAT u.a., Anatomie des SS-Staates, München 1967, Bd. 2, S. 128 f.

[59] Nürnb. Dok., Sign. NO-5194, Korherr-Bericht, S. 11 f.

Juden. Wenn wir der Zahl der in Majdanek gestorbenen und ermordeten Juden (24 733) die Belegzahlen mit jüdischen Gefangenen im Lager Majdanek am 31. Dezember 1942 (7342) sowie all jene hinzufügen, die – nach Korherr – freigelassen wurden (4568 Personen), worunter man sicherlich die nach Auschwitz deportierten sowie die in die Lager an der Lipowa-Straße sowie auf dem alten Flughafen verlegten Jüdinnen und Juden zu verstehen hat, so erhalten wir insgesamt 36 643. Diese Zahl kommt den Schätzungen der Zahl der 1942 nach Majdanek deportierten Juden sehr nahe.[60]

Der fragmentarische Charakter der Belege zur Sterblichkeit im Konzentrationslager Majdanek, insbesondere bei den so genannten Totenbüchern, erschwert die Feststellung einer genauen Opferbilanz erheblich. Außerdem starb ein Teil der Juden – wie bereits gesagt – kurz nach der Ankunft im Lager und wurde in den Lagerkarteien gar nicht erst berücksichtigt. Einen Annäherungswert für die Zahl der jüdischen Gefangenen, die im Lager Majdanek starben oder ermordet wurden, lässt sich errechnen, wenn man von der Gesamtzahl der nach Majdanek deportierten jüdischen Häftlinge (74 000) die Zahl der in andere Lager transportierten Juden (15 000) abzieht. Das Ergebnis ist 59 000. Es ist daher anzunehmen, dass in Majdanek rund 60 000 Juden umkamen.[61]

Bei der Durchführung des Massenmords an den Juden im Generalgouvernement spielte das Lager Majdanek keine zentrale Rolle. Diese Funktion kam dem Lager Treblinka zu; im Distrikt Lublin vor allem dem Lager in Belzec. Als die „Aktion Reinhardt" im September 1942 ihren Höhepunkt erreichte, war der Bau von Gaskammern in Majdanek noch nicht beendet. Es gibt überdies keine Belege dafür, dass man sie in größerem Maßstab verwenden wollte. Wenn man die Rolle Majdaneks in der Politik der Judenvernichtung analysiert, so ist daran zu denken, dass gegen Ende 1942, als der Bau der meisten Wohnbaracken und der wichtigeren Wirtschaftsgebäude im Lager beendet wurde, im Distrikt Lublin nur noch weniger als 10 Prozent aller Juden lebten.

Vor dem Hintergrund der gewaltigen Dimension, der quasi industriellen Vernichtung von Juden in Belzec oder Treblinka erscheint die Ermordung jüdischer Häftlinge im Konzentrationslager Lublin als Vernichtung *sui generis*. Das ist darin begründet, dass die Funktion Majdaneks als Lager für

---

[60] ZOFIA LESZCZYŃSKA, Transporty więźniów do obozu na Majdanku, in: Zeszyty Majdanka 4 (1969), S. 174–232.

[61] KRANZ, Eksterminacja, S. 44 f. Diese Schätzung ähnelt sehr den Berechnungen von Hilberg und Scheffler und weicht auch nicht grundlegend von den Zahlen ab, die in der deutschen Fachliteratur angenommen werden, wo meist angegeben wird, dass in Majdanek zwischen 60 000 und 80 000 Juden umkamen. Siehe z. B. WOLFGANG BENZ, Die Dimension des Völkermordes, in: Dimension des Völkermordes, S. 17; Enzyklopädie des Nationalsozialismus, hg. v. WOLFGANG BENZ u.a., Stuttgart 1997, S. 537.

die so genannte direkte Vernichtung ein Nebeneffekt der nationalsozialistischen Judenpolitik im Distrikt Lublin und für das Lager selbst – obschon das makaber klingt – von zweitrangiger Bedeutung war. Anders als in den übrigen Lagern der „Aktion Reinhardt" wurden die meisten jüdischen Häftlinge – wie gesagt – nicht mit dem Ziel der direkten Tötung nach Majdanek gebracht, sondern in der Absicht, ihre Arbeitskraft zu nutzen. Anfangs handelte es sich um den Bau des Lagers, später dann darum, eine Reserve für die mit der „Aktion Reinhardt" verbundenen SS-Betriebe zu bilden, in der letzten Phase schließlich um die Sicherstellung von Arbeitskräften für Globocniks Pläne, die jüdischen Arbeitslager auszubauen.

Auf der anderen Seite lässt die ungewöhnlich hohe Sterblichkeit unter den registrierten Insassen im Jahre 1942 keinerlei Zweifel daran, dass dieses Lager für die Juden in hohem Maße ein Vernichtungslager war, in dem das Prinzip „Vernichtung durch Arbeit" verwirklicht wurde. Innerhalb weniger Monate starben seinerzeit rund 25 Prozent der Gesamthäftlingszahl, von denen ein Großteil aus Juden bestand. Eine Überlebenschance hatten im Grunde nur jene, die wie Rudolf Vrba[62] kurz nach der Ankunft in Majdanek in ein anderes Lager gebracht, oder jene, denen leichtere Arbeiten im Lager zugewiesen wurden.[63]

Die Zwitterstellung des Lagers Majdanek in der Politik gegenüber der jüdischen Bevölkerung wird am besten durch das Beispiel der nach Majdanek deportierten Warschauer Juden erhellt. Wer sich in der Gruppe von Häftlingen befand, die auf dem Umschlagplatz vor dem Abtransport in das Vernichtungslager Treblinka zur Arbeit in Majdanek ausgesondert wurden, hatte eine Überlebenschance. Im Lager sollten sie die nichtpolnischen Juden ersetzen, hauptsächlich solche aus der Slowakei, Böhmen und Mähren sowie Deutschland, die hier durch die harte Arbeit, die Unterdrückung und durch Krankheiten massenhaft starben. Die tragischen Zustände im Lager führten dazu, dass sie selbst bald demselben Schicksal erlagen oder später Opfer

---

[62] Rudolf Vrba kam am 16. Juni 1942 mit dem letzten Transport slowakischer Juden in den Distrikt Lublin. Von den 1000 Deportierten wurden 300–400 Männer und Knaben ausgesucht und zur Arbeit nach Majdanek geschickt. Der Rest wurde nach Sobibor gebracht. Am 27. Juni fuhr er mit einem Transport von 400 slowakischen Juden nach Auschwitz. Sprawozdanie R. Vrby, in: Raporty uciekinierów z KL Auschwitz, hg. v. HENRYK ŚWIEBOCKI, Oświęcim 1991, S. 196–208.

[63] Als Beispiel hierfür möge das Schicksal der slowakisch-jüdischen Familie Antmann dienen, die im April 1942 aus Neutra nach Majdanek gebracht wurde. Samuel Antmann wurde im Lager als Uhrmacher und Juwelier eingesetzt und im Sommer 1943 nach Oranienburg verlegt, wodurch er dem Tod bei der Massenexekution am 3. November 1943 entging. Der Rest seiner Familie kam unter unterschiedlichen Umständen in Majdanek ums Leben. SCHWARBERG, Der Juwelier von Majdanek.

einer Selektion wurden. Konsequenterweise gelang es nur wenigen zu überleben.

Wenn man Majdanek im Kontext der nationalsozialistischen Judenpolitik
allgemein charakterisiert, so ist seine eigentümliche Rolle herauszuheben.
Sie beruhte auf der Verbindung ökonomischer Programme und Kalküle mit
indirekten und direkten Methoden zur Vernichtung der hierher transportierten Juden. Diese Eigentümlichkeit spiegelt sich unter anderem in den amtlichen Schreiben und Entscheidungen der Verwaltung wider. Aus ihnen geht
hervor, dass Majdanek vor allem ein Ort für die Konzentration von Juden
und die Ausnutzung ihrer Arbeitskraft sein sollte. Schon am 3. März 1942
informierte der Staatssekretär der GG-Regierung, Joseph Bühler, den Distriktchef Zörner, dass „im Rahmen der Gesamtlösung des Judenproblems
im europäischen Raum die Errichtung eines Durchgangslagers für aus
bestimmten Teilen des Reiches zu evakuierende Juden in Lublin erforderlich
geworden" sei.[64] Nach Himmlers Besuch in Lublin am 19. Juli 1942 und
seinem Befehl, die Judenvernichtung im Generalgouvernement mit dem
31. Dezember 1942 abzuschließen, wurde klar, dass Lublin, also auch
Majdanek, einer von fünf besonderen Sammelpunkten für die jüdische
Bevölkerung werden sollte.[65] Für Majdanek, das in dieser Zeit gerade
gebaut wurde, war dies von großer Bedeutung, da einige Tage später, am
23. Juli 1942, das WVHA für den weiteren Bau des Lagers einen Zuschuss
von einer Million Reichsmark gewährte.[66] Nachdem Hitler am 2. September die Entscheidung über den vorübergehenden Verbleib jüdischer Spezialisten im GG getroffen hatte,[67] erließ Himmler, der die jüdischen Arbeiter
in den Konzentrationslagern der SS konzentrieren wollte, Anfang Oktober
einen diesbezüglichen Befehl.[68] Eines dieser Lager sollte Majdanek sein,
was am 5. Oktober 1942 von Gerhard Maurer bestätigt wurde, dem Leiter
der mit der Beschäftigung der Gefangenen betrauten Amtsgruppe D II im
WVHA, der darüber informierte, dass nach dem Wunsch Himmlers alle
Konzentrationslager im Reich von Juden gesäubert werden sollten, die in die
Lager Auschwitz oder Lublin zu bringen seien.[69]

---

[64] Zit. nach: BOGDAN MUSIAL, Deutsche Zivilverwaltung und Judenverfolgung im
Generalgouvernement. Eine Fallstudie zum Distrikt Lublin 1939–1944, Wiesbaden 1999, S.
223.

[65] Faschismus – Getto – Massenmord, Berlin 1961, S. 303.

[66] LESZCZYŃSKA, Kronika, S. 64.

[67] Der Dienstkalender Heinrich Himmlers 1941/1942, hg. v. PETER WITTE u.a., Hamburg
1999, S. 68.

[68] DIETER POHL, Die großen Zwangsarbeitslager der SS- und Polizeiführer für Juden im
Generalgouvernement 1942–1945, in: Die nationalsozialistischen Konzentrationslager, S. 419.

[69] APMM, Pohl-Prozeß, Bd. 5, Sign. 3677-PS, S. 73.

Seit Oktober 1942 bildete sich in der nationalsozialistischen Judenpolitik zudem ein Entscheidungsprozess heraus, der ebenfalls von direkter Bedeutung für Majdanek und die nach hier deportierten jüdischen Häftlinge war. Von diesem Zeitpunkt an bereitete die SS nämlich die Übernahme von Betrieben aus dem Warschauer Ghetto vor, die in Arbeitslager im Lubliner Gebiet verlegt werden sollten. Dieser Transfer zog sich aber hin; erst Himmlers Befehle von Anfang 1943 beschleunigten ihn.[70] Anstrengungen in dieser Sache unternahm auch Globocnik, der seit Anfang 1943 danach strebte, in dem ihm unterstellten Distrikt ein sich auf jüdische Arbeitskraft stützendes Wirtschaftsimperium aufzubauen. Zur Umsetzung seiner Pläne bildete er gemeinsam mit dem Wirtschafts- und Verwaltungshauptamt im März dieses Jahres die Gesellschaft Ostindustrie. Im Juni 1943 befanden sich rund 45 000 Juden unter Globocniks Kontrolle, die in einigen Arbeitslagern konzentriert waren, unter anderem in Majdanek. Die Mehrzahl der jüdischen Häftlinge des Konzentrationslagers Lublin sollte – Globocniks Plänen zufolge – in den SS-Betrieben verwendet werden, zehn Prozent jedoch waren für die Vernichtung vorgesehen.[71] Es war allerdings längst beschlossene Sache, dass dieses Schicksal früher oder später von allen in den Lagern des Generalgouvernements untergebrachten Juden geteilt werden sollte. Davon zeugt auch ein Schreiben Himmlers an das OKW vom 9. Oktober 1942:

> „Es wird dann unser Bestreben sein, die jüdischen Arbeitskräfte durch Polen zu ersetzen und die größere Zahl dieser jüdischen KL-Betriebe in ein paar wenige jüdische KL-Großbetriebe tunlichst im Osten des Generalgouvernements zusammenzufassen. Jedoch auch dort sollen die Juden eines Tages dem Wunsch des Führers entsprechend verschwinden."[72]

Schlussbemerkungen

Am Beispiel von Majdanek kann man die Entwicklung zweier gegensätzlicher, doch für die nationalsozialistische Politik im Distrikt Lublin charakteristischer Tendenzen verfolgen: Auf der einen Seite das Bestreben, die jüdische Arbeitskraft innerhalb des SS-Monopols zu nutzen, auf der anderen Seite die Ausrottung der Juden durch die so genannte indirekte Vernichtung,

---

[70] Artur Eisenbach, Hitlerowska polityka zagłady Żydów, Warszawa 1961, S. 431–434. Vgl. auch das Schreiben des SS- und Polizeiführers für den Distrikt Warschau vom 2. Februar 1943 über die Verlegung von Industriebetrieben und Arbeitern aus dem Warschauer Ghetto nach Lublin, in: Eksterminacja Żydów, S. 249 f.

[71] In seiner bereits zitierten Notiz stellt Globocnik fest, dass nach der endgültigen Arbeitszuteilung rund 10 Prozent der Juden aus Majdanek „ausgesiedelt" würden. Vgl. Anm. 35.

[72] Zit. nach: Musial, Deutsche Zivilverwaltung, S. 285.

also durch die Realisierung des Prinzips „Vernichtung durch Arbeit".[73] In Zusammenhang damit war das KL Lublin für die nach hier deportierte jüdische Bevölkerung weder ein reines Arbeits- noch ausschließlich ein Vernichtungslager. Beide Ziele, also die Ausnutzung der Arbeitskraft und der Massenmord, waren im Falle Majdaneks eng miteinander verknüpft. Seine Geschichte zeigt nämlich, dass der Einsatz zur Arbeit beim Bau des Lagers oder in den mit ihm verbundenen SS-Betrieben viele Juden vor der Deportierung nach Belzec oder Treblinka bewahrte und ihnen somit eine Überlebenschance bot. Die Arbeit unter Bedingungen, wie sie in Majdanek herrschten, wurde später jedoch meistens zur Ursache ihres Todes. Professor Yisrael Gutman, der im Mai 1943 aus dem Warschauer Ghetto nach Majdanek deportiert wurde, hat also Recht, wenn er feststellt, dass Majdanek ein sehr streng geführtes Lager war, das teilweise zur schrittweisen Vernichtung bestimmt war.[74] Elisabeth White schreibt darüber:

> „Die vorrangige Funktion von Majdanek als Werkzeug der nationalsozialistischen Judenpolitik war es aber, ein Reservoir zu schaffen, das jüdische Arbeiter enthielt, die bis zu ihren letzten Kräften ausgenutzt werden sollten, um sie erst dann mit Hilfe ‚natürlicher' Mittel wie Aushungern, Erschöpfung und Krankheiten oder durch die Verwendung von gewalttätigen Methoden wie Erschießen und Vergasen zu vernichten."[75]

Die Vergasung von Juden in Majdanek unterschied sich von der Vernichtung in den typischen Vernichtungslagern nicht nur durch ihr Ausmaß, sondern auch durch die Ziele. Im Falle von Majdanek betrafen diese Mordaktionen nicht alle nach hier deportierten Juden, sondern hauptsächlich Personen, die als arbeitsunfähig galten. Dies rührte daher, dass Majdanek – wie bereits erwähnt – sowohl für Globocnik wie auch für das WVHA ein Arbeitskräftereservoir und zugleich wirtschaftliche Grundlage für die „Aktion Reinhardt" war. Für rund 20 Prozent der jüdischen Häftlinge war Majdanek lediglich eine Durchgangsstation, von der aus sie – überwiegend 1943 – in andere Lager gebracht wurden. Dadurch konnte ein Teil von ihnen den Albtraum des Holocaust überleben.

---

[73] Diese Fragen werden ausführlich behandelt von DIETER POHL, Von der „Judenpolitik" zum Judenmord. Der Distrikt Lublin des Generalgouvernements 1939–1944, Frankfurt/M. u.a. 1993; ders., Rola dystryktu lubelskiego w „ostatecznym rozwiązaniu kwestii żydowskiej", in: Zeszyty Majdanka 18 (1997), S. 7–25.

[74] YISRAEL GUTMAN, Social Stratification in the Concentration Camps, in: The Nazi Concentration Camps, S. 149. Vgl. auch das Verhör Y. Gutmans in: The Trial of Adolf Eichmann. Record of Proceedings in the District Court of Jerusalem, Bd. III, Sitzung Nr. 63, Jerusalem 1993, S. 1153–58.

[75] WHITE, Majdanek, S. 10. Dies wird auch von überlebenden Juden bestätigt. Einer der Geretteten bestätigt, dass Majdanek das Prinzip gehabt habe, die Gefangenen nicht sofort zu vergasen, sondern sie zunächst zu erschöpfen. Siehe FECHNER, Proces, S. 102.

Eine Antwort auf die Frage, ob Majdanek ein Lager der „Aktion Reinhardt" war, hängt vom Standpunkt ab, von dem wir sie betrachten. Auf funktionaler Ebene war es dies nur zu einem geringen Teil und nicht während der gesamten Dauer seiner Existenz. Die Juden waren in Majdanek schließlich nur eine von vielen Gefangenengruppen; das Lager hatte auch Funktionen, die nicht mit der Verfolgung und Vernichtung von Juden zusammenhingen. Als Element der Vernichtungsmaschinerie war das Lager Majdanek auch nie ein Ort solcher Exzesse wie in den übrigen Lagern der „Aktion Reinhardt".

Andererseits waren die in Majdanek 1942 und 1943 gestorbenen und ermordeten Juden Opfer der „Aktion Reinhardt". Wie aus dem abgefangenen Funkspruch Höfles ersichtlich, wurden sie offiziell zur allgemeinen Statistik hinzugefügt, was vom historischen Standpunkt aus ein Argument von erstrangiger Bedeutung ist; zudem stammten sie alle aus jüdischen Siedlungsgebieten innerhalb und außerhalb Polens, die im Rahmen der „Aktion Reinhardt" aufgelöst wurden. Es ist außerdem daran zu erinnern, dass eine durchaus beträchtliche Zahl von Opfern der „Aktion Reinhardt" nicht in den Gaskammern von Belzec, Sobibor oder Treblinka ums Leben kam, sondern durch die katastrophalen Bedingungen in den Ghettos und Lagern, so auch im Konzentrationslager Majdanek. Im Fall von Majdanek handelte es sich dabei aber vor allem um Menschen, die nur vorübergehend dem Schicksal ihrer nächsten Angehörigen entgingen, die aus den Sammellagern und Ghettos in die Vernichtungslager deportiert wurden. Obwohl ihre Deportation nach Majdanek nicht direkt durch die Absicht ihrer sofortigen Tötung bedingt war, so gibt es doch keinerlei historische Grundlagen dafür, die Menschenverluste an Juden im Lager Majdanek nicht der allgemeinen Opferbilanz der „Aktion Reinhardt" hinzuzurechnen, im größeren Kontext also gehören sie zur „Endlösung der Judenfrage".[76]

---

[76] Natürlich nur wenn man annimmt, dass die Schlussetappe der Durchführung der „Aktion Reinhardt" im Distrikt Lublin nicht, wie dies Globocnik in seinem Bericht behauptet, die Auflösung der ihm unterstehenden Lager am 19. Oktober 1943 war, sondern die Massenerschießung von Juden am 3. und 4. November 1943.

Jacek Andrzej Młynarczyk

Treblinka – ein Todeslager der „Aktion Reinhard"

Der Aufbau des Vernichtungslagers Treblinka II

Das Vernichtungslager Treblinka II bildete die größte und effektivste Einrichtung der „Aktion Reinhard" zum Zwecke des Massenmords an jüdischen Männern, Frauen und Kindern im Generalgouvernement. Es entstand im Frühling 1942 im Anschluss an Treblinka I, das bereits seit dem Jahr 1940 zunächst als Straflager des Kreishauptmanns von Sokolow für die polnische Bevölkerung diente[1] und im Herbst 1941 in ein Arbeitslager umgewandelt wurde.[2]

Treblinka II befand sich ebenfalls in der Gemeinde Kosow im Kreis Sokolow im nordöstlichen Teil des Distrikts Warschau. Das Lager befand sich in einer abgelegenen Gegend, vier Kilometer von der Eisenbahnstation Treblinka an der Hauptstrecke Warschau–Bialystok und nur anderthalb Kilometer von dem Dorf Wolka-Okraglik entfernt.[3] Es hatte die Form eines Rechtecks, das sich über eine Fläche von etwa zwanzig Hektar erstreckte und von einem drei bis vier Meter hohen Drahtzaun umgeben war, dicht mit Eichenästen und Reisig bepackt, um die Einsicht in sein Inneres zu versperren. Der Zaun war auf seiner Gesamtlänge mit einem zusätzlichen Stacheldrahtverhau versehen, der in Verbindung mit den rund um die Uhr besetzten, acht Meter hohen Wachtürmen an allen vier Ecken ein unüberwindbares Hindernis für eventuelle Fluchtversuche bildete.[4]

---

[1] Vern. Karl Prefi v. 15.09.1960, in: BA-L, 208 AR-Z 230/59, Bl. 1202; Jerzy Królikowski, Wspomnienia z okolic Treblinki w czasie okupacji v. 05.1961, in: AŻIH, 302/224, Bl. 3.

[2] Das Arbeitslager Treblinka I wurde auf Anordnung des Gouverneurs des Distriktes Warschau, Dr. Ludwig Fischer, v. 15.11.1941 errichtet, vgl. Amtlicher Anzeiger für das Generalgouvernement, Nr. 84/1941.

[3] Zdzisław Łukaszewicz, Obóz zagłady Treblinka, in: Biuletyn Głównej Komisji Badania Zbrodni Hitlerowskich w Polsce (fortan: BGKBZHwP), Nr. 1/1946, S. 131–144, S. 133 f.

[4] Ebd., S. 134 ff.

Die Errichtung des Vernichtungslagers begann im Mai 1942, wahrscheinlich auf persönliche Anordnung Himmlers, die er noch während seines
Besuches in Warschau am 17. April 1942 dem dortigen SS- und Polizeiführer (SSPF), SS-Oberführer Arpad Wigand, erteilt haben soll.[5] Die Zentralbauleitung der Waffen-SS in Warschau beauftragte daraufhin die Firmen
Schönbrunn aus Liegnitz und Schmid & Münstermann mit der Durchführung
der Bauarbeiten. Hierzu wurden jüdische Zwangsarbeiter aus den umliegenden Ortschaften, wie Wegrow und Stoczek, sowie polnische Häftlinge von
Treblinka I eingesetzt.[6] Das gesamte Unternehmen beaufsichtigte vor Ort
der Erbauer der Vernichtungslager Belzec und Sobibor, SS-Obersturmführer
Richard Thomalla.[7] Kurz nach Beginn der Bauarbeiten kam bereits der
künftige Lagerleiter von Treblinka II, ein Euthanasiearzt namens Dr. med.
Irmfried Eberl, hinzu.[8]

Das Aufsichtspersonal des neu entstandenen Vernichtungslagers bestand
aus 30 bis 40 deutschen SS-Angehörigen, die feldgraue Uniformen der
Waffen-SS trugen und mit Pistolen (oder Maschinenpistolen) sowie Leder-

---

[5] Der Dienstkalender Heinrich Himmlers 1941/42, hg. v. PETER WITTE/MICHAEL
WILDT/MARTINA VOIGT/DIETER POHL/PETER KLEIN/CHRISTIAN GERLACH/CHRISTOPH
DIECKMANN/ANDREJ ANGRICK, Hamburg 1999, S. 401, Anm. 44.

[6] Vern. Robert L. (zuständiger Leiter seitens der Zentralbauleitung der Waffen-SS
Warschau) v. 16.08.1960, BA-L, 208 AR-Z 230/59, Bl. 2164; sowie Vern. v.
9.11.1960, ebd., Bl. 2200 f.; Untersuchungsbericht v. 22.11.1945, in: Instytut Pamięci
Narodowej – Komisja Ścigania Zbrodni przeciwko Narodowi Polskiemu – Biuro Udostępnia-
nia i Archiwizacji Dokumentów (fortan: AIPN), Ob-66, Bl. 23; vgl. auch: ŁUKASZEWICZ,
Treblinka, S. 134.

[7] Vgl. YITZHAK ARAD, Belzec, Sobibor, Treblinka. The Operation Reinhard Death
Camps, Bloomington, Ind., 1987, S. 37 f.; PETER WITTE/STEPHEN TYAS, A New Document
on the Deportation and Murder of Jews during „Einsatz Reinhardt" 1942, in: Holocaust and
Genocide Studies, Nr. 15/3, 2001, S. 468–486, S. 475.

[8] Irmfried Eberl wurde 1910 in Bregenz in Österreich geboren. Er studierte Medizin in
Innsbruck und praktizierte anschließend 1935/36 in Wien und Grimmenstein. Bereits 1931 trat
er in die NSDAP ein, weswegen er auch bald nach Deutschland flüchten musste. Dort war er
zunächst im Amt für Volksgesundheit Magdeburg-Dessau beschäftigt, um 1937 in das
Hauptgesundheitsamt nach Berlin zu wechseln. Am 31.01.1940 wurde er zum „Euthanasie-
programm T4" abgeordnet und leitete die Mordaktionen in den Anstalten Brandenburg/
Havel, später auch in Bernburg/Saale. Dort ermordete er auch „kriminelle Elemente" im
Rahmen der „Aktion 14f13". Abkommandiert zum „Osteinsatz" im Februar 1942, überwachte
er die Aufbauarbeiten des Vernichtungslagers Treblinka II und wurde im Rang eines SS-
Obersturmführers zu seinem ersten Kommandanten. Aufgrund seiner Inkompetenz wurde er
durch seinen unmittelbaren Vorgesetzten SS-Obersturmführer Christian Wirth des Postens
enthoben. Er kehrte nach Bernburg zurück, wo er die Leitung seiner Anstalt wieder aufnahm.
1944 wurde er zur Wehrmacht eingezogen. Nach dem Krieg praktizierte er bis zu seiner
Verhaftung 1948 als Arzt in Blaubeuren. Kurz danach beging er Selbstmord in der Haft.
Angaben nach: Enzyklopädie des Holocaust (Stichwort: „Eberl"), hg. v. EBERHARD JÄCKEL/
PETER LONGERICH/JULIUS H. SCHOEPS, München, Zürich o. J., Bd. I, S. 379.

peitschen ausgestattet waren. Sie rekrutierten sich überwiegend aus dem erprobten Personal der „Aktion T 4", in deren Verlauf Tausende von Geistes- und so genannten unheilbar Kranken aus dem Reich und aus den polnischen „eingegliederten Gebieten" ermordet wurden.[9] Dazu kamen noch 90 bis 120 ukrainische Trawniki-Männer[10] als Wachmannschaft, die schwarze Uniformen trugen und mit Karabinern ausgerüstet waren.[11]

Als Erstes entstanden die Baracken für die Bewacher und Häftlinge, die Stacheldrahtumzäunung und das Gebäude mit den drei Gaskammern. Zeitgleich hob man eine Reihe von tiefen Gruben in unmittelbarer Nähe der Mordanlage aus, die für die Bestattung der Leichen gedacht waren. Jankiel Wiernik, der seit Ende August 1942 im Vernichtungslager unweit der Gaskammer als jüdischer Schreiner arbeitete, beschrieb diese folgendermaßen:

> „Auf dem Dach [gab es] eine Rohrmündung und eine Ablassmündung mit einem hermetischen Abschluss; der Terrakottafußboden neigte sich zu einer Rampe. Das gemauerte Gebäude war vom Lager Nr. 1 [diese Bezeichnung betrifft hier nicht Treblinka I, sondern den Aufnahmeteil von Treblinka II] durch eine Holzwand abgetrennt. Diese zwei Wände, die hölzerne und die gemauerte, bildeten zusammen einen Korridor, der im Vergleich zum Niveau des ganzen Gebäudes um 80 cm erhöht war. Die Kammern hatten eine Verbindung zum Korridor. Zu jedem Raum führte eine eiserne hermetisch abschließbare Tür. Die Kammern waren von der Seite des Lagers Nr. 2 [Vernichtungsteil von Treblinka II] aus entlang aller drei Kammern mit einer 4 Meter breiten Rampe verbunden."

Auf dieser Seite befanden sich zudem 2,50 Meter lange und 1,80 Meter hohe, nach oben zu öffnende Klappen aus massivem Holz, durch welche nach der Vergasung die Leichen herausgezogen wurden.[12] Der Panzermotor für die Vergasung sowie die Lichtmaschine für die Elektrizität standen im selben Raum.

---

[9] HENRY FRIEDLANDER, Der Weg zum NS-Genozid. Von der Euthanasie zur Endlösung, Berlin 1997, S. 469–471.

[10] MARIA WARDZYŃSKA, Formacja Wachmannschaften des SS- und Polizeiführers im Distrikt Lublin, Warszawa 1992, S. 28. Die Anwesenheit von Trawniki-Männern schon während der Aufbauphase wird auch durch die Aussage von Jan S. v. 20.12.1945, in: AIPN, NTN 70, Bl. 165, bestätigt.

[11] J. RAJGRODZKI, Jedenaście miesięcy w Treblince, in: BŻIH, Nr. 25/58, S. 101–118, S. 112.

[12] JANKIEL WIERNIK, Rok w Treblince, Warszawa 1944, als Abschrift in: AIPN, NTN 69, Bl. 32–73, Bl. 40 f. (Die deutsche Übersetzung [in: BA-L, 208 AR-Z 230/59, Bl. 420–464], die aus dem Amerikanischen erfolgte, unterscheidet sich beträchtlich vom polnischen Original und wird deswegen nicht verwendet.) Laut Wiernik sollte die Grundfläche der Kammer 5 x 5 m und ihre Höhe 1,90 m betragen; abweichende Maße der Gaskammer gibt Abraham L. in seiner eidesstattl. Erkl. v. 6.07.1960, in: BA-L, II 208 AR-Z 230/59, Bl. 1670 f., an, die nach ihm 4 x 4 m und 2,6–3 m Höhe betrugen.

Zwischen dem 1. und 15. Juni 1942 wurde der Gleisabzweig von der Eisenbahnstrecke Sokolow–Malkinia zum Lager errichtet.[13] In der ersten Mordphase gab es noch keine Rampe, an der man deportierte Juden hätte entladen können, sondern nur ein einfaches Nebengleis in der Länge von ca. 20 Güterwaggons. Erst später baute man „Bahnhofseinrichtungen" zu Tarnungszwecken.

Die Arbeiten an der Fertigstellung des gesamten Komplexes dauerten lediglich zwei Monate. Laut Schreiben von Eberl an den Kommissar für den jüdischen Wohnbezirk, Auerswald, in Warschau sollen sie bereits am 11. Juli 1942 beendet gewesen sein.[14] Fast zwei Wochen später, am 23. Juli 1942, erfolgte der erste Transport aus dem Warschauer Ghetto, der damit die erste Vernichtungsperiode im Vernichtungslager Treblinka II einleitete.

Die erste Mordphase in Treblinka II
(23.07.–28.08.1942)

Trotz der gängigen Überzeugung, dass Treblinka II ein ausgeklügeltes „Fließband des Todes"[15] war, auf welchem der gesamte Mordprozess mechanisch, also fast ohne Beteiligung der eingesetzten Mannschaften vonstatten ging, sah die Wirklichkeit, besonders in der Anfangszeit des Lagers, ganz anders aus: Schon während der Aufbauphase ereigneten sich unzählige Exzessmorde, deren ungeheuerliche Brutalität zu einer neuen Norm im Umgang mit den eingesetzten jüdischen Zwangsarbeitern führte. Sie wurden tagtäglich erschossen, mit Schlagstöcken zu Tode geprügelt oder beim Fällen von Bäumen absichtlich erschlagen.[16] Einer der polnischen Zeugen erzählte:

„Täglich brachte man 2–3 Lastwagen voll mit Juden. Die die Arbeiten überwachenden SS-Männer und Ukrainer ermordeten täglich Dutzende von [...]

---

[13] Aussage Lucjan P. v. 26.10.1945 (Leiter der Bahnarbeiten), in: AIPN, NTN 69, Bl. 86.

[14] Schreiben Eberls an Auerswald v. 7.07.1942, vgl. das Faksimile in: Pamiętnik Dawida Rubinowicza, Warszawa 1960, S. 125.; vgl. auch: Anklageschrift StA Düsseldorf v. 29.09.1969, 8 Js 1045/69, Bl. 80.

[15] RAUL HILBERG, Die Vernichtung der europäischen Juden, Frankfurt/M. 1994, Bd. II, S. 1034, betitelte z. B. das Kapitel über Vernichtungslager im besetzten Polen: „Das ‚Fließband'".

[16] Aussage: Jan S. v. 20.12.1945, in: AIPN, NTN 70, Bl. 164 ff.; auch die Informacja bieżąca (fortan: Inf. bież.), Nr. 20/45 v. 1.06.1942, in: AAN, Delegatura, 202/III/7, Bd. 1, Bl. 91, machte darauf aufmerksam: „Im Übrigen werden die Juden in Treblinka fast täglich ermordet, hinter der Latrine, mit einer Spitzhacke, einer Schaufel, einem Schlagstock – was man so hat."

[ihnen], so dass, wenn ich von meinem Arbeitsplatz aus auf die Stelle, wo die Juden arbeiteten, schaute, dieses Feld ständig mit Leichen bedeckt war."[17]

Es wurden Exekutionen aus beliebigen Gründen durchgeführt, aber auch Juden zur bloßen Belustigung der SS-Angehörigen zu Tode gemartert. Einer der Überlebenden schildert solche „Spiele" folgendermaßen:

„In unmittelbarer Nähe der Bahngleise, an denen die Juden die Schienen legten, erbauten die Deutschen einen so genannten Todesbock. Dieser Bock hatte Beine aus dünnen Brettern von 3 bis 4 Metern Höhe. Die Deutschen wählten einige von den hier arbeitenden Menschen aus und ließen sie diesen Bock erklettern, und während diese das taten, schossen die Deutschen auf sie, besonders wenn einer der Juden nicht [schnell genug] hoch kommen konnte."

Diejenigen, die den „Todesbock" erkletterten, ließ man dann die Schuhe ausziehen, sie sich über den Kopf halten und erschoss sie dann während gemeinschaftlicher „Zielschießübungen".[18]

Großer Beliebtheit erfreuten sich auch „Judenjagden" in den Baracken der schlafenden Arbeiter, wobei betrunkene SS-Männer in die Schlafräume eindrangen und, wild um sich schießend, beliebige Personen „abknallten".[19] Auf diese Weise kamen Hunderte von Juden noch während der Bauarbeiten ums Leben.[20]

Am 23. Juli 1942 traf der erste Zugtransport aus dem Warschauer Ghetto in dem fertig gestellten Vernichtungslager ein, womit dessen regulärer Betrieb aufgenommen wurde. So erhielt der dort verübte Massenmord geordnete Züge, die aber immer noch durch eigenwillige Todesinszenierungen des SS-Personals durchbrochen wurden.

Anfangs gab es noch keine routinemäßige Vorgehensweise. Bezeichnend für diese Zeit waren häufige Massenerschießungen, oft sogar von ganzen Transporten. Wilde Schießereien begannen manchmal schon auf den beiden Verbindungsstrecken Malkinia–Treblinka von Norden her (aus Warschau und Umgebung) und Siedlce–Treblinka von Süden (aus dem Distrikt Radom). Der Grund für diese Zwischenfälle war, dass es dort bereits zahlreiche Hinweise auf die tatsächliche Bestimmung der Transporte gab, was viele Juden dazu brachte, Fluchtversuche zu unternehmen. Schon nach kurzer Zeit war der gesamte Abschnitt mit Leichen übersät, die dort mitunter tagelang

---

[17] Aussage Lucjan P. v. 26.10.1945, AIPN, NTN 69, Bl. 86RS.

[18] Aussage Jan S. v. 20.12.1945, AIPN, NTN 70, Bl. 165 f.

[19] Aussage Jan S. v. 20.12.1945, ebd., Bl. 164RS.

[20] Aussagen Lucjan P. v. 26.10.1945, AIPN, NTN 69, Bl. 86RS; und Jan S. v. 20.12.1945, AIPN, NTN 70, Bl. 164–165RS; der Zeuge, der als Häftling in Treblinka I u.a. bei der Arbeit an Gaskammern eingesetzt wurde, spricht sogar von ca. 16 000–17 000 jüdischen Arbeitern aus der nächsten Umgebung, die in der Aufbauphase des Todeslagers ermordet worden sein sollten.

unbestattet herumlagen. Es wurde sogar eine zusätzliche Gendarmerie-Patrouille aus Sokolow gesandt, die die Strecke nach Verwundeten absuchen und diese dann auf der Stelle ermorden sollte.[21]

Auch im Lager selbst kam es immer wieder vor, dass – weil die Gaskammern nicht richtig funktionierten oder man mit der Ermordung von großen Mengen der eingetroffenen Menschen nicht rechtzeitig fertig wurde – die Neuankömmlinge auf der Stelle erschossen wurden.[22] Einer der Überlebenden aus Kielce schilderte wie folgt eine Exekution vom 23. August 1942:

„Der Transport wurde auf das Nebengleis des Lagers Treblinka geleitet (die Rampe gab es damals noch nicht). Um das Nebengleis herum lagen die Leichen der ermordeten Juden [...]. Nach dem Verlassen der Waggons trieben uns die Deutschen und die Ukrainer mit Peitschen in den Händen auf den Hof, wo sie uns befahlen, uns mit dem Gesicht nach unten auf die Erde zu legen. Dann gingen sie herum und brachten uns mit [gezielten] Schüssen ins Genick um."[23]

Auch Jankiel Wiernik zeigte sich über den Anblick des Aufnahmeplatzes nach dieser Exekution sichtlich erschüttert:

„Der Platz war übersät mit Leichen. Manche angezogen, andere nackt. Sie waren schwarz und angeschwollen. Die Gesichter waren vor Angst und Schrecken verzerrt. Ihre Augen weit geöffnet, Zungen ausgestreckt, Gehirne zersplittert, Körper entstellt. Überall Blut."[24]

Diejenigen, die nicht sofort erschossen wurden, bereitete man auf die Vergasungsprozedur vor:

„Auf den Dächer der Baracken standen die Ukrainer mit Karabinern und MP's [Maschinenpistolen]. [...] Sie befahlen uns, aus den Waggons auszusteigen und alle Päckchen zurück zu lassen. Sie führten uns zum Hof. Auf drei Hofseiten standen die Baracken. Es gab da zwei große Schilder mit Beschriftungen, die uns dazu aufforderten, Gold, Silber, Diamanten, Geld und alle Wertsachen

---

[21] Aussagen Wacław W. v. 18.10.1945, AIPN, NTN 69, Bl. 77R.; Mieczysław L. v. 18.10.1945, ebd., Bl. 78 f.; sowie eidesstattl. Erkl. Morris M. v. 22.03.1966, in: BA-L, II 206 AR-Z 157/60, Bl. 1807.

[22] Aussagen Lucjan P. v. 26.10.1945, AIPN, NTN 69, Bl. 86 ff.; die Erschießungen im Lager häuften sich in dieser Zeit dermaßen, dass der in der Kiesgrube arbeitende Zeuge sie und nicht die Vergasung für die eigentliche Vernichtungsmethode in der ersten Periode hielt; vgl. Zeugenbericht v. Eugeniusz T. v. 7.10.1045, in: BA-L, II 208 AR-Z 230/59, Bl. 777; von Erschießungen war auch die Rede in: Druga Czarna Księga o wymordowaniu Żydów w Polsce, geschickt nach London am 31.03.1943, in: AAN, Delegatura, 202/XV-2, Bl. 296.

[23] Aussage Szyja W. v. 9.10.1945, AIPN, NTN 69, Bl. 22. Der Zeuge gibt fälschlicherweise Juli als seinen Ankunftsmonat in Treblinka II an. Da die Deportationen aus Kielce zwischen dem 20. und 24. August stattfanden, muss man annehmen, dass er vom 23. August (und nicht vom 23. Juli) 1942 berichtete.

[24] WIERNIK, Rok w Treblince, Bl. 35; vgl. Erlebnisbericht: Stanisław Kohn v. 7.10.1945, in: BA-L, 208 AR-Z 230/59, Bl. 1654.

abzugeben. In anderem Fall werde man getötet. [...] Frauen und Kinder ließ man links gehen, Männer sich rechts auf den Boden setzen."[25]

Als Erstes wurden die Frauen und Kinder ermordet. Man ließ sie sich entkleiden und trieb sie in höchster Eile in die Gaskammern. Ein Vergasungsvorgang dauerte in der Regel zwischen fünfzehn und dreißig Minuten. Es passierte jedoch oft, dass der Motor fehlerhaft arbeitete, was die Qualen der dicht eingeschlossenen Opfer in unvorstellbare Länge zog.

Nach der Vergasung wurden extra zu diesem Zweck abgeordnete jüdische Häftlinge angewiesen, die Hintertüren der Gaskammern zu öffnen und die Leichen der Ermordeten zu den Gruben zu befördern. Anfänglich wurden die Leichen mit einer kleinen Feldbahn zu den Bestattungsgruben gefahren. Da aber die jüdischen Häftlinge die Waggons nur mit Muskelkraft im Schnelllauf antreiben konnten, kam es beim Transport häufig zu Stockungen (zum Beispiel sprangen die Waggons aus den Schienen, kippten um und so weiter). Aus diesem Grund schaffte man die Feldbahn ab und befahl den Arbeitsjuden, die Körper einzeln mit Hilfe von Lederriemen am Boden entlangzuschleifen.[26] Am Graben wurden diese vom Bestattungskommando übernommen und in Reihen in der jeweiligen Leichengrube „platzsparend" zusammengelegt. Die Abmessungen der Gruben sind nicht genau zu benennen. Als sicher gilt jedoch, dass sie groß genug waren, um zwischen 80 000 und 100 000 Leichen auf einmal aufzunehmen.

Die übersteigerten Ambitionen des ersten Lagerkommandanten Eberl, der ungeachtet der tatsächlichen Aufnahmemöglichkeiten von Treblinka II nach immer mehr Judentransporten verlangte, führten zum völligen Zusammenbruch des Vernichtungsbetriebes. Daher herrschten bereits Ende August im Lager Zustände, die sogar für abgehärtete Berufsmörder wie die T4-Spezialisten unvorstellbar waren.[27] Der Sobibor-Kommandant Franz Stangl[28]

---

[25] WIERNIK, Rok w Treblince, Bl. 35.

[26] Aussage Leon F. v. 28.12.1945, AIPN, NTN 70, Bl. 158RS.

[27] Die Mehrheit der deutschen Besatzung in Treblinka II bestand aus Euthanasiespezialisten, die im Zuge der „Aktion T4" erste Massenmorde an sog. „unheilbar Kranken" im Reich durchgeführt hatten.

[28] Franz Stangl wurde 1908 in Altmünster in Österreich geboren. Nach den Schuljahren wurde er in der Textilindustrie tätig und mit 21 Jahren jüngster Webmeister in Österreich. 1931 wechselte er zur Polizei, wo er nach einiger Zeit bei der politischen Abteilung der Kripo landete. Nach dem „Anschluss" bekannte er sich zum Nationalsozialismus und erfand eine Geschichte über seine frühere rechte Gesinnung. 1940 wurde Stangl zur Euthanasie-Mordanstalt im Schloss Hartheim delegiert. Von dort aus wurde er zum „Osteinsatz" versetzt und „avancierte" im März 1942 zum zweiten Kommandanten des Vernichtungslagers Sobibor. Nach dem Zusammenbruch des Vernichtungsbetriebes in Treblinka II versetzte ihn der „Inspekteur des Einsatzes Reinhard", Christian Wirth, dorthin, um das Lager zu reorganisieren. Er leitete dann dieses Vernichtungslager bis zur Häftlingsrevolte am 2.08.1943, als ihn Globocnik nach Triest versetzte. Dort leitete er ein Konzentrationslager in San Sabba und

schilderte seine Eindrücke von der Anreise in die Todeseinrichtung wie folgt:

„Treblinka an diesem Tag war das Fürchterlichste, das ich während dem ganzen Dritten Reich gesehen hab'. [...] Es war Dantes Inferno wahr geworden. Als das Auto auf dem Sortierungsplatz stehenblieb, versank ich bis zu den Knien in Geld. Ich wußte nicht, wohin ich mich wenden sollte [...]. Ich watete in Münzen, Papiergeld, Diamanten, Juwelen, Kleidungsstücken. Die waren überall, sie waren über den ganzen Platz verstreut. Der Geruch war unbeschreiblich; Hunderte, nein Tausende verwesender, zerfallender Leichen. Ein paar hundert Meter weg auf der anderen Seite des Stacheldrahtzaunes am Waldrand [...] waren Zelte und Feuer, mit Gruppen von Ukrainern und Mädchen – Huren aus dem ganzen Gebiet [...], die betrunken herumtorkelten, tanzten, sangen und Musik spielten."[29]

Diese Zustände führten die Geheimhaltungsidee von vornherein *ad absurdum*. Sie waren zudem häufig die Ursache für blutige Auseinandersetzungen auf dem Bahnhof: Die durch den Anblick von so vielen Ermordeten völlig verstörten jüdischen „Umsiedler" gerieten in Panik und griffen das Wachpersonal bereits beim Verlassen der Waggons an. Das hatte zur Folge, dass man sie schon auf dem Aufnahmeplatz brutal niedermetzelte.[30] Die Sterb-

---

organisierte die Partisanenabwehr im Rahmen des sog. „Einsatzes R II". Nach dem Krieg wurde er zum ersten Mal 1947 wegen der Euthanasiemorde im Schloss Hartheim von den österreichischen Behörden verhaftet, konnte jedoch kurz darauf, noch vor der Anklageerhebung, fliehen. Dank der „Rattenlinie" (engl. *rat-line*) des Bischofs Hudal konnte er als Ingenieur in Damaskus in Syrien untertauchen. 1951 zog er nach Brasilien um, wo er in São Bernardo in einem Volkswagenwerk arbeitete. Am 28.02.1967 wurde er dort verhaftet und an die Bundesrepublik ausgeliefert. Nach einem einjährigen Prozess wurde er im Dezember 1970 wegen der Beteiligung an der Ermordung von 900 000 Personen als Kommandant des Vernichtungslagers Treblinka zu lebenslänglicher Haft verurteilt. Stangl starb am 28.06.1971 im Gefängnis. Angaben nach: Enzyklopädie des Holocaust, Bd. III, S. 1369 f. (Stichwort: „Stangl"); GITTA SERENY, Am Abgrund. Eine Gewissensforschung. Gespräche mit Franz Stangl, Kommandant von Treblinka und anderen, Frankfurt/M., Berlin, Wien 1979.

[29] Aus: SERENY, Am Abgrund, S. 165 f.; vgl. Vern. Kurt Franz v. 2.12.1960, BA-L, 208 AR-Z 230/59, Bl. 1493 f. Ähnlich schilderte seine ersten Eindrücke vom Lager ein jüdischer Überlebender, der am 22.08.1942 Treblinka II erreichte: „Hunderte von Körpern lagen überall herum. Stapel von Bündeln, Kleidung, Koffern, alles durcheinandergeworfen, SS-Soldaten, Deutsche und Ukrainer, stehen auf den Dächern der Baracken und feuern ziellos in die Menge. Männer, Frauen und Kinder stürzen blutend zu Boden. Die Luft ist erfüllt mit Schreien und Weinen", in: Erlebnisbericht von Oskar Berger, Yad Vashem Archiv: 0-33/57/57, zitiert nach: Nationalsozialistische Massentötungen durch Giftgas. Eine Dokumentation, hg. v. EUGEN KOGON u. a., Frankfurt/M. 1983, S. 180.

[30] Beispiele des Widerstandes der jüdischen Deportierten aus Chęciny vgl.: Treblinka, relacja uciekiniera, in: Druga Czarna Księga o wymordowaniu Żydów w Polsce, in: AAN, Delegatura, 202/XV-2, Bl. 293; Kielce, in: Zeugenbericht von Abraham Krzepicki, abgedr. in: KRZYSZTOF URBAŃSKI, Zagłada ludności żydowskiej Kielc 1939–1945, Kielce 1994, S. 133.

lichkeitsrate unter den deportierten Juden erhöhte sich noch zusätzlich durch lange Wartezeiten am Tor zum Vernichtungslager, in dicht abgeschlossenen Waggons, bei oft quälender Hitze und ohne einen Tropfen Wasser.[31]

Aber nicht das Elend der Juden, sondern die fehlenden Goldlieferungen wurden Eberl zum Verhängnis: Globocnik, beunruhigt über fehlende Wertsachentransporte aus Treblinka trotz laufender Deportationen, ordnete eine Überprüfung an.[32] Als Kommandant Stangl und „Aktion-Reinhard"-Inspekteur Christian Wirth daraufhin das Lager inspizierten, waren sie über die chaotischen Zustände vor Ort derart entsetzt, dass sie sich gezwungen sahen, Dr. Eberl aus seiner leitenden Funktion zu entlassen, die Judentransporte vorübergehend zu suspendieren und eine umfassende Reorganisation des Lagers vorzunehmen.[33] Zum neuen Kommandanten wurde Stangl abgeordnet, da er bereits über die nötige Erfahrung aus dem Vernichtungslager Sobibor verfügte.

Trotz der technischen Schwierigkeiten war Treblinka II während seiner ersten Mordperiode (23.07.–28.08.1942) recht effektiv: Der Nachrichtendienst der polnischen Delegatur[34], der Untergrundvertretung der polnischen Exilregierung in London, berichtete, dass in dieser Zeit ca. 320 000 Juden, überwiegend aus dem Warschauer Ghetto und aus dem Distrikt Radom, ermordet wurden.[35]

Umbau des Vernichtungslagers und zweite Mordphase (4.09.1942–2.08.1943)

Unter der Aufsicht von Wirth, der nach der Inspektion noch drei Wochen vor Ort blieb, wurde Treblinka II umgebaut.[36] Wirth teilte das gesamte Lagergelände in drei Bereiche auf, die sodann mit Zäunen voneinander abgegrenzt wurden. Auf diese Weise entstanden die Wohnbereiche für

---

[31] Vern. Willi Mentz v. 19.07.1960, BA-L, 208 AR-Z 230/59, Bl. 1137.

[32] Vern. Franz Stangl v. 27.06.1967, ebd., Bl. 3689.

[33] Vern. Franz Stangl v. 24.06.1967, ebd., Bl. 3709 f.; sowie: Vern. Josef Oberhauser v. 21.02.1962, ebd., Bl. 2040; Oberhauser will gehört haben, wie Globocnik zum Lagerkommandant sagte: „[...] wenn Dr. Eberl nicht sein Landsmann wäre, würde er ihn einsperren und vor ein SS- und Polizeigericht bringen".

[34] Waldemar Grabowski, Delegatura Rządu Rzeczpospolitej Polskiej na Kraj 1940–1945, Warszawa 1995, Tomasz Strzembosz, Rzeczpospolita podziemna. Społeczeństwo polskie a państwo podziemne 1939–1945, Warszawa 2000, S. 169–201; Enzyklopädie des Holocaust, Bd. I, S. 314 (Stichwort: „Delegatura").

[35] Inf. bież. Nr. 32/67 v. 5.10.1942, in: AAN, Delegatura, 202/III/7, Bd. 1, Bl. 163.

[36] Vern. Franz Stangl v. 17.07.1967, in: BA-L, 208 AR-Z 230/59, Bl. 3698; sowie Vern. Franz Suchomel v. 14.09.1967, ebd., Bl. 3772.

jüdische Arbeitskommandos und NS-Belegschaft, das „Auffanglager", wo die Deportierten entkleidet und selektiert wurden, und das „Totenlager", in dem die anschließende Ermordung und Verscharrung der Leichen stattfand. Unmittelbar neben dem Zufahrtsgleis wurde eine Rampe gebaut, die mit der Zeit in einen „richtigen" Bahnsteig umgewandelt wurde. Dabei legte man größten Wert auf die Verschleierung des tatsächlichen Zwecks des Lagers. Die Sortierbaracke vor der Rampe wurde im Stil einer Bahnhofshalle gebaut. Es gab dort eine Wanduhr, Schalter für die Fahrkarten und zahlreiche bahnhofstypische Beschriftungen und Tafeln (Fahrpläne, Richtungshinweise und so weiter). In Wirklichkeit wurden dort zwei große Sammelräume für Bekleidung und Gegenstände der bereits ermordeten Juden untergebracht.

Bei der Reorganisation des Lagers ging es auch darum, die Tötungsabläufe zu vereinfachen und zu mechanisieren. Die Züge, die bis zu sechzig Waggons zählten, also fünf- bis sechstausend Menschen auf einmal heranbrachten, wurden in die Nähe des Lagers geführt und an der offiziellen Bahnstation „Treblinka" abgestellt. Von dort aus übernahm sie die Belegschaft des Vernichtungslagers, die als Erstes den gesamten Transport dreiteilte. Mit einer kleinen Rangierlokomotive, die jeden Tag aus Malkinia kam, wurden jeweils bis zu zwanzig Waggons rückwärts in das Lagerinnere befördert und dort vor der vermeintlichen Bahnhofshalle abgestellt. Die Lokführer, die nicht zum „SS-Sonderkommando Treblinka" gehörten, durften das Lagergelände aus Gründen der Geheimhaltung nicht betreten, sondern mussten in ihrer Lokomotive vor dem Tor anhalten. Nach der jeweiligen Abfertigung brachten sie die leeren Waggons zurück und fuhren die nächste „menschliche Ladung" in das Lager. Die Hin- und die Rückfahrt von und zum Gleisabzweig, wo der Rest des Zuges wartete, nahm in der Regel weniger als eine Stunde in Anspruch.[37]

Auf der Rampe wurden die jüdischen Deportierten „ausgeladen": Die voll bewaffneten ukrainischen Wachmannschaften, angeführt von einzelnen deutschen SS-Angehörigen, trieben die verängstigten Menschen aus den Güterwaggons heraus. Sie mussten ihre Gepäckstücke zurücklassen und sich im Laufschritt zum „Umschlagplatz" begeben. Dabei erfolgte bereits die erste Selektion: Es wurden Gebrechliche, Kranke und Verletzte aussortiert, die für den langen Weg in die Gaskammern als nicht stark genug erschienen. Zusammen mit den Alten und den kleinen Kindern schickte man sie zur „Sonderbehandlung" in das so genannte Lazarett, das in Wirklichkeit eine Hinrichtungsstätte war.

---

[37] Aussagen Józef K. (Bahnarbeiter in Treblinka) v. 16.10.1945, AIPN, NTN 69, Bl. 76; Stanisław B. (gelegentlicher Lokführer in Treblinka II) v. 21.11.1945, ebd., Bl. 105RS; Kazimierz G. (gelegentlicher Lokführer in Treblinka II) v. 21.11.1945, ebd., Bl. 107 f.; Vgl. auch: Untersuchungsbericht v. 22.11.1945, in: AIPN, Ob-66, Bl. 24.

Das „Lazarett"-Gelände war umzäunt und mit Ästen vor Einblicken von außen geschützt. Auf dem Gelände befand sich eine einfache Bretterbude, die genau über einem sieben Meter tiefen Graben errichtet worden war. Um die Opfer in die Irre zu führen, wurden ärztliche Symbole verwendet: Die in diesem Bereich beschäftigten jüdischen Arbeiter trugen Armbinden mit dem Zeichen des Roten Kreuzes, welches auch über der Bretterbude auf einer Fahne zu sehen war. Mit diesen Täuschungsmitteln brach man den potenziellen Widerstandswillen der Opfer, die sich so beruhigt und gehorsam zur „Behandlung" bringen ließen.[38] Die Exekutionen nahmen SS-Unterscharführer August Miete („Todesengel") oder sein Kumpan SS-Unterscharführer Willi Mentz („Frankenstein") vor. Mentz sagte darüber aus:

„Im Lazarettbereich wurden die Angekommenen an den Rand des Grabes hingesetzt oder hingelegt. Wenn keine weiteren Kranken oder Verwundeten zu erwarten waren, war es meine Aufgabe, diese Menschen zu erschießen. Das geschah dadurch, dass ich ihnen mit einer 9 mm Pistole ins Genick schoß. Die Getroffenen fielen dann zusammen oder zur Seite und wurden von den beiden Lazarettarbeitsjuden in das Grab hinuntergetragen. Die Leichen wurden mit Chlorkalk bestreut. Später wurden sie auf Anordnung von Wirth in dem Grab selbst verbrannt."[39]

Die Exekutionen im „Lazarett" erfolgten täglich. Zur „Sonderbehandlung" trafen dort nicht nur die „Gehunfähigen" aus den Transporten, sondern auch die meisten Kranken aus den Arbeitskommandos des Lagers ein. Außerdem wurden dort Exekutionen an jüdischen Arbeitern vorgenommen, die durch die Lagerbesatzung für verschiedene „Verbrechen" zum Tode verurteilt worden waren. Manchmal wurden auf diese Weise, besonders in der Anfangszeit, nicht nur einzelne Personen, sondern ganze Arbeitskommandos umgebracht.[40] August Miete, gefragt nach der Anzahl seiner „Lazarett"-Opfer, antwortete: „Ich möchte sagen, dass ich insgesamt Hunderte erschossen haben kann, wenn man alle Arten zusammennimmt, d. h. Kranke aus den Transporten, Kranke aus den Arbeitskommandos, Aufgefallene aus den Arbeitskommandos, und Sortierte."[41]

Die „Gehfähigen" wurden auf dem „Umschlagplatz" nach Geschlecht aufgeteilt und dann – Männer und Frauen getrennt – in die Auskleidebaracken getrieben. Kinder schloss man dabei den Frauen an. Bevor die Männer

---

[38] Vern. Willi Mentz v. 19.07.1960, BA-L, 208 AR-Z 230/59, Bl. 1138.

[39] Ebd., Bl. 1139. In seiner Vern. v. 20.09.1967, in: ebd., Bl. 3789, ergänzte er noch: „Die Genickschuß-Methode hat Wirth eingeführt. Er hat mir selbst das vorgemacht und in meiner Gegenwart mehrere Juden durch Genickschuß getötet. Ich mußte dann unter seiner Aufsicht ebenfalls mehrere Juden durch Genickschuß töten. Diese Methode ist dann beibehalten worden."

[40] Vern. Franz Suchomel v. 18.09.1967, in: BA-L, 208 AR-Z 230/59, Bl. 3782 f.

[41] Vern. August Miete v. 1.06.1960, BA-L, 208 AR-Z 230/59, Bl. 1009.

sich ausziehen mussten, fand unter ihnen eine letzte Selektion statt. Die zuständigen SS-Aufseher hielten entweder Ausschau nach gerade notwendigen Fachleuten oder wählten junge und kräftige Männer für die verschiedenen Arbeitskommandos aus. Die Anzahl der Ausselektierten variierte je nach momentanem Bedarf: Manchmal waren es mehrere Hundert, manchmal nur sehr wenige oder gar keine.[42]

Die Frauen und Kinder mussten sich direkt ausziehen. Dabei wurde stets strikt auf Ordnung geachtet. Sie mussten die einzelnen Kleidungsstücke zusammenfalten und zur Seite legen sowie ihre Schuhe mit den Schnürsenkeln zusammenbinden und ordentlich abstellen. Nur ihre Papiere und Wertsachen durften sie vorläufig behalten: Man wollte sichergehen, dass sie nirgends versteckt wurden oder verloren gingen. Im hinteren Teil der Auskleidebaracke befand sich ein Sammelpunkt für Wertsachen, wo den Opfern Geld, Gold und Ähnliches abgenommen und die Frauen nach verstecktem Schmuck untersucht wurden.[43] Danach rasierten ihnen die jüdischen Frisöre die Köpfe kahl, da das menschliche Haar als wertvoller Rohstoff für Industriezwecke galt.[44]

Von der Auskleidebaracke gelangten die Opfer schließlich in einen engen, abgewinkelten Gang, den so genannten Schlauch. Diese sechzig Meter lange und vier bis fünf Meter breite Passage war beiderseits von einem mannshohen Stacheldrahtzaun gesäumt, der dicht mit eingeflochtenem Reisig bedeckt war, um die Sicht von außen zu versperren. Den Zaun entlang stand das Wachpersonal und schlug erbarmungslos mit Peitschen auf die vorbeilaufenden Menschen ein, um sie zu größerer Eile anzutreiben.[45] Aus dem „Schlauch" heraus liefen die Opfer geradewegs in die Vergasungseinrichtung, in das „Totenlager", hinein.

Die Missstände der ersten Mordphase veranschaulichten den Entscheidungsträgern der „Aktion Reinhard", dass die bereits bestehenden drei Gaskammern für die Dimension des geplanten Mordunterfangens nicht ausreichen würden. Noch im Herbst 1942 beschlossen sie daher den Bau

---

[42] ABRAHAM KRZEPICKI, Treblinka, in: BŻIH Nr. 43-44/1962, S. 84–109, hier: S. 90 f.

[43] Eidesstattl. Erkl.: Gustaw B. v. 15.03.1961, in: BA-L, 208 AR-Z 230/59, Bl. 1951; Vern. Franz Stangl v. 17.07.1967, ebd., Bl. 3699; Aussage Hejnoch B. v. 9.10.1945, in: AIPN, NTN 69, Bl. 21.

[44] Dies regelte eine geheime Instruktion des Chefs des SS-WVHA, SS-Obergruppenführer Pohl, an die Kommandanten der Konzentrationslager v. 6.08.1942, vgl. Dok. 511-USSR, in: Der Prozeß gegen die Hauptkriegsverbrecher vor dem Internationalen Militärgerichtshof. Nürnberg 14. November 1945 – 1. Oktober 1946. Urkunden und anderes Beweismaterial, Nürnberg 1949 (fortan: IMG), Bd. XXXIX, S. 552.

[45] Erlebnisbericht: Samuel Reizman v. 9.10.1945, in: BA-L, 208 AR-Z 230/59, Bl. 781; den Einsatz von Lederpeitschen durch Ukrainer an den Gaskammern bestätigt auch Gustav Müntzberger in seiner Vernehmung am 26.10.1960, ebd., Bl. 1435.

einer zweiten, weit größeren Vernichtungsanlage. Diese entstand in Form einer ähnlichen, ebenfalls aus Ziegelsteinen erbauten Baracke direkt vor der alten Mordeinrichtung. Am Giebel der Baracke soll ein Davidstern mit der Inschrift „Judenstaat" angebracht gewesen sein.[46] Es ist nicht genau überliefert, wie viele neue Kammern sich dort befanden: Während einige Überlebende von zehn sprechen, beharren die meisten der damals dort beschäftigten Angehörigen des NS-Vernichtungskommandos auf sechs.[47] Dem Vernehmen nach verliefen sie auf beiden Seiten des Korridors im Inneren des Gebäudes symmetrisch zueinander und waren wie alle Mordeinrichtungen der „Aktion Reinhard" nach dem Vorbild der Euthanasieanstalten als Duschräume stilisiert: Unmittelbar an die Duschköpfe waren die Gasleitungen aus dem Motorraum angeschlossen, die das Kohlenmonoxid zuführten, so dass den Opfern beim Betreten des Raumes noch immer nicht ersichtlich war, dass sie sich in der Gaskammer befanden[48].

Dann begann die Vergasungsprozedur: Auf das Kommando „Wasser" wurde der Tankmotor angeworfen, so dass die Abgase durch die Rohrleitungen in die mit Menschen gefüllten Räume einströmten. Nach ungefähr zwanzig Minuten prüften die vor Ort eingesetzten Ukrainer, ob alle tot waren, und erst wenn dies tatsächlich der Fall war, wurde dem jüdischen Bestattungskommando das Signal zur Räumung der Kammer und zur Verscharrung der Leichen gegeben. Das Kommando öffnete daraufhin unter Aufsicht von SS-Untersturmführer Gustav Müntzberger die hinteren Klappen der Gaskammern und holte die Leichen heraus.[49] Während dieser Arbeiten stellte sich häufig heraus, dass die Ermordeten dermaßen ineinander verkeilt waren, dass man sie mit Wasser begießen musste, um sie einzeln herausho-

---

[46] Erlebnisbericht: Stanisław Kohn v. 7.10.1945, in: BA-L, 208 AR-Z 230/59, Bl. 1653.
[47] Vgl. z. B. die Aussage Leon F. v. 28.12.1945, in: AIPN, NTN 70, Bl. 159; und Bericht von WIERNIK, Rok w Treblince, S. 12, mit der Vern. Gustav Müntzberger v. 26.10.1960, in: BA-L, 208 AR-Z 230/59, Bl. 1435, und Zeichnung auf Bl. 1439; zu der Abweichung meint der leitende Staatsanwalt der Zentralen Stelle der Landesjustizverwaltungen zur Untersuchung der NS-Gewaltverbrechen in Ludwigsburg, in: NS-Vernichtungslager im Spiegel deutscher Strafprozesse. Belzec, Sobibor, Treblinka, hg. v. ADALBERT RÜCKERL, München 1978, S. 197–142, S. 204: „Während einerseits die Tatsache, daß zur Erzielung einer zügigen Vernichtung größere und mehr Gaskammern erforderlich waren, den Angaben der jüdischen Zeugen die größere Wahrscheinlichkeit verleiht, ist auf der anderen Seite aber kein Grund dafür ersichtlich, warum die Angeklagten in diesem, für ihre Strafbarkeit unerheblichen Punkte die Unwahrheit gesagt haben sollen, zumal sie sich auch sonst bei der Schilderung der objektiven Lagerverhältnisse nach dem Eindruck des Gerichts durchweg bemüht haben, bei der Wahrheit zu bleiben."
[48] FRIEDLANDER, Der Weg zum NS-Genozid, S. 473 f.
[49] Vern. Gustav Müntzberger v. 26.10.1960, in: BA-L, 208 AR-Z 230/59, Bl. 1435 f.

len zu können.[50] Nach der Entleerung der Kammern säuberten eingewiesene Juden die Räume von Blut, Urin und Erbrochenem, um bei den nächsten „Todgeweihten" eine Panik angesichts dieser Mordspuren zu verhindern.

Anfangs mussten die Angehörigen des Bestattungskommandos jeweils eine oder zwei Leichen an Lederriemen zu den von Baggern ausgehobenen Sandgruben schleifen.[51] Später, als die große Deportationswelle nachließ, wurde ihnen erlaubt, die Leichen auf einfachen Holztragen zu zweit zu transportieren. Die Leichenträger mussten auf ihrem Weg zu den Gruben noch bei den so genannten Dentisten anhalten, einem jüdischen Häftlingskommando, das das Herausbrechen von Goldzähnen und -brücken vornahm.[52] Danach wurden die Toten den Bestattern übergeben, die sie in Schichten in die Grube legten und mit Kalk überstreuten.

Diese Vorgänge wiederholten sich in etwa anderthalbstündigem Zeitabstand, bis alle am jeweiligen Tag nach Treblinka II verfrachteten Juden tot waren. In den Herbstmonaten 1942, als im Lager Hochbetrieb herrschte, trafen täglich zwei bis drei Transporte im Vernichtungslager ein. In Ausnahmefällen waren es sogar vier, so dass die Gaskammereinsätze sich weit über zwölf Stunden am Tag hinzogen.[53]

Bis zum Frühling 1943 verscharrte man die Opfer in den Massengräbern unverbrannt. Mit der Zeit wurde dies aber zu einem immer größeren Problem: Da die Gräber „nur" bis zu fünf Meter tief und fast bis zum Rand gefüllt waren, verbreitete sich vom Vernichtungslager aus kilometerweit ein unerträglicher Verwesungsgeruch, der das makabre Mordprozedere an Außenstehende verriet. „OK [Ortkommandantur] Ostrow meldet, dass die Juden in Treblinka nicht ausreichend beerdigt seien und infolgedessen ein unerträglicher Kadavergeruch die Luft verpestet", schrieb der Oberquartiermeister beim Militärbefehlshaber im GG bereits im Oktober 1942 in sein Kriegstagebuch.[54] Dies war einer der Gründe dafür, dass man schon relativ

---

[50] Anonymer Bericht, „Treblinka. Pomnik wiecznej hańby narodu niemieckiego" v. 15.11.1942, in: AAN, Delegatura, 202/XV-2, Bl. 248.

[51] Ebd.

[52] Aussage Kalmann J. v. 11.02.1960, in: BA-L, 208 AR-Z 230/59, Bl. 723.

[53] Urteil LG Düsseldorf, 8 Ks 1/69 v. 22.12.1970, Bl. 76 f.; Franz Stangl, nach der Mordeffektivität des Vernichtungslagers gefragt, sagte in seiner Vern. v. 17.07.1967, in: BA-L, 208 AR-Z 230/59, Bl. 3702: „Wenn etwa 14 Stunden gearbeitet wurde, konnten [...] etwa 12 000–15 000 Menschen abgefertigt werden. Es hat viele Tage gegeben, an denen von früh bis abends gearbeitet wurde. Es ist auch vorgekommen, dass noch bei Licht gearbeitet worden ist."

[54] Eintrag v. 24.10.1942, KTB MiG, OQu, in: BA-MA Freiburg, RH 53-23/80; vgl. die Erinnerung von JERZY KRÓLIKOWSKI, Budowałem most kolejowy w pobliżu Treblinki. Wspomnienie, in: BŻIH Nr. 49/1964, S. 46–57, S. 51 f.; sowie Aussage Kurt W. v. 27.01.1945, in: AIPN, Ob-66a, Bl. 8.

früh damit begann, über eine Lösung zur vollständigen Leichenbeseitigung nachzudenken. Alle unternommenen Versuche scheiterten jedoch zunächst. Einer der Überlebenden erinnerte sich:

> „Es stellte sich heraus, dass Frauen besser verbrennen als Männer. Man nahm also Frauen zum Anheizen. [...] Die Leichen wurden mit Benzin begossen und angezündet. Es kostete jedoch zu viel und das Endergebnis war mies. Männer wollten einfach nicht verbrennen."[55]

Nach einem Besuch Himmlers im Frühling 1943 wurde das durch das „Sonderkommando 1005"[56] entwickelte Verfahren der Leichenverbrennung auf dem „Schienenrost" für brauchbar befunden und übernommen. Der Rost bestand aus fünf oder sechs etwa dreißig Meter langen Eisenbahnschienen, die auf siebzig Zentimeter hohen Betonsockeln in einer Erdmulde angebracht wurden. Unter dem Rost wurde ein Feuer entfacht, wodurch man bis zu dreitausend Leichen auf einmal verbrennen konnte. Die Errichtung dieser Anlage sowie die ersten Verbrennungen wurden von einem extra zu diesem Zweck beorderten Fachmann, SS-Unterführer Herbert Floß („Tadellos", „Karl Marx"), geleitet.[57] Nach der Anlaufphase wurde die Überwachung der Leichenbeseitigung entweder vom Leiter des „Totenlagers", SS-Scharführer Arthur Matthes, oder von seinem Stellvertreter, SS-Unterscharführer Karl Pötzinger, durchgeführt. Die groß angelegten Verbrennungen betrafen nicht nur die Körper der soeben Ermordeten, sondern vor allem die der bereits bestatteten Opfer aus den Massengräbern. Auf diese Weise bemühte man sich, jegliche Spuren des Verbrechens zu beseitigen. Das zuständige Kommando führte die Exhumierungen mit Hilfe der Bagger durch, mit denen man zuvor die Leichengruben ausgehoben hatte. Die aufgrund der Verwesung flüssig gewordenen Körperreste mussten von den Juden des Bestattungskommandos per Hand eingesammelt und zu den „Rosten" gebracht werden.[58] Nach der Verbrennung wurde die übrig gebliebene Asche nach Knochenresten durchsiebt, die dabei gefundenen größeren Knochen-

---

[55] WIERNIK, Rok w Treblince, S. 20.

[56] Das „Sonderkommando 1005" führte in den Jahren 1942–44 die groß angelegte Aktion der Spurenbeseitigung der NS-Massenverbrechen im Ost- und Südosteuropa durch Leichenverbrennung durch. Die technische Vorgehensweise, die später in allen Vernichtungslagern angewandt wurde, war bereits im Juni 1942 vom Leiter des Sonderkommandos, SS-Standartenführer Paul Blobel, bei der Leichenbeseitigung im Vernichtungslager Kulmhof entwickelt worden; SHMUEL SPECTOR, „Aktion 1005" – Effacing the Murder of Millions, in: Holocaust and Genocide Studies, Nr. 5, 1990, S. 157–173; sowie: Enzyklopädie des Holocaust, Bd. I, S. 10–14 (Stichwort: „Aktion 1005").

[57] Urteil LG Düsseldorf: 8 Ks 1/69 v. 22.12.1970, Bl. 110; sowie eidesstattl. Erkl. Eliasz R. v. 11.02.1961, in: BA-L, 208 AR-Z 230/59, Bl. 1925; vgl. MANFRED BURBA, Treblinka. Ein NS-Vernichtungslager im Rahmen der „Aktion Reinhard", Göttingen 1995, S. 9.

[58] Aussage Henryk R. v. 12.10.1945, in: AIPN, NTN 69, Bl. 30.

stücke wurden einer nochmaligen Einäscherung unterzogen. Erst danach vermischte man die menschliche Asche mit dem Sand und kippte beides zurück in die Gruben.[59] Trotz dieser Tarnmaßnahmen fand die polnische Untersuchungskommission während der vom 24. September bis 22. November 1945 durchgeführten Besichtigung vor Ort deutliche Spuren von Massenmord:

> „Im nordöstlichen Teil des [Lager]Gebietes befinden sich auf einer Fläche von ca. 2 ha große Mengen von mit Sand vermischter Asche. In dem Sand und Asche findet man zahlreiche menschliche Knochen, oft mit den verwesenden Geweberesten. Während der Besichtigung in Anwesenheit des sachverständigen Arztes wurde festgestellt, dass die Asche außer Zweifel menschlichen Ursprungs ist."[60]

Das Leben im Schatten der „Todesfabrik"

Trotz der Tatsache, dass die Lagerleitung von Treblinka II in jedem der dort eintreffenden Juden einen Todgeweihten sah, gab es für die jungen und starken Männer doch noch eine geringe Überlebenschance: Alle Vernichtungslager der „Aktion Reinhard" waren so konzipiert, dass ihre gesamten Arbeitsabläufe – von der Annahme der jüdischen Deportierten über die anschließende Vereinnahmung des persönlichen Hab und Guts bis hin zur Beseitigung der Leichen nach der Vergasung – durch jüdische Häftlinge abgewickelt wurden. Das NS-Personal hatte lediglich Aufsichts- und Bewachungsfunktionen inne. So bot die Beschäftigung in einem der vielen Arbeitskommandos des Lagers den jüdischen Deportierten die einzige Möglichkeit, dem Tod zumindest für eine Weile zu entrinnen.

In der ersten Mordperiode in Treblinka II wurden die Angehörigen der einzelnen Kommandos einem sehr strengen Regime unterstellt und tagtäglich aufgrund geringster Verstöße schwer misshandelt oder umgebracht.[61] Auch jeder Appell gab den Bewachern einen Anlass dafür, nach weiteren Opfern zu suchen, so dass keiner der Juden im Lager seines Lebens sicher sein konnte. Darunter litt nicht nur der reibungslose Betriebsablauf des Vernichtungslagers, sondern auch die allgemeine Sicherheitslage: Es kam immer wieder zu Widerstandsversuchen seitens der Häftlinge, die, da sie nichts mehr zu verlieren hatten, sich gegen ihre Peiniger erhoben.[62]

---

[59] Erlebnisbericht Henryk Reichman v. 12.10.1945, in: BA-L, 208 AR-Z 230/59, Bl. 813.

[60] ŁUKASZEWICZ, Treblinka, S. 135. Die Übersetzung des Berichtes mit etwas verändertem Wortlaut des Befundes in: BA-L, 208 AR-Z 230/59, Bl. 824–830.

[61] RICHARD GLAZAR, Die Falle mit dem grünen Zaun. Überleben in Treblinka, Frankfurt/M. 1992, S. 58; WIERNIK, Rok w Treblince, S. 4.

[62] MARANDA, Nazistowskie obozy zagłady, S. 128.

Ausschlaggebend für die Einführung von festen Arbeitskommandos war jedoch erst das Attentat auf den SS-Mann Max Biala: Während einer der willkürlichen Selektionen wurde Biala von einem argentinischen Juden namens Meir Berliner plötzlich mit einem Messer so schwer verletzt, dass er auf dem Weg ins Krankenhaus starb.[63] Der Attentäter selbst, wie auch die Mehrheit seines Arbeitskommandos, wurde zwar daraufhin aus Rache niedergemetzelt, jedoch setzte bei der Lagerleitung ein Umdenken in der Gestaltung des Arbeitseinsatzes ein. Durch die Einführung der festen jüdischen Arbeitskommandos entstanden für deren Angehörige, zumindest in Ansätzen, begrenzte Überlebenschancen.[64]

In jedem der drei Teile des Lagers wurden also feste Arbeitskommandos eingerichtet, die unter strenger Aufsicht ihre Aufgaben zu verrichten hatten. Trotzdem konnten einzelne ihnen angehörende Häftlinge jederzeit zur Erschießung abgeführt werden: „Wirth [hat] immer wieder gesagt: Wer nicht schafft, kommt weg. Jeder Kommandoführer und jeder Lagerführer konnte daher von sich aus Häftlinge, die nicht zufriedenstellend arbeiteten oder irgendwie auffielen, ins Lazarett abschieben. [...] Wenn die Leute zahlenmäßig innerhalb des Kommandos erforderlich waren, so wurde das Kommando bei dem nächsten Transport entsprechend ergänzt",[65] erklärte Stangl das Selektionsprinzip des Inspekteurs Wirth.

Im Wohnbereich der SS und der ukrainischen Wachmannschaft wurden spezialisierte Handwerker, die so genannten Hofjuden, einquartiert. Diese wurden relativ gut ernährt und seltener umgebracht – es sei denn, man erwischte sie bei Diebstahl oder Fluchtvorbereitungen.

In einem Teil des Aufnahmebereichs, dem so genannten Ghetto, wurden verschiedene Kommandos einquartiert, die einzelne Transporte abfertigten und sich um das hinterlassene Hab und Gut der Opfer kümmerten. Es gab dort mehrere Arbeitsgruppen, die durch Armbinden voneinander unterschieden wurden. Dadurch wollte man verhindern, dass sich die Ankömmlinge aus den Transporten in ihren Reihen versteckten:

- Das „Kommando Blau" (mit hellblauen Binden) empfing die Transporte an der Rampe, half dabei, die Menschen aus den Waggons herauszutreiben, kümmerte sich um die Transporttoten und säuberte die geleerten Waggons für die Abreise; es schleppte zudem die übrig gelassenen

---

[63] Vern. Miete v. 7.06.1960, BA-L, 208 AR-Z 230/59, Bl. 1019 f.; vgl. Vern. Kurt Franz v. 29.11.1960, ebd., Bl. 1476; laut Franz soll er im Ersatz für Biala als Führer der ukrainischen Wachmannschaften nach Treblinka versetzt worden sein.

[64] Vgl. MARANDA, Nazistowskie obozy zagłady, S. 156.

[65] Vern.: Franz Stangl v. 19.07.1967, in: BA-L, 208 AR-Z 230/59, Bl. 3740.

Sachen vor die „Bahnhof"-Sortierbaracken und nahm an ihrer Begutachtung und Verteilung teil.[66]

– Das „Arbeitskommando Rot" (mit roten Armbinden) war auf dem „Umschlagplatz" tätig; zu seinen Aufgaben gehörten das schnelle und reibungslose Auskleiden der Opfer, das Sortieren der Kleidung sowie die Selektion der „Gehunfähigen" und ihre Begleitung zur Exekution in das „Lazarett".[67]

– Das so genannte Lumpenkommando (gelbe Armbinden) sorgte innerhalb der Baracken für die Klassifizierung der Kleidungsstücke nach Qualität und für die Entfernung der Hinweise auf jüdische Abstammung wie Davidsterne, aufgenähte Namen oder vergessene Papiere.[68]

– Das „Tarnungskommando" wurde außerhalb des Lagers eingesetzt, wo es sich laufend um die Tarnung aller Zäune im Lager kümmerte und die dafür benötigten Äste besorgte.[69]

Insgesamt lebten stets zwischen 700 und 1500 der jüdischen Gefangenen im Ghettobereich von Treblinka II.

Besonders streng vom Rest des Vernichtungslagers wurden rund 300 jüdische Häftlinge abgeschottet. Diese lebten und arbeiteten direkt im „Totenlager". Auf Anordnung Wirths durften sie zwecks der Geheimhaltung ihrer Tätigkeit keinen Kontakt zu anderen Häftlingen haben und wurden deswegen in einer mit Stacheldraht umgebenen Baracke hinter der alten Gaskammer untergebracht.[70] Auch sie wurden in Arbeitsgruppen eingeteilt und bei der Entsorgung der Leichen eingesetzt. Unter ihnen lebten einige Facharbeiter wie Maurer, Schreiner und so weiter, die nach Bedarf auch in anderen Lagerbereichen die anfallenden Aufgaben verrichteten – und das trotz der strengen Vorkehrungen zur Geheimhaltung der Abläufe.[71]

In allen drei Lagerbereichen waren die so genannten Goldjuden beschäftigt. Diese kümmerten sich um Geld, Gold und andere Wertsachen, die den Opfern auf den verschiedenen Ebenen der „Abfertigung" abgenommen worden waren. Während jedoch die „Goldjuden" aus dem Aufnahme- und Wohnbereich von Treblinka II lediglich das Sammeln und Sortieren zu bewältigen hatten, mussten die hinter den Gaskammern eingesetzten „Den-

---

[66] Vgl. eidesstattl. Erkl. Henry S. v. 12.04.1961, in: BA-L, 208 AR-Z 230/59, Bl. 1747.

[67] Ebd.

[68] GLAZAR, Die Falle, S. 36.

[69] Aussage Samuel R. v. 9.10.1945, in: AIPN, NTN 69, Bl. 14; Stanisław K., in: AŻIH, 301/26 (ohne Datum).

[70] Vern. Franz Stangl v. 11.07.1967, in: BA-L, 208 AR-Z 230/59, Bl. 3727.

[71] Aussagen Szyja W. v. 9.10.1945, in: AIPN, NTN 69, S. 22RS; Aleksander K. v. 10.10.1945, ebd., Bl. 24RS.

tisten" das Zahngold aus den Leichen herausbrechen und ihre Körperöff-
nungen nach verstecktem Schmuck untersuchen.[72]

Alle Arbeitskommandos waren streng hierarchisch organisiert. Angeführt
wurden sie von jüdischen Kapos, die die Aufgabe hatten, ihre Untergebenen
mit Beschimpfungen und Schlägen zu der ihnen auferlegten Arbeit zu bewegen. Diese Funktionshäftlinge bildeten jedoch keineswegs eine homogene
Gruppe: Während die einen ihre Macht auf offenkundige Art und Weise
missbrauchten, indem sie die jüdischen Arbeiter schikanierten, ausspionier-
ten und erpressten, benutzten andere ihre Funktion dazu, zusätzliche Essens-
portionen zu „organisieren", Kranke zu verstecken und sich an Aufstandsvorbereitungen zu beteiligen.

Der Lagerälteste im Aufnahmebereich von Treblinka II war Marceli
Galewski, ein 45-jähriger Ingenieur aus Lodz. Galewski kümmerte sich um
die Häftlinge und unterstützte aktiv die Aufstandsvorbereitungen.[73] Sein
krasses Pendant bildete der Leiter des jüdischen Arbeitskommandos im
„Totenlager", ein Wiener Jude namens Blau, der bereits vor der Deportation
ein Zuträger der Gestapo gewesen sein soll. Einer der Zeugen berichtete,
dass Blau sich in Treblinka II

> „mit einer Bande der schlimmsten gesellschaftlich Verstoßenen umgab, die ihm
> berichteten, was in den Baracken passiert, worüber die Häftlinge sprechen und
> was sie vorhaben. Seinen Komplizen vergab Blau dafür die doppelten Essens-
> rationen und besten Stücke. Er tat dies natürlich zum Nachteil aller anderen."[74]

Nach dem Morgenappell um 5.00 Uhr und dem Frühstück unmittelbar
danach wurden die Häftlinge zu ihrer Arbeit abgeführt. Der Arbeitstag,
lediglich unterbrochen durch eine Essenspause, dauerte in der Regel bis
18.00 Uhr. Im Herbst und Winter 1942 kam es jedoch zu verstärktem
Betrieb, bei dem die Transporte auch abends ankamen, so dass die Häftlinge
noch bis in die späte Nacht arbeiten mussten. Erst nach getaner Arbeit
erfolgte eine weitere Essensausgabe und schließlich der Abendappell. Die
Appelle dienten dazu, die Anwesenheit zu überprüfen, die arbeitsunfähigen
Häftlinge auszusondern, Durchsuchungen nach Wertsachen und Gold vorzunehmen oder Prügelstrafen durchzuführen.[75]

---

[72] Aussagen Samuel R. v. 9.10.1945, in: AIPN, NTN 69, Bl. 14; Kalman J. v.
12.10.1967, in: BA-L, 208 AR-Z 230/59, Bl. 3822 f.; RAJGRODZKI, Jedenaście miesięcy, S.
104.

[73] Erlebnisberichte Leon Perelsztejn v. 9.03.1945, in: AŻIH, 301/106; Szymon Goldberg
v. 16.07.1945, in: AŻIH, 301/656.

[74] SAMUEL WILLENBERG, Bunt w Treblince, Warszawa 1991, S. 59; MARANDA, Nazistowskie obozy zagłady, S. 163.

[75] Aussagen Abraham L. v. 6.07.1960, in: BA-L, 208 AR-Z 230/59, Bl. 1675 f.; Tadeusz
G. v. 19.01.1961, ebd., Bl. 1864.

Die Bestrafung bestand in der Regel aus entweder 25 oder 50 Peitschenhieben auf das Gesäß des Häftlings, der dazu auf einem hölzernen Bock
festgebunden wurde. Da der Gesundheitszustand der Juden im Lager bereits
stark beeinträchtigt war, endeten solche Bestrafungen häufig mit dem Tod.
Der Betroffene starb dann entweder noch unter der Peitsche oder als
„Arbeitsunfähiger" im „Lazarett".[76] Geschlagen wurde für kleinste Vergehen: Unachtsamkeit, zu langsame Arbeit, Verständigungsprobleme. Eine
andere Form der Bestrafung, die gleichzeitig zur Belustigung der Wachmannschaften diente, war der so genannte Sport: Übungen, die die Juden oft
stundenlang unter Bewachung bis zur völligen Erschöpfung ausführen mussten. Auch danach wurden die Schwächsten von ihnen in das „Lazarett"
gebracht und ermordet.[77] Ertappte Flüchtlinge wurden zur Abschreckung
mit dem Kopf nach unten an einen Galgen gehängt und dann entweder
totgeprügelt, im „Lazarett" erschossen oder so lange hängen gelassen, bis
sie verstarben.[78]

Besonders gefährlich für die Arbeitsjuden waren die Stillstandsperioden
im Lagerbetrieb, wenn nur wenige Transporte in Treblinka II eintrafen. In
solchen Zeiten dachten sich die SS-Angehörigen perverse „Spielchen" auf
Kosten der Juden aus, die bisweilen tödlich endeten. Einer der SS-Leute
erinnerte sich:

> „Es ist sehr oft und viel abends getrunken worden. Dann fingen manche vom
> deutschen Lagerpersonal an zu schießen. Bei solchen Schießereien sind, ohne
> dass es eigentlich gewollt war, auch Häftlinge getroffen worden. [...] Es bestand
> dann natürlich die Gefahr, dass angeschossene Häftlinge ins ‚Lazarett' kamen
> und dort getötet wurden, weil sie nicht arbeitsfähig waren."[79]

Aus Langeweile wurde in Treblinka II ein Orchester unter der Leitung eines
berühmten jüdischen Musikers, Arthur Gold, gebildet, das immer abends
vor dem Appell spielen musste.[80] Die SS-Leitung befahl zudem den Bau
einer Bühne, auf der fortan unterhaltsame Aufführungen gezeigt oder Box-
kämpfe zur Belustigung des Aufsichtspersonals ausgetragen wurden.[81]

Die Alltäglichkeit und Allanwesenheit des Todes in Treblinka II führte zu
unterschiedlichen Verhaltensweisen unter den schikanierten Arbeitsjuden.
Während die einen alles daransetzten, am Leben zu bleiben, verfielen die

---

[76] Aussage Jan S. v. 20.12.1945, in: AIPN, NTN 70, Bl. 165RS f.
[77] Aussagen Kalman J. v. 12.10.1967, in: BA-L, 208 AR-Z 230/59, Bl. 3826; Richard
Glazar v. 3.11.1967, ebd., Bl. 4000 ff.
[78] GLAZAR, Die Falle, S. 45; vgl. auch seine Aussage v. 20.11.1967, in: BA-L, 208 AR-
Z 230/59, Bl. 3852 ff.
[79] Vern. Otto H. v. 11.10.1967, in: BA-L, 208 AR-Z 230/59, Bl. 3817.
[80] GLAZAR, Die Falle, S. 118 f.
[81] Ebd., S. 122 ff.; RAJGRODZKI, Jedenaście miesięcy, S. 113.

anderen in Hoffnungslosigkeit und Apathie, die nicht selten in psychischer Krankheit oder Selbstmord endeten.[82]

Während der anfänglichen Phase, in der der Betriebsablauf noch nicht so routiniert war und das Lager eher nachlässig bewacht wurde, versuchten viele zu fliehen. Sie versteckten sich entweder in den leer geräumten Waggons oder versuchten, bei Nacht die Zäune zu überwinden. Nach der Reorganisation von Treblinka II, als beide Fluchtwege weitgehend abgeschnitten waren, konzentrierten sich die Bemühungen der Insassen auf Aufstandsvorbereitungen, welche auf die Überwindung der Wachmannschaften und die völlige Zerstörung des Lagers abzielten. Diese Vorbereitungen wurden im Sommer 1943 intensiviert, als aufgrund der sinkenden Anzahl der Transporte allen Juden in Treblinka II klar wurde, dass das Ende des Vernichtungslagers nahte und sie, die „unbequemen" Augenzeugen, jederzeit liquidiert werden konnten.

Unter Führung von Dr. med. Julian Chorążycki entstand ein Organisationskomitee mit Angehörigen in allen Lagerteilen. Zu seinen engsten Mitarbeitern gehörten: der „Lagerälteste" Marceli Galewski, der Kapo im „Lazarett" Zew Kurdland und der Vorarbeiter aus dem „Totenlager" Zelomir Bloch. Die Verbindung zwischen dem abgeschotteten „Totenlager" und dem Rest von Treblinka II wurde durch Jankiel Wiernik aufrecht erhalten, der als Schreiner des Öfteren Zugang zu anderen Wohnbereichen erhielt.[83] Der Aufstandsplan zielte nicht nur auf die Flucht möglichst vieler Häftlinge ab, sondern auch auf die Tötung des NS-Personals sowie auf das Niederbrennen von Lagereinrichtungen. Nach den zum Teil misslungenen Versuchen, die benötigten Waffen den Ukrainern abzukaufen, gelang es dem Schlosser Eugeniusz Turowski, den Schlüssel zur Waffenkammer der SS nachzumachen.[84] Die Aufständischen beabsichtigten, am 2. August 1943 ihre Leute unbemerkt mit den geschmuggelten Waffen auszustatten, um dann in kleinen Gruppen das Lagerpersonal zu überwältigen. Die ukrainischen Posten auf den Wachtürmen sollten mit Gold heruntergelockt und umgebracht werden. Gleichzeitig sollten alle Baracken und Todeseinrichtungen von Treblinka II in Brand gesteckt werden.[85] Die Voraussetzungen für den Erfolg des Unterfangens waren optimal, weil am Tag des Aufstandes ein Teil der Ukrainer einen Badeausflug zu dem nur wenige Kilometer entfernten Bug unternahm. Trotzdem schlug das sorgfältig geplante Unternehmen fehl: Einer der Aufseher, Kurt Küttner, fand bei einem der Aufständischen

---

[82] WIERNIK, Rok w Treblince, S. 15; RAJGRODZKI, Jedenaście miesięcy, S. 106.

[83] WIERNIK, Rok w Treblince, S. 28.

[84] Aussage Eugeniusz Turowski v. 7.10.1945, in: AIPN, NTN 69, Bl. 12; GLAZAR, Die Falle, S. 112 f.

[85] Stanisław K., in: AŻIH, 301/26 (ohne Datum).

Gold und provozierte durch eine sofort eingeleitete Untersuchung den vor-
zeitigen Ausbruch der Revolte.[86] Dies überraschte einige der Verschwörer,
die dadurch keine Zeit mehr hatten, sich zu bewaffnen oder die Ukrainer auf
den Wachtürmen zu eliminieren. Infolgedessen geriet eine größere Gruppe
von Häftlingen ins Kreuzfeuer der Aufseher. Trotzdem gelang es ihnen, den
Großteil der Lagerbaracken anzuzünden und über die Zäune zu fliehen.
Viele von ihnen wurden noch auf dem Lagergelände tödlich getroffen oder
während der anschließenden Hetzjagd getötet. Von den 840 im Moment des
Ausbruchs im Lager lebenden Häftlingen gelang rund 400 die Flucht. Den
Krieg überlebten etwa 70 von ihnen.[87]

Trotz der Revolte und der partiellen Zerstörung der Lagereinrichtungen
wurde der Betrieb in Treblinka II schnell wieder aufgenommen. Kommandant Stangl wurde abgelöst. Seine Funktion übernahm der bisherige Stellvertreter, der SS-Untersturmführer Kurt Franz.[88] Unter seinem Kommando
wurden die Gaskammern wieder in Gang gesetzt. Bereits Mitte August
wurden dort weitere 7600 Juden aus dem Ghetto Bialystok ermordet. Erst
danach stellte Treblinka II seinen Tötungsbetrieb ein. Mit Hilfe von jüdischen Häftlingen und einer verkleinerten SS-Besatzung leitete Franz die
Aktion der Spurenbeseitigung. Die nach dem Brand übrig gebliebenen
Gebäude, Wachtürme und Zäune wurden beseitigt und die Leichengruben,

---

[86] Aussage Leon P. v. 9.03.45, in: AIPN, Ob-66, Bl. 21 f.

[87] Vgl. die Zahlenangaben in: ARAD, Belzec, Sobibor, Treblinka, S. 298; MARANDA,
Nazistowskie obozy zagłady, S. 179; BURBA, Treblinka, S. 21.

[88] Kurt Franz wurde 1914 in Düsseldorf geboren. Von Beruf war er Metzgergehilfe und
Koch. Seit 1937 war er in der SS. Er wurde im KZ Buchenwald in den Totenkopfverbänden
geschult. Von dort aus wurde er 1939 als Koch in den Euthanasieanstalten Grafeneck,
Hartheim, Pirna und Brandenburg eingesetzt. Seit Frühjahr 1942 war er als Koch in das
Vernichtungslager Belzec abkommandiert, wo er auch die militärische Schulung für fremdvölkische Wachmannschaften übernahm. Im Herbst 1942 wurde er nach Treblinka versetzt, wo
er zum Führer der ukrainischen Wachmannschaften und Stellvertreter von Stangl wurde. Nach
dem Aufstand übernahm er die Leitung des Vernichtungslagers Treblinka und führte auch
seine anschließende Auflösung durch. Im November 1943 folgte er Globocnik nach Triest.
Nach dem Krieg floh er aus amerikanischer Gefangenschaft und schlug sich als Bauarbeiter
und Koch durch. 1959 wurde er festgenommen, 1965 zu einer lebenslangen Freiheitsstrafe
verurteilt. Am 1. Februar 1993 wurde der des gemeinschaftlichen Mordes an mindestens
300 000 Personen und des Mordes in 35 Fällen an mindestens 139 Personen überführte Franz
zur Bewährung entlassen. Das Landgericht Wuppertal begründete seinen Beschluss u.a. damit,
dass „der Verurteilte [...] seit 1991 die ihm vorgeworfenen Verbrechen nicht mehr bestreitet;
er bekennt sich zwar nicht zu seinen Taten, stellt aber seine Beteiligung nicht mehr in Abrede
und zieht sich darauf zurück, von dem Unrechtssystem der Nationalsozialisten mißbraucht
worden zu sein. Die Kammer wertet diese Einlassung dahin, daß der Verurteilte beginnt, für
die von ihm begangenen äußerst schwerwiegenden Straftaten Verantwortung zu fühlen", in:
Beschluß in der Strafsache: 1 StVK 548/92 b des Landgerichts Wuppertal v. 21.12.1992, S.
11; vgl. Enzyklopädie des Holocaust, Bd. I, S. 495 f. (Stichwort: „Franz").

gefüllt mit der Asche der verbrannten Körper, zugeschüttet. Auf dem Lager-
gelände wurde zur Tarnung ein Bauernhof errichtet, auf dem nach dem
Abzug der Lagermannschaft einer der ukrainischen Wachposten mit seiner
Familie leben sollte.[89]

Am 17. November 1943 führte Franz die letzte Exekution aller Angehö-
rigen des jüdischen Restkommandos durch. Die Juden wurden in kleinen
Gruppen zum nahen Waldrand gebracht und dort durch Franz, Bredow und
Mentz mit Genickschüssen ermordet. Die Ukrainer verbrannten die Leichen
anschließend auf einem kleinen, extra zu diesem Zweck neu errichteten
„Rost".[90]

Todesbilanz des Vernichtungslagers Treblinka II im Rahmen der „Aktion Reinhard"

Treblinka II war ohne Zweifel das effektivste aller Vernichtungslager der
„Aktion Reinhard". Während der sechzehn Monate seines Bestehens wurden
dort etliche hunderttausend Juden – vor allem aus dem Generalgouvernement, aber auch aus dem Bezirk Bialystok, dem Protektorat (Theresienstadt)
sowie aus der Slowakei, Griechenland und Bulgarien – ermordet. Die Ermittlung der exakten Opferzahlen ist jedoch aufgrund des lückenhaften
Quellenmaterials kaum möglich. Die Mindestzahlen der Ermordeten diver-
gieren in der Fachliteratur zwischen 700 000 und 900 000. Das sind die
Zahlen, die in den beiden Treblinka-Prozessen durch deren Gutachter,
Helmut Krausnik im Jahre 1965 und Wolfgang Scheffler 1969, berechnet
wurden.[91] So spricht z. B. Rückerl von 700 000, Hilberg von 750 000,
Łukaszewicz von 785 300, Madajczyk von 700 000 bis 800 000, Gilbert von

---

[89] JERZY KRÓLIKOWSKI, Wspomnienia z okolic Treblinki w czasie okupacji, v. 05.1961,
in: AŻIH, 302/224, Bl. 20; vgl. auch die Wehrmachtsfrachtbriefe, in AIPN, NTN 70, Bl.
77–157, die den Abtransport von allen möglichen Lagereinrichtungsgegenständen, wie
Barackenteilen, Stacheldraht, Baggern usw., an verschiedene Bestimmungsorte überwiegend
im Distrikt Lublin bezogen; laut diesen Frachtbriefen wurden auch einige Hundert Häftlinge
am 20.10. (fünf Güterwaggons) und am 4.11.1943 (zwei Güterwaggons) nach „SS-Sonderkommando Sobibor" verschickt, vgl. ebd. Bl. 120, 127 f.

[90] Vern. Willy Grossmann v. 6.07.1961, in: BA-L, 208 AR-Z 230/59, Bl. 1849 f.; Vern.
Willi Mentz v. 31.07.1961, ebd., Bl. 1879 f. Mentz schildert dort folgendermaßen den
Verlauf der Exekution: „Die Häftlinge mußten sich, bevor sie erschossen wurden, hinknien.
Geschossen haben dann immer zwei von uns. Einer fing links, der andere rechts an."

[91] NS-Vernichtungslager, S. 197 ff.

840 000, Maranda in Anschluss an Arad von 910 000, Burba von 912 000 und Golczewski sogar von 974 000 Opfern.[92]

Die vor kurzem durch Witte und Tyas gemachte Entdeckung des Fernschreibens von SS-Sturmbannführer Höfle an den Befehlshaber der Sicherheitspolizei in Krakau über den Stand der Ermordeten im Rahmen der „Aktion Reinhard" im Public Record Office in Kew, London, erlaubt eine weitere Präzisierung der bisherigen Angaben. Laut diesem Dokument wurden bis zum 31.12.1942 in Treblinka II 713 55[5] Menschen vernichtet.[93] Die Zahlen des Fernschreibens scheinen zusätzlich durch die Tatsache untermauert, dass sie anscheinend auch die Grundlage für den so genannten Korherr-Bericht boten, der bekanntlich für Himmler und in gekürzter Fassung für Hitler persönlich gedacht war, also kaum falsche Angaben enthalten konnte.[94]

Größere Probleme bereitet die Erstellung der Vernichtungsbilanz in Treblinka II im Jahre 1943. Aus der Fachliteratur lassen sich folgende Transporte benennen:

– zwischen dem 6. und 13. Januar 18 500 Juden aus dem Distrikt Radom;[95]
– bis 24. Mai 6929 Juden aus dem Warschauer Ghetto[96], davon 6500 zwischen dem 18. und 22. Januar;[97]
– zwischen dem 9. und 13. Januar 10 000 Juden aus dem Bezirk Bialystok und am 18./19. August weitere 7600;[98]

---

[92] Ebd., S. 197; HILBERG, Die Vernichtung, Bd. 3, S. 1299; ZDZISŁAW ŁUKASZEWICZ, Obóz straceń w Treblince, Warszawa 1946, S. 39; CZESŁAW MADAJCZYK, Polityka III Rzeszy w okupowanej Polsce, Warszawa 1970, Bd. II, S. 343; MARTIN GILBERT, Endlösung. Die Vertreibung und Vernichtung der Juden. Ein Atlas, Reinbek 1995, S. 169, Karte Nr. 217; MARANDA, Nazistowskie obozy zagłady, S. 66; BURBA, Treblinka, S. 18; FRANK GOLCZEWSKI, Polen, in: Dimensionen des Völkermords. Die Zahl der jüdischen Opfer des Nationalsozialismus, hg. v. WOLFGANG BENZ, München 1991, S. 411–497, S. 495.

[93] WITTE/TYAS, A New Document, S. 468–474. (Die Berichtigung der ursprünglich empfangenen Zahl der Toten in Treblinka, die durch beide Autoren vorgenommen wurde, scheint überzeugend zu sein und wird daher übernommen.)

[94] Ebd., S. 476–479.

[95] ADAM RUTKOWSKI, Martyrologia, walka i zagłada ludności żydowskiej w dystrykcie radomskim podczas okupacji hitlerowskiej, in: BŻIH 15-16/1955, S. 75–181, hier: Tab. Ia, V, X, XI, XIII, S. 138, 143, 155, 159, 165.

[96] Stroop an Krüger am 24.05.1943, in: ISRAEL GUTMAN, Żydzi warszawscy 1939–1943, Warszawa 1993, S. 521.

[97] Vgl. sog. Stroop-Bericht v. 16.05.1943 (1061-PS), in: IMG, Bd. XXVI, S. 635.

[98] ARAD, Belzec, Sobibor, Treblinka, Tab. 4, S. 396; laut SZYMON DATNER, Eksterminacja ludności żydowskiej w Okręgu Białystok, BŻIH Nr. 60/1966, S. 3–50, hier: Tab. 1, S. 30 f., fanden die Deportationen entsprechend zwischen dem 5. und 12.02. und dann am 16.08.1943 statt.

- am 25. Januar 2120 Juden aus Jesionowka;[99]
- zwischen dem 14. und 22. Januar 6000 Juden aus Grodno;[100]
- zwischen dem 26. und 28. März 4215 Juden aus Saloniki;[101]
- drei Transporte von mazedonischen Juden am 29. und 31. März sowie am 5. April mit insgesamt 7144 Menschen;[102]
- 2800 Juden aus Thessaloniki im Mai;[103] und
- ca. 2000 Sinti und Roma im Frühling 1943.[104]

Für das Jahr 1943 lassen sich also insgesamt etwa 67 308 Opfer von Treblinka II benennen. Mit Sicherheit sind das nicht alle Deportierten, die dort den Tod fanden, sondern nur diejenigen, die in der Fachliteratur der letzten Jahre verzeichnet wurden. Unter Berücksichtigung der Angaben des Korherr-Berichts für das Jahr 1942 ergibt sich damit eine Mindest-Opferzahl von Treblinka II in Höhe von 780 863.

---

[99] ARAD, Belzec, Sobibor, Treblinka, Tab. 4, S. 396; vgl. DATNER, Eksterminacja, Tab. 2, S. 34.

[100] ARAD, Belzec, Sobibor, Treblinka, Tab. 4, S. 396; vgl. DATNER, Eksterminacja, Tab. 5, S. 42.

[101] ARAD, Belzec, Sobibor, Treblinka, S. 143.

[102] Ebd., S. 144.

[103] Ebd., S. 146.

[104] Ebd., S. 153.

TÄTER

PATRICIA HEBERER

EINE KONTINUITÄT DER TÖTUNGSOPERATIONEN.
T4-TÄTER UND DIE „AKTION REINHARD"

Am 2. Juli 1946 wurde der 35-jährige Metallarbeiter Josef Hirtreiter[1] festgenommen und zur Vernehmung im Zusammenhang mit dem Tod von
Patienten der berüchtigten Landesheil- und Pflegeanstalt Hadamar bei Lim-
burg an der Lahn nach Frankfurt am Main gebracht. Die deutschen Ermittler
beabsichtigten, ihn im bevorstehenden Prozess gegen den Chefarzt Adolf
Wahlmann und weiteres Hadamar-Personal wegen der während des Krieges
begangenen Ermordung von 15 000 behinderten Patienten als einen der
Angeklagten zu präsentieren, und wollten ihn nach den Vorgängen in der
„Euthanasie"-Anstalt befragen.[2] In dem Verhör, das einige Tage später
stattfand, äußerte sich Hirtreiter nicht nur über die Tötungen in Hadamar,
wo er bei der Verbrennung der Leichen mitgeholfen hatte, sondern erwähnte
auch, dass er von Beamten der Kanzlei des Führers später in das Lager
Malkinia bei Warschau versetzt worden sei, und nannte die Namen mehrerer
Kollegen aus Hadamar, die ihn dorthin begleitet hatten.

---

[1] National Archives and Records Administration (NARA), RG 242 (Foreign Records
Seized), Berlin Document Center (BDC), Mikrofilm A3343-SSEM-G0076, SS-Stammrollen-
blatt Josef Hirtreiter.

[2] Im Oktober 1945 waren sieben Hadamar-Angestellte, darunter Wahlmann, von einem
amerikanischen Militärgerichtshof wegen der Ermordung von 476 sowjetischen und polnischen
Zwangsarbeitern während des Krieges der Verletzung des Völkerrechts angeklagt worden. Im
Dezember des gleichen Jahres wurde die Zuständigkeit der wieder eingesetzten deutschen
Gerichte durch das Kontrollratsgesetz Nr. 10 auf nationalsozialistische Verbrechen an deutschen Staatsbürgern und Staatenlosen ausgedehnt. Auf der Grundlage dieses Gesetzes klagte
die Frankfurter Staatsanwaltschaft 1947 das überlebende Hadamar-Personal des Mordes an
15 000 in dieser Anstalt getöteten deutschen „Euthanasie"-Opfern an, da das Urteil des
amerikanischen Gerichtshofs diese Fälle nicht umfasste (vgl. NARA, Mikrofilm M 1078,
United States of America v. Alfons Klein et al. (fortan: Hadamar-Prozess); Hessisches
Hauptstaatsarchiv Wiesbaden [HHStAW], Abt. 461, Nr. 32061-7, Landgericht Frankfurt am
Main, Verfahren gegen Adolf Wahlmann u. a., 4a Kls 7/47 [4a Js 3/46] (fortan: Frankfurter
Hadamar-Prozess).

Die Frankfurter Staatsanwaltschaft, die sich auf ihre Zuständigkeit beschränkte,[3] schenkte Hirtreiters Eingeständnis seiner Tätigkeit in Polen kaum Beachtung, und da es ihr nicht gelang, ihm eine Verstrickung in die Morde von Hadamar nachzuweisen, wurde er wieder in den Gewahrsam der Amerikaner entlassen.[4] Genau drei Jahre später begann sich die Staatsanwaltschaft jedoch für die Aussage zu interessieren, nachdem am 12. Juli 1948 in der *Frankfurter Neuen Presse* eine kurze Meldung erschienen war, der zufolge Hirtreiter von den amerikanischen Besatzungsbehörden als „SS-Wachmann im damaligen Konzentrationslager Malkinia", wo er an der „Vergasung von mindestens 4000 bis 5000 Juden" beteiligt gewesen sein sollte, zu zehn Jahren Zuchthaus verurteilt worden war. Ihr ging rasch auf, dass es sich bei dem „Lager in der Nähe von Warschau", das Hirtreiter 1946 erwähnt hatte, um das berüchtigte Tötungszentrum Treblinka handelte, in dem Hunderttausende Juden ihr Leben gelassen hatten.[5] Darüber hinaus war seine Erklärung, er sei auf Veranlassung der Kanzlei des Führers versetzt worden, für die Strafverfolger einer der ersten Hinweise auf eine direkte Verbindung zwischen dem so genannten Euthanasie-Programm und dem Massenmord an den Juden im deutsch besetzten Polen. Während des Krieges war diese Verbindung für Eingeweihte offensichtlich gewesen. Hirtreiters damalige Geliebte hatte 1942 aus dem, was sie über seine bisherige „Arbeit" in Hadamar wusste, auf die Art der neuen Tätigkeit ihres Verehrers geschlossen. „Was macht ihr denn in Polen?", hatte sie ihn gefragt, als er zum ersten Mal auf Heimaturlaub kam. „Gelt, ihr legt da Menschen um?"[6] Doch erst 1948 begannen deutsche Strafverfolger die enge Verflechtung der Aktion T4 mit dem Genozid an den europäischen Juden und insbesondere dem „Einsatz Reinhard" zu enthüllen.

Die Aktion T4, die „Euthanasie"-Kampagne, war als erstes Massenmordprogramm der Nationalsozialisten in mancherlei Hinsicht der Vorläufer und Prototyp der „Endlösung". Dennoch wurde die Verbindung zwischen der „Euthanasie"-Aktion und dem jüdischen Holocaust jahrzehntelang unterbewertet und missverstanden. Erst in jüngerer Zeit ist man dank der Arbeiten von Historikern wie Ernst Klee und Henry Friedlander auf den engen Zu-

---

[3] Während deutsche Gerichte schon vor 1948 berechtigt waren, Verbrechen wie „Euthanasie", Denunziation von Mitbürgern und Deportation von deutschen Juden zu verfolgen, verblieben in Konzentrations- und Vernichtungslagern verübte Verbrechen weiterhin in der Zuständigkeit der Besatzungsmächte und nationaler Gerichtshöfe der Alliierten.

[4] Hirtreiter hatte bis dahin in einem amerikanischen Internierungslager in Darmstadt eingesessen.

[5] Nationalsozialistische Vernichtungslager im Spiegel deutscher Strafprozesse: Belzec, Sobibor, Treblinka, Chelmno, hg. v. ADALBERT RÜCKERL, München 1977, S. 39.

[6] Ein Wachmann in Treblinka, in: Frankfurter Zeitung, 11. November 1950, zit. in RAUL HILBERG, Die Vernichtung des europäischen Judentums, Frankfurt/M. 1997, S. 1030.

sammenhang zwischen diesen beiden Tötungsprogrammen aufmerksam geworden.[7] Auf ideologischer Ebene waren die biomedizinischen Rechtfertigungen für die Vernichtung „lebensunwerten Lebens" auf den stärker „biologisch" definierten Feind, die Juden, ausgedehnt worden.[8] In technischer Hinsicht übernahmen die Planer der „Endlösung" die mühevoll aus der Aktion T4 erworbenen Lehren und Strategien. So lernten sie, dass die Konzentration und Vergasung der Opfer an einem zentralen Ort die schnellste und effektivste Methode war, um eine große Zahl von Menschen zu töten,[9] und auch die in den Tötungszentren in Polen verwendete stationäre Vergasungstechnologie, der fließbandmäßige Tötungsprozess sowie die ausgeklügelten Vorwände und Täuschungsmanöver waren ursprünglich von den Planern und Technikern der Aktion T4 für die Ermordung der Geisteskranken und Körperbehinderten entwickelt worden. Außerdem stellte das „Euthanasie"-Programm die Feuerprobe für das Morden als umfassende Staatspolitik dar. Der Erfolg der Aktion T4 zeigte den NS-Führern, dass weder eine umfangreiche Ausbildung noch intensive Indoktrination nötig waren, um „willige Vollstrecker" hervorzubringen: Ganz „gewöhnliche" Deutsche konnten als Täter und Komplizen bei der Ermordung unschuldiger und wehrloser Menschen dienen. Die heimliche Komplizenschaft beziehungsweise Nichteinmischung staatlicher, kommunaler und privater Institutionen bei der Überstellung und Behandlung der Opfer war eine notwendige Voraussetzung für die Durchführung der „Euthanasie"-Maßnahmen, und die uneingeschränkte Kooperation der Bürokratie gab gewissermaßen „grünes Licht" für weitere Tötungsaktionen.

Andererseits legten die Schwierigkeiten, mit denen die T4-Funktionäre bei der Durchführung ihres Tötungsprogramms innerhalb Deutschlands konfrontiert waren, wesentliche Modifikationen des Konzepts nahe. Die

---

[7] Siehe ERNST KLEE, Von der „T4" zur Judenvernichtung. Die „Aktion Reinhard" in den Vernichtungslagern Belzec, Sobibor und Treblinka, in: GÖTZ ALY, Aktion T4, 1939–1945. Die „Euthanasie"-Zentrale in der Tiergartenstraße 4, Berlin 1987, S. 147–152; DERS., Was sie taten — was sie wurden. Ärzte, Juristen und andere Beteiligte am Kranken- und Judenmord, Frankfurt/M. 1986; HENRY FRIEDLANDER, Der Weg zum NS-Genozid. Von der Euthanasie zur Endlösung, Berlin 1997.

[8] Siehe PATRICIA HEBERER, Targeting the „Unfit" and Radical Public Health Strategies in Nazi Germany, in: Deaf People in Hitler's Europe, 1933–1945, hg. v. DONNA RYAN/STAN SCHUCHMAN, Washington, D.C., 2002.

[9] Seit Oktober 1940 wurden die „Euthanasie"-Opfer nicht mehr direkt von ihren Anstalten zu den T4-Vergasungszentren gebracht, sondern zu einer Reihe günstig gelegener „Zwischenanstalten", in denen sie vor dem Weitertransport mehrere Wochen blieben. Zweck dieser Zwischenanstalten war es, einerseits einen ständigen Strom von Opfern zu den T4-Zentren zu gewährleisten, damit die Kapazität der Gaskammern voll genutzt werden konnte, und andererseits die Möglichkeit von Protesten oder Rettungsversuchen von Seiten misstrauischer Angehöriger oder außenstehender Institutionen zu verringern.

Unruhe, die das „Euthanasie"-Programm in der deutschen Bevölkerung ausgelöst hatte, und die Befürchtung von NS-Funktionären, das verbreitete Wissen über die Morde könnte öffentlichen Widerstand hervorrufen, hatten zur Folge, dass künftige große Tötungsoperationen außerhalb des „Altreichs" stattfanden. Aus Interventionen von Verwandten der Opfer – eine Störung, die das „Euthanasie"-Programm fast von Anfang an behindert hatte[10] – zogen die Logistikplaner den Schluss, dass es weniger Probleme aufwerfen würde, anstelle einzelner Juden (oder Roma) ganze jüdische Kernfamilien (und solche der Roma) in den Osten zu transportieren. Die von der Justiz ausgehenden Schwierigkeiten schließlich, die die „reibungslose Durchführung" der Aktion T4 erschwert hatten,[11] wurden überwunden, als Himmler in seiner Eigenschaft als „Reichsführer-SS" die Verantwortung für den Genozid am europäischen Judentum übernahm. Im nationalsozialistischen KZ-System sowohl innerhalb als auch außerhalb Deutschlands lag die rechtliche Zuständigkeit letztlich weder bei den lokalen Zivilbehörden noch bei militärischen Stellen, sondern bei der SS, weshalb im Grunde weder eine Zusammenarbeit mit der Justiz noch ein Kompromiss mit ihr erforderlich war.

Der konkreteste Beitrag der „Euthanasie"-Aktion zur „Endlösung" erfolgte jedoch in Gestalt des Personals der Tötungszentren. Diese Truppe,

---

[10] Nach Michael Burleighs Ansicht bestand einer der Gründe, warum die nationalsozialistische „Euthanasie"-Aktion lange Zeit ein unbeachtetes Kapitel der deutschen Geschichte blieb, darin, dass sie dunkle Geheimnisse enthielt – dass viele Familien nämlich dem „Gnadentod" ihrer körperlich oder geistig behinderten Angehörigen stillschweigend zustimmten. Dagegen spricht ein wahrer Berg von Briefen an Gesundheitsbehörden und Justizstellen, die in der Zeit, als die Morde geschahen, und während ihrer juristischen Aufarbeitung nach dem Krieg geschrieben wurden und die belegen, dass Burleighs Ansicht nicht die ganze Bandbreite der Reaktionen von Verwandten auf den „Euthanasie"-Tod ihrer Angehörigen wiedergibt.

[11] Da Hitler von den ersten T4-Planungen an darauf bestanden hatte, dass keine Behörde oder Regierungsstelle direkt in die Aktion verwickelt sein dürfe, war das Reichsjustizministerium zunächst nicht über die Operation ins Bild gesetzt worden. Seit dem Frühsommer 1940 erhielten Staatsanwälte und andere Justizbeamte von besorgten Angehörigen und Vormündern Beschwerden und Anfragen in Bezug auf den Verbleib vermisster Patienten. Nach dem Tod von Justizminister Franz Gürtner im Januar 1941 berief der amtierende Minister, Staatssekretär Schlegelberger, eine Sitzung ein, um die Spitzen der Justiz über die „Euthanasie"-Aktion zu informieren. Zwar konnten die T4-Akteure nach der Besprechung mit der Kooperation der Behörden rechnen, aber durch das offizielle Schweigen der Justizbehörden wurde das Vertrauen der Öffentlichkeit zerstört, und die Nichteinmischung in die nachfolgenden Rechtsstreitigkeiten brachte die Justizbeamten an der Basis in arge Bedrängnis (vgl. LOTHAR GRUCHMANN, Euthanasie und Justiz im Dritten Reich, in: Vierteljahrshefte für Zeitgeschichte 20 [1972], S. 235–279).

die in der Anfangszeit der „Aktion Reinhard" knapp 100 Mann stark war,[12] brachte ihr Wissen und ihre Erfahrung mit der Vergasungstechnologie und dem Tötungsprozess ein und besetzte bei der Errichtung und beim Betrieb der Vernichtungseinrichtungen Schlüsselpositionen. So kamen die Kommandanten der Tötungszentren der Aktion „Reinhard" ausnahmslos aus der „Euthanasie"-Organisation nach Polen. Irmfried Eberl (Treblinka), Gottlieb Hering (Belzec), Franz Reichleitner (Sobibor), Franz Stangl (Sobibor und Treblinka) und Christian Wirth (Belzec und später Inspekteur der Lager der „Aktion Reinhard") waren allesamt Veteranen der Aktion T4. „Euthanasie"-Personal stellte an den drei Standorten zu jedem beliebigen Zeitpunkt mindestens die Hälfte der deutschen Lagermannschaft und sorgte damit für eine Kontinuität zwischen den beiden Mordprogrammen. Im vorliegenden Aufsatz wird dieses wichtige Bindeglied zwischen der Aktion T4 und dem „Einsatz Reinhard" untersucht und ein Profil von „Euthanasie"-Tätern erstellt, die ihre tödlichen Fähigkeiten für die Vernichtung der europäischen Juden zur Verfügung stellten.

Dass das Personal der T4-Tötungszentren verfügbar war, war der formalen Einstellung der „Euthanasie"-Aktion im Spätsommer 1941 zu verdanken. Begonnen hatte das Programm, nach umfangreichen Planungen durch Angehörige der Kanzlei des Führers (Führerkanzlei)[13] im Jahr zuvor, im Januar 1940. Von anderen Regierungsstellen getrennt und von der Parteizentrale in München unabhängig, war die Kanzlei des Führers eine isolierte, kompakte und für die Öffentlichkeit buchstäblich unsichtbare Institution und daher ideal für die Leitung einer geheimen Tötungsoperation. Die von dem langjährigen Parteimitglied Philipp Bouhler[14] geleitete Führerkanzlei war bereits mit dem Programm der Kinder-„Euthanasie" betraut worden, einer formal eigenständigen Operation, der zwischen 1939 und 1945 mindestens 5000 deutsche Säuglinge, Kleinkinder und Jugendliche zum Opfer fielen,[15] und im Herbst 1939 unterzeichnete Hitler eine Ermächtigung, durch die

---

[12] Und es waren ausschließlich Männer; es gibt keinerlei Belege dafür, dass weibliche Büro- oder Pflegekräfte ihre männlichen T4-Kollegen in die Lager der „Aktion Reinhard" begleitet hätten.

[13] Als kleine Dienststelle geplant, die Hitlers Privatangelegenheiten als Reichskanzler führen und direkt an ihn gerichtete Briefe und Eingaben beantworten sollte, bestand die Kanzlei des Führers aus fünf Hauptämtern. An der Spitze des für Partei- und Staatsangelegenheiten zuständigen Hauptamts II stand Viktor Brack, und das zu diesem gehörende Amt IIb unter Hans Hefelmann war der Brennpunkt der Programme für die Erwachsenen- und Kinder-„Euthanasie".

[14] Bouhlers NSDAP-Mitgliedsausweis hatte die Nummer 12; er hatte schon am Bierhallenputsch von 1923 teilgenommen.

[15] MICHAEL BURLEIGH/WOLFGANG WIPPERMANN, The Racial State. Germany 1933–1945, New York 1991, S. 144.

Bouhler und Hitlers eigener Begleitarzt Karl Brandt offiziell mit der Leitung der Erwachsenen-"Euthanasie" beauftragt wurden. Bouhlers Organisation sollte als Motor der verdeckten Operation fungieren. Da die Räumlichkeiten in der Berliner Voßstraße für den rasch wachsenden Personalbestand bald zu klein geworden waren, zog die Zentrale der „Euthanasie"-Aktion im April 1940 in eine „arisierte" Villa in der Nähe des Potsdamer Platzes um, deren Adresse – Tiergartenstraße 4 – in abgekürzter Form zum Tarnnamen der Aktion wurde: T4. Von diesem Standort aus organisierten die „Euthanasie"-Beamten die Erfassung, Selektion und „Behandlung" ihrer Opfer und arrangierten den Transport der „Todeskandidaten" von ihren jeweiligen Heimatanstalten aus zu einem der sechs über Deutschland und Österreich verteilten Tötungszentren: nach Brandenburg an der Havel, eine Stunde von Berlin entfernt, nach Grafeneck in der Schwäbischen Alb, Hartheim bei Linz an der Donau, Bernburg und Sonnenstein in Sachsen und Hadamar bei Frankfurt am Main. Dort empfingen zumeist von der T4-Organisation eingestellte Pfleger und Pflegerinnen die täglichen „Patienten"-Transporte. Nach ihrer Ankunft wurden die Opfer binnen weniger Stunden in speziell entworfenen Gaskammern mit chemisch hergestelltem reinem Kohlenmonoxid ermordet. Die eigentliche Tötung wurde gemäß der T4-Maxime, dass der Gashahn in die Hände von Ärzten gehöre, von sorgfältig ausgewählten „Vergasungsärzten" durchgeführt. Waren alle Opfer tot, wurde die Gaskammer entlüftet, und euphemistisch als „Brenner" (oder „Heizer") und „Desinfekteure" bezeichnete T4-Mitarbeiter brachen die Goldzähne aus den Mündern der Opfer heraus und verbrannten die Leichen dann in neben der Gaskammer befindlichen Krematoriumsöfen.

Gleichzeitig nutzte das Verwaltungspersonal der Tötungszentren den umfangreichen bürokratischen Apparat des „Euthanasie"-Programms, um die Geheimhaltung der Mordaktion zu gewährleisten, indem es Totenscheine und amtliche Dokumente mit fiktiven Todesursachen und Todesdaten erstellte und den Angehörigen der Ermordeten Urnen mit deren sterblichen Überresten zusandte.[16] Darüber hinaus hielt es die interne Statistik auf dem Laufenden. Nach den penibel geführten Akten wurden in den sechs „Euthanasie"-Zentren 70 273 stationäre Geisteskranke und Körperbehinderte ermordet, bevor ihr Betrieb aufgrund des öffentlichen Wissens über das Programm vorübergehend eingestellt werden musste. Am 24. August 1941 erteilte Hitler persönlich – vermutlich, weil er in dieser kritischen Phase des Krieges keine öffentliche Unruhe brauchen konnte – Karl Brandt die förmliche

---

[16] Selbstverständlich handelte es sich bei der in den Urnen enthaltenen Asche nicht um die Überreste des jeweiligen Opfers, sondern um einen Teil der im Krematorium angefallenen vermischten Asche (vgl. Frankfurter Hadamar-Prozess, Aussage von Johanna Schrettinger, 3. März 1947, S. 138).

Anweisung, die T4-Aktion einzustellen. Brandt teilte Bouhler in der Führer-kanzlei die Neuigkeit telefonisch mit, und dieser übermittelte sie seinerseits an die einzelnen „Euthanasie"-Zentren.[17]

Während man in der Tiergartenstraße erwog, den T4-Apparat aufzulösen, herrschte sowohl in der Zentrale als auch an der Peripherie Verwirrung über den erzwungenen Abbruch der Aktion. Für kurze Zeit war man sich nicht sicher, ob die Vergasungen in den kommenden Monaten wieder aufgenommen werden würden oder ob die Einstellung das endgültige Aus des Tötungsprogramms bedeutete. Das Anstaltspersonal blieb zunächst im Dienst. Von den vorhandenen vier T4-Zentren[18] waren drei – Hartheim, Bernburg und Sonnenstein – seit April an der „Sonderbehandlung 14f13" beteiligt, einer Erweiterung des „Euthanasie"-Programms auf das KZ-System, und in diesen Anstalten fuhr man fort, kranke und ausgelaugte Gefangene zu vergasen.[19] Hadamar lag zu weit von den beteiligten Konzentrationslagern entfernt, um als 14f13-Anstalt in Frage zu kommen. Dennoch arbeiteten dort im September immer noch mindestens 90 Personen, die in Erwartung neuer Befehle offene Opferakten bearbeiteten und alltägliche Routinearbeiten ausführten.[20]

Ende November 1941 fand in Sonnenstein ein „Gipfeltreffen" führender „Euthanasie"-Kräfte statt, auf dem ihnen laut dem Hadamarer „Vergasungs-arzt" Hans Bodo Gorgass versichert wurde, „dass die ‚Aktion' durch den eingetretenen Stopp im August 1941 nicht beendet sei, sondern weitergehen werde".[21] Augenscheinlich hatten die T4-Strategen vor, das Tötungspro-gramm wieder aufzunehmen – wie sie es im Sommer 1942 auch tun sollten –, doch jetzt, im November 1941, war noch nicht entschieden, wann und in welcher Form dies geschehen würde. Was sollte in der Zwischenzeit aus den Hunderten von T4-Mitarbeitern werden? Im Januar 1942 forderten die Direktoren der T4-Anstalten ihre Mitarbeiter auf, sich für einen Sonderein-satz an der Ostfront zu melden.[22] Bei diesem so genannten Osteinsatz, der

---

[17] HANS-WALTER SCHMUHL, Rassenhygiene, Nationalsozialismus, Euthanasie. Von der Verhütung zur Vernichtung „lebensunwerten Lebens", 1890–1945, Göttingen 1987, S. 210.

[18] Brandenburg und Grafeneck, die beiden ersten T4-Anstalten, waren 1940 vor allem aufgrund des durchgesickerten Wissens über ihre Funktion geschlossen und durch Bernburg und Hadamar ersetzt worden.

[19] Siehe WALTER GRODE, Die „Sonderbehandlung 14f13" in den Konzentrationslagern des Dritten Reiches. Ein Beitrag zur Dynamik faschistischer Vernichtungspolitik, Frankfurt/M., Bern, New York 1987.

[20] Frankfurter Hadamar-Prozess, Aussage von Ingeborg Seidel, 3. März 1947, S. 122, 147; Aussage von Maximilian Lindner, 3. März 1947, S. 123.

[21] Zit. in ERNST KLEE, „Euthanasie" im NS-Staat. Die „Vernichtung lebensunwerten Lebens", Frankfurt/M. 1983, S. 418.

[22] Frankfurter Hadamar-Prozess, Aussage von Lydia Thomas, 25. Februar 1947, S. 59.

unter dem Dach der Organisation Todt stattfand, ging es angeblich darum, verwundete Soldaten von der Front nach Deutschland zurückzubringen. Die Teilnahme war freiwillig, und in Sonnenstein und Bernburg meldeten sich mehrere Pflegekräfte und Verwaltungsangestellte; in Hadamar, wo die Gaskammer seit vier Monaten nicht mehr benutzt worden war, waren es mindestens 40. Der „Osteinsatz" ist immer von einem Geheimnis umgeben gewesen. In den Nachkriegsverfahren kamen nur wenige Details darüber ans Licht, zum einen, weil er nicht im Mittelpunkt einzelner Kriegsverbrecher-prozesse stand, und zum anderen, weil sich die Beteiligten in ihren Aussagen über ihre Aktivitäten nur sehr vage über diese Ereignisse äußerten. In frühen historiographischen Darstellungen wurde versucht, eine Verbindung zwischen dem Transfer des „Euthanasie"-Personals und der „Aktion Reinhard" herzustellen,[23] aber diese Vorstellung wurde widerlegt, da es sich bei den zur „Aktion Reinhard" abgestellten Mitarbeitern fast ausnahmslos um technisches und Hilfspersonal handelte, das frühestens im März 1942 an seinen neuen Arbeitsorten eintraf – also zu einem Zeitpunkt, als der „Osteinsatz" sich dem Ende zuneigte.

Wie wir sehen werden, waren nur wenige der zum „Einsatz Reinhard" versetzten T4-Funktionäre medizinische Kräfte, und das Beispiel von Hadamar zeigt stellvertretend, dass die Ärzte, Pfleger und Verwaltungsangestellten, die an dem zweimonatigen Einsatz in der Sowjetunion teilnahmen, nach dessen Ende in ihre Heimatanstalten oder nahe gelegene andere Einrichtungen zurückgekehrt sind.[24] Schlüssiger dagegen ist die Annahme, dass das „Euthanasie"-Personal ausgeschickt wurde, um deutsche Soldaten zu töten, die an der Front schwere Kopfwunden oder andere irreversible Verletzungen erlitten hatten. Für diese These spricht, dass der Auftrag, wie der berüchtigte T4-Arzt Fritz Mennecke in einem Brief an seine Frau Eva schrieb, als „streng geheim" eingestuft war, dass ausschließlich T4-Personal eingesetzt wurde und dass Viktor Brack aus der Zentrale in der Tiergartenstraße, der keine medizinische Ausbildung besaß, die Leitung des Einsatzes innehatte.[25] 1948 sagte eine gute Bekannte der T4-Schwester Pauline Kneissler aus, diese hätte ihr einmal anvertraut, „in Russland im Lazarett Spritzen gegeben zu haben, an denen Soldaten (schmerzlos) gestorben seien".[26] Wenn die Tötung von schwer verstümmelten und verwundeten Soldaten in

[23] Siehe die Diskussion über diesen Punkt in Gitta Sereny, Into That Darkness. An Examination of Conscience, New York 1974, S. 85 f.

[24] Siehe PATRICIA HEBERER, „Exitus Heute" in Hadamar. The Hadamar Facility and „Euthanasia" in Nazi Germany, Dissertation, University of Maryland, College Park 2001, S. 345 ff.

[25] Siehe zum Beispiel KLEE, „Euthanasie" im NS-Staat, S. 372 f.

[26] Zit. in ebd., S. 373.

den ersten Wintermonaten des Russlandfeldzuges auf irgendeiner Ebene sanktioniert worden war, dann wäre es nur logisch gewesen, für die Durchführung der Operation medizinisches Personal aus den T4-Tötungszentren auszuwählen. Das der Tötung von Frontsoldaten entgegenstehende Tabu wäre Erklärung genug für das Schweigen der Beteiligten nach dem Krieg, zumal die jeweiligen Strafverfahren entweder „Euthanasie"-Verbrechen oder dem Massenmord an den europäischen Juden galten und man daher nicht genauer auf diese Operation einging. Möglicherweise werden die Historiker den wahren Zweck des T4-Abstechers an die Ostfront im Winter 1942 nie herausfinden, aber die eben aufgestellte Vermutung wäre zumindest eine plausible Erklärung für einige im Zusammenhang mit dem „Osteinsatz" bekannt gewordene Ereignisse.

Der T4-Sondereinsatz im Osten war Ende März oder Anfang April 1942 beendet. Nach dem Tod ihres Namensgebers Fritz Todt[27] übertrug die Organisation Todt ihre medizinischen Aufgaben dem Deutschen Roten Kreuz, und die „Euthanasie"-Funktionäre kehrten in ihre Heimatanstalten zurück. Einige von ihnen beteiligten sich an der Vergasung von KZ-Insassen in Sonnenstein, Bernberg und Hartheim. Ein Teil der Bürokräfte, die unter der Schirmherrschaft von T4 durch örtliche Arbeitsämter dienstverpflichtet worden waren, wurde entlassen, anderes medizinisches und Hilfspersonal kehrte in Anstalten im Wartestand wie Hadamar zurück, wo sie Routinetätigkeiten aufnahmen, oder sie wurden in andere psychiatrische Einrichtungen versetzt. Ein hoher Prozentsatz der überflüssigen T4-Mitarbeiter wurden jedoch an einen neuen Einsatzort geschickt, wo sie das in den „Euthanasie"-Vergasungseinrichtungen erworbene Wissen anwenden konnten: nach Polen, in die Tötungszentren der „Aktion Reinhard".

Viktor Brack, der als Chef des Führerkanzlei-Hauptamts II einen großen Teil der alltäglichen T4-Aktivitäten gesteuert hatte, war – neben seinem unmittelbaren Vorgesetzten, dem „Euthanasie"-Bevollmächtigten Philipp Bouhler, und Herbert Linden, der hinsichtlich der T4-Aktion die Schlüsselstellung im Reichsinnenministerium innehatte – schon früh an den Planungen für die Lager der Aktion „Reinhard" beteiligt.[28] Im November 1941 begann Odilo Globocnik in seiner Eigenschaft als SS- und Polizeiführer (SSPF) in Lublin das für Bau und Betrieb der Tötungszentren benötigte Personal

---

[27] Fritz Todt kam nach einem Besuch in der „Wolfsschanze", Hitlers Hauptquartier im Osten, am 8. Februar 1942 bei einem Flugzeugabsturz ums Leben.

[28] GÖTZ ALY/SUSANNA HEIM, Vordenker der Vernichtung. Auschwitz und die deutschen Pläne für eine neue europäische Ordnung, Hamburg 1991, S. 272. Zu diesem Zeitpunkt war Linden als Ministerialrat in der Abteilung IV (Gesundheitswesen und Volkspflege) des Reichsministeriums des Innern tätig; diese Abteilung war für die Durchsetzung der öffentlichen Gesundheitspolitik zuständig und überwachte die Gesundheitsbehörden von Reich, Ländern, und Kommunen.

zusammenzustellen. Die erste Mannschaft der „Reinhard"-Lager umfasste 153 unter Globocniks Befehl stehende SS-Männer und Polizisten aus dem Distrikt Lublin, weitere 205 SS-Männer, Polizisten und Verwaltungskräfte aus anderen Einheiten sowie 92 von Bouhlers Führerkanzlei entsandte T4-Mitarbeiter.[29] Brack sagte 1946 im Nürnberger Ärzteprozess aus:

> „Im Jahre 1941 erhielt ich mündlichen Befehl, das Euthanasie-Programm einzustellen. ... Um das durch die Einstellung freigewordene Personal zu erhalten und um die Möglichkeit zu haben, nach dem Kriege ein neues Euthanasie-Programm in die Wege zu leiten, forderte mich Bouhler nach einer Konferenz mit Himmler – wie ich glaube – auf, dieses Personal nach Lublin abzustellen, zur Verfügung des Brigadeführers Globocnik."[30]

In der Folge mischte sich Brack mehrmals an kritischen Punkten in den zur „Endlösung" führenden Entscheidungsprozess ein. Am 25. Oktober 1941 schrieb Amtsgerichtsrat Dr. Alfred Wetzel, Referent für Rassenfragen im Ministerium für die besetzten Ostgebiete, an Hinrich Lohse, den Reichskommissar Ostland, um ihm Bracks Vorschlag zu übermitteln, im Reichskommissariat Ostland stationäre Vergasungseinrichtungen zu errichten, in denen Technologie und Personal der T4-Tötungszentren eingesetzt werden könnten.[31] In diesem so genannten „Gaskammerbrief" regte Wetzel an, nicht mehr arbeitsfähige Juden mit den „Brackschen Hilfsmitteln" zu liquidieren, während die Arbeitsfähigen zum weiteren Einsatz weiter nach Osten gebracht werden sollten.[32] Bracks Vorschlag wurde zwar in Riga nicht wie vorgesehen verwirklicht, aber auf das Angebot, T4-Personal für die Vergasung von Juden im Generalgouvernement zur Verfügung zu stellen, griffen die „Reinhard"-Strategen zurück. Am Mittag des 14. Dezember 1941 hatte Brack offenbar ein Treffen mit „Reichsführer-SS" Heinrich Himmler,

---

[29] YITZHAK ARAD, Belzec, Sobibor, Treblinka. The Operation Reinhard Death Camps, Bloomington, Ind., 1987, S. 17.

[30] Nürnberger Dokument NO-426, Ärzteprozess, Eidesstattliche Erklärung von Viktor Brack, 12. Oktober 1946, IfZ München.

[31] Dr. Alfred Wetzel, Reichsministerium für die Ostgebiete, an Hinrich Lohse, Reichskommissar Ostland, Betr. Lösung der Judenfrage („Gaskammerbrief"), 25. Oktober 1941, Nürnberger Dokument NO-365, abgedruckt in HELMUT KRAUSNICK, Judenverfolgung, in: Anatomie des SS-Staates, hg. v. HANS BUCHHEIM/MARTIN BROSZAT/HANS-ADOLF JACOBSEN/HELMUT KRAUSNICK, Bd. 2, München 1967, S. 337 f.

[32] Wetzel schrieb: „Nach Sachlage bestehen keine Bedenken, wenn diejenigen Juden, die nicht arbeitsfähig sind, mit den Brackschen Hilfsmitteln beseitigt werden. Auf diese Weise dürften dann auch Vorgänge, wie sie sich bei den Erschießungen von Juden in Wilna nach einem mir vorliegenden Bericht ergaben, und die auch im Hinblick darauf, daß die Erschießungen öffentlich vorgenommen wurden, kaum gebilligt werden können, nicht mehr möglich sein. Die Arbeitsfähigen dagegen werden zum Arbeitseinsatz nach Osten abtransportiert. Daß bei den arbeitsfähigen Juden Männer und Frauen getrennt zu halten sind, dürfte selbstverständlich sein. Über Ihre weiteren Maßnahmen erbitte ich Bericht."

vermutlich, um über seine jüngsten Vorschläge zu sprechen, und vielleicht auch, um die Bereitstellung von T4-Personal für Globocnik in Lublin sicherzustellen oder zu arrangieren. Nach dem Treffen begab sich Himmler zu einem Mittagessen bei Hitler, an dem auch Bouhler und Rosenberg teilnahmen.[33]

Ebenfalls im Dezember 1941 traf T4-Spezialist Christian Wirth, zuletzt Inspekteur von „Euthanasie"-Anlagen im gesamten großdeutschen Raum, als Ranghöchster der aktiv an der „Aktion Reinhard" beteiligten „Euthanasie"-Experten in Lublin ein, wahrscheinlich in Begleitung von SS-Oberscharführer Josef Oberhauser, einem früheren „Heizer" in den „Euthanasie"-Anstalten Grafeneck, Brandenburg und Bernburg.[34] Im März 1942 setzte dann ein rascher Zustrom von T4-Funktionären in das Generalgouvernement ein, die in ihren Soldbüchern allesamt eine vom Oberkommando des Heeres unterzeichnete Bescheinigung bei sich trugen, die ihren Einsatz an der Front ausschloss. Damit sollte einer eventuellen Festnahme vorgebeugt werden, was womöglich die Geheimhaltung der Tötungsoperation gefährdet hätte.[35] Die nach Lublin zur „Aktion Reinhard" versetzten „Euthanasie"-Mitarbeiter wurden nominell in die SS aufgenommen, indem man sie in die feldgraue Uniform der Waffen-SS kleidete und ihnen mindestens den Rang eines Unterscharführers gab. Diejenigen, die vor der Ankunft in Polen nicht der SS angehört hatten, mussten allerdings auf die SS-Runen auf dem Kragenspiegel verzichten.[36] Sie unterstanden Globocniks direktem Befehl, blieben aber formell weiterhin im Sold der T4-Organisation.[37] Sämtliche Personalangelegenheiten der neuen Mitarbeiter der Aktion „Reinhard", einschließlich Gehälter und Gratifikationen, wurden in der Berliner Tiergartenstraße geregelt. Jede Woche fuhr ein Sonderkurier der T4-Zentrale mit Sonderzahlungen und Post für die ehemaligen „Euthanasie"-Funktionäre nach Lublin. Sogar Urlaubsfragen wurden von der T4-Bürokratie bearbeitet. Nach wie vor hatten sie nach jeweils zwölfwöchigem Dienst im besetzten Polen Anspruch darauf, sich mit ihren Frauen oder Geliebten in den T4-Ferienhäusern am Attersee in Österreich zu erholen. Vertreter der Führerkanzlei unternahmen regelmäßige Inspektionen der „Reinhard"-Lager. Bei der Beisetzung

---

[33] Der Dienstkalender Heinrich Himmlers, 1941/42, hg. v. PETER WITTE/MARTINA VOIGT/DIETER POHL/PETER KLEIN/CHRISTIAN GERLACH/CHRISTOPH DIECKMANN/ANDREJ ANGRICK, Hamburg 1999, S. 290.

[34] HILBERG, Die Vernichtung des europäischen Judentums, S. 957.

[35] ARAD, Belzec, Sobibor, Treblinka, S. 18.

[36] Siehe Bundesarchiv – Zentrale Stelle der Landesjustizverwaltungen zur Aufklärung von NS-Verbrechen in Ludwigsburg (im Folgenden: BA-ZdL), Verfahren gegen Dr. Ludwig Hahn u. a., 147 Js 7/72, Bd. 73, Aussage von August Miete, 23. April 1964, Düsseldorf, S. 14110–14119; KLEE, Von der „T4" zur Judenvernichtung, S. 147.

[37] HILBERG, Die Vernichtung des europäischen Judentums, S. 957 f.

der deutschen „Märtyrer", die bei der Revolte der jüdischen Gefangenen in Sobibor ums Leben gekommen waren, darunter als Erster der frühere „Euthanasie"-Beamte Josef Wolf, hielt ein Vertreter der Führerkanzlei die Trauerrede.[38] Und ein Teil der Beute, die den jüdischen Opfern abgenommen wurde, kam der Kasse der T4-Zentrale zugute. Im Gerichtsverfahren gegen die „Euthanasie"-Wirtschaftsmanager Hans-Joachim Becker und Friedrich Robert Lorent im Jahr 1970 erklärte Albert Widmann, ein ehemaliger Mitarbeiter des Kriminaltechnischen Instituts (KTI) des zum RSHA gehörenden Reichskriminalpolizeiamts, er habe „allein in einem Monat Zahngold und Schmuckstücke in einer solchen Menge verschmelzen" müssen, „dass er dafür von der DEGUSSA[39] 27 Kilogramm Feingold erhielt, die er weisungsgemäß an die ‚T4' weitergab".[40]

Das zur „Aktion Reinhard" abgestellte T4-Personal wurde fast ausnahmslos in den Vernichtungslagern selbst und nicht in der im früheren Stefan-Bathory-Gymnasium in Lublin untergebrachten Verwaltung eingesetzt. Wahrscheinlich bei Beginn der Bauarbeiten in Sobibor forderte Globocnik weiteres „Euthanasie"-Personal an, und Brack kam seiner Bitte nach. Die letzten T4-Funktionäre trafen im Spätfrühling nach Bracks Lublin-Besuch im Mai 1942 in Polen ein. Anfangs arbeiteten in jedem Lager 20 bis 35 Deutsche, überwiegend T4-Mitarbeiter, die während der gesamten Dauer der Aktion „Reinhard" den Lagermannschaften angehörten und fast überall an den Vergasungseinrichtungen und in deren unmittelbarer Umgebung eingesetzt wurden. Nach der Schließung der drei Tötungszentren und der anschließenden Operation „Erntefest"[41] gingen die T4-Funktionäre zusammen mit der Mehrheit des „Reinhard"-Stabes unter dem Kommando des hartgesottenen Christian Wirth zum so genannten „Einsatz R" nach Triest.[42] Nachdem im Juli 1943 in Italien das faschistische Regime zusammengebrochen war, konnten auch die bisher von der italienischen Regierung geschützten Juden in die „Endlösung" einbezogen werden.[43] In Triest, Fiume und

---

[38] Arad, Belzec, Sobibor, Treblinka, S. 18; Klee, Von der „T4" zur Judenvernichtung, S. 147 f.

[39] Die DEGUSSA (Deutsche Gold- und Silber-Scheideanstalt) war die größte deutsche Edelmetallschmelzhütte, die sich am Einschmelzen des NS-Opfern geraubten Zahngolds beteiligte.

[40] Verfahren gegen Becker und Lorent, zit. in Klee, „Euthanasie" im NS-Staat, S. 375.

[41] Eine herausragende Gestalt unter T4-Akteuren bei der Operation „Erntefest", der am 3. und 4. November 1943 42 000 Juden zum Opfer fielen, war der Leiter des Lagers Poniatowa, Gottlieb Hering, der nach dem „Euthanasie"-Stopp im August 1941 für kurze Zeit Verwaltungschef von Hadamar gewesen war.

[42] 1940 war Wirth vorübergehend Verwaltungschef des Tötungszentrums Hartheim gewesen, bevor er die Rolle des reisenden Inspekteurs der „Euthanasie"-Kampagne übernahm.

[43] Nationalsozialistische Vernichtungslager, S. 75.

Udine wurden eigenständige Einheiten stationiert, die von Gottlieb Hering, Franz Reichleitner beziehungsweise Franz Stangl kommandiert wurden.[44] Ihre Aufgabe war es, die Juden in ihren Bezirken zu konzentrieren und in das neue Lager in La Risiera di San Sabba auf dem Gelände einer verlassenen Reisfabrik am Rand von Triest zu bringen.[45] Der frühere T4-Baumeister Erwin Lambert entwarf die Gaskammer und das Krematorium des neuen Lagers, in dem bis Kriegsende mehrere tausend Juden und andere Verfolgte ermordet wurden. Christian Wirth befehligte diese Operationen, bis er im Mai 1944 wahrscheinlich einem Partisanenanschlag zum Opfer fiel.[46] Auch während ihres Abstechers in südliche Gefilde standen die ehemaligen „Euthanasie"-Funktionäre weiterhin auf der Gehaltsliste der Aktion T4. Die „Euthanasie"-Zentrale in der Tiergartenstraße war derart erpicht darauf, die Kontrolle über das T4-Personal zu behalten, dass sie ihren eigentlich unabkömmlichen Geschäftsführer Dietrich Allers nach Triest entsandte, um für den Rest des Krieges Wirths Posten einzunehmen.[47]

Wer waren diese Männer, die sich zunächst bei der Ermordung der Anstaltspatienten auf Reichsgebiet hervorgetan hatten und sich dann an der Vernichtung des europäischen Judentums beteiligten? Woher kamen sie, und wie konnte es geschehen, dass sie nicht nur in ein, sondern in zwei Massenmordprogramme verwickelt wurden? Um ein Profil dieser merkwürdigen Tätergruppe zu erstellen, sollen drei Personen näher betrachtet werden, die den Tötungskampagnen eine gewisse Kontinuität verliehen. Bei der Auswahl dieser Fallstudien habe ich drei verschiedene Milieus berücksichtigt, die zusammen die Maschinerie des T4-Apparats in Gang hielten: erstens das der Ärzte, die als medizinische Leiter der „Euthanasie"-Einrichtungen die direkte Verantwortung für den Mordprozess und die Bereitstellung von medizinischem Personal trugen und die als „Vergasungsärzte" eigenhändig mordeten; zweitens das der so genannten Brenner oder Heizer, die die „Euthanasie"-Opfer fledderten und verbrannten und die besonderer Aufmerksamkeit wert sind, weil sie von allen T4-Mitarbeitern diejenigen waren, bei denen man vorrangig erwarten konnte, dass sie in die Vernichtungslager im Generalgouvernement versetzt werden würden; und schließlich das der Bürokraten und sonstigen Hilfskräfte, die eine interessante Kategorie bilden, weil sie in der Regel nicht über die SS oder durch eine spezielle Anwerbung

---

[44] Nachdem Reichleitner von Partisanen getötet worden war, übergab Stangl seine Einheit in Udine an Polizeileutnant Walther und übernahm die Führung derjenigen in Fiume.

[45] ADOLFO SCAPELLI/ENZO COLLOTTI, San Sabba. Istruttoria e processo per il Lager della Risiera, Mailand 1995.

[46] Nach Ansicht seines Untergebenen Franz Stangl war sein streitsüchtiger Charakter sein Untergang: „Man sagte, die Partisanen hätten ihn umgebracht, aber wir glaubten, dass seine eigenen Leute ihn erledigt hätten" (KLEE, Von der „T4" zur Judenvernichtung, S. 152).

[47] Nationalsozialistische Vernichtungslager, S. 75.

zu T4 gekommen waren und vor ihrer Ankunft in Polen häufig noch nicht direkt mit dem Tötungsapparat zu tun gehabt hatten.

Ärzte spielten im nationalsozialistischen „Euthanasie"-Programm eine herausragende Rolle. An keinem anderen staatlich initiierten Projekt dürften so viele Ärzte so direkt an einer Massenmordkampagne beteiligt gewesen sein. In zynischster Weise haben sie ihren hippokratischen Eid, „Schädigung und Unrecht auszuschließen", gebrochen und eben jene Patienten, die zu heilen ihnen aufgetragen war, gnadenlos zu Opfern gemacht. Einer der T4-Ärzte, Irmfried Eberl, ging in Erfüllung seiner mörderischen Aufgabe sogar noch einen Schritt weiter, indem er seine Tätigkeit auf die „Aktion Reinhard" ausdehnte. Am 8. September 1910 in Bregenz im österreichischen Vorarlberg geboren, war Eberl in einem völkisch-nationalistischen Haushalt aufgewachsen. Sein Vater hatte sich durch die frühe Unterstützung der gerade erst im Entstehen begriffenen NS-Bewegung um seine Stellung im öffentlichen Dienst gebracht, und die rechtsradikale Weltanschauung seiner Familie prägte ganz offensichtlich auch seine eigenen politischen Ansichten und zeichnete seinen späteren Weg vor.[48] Er selbst schloss sich im Dezember 1931 der österreichischen Nazipartei an und war während seines Medizinstudiums an der Universität von Innsbruck einer der Funktionäre des Nationalsozialistischen Deutschen Studentenbundes (NSDStB). Nachdem er 1935 promoviert und die Approbation erhalten hatte, arbeitete er in verschiedenen Stellungen in Wien und Niederösterreich. 1936 ging er nach Deutschland; in seinem Lebenslauf behauptete er, aufgrund seiner Tätigkeit als „Illegaler", das heißt als Mitglied der (bis 1938) verbotenen NSDAP, sei ihm – ähnlich wie einst seinem Vater ein Posten im öffentlichen Dienst – eine Krankenhausanstellung in Österreich verwehrt worden.[49] 1937 heiratete er in Sachsen-Anhalt Ruth Rehm, eine glühende Nationalsozialistin, die 1932 der NSDAP beigetreten war und bei der Reichsführung der NS-Frauenschaft arbeitete.[50] Bis zu ihrem Tod – sie kam 1944 bei einem Luftangriff ums Leben – übte sie einen radikalisierenden Einfluss auf Eberls politische Haltung aus.

Im Februar 1940 wurde Eberl, der inzwischen im Hauptgesundheitsamt in Berlin arbeitete, von der T4-Organisation angeworben.[51] Wie die meisten aus dem ursprünglichen Kreis der leitenden Ärzte von „Euthanasie"-Tötungszentren nahm er im Winter 1939/40 an den Probevergasungen von

---

[48] DIETMAR SCHULZE, „Euthanasie" in Bernburg. Die Landes-Heil- und Pflegeanstalt Bernburg/Anhaltische Nervenklinik in der Zeit des Nationalsozialismus, Essen 1999, S. 155.

[49] FRIEDLANDER, Der Weg zum NS-Genozid, S. 354 ff.

[50] NARA, RG 242, BDC-Mikrofilm, NSDAP Zentralkartei A 3340-MFKL-F086, NSDAP-Mitgliedsakte von Ruth Rehm Eberl.

[51] SCHULZE, „Euthanasie" in Bernburg, S. 156.

„Testpatienten" im aufgegebenen alten Zuchthaus in Brandenburg teil. Kurz darauf übernahm er die Leitung des am selben Ort errichteten Brandenburger Tötungszentrums.[52] Als diese Einrichtung im Herbst 1940 geschlossen wurde, wurde er zusammen mit seinem Stellvertreter Heinrich Bunke und dem größten Teil seiner Mitarbeiter einfach in die neue T4-Anstalt in Bernburg bei Dessau versetzt, wo im November 1940 die ersten Transporte mit Opfern eintrafen.[53] Eberl war nicht nur ein frühes Mitglied der T4-„Familie", sondern auch ein überzeugter Anhänger der Aktion, wie seine überlieferten Überlegungen zum Entwurf eines „Euthanasie"-Gesetzes zeigen.[54] Dass sich die führenden T4-Planer häufig an Eberl und seine Anstalt in Bernburg wandten, wenn der Mordprozess ins Stocken geriet oder sonstige Schwierigkeiten auftraten, lässt darauf schließen, dass Eberl als jemand galt, dem Sonderaufgaben anvertraut werden konnten. Laut Nachkriegsaussagen von Mitarbeitern und Untergebenen war er arrogant,[55] und seine peinlich genaue Aktenführung und der obsessive Briefwechsel mit seinem österreichischen Landsmann Rudolf Lonauer, dem leitenden Arzt von Hartheim, in dem er Tuberkulose als fiktive Todesursache von T4-Opfern verwarf, deuten darauf hin, dass er sehr pedantisch war.[56]

Nach der Einstellung der „Euthanasie"-Vergasungen nahm Eberl am von der Organisation Todt geleiteten „Osteinsatz" teil,[57] und als die Aktion im April zu Ende ging, kehrte er für kurze Zeit nach Deutschland zurück, bevor er – von Bernburg freigestellt, obwohl dort weiterhin kranke KZ-Häftlinge vergast wurden – zur „Aktion Reinhard" wechselte. Als Kommandant von Treblinka war er am Bau des Lagers beteiligt und empfing die ersten Transporte. Nach Aussage seines T4-Kollegen August Hengst, dem Koch des Lagers, hatte Eberl „den Ehrgeiz gehabt, möglichst hohe Zahlen

---

[52] Im Unterschied zu den anderen fünf T4-Vergasungszentren war Brandenburg nie eine Nervenklinik oder Pflegeanstalt gewesen, sondern befand sich, wie erwähnt, auf dem Gelände einer verlassenen Strafanstalt. Trotzdem wurde die Einrichtung zum Zweck der Tarnung als Heil- und Pflegeanstalt Brandenburg bezeichnet.

[53] UTE HOFFMANN, Todesursache: „Angina". Zwangssterilisation und „Euthanasie" in der Landes-Heil- und Pflegeanstalt Bernburg, Magdeburg 1996, S. 63.

[54] Bundesarchiv Berlin-Lichterfelde (fortan: BA-BL), R 96 I (Reichsarbeitsgemeinschaft für Heil- und Pflegeanstalten), Akte 2, Meinungsäußerungen zum Euthanasie-Gesetz, S. 1–33.

[55] SCHULZE, „Euthanasie" in Bernburg, S. 114, 156.

[56] Tuberkulose wurde bei Opfern von Lonauers Hartheimer Tötungszentrum häufig als Todesursache angegeben, und Eberl wies nachdrücklich darauf hin, dass Tbc, außer bei Patienten, die tatsächlich unter dieser Krankheit gelitten hatten, nicht angeführt werden sollte, da sie nicht in kurzer Zeit zum Tod führe und darüber hinaus den Gesundheitsbehörden gemeldet werden müsse (vgl. Friedlander, Der Weg zum NS-Genozid, S. 177 f.).

[57] SCHULTZE, „Euthanasie" in Bernburg, S. 156.

zu erreichen und die anderen Läger [sic!] zu übertreffen".[58] Allein in den ersten fünf Wochen nach Eröffnung des Lagers wurden 245 000 Juden aus dem Warschauer Ghetto und dem Distrikt Warschau sowie 51 000 Juden aus Radom und 16 500 aus Lublin dorthin deportiert.[59] Das in Treblinka vorgelegte Tempo sei „atemberaubend", schrieb Eberl an seine Frau: „Wenn ich vier Teile hätte und der Tag 100 Stunden, dann würde das wahrscheinlich auch noch nicht ganz reichen."[60] War er in Brandenburg und Bernburg die Ordnung in Person gewesen, so trat dieser Charakterzug in Treblinka kaum hervor. Während immer mehr Transporte eintrafen, verlor er die Kontrolle über das Lager. Im Krematorium stapelten sich die Leichen, die Lager und provisorischen Aufbewahrungsräume quollen über von den Besitztümern der Opfer, und im Aufnahmebereich, wo jede Verzögerung für viele der in Viehwaggons auf ihre Aufnahme ins Lager wartenden Juden einen qualvollen Tod bedeutete, herrschte totales Chaos.[61] Als Berichte über die sich verschlechternden Zustände in Treblinka Lublin erreichten, schickte Globocnik wutentbrannt Christian Wirth aus, um Eberl abzulösen und kommissarisch die Leitung des Lagers zu übernehmen, bis dessen Nachfolger eintraf, der frühere Aufsichtsbeamte und Stellvertreter Wirths in Hartheim, Franz Stangl, der jetzt das Vernichtungslager Sobibor leitete. Eberl kehrte nach Bernburg zurück. „Wäre [er] nicht sein Landsmann gewesen [beide waren Österreicher]", hatte Globocnik geschäumt, „hätte er ihn verhaftet und ihn" wegen seiner Unfähigkeit „vor ein SS- und Polizeigericht gestellt."[62]

Über Eberls Tätigkeit nach der Schließung von Bernburg im Jahr 1943 ist wenig bekannt. Im Januar 1944 wurde er zur Wehrmacht eingezogen, obwohl er immer noch ein Gehalt von der T4-Organisation bezog. Nach dem Krieg heiratete er erneut und ließ sich in Blaubeuren bei Ulm nieder, wo er eine Arztpraxis betrieb, bis er im August 1947 wegen des Verdachts der Beteiligung an „Euthanasie"-Verbrechen in Bernburg festgenommen wurde. Am 15. Februar 1948 erfuhr der damals 37-jährige Eberl von einem Mitgefangenen, dass sein Name in dem jüngst erschienenen Buch des frühe-

---

[58] BA-ZdL, Landgericht [im Folgenden: LG] Düsseldorf, Beweisstück der Anklage 286 in der Strafsache gegen Kurt Franz u. a., Vernehmung von August H., 6. Februar 1962, Hamburg.

[59] ARAD, Belzec, Sobibor, Treblinka, S. 87. Im ersten Monat wurden täglich 5000 bis 7000 Juden getötet.

[60] Zit. in KLEE, Von der „T4" zur Judenvernichtung, S. 150.

[61] Siehe zum Beispiel: BA-ZdL, Verfahren gegen Dr. Ludwig Hahn, Akte 11 AR-Z 373/59, Bd. 3, Vernehmung von August Karl H., 1. Oktober 1963, Hamburg, S. 106–110; Akte 147 Js 7/72, Bd. 77, Aussage von Willi M., 22. Juli 1964, Staumühle, S. 15005–12; Akte 147 Js 7/72, Aussage von August Wilhelm M., 23. April 1964, Düsseldorf.

[62] Josef Oberhauser, zit. in ARAD, Belzec, Sobibor, Treblinka, S. 92.

ren KZ-Insassen Eugen Kogon, *Der SS-Staat,* vorkomme, und am frühen Morgen des nächsten Tages erhängte er sich in seiner Zelle, vermutlich um der Aufdeckung seiner Rolle als Kommandant von Treblinka durch die Amerikaner, deren Gefangener er war, zuvorzukommen.[63]

Hubert Gomerski war ein weiterer T4-Funktionär, den die Strafverfolgungsbehörden nach dem Krieg mit den „Euthanasie"-Morden in Verbindung brachten, ohne ihre Ermittlungen auf seine Aktivitäten in Polen auszudehnen. Gomerski war am 11. November 1911 in Schweinheim bei Aschaffenburg geboren, aber seine Familie war bald darauf nach Frankfurt am Main umgezogen, wo er die Volksschule besuchte und eine Lehre als Dreher absolvierte.[64] Nach dem Tod seines Vaters im Jahr 1931 wurde er, gerade 20 Jahre alt, zum Ernährer der Familie. Er nahm eine Stellung bei der Firma Messer in Frankfurt an und trat im selben Jahr der SS bei; der NSDAP gehörte er schon seit 1929 an.[65] Im Oktober 1939 wurde er zur Waffen-SS eingezogen und war danach eine Zeitlang mit der 8. Totenkopfstandarte in Krakau aktiv. Im Januar 1940 wurde er nach Deutschland zurückbeordert und zu einem Reservepolizeibataillon versetzt. Kurz darauf wurde er in das Columbushaus, den damaligen Sitz der T4-Zentrale, bestellt und für das „Euthanasie"-Programm rekrutiert.[66]

Er begann seinen Dienst in Hartheim, wo er kurzzeitig als Bürokraft tätig war, bald jedoch zum Krematorium versetzt wurde, da die T4-Manager mit Vorliebe politisch zuverlässige SS-Männer als „Brenner" einsetzten. Als er Christian Wirth, den damaligen Aufseher von Hartheim, darauf hinwies, dass er aufgrund eines verletzten Arms – der Folge eines Autounfalls im Jahr 1938 – die Aufgaben eines „Brenners" nicht erfüllen könne, hatte Wirth ihn „vor dem ganzen Personal angeschrien und gedroht, [ihn] ins KZ zu bringen".[67] Resultat der Auseinandersetzung war Gomerskis Versetzung nach Hadamar. Seine dortige grausige Tätigkeit beschrieb er 1947 in einer Aussage in Frankfurt so:

---

[63] KLEE, Was sie taten – was sie wurden, S. 97.

[64] NARA, RG 242, BDC-Mikrofilm A-3343-RS-B5244, RuSHA-Akte von Hubert Gomerski (hier Gomersky geschrieben).

[65] Seine Behauptung im Hadamar-Prozess im Jahr 1947, er sei 1931 in die NSDAP und 1934 in die SS eingetreten, wird durch seine RuSHA-Akte, einen handschriftlichen Lebenslauf für das RuSHA (Rasse- und Siedlungshauptamt der SS) und seine beeidete Aussage in einer Vernehmung im Jahr 1964 widerlegt.

[66] RuSHA-Akte von Hubert Gomerski; Frankfurter Hadamar-Prozess, Aussage von Hubert Gomerski, 27. Februar 1947, S. 105.

[67] Frankfurter Hadamar-Prozess, Aussage von Hubert Gomerski, 27. Februar 1947, S. 106. Obwohl die Behauptung, unter Zwang gehandelt zu haben, nach dem Krieg eine beliebte Verteidigungsstrategie war, sind Wirths Grobheit und häufige Wutausbrüche durch derart viele Anekdoten belegt, dass diese Behauptung glaubhaft klingt.

„Die Leichen lagen schon in einem anderen Raum. Sie lagen nicht mehr im Gasraum. ... Es waren ungefähr 40 bis 60 Stück. Auf einer blechernen Tragbahre wurden sie zum Ofen gebracht. Wir nahmen immer eine Leiche. Am 2. oder 3. Tag kamen 2 oder 3 Leichen auf einmal hinein. Es dauerte ungefähr 30 bis 40 Minuten, bis eine Leiche verbrannt war. Es wurde tags und nachts gearbeitet, bis die Leichen weg waren. Da waren vier Mann beschäftigt."[68]

Da Hadamar nach dem „Euthanasie"-Stopp nicht an der Operation 14f13 beteiligt war, kam die Tätigkeit des Tötungszentrums zum Erliegen, und Gomerski wurde, vermutlich aufgrund seiner langjährigen SS-Mitgliedschaft und seiner politischen Zuverlässigkeit, für den „Einsatz Reinhard" ausgewählt. Nach eigenen Angaben traf er als Mitarbeiter der ersten Stunde im April 1942 in Sobibor ein und blieb bis zur Schließung des Lagers im Herbst 1943 dort. Zunächst beaufsichtigte er die „Hilfswilligen" des Vernichtungslagers und wurde schließlich als Nachfolger seines „Brenner"-Kollegen aus Hartheim, Kurt Bolender, Kommandant von Lager III, dem Standort der Vergasungseinrichtungen. Nach Aussagen jüdischer Überlebender war er der bösartigste Angehörige der Mannschaft des Unterlagers. In Prozessakten sind Berichte enthalten, nach denen er kranke Häftlinge, die zu schwach waren, um die Gaskammern aus eigener Kraft zu erreichen, erschoss; auch soll er zusammen mit anderen Wachen in betrunkenem Zustand über zwei Jüdinnen hergefallen sein, die im so genannten Försterhaus festgehalten wurden.[69] Gomerski bestritt diese Vorwürfe allerdings nachdrücklich.[70] Als in Sobibor ein Aufstand jüdischer Häftlinge ausbrach, befand er sich im Urlaub. Nach der Auflösung des Lagers wurde er zum „Einsatz R" nach Triest versetzt, wo er das Ende des Krieges erlebte. Er ließ sich in Österreich nieder, wurde aber schon im Juni 1945 von amerikanischen Besatzungsbehörden verhaftet und bis Anfang 1947 in ein Internierungslager in Regensburg gesteckt.[71] Im Februar und März 1947 stand er als untergeordnete und unauffällige Figur im Frankfurter Hadamar-Prozess vor Gericht und wurde wie andere Hilfskräfte auch freigesprochen; seine Aktivitäten in Sobibor waren der Staatsanwaltschaft offenbar entgangen.[72] Im Oktober 1948 wurde er aber von der deutschen Justiz als mutmaßlicher Kriegsver-

---

[68] Ebd.

[69] Nach Aussage des T4- und „Reinhard"-Funktionärs Erich Bauer wurden die Jüdinnen, dem Vernehmen nach Schauspielerinnen aus Österreich, gegen ihren Willen festgehalten, sexuell missbraucht und schließlich ermordet.

[70] BA-ZdL, Verfahren gegen Kurt Bolender, StA Dortmund, Akte 45 Js 27/61, Bd. 6, S. 29–43, Vernehmung von Hubert G., 19. September 1961, Butzbach; Arad, Belzec, Sobibor, Treblinka, S. 116 f., 197.

[71] BA-ZdL, Verfahren gegen Kurt Bolender, StA Dortmund, Akte 45 Js 27/61, Bd. 34, Vernehmung von Hubert Wolfgang G., 15. April 1964, Butzbach, S. 38–45.

[72] Frankfurter Hadamar-Prozess, Urteil, S. 4.

brecher erneut verhaftet, und am 25. August 1950 verurteilte ihn ein Frankfurter Gericht wegen im Vernichtungslager Sobibor verübter Morde zu einer lebenslangen Haftstrafe. Im Juli 1977 wurde sein Fall jedoch neu verhandelt; das Urteil wurde auf 15 Jahre reduziert, und er wurde unter Anrechnung seiner Haftzeit freigelassen.[73]

August Miete arbeitete mit Gomerski als „Brenner" in Hadamar, allerdings nach einer in vieler Hinsicht anderen T4-Geschichte. Er wurde am 1. November 1908 in Westerkappeln in Westfalen als eines von neun Kindern eines Müllers geboren. Sein Vater starb 1923, und nach Abschluss der Volksschule betrieben Miete und sein Bruder Walter den Hof der Familie mit dazugehöriger Mühle. Schließlich übernahm Walter Miete als ältester Sohn den Hof. August blieb Landarbeiter, bis die Landwirtschaftskammer in Münster ihn dienstverpflichtete und auf das zur „Euthanasie"-Anstalt Grafeneck gehörende Gut schickte. Früher betrieben viele außerhalb von Städten gelegene Nervenkliniken und Pflegeanstalten landwirtschaftliche Betriebe, um sich zumindest teilweise selbst zu versorgen. In Grafeneck arbeitete Miete, so viel scheint sicher zu sein, in der Landwirtschaft, weit entfernt vom Tötungsprozess. Als das T4-Zentrum im Herbst 1940 geschlossen wurde, wurde Miete, der ein geschickter Handwerker war, von der T4-Zentrale mit einer kleinen Gruppe von Arbeitern nach Hadamar versetzt, um die leer stehende dortige Anstalt zu renovieren und in ein Vergasungszentrum umzuwandeln.[74] Der Rest der Mitarbeiter von Grafeneck traf zusammen mit zusätzlichem Personal aus der T4-Zentrale in der Weihnachtszeit ein, und im Januar 1941 begannen die Tötungen. Miete arbeitete weiter als Handwerker in der Anstalt, half gelegentlich aber auch den „Brennern" bei der Einäscherung der Opfer.

Nach dem Stopp der Vergasungen blieb der größte Teil des Personals in Erwartung einer klaren Entscheidung über die Wiederaufnahme der Aktion in Hadamar. Im Juni oder Juli 1942, als sicher war, dass die Tötungen fortgesetzt werden würden, allerdings überwiegend in der Regie des regulären Personals, wurde die Anstalt erneut renoviert. Dabei wurden die Gaskammer und das Krematorium entfernt.[75] Die medizinischen und technischen T4-Kräfte wurden entweder in das Anstaltspersonal übernommen oder versetzt, und Mitarbeiter, die wie August Miete von lokalen Arbeitsämtern oder deren Ablegern rekrutiert worden waren, wurden entlassen.[76] Daher

---

[73] StA Frankfurt 147/52/Ks 350; BA-ZdL, Akte 208, AR-Z 251/59, Bd. 4, S. 755–769.

[74] BA-ZdL, Verfahren gegen Dr. Ludwig Hahn u. a., Akte 14 Js 7/72, Bd. 73, Aussage von August Wilhelm M., 23. April 1964, Düsseldorf, S. 14111.

[75] In der zweiten Tötungsphase (1942–1945) benutzten die T4-Mitarbeiter eine tödliche Überdosis von Medikamenten und mancherorts auch Aushungerung als Haupttötungsmittel.

[76] Vgl. HEBERER, „Exitus Heute" in Hadamar, S. 265.

befand sich Miete im Urlaub, als er ein Telegramm aus der Tiergartenstraße 4 erhielt, das ihn nach Berlin beorderte. Aus der Reichshauptstadt reiste Miete in Zivilkleidung, denn er gehörte nicht der SS an, zusammen mit 10 bis 15 Kollegen aus Hadamar und etwa 20 T4-Funktionären in das General- gouvernement. Er traf im Juli 1942 in Treblinka ein. Während Miete, wie allgemein angenommen wird, in Grafeneck und Hadamar nur in begrenztem Umfang mit dem Tötungsprozess in Berührung gekommen war, wurde er umgehend in den mörderischen Alltag in Treblinka eingeweiht, und er gewöhnte sich offenbar rasch ein. Er arbeitete im Aufnahmelager, selektierte Juden an der „Rampe" für den Arbeitseinsatz und beaufsichtigte das so genannte Lazarett. „Dort wurden nicht geh- oder transportfähige Personen in einer Grube sofort getötet", sagte er vor dem Landgericht Hamburg aus. „Das war keine ärztliche Einrichtung."[77] Im ersten Treblinka-Prozess in Düsseldorf äußerte er sich ausführlich über seine Pflichten: Danach waren die „kranken, gebrechlichen und verwundeten Menschen ... von einem besonderen Arbeitskommando zum Lazarett hingebracht" worden. Innerhalb der mit einem großen roten Kreuz markierten Umgrenzung befand sich eine Bretterbude, die eine tiefe Grube verbarg. Die Arbeiter, fuhr Miete fort, hätten

> „die Angekommenen an den Rand des Grabes hingesetzt oder hingelegt. Wenn keine weiteren Kranken oder Verwundeten zu erwarten waren, war es meine Aufgabe, diese Menschen zu erschießen. Das geschah dadurch, dass ich ihnen mit einer 9 mm Pistole ins Genick schoss. Die Getroffenen fielen dann zusam- men oder zur Seite und wurden von den beiden Lazarettjuden in das Grab hinunter getragen. ... Die Zahl der nach Ankunft von Transporten von mir erschossenen Menschen war unterschiedlich. Mal waren es 2 oder 3, mal waren es aber auch bis zu 20 oder vielleicht auch mehr. Es waren Männer und Frauen, Alte und Junge, auch Kinder waren dabei."[78]

Miete suchte auch die Baracken der arbeitenden Juden auf, um Kranke, Verletzte und Schwache für sein „Lazarett" auszuwählen. Seine „Gnaden- mission" brachte ihm bei den jüdischen Gefangenen den Spitznamen „Todes- engel" ein. Für seine Verbrechen wurde er von einem deutschen Gericht zu lebenslanger Haft verurteilt.[79]

Welche Schlussfolgerungen lassen sich aus den kurzen Fallgeschichten dieser Männer und denen ihrer Kollegen, die zu zahlreich sind, um sie alle

---

[77] Zentrale Stelle, Verfahren gegen Dr. Ludwig Hahn u. a., Akte 14 Js 7/72, Vol. 73, Aussage von August Wilhelm M., 23. April 1964, Düsseldorf, S. 14112, 14115 f..

[78] Treblinka-Prozess (1964/65), Aussage von August Miete, zit. in: Nationalsozialistische Vernichtungslager, S. 220 f.

[79] Justiz und NS-Verbrechen, hg. v. IRENA SAGEL-GRANDE u. a., Bd. 22, Amsterdam 1981, S. 19 f.

vorstellen zu können, für ein Profil dieser Täterkategorie ziehen? Eine auffallende Gemeinsamkeit der Männer in unserer Stichprobe – und von vielen ihrer Kollegen – sind langjährige Bindungen sowohl an die NSDAP als auch an die T4-Organisation. In der Regel wurden die Mitarbeiter des „Euthanasie"-Programms aufgrund persönlicher Beziehungen oder wegen ihrer politischen Zuverlässigkeit ausgesucht, beides Gründe, aus denen man mit Diskretion und Vertrauenswürdigkeit bei der Ausführung ebenso grässlicher wie geheimer Aufgaben rechnen konnte; eine SS-Mitgliedschaft war nicht unbedingt vonnöten. Zwei Männer aus unserer Stichprobe entsprechen diesem Muster: Eberl, der 1931 in die NSDAP eingetreten war, und Gomerski, der seit 1929 der NSDAP und seit 1931 der SS angehörte. August Miete, der weder in der Partei noch in der SS war, entspricht dem Muster auf weniger offensichtliche Weise, denn wie viele Hilfskräfte, die anfangs nicht direkt mit dem Tötungsprozess zu tun hatten, war er nicht speziell von der T4-Organisation angeworben worden; vielmehr war er durch ein örtliches Arbeitsamt zur Arbeit in Grafeneck dienstverpflichtet worden. Später – vermutlich hatte er in Hadamar seine Vertrauenswürdigkeit bewiesen – wurde er in den Kreis des „Euthanasie"-Personals aufgenommen, das zur „Aktion Reinhard" versetzt wurde. Alle Männer in unserer Stichprobe waren langjährige Mitglieder der T4-„Familie". Auf jeden Fall waren sie fast von Anfang an in dieser Organisation tätig – seit 1940 oder früher.[80] Seither hatten sie sich offenbar als vertrauenswürdig erwiesen und daher für die Teilnahme an der „Aktion Reinhard" empfohlen.

Was sagen die Beispiele in unserer Stichprobe aus den drei Milieus – dem der Mediziner, der „Brenner" und des Hilfspersonals – über die verschiedenen Gruppen des nach Belzec, Treblinka und Sobibor geschickten T4-Personals aus? Wie passen die hier Vorgestellten in den größeren Kontext der „Aktion Reinhard"? Eberl war der Einzige unter den 14 „Vergasungsärzten" in den T4-Zentren, der in eines dieser drei Vernichtungslager wechselte. Von den Hunderten von medizinischen Mitarbeitern der T4-Organisation, von denen die große Mehrheit Krankenpfleger und -pflegerinnen waren, nahmen nur relativ wenige am „Einsatz Reinhard" teil. Zu den bemerkenswerten Ausnahmen gehörte Karel Schluch, der als Pfleger in Grafeneck und Hadamar gearbeitet hatte und in Belzec im „Schlauch" stationiert war, dem Gang, durch den die Juden von den Entkleidungsbaracken zur Gaskammer getrieben wurden.[81] Andere Pfleger, die zur „Aktion Reinhard" gingen, waren Heinrich Matthes, Heinrich Gley und Heinrich

---

[80] Eberl gehörte schon vor den Probevergasungen von Patienten zu T4, vermutlich seit Dezember 1939 oder Anfang Januar 1940. Gomerski wurde im Januar 1940 rekrutiert, und Miete begann im Frühjahr oder Sommer dieses Jahres in Grafeneck zu arbeiten.

[81] KLEE, Was sie taten — was sie wurden, S. 155.

Unverhau. Was Eberl anging, so war er vermutlich durch seine Rolle als „Euthanasie"-Mitarbeiter der ersten Stunde und seinen Status als Leitender Arzt, an den sich die T4-Planer wandten, wenn ein Problem im System auftauchte, für die Ernennung zum Kommandanten von Treblinka prädestiniert.

Das medizinische Personal der T4-Aktion wurde in der Regel entweder für deren zweite Tötungsphase aufgespart, die an den meisten Standorten im Sommer 1942 begann, oder in andere Anstalten oder Reservelazarette der Wehrmacht versetzt, denn Deutschland befand sich schließlich im Krieg. Die „Brenner" dagegen waren für die T4-Aktion weniger wichtig. Nachdem das „Euthanasie"-Programm 1941 aufgrund allzu großer Bekanntheit in der Öffentlichkeit gestoppt worden war, sorgten die Strategen in der Tiergartenstraße dafür, dass in der zweiten Tötungsphase Verfahren angewandt wurden, die eine effektivere Geheimhaltung ermöglichten. Als Haupttötungsmittel benutzte man anstelle der Vergasung tödliche Medikamentenüberdosen, und um weniger aufzufallen, gingen die meisten „Euthanasie"-Anstalten dazu über, die Opfer zu begraben, statt sie einzuäschern. Damit bot sich der „Brenner" als idealer Kandidat für eine Versetzung zur „Aktion Reinhard" an. T4 benötigte seinen Krematoriumseinsatz nicht mehr. Darüber hinaus waren die meisten „Brenner" aus den Reihen der politisch zuverlässigen unteren SS-Chargen ausgewählt worden; sie eigneten sich daher bestens für den Dienst in den von der SS betriebenen Lagern. Schließlich hatte sie ihre grausige Arbeit, die darin bestanden hatte, unweit der Gaskammern Tausende von Leichen einzuäschern, gegen den Tötungsprozess abgehärtet und auf ihre schrecklichen Pflichten im Generalgouvernement vorbereitet.

Für die Beschaffung der dritten Kategorie, des Hilfspersonals für den „Einsatz Reinhard", galten die gleichen Regeln. Wie im Fall von August Miete hatte sich herausgestellt, dass das zur „Aktion Reinhard" versetzte Personal nach der Dezentralisierung der T4-Kampagne überflüssig war. Die meisten wurden für den Dienst in „Reinhard"-Tötungszentren ausgewählt, weil sie im Lauf der Zeit auf die eine oder andere Weise in die „Euthanasie"-Morde hineingezogen worden waren und von ihnen daher erwartet werden durfte, dass sie der grausigen Lagertätigkeit gewachsen waren. Dass viele von ihnen nicht der SS angehörten, war nicht so wichtig, da sie, wie gesehen, immer noch auf der Gehaltsliste der T4-Organisation standen und sich in Bezug auf Rang und äußere Erscheinung problemlos in die Lagermannschaften einfügten. Es fällt auf, dass viele in den Lagern ähnliche Aufgaben ausführten wie vorher in den T4-Zentren. Irmfried Eberl, beispielsweise, hatte die „Euthanasie"-Anstalten Brandenburg und Bernburg geleitet und war danach, wenn auch nur für kurze Zeit, Kommandant von Treblinka. Christian Wirth, einst der reisende Krisenmanager der T4-Organisation, füllte die gleiche Rolle nunmehr als Inspekteur der „Reinhard"-Lager aus. Karl Schluch trieb Juden durch den „Schlauch" in Belzec, wie er früher Anstaltspatienten in die Gaskammer getrieben hatte. Lorenz Hackenholt, Bracks früherer Chauffeur, und der T4-Lastwagenfahrer Erich Bauer nutzten ihre automobilistischen Fertigkeiten, um die PS-starken Lastwagenmotoren zu bedienen, die in Belzec und Sobibor für die Vergasung der Gefangenen eingesetzt wurden. Heinrich Unverhau, der einst im „Kleidernachlass" in Hadamar die Kleidung der Opfer sortiert hatte, sammelte und katalogisierte jetzt als Leiter der „Effektenkammer" in Treblinka die geraubten Besitztümer der ermordeten Juden.[82] Aber die Tätigkeiten in den „Reinhard"-Lagern konnten sich auch erheblich von der früheren Funktion in den „Euthanasie"-Anstalten unterscheiden, wie im Fall von August Miete, der in Grafeneck und Hadamar als Landwirt, Handwerker und gelegentlich als „Brenner" gearbeitet hatte, in Treblinka jedoch an der „Lazarett"-Grube Junge, Alte, Kranke und Ausgelaugte erschoss.

Es sind noch zwei weitere Punkte zu erwähnen, die nicht nur auf die Personen in unserer Stichprobe, sondern auch auf viele ihrer Kollegen zutrafen. Alle Männer in unserer Stichprobe waren jung, zwischen 1908 und 1911 geboren, bei Kriegsende also Mitte Dreißig. Wie viele andere, die in den „Einsatz Reinhard" verwickelt waren, gehörten sie der vor dem Ersten Weltkrieg geborenen Altersgruppe an, die inmitten der politischen und wirtschaftlichen Wirren der Zwischenkriegszeit zum Mannesalter und somit zur Notwendigkeit wirtschaftlicher Unabhängigkeit herangewachsen war. Diese turbulente Zeit und die finanzielle und soziale Unsicherheit, die sie mit sich brachte, hatte manche Angehörige dieser Generation sicherlich nicht nur dazu gebracht, die Wirtschafts- und Außenpolitik der Nationalsozialisten zu unterstützen, sondern sie auch für deren völkischen Radikalismus und extremen Rassismus und Antisemitismus empfänglich gemacht. Für andere junge Männer waren Arbeitsplatzsicherheit, persönliches Fortkommen, Befreiung vom Wehrdienst und materielle Vergütung Faktoren, die die nationalsozialistischen Auffassungen von Rasse und Eugenik einerseits und moralische Erwägungen andererseits gegeneinander aufwogen und die wichtigsten Motive für ihre Teilnahme an beiden Mordprogrammen darstellten. Zudem mögen diese Männer aufgrund ihrer Jugend und Unerfahrenheit ethisch weniger widerstandsfähig gegen die Überredungskünste hochrangiger Beamter gewesen sein und nicht den moralischen Mut, die geistige Klarheit und die entschlossene Beharrlichkeit besessen haben, die nötig gewesen wären, um sich einer höheren Macht zu widersetzen oder sich aus Tötungsoperationen herauszuhalten.

---

[82] Frankfurter Hadamar-Prozess, Aussage von Paul Reuter, 25. Februar 1947, S. 52; ARAD, Belzec, Sobibor, Treblinka, S. 29.

Schließlich spiegelt die Teilnahme der drei Männer aus unserer Stichprobe an der „Euthanasie"-Kampagne die Erfahrungen vieler ihrer T4- und
„Reinhard"-Kollegen wider und fördert zugleich eine Binsenweisheit über
das „Euthanasie"-Programm zutage: Die meisten derjenigen, die sich an der
Ermordung von Anstaltspatienten beteiligten, kamen ohne konkrete Erfahrung im Töten zu dieser Aufgabe. Sie dienten ohne intensive Ausbildung
und ideologische Indoktrination als Mörder und Komplizen bei der Ermordung wehrloser Menschen. In den Tötungsprozess eingeführt und an den
Anblick, die Geräusche, die Routine und den Rhythmus des Massenmords
gewöhnt, brachten sie ihr Wissen und ihre Erfahrung in die „Aktion Reinhard" ein. Auf diese Weise schufen sie eine tödliche Kontinuität, die Belzec,
Sobibor und Treblinka unauflöslich mit Hadamar, Sonnenstein und Hartheim
verband.

PETER BLACK

DIE TRAWNIKI-MÄNNER
UND DIE „AKTION REINHARD"

Es gibt vieles, was wir noch nicht über die „Aktion Reinhard" wissen. Zum Beispiel wissen wir nicht genau, wann der SS- und Polizeiführer (SSPF) in Lublin, Odilo Globocnik, den Befehl erhielt, die „Aktion Reinhard", die Ermordung der im besetzten Polen, dem so genannten Generalgouvernement, lebenden Juden durchzuführen.[1] Wir sind auch nicht sicher, ob die „Aktion Reinhard" auf eine Anordnung aus Berlin oder einen Vorschlag aus Lublin zurückgeht.[2] Tatsächlich ist sogar die Schreibweise des Namens Reinhard umstritten.[3] Der Zweck der „Aktion Reinhard" steht jedoch außer

---

[1] Die meisten Autoren stimmen darin überein, dass Globocnik zwischen Ende September und Mitte Oktober 1941 grünes Licht bekam, das in Gang zu setzen, was zur „Aktion Reinhard" werden sollte. BOGDAN MUSIAL, The Origins of „Operation Reinhard". The Decision-Making Process for the Mass Murder of the Jews in the Generalgouvernement, in: Yad Vashem Studies 18 (2000), S. 113–153, S. 115, 129 f., 151; DIETER POHL, Die Ermordung der Juden im Generalgouvernement, in: Nationalsozialistische Vernichtungspolitik 1939–1945. Neue Forschungen und Kontroversen, hg. v. ULRICH HERBERT, Frankfurt/M. 1998, S. 98–121, S. 102 ff.; PETER LONGERICH, Politik der Vernichtung. Eine Gesamtdarstellung der nationalsozialistischen Judenverfolgung, München 1998, S. 453.
[2] Nach Bogdan Musials Ansicht ging die spätere „Aktion Reinhard" auf Globocniks Initiative zurück: MUSIAL, The Origins of „Operation Reinhard", S. 129 f.; vgl. auch ders., Deutsche Zivilverwaltung und Judenverfolgung im Generalgouvernement, Wiesbaden 1999, S. 201–208. CHRISTOPHER BROWNING, Judenmord. NS-Politik, Zwangsarbeit und das Verhalten der Täter, Frankfurt/M. 2001, S. 65, 88 Anm. 42, hält die „Aktion Reinhard" für eine gemeinsame Initiative von Globocnik und der SS-Zentrale in Berlin.
[3] Die Schreibweise des Namens Reinhard hat die Zeitgenossen irregeführt und die Historiker verwirrt. Zur Variante „Reinhardt" siehe Globocniks an Himmler gerichtete Abschlussmeldung vom 4. November 1943 und seinen ebenfalls für den SS-Chef bestimmten wirtschaftlichen Abschlussbericht vom 5. Januar 1943 [sic! 1944], Nürnberger Dokument PS-4024, in: Der Prozess gegen die Hauptkriegsverbrecher vor dem internationalen Militärgerichtshof (fortan: IMG), Bd. 34, S. 68–89, sowie Schutzpolizei-Kommandoführer in Sobibor an „SS- und Polizeiführer Distrikt Lublin/Einsatz Reinhardt/Inspekteur der SS Sonderkommando[s]" vom 4. Februar 1943, G. Bäcker Trawniki Personnel File (fortan: TPF), Record Group (RG) 20869: „Guards", Bd. 10, S. 171, Zentralnaja Archiv Federalnaja Sluschba Besopasnosti (Zentralarchiv des Föderalen Sicherheitsdienstes), Russische Föderation (fortan: ZA FSB Moskau). Zur Variante „Einsatz Reinhart" siehe: Stellv. Lagerführer, SS-

Frage, selbst wenn die Tötungsfunktion häufig andere, materiellere Zwecke des Projekts verdeckt. In dem Abschlussbericht, den Globocnik am 5. Januar 1944 Himmler vorlegte, sind ausdrücklich vier Ziele aufgezählt: (1) die „Aussiedlung selbst", das heißt die Ermordung der im Generalgouvernement lebenden Juden, (2) die „Verwertung der Arbeitskraft", das heißt die Ausbeutung von Juden, die so lange am Leben bleiben durften, wie die von ihnen verrichtete Arbeit als kriegswichtig angesehen wurde, (3) die „Sachverwertung" der den ermordeten Juden in den Tötungszentren und anderswo abgenommenen Vermögen und Wertgegenstände und (4) die „Einbringung verborgener Werte und Immobilien", das heißt die Erfassung aller von Juden versteckten Vermögenswerte und sämtlicher Vermögenswerte von Privatunternehmen und Personen, die mit Hilfe von Juden angesammelt worden waren. Obwohl Belzec, Sobibor und Treblinka II als stationäre Einrichtungen, die einzig und allein für die Ermordung einer großen Zahl von Menschen errichtet worden waren, das Bild der „Aktion Reinhard" prägen, haben Globocniks Mitarbeiter auch eine Reihe von Zwangsarbeitslagern, wie Trawniki, Poniatowa, Budzyn und Krasnik, sowie mehrere über den Distrikt Lublin verstreute SS-Güter betrieben, in denen im Zuge der „Verwertung der Arbeitskraft" jüdische Zwangsarbeiter ausgebeutet wurden.[4]

Sonderkommando an SSPF Lublin/Einsatz Reinhart/Inspekteur der SS-Sonderkommandos, 1. Juli 1943, RG K-779, fond 16, opis 312 „e", t. 409 (fortan: 16/312 „e"/409), S. 42, ZA FSB Moskau. Zu einer Analyse der verschiedenen Schreibweisen siehe PETER WITTE/STEPHEN TYAS, A New Document on the Deportation and Murder of Jews During „Einsatz Reinhardt" 1942, in: Holocaust and Genocide Studies, Bd. 15, Nr. 3 (Winter 2001), S. 468–486, S. 474 f. Dem Nachdruck, mit dem Witte und Tyas auf der Schreibung „Reinhardt" bestehen, vermag ich allerdings nicht zuzustimmen. In einem gedruckten Briefkopf der Dienststelle der Einheit erscheint auch die Bezeichnung „Abteilung Reinhard" (siehe: „SSPF Lublin/Abteilung Reinhard/Der Inspekteur der SS-Sonderkommandos" [gez. Baer] an Ausbildungslager Trawniki, 8. Juli 1943, I. Kulak TPF, RG 20869, Bd. 4, S. 134, ZA FSB Moskau). Im Übrigen hat Globocnik, vielleicht typischerweise, die Formen „Reinhard" und „Reinhardt" abwechselnd benutzt. Zur Verwendung von „Reinhard" siehe: Globocnik an SS-Personalhauptamt, 22. Mai 1943, SS-Offiziersakte C. Wirth, RG 242, A3343/SSO, Rolle 251B, Fotos 310 f., National Archives and Records Administration, College Park, Maryland (fortan: NARA); Globocnik an von Herff, 13. April 1943, ebd., Foto 309. Die Schreibung „Reinhard" taucht sogar einmal in Globocniks Abschlussbericht auf (siehe: „Abgelieferte Werte aus der Aktion Reinhard", Nürnberger Dokument PS-4024, in: IMG, Bd. 34, S. 58). Ich ziehe zwar die Schreibweise „Reinhard" vor, aber „Reinhardt" ist genauso richtig.

[4] Globocnik an Himmler, 5. Januar 1944, in: IMG, Bd. 34, S. 72–76. Leider sind bis heute keine Planungsunterlagen, die sich explizit auf die „Aktion Reinhard" bezögen, aufgetaucht. Es gibt jedoch dokumentarische Hinweise auf die Errichtung einiger der im Rahmen der „Aktion Reinhard" als Arbeitslager und Warenlager benutzten Einrichtungen sowie auf andere Projekte im Zusammenhang mit der „Aktion Reinhard" bei dem Vorhaben, die ethnische Bevölkerungsstruktur des Distrikts Lublin umzugestalten. Siehe: Denkschrift von

Ebenso wenig ist über eine Truppe bekannt, die in der Geschichte der nationalsozialistischen Besatzungspolitik so ungewöhnlich war, dass sie sogar zum Führen eigener Polizei-Dienstränge berechtigt war: die Hilfspolizisten, von ihren Opfern und einigen der lokalen Polizeioffiziere, die sie kommandierten, häufig als „Ukrainer" bezeichnet, die ihre Ausbildung in einem Lager in der Nähe der Kleinstadt Trawniki im Distrikt Lublin erhielten und im Rahmen der Operation „Reinhard" als Wachen sowohl in den Tötungszentren als auch in den Arbeitslagern dienten. Ihre Anwesenheit in Belzec, Sobibor und Treblinka ist seit dem Ende des Zweiten Weltkriegs bekannt und durch die Bilder populärer, halb fiktionaler Werke erneut in das Bewusstsein gerückt worden.[5] Dennoch enthalten selbst wissenschaftliche Werke immer noch Fehlinformationen über sie.[6] Zweck des vorliegenden Aufsatzes ist es, etwas mehr Licht auf die in Trawniki ausgebildeten Wachmannschaften zu werfen: auf ihre Rekrutierung, ihre Ausbildung, ihre Verwendung und ihre Bedeutung hinsichtlich der von Globocnik genannten Ziele der „Aktion Reinhard".

Im Herbst 1941 bildete Globocnik in seiner Dienststelle in Lublin eine Sektion, die später als „Hauptabteilung ‚Einsatz Reinhard' beim SS- und Polizeiführer im Distrikt Lublin" bekannt wurde, und ernannte SS-Hauptsturmführer Hermann Höfle zum „Judenreferenten" bei der „Sonderaktion

---

SS-Obersturmführer Gustav Hanelt an Globocnik, 9. August 1941, RG SSPF Lublin, Akte 891/6, S. 11 f., Archiv der Główna Komisja Badania Przeciwko Narodowi Polskiemu (Hauptkommission für die Untersuchung von Verbrechen gegen das polnische Volk), Warschau (fortan: AGK); Denkschrift von SS-Untersturmführer Schmetzer an Globocnik, Hanelt und Lerch, 4. Januar 1942, ebd., 891/3, S. 36; Denkschrift von Globocnik, 16. Februar 1942, ebd., 891/6, S. 46; Denkschrift, gez. von Hanelt, o. D. (vermutlich Ende März 1942), ebd., S. 18–23. Hinsichtlich einer Diskussion der Zielsetzungen der „Aktion Reinhard" bietet jedoch Globocniks nachträgliche Beschreibung nach wie vor den besten vorhandenen Beleg.

[5] WASSILI GROSSMANN, Die Hölle von Treblinka, Moskau 1946; JEAN-FRANÇOIS STEINER, Treblinka. Die Revolte eines Vernichtungslagers, Hamburg 1966; RICHARD RASCHKE, Escape from Sobibor, Boston, Mass., 1982. In jüngerer Zeit haben in Trawniki ausgebildete Wachmänner in Hollywood-Produktionen eine Rolle gespielt, etwa in „Schindlers Liste" (1993) und „Uprising – Der Aufstand" (2001). Die bis heute einzigen wissenschaftlichen Untersuchungen, die sich mit diesen Männern beschäftigt haben, sind YITZHAK ARAD, Belzec, Sobibor, Treblinka. The Operation Reinhard Death Camps, Bloomington, Ind., 1987, S. 19–22 und passim, sowie MARIA WARDZYNSKA, Formacja Wachmannschaften des SS- und Polizeiführers im Distrikt Lublin, Warschau 1992.

[6] So spricht Michael Burleigh bspw. von 238 000 [sic!] „einheimischen Hilfspolizisten und Partisanenbekämpfern", die in dem „berüchtigten Ausbildungslager Trawnicki [sic!] bei Lublin" geschult worden seien. MICHAEL BURLEIGH, Ethics and Extermination. Reflections on the Nazi Genocide, Cambridge 1997, S. 85.

Reinhardt".[7] Unter Globocniks Befehl sowohl als SSPF Lublin wie auch als Beauftragter für die Errichtung von SS- und Polizeistützpunkten in den besetzten Ostgebieten stellte Höfle ein Team zusammen, das die Deportation polnischer Juden mit den Zivilbehörden, der Eisenbahnverwaltung, militärischen Dienststellen und regionalen Polizeieinheiten koordinieren sollte. Unter Führung von Kriminalsekretär Christian Wirth wurde mit Personal der berüchtigten T4-Aktion eine zweite Abteilung gebildet, die später „Inspektion der SS-Sonderkommandos" genannt wurde. Wirth beaufsichtigte die Errichtung der drei Tötungszentren in Belzec, Sobibor und Treblinka; im Sommer 1942 waren alle drei Lager in Betrieb.[8]

In seinem Abschlussbericht für Himmler bemerkte Globocnik, dass als Hilfstruppe die so genannten SS-Wachmannschaften aufgebaut worden seien, um eine „entsprechende Bewachung" der zur Ausbeutung der jüdischen Arbeitskraft errichteten Lager zu gewährleisten. Unerwähnt ließ er – von einem vagen Hinweis auf den erfolgreichen Abschluss der „Aussiedlung" durch eine „methodisch richtige Behandlung, mit den schwachen zur Verfügung stehenden Kräften" abgesehen[9] – die Teilnahme dieser SS-Wachmannschaften an (1) allen größeren Deportationen, (2) vielen regionalen Erschießungsaktionen und (3) der Bewachung von Belzec, Sobibor und Treblinka. Um die NS-Pläne, die Juden auf polnischem Boden zu ermorden, umsetzen zu können, brauchte man eine absolut ergebene Wachtruppe mit einer rücksichtslosen und entschlossenen Führung, und unter Globocniks Oberaufsicht erfüllten die im Ausbildungslager Trawniki angelernten SS-Wachmannschaften in den Jahren, als die „Endlösung" ihren Höhepunkt erreichte, diese Bedingungen.

Vermutlich sollten die SS-Wachmannschaften ursprünglich als Hilfspolizei den deutschen Besatzern helfen, den „wilden Osten" zu beherrschen. Nach einem Treffen mit Globocnik in Krakau am 26. Oktober 1940 beauftragte Reichsführer-SS Heinrich Himmler den SSPF Lublin, SS- und Polizeistützpunkte aufzubauen, die er sich als bewaffnete und bewirtschaftete Landwirtschaftskomplexe überall im eroberten Ostpolen und später auch in der Sowjetunion vorstellte. Als „verlängerter Arm der deutschen Führung" sollten sie für die „Aufrechterhaltung der Ordnung und Festigung der politi-

---

[7] „Stellenbesetzung d. Stabes d. SS- und Polizeiführers i. Distrikt Lublin i. Personalunion m. Arbeitsstab d. Allg. SS i. Distrikt Lublin", o. D., vermischte SS-Akten des Berlin Document Center (fortan: BDC), NARA, RG 242.

[8] Henry Friedlander, Der Weg zum NS-Genozid. Von der Euthanasie zur Endlösung, Berlin 1997, S. 309, 469 ff.; Patricia Heberer, Eine Kontinuität der Tötungsoperationen. T4-Täter und die „Aktion Reinhard", in diesem Band; Arad, Belzec, Sobibor, Treblinka, S. 14–43.

[9] Globocnik an Himmler, 5. Januar 1944, in: IMG, Bd. 34, S. 72 f.

schen Macht" im eroberten Osten sorgen.[10] Am 17. Juli 1941 ernannte Himmler Globocnik zum Beauftragten des Reichsführers-SS und Chefs der Deutschen Polizei für die Errichtung der SS- und Polizeistützpunkte im neuen Ostraum, und in den acht Monaten, in denen Globocnik dieses Amt innehatte, rekrutierte sein Stab sowjetische Kriegsgefangene und in seltenen Fällen auch zuverlässige Zivilisten als Hilfspolizisten. Ausgebildet wurden sie 35 Kilometer südöstlich von Lublin auf dem Gelände einer ehemaligen Zuckerfabrik am Rand von Trawniki.[11] Offiziell als „Wachmannschaften des Beauftragten des Reichsführers SS und Chefs der Deutschen Polizei – Chef der Ordnungspolizei – für die Errichtung der SS- und Polizeistützpunkte im neuen Ostraum" und ab März 1942 einfach als „Wachmannschaften des SSPF im Distrikt Lublin" bezeichnet,[12] wurden die Trawniki-Männer in Anspielung auf die vor dem Ersten Weltkrieg von der Kolonialverwaltung in Deutsch-Ostafrika aufgestellten einheimischen Truppen gelegentlich auch *Askaris* genannt.[13]

---

[10] Bericht über die Errichtung von SS- und Polizeistützpunkten, o. D. [vermutlich Frühjahr 1941], SS-Offiziersakte Odilo Globocnik, RG 242, A-3343/SSO, Rolle 016A, Fotos 89–96, NARA; „Aktenvermerk über die Besprechung mit dem Reichsführer-SS am 26.10.40 in Krakau", gez. Globocnik, 5. November 1940, RG SSPF Lublin, Akte 891/6, S. 16 f., AGK.

[11] Zu der Ernennung siehe: Himmler an Globocnik, 17. Juli 1941, SS-Offiziersakte Odilo Globocnik, RG 242, A-3343, Rolle 016A, Foto 961, NARA. Zu Globocniks Zeit in diesem Amt: ebd.; Himmler an Globocnik, 27. März 1942, ebd., Foto 1135; Befehl von Himmler, 15. Mai 1942, ebd., Bild 1133. Jan Erik Schulte hat jüngst auf brillante Weise die Verbindungen zwischen Globocniks Apparat und Oswald Pohls Wirtschaftsverwaltungshauptamt der SS, das eine immer größere Rolle bei der Planung und Entwicklung der SS- und Polizeistützpunkte spielte, aufgezeigt. JAN ERIK SCHULTE, Zwangsarbeit und Vernichtung. Das Wirtschaftsimperium der SS. Oswald Pohl und das SS-Wirtschafts-Verwaltungshauptamt, 1933–1945, Paderborn 2001, S. 239–308, S. 276 ff.).

[12] Dienstverpflichtung; 23. Oktober 1941, E. Chrupowitsch TPF, Verfahren gegen W. M. Chlopezki u. a., Fall 6105, Archivnummer 11043 (fortan: Chlopezki-Verfahren, 6105/11043), S. 130, Archiv Sluschba Bespeki Ukrainy (Archiv des Sicherheitsdienstes der Ukraine), Lwiw Oblast (fortan: ASBU Lwiw); Dienstverpflichtung, 23. Juni 1942, W. Amanawitschius TPF, 1173/4/55, S. 3, Lietuvos Valstybines Archyvas (Litauisches Staatsarchiv), Wilna (fortan: LVA Wilna).

[13] Vernehmung (fortan: Vern.) Friedrich F., 4. März 1969, Verfahren gegen Karl Streibel u. a. (fortan: Streibel-Verfahren), Akte 147 Js 43/69, Bd. 81, S. 15476, Staatsanwaltschaft (fortan: StA) Hamburg; Vern. Helmut Leonhardt, 27. September 1973, ebd., Bd. 137, S. 26683; vgl. auch das Urteil in diesem Verfahren vom 3. Juni 1976, S. 121 f., Akte 208 AR 643/71, Bundesarchiv – Zentrale Stelle der Landesjustizverwaltungen zur Aufklärung von NS-Verbrechen in Ludwigsburg (fortan: BA-ZdL). In zeitgenössischen amtlichen Dokumenten wurden die Männer aus Trawniki meistens als „Wachmänner" und manchmal als „Trawniki-Männer" bezeichnet; in den Regionen, in denen sie dienten, und in einem großen Teil der Nachkriegsliteratur wurden und werden sie weiterhin für gewöhnlich „Ukrainer", „Litauer", „Letten" oder „Hiwis" genannt. Zur zeitgenössischen Verwendung der Bezeichnung *Askaris*

Grundlage der Anwerbung der Trawniki-Männer war die von Himmler und Müller im Namen des Chefs der Sicherheitspolizei und des SD erteilte Anweisung, unter den sowjetischen Kriegsgefangenen „Personen" auszuwählen, „die besonders vertrauenswürdig erscheinen und daher für den Einsatz zum Wiederaufbau der besetzten Gebiete verwendungsfähig sind".[14] Es gab nicht genügend deutsches Personal, um diese Gebiete den Zukunftsplänen der Nationalsozialisten entsprechend zu kontrollieren. Unter Hinweis darauf, dass die Schaffung von SS- und Polizeistützpunkten in der Sowjetunion noch vor Wintereinbruch eine „vordringliche Aufgabe" sei, forderte SS-Obergruppenführer Kurt Daluege, der Chef der Ordnungspolizei, Globocnik und die SS- und Polizeiführer im besetzten Teil der Sowjetunion auf, „beschleunigt" einheimische „Schutzmannschaften" aufzustellen.[15] Einen Monat später trafen die ersten Rekruten aus den Kriegsgefangenenlagern in Trawniki ein.[16]

Höfle hatte das Gelände des künftigen Ausbildungslagers Trawniki anfangs als Sammelstelle für sowjetische Kriegsgefangene benutzt, die von der SS entweder als potenzielle Kollaborateure oder als Verdächtige betrachtet wurden. Am 27. Oktober 1941 ernannte Globocnik SS-Hauptsturmführer

---

siehe: „Beurteilungs-Notiz über Lagerleiter SS-Hauptsturmführer Streibel", o. D. [vermutlich durch von Herff aus Anlass seines Besuchs im Generalgouvernement im Mai 1943 diktiert], SS-Offiziersakte K. Streibel, RG 242, A-3343/SSO, Rolle 166B, Foto 205, NARA. Ich werde die Hilfspolizisten im vorliegenden Aufsatz „Trawniki-Männer" oder „in Trawniki ausgebildete Wachmänner" nennen. Eine informative Darstellung der echten *Askaris* in Deutsch-Ostafrika findet sich in WOODRUFF D. SMITH, The German Colonial Empire, Chapel Hill, N.C., 1978, S. 222 ff.

[14] „Richtlinien für die Aussonderung von Zivilpersonen und verdächtigen Kriegsgefangenen des Ostfeldzuges in den Kriegsgefangenenlagern im besetzten Gebiet, im Operationsgebiet, im Generalgouvernement und in den Lagern im Reichsgebiet", Anlage 1: Einsatzbefehl Nr. 8 des Chefs der Sicherheitspolizei und des SD, 17. Juli 1941, Nürnberger Dokument NO-3414, RG 238, NARA; RFSS und Chef der Deutschen Polizei [gez. Himmler] an Höhere SS- und Polizeiführer und SSPF Globocnik, 25. Juli 1941, RW 41/4, S. 816 f., Bundesarchiv-Militärarchiv, Freiburg (fortan: BA-MA); Rundschreiben des RFSS und Chefs der Deutschen Polizei [gez. Daluege], betr. „Schutzformationen" in den neu besetzten Ostgebieten, 31. Juli 1941, ebd., S. 824 f.

[15] Chef der Ordnungspolizei [gez. Daluege] an HSSPF in der besetzten Sowjetunion und Globocnik, 5. August 1941, 1323/1/50, Gossudarstwenny Wojenny Archiv Rossijskoj Federatsii (Staatliches Militärarchiv der Russischen Föderation), Moskau (fortan: GWA Moskau).

[16] Kommandeur des Ausbildungslagers Trawniki [gez. Streibel] an Kommandeur der Sicherheitspolizei (KdS) in Thorn/Westpreußen, 19. Januar 1942, K. Schubrich TPF, RG 20869, Bd. 11, S. 141, ZA FSB Moskau; Personalbogen 154, 3. September 1941, F. Totschek TPF, ebd., Bd. 6, S. 239; Einbürgerungsantrag, unterzeichnet von Heinrich Schäfer, 19. Februar 1944, H. Schäfer EWZ-Akte, UdSSR Anträge, H18, Fotos 2240–43, NARA.

Karl Streibel zum Kommandanten der in „Ausbildungslager Trawniki" umbenannten Einrichtung. [17] Binnen eines Monats nach Streibels Ankunft wurden Trawniki-Männer an die Standorte des künftigen Vernichtungslagers Belzec und des Arbeitslagers Treblinka geschickt. [18]

In der ersten Septemberwoche 1941 erhielten die ersten Trawniki-Rekruten den Status von Hilfspolizisten. Bis Anfang März 1942 wurden mehr als 1250 Rekruten in Trawniki aufgenommen. [19] Am Anfang kamen praktisch alle aus den Kriegsgefangenenlagern in Lublin, Cholm, Riwne, Biala Podlaska, Bialystok, Schitomir und Grodno, in denen Anwerber der deutschen Polizei Deutschstämmige, Deutschsprachige, Soldaten nichtrussischer Nationalität, von denen erwartet werden durfte, dass sie Grund hatten, die Bolschewiken zu hassen, und, als die Not offenbar wurde, auch solche russischen Gefangenen auswählten, die trotz der schrecklichen Bedingungen in

---

[17] Eine frühe Erwähnung von Trawniki findet sich in: Amt für Bevölkerungswesen und Fürsorge [abgez. Türk] an Abteilung Innere Verwaltung/Distrikt Lublin, 14. Juli 1941, mit angehängtem „Bericht über die Besichtigung des Auffanglagers in Trawnicki [sic!]", 9. Juli 1941, in: ARTUR EISENBACH, Dokumenty i Materiały do dziejów okupacji niemieckiej w Polsce, Bd. 1, Obozy, Łódź 1946, S. 258 f. Zu Streibels Ernennung siehe: SSPF Lublin, Empfehlung für die Beförderung von Karl Streibel, 6. März 1942, SS-Offizierssakte K. Streibel, RG 242, A3343/SSO, Rolle 166B, Fotos 220 f., NARA.

[18] Zu Belzec im November 1941 siehe: Personalbogen 33, 23. Oktober 1941, M. Kuschniruk TPF, RG 20869, Bd. 13, S. 150, ZA FSB Moskau; Personalbogen 96, 23. Oktober 1941, Johan Tellmann TPF, Verfahren gegen I. P. Tel'man (fortan: Tel'man-Verfahren), 15382, S. 69–69 Rückseite, Archiv des FSB (fortan: AFSB) im Oblast Nowosibirsk; Aussage von Samuel K., Dezember 1973, Streibel-Verfahren, Bd. 138, S. 26902, StA Hamburg; vgl. auch ARAD, Belzec, Sobibor, Treblinka, S. 24 ff.; NS-Vernichtungslager im Spiegel deutscher Strafprozesse, hg. v. ADALBERT RÜCKERL, München 1979, S. 132; BROWNING, Judenmord, S. 67. Zum Arbeitslager Treblinka siehe: Personalbogen 185, 1. November 1941, und Korrespondenz in: A. Rige TPF, RG 20869, Bd. 8, S. 186, 188, 190 Rückseite, ZA FSB Moskau; Personalbogen 120, A. Poppe TPF, ebd., Bd. 23, S. 142. Es liegen bisher noch keine ausreichenden Belege dafür vor, dass Treblinka II Ende 1941 als Standort für das künftige Vernichtungslager ausgewählt worden war, obwohl die Anwesenheit von Trawniki-Männern vielsagend ist.

[19] SSPF Lublin an HSSPF Ost, Empfehlung für die Beförderung von Karl Streibel, 6. März 1942, SS-Offizierssakte K. Streibel, A3343/SSO, Rolle 166B, Fotos 220 f., NARA; Personalbogen 1253, o. D., und Kommandeur Ausbildungslager Trawniki [abgez. Streibel] an Gebietskommissar in Kiew, 25. November 1942, wonach M. Gubrijenko am 26. Dezember 1941 in Trawniki eintraf, M. Gubrijenko TPF, RG 20869, Bd. 8, S. 218, 221, ZA FSB Moskau. Einige der frühen Rekruten waren sowjetische Offiziere (vgl.: Einbürgerungsantrag, 22. Februar 1944, EWZ-Akte J. Reimer, UdSSR Anträge, Rolle G 63, Fotos 1968–1971, NARA; Personalbogen 865, o. D., J. Reimer TPF, Derschawny Archiv Saporischkoi Oblasti [Staatsarchiv des Saporischka Oblast], Ukraine (fortan: DASO).

den Lagern gesund zu sein schienen.[20] Viele der Deutschstämmigen kamen
aus der Ukraine, der Autonomen Sozialistischen Sowjetrepublik der Wolgadeutschen und den entlegenen Ortschaften in Ostrussland, einschließlich
Sibiriens; andere waren Soldaten in der polnischen Armee gewesen und
hatten in sowjetischen Kriegsgefangenenlagern gesessen, die 1941 von der
Wehrmacht überrannt worden waren.[21] Den ersten Rekruten wurde nach
ihrer Ankunft in Trawniki gesagt, sie würden später russische „Hiwis"
(Hilfswillige) ausbilden.[22] Als Streibels Anwerber das Ausmaß ihrer Aufgabe erkannten, rekrutierten sie großzügig aus allen sowjetischen Nationali-
täten, einschließlich der russischen. Von einem sowjetischen Kriegsgefangenen, der als Ordonnanz des Kommandanten des Arbeitslagers Treblinka
diente, wurde später bekannt, dass er „Halbjude" war.[23]

---

[20] Bspw. ein gesund aussehender Gefangener deutscher Herkunft, dessen Vater in den
dreißiger Jahren vom Sowjetregime enteignet worden war und der daher alle Kriterien erfüllte
(vgl.: F. Swidersky TPF, 1367/1/239, S. 1–5, GWA Moskau; Anklage gegen Franz Swidersky, 28. September 1970, S. 15, Verfahren gegen Franz Swidersky, 8 Ks 470, Landgericht
Düsseldorf (fortan: Swidersky-Verfahren).

[21] Vgl. zum Beispiel: Personalbogen 26, o. D., F. Swidersky (geb. in Selz bei Odessa)
TPF, 1367/1/239, S. 1, GWA Moskau; Einbürgerungsantrag, 19. Februar 1944, EWZ-Akte
H. Schäfer (geb. in Hussenbach in der Wolgarepublik), UdSSR Anträge, Rolle H18, Fotos
2240–2243, NARA; Einbürgerungsantrag, 28. Februar 1944, EWZ-Akte A. Thießen (geb. in
Altai Krai, Sibirien), UdSSR Anträge, Rolle I47, Fotos 2884–2887, NARA; Einbürgerungsantrag, 28. Februar 1944, EWZ-Akte T. Heinrich, UdSSR Anträge, Rolle C64, Fotos
1220–1223, NARA; Einbürgerungsantrag, 28. Februar 1944, EWZ-Akte J. Brott, UdSSR
Anträge, Rolle A83, Fotos 1874–1877, NARA. Zu deutschstämmigen polnischen Soldaten
siehe: Kommandeur Ausbildungslager Trawniki [gez. Streibel] an KdS in Thorn, 19. Januar
1943, K. Schubrich TPF, RG 20869, Bd. 11, S. 141, ZA FSB Moskau; Personalbogen 8,
27. Januar 1942, L. Bisewski TPF, ebd., Bd. 14, S. 202.

[22] Vern. Heinrich S., 18. März 1969, Verfahren gegen Georg Michalsen, 141 Js 573/60,
Bd. 94, S. 17682, StA Hamburg (fortan: Michalsen-Verfahren); Vern. Yakov Genrikhovich
Engel'gard, 21. März 1961, Beweisstück der Anklage Nr. 300, Verfahren gegen John
Demjanjuk (fortan: Demjanjuk-Verfahren), Jerusalem 1987.

[23] KdS-Außenstelle Krasnik an KdS Lublin, 23. August 1943, RG K-779, 16/312 „e"/409,
S. 228, ZA FSB Moskau, betreffend einen Antrag auf Versetzung eines in Trawniki ausgebildeten Unteroffiziers lettischer Herkunft, der mit seinen ukrainischen Untergebenen nicht
zurecht kam. Zu Litauern: Personalbogen 1628, 23. Juni 1942, L. Kairys TPF, 1173/4/51,
p. 1, LVA Wilna. Zu Esten: SS-Totenkopf-Sturmbann Stutthof, Stammkarte 229 für August
Meho, 17. März 1944, I.ID.7, Państwowe Muzeum Stutthof w Sztutowie, Archiwum (Archiv
des Stutthof-Museums in Sztutowo; fortan: APMS), Kopie in: RG 04.058M, Rolle 210,
Archiv des United States Holocaust Memorial Museum (fortan: AUSHMM). Zu Weißrussen:
Personalbogen 443, o. D., K. Demida TPF, RG 20869, Bd. 24, S. 116, ZA FSB Moskau. Zu
einem Russen: Personalbogen 1996, 22. Juli 1942, A. Rumjanzew TPF, ebd., Bd. 23, S. 186.
Zu Rumänen aus der Bukowina: Personalbogen 206, 27. Februar 1942, V. Danko TPF, ebd.,
S. 190. Zu Tataren, Georgiern und einem Tschuwaschen: Dienstausweis für Nurgali Kabirow
(Nr. 1337), ebd., Bd. 22, S. 318; Vern. Saki Idrissowitsch Tuktarow, 1. Februar 1965,
Verfahren gegen N. G. Matwienko u. a. (fortan: Matwienko-Verfahren), 4/100366, Bd. 13,

Die entsetzlichen Zustände in deutschen Kriegsgefangenenlagern waren ein starker Anreiz für sowjetische Soldaten, den Deutschen zu dienen.[24] Außerdem scheinen die meisten Rekruten vor ihrer Ankunft in Trawniki keine genaue Vorstellung von ihrem künftigen Dienst für das Deutsche Reich gehabt zu haben.[25] Im Zuge einer zweiten Anwerbungsaktion unter Rotarmisten, die während des Krimfeldzugs im Mai und Juni 1942 gefangen genommen worden waren, und in einer ausgewählten Gruppe sowjetischer Soldaten baltischer Herkunft, die seit fast einem Jahr in Kriegsgefangenenlagern im Reichsgebiet ausgeharrt hatten, wurden bis Mitte September 1942 noch einmal fast 1250 Trawniki-Männer in das System eingebracht.[26]

S. 95–97 Rückseite, AFSB im Verwaltungsgebiet Krasnodar (fortan: AFSB Krasnodar); Personalbogen 2182, 13. Juli 13, 1942, J. Kusmin TPF, RG 20869, Bd. 22, S. 374, ZA FSB, Moskau; Personalbogen 769, o. D., G. Kutschuchidze TPF, ebd., Bd. 8, S. 35. Zu einem Komi (Angehöriger eines auf der Osthälfte der Halbinsel Kola und in der Republik Komi lebenden Volkes mit finno-ugrischer Sprache) und einem Oiroten (oder Altaier, Angehöriger eines an der russischen Grenze zu Kasachstan und der Mongolei beheimateten Volkes): SSPF Distrikt Lublin/Ausbildungslager Trawniki [gez. Streibel] an KdS Lublin, 6. Mai 1943, RG K-779, 16/312 „e", t. 410, S. 78 f., AFSB Moskau. Zu dem „halbjüdischen" Trawniki-Rekruten: Vern. Emil Gutharz, 30. November 1949, Verfahren gegen Kurt Franz u. a. (fortan: K.-Franz-Verfahren), 208 AR-Z 23/59, Bd. 21, S. 5649 f., BA-ZdL.

[24] Zu den allgemeinen Bedingungen in den Lagern: CHRISTIAN STREIT, Keine Kameraden. Die Wehrmacht und die sowjetischen Kriegsgefangenen, 1941–1945, Bonn 1997. In unserem Zusammenhang vgl. insbesondere: Vern. Emanuil Genrikowitsch Schults, 19. Februar 1961; Verfahren gegen E. G. Schults u. a. (fortan: Schults-Verfahren), 14/66437, Bd. 1, S. 55–60, ASBU Kiew. Vgl. auch: Vern. Semjon Jefremowitsch Charkowski, 15. Dezember 1980, Beweisstücke, S. 11843–55, U. S. v. Kairys, Civil Action 80-c-4302, U. S. District Court, Northern District of Illinois, Eastern Division.

[25] Vern. Schults, 19. Februar 1961, Schults-Verfahren, 14/66437, Bd. 1, S. 55–60, ASBU Kiew; Vern. Iwan Sergejewitsch Terechow, 18. Juni 1961, ebd., Bd. 18, S. 23–31; Vern. Franz Josef Swidersky, 27. Januar 1969, K.-Franz-Verfahren, Bd. 17, S. 4595, BA-ZdL; Vern. Heinrich S., 18. März 1969, Michalsen-Verfahren, 141 Js 573/60, Bd. 94, S. 17682 f., StA Hamburg; Vern. Nikolai Semjonowitsch Leontjew, 30. Juni 1964, Matwienko-Verfahren, 4/100366, AFSB Krasnodar; Vern. Alexander Iljitsch Moskalenko, 28. Oktober 1947, Verfahren gegen A. I. Moskalenko (fortan: Moskalenko-Verfahren), 2871/11991, S. 13–22, ASBU Lwiw.

[26] Siehe z. B.: Personalbogen 1408, 26. Juni 1942, J. Danilow TPF, Verfahren gegen J. A. Danilow (fortan: Danilow-Verfahren), 7054/10085, Bd. 1, S. 31, ASBU Lwiw; Personalbogen 2542, 19. September 1942, S. Jeromen TPF, RG 20869, Bd. 4, S. 156, ZA FSB, Moskau; Vern. Iwan Jemeljanowitsch Kondratenko, 9. Februar 1948, Verfahren gegen I. J. Kondratenko (fortan: Kondratenko-Verfahren), 6056/57800, S. 16–19, ASBU Kiew. Zu einem Beispiel für einen sowjetischen Soldaten, der aus einem deutschen Kriegsgefangenenlager in Hammerstein geholt wurde: Vern. Vladas Amanavicius, 26. Juni 1970, K.-Franz-Verfahren, Bd. 21, S. 5750 f., BA-ZdL; Personalbogen 1640, V. Amanawitschius TPF, 1173/4/55, S. 3, LVA Wilna.

Bis zum Herbst 1942 wurden nur wenige Zivilisten für den Dienst in Trawniki angeworben.[27] Doch als das Reservoir von geeigneten Rotarmisten durch die Niederlagen der Wehrmacht und die mörderische Behandlung der sowjetischen Kriegsgefangenen schrumpfte, begannen Streibels Männer auch Zivilisten zu verpflichten, und zwar

1. solche, die bereits für deutsche Zivilbehörden arbeiteten (1942/43),[28]
2. Angehörige ethnischer Gruppen, von denen man annahm, sie stünden der Sowjetunion politisch ablehnend gegenüber, wie die jungen Ukrainer aus Galizien und Podolien (Februar und April 1943)[29] und die ukrainische Bevölkerung im Distrikt Lublin (Juni/Juli 1943),[30]
3. eine kleine Gruppe von Polen aus den Distrikten Lublin und Galizien im Generalgouvernement (November 1942, Januar 1943)[31] und
4. Personen, die aus ideologischen oder „rassischen" Gründen als verlässlich und für Hilfsdienste geeignet galten, wie die in Podhale in Südpolen lebenden Goralen.[32]

Einige dieser Männer scheinen freiwillig unterschrieben zu haben oder von Angehörigen zum Dienst angemeldet worden zu sein. In einem Fall lief der älteste Sohn einer Witwe im November 1942 von zu Hause weg und meldete sich ohne elterliche Erlaubnis für den Dienst in Trawniki. Seine

---

[27] Zwei Ausnahmen waren die Brüder Paul und Edmund Becker aus Schitomir, die sich als Teenager freiwillig zur Hilfspolizei gemeldet hatten, als die Wehrmacht eintraf, und im Januar 1942 nach Trawniki kamen (Einbürgerungsantrag, 13. Mai 1944, EWZ-Akte E. Becker, NARA; Einbürgerungsantrag, 26. Mai 1944, EWZ-Akte P. Becker, NARA; Vern. Paul B., 26. März 1962, Streibel-Verfahren, 147 Js 43/69, S. 3247 f., StA Hamburg; Vern. Paul B., 15. September 1969, K.-Franz-Verfahren, Bd. 19, S. 5036 f., BA-ZdL.

[28] Zum Beispiel war Richard N. bei der Feuerwehr in Nowogrod-Wolinskij tätig, als er in August 1942 für Trawniki rekrutiert wurde. Siehe die Vernehmung N.'s von 21. September 1968, Verfahren gegen Hermann Weinrich u. a. (fortan: Weinrich-Verfahren), Akte 206 AR-Z 15/65, Bd. 17, S. 3561, BA-ZdL; Einbürgerungsantrag, EWZ-Akte R. Netzel, UdSSR Anträge, Rolle F 76, Fotos 364–367, NARA. Bonifacy Pawlowski arbeitete in der Ukraine für die Organisation Todt, als er im Februar 1943 angeworben wurde (Personalbogen 3641, 19. Februar 1943, B. Pawlowski TPF, RG SSPF Lublin, Akte 891/18, S. 73, AGK).

[29] Z. B.: Personalbogen 3227, 18. Februar 1943, I. Merenda TPF, RG 20869, Bd. 6, S. 203, ZA FSB Moskau; Personalbogen 3641, 19. Februar 1943, B. Pawlowski TPF, RG SSPF Lublin, Akte 891/18, S. 73, AGK.

[30] Z. B.: Personalbogen 4177, 24. Juni 1943, J. Gulik TPF, 3676/4/327, S. 257, Zentralny Derschawny Archiv Wyschchych Orhaniw Ukrainy (Zentrales Staatsarchiv der obersten Behörden der Ukraine, Kiew; fortan: ZDAWO, Kiew).

[31] Z. B.: Personalbogen 2801, 16. November 1942, C. Kendrak TPF, RG 20869, Bd. 14, S. 219, ZA FSB Moskau.

[32] Z. B.: Personalbogen 3092, 14. Januar 1943, M. Pajerski TPF, 3676/4/329, S. 136, ZDAWO Kiew. Die Rekrutierung der Goralen erwies sich als Reinfall; die meisten von ihnen wurden binnen eines Monats als „dienstuntauglich" entlassen (vgl.: Personalbogen 3066, 14. Januar 1943, J. Rutyna TPF, RG 20869, Bd. 14, S. 147, ZA FSB Moskau).

Mutter erreichte später mit dem Argument, dass sie außer ihm niemanden habe, der ihr auf dem Hof der Familie helfen könne, seine Entlassung. In einem anderen Fall im Jahr 1943 desertierte ein Trawniki-Mann nach Hause, nur um zu erleben, dass seine Mutter ihn in das Ausbildungslager zurückschickte. Andere Rekruten wurden zwangsweise verpflichtet.[33] Als Globocnik im September 1943 Lublin verließ, berichtete er, dass 3700 Männer im Trawniki-System dienten, obwohl bereits mindestens 4750 Identifikationsnummern ausgegeben worden waren.[34] Nach Globocniks Weggang berief Streibel weitere 300 Männer ein, eine kuriose Mischung aus zivilen Landarbeitern, Angestellten deutscher Besatzungstruppen, die sich aus weiter östlich gelegenen Gebieten zurückzogen, darunter auch ehemalige Hilfspolizisten, und russischen Freiwilligen, die sich zum Dienst bei der so genannten Wlassow-Armee gemeldet hatten.[35]

Als die „Aktion Reinhard" im Sommer 1942 in Schwung kam, dienten in zwei Bataillonen zu je vier Kompanien etwa 1000 Männer in Trawniki, und weitere 1500 waren an verschiedenen Orten überall im Generalgouver-

---

[33] Zu den beiden Müttern: Personalbogen 2801 für Czesław Kendrak, 16. November 1942, Brief von Leontyna Kendrak an den „Aufsichtsführer der Feldp SS Komp 8 in Trawniki", 19. Januar 1943, C. Kendrak TPF, RG 20869, Bd. 14, S. 219, 222, ZA FSB Moskau; Aktenvermerk, unterzeichnet von Drechsel, 27. Juli 1943, RG K-779, 16/312 „e"/409, S. 234, ZA FSB Moskau. Zu einem Fall, in dem beträchtliche körperliche Gewalt angewendet wurde, siehe die Korrespondenz in P. Hul TPF, 3676/4/327, S. 251–254, ZDAWO Kiew.

[34] Globocnik an von Herff, 27. Oktober 1943, SS-Offiziersakte J. Schwarzenbacher, RG 242, A3343/SSO, Rolle 123B, Fotos 408 f., NARA. Durch Tod, Desertion, Disziplinarstrafen und Entlassungen wegen Untauglichkeit waren nicht weniger als 1000 Trawniki-Männer ausgefallen: Personalbogen 4744, 6. August 1943, I. Jaschejko TPF, RG 20869, Bd. 16, S. 195, ZA FSB Moskau. Jaschejko selbst war drei Tage, nachdem er seine Verpflichtung unterschrieben hatte, desertiert: Bericht von SS-Oberscharführer Erlinger, 9. August 1943, ebd., S. 198.

[35] Viktor Klimenko bspw. hatte als Hilfspolizist in Schitomir gedient, bis sich die Deutschen im November 1943 von dort zurückzogen. Er kam Ende Dezember nach Trawniki. Vern. Viktor Fjodorowitsch Klimenko, 30. Januar 1948, Verfahren gegen I. K. Knysch (fortan: Knysch-Verfahren), 5336/37099, S. 161–173, ASBU Donezk; Personalbogen 4793, 20. Dezember 1943, V. Klimenko TPF, ebd., S. 365). Zu einem jungen Zivilarbeiter: Personalbogen 4875, 29. Februar 1944, W. Olschewski TPF, RG 20869, Bd. 3, S. 60, ZA FSB Moskau. Die letzte ausgegebene Identifikationsnummer von Trawniki war, soweit bekannt, die Nummer 5082: Kompanieliste der 5. Kompanie (Bataillon Streibel), Klein-Wormsdorf, 10. April 1945, 114-242-6, S. 11, Státní ústřední archiv v Praze (Zentrales Staatsarchiv in Prag), Tschechische Republik (fortan: SUA Prag). Zur Beziehung zur Wlassow-Armee: Personalbogen 4850 und Stammrolle, Februar 1944, N. Almaschow TPF, RG 20869, Bd. 22, S. 15, 18, ZA FSB Moskau.

nement eingesetzt.[36] Befehligt wurden die Trawniki-Männer auf verschiedenen Ebenen von 30 bis 50 deutschen SS-Männern und Polizisten. Die Kommandeure der beiden Bataillone waren die SS-Untersturmführer Johann Schwarzenbacher und Willi Franz.[37] An der Spitze der Kompanien standen deutsche Unteroffiziere, entweder SS-Männer aus Globocniks Stab oder Polizeibeamte aus der Dienststelle des Kommandeurs der Ordnungspolizei (KdO) in Lublin.[38] Wenn die in Trawniki ausgebildeten Wachmänner so weit waren, befördert zu werden, konnten sie je nach ethnischer Herkunft, Sprach- und Führungsfähigkeit sowie Loyalität und Leistung im Einsatz zu Rotten- und Zugführern aufsteigen. Streibel entwickelte in Anlehnung an die Unteroffiziersränge in der deutschen Ordnungspolizei ein einzigartiges Rangsystem. Eingangsrang war der des Wachmanns, und der höchste erreichbare Rang war der des Oberzugwachmanns.[39]

Die Trawniki-Männer waren weder einheitlich bewaffnet noch einheitlich uniformiert. Anfangs erhielten sie schwarz gefärbte Uniformen der polnischen, später erdbraune Uniformen der belgischen Armee. Wie aus zahlreichen Desertionsmeldungen hervorgeht, trugen viele eine Kombination aus Teilen beider Uniformen.[40] Alle in Trawniki ausgebildeten Wachmänner

---

[36] Vern. Michael J., 2. Januar 1962, Streibel-Verfahren, Bd. 14, S. 2579, StA Hamburg; SSPF Lublin, Empfehlung der Beförderung von Karl Streibel, 6. März 1942, SS-Offiziersakte K. Streibel, RG 242, A3343/SSO, Rolle 166B, Fotos 220 f., NARA. Zum Dienst unter dem SSPF Warschau: Personalbogen 120, A. Poppe TPF, RG 20869, Bd. 23, S. 142, ZA FSB Moskau. Zum SSPF Lemberg: Personalbogen 838, J. Zechmeister TPF, Verfahren gegen J. A. Zechmistro (Zechmistro-Verfahren), 5969/21076, ASBU Charkiw.

[37] Bericht des Führers des I. Bataillons, Ausbildungslager Trawniki, 24. Februar 1943, RG K-779, 16/312 „e"/409, S. 23, ZA FSB Moskau; Führer des II. Bataillons, Ausbildungslager Trawniki [gez. Franz], „Bataillonsbefehl Nr. 67/43", 1. Juli 1943, ebd., S. 285.

[38] Vern. Erhard Scheithauer, 6. März 1959, Streibel-Verfahren, Bd. 81, S. 15485, StA Hamburg.

[39] Rundschreiben SSPF Lublin/Ausbildungslager Trawniki [gez. Streibel] an alle Außenkommandos des Ausbildungslagers Trawniki, 19. Oktober 1942, Akte CA 156/KdG Lublin, Sign. 77, S. 82 f., AGK. Die Ränge waren, in aufsteigender Reihenfolge: Wachmann, Oberwachmann, Gruppenwachmann, Zugwachmann. 1943 wurden zusätzlich die Ränge des Oberzugwachmanns und des Rottwachmanns eingeführt (vgl.: Befehl von Globocnik, 10. Mai 1943, RG SSPF Lublin, Akte 891/5, S. 149, AGK).

[40] Vern. Karl Streibel, 11. Mai 1966, Swidersky-Verfahren, S. 7172 f., 8 I Js 444/66, StA Düsseldorf; eidesstattliche Erklärung von Heinrich Schäfer, 12. Februar 1981, S. 190; Verfahren gegen John Demjanjuk, Civil Action C77-923, U. S. Federal Court, Northern District of Ohio, Eastern Division. Zu desertierten Trawniki-Männern in schwarzer Uniform: Rundschreiben des KdS Lublin, 15. Dezember 1943, RG K-779, 16/312 „e"/411, S. 318–325, ZA FSB Moskau. Zu erdbraunen und erdgrauen Uniformen: SS-Ausbildungslager Trawniki, Meldung über unerlaubte Entfernungen/Fahnenflucht, 17. Juni 1944, I. Knysch TPF, Knysch-Verfahren, 5336/37099, S. 358, ASBU Donezk; SS-Ausbildungslager Trawniki, Meldung über unerlaubte Entfernungen/Fahnenflucht, 4. April 1944, N. Zezulka TPF,

erhielten ein Gewehr und scharfe Munition für Routineeinsätze. Bei den Gewehren handelte es sich zumeist um eroberte sowjetische Waffen, doch bei Sondereinsätzen trugen einige Trawniki-Männer auch deutsche Karabiner und sogar automatische Gewehre.[41]

Nach der Ankunft im Lager gaben die künftigen Trawniki-Männer ihre persönlichen Daten an; dann wurden ihnen die Fingerabdrücke abgenommen, und anschließend wurden sie in ihren neuen Uniformen für den Personalbogen fotografiert. Auf dem Personalbogen wurde jedem Rekruten eine Identifikationsnummer zugewiesen, die er während seiner gesamten Dienstzeit im Trawniki-System behielt. Außerdem enthielt das Formular sowohl auf Deutsch als auch auf Russisch die eidesstattliche Erklärung, dass der Rekrut weder jüdische Vorfahren hatte noch Mitglied der Kommunistischen Partei der Sowjetunion oder des Komsomol gewesen war. Darüber hinaus mussten die neuen Trawniki-Männer eine separate Dienstverpflichtung unterzeichnen, in der sie versicherten, „für Kriegsdauer" dienen und sich an die „bestehenden Dienst- und Disziplinarvorschriften" halten zu wollen.[42] Im Mai 1943 wurden die in Trawniki ausgebildeten Wachmänner den Disziplinarvorschriften der Ordnungspolizei unterworfen, wie sie in einer Verordnung vom 19. April 1940 niedergelegt waren, und sowohl Veteranen als auch neue Rekruten mussten eine Erklärung unterschreiben, in der sie diese Vorschriften akzeptierten.[43]

Nach Aussage eines ehemaligen Trawniki-Mannes war die Ausbildung „sehr hart". Sie umfasste eine Grund- und Waffenausbildung sowie Unter-

---

3676/4/328, S. 30, ZDAWO Kiew; Meldung über unerlaubte Entfernungen/Fahnenflucht, 21. Februar 1944, S. Romaniuk TPF, 3676/4/329, S. 265, ZDAWO Kiew. Zur Kombination der Uniformen: Meldung über unerlaubte Entfernungen/Fahnenflucht, 19. Februar 1944, O. Fjodorowitsch TPF, RG 20869, Bd. 19, S. 251, ZA FSB Moskau; Vern. Vladas Amanaviczius, 26. August 1971, Swidersky-Verfahren, S. 7540, StA Düsseldorf.

[41] Vern. Fjodor Gregorjewitsch Liptschuk, 16. August 1948, Verfahren gegen F. G. Liptschuk (fortan: Liptschuk-Verfahren), 5530/2558, S. 12–18, ASBU Iwano-Frankiwsk; Vern. Franz Swidersky, 13. November 1968, S. 132, Swidersky-Verfahren, StA Düsseldorf; Vern. Nikolai Nikitowitsch Skorochod, 1. November 1947, Verfahren gegen N. N. Skorochod (fortan: Skorochod-Verfahren), 6075/11042, S. 11–26, ASBU Lwiw.

[42] Ihre Bezeichnung lautete: „Wachmannschaften des Beauftragten des Reichsführers-SS und Chefs der Deutschen Polizei – Chef der Ordnungspolizei – für die Errichtung der SS- und Polizeistützpunkte im neuen Ostraum" (vgl.: Dienstverpflichtung, o. D., F. Swidersky TPF, 1367/1/239, S. 2, GWA Moskau). Nachdem Globocnik im März 1942 seine Position als Himmlers Beauftragter für die Errichtung von SS- und Polizeistützpunkten abgegeben hatte, hieß die Truppe nur noch „Wachmannschaften des SS- und Polizeiführers im Distrikt Lublin" (vgl.: Dienstverpflichtung, o. D. [Juni 1942], J. Danilow TPF, Danilow-Verfahren, 7054/10085, S. 32, ASBU Lwiw).

[43] Z. B.: „Erklärung", J. Danilow TPF, Danilow-Verfahren, 7054/10085, S. 34, ASBU Lwiw.

richt in der Kommandosprache und der Bewachung von Gefangenen und Objekten. Viele Trawniki-Männer sagten aus, sie hätten eine „Spezialausbildung" in der Durchführung von Razzien und der Eskortierung großer Gefangenengruppen erhalten.[44]

Waren die Trawniki-Männer einmal in das System aufgenommen, kamen sie auch in den Genuss verschiedener Zuwendungen. Laut Beschluss des SS-Verwaltungshauptamts vom Dezember 1941 erhielten Männer im Rang eines Wachmanns 50 Pfennig pro Tag; ab 1943 erhielt ein Wachmann pro Monat in drei Abschlägen polnische Złoty im Gegenwert von 45 Reichsmark.[45] Da Verpflegung, medizinische Behandlung, Unterkunft und Kleidung kostenlos waren, konnten die Trawniki-Männer dieses Taschengeld für andere Dinge wie Alkohol, Kinobesuche, Imbisse und Zigaretten ausgeben.[46] Als zur Ordnungspolizei gehörende Hilfspolizisten hatten sie zudem Anspruch auf eine Entschädigung für die Arbeitsleistungen, die ihren Familien durch ihre Einberufung entgingen. Um sie zu erhalten, mussten die Angehörigen bei

---

[44] Zur Ausbildung im Allgemeinen: Vern. Iwan Jemeljanowitsch Kondratenko, 10. Februar 1948, Kondratenko-Verfahren, 6056/57800, S. 20–29, ASBU Kiew; Vern. Nikolai Stepanowitsch Gutsuljak, 30. April 1948, Verfahren gegen N. S. Gutsuljak (fortan: Gutsuljak-Verfahren), 5117/2180, S. 12–17, ASBU Iwano-Frankiwsk; Vern. Nikolai Nikitowitsch Skorochod, 1. November 1947, Skorochod-Verfahren, 6075/11042, S. 11–26, ASBU Lwiw.

[45] Zur Bezahlung im Jahr 1941: SS-Standortverwaltung Lublin, Zweigstelle Trawniki an Zahlmeisterei Konzentrationslager Auschwitz, 28. März 1943, RG K-779, 16/312 „e"/409, S. 37, ZA FSB Moskau. Damit rangierten die Trawniki-Männer auf der untersten Stufe des Besoldungssystems, in Wehrsoldgruppe 16, die 30 Reichsmark im Monat erhielt (vgl. RUDOLF ABSOLON, Die Wehrmacht im Dritten Reich, Bd. 5: 1. September 1939 bis 18. Dezember 1941, Boppard am Rhein, S. 345). Zu den Veränderungen im Jahr 1943 (die möglicherweise Zuschläge für den Fronteinsatz enthielten): Kommandeur Ausbildungslager Trawniki [abgez. Streibel] an Kreishauptmann Kolomyja/Bevölkerungswesen und Fürsorge, 29. Juni 1943, W. Martiszczuk TPF, Verfahren gegen W. D. Martyschtschuk (fortan: Martyschtschuk-Verfahren), 5337/2585, S. 40/7, ASBU, Iwano-Frankiwsk; SS-WVHA/SS-Ausbildungslager Trawniki [abgez. Drechsel], „Bescheinigung zur Antragstellung für Familienunterhalt", 1. Dezember 1943, P. Kosak TPF, RG 20869, Bd. 14, S. 228, ZA FSB Moskau; SS-Standortverwaltung Lublin/Zweigstelle Trawniki [gez. Reimer] an Gendarmeriezug in Biłgoraj, 29. November 1943, RG K-779, 16/312 „e"/411, S. 16, ZA FSB Moskau. Gelegentlich bekamen die Trawniki-Männer auch größere Abschläge, wie etwa alle 20 Tage 60 Złoty: Reserve-Lazarett III, Lublin, „Ausweis (an Stelle des nicht vorhandenen Soldbuches)", 14. Januar 1944, P. Popeljuk TPF, Verfahren gegen P. E. Popeljuk (fortan: P.-Popeljuk-Verfahren), 1569, S. 296, ASBU Iwano-Frankiwsk.

[46] Abgefangener Brief von Jan Pilipiuk an seine Schwester (mit einem Bericht über regelmäßige Kinobesuche), 24. Juni 1943, J. Pilipiuk TPF, RG 20869, Bd. 11, S. 113–113 Rückseite, ZA FSB Moskau; vgl.: Ermittlungen der Kriminalpolizei in Zamość (wegen einer Schlägerei nach einem legalen Wodkakauf), Dezember 1943–Januar 1944, W. Hryb TPF, 3676/4/327, S. 235 f., ZDAWO Kiew; Führer d. Feldgend. Truppe 942 an SS- und Polizeigericht in Krakau und Gericht der Oberfeldkommandantur 372 in Lublin, 26. August 1943, T. Denkewicz TPF, RG 20869, Bd. 5, S. 10 ff., ZA FSB Moskau.

der örtlichen Zivilbehörde einen Antrag einreichen, woraufhin diese in Trawniki eine Bestätigung der Diensttätigkeit des Betreffenden einholte. Danach stellte die Kreisbehörde die Bedürftigkeit fest, und örtliche Stellen bestimmten die Höhe der Unterstützung. War ein Trawniki-Mann desertiert oder entlassen worden, hatte die Lagerverwaltung die örtlichen Behörden darüber zu informieren, damit diese die Zahlungen einstellte.[47]

Möglicherweise im Rahmen ihrer ursprünglichen Aufgaben wurden die in Trawniki ausgebildeten Wachmänner auch zur Unterstützung der „Aktion Reinhard" herangezogen. Tatsächlich gibt es in einem Aktenvermerk über einer Sitzung des SSPF-Stabs am 6. August 1941 einen Hinweis auf eine „Gesamtplanung" der SS im Zusammenhang mit der „Judenbereinigung" zumindest im Distrikt Lublin.[48] Als die Operation in Gang war, gab es nach Aussage eines Trawniki-Mannes „eine ständige Bewegung mit verschiedenen Einsätzen".[49] Unter dem Kommando von kleinen SS- und Polizeitrupps wurden die Trawniki-Männer in Kompaniestärke zu den SS-Sonderkommandos abgestellt, die die Tötungszentren in Belzec, Sobibor und Treblinka verwalteten und bewachten. Dort standen sie an der Einzäunung Wache, „ermunterten" die Opfer mit brutaler Gewalt, in die Gaskammern zu gehen, und bedienten und warteten die Gasmotoren, mit deren Abgasen sie getötet wurden. Außerdem bewachten sie die überlebenden „Arbeits-

---

[47] Korrespondenz zwischen dem Ausbildungslager Trawniki, der Abteilung für Familienunterhalt der Stadtverwaltung von Thorn und Frau Märta Schubrich, Januar–Februar 1942, K. Schubrich TPF, RG 20869, Bd. 11, S. 146–149, ZA FSB Moskau; Korrespondenz zwischen Theodor Martyschtschuk, dem Ausbildungslager Trawniki und der Abteilung für Familienfürsorge der Kreishauptmannschaft in Kolomyja, Juni und September 1943, W. Martiszczuk TPF, Martyschtschuk-Verfahren, 5337/2585, S. 40, ASBU Iwano-Frankiwsk; Vern. Wassili Dmitrijewitsch Schtscherbanjuk, 21. November 1947, Verfahren gegen W. D. Schtscherbanjuk (fortan: W. Schtscherbanjuk-Verfahren), 4771/1424, S. 18, ASBU Iwano-Frankiwsk. Ein Beispiel für die Einstellung der Unterstützungszahlungen findet sich in der Korrespondenz zwischen dem Kommandanten des Ausbildungslagers Trawniki und dem Kreishauptmann Brzezany/Abteilung für Familienunterhalt, 15. und 21. Dezember 1943, S. Swidrak TPF, RG 20869, Bd. 19, S. 215 ff., ZA FSB Moskau.

[48] Aktenvermerk für Brigadeführer [Globocnik] über eine Besprechung am 6. August 1941 [abgez. Hanelt], 9. August 1941, RG SSPF Lublin, CA Akte 891/6, S. 11, AGK. Zur fortgesetzten Verbindung zwischen den SS- und Polizeistützpunkten, zu den Aufgaben von Hermann Höfle und zur Organisation der ersten großen Deportationen siehe: Denkschrift von Globocnik, 12. Februar 1942, ebd., S. 46, und Denkschrift von SS-Hauptsturmführer Hanelt, „SS-Mannschaftshaus Lublin", o. D. [vermutlich am oder um den 18. März 1942], ebd., S. 18–23. Zwar deutet die fragmentarische Beweiskette darauf hin, dass in Globocniks Denkfabrik, dem „SS-Mannschaftshaus", Maßnahmen geplant wurden, die denen der späteren „Aktion Reinhard" entsprachen, doch sind die gegenwärtig vorhandenen Beweise nicht schlüssig.

[49] Vern. Richard N., 3. Oktober 1968, Weinrich-Verfahren, 206 AR-Z 15/65, S. 3564, BA-ZdL.

juden", die, um selbst zu überleben, beim Gang der Opfer in die Gaskammern halfen, die Leichen entsorgten und die Beute zum Abtransport nach Lublin oder Berlin verpackten.[50]

Daneben wurden die in Trawniki ausgebildeten Einheiten überall im Generalgouvernement bei Ghettoräumungen eingesetzt. An diesen brutalen Unternehmungen, bei denen sie für gewöhnlich unter dem Befehl des regionalen SSPF standen und vor Ort von lokalen Beamten der Sicherheitspolizei und des SD beaufsichtigt wurden, nahmen außer ihnen Einheiten der lokalen deutschen Polizei und der Gendarmerie sowie mobile Ordnungspolizeibataillone teil.[51] Höfle organisierte mit seinem kleinen Stab die Deportationen, bei deren Durchführung die Brutalität und zunehmende Erfahrung der Trawniki-Männer zum Zuge kamen, die die Ghettos abriegelten und Beamten der Ordnungspolizei und jüdischen Polizisten dabei halfen, die Juden

---

[50] Zu den Einzelheiten siehe ARAD, Belzec, Sobibor, Treblinka, passim. In Belzec sind die ersten Trawniki-Männer offenbar spätestens am 18. November 1941 eingetroffen (Personalbogen 663, 18. November 1941, I. Saplawny TPF, RG 20869, Bd. 8, S. 207, ZA FSB, Moskau). Zu Sobibor und Treblinka siehe: SSPF Lublin/Ausbildungslager Trawniki an SS-Sonderkommando in Sobibor, „Übergabeverhandlung", 26. März 1943, RG K-779, 16/312 „e"/411, S. 274 f., ZA FSB Moskau; SS-Sonderkommando Belzec [gez. Hering] an SS-Hauptsturmführer Streibel, 2. März 1943, ebd., t. 409, S. 376; SSPF Lublin/Inspekteur der SS-Sonderkommandos an KdG [Kommandeur der Gendarmerie] Lublin, KdS Lublin und Kommandeur/SS-Ausbildungslager Trawniki, 17. März 1943, ebd., S. 27; Vern. Karl Streibel, 11. Mai 1966, S. 7172, Swidersky-Verfahren, StA Düsseldorf; Vern. Wassili Jewstafjewitsch Schuller, 8. Juli 1965, Verfahren gegen A. A. Sujew u. a. (fortan: Sujew-Verfahren), 44/32132, S. 117–123, ASBU Dnjepropetrowsk; Vern. Anton Andrejewitsch Solonina, 17. Dezember 1947, Verfahren gegen A. A. Solonina (fortan: Solonina-Verfahren), 5957/58322, S. 16–26, ASBU Kiew; Personalbogen 448, 1. November 1941, ebd., S. 50; Vern. Iwan Danilowitsch Schwidki, 10. Juli 1951, Verfahren gegen I. D. Schwidki (fortan: Schwidki-Verfahren), 7168/56433, S. 16–20, ASBU Donezk.

[51] Bspw. das Polizeibataillon 101, das in Kleinstädten im gesamten Distrikt Lublin aktiv war. CHRISTOPHER BROWNING, Ganz normale Männer. Das Reserve-Polizeibataillon 101 und die „Endlösung" in Polen, Reinbek 1993. Zur Verantwortung der SSPF für die Ghettoräumungen siehe: Jürgen Stroop (SSPF Distrikt Warschau), „Es gibt keinen jüdischen Wohnbezirk – in Warschau mehr!", 16. Mai 1943, Nürnberger Dokument PS-1061, in: IMG, Bd. 26, S. 628–694 (fortan: Stroop-Bericht); SSPF Galizien [gez. Katzmann] an HSSPF Krakau [Krüger], „Lösung der Judenfrage in Galizien", 30. Juni 1943, Nürnberger Dokument L-18, in: IMG, Bd. 37, S. 391–431 (fortan: Katzmann-Bericht); zu Radom siehe: Urteil im Verfahren gegen Paul Degenhardt (1942–1944 Kommandant der städtischen Polizei in Tschenstochau), 24. Mai 1966, II 206 AR-Z 224/59, Bd. 5, S. 791 ff. (fortan: Degenhardt-Urteil), BA-ZdL. Zur Rolle des KdS Lublin im Frühjahr 1942 siehe: Urteil im Verfahren gegen Lothar Hoffmann u. a., 1. März 1973, S. 103 ff., Akte 8 Ks 1/70, Bd. 4, Abt. 468, Nr. 362, Hessisches Hauptstaatsarchiv (fortan: Hoffmann-Verfahren, HHA).

aus ihren Wohnungen auf die Straßen zu holen und zu den Bahnhöfen oder vorbereiteten Erschießungsstätten zu führen.[52]

Bei der Räumung des Ghettos von Lublin im März 1942 spielten die Trawniki-Männer eine wesentliche Rolle, und im April waren sie an mindestens einer Massenerschießung von jüdischen Männern, Frauen und Kindern in den Wäldern bei Lublin beteiligt.[53] Im Zuge der Warschauer Deportationen von Juni bis September 1942 halfen sowohl aus Trawniki selbst als auch aus dem Arbeitslager Treblinka abgestellte Trawniki-Männer beim Abtransport von über 300 000 Juden ins Tötungszentrum Treblinka.[54] Knapp ein Jahr später setzte der Warschauer SSPF, Jürgen Stroop, bei der Zerstörung der Stadt nach dem Ghettoaufstand ein von Schwarzenbacher befehligtes Bataillon von Trawniki-Männern ein.[55] Im September 1942 wurden in Trawniki ausgebildete Wachmänner zur deutschen Schutzpolizei von Tschen-

---

[52] Vern. Georg Michalsen, 24. Januar 1961, Streibel-Verfahren, Bd. 4, S. 486–490, StA Hamburg.

[53] Vernehmungen von Michail Jegorowitsch Korschikow, 9. und 21. April 1947, RG 20869, Bd. 23, S. 306–316, ZA FSB Moskau; Vern. Michail Jegorowitsch Korschikow, 9. September 1964, Matwienko-Verfahren, 4/100366, Bd. 10, S. 118–128, AFSB Krasnodar; Vern. Nikolai Semjonowitsch Leontjew, 30. Juni 1964 und 17. August 1964, ebd., Bd. 1, S. 37–43, und Bd. 10, S. 49–58; Vern. Abram Thießen, 26. August 1964, Streibel-Verfahren, Bd. 50, S. 9910–9918, StA Hamburg (Thießen irrte sich beim Datum der Deportationen um fast anderthalb Jahre, denn die Operation, die er beschrieb, war die Deportation vom März 1942); Aussage von Abram Thießen, 6. September 1971, Hoffmann-Verfahren, Hauptverhandlung, Bd. 3, S. 710 f., HHA; Aussage von Hermann Reese, 7. September 1971, ebd., S. 723.

[54] Vernehmungen von Georg Michalsen, 24. Januar und 29./30. Juni 1961, Streibel-Verfahren, Bd. 4, S. 487, und Bd. 6, S. 1092 f. Zum Personal des Arbeitslagers Treblinka siehe: Vern. Karl Prefi, 26. September 1960, Verfahren gegen Ludwig Hahn u. a. (fortan: Hahn-Verfahren), 141 Js 192/60, Bd. 5, S. 920 f., StA Hamburg. Vgl. auch HELGE GRABITZ/WOLFGANG SCHEFFLER, Letzte Spuren. Getto Warschau, SS-Arbeitslager Trawniki, Aktion Erntefest. Fotos und Dokumente über Opfer des Endlösungswahns im Spiegel der historischen Ereignisse, Berlin 1993, S. 151, 164.

[55] Stroop-Bericht, insbesondere die Liste der eingesetzten Einheiten (S. 632) und die angehängten täglichen Meldungen (S. 642–694); Verlustmeldung, 29. April 1943, B. Odartschenko TPF, RG 20869, Bd. 10, S. 76, ZA FSB Moskau; Randbemerkung auf Personalbogen 2910, 3. Dezember 1942, W. Stark TPF, ebd., Bd. 8, S. 96; SSPF Lublin/Ausbildungslager Trawniki, „Aufstellung über die an das Kdo. Warschau abgestellten Wachmänner (S. B.)", 17. April 1943, RG K-779, 16/312 „e"/411, S. 127–130, ZA FSB Moskau; Vern. Wladimir Iwanowitsch Terlezki, 17. Juni 1948, Verfahren gegen W. I. Terlezki (fortan: Terlezki-Verfahren), 5134/2345, S. 22–25, ASBU Iwano-Frankiwsk. Obwohl die Beweise für den Nachweis der Beteiligung von Trawniki-Männern an dem abgebrochenen Versuch vom Januar 1943, das Warschauer Ghetto zu räumen, nicht ausreichen, deutet ein Eintrag im Kriegstagebuch des Rüstungskommandos in Warschau vom 20. Januar 1943 darauf hin; dort wird eine „große Aktion durch die Lubliner SS, die in Stärke von 2 Kompanien erschienen ist" erwähnt (zit. in GRABITZ/SCHEFFLER, Letzte Spuren, S. 182).

stochau abkommandiert, um bei der Deportation von rund 40 000 Juden nach Treblinka behilflich zu sein; anschließend wurden sie von der Polizei des Distrikts Radom in größeren Städten bei der Deportation und in Kleinstädten und auf dem Lande bei Erschießungen eingesetzt.[56] Ende August 1943 waren mindestens zwei Kompanien von Trawniki-Männern an der gewalttätigen Liquidation des Ghettos von Bialystok beteiligt.[57] Schließlich wurden in Trawniki ausgebildete Wachmänner, insbesondere im Distrikt Lublin, zur Unterstützung von Ordnungspolizeibataillonen bei zahllosen dokumentierten und undokumentierten kleineren Massakern an jüdischen Einwohnern des Generalgouvernements eingeteilt.[58] Auf telefonische An-

---

[56] Zur Zahl der Deportierten siehe ARAD, Belzec, Sobibor, Treblinka, S. 392. Zu den Einsätzen von Trawniki-Männern siehe: Personalbogen 865, o. D., J. Reimer TPF, S. 3, DASO; Personalbogen 26, o. D., F. Swidersky TPF, 1367/1/239, S. 1, GWA Moskau; Personalbogen 2460, 2. August 1942, I. Mandrikow TPF, RG 20869, Bd. 20, S. 21, ZA FSB Moskau; Vern. Semjon Jefremowitsch Charkowski, 10. September 1971, S. 1 ff., Swidersky-Verfahren, StA Düsseldorf; Vern. Semjon Jefremowitsch Charkowski, 15. Dezember 1980, Kairys-Verfahren, Beweisstücke, S. 11843–55; Vern. Semjon Jefremowitsch Charkowski, 11. Mai 1973, Streibel-Verfahren, 208 AR-Z, 673/41, Bd. 4, S. 725 f., BA-ZdL. Bei der von jüdischen Überlebenden erwähnten Polizeieinheit aus „Ukrainern" und „Litauern", die im Ruf eines „Judenvernichtungsbataillons" stand, handelte es sich zweifellos um die Trawniki-Männer (vgl.: Vern. Issak Jakubowitz, 23. Februar 1960, Verfahren gegen Paul Degenhardt, II 206 AR-Z 224/59, Bd. 1, S. 117, BA-ZdL). Zu einem Hinweis auf den Einsatz von Trawniki-Männern anderswo im Distrikt Radom: Bericht der Schutzpolizei-Abteilung Petrikau an Kommandeur der Ordnungspolizei/Distrikt Radom, 28. November 1942, I. Mandrikow TPF, RG 20869, Bd. 20, S. 24, ZA FSB Moskau.

[57] [SS-Ausbildungslager Trawniki/]Kommando Lublin [gez. Basener] an Arbeitslager Bialystok, 14. August 1943, mit Anschreiben von Kommando Lublin [gez. Basener] an Ausbildungslager Trawniki, 20. August 1943, RG 779, 16/312 „e"/411, S. 85 ff., ZA FSB Moskau; SSPF Lublin/Ausbildungslager Trawniki/Kommando Poniatowa [gez. Schwarzenbacher] an SS-Hauptsturmführer Michalsen in Bialystok, 14. August 1943, ebd., S. 94 f. Die Beschreibung der Ghettoräumung und des jüdischen Widerstands durch einen Naziobeobachter findet sich in: Bericht von Reichspropagandaamt Ostpreußen an Reichsminister für Volksaufklärung und Propaganda, 24. September 1943, Michalsen-Verfahren, Bd. 80, S. 15361 f., StA Hamburg.

[58] Zur Unterstützung des im Norden des Distrikts Lublin, insbesondere in den Kreisen Radzyn Podlaski (Parczew) und Biala Podlaska (Lomazy und Miedzyrzec Podlaski), operierenden Polizeibataillons 101 durch Trawniki-Männer: BROWNING, Ganz normale Männer, S. 114 ff., 145, 180 f.; vgl. auch: Vern. Wassili Nikiforowitsch Litwinenko, 9. Oktober 1968, Verfahren gegen W. N. Litwinenko u. a. (fortan: Litwinenko-Verfahren), Bd. 1, S. 38–55, 158/57252, ASBU Lwiw; Vern. Jegor Iwanowitsch Lobynzew, 17. Januar 1969, ebd., S. 237–240; Vern. Alexander Sacharowitsch Fedschenko, 19. Februar 1969, ebd., Bd. 2, S. 184–187; Vern. Nikolai Nikitowitsch Skorochod, 22. November 1947, Skorochod-Verfahren, 6075/11042, S. 27–33, ASBU Lwiw; Personalbogen 2282, 20. Juli 1942, N. Skorochod TPF, ebd., S. 82 f. Eine Beschreibung eines von in Piaski stationierten Trawniki-Männer verübten kleineren Massakers findet sich in: Vern. Boris Iwanowitsch Babin, 8. Januar 1965, Matwienko-Verfahren, 4/100366, Bd. 13, S. 83–94, AFSB Krasnodar.

frage von Höfle führten Trawniki-Männer kleinere Deportationen aus, etwa am 3. Mai 1943, als der Judenreferent um eine Trawniki-Abteilung bat, die sich „zwecks eines Transportes von ungefähr 600 Juden nach T." in dem Dorf Niemlischez im Kreis Radzyn einfinden sollte.[59]

Trawniki lieferte auch die Wachmannschaften für die Arbeitslager der „Aktion Reinhard" im Distrikt Lublin. So wurde das unter dem Namen Majdanek bekannte Konzentrationslager Lublin, das bis Februar 1943 offiziell Kriegsgefangenenlager der Waffen-SS in Lublin (KgL Lublin) hieß und das sich zu einem bedeutenden Standort für die Produktion von Baumaterialien entwickelt hatte, Ende 1941 offenbar zum Teil von Trawniki-Männern bewacht.[60] Im Spätherbst und Winter 1942/43 wurden dem SS-Totenkopfsturmbann in Lublin-Majdanek zwei Kompanien von Trawniki-Männern zugeteilt, und am 15. Februar 1943 kamen 26 weitere Trawniki-Männer hinzu.[61]

---

[59] Notiz über einen Anruf im Ausbildungslager Trawniki von SS-Hauptsturmführer Michalsen, 3. Mai 1943, RG K-779, 16/312 „e"/409, S. 106, ZA FSB Moskau.

[60] Personalbogen 96, 23. Oktober 1941, J. Tellmann TPF, Telman-Verfahren, Akte 15382, S. 69, AFSB Nowosibirsk; Personalbogen 145, 23. Oktober 1941, E. Chrupowitsch TPF, Chlopezki-Verfahren), 6105/11043, S. 129, ASBU Lwiw. Diese Männer scheinen Ende November 1941 nach Trawniki zurückgekehrt und Anfang Dezember durch andere Trawniki-Männer ersetzt worden zu sein (siehe: Personalbogen 952, o. D., N. Boschko TPF, RG 20869, Bd. 10, S. 173, ZA FSB Moskau; Personalbogen 979, o. D., N. Rekalo TPF, ebd., Bd. 8, S. 140). Während aus den vorhandenen Dokumenten nicht eindeutig hervorgeht, ob diese Männer in dieser frühen Phase als bewaffnete Wachen oder als Arbeiter eingesetzt wurden, steht außer Zweifel, dass sie vor ihrer Verlegung Uniformen erhalten und geschworen hatten, dem Deutschen Reich zu dienen. Zur Verbindung zwischen der Errichtung von Lublin-Majdanek und derjenigen der SS- und Polizeistationen sowie den Überlappungen mit dem Personal der „Aktion Reinhard" siehe die brillante Analyse von SCHULTE, Zwangsarbeit und Vernichtung, S. 259–278, 332–364, sowie ELIZABETH B. WHITE, Majdanek. Cornerstone of Himmler's SS Empire in the East, in: Simon Wiesenthal Center Annual, Bd. 7 (1990), S. 3–21.

[61] Personalbogen 760, o. D., G. Koslow TPF, RG 20869, Bd. 8, S. 156, ZA FSB Moskau; Personalbogen 1640, 23. Juni 1942, V. Amanawitschius TPF, 1173/4/55, S. 3, LVA Wilna; Vern. Vladas Amanaviczius, 9. Dezember 1975, Streibel-Verfahren, Bd. 130, S. 25265 f., StA Hamburg; Vern. Semjon Jefremowitsch Charkowski, 10. September 1971, Swidersky-Verfahren, LG Düsseldorf; Vern. Semjon Jefremowitsch Charkowski, 11. Mai 1973, Streibel-Verfahren, Bd. 4, S. 726–729, BA-ZdL; SSPF Lublin/Ausbildungslager Trawniki an Kommando K.-G.-L. Lublin, 15. Februar 1943, RG K-779, 16/312 „e"/410, S. 286, ZA FSB Moskau. In der zweiten Märzhälfte 1943 scheinen alle in Majdanek stationierten Trawniki-Männer abgezogen worden zu sein. Jedenfalls gibt es keine Akten, aus denen hervorginge, dass nach diesem Datum noch welche in Majdanek waren (siehe: Personalbogen 2804, 24. November 1942, M. Flunt TPF, RG 20869, Bd. 10, S. 53, ZA FSB Moskau; Personalbogen 774, o. D., I. Tscherkassow TPF, ebd., Bd. 8, S. 79; Vern. Boris Iwanowitsch Babin, 8. Januar 1965, Matwienko-Verfahren, 4/100366, Bd. 13, S. 83–94, AFSB Krasnodar).

Nachdem Himmler im Oktober 1942 verfügt hatte, dass alle überlebenen
jüdischen Facharbeiter in der Rüstungsindustrie und verwandten Bereichen
eingesetzt und in Lagern konzentriert werden sollten, errichtete Globocniks
Stab eine Reihe von Arbeitslagern, für deren Bewachung Trawniki-Männer
herangezogen wurden.[62] Außer einem Arbeitslager neben dem Ausbildungslager in Trawniki gehörten dazu Lager in Poniatowa, Budzyn und Krasnik.
Tatsächlich waren die ersten jüdischen Arbeiter schon im Sommer 1942 im
Zusammenhang mit dem Bau eines Lagerhauses für die den Opfern der
„Aktion Reinhard" abgenommene Kleidung in Trawniki eingetroffen. Dieses
Sortierzentrum war die erste „dauerhafte" Arbeitsstätte für jüdische Arbeiter
in Trawniki; eine Gruppe von etwa 40 Jüdinnen sortierte, wusch und bügelte
dort die eingehende Kleidung.[63]

Mit dem Transfer von Juden aus dem Warschauer Ghetto im Jahr 1943
weitete sich der Einsatz jüdischer Arbeitskräfte in Trawniki aus. Am 8.
Februar unterschrieb Fritz Emil Schultz für die Firma Schultz & Co., einen
der beiden größten Arbeitgeber im Warschauer Ghetto, mit Globocnik einen
Vertrag über die Verlegung der pelzverarbeitenden Betriebe der Firma mit
4000 jüdischen Arbeitern sowie einer Bürstenfabrik mit weiteren 1500
jüdischen Arbeitern nach Trawniki, wo Schultz & Co. fortfuhr, Winter-
uniformen und andere Dinge für die Wehrmacht herzustellen.[64] Zwischen

---

[62] Dass es nicht allzu viele waren – zumindest, bis 300 neue Rekruten, die am 13. Februar
1943 aus der Westukraine eintrafen, ausgebildet worden waren –, ist einer Bemerkung der
Lagerverwaltung vom 15. Februar 1943 zu entnehmen, der zufolge das Lager zu diesem
Zeitpunkt „von Wachmännern, die für Kommandos einsatzfähig sind, vollständig entblößt"
war (SSPF Lublin/Ausbildungslager Trawniki an Kommando K.-G.-L. Lublin, 15. Februar
1943, RG K-779, 16/312 „e"/410, S. 286, ZA FSB Moskau). Zu Himmlers Erlass siehe:
Himmler an Pohl [WVHA], Krüger [HSSPF Ost] und Globocnik [SSPF Lublin], 9. Oktober
1942, RG 238, NO-1611, NARA. Zu Globocniks Initiativen zur Inhaftierung aller überlebenden Juden im Distrikt Lublin siehe seinen Erlass vom 9. Februar 1943 in: SS-Offiziersakte O. Globocnik, RG 242, A3343/SSO, Rolle 016A, Foto 943, NARA.

[63] Zu den Vorbereitungen auf das Sortieren, Schätzen und Verpacken der Beute: Globocnik an Höfle und Wippern, o. D. [Juli 1942], abgedruckt in: Faschismus – Getto – Massenmord. Dokumentation über Ausrottung und Widerstand der Juden in Polen während des
Zweiten Weltkrieges, hg. v. TATIANA BERENSTEIN/ARTUR EISENBACH/BERNARD MARK/
ADAM RUTKOWSKI, Frankfurt/M. 1960, S. 401; SSPF Lublin [gez. Globocnik], „Anordnung
zur Führung einer Kartei bei den Lagern Trawniki, Chopinstr. 27, Cholm, Bekleidungswerk
d. Wa-SS und Abt. IVa b. SS- u. Pol.Führer", 16. September 1942 (es wird angenommen,
dass sich dieses Dokument im AGK befindet). Zu den ersten jüdischen Arbeitern in Trawniki:
Vern. Josef Napieralla, 30. März 1962, Verfahren gegen Friedrich Paulus (fortan: Paulus-
Verfahren), 4 Ks 1/74, Bd. 1, S. 83 f., StA Frankfurt; Vern. Georg K., 7.–8. Mai 1963,
Hahn-Verfahren, 147 Js 7/72, Bd. 51, S. 9857 ff., BA-ZdL; Vern. Friedrich F., 4. Januar
1962, Streibel-Verfahren, Bd. 14, S. 2604 f., StA Hamburg.

[64] Vertrag, unterzeichnet von Globocnik und Schultz, 8. Februar 1943, abgedruckt in:
GRABITZ/SCHEFFLER, Letzte Spuren, S. 184 f.

dem 16. Februar und 30. April 1943 deportierte die SS 5656 jüdische Arbeitskräfte von Warschau nach Trawniki. Hinzu kam eine unbekannte Zahl von Juden (weniger als 1000), die direkt für die SS arbeiteten.[65] Für die Bewachung des Arbeitslagers Trawniki selbst sowie eines Unterlagers im wenige Kilometer entfernten Dorohucza setzte Lagerkommandant Franz Bartetzko Trawniki-Männer ein; selbst diejenigen, die für andere spezielle Aufgaben eingesetzt waren, wie die Köche des Ausbildungslagers, mussten, wenn Not am Mann war, im Arbeitslager Wache stehen,[66] und auch die jüngsten Rekruten wurden zu Wachschichten eingeteilt, sobald ihre Kommandeure den Eindruck hatten, sie könnten ihnen eine Waffe anvertrauen.[67]

---

[65] „Tätigkeitsbericht für die Zeit vom 16. Februar bis zum 1. Mai 1943", 3. Mai 1943, abgedruckt in: ebd., S. 210. Außerdem war Trawniki im März 1942, als die umfangreichen Deportationen von Lublin und Lemberg nach Belzec begannen, Zwischen- oder Endstation für vier Transporte deutscher Juden aus dem Reich (zwei aus Theresienstadt und einer aus Darmstadt und Gelsenkirchen). Wahrscheinlich wurden die Deportierten dieser Transporte weiter nach Belzec geschafft, obwohl es Hinweise darauf gibt, dass der Stab und die Rekruten von Trawniki mindestens einen Transport in Trawniki selbst liquidiert haben. Siehe: Regierung GG/Hauptabteilung Innere Verwaltung [gez. Siebert] an Gouverneur, Distrikt Lublin/ Abteilung Innere Verwaltung/Bevölkerungswesen und Fürsorge, Lublin, 4. März 1942, RG K-779, 16/312 „e"/409, S. 321 f., ZA FSB Moskau; Vern. Viktor Iwanowitsch Bogomolow, 10. Juli 1950, Verfahren gegen J. M. Iskaradow (fortan: Iskaradow-Verfahren), 5734/37834, S. 130 f., ASBU Donezk; Vern. Iwan Jefimowitsch Tschurin, 30. September 1950, Verfahren gegen I. J. Tschurin (fortan: Tschurin-Verfahren), 892/PU-6375, ZA FSB Moskau.

[66] Vern. Michael Michajluk, 25. Februar 1969, Streibel-Verfahren, Bd. 81, S. 15546, StA Hamburg.

[67] Ein erhalten gebliebener Wachplan aus der Zeit, als bis auf eine kleine Gruppe jüdischer Frauen bereits alle jüdischen Gefangenen ermordet worden waren, findet sich in: Kommandant des SS-Ausbildungslagers Trawniki [gez. Rolixmann], „Bataillonsbefehl Nr. 174/43", 23. Dezember 1943, RG K-779, 16/312 „e"/409, S. 300, ZA FSB Moskau. Zu Aussagen einzelner Rekruten, die das Arbeitslager vor dem Massaker vom 3. November 1943 bewacht haben: Vern. Dmitri Petrowitsch Modschuk, 9. Dezember 1947, Verfahren gegen D. P. Modschuk (fortan: Modschuk-Verfahren), Nr. 1708, S. 11–17, ASBU Iwano-Frankiwsk; Personalbogen 3354, 7. April 1943, D. Modschuk TPF, ebd., S. 1; Vern. Iwan Petrowitsch Sliwka, 3. März 1951, Verfahren gegen I. P. Sliwka (fortan: Sliwka-Verfahren), 9047/9123, S. 27–32, ASBU Iwano-Frankiwsk; Vern. Wassili Gajdich, 16. August 1948, Verfahren gegen W. M. Gajdich (fortan: Gajdich-Verfahren), Nr. 5513, S. 13–17, ASBU Iwano-Frankiwsk; Vern. Michail M. Didowitsch, 10. September 1948, Verfahren gegen D. M. Palagitski (fortan: Palagitski-Verfahren), Nr. 2808, S. 34–38, ASBU Iwano-Frankiwsk; Vern. Roman Dmitrijewitsch Schtscherbanjuk, 6. Juni 1947, Verfahren gegen R. D. Schtscherbanjuk (fortan: R.-Schtscherbanjuk-Verfahren), 3884/0338, S. 15, ASBU Iwano-Frankiwsk; Vern. Nikola Petrowitsch Modrega, 8. Dezember 1947, Verfahren gegen I. N. Sidorak (fortan: Sidorak-Verfahren), 1574/4387, S. 32, ASBU Iwano-Frankiwsk; Personalbogen 3389, 7. April 1943, N. Modrega TPF, Verfahren gegen N. P. Madryga (fortan: Madryga-Verfahren), Nr. 1607, S. 1, ASBU Iwano-Frankiwsk; Vern. Iwan Timtschuk, 29.–30. April 1948, Verfahren gegen I. A. Timtschuk (fortan: Timtschuk-Verfahren), Nr. 2881, S. 21 f., ASBU Iwano-Frankiwsk; Personalbogen 3335, 7. April 1943, I. Timtschuk TPF, ebd., S. 3.

Die Größe des jüdischen Arbeitskräftereservoirs in Poniatowa, wo im Sommer 1943 mindestens 12 000 Menschen gefangen gehalten wurden, veranlasste Streibel, dort mit drei oder vier Kompanien von Trawniki-Männern, einschließlich Rekruten, eine Außenstelle des Ausbildungslagers zu errichten. Das 35 Kilometer westlich von Lublin außerhalb des Dorfs Poniatowa auf dem Gelände einer ehemaligen Munitionsfabrik gelegene Arbeitslager war vorher als Sammellager für sowjetische Kriegsgefangene genutzt worden, von denen die meisten im Winter 1941/42 verhungert waren. Im Herbst 1942 wählte Globocnik das Lager als Standort für die Firma W. C. Toebbens aus, die aus dem Warschauer Ghetto verlegt werden sollte. Nachdem der SSPF Lublin am 31. Januar 1943 einen Vertrag mit Toebbens geschlossen hatte, wurden zwischen Februar und April 1943 etwa 11 000 Juden nach Poniatowa gebracht.[68]

Die ersten in Trawniki ausgebildeten Wachmänner trafen im Herbst 1942 in Poniatowa ein, wahrscheinlich kurz vor den ersten Gefangenen.[69] Nach der Verlegung dreier weiterer Kontingente am 24. und 25. Februar sowie am 30. März 1943 kommandierte Streibel am 25. Mai 1943 eine Kompanie neuer Trawniki-Männer in das Außenlager ab.[70] Am oder um den 19. Juni kamen drei weitere Kompanien aus Trawniki-Wachmännern hinzu, die soeben ihren vernichtenden Einsatz im Warschauer Ghetto hinter sich gebracht hatten.[71] Zehn Tage vorher waren einige Angehörige der letzten

---

[68] YISRAEL GUTMAN, The Jews of Warsaw, 1939–1943. Ghetto, Underground, Revolt, Bloomington, Ind., 1982, S. 332; GRABITZ/SCHEFFLER, Letzte Spuren, S. 179–248; SAM HOFFENBERG, The Camp of Poniatowa. The Liquidation of the Last Jews of Warsaw, o.O., o.D. (Paris 1988), S. 85; RYSZARD GICEWICZ, Obóz pracy w Poniatowej (1941–1943), in: Zeszyty Majdanka, Bd. 10 (1980), S. 88–104; Vertrag zwischen SSPF Lublin und Walter Toebbens, 31. Januar 1943, Entnazifizierungsakte W. Toebbens, Nr. 4 66-I, Bd. 3, S. 107–107b, Staatsarchiv Bremen.

[69] Dienstausweis von Iwan Swesdun (Nr. 2112), o. D., RG 20869, Bd. 22, S. 315–315 Rückseite, ZA FSB Moskau; Personalbogen 2133, 13. Juli 1942, A. Wisgunow TPF, ebd., Bd. 8, S. 16; Bericht von Kommandoführer Poniatowa [gez. Grimm], 26. Dezember 1942, RG K-779, 16/312 „e"/409, S. 238, ZA FSB Moskau.

[70] Personalbogen 3641, 19. Februar 1943, B. Pawlowski TPF, RG SSPF Lublin, CA 891/18, S. 73, AGK; Personalbogen 3417, 13. Februar 1943, P. Hawriluk TPF, RG 20869, Bd. 14, S. 20, ZA FSB Moskau; Personalbogen 3424, o. D., M. Nadurak TPF, ebd., S. 125; Personalbogen 2954, 11. Dezember 1942, Verfahren gegen M. A. Semtschi, 5046/2079, ASBU Iwano-Frankiwsk; SSPF Lublin/Ausbildungslager Trawniki [gez. Heintze] an SS-Arbeitslager in Poniatowa, 25. Mai 1943, RG K-779, 16/312 „e"/410, S. 291 f., ZA FSB Moskau; Personalbogen 3335, 7. April 1943, Timtschuk-Verfahren, nr. 2118, S. 3, ASBU Iwano-Frankiwsk.

[71] Handschriftliche Denkschrift von Johann Schwarzenbacher, 27. August 1943, SS-Akte J. Schwarzenbacher, A3343-SSO, Rolle 123B, Fotos 370–374, NARA; zur Laufbahn eines Trawniki-Mannes, der mit Schwarzenbacher nach Warschau und Poniatowa ging: Vernehmungen von Wladimir Iwanowitsch Terlezki, 20. Mai und 17. Juni 1948, Terlezki-Verfahren,

Trawniki-Wachmannschaft von Belzec eingetroffen, nachdem sie vermutlich die letzten Juden, die beim Abriss des Tötungszentrums eingesetzt worden waren, zu ihrer Ermordung nach Sobibor gebracht hatten. In der ersten Julihälfte wurden zwei weitere große Kontingente neuer Rekruten aus dem ukrainischen Bevölkerungsteil von Lublin nach Poniatowa abgestellt.[72] Von Juni 1943 bis zu seiner Auflösung wurde das Lager in Poniatowa von dem früheren Kommandanten von Belzec, Gottlieb Hering, geführt, während Schwarzenbacher, der das Trawniki-Bataillon in Warschau befehligt hatte, die Wachmannschaften kommandierte und ihre Ausbildung leitete.[73] Als die „Aktion Reinhard" im Herbst 1943 zurückgefahren wurde und im November mit der Ermordung der meisten noch am Leben befindlichen jüdischen Arbeiter ihren Abschluss fand, wurden die meisten Wachmänner nach Trawniki zurückbeordert; eine Kompanie von Trawniki-Männern blieb jedoch noch bis mindestens Ende März 1944 in Poniatowa, um die Habseligkeiten der ermordeten jüdischen Insassen zu bewachen, und im Mai 1944 wurde aus unbekannten Gründen noch einmal eine kleinere Einheit dorthin geschickt.[74]

5134/2345, S. 15–20, 22–25, ASBU Iwano-Frankiwsk; Personalbogen 3219, 20. Februar 1943, W. Terlezki TPF, ebd., S. 34; SSPF Lublin/Ausbildungslager Trawniki/Kommando Poniatowa [gez. Schwarzenbacher] an Michalsen, 14. August 1943, RG K-779, 16/312 „e"/411, S. 94 f., ZA FSB Moskau. Die meisten der in Trawniki ausgebildeten Wachmänner, die zuerst in Warschau und dann in Poniatowa eingesetzt wurden, sind außerdem erwähnt in: SSPF Lublin/Ausbildungslager Trawniki, „Aufstellung über die an das Kdo. Warschau abgestellten Wachmänner (S. B.)", 17. April 1943, ebd., S. 127–130; SS-WVHA/SS-Ausbildungslager Trawniki/Kommando Poniatowa [gez. Erlinger] an SS-Ausbildungslager Trawniki, „Übergabeverhandlung", 3. Oktober 1943, ebd., S. 102 f.; Führer Kommando Poniatowa [gez. Erlinger] an SS-Ausbildungslager Trawniki, 17. November 1943, ebd., S. 135 ff.; Führer Kommando Poniatowa [gez. Schubert], „Namentliche Liste des Wachkommandos Poniatowa", 31. März 1944, ebd., *t.* 410, S. 332 f.

[72] Zur Abteilung aus Belzec: Personalbogen 3409, 19. Februar 1943, M. Slowak TPF, RG 20869, Bd. 14, S. 152, ZA FSB Moskau; Personalbogen 3481, 17. Februar 1943, W. Popiliuk TPF, Verfahren gegen W. M. Popeljuk (fortan: W. Popeljuk-Verfahren), Nr. 680, S. 29, ASBU Iwano-Frankiwsk. Zu den im Juli angeworbenen Rekruten siehe: Fragment, Ausbildungslager Trawniki an SS-Arbeitslager Poniatowa, o. D. [Juli 1943], RG K-779, 16/312 „e"/410, S. 337 f., ZA FSB Moskau; Personalbogen 4296, o. D., P. Murgala TPF, RG 20869, Bd. 5, S. 137, ZA FSB Moskau; Personalbogen 4310, o. D., M. Kwasni TPF, ebd., Bd. 17, S. 89; Personalbogen 4694, Sachsenhausener Personalakte von W. Dyszkant, 1367/1/142, S. 6–14 Rückseite, GWA Moskau; Personalbogen 4464, I. Dmitruk, Sachsenhausener Personalakte, ebd., S. 26–35 Rückseite.

[73] Vern. Heinrich Gley, 23. November 1961, Michalsen-Verfahren, Bd. 13, S. 2442 f., StA Hamburg.

[74] SSPF Lublin/Ausbildungslager Trawniki/Führer Kommando Poniatowa [gez. Schwarzenbacher] an Ausbildungslager Trawniki, 30. August 1943, RG K-779, 16/312 „e"/411, S. 63, ZA FSB Moskau; Führer Kommando Poniatowa [gez. Erlinger] an SS-Ausbildungslager Trawniki, 3. Oktober 1943, ebd., S. 102 f., 105; Führer Kommando Poniatowa [gez.

Die Ursprünge des anderen großen Ausbildungs- und Einsatzortes für Trawniki-Männer, des „Kommandos Lublin", sind unklar. Erstmals aktenkundig wurde das Kommando Lublin, als im Sommer 1942 mehrere hundert Trawniki-Männer zu ihm abkommandiert wurden; weitere Einheiten von in Trawniki ausgebildeten Wachmännern folgten im August und September 1942.[75] Spätestens seit dem 17. Oktober 1942 bis zur Evakuierung von Lublin im Juli 1944 befehligte Karl Basener, Meister der Schutzpolizei, das Kommando. Obwohl hauptsächlich in Lublin stationiert und von dort zu Einsätzen außerhalb der Stadt ausgeschickt, waren Basener und seine Männer weiterhin Streibel in Trawniki unterstellt und gehörten administrativ in dessen Zuständigkeitsbereich; gleichzeitig erhielten sie aber auch Befehle von der Dienststelle des SSPF in Lublin.[76] In Lublin bewachten sie Lagerhäuser mit „Reinhard"-Beutestücken und das Lager in der Lipowa-Straße.[77]

Erlinger], 17. November 1943, ebd., S. 135 ff.; Führer Kommando Poniatowa [gez. Schubert], „Namentliche Liste des Wachkommandos Poniatowa", o. D. [in Trawniki am 31. März 1944 eingegangen], ebd., t. 410, S. 332 f.; SSPF Lublin/SS-Ausbildungslager Trawniki/I. Bataillon [abgez. Raake] an SS-Arbeitslager Poniatowa, 1. Mai 1944, ebd., t. 411, S. 45 ff.

[75] Personalbogen 1628, 23. Juni 1942, L. Kairys TPF, 1173/4/51, S. 1, LVA Wilna; Personalbogen 1640, 23. Juni 1942, W. Amanawitschius TPF, 1173/4/55, S. 3, LVA Wilna; Personalbogen 1351, o. D., G. Jeschow TPF, RG 20869, Bd. 20, S. 13, ZA FSB Moskau; Personalbogen 1716, o. D., W. Pochwala TPF, Verfahren gegen W. P. Pochwala (fortan: Pochwala-Verfahren), 10562/30326, S. 100, ASBU Kiew; Personalbogen 1870, o. D., W. Roshansci TPF, RG 20869, Bd. 23, S. 177, ZA FSB Moskau. Roshansci traf am 17. August 1942 in Lublin ein. Vgl. auch: Personalbogen 2059, 22. Juli 1942, N. Butenko TPF, Verfahren gegen N. N. Scherstnew-Butenko (fortan: Butenko-Verfahren), 208/24102, Bd. 1, S. 124, Archiv Sluschba nazionalnoi besopasnosti Usbekistana (Archiv des Nationalen Sicherheitsdienstes von Usbekistan, fortan: ASNBU), Taschkent. Butenko kam am 1. September 1942 nach Lublin. Angesichts des Zeitpunkts der ersten Verlegung – am 20. Juli 1942 – ist es wahrscheinlich, dass einige dieser Männer bei der Warschauer Deportationsoperation eingesetzt wurden; dokumentarische Belege dafür gibt es allerdings nicht.

[76] Dass das Kommando Lublin Trawniki unterstellt blieb, geht aus den Briefköpfen der gegenseitigen Korrespondenz hervor: SSPF Lublin/Ausbildungslager Trawniki/Kommando Lublin an Ausbildungslager Trawniki, 17. Oktober 1942, RG K-779, 16/312 „e"/410, S. 83, ZA FSB Moskau; Kommandoführer Ausbildungslager Trawniki/Kommando Lublin [gez. Basener] an Ausbildungslager Trawniki, 25. April 1944, ebd., t. 409, S. 212.

[77] Zu Trawniki-Männern im Lubliner Bekleidungslager: Vern. Iwan Jemeljanowitsch Kondratenko, 10. Februar 1948, Kondratenko-Verfahren, 6056/57800, S. 20–29, ASBU Kiew; SS-Sonderkommando Belzec [gez. Baer] an Ausbildungslager Trawniki, 19. Mai 1943, RG K-779, 16/312 „e"/409, S. 150, ZA FSB Moskau; Personalbogen 927, o. D., A. Bonder TPF, RG 20869, Bd. 10, S. 187, ZA FSB Moskau. Es ist unklar, ob sich die Bezeichnung „Bekleidungs-Werkstatt" in Bonders Personalbogen auf das Lager in der Lipowa-Straße, in dem es Textilwerkstätten gab, oder das Bekleidungslager mit den „Reinhard"-Beutestücken in der Chopinstraße 27 bezog. Zu dessen Standort siehe Anm. 85 zum Eintrag vom 20. Juli 1942 in: Der Dienstkalender Heinrich Himmlers, 1941/42, im Auftrag der Forschungsstelle für Zeitgeschichte in Hamburg bearb., komment. u. eingel. von PETER WITTE u. a., Hamburg

Außerdem wurden sie mit der Liquidierung kleinerer jüdischer Ghettos und Siedlungen in den ländlichen Gebieten des Distrikts Lublin beauftragt.[78] 1943 war das Kommando Lublin eine voll besetzte Außenstelle des Ausbildungslagers Trawniki mit einer Mannschaftsstärke von drei bis vier Kompanien,[79] deren Aufgabe es war, jüdische Arbeiter innerhalb und außerhalb des Lagers in der Lipowa-Straße zu bewachen, Sägewerke sowie Güter zu schützen und die örtlichen deutschen Gendarmen bei der Kontrolle der ländlichen Gebiete zu unterstützen.[80] Bei Bedarf konnte sowohl aus Poniatowa als auch aus Lublin Personal abgezogen werden, um bei Deportationen auszuhelfen: So waren im August 1943 Kompanien von beiden Standorten an der Auflösung des Ghettos von Bialystok beteiligt.[81]

Mindestens zwei weitere Arbeitslager im Distrikt Lublin wurden von Trawniki-Männern bewacht: Budzyn und Krasnik. Budzyn wurde direkt von Trawniki mit Personal versorgt, und die Wachkompanie in Budzyn stellte ihrerseits die Wachen für das Arbeitslager in Krasnik und das SS-Gut in Rachow. Das 40 Kilometer südwestlich von Lublin gelegene Lager Budzyn war schon 1940 als Arbeitslager für Juden genutzt worden. 1942 hatte dann SS-Untersturmführer Amon Göth aus Globocniks Stab neben einer damals noch im Bau befindlichen Flugzeugfabrik der Heinkel-Werke ein Lager für 2000 Arbeiter errichtet. Obwohl die Flugzeugfabrik nie fertig wurde, reparierten und produzierten die Gefangenen, die ab Herbst 1942 das Lager füllten, dort Tragflächen für Heinkel. Die ersten in Trawniki ausgebildeten

---

1999, S. 497. Zu Aussagen über das Lipowa-Lager siehe: Vern. Saki Idrissowitsch Tuktarow, 1. Februar 1965, Matwienko-Verfahren, 4/100366, Bd. 13, S. 95 ff., AFSB Krasnodar; Vern. Nikolai Nikolajewitsch Gordejew, 22. April 1947, Litwinenko-Verfahren, 158/57252, Bd. 14, S. 137–146, ASBU Lwiw; Vern. Grigori Antonowitsch Pankratow, 2. November 1968, Litwinenko-Verfahren, 158/57252, Bd. 2, S. 71–74, ASBU Lwiw; Vern. Iwan Kirillowitsch Knysch, 29. Januar 1948, Iskaradow-Verfahren, 5734/37834, S. 229–234 Rückseite, ASBU Donezk.

[78] Vern. Iwan Andrejewitsch Tarasow, 8. Februar 1965, Matwienko-Verfahren, 4/100366, Bd. 6, S. 80–83, AFSB Krasnodar; Vern. Iwan Kirillowitsch Knysch, 29. Januar 1948, Iskaradow-Verfahren, 5734/37834, S. 229–234 Rückseite, ASBU Donezk.

[79] Vern. Erhard Scheithauer, 6. März 1959, Streibel-Verfahren, Bd. 81, S. 15486 f., StA Hamburg.

[80] Vern. Erhard Scheithauer, 8. November 1962, Paulus-Verfahren, 4 Ks 1/74, Bd. 1, S. 207, StA Frankfurt am Main. Zum Einsatz der 139 Trawniki-Männer, die 1944 nach dem Ende der „Aktion Reinhard" in Lublin blieben: SS-WVHA/SS-Ausbildungslager Trawniki/Kommandoführer Kommando Lublin [gez. Basener] an SSPF Lublin, 29. Februar 1944, RG K-779, 16/312 „e"/409, S. 70 f., ZA FSB Moskau.

[81] Kommandoführer Kommando Lublin [gez. Basener] an Ausbildungslager Trawniki, 20. August 1943, mit angehängter Notiz: Kommando Lublin [gez. Basener] an Arbeitslager in Bialystok, 14. August 1943, RG K-779, 16/312 „e"/411, S. 85 ff., ZA FSB Moskau; SSPF Lublin/Ausbildungslager Trawniki/Kommando Poniatowa [gez. Schwarzenbacher] an SS-Hauptsturmführer Michalsen in Bialystok, 14. August 1943, ebd., S. 94 f.

Wachmänner trafen am 13. Oktober 1942 ein. Am 24. Juni 1943, etwa zur gleichen Zeit, als einige Warschauer Juden nach Budzyn gebracht wurden, löste eine frische Kompanie von Trawniki-Männern ihre Kameraden ab. Im Februar 1944 wurden die Trawniki-Männer offenbar aus Budzyn abgezogen und durch Angehörige des Totenkopf-Bataillons aus dem KZ Lublin ersetzt.[82]

Anfang November 1943 ordnete Himmler nach den ernüchternden Erfahrungen in Warschau, Treblinka und Sobibor aus Furcht vor Aufständen das Unternehmen „Erntefest" an: die Ermordung der jüdischen Arbeiter in Trawniki, Poniatowa und Lublin-Majdanek. Daraufhin töteten SS- und Polizeieinheiten am 3. und 4. November in Majdanek 18 000, in Poniatowa zwischen 12 000 und 14 000 und in Trawniki zwischen 4000 und 6000 Juden. Während in Majdanek zu diesem Zeitpunkt keine Trawniki-Männer mehr stationiert waren und in Trawniki ausgebildete Wachmänner anscheinend auch kaum etwas mit den Morden dort zu tun hatten, zogen sie in Poniatowa offenbar auch während der Massenerschießungen auf Wache. Nach der Mordaktion wurde das dortige Ausbildungszentrum geschlossen, und die meisten Wachmänner wurden nach Trawniki zurückverlegt.[83]

---

[82] Personalbogen 8, 27. Januar 1942, L. Bisewski TPF, RG 20869, Bd. 14, S. 202, ZA FSB Moskau; Personalbogen 2212, 20. Juli 1942, N. Isatschenko TPF, ebd., S. 167; SSPF Lublin/Ausbildungslager Trawniki an SS-Arbeitslager Budzyn/Heinkelwerke Budzyn, 24. Juni 1943, RG K-779, 16/312 „e"/410, S. 302 f., ZA FSB Moskau; SSPF Lublin/SS-Arbeitslager Budzyn/Lagerführer [gez. Mohr] an Ausbildungslager Trawniki, ebd., *t.* 409, S. 96–98 Rückseite; Personalbogen 3445, 17. Februar 1943, P. Diduch TPF, Verfahren gegen P. I. Diduch, 5079/23122, S. 3 f., ASBU Iwano-Frankiwsk; Vern. Pjotr Iwanowitsch Diduch, 19. April 1948, ebd., S. 17–22; GEORGE TOPAS, The Iron Furnace. A Holocaust Survivor's Story, Lexington, Ky., 1990, S. 166.

[83] Zu Planung und Ausführung der Mordaktionen: GRABITZ/SCHEFFLER, Letzte Spuren, S. 328 f.; Vern. SS-Gruppenführer Jakob Sporrenberg, 25. Februar 1946, RG Sąd Apelacyjny Lublin (fortan: SAL), Akte 193, S. 125–128, AGK. Zur Mordaktion in Poniatowa: Vernehmungen Rudolf B., 17. Mai 1961, Streibel-Verfahren, Bd. 5, S. 929–940, StA Hamburg, und 26. Oktober 1961, Hoffmann-Verfahren, Bd. 19, S. 2940–49, HHA; Vern. Martin D., 28. Oktober 1963, Hoffmann-Verfahren, 141 Js 1957/62, S. 1611 ff., StA Hamburg; Vern. Heinrich Gley, 23.–24. November 1961, Michalsen-Verfahren, Bd. 13, S. 2446 ff., StA Hamburg. Zur Mordaktion in Trawniki: Vern. Kurt Z., 25. Mai 1963, Hahn-Verfahren, Bd. 48, S. 9155–9164, StA Hamburg; Vern. Franz Skubinn, 30. Mai 1963, abgedruckt in GRABITZ/SCHEFFLER, Letzte Spuren, S. 267 f. Aus bis heute unerfindlichen Gründen wurden die Gefangenen in Budzyn und Krasnik während der Operation „Erntefest" nicht ermordet. Übereinstimmende Aussagen zu den Aktivitäten der Trawniki-Männer während des Massakers in Trawniki finden sich in: Vern. Hermann R., 26. März 1963, Streibel-Verfahren, Bd. 17, S. 3289 ff., StA Hamburg; Vern. Theodor P., 18. Juni 1962, ebd., Bd. 20, S. 3921 f.; Vern. Kurt R., 21. Mai 1962, ebd., Bd. 19, S. 3630; Vern. Abram Thießen, 26. August 1964, Bd. 50, S. 9915 f.; Vern. Michael Michaljuk, 25. Februar 1969, ebd., Bd. 81, S. 15546 ff. Zu den Trawniki-Männern, die während der Mordaktion in

Schließlich setzte Streibel seine Trawniki-Männer auf verschiedenen SS-Gütern ein, die Globocnik und sein Stab in enger Zusammenarbeit mit Pohls SS-Wirtschafts- und Verwaltungshauptamt (WVHA) zu SS- und Polizeistützpunkten für die deutsche Besiedlung von Polen ausbauen wollten. Auf vielen dieser Güter bewachten Trawniki-Männer jüdische oder polnische Zwangsarbeiter in der Landwirtschaft oder bei der Rohstoffgewinnung. Es gibt Belege dafür, dass zumindest auf dem Gut in Rachow Ende 1943 die jüdischen Arbeiter ermordet wurden.[84] Außerdem wurde eine kleine Abteilung von Trawniki-Männern des Kommandos Lublin zur Bewachung der jüdischen Zwangsarbeiter im dortigen Truppenwirtschaftslager (TWL) der Waffen-SS abgestellt.[85]

Poniatowa Wache hielten: Vern. Stephan B., 14. April 1970, Streibel-Verfahren, Bd. 85, S. 16114, StA Hamburg; Vern. Iwan Wassiljewitsch Lukanjuk, 12. April 1948, Verfahren gegen I. W. Lukanjuk (fortan: Lukanjuk-Verfahren), 5072/2123, S. 15, ASBU Iwano-Frankiwsk; Vernehmungen von Wassili Jakowlewitsch Schkarpowitsch, 28. April und 25. Mai 1948, Verfahren gegen W. J. Schkarpowitsch (fortan: Schkarpowitsch-Verfahren), Nr. 32750, S. 16, 34, DASUB Iwano-Frankiwsk. Zur Rückverlegung nach Trawniki siehe: SS-WVHA/Kommando Poniatowa, Kommandoführer [gez. Erlinger] an SS-Ausbildungslager Trawniki, „Übergabeverhandlung", 17. November 1943, RG K-779, 16/312 „e"/411, S. 135 ff., ZA FSB Moskau.

[84] Zu Plänen für Stützpunkte: SCHULTE, Zwangsarbeit und Vernichtung, S. 259–296. Zu den Gütern, auf denen Trawniki-Männer eingesetzt wurden, gehörten: Okzow bei Cholm (siehe: Personalbogen 2212, 20. Juli 1942, N. Isatschenko TPF, RG 20869, S. 167, ZA FSB Moskau; Dienstausweis Nr. 1123 von Iwan Kutschnitschuk, o. D., 1151/1/1, S. 10, Derschawny Archiv Schitomirskoi Oblasti [Staatsarchiv des Schitomirska Oblast; fortan: DA-SchO]; Vern. Nikolai Nikolajewitsch Gordejew, 18. Dezember 1964, Matwienko-Verfahren, 4/100366, Bd. 7, S. 199–205 Rückseite, AFSB Krasnodar); Rachow an der Weichsel zwischen Lublin und Radom (siehe: SSPF Lublin/SS Arbeitslager Budzyn/Lagerführer [gez. Mohr] an Ausbildungslager Trawniki, „Tätigkeitsbericht", 1. Juli 1943, RG K-779, 16/312 „e"/409, S. 96–98 Rückseite, ZA FSB Moskau; Vern. Samuel K., 26. Februar 1969, Streibel-Verfahren, Bd. 81, S. 15552 f., StA Hamburg; Vern. Johannes F., 16. September 1969, K.-Franz-Verfahren, Bd. 19, S. 5041–45, BA-ZdL]; Jablon bei Radzyn (siehe: Ausbildungslager Trawniki [gez. Grimm] an SS- und Polizei-Stützpunkt in Jablon, 6. Januar 1943, RG K-779, 16/312 „e"/410, S. 85, ZA FSB Moskau); Patschew (siehe: Personalbogen 1996, 22. Juli 1942, A. Rumjansew TPF, RG 20869, Bd. 23, S. 186, ZA FSB Moskau). Zur Ermordung der Juden in Rachow: Vern. Johannes F., 16. September 1969, K.-Franz-Verfahren, Bd. 19, S. 5041–45, BA-ZdL.

[85] Im Zuge der Operation „Erntefest" wurden die im TWL arbeitenden Juden nach Majdanek abtransportiert, wo sie wahrscheinlich erschossen wurden: Vern. Alois Rzepa, 19. August 1974, Streibel-Verfahren, 147 Js 43/69, S. 21245 f., StA Hamburg. Zu den Trawniki-Männern im TWL: Personalbogen 774, o. D., Vern. Iwan Tscherkassow, 23. August 1943, und Bericht des Führers vom Dienst/Truppenwirtschaftslager der Waffen-SS, Lublin [gez. Birkmann], 23. August 1943, I. Tscherkassow TPF, RG 20869, Bd. 8, S. 79, 85, 86, ZA FSB Moskau; Kommandoführer [Kommando Lublin] [gez. Basener] an SS-WVHA/SS-Ausbildungslager Trawniki, 15. Dezember 1943, RG K-779, 16/312 „e"/411, S. 32, ZA FSB Mos-

Auch den SSPF in anderen Distrikten des Generalgouvernements wurden in Trawniki ausgebildete Wachmänner zur Verfügung gestellt, sowohl im Rahmen der „Aktion Reinhard" als auch für spezielle Aufgaben des jeweiligen Distrikts. So wurden, unabhängig von dem Kommando, das am 19. September 1942 nach Tschenstochau geschickt wurde, Trawniki-Männer im August 1942, zuerst wahrscheinlich befristet, zum SSPF Radom abgestellt. Diese Einheit, die anfangs Kommando Radom hieß und später als „Wachkompanie des SS- und Polizeiführers im Distrikt Radom" bezeichnet wurde, nahm überall im Distrikt an Razzien und Erschießungen von bislang noch überlebenden Juden teil.[86] Obwohl weder an den Deportationen aus Lemberg im März 1942 noch an denen aus Galizien im Frühjahr 1943 Trawniki-Männer mitgewirkt zu haben scheinen, war schon im Januar 1942 eine Abteilung zum „SSPF Lemberg" abgestellt worden, die dort als ständige Wachmannschaft des Lagers für jüdische Zwangsarbeiter in der Janowska-Straße diente und an den grässlichen Massakern im Mai und Juni sowie im November 1943 beteiligt war.[87] Bereits im November 1941 war eine Kompanie von Trawniki-Männern zum SSPF Warschau abkommandiert und

---

kau. Zur Bedeutung der regionalen TWL bei der Planung der SS- und Polizeistützpunkte siehe SCHULTE, Zwangsarbeit und Vernichtung, S. 202 f., 278 f., 316–320.

[86] Dienstausweis Nr. 1337 von Nurgali Kabirow, o. D., RG 20869, Bd. 22, S. 318–318 Rückseite, ZA FSB Moskau; Kommandeur Ausbildungslager Trawniki [gez. Drechsel] an SSPF Radom, 2. Juni 1943, RG K-779, 16/312 „e"/409, S. 156, ZA FSB Moskau; Wachkompanie/SSPF Radom, „Namentliche Liste d. Wachkompanie des SS- und Polizeiführers im Distrikt Radom", 26. März 1944, ebd., *t.* 410, S. 257; Vern. Saki Idrissowitsch Tuktarow, 2. Februar 1965, Matwienko-Verfahren, 4/100366, Bd. 13, S. 98–101, AFSB Krasnodar.

[87] Bei den Deportationen aus Lemberg und dem übrigen Galizien im März 1942 und Frühjahr 1943 stützten sich die Deutschen weitgehend auf am Ort stationierte ukrainische Hilfspolizisten. Trawniki-Männer werden in den Schlüsseldokumenten nicht erwähnt (siehe ARAD, Belzec, Sobibor, Treblinka; DIETER POHL, Nationalsozialistische Judenverfolgung in Ostgalizien, München 1997, S. 185–188; Katzmann-Bericht, S. 404). Zu den Trawniki-Männern in Lemberg: Führer Zwangsarbeitslager Lemberg an Kommandeur/Ausbildungslager Trawniki, betr. Empfehlung zur Beförderung, 13. August 1943, mit Empfehlung vom 25. Juli 1943 und Lebenslauf vom 20. Juli 1943 als Anhang, N. Bukowjan TPF, RG 20869, Bd. 24, S. 42, 44, ZA FSB Moskau; Personalbogen 80, 25. Oktober 1941, ebd., S. 38; Kommando Lublin [gez. Basener] an SSPF Lemberg, 17. Mai 1943, RG K-779, 16/312 „e"/410, S. 270 ff., ZA FSB Moskau; Personalbogen 482, 28. Januar 1942, S. Kwaschuk TPF, RG 20869, Bd. 8, S. 166, ZA FSB Moskau. Es ist erwähnenswert, dass Bukowjan, obwohl er am 21. August 1943 zum Gruppenwachmann befördert worden war, wenige Wochen nach dem November-Massaker in der Janowska-Straße desertierte: Streibel an Bukowjan, 19. August 1943, N. Bukowjan TPF, RG 20869, Bd. 24, S. 45; Personalbogen Bukowjan, ebd., S. 38. Beschreibungen der grausamen Massentötungen finden sich in: Vern. Wassili Nikiforowitsch Litwinenko, 9. Oktober 1968, Litwinenko-Verfahren, Bd. 1, S. 38–55, 158/57252, ASBU Lwiw; Vern. Jegor Iwanowitsch Lobynzew, 11. Oktober 1968, ebd., S. 183–188; Vern. Iwan Iwanowitsch Gordejew, 18. Dezember 1964, Matwienko-Verfahren, 4/100366, Bd. 7, S. 199–205 Rückseite, AFSB Krasnodar.

in dem neu errichteten Arbeitslager Treblinka eingesetzt worden. Sie blieb bis zur Auflösung des Lagers im Juli 1944 dort und ermordete die verbliebenen jüdischen Gefangenen.[88] Im Winter und Frühjahr 1942 trafen zwei Abteilungen von Trawniki-Wachmännern in Warschau ein und wurden dem dortigen Kommandeur der Sicherheitspolizei und des SD (KdS) als Hilfspolizisten zugeteilt.[89] Im September 1942 stellten Trawniki-Männer die Wachen für ein kurzlebiges Zwangsarbeitslager für Juden in Rozwadow, die unter dem Befehl des SSPF Krakau in einem Stahlwerk und auf Baustellen eingesetzt wurden.[90]

Ab März 1943 dienten 208 dem SSPF Krakau unterstellte Trawniki-Männer als Wachen in einem Zwangsarbeitslager für Juden im Vorort Plaszow.[91] Im selben Monat wurden weitere 150 Trawniki-Männer in das

---

[88] Zu den Trawniki-Männer im Arbeitslager Treblinka: Personalbogen 120, 1. November 1941, A. Poppe TPF, RG 20869, Bd. 23, S. 142, ZA FSB Moskau; SSPF Warschau [gez. Wiegand] an Beauftragten des RF-SS für die Errichtung der SS- und Polizeistützpunkte im neuen Ostraum [Globocnik], 12. Dezember 1941, mit Anhängen, A. Rige TPF, ebd., Bd. 8, S. 188 f., ZA FSB Moskau; SSPF Lublin/Ausbildungslager Trawniki [gez. Heintze] an SS-Arbeitslager Treblinka [gegengez. van Eupen], „Übergabeverhandlung", 22. März 1943, RG K-779, 16/312 „e"/411, S. 299 f., ZA FSB Moskau; SSPF Lublin/Ausbildungslager Trawniki [gez. Langnickel] an SS-Arbeitslager Treblinka [gegengez. Lindecke], „Übergabeverhandlung", 20. Juli 1943, ebd., t. 410, S. 89; Dienstplan „Arbeitslager Treblinka", gez. Majowski [SS-Ausbildungslager Trawniki], 6. April 1944, ebd., S. 343 ff. Zu den Morden: Vern. Alexander Iljitsch Moskalenko, 6. Mai 1969, K.-Franz-Verfahren, Bd. 21, S. 5680–86, BA-ZdL; Vern. Alexander Iljitsch Moskalenko, 17. November 1947, Moskalenko-Verfahren, 2871/11991, S. 45–61, ASBU Lwiw; Vernehmungen von Nikolai Belous, 15. und 31. März 1949, Verfahren gegen N. P. Belous (fortan: Belous-Verfahren), 2391/27090, S. 15–19, 26–35, ASBU Lwiw; Vern. Semjon Jefremowitsch Charkowski, 11. Mai 1973, Streibel-Verfahren, Bd. 4, S. 670–679, BA-ZdL; Vern. Alexei Nikolajewitsch Kolguschkin, 17. Mai 1973, ebd., S. 649–656.

[89] RF-SS/Chef Ordnungspolizei/Beauftragter für die Errichtung der SS- und Polizeistützpunkte im neuen Ostraum/Ausbildungslager Trawniki an KdS Warschau, 27. Februar 1942, RG Amt des Gouverneurs, Distrikt Warschau, Ordner 61, S. 13 f., Archiwum Akt Nowych (Archiv Neuer Akten), Warschau; RF-SS/Chef Ordnungspolizei/Beauftragter für die Errichtung der SS- und Polizeistützpunkte im neuen Ostraum/Ausbildungslager Trawniki an KdS Warschau, 8. April 1942, ebd., S. 12; Personalbogen 733, 1. Dezember 1941, A. Golenko TPF, RG 20869, Bd. 22, S. 326, ZA FSB Moskau; Personalbogen 156, 25. Oktober 1941, W. Jetar TPF, RG 20869, S. 50, ZA FSB Moskau.

[90] Personalbogen 1351, o. D., G. Jeschow TPF, RG 20869, Bd. 20, S. 13, ZA FSB Moskau.

[91] Lagerkommandant Jüdisches Zwangsarbeitslager des SSPF Krakau/Krakau-Plaszow an Kommandant Ausbildungslager Trawniki, 12. Mai 1943, RG K-779, 16/312 „e"/410, S. 71, ZA FSB Moskau; Personalbogen 1159, o.D., J. Prigoditsch TPF, RG 20869, Bd. 20, S. 3, ZA FSB Moskau; SSPF Lublin/Ausbildungslager Trawniki an SSPF Krakau, „Übergabeverhandlung", 17. März 1943, RG K-779, 16/312 „e"/411, S. 291–294, ZA FSB Moskau; SSPF Lublin/Ausbildungslager Trawniki [gez. Heintze] an SSPF Krakau, 18. März 1943, ebd., S. 53 f. Im August, kurz bevor Plaszow der Amtsgruppe D des WVHA unterstellt wurde,

KZ Auschwitz verlegt, möglicherweise im Rahmen der „Aktion Reinhard".[92] Im Januar 1942 wurde eine Gruppe von Trawniki-Männern nach Rostock geschickt, um die Zwangsarbeiter im dortigen Heinkel-Werk zu bewachen; sie wurde ein Jahr später, im Januar 1943, aus Furcht vor Korruption durch andere Trawniki-Männer ersetzt.[93]

Während es außer Frage steht, dass Trawniki-Männer den Deutschen bei der Plünderung des Eigentums und der Wertgegenstände der jüdischen Opfer der „Aktion Reinhard" halfen und „Wirtschaftslager" in Lublin, Trawniki und Poniatowa bewachten, reichen die Belege nicht aus, um eine Beteiligung an der Schätzung und am Abtransport der Beute nachzuweisen. Eine Reihe von in Trawniki ausgebildeten Wachmännern diente bei der Standortverwaltung der Waffen-SS in Lublin, aber die Verbindungen zwischen diesen Verwaltungsleuten und Buchhaltern und der Beute aus der „Aktion Reinhard" müssen noch genauer untersucht werden.[94]

Globocnik, Höfle, Wirth und ihre Mitarbeiter bei der „Aktion Reinhard" waren für den Tod von ungefähr 1,7 Millionen Juden sowie einer unbekannten Zahl von Zigeunern, Polen und sowjetischen Kriegsgefangenen ver-

---

folgten weitere 50 Trawniki-Männer: Führer Kommando Lublin [gez. Basener] an SSPF Krakau, „Übergabeverhandlung", 8. August 1943, ebd., *t.* 410, S. 280 f.

[92] SSPF Lublin/Ausbildungslager Trawniki an Konzentrationslager Auschwitz, „Übergabeverhandlung", 29. März 1943, RG K-779, 16/312 „e"/410, S. 179–182, ZA FSB Moskau; Vern. Fedor Platonowitsch Gorun, 20. Mai 1966, Sujew-Verfahren, 44/32132, Bd. 14, S. 25 f., ASBU Dnjepropetrowsk; Vern. Fedor Platonowitsch Gorun, 7. März 1951, Verfahren gegen F. P. Gorun (fortan: Gorun-Verfahren), 6035/4277, S. 55–64, ASBU Kiew; Vern. Jewdokim Semjonowitsch Parfinjuk, 24. Oktober 1961, Schults-Verfahren, 14/66437, Bd. 24, S. 145–151, ASBU Kiew; Personalbogen 796, 1. Dezember 1941, P. Wergun TPF, RG 20869, Bd. 8, S. 170, ZA FSB Moskau. Zu einer Analyse der Verbindungen zwischen dem KZ Auschwitz und der „Aktion Reinhard": BERTRAND PERZ/THOMAS SANDKÜHLER, Auschwitz und die Aktion „Reinhard" 1942–1945. Judenmord und Raubpraxis in neuer Sicht, in: Zeitgeschichte, Bd. 26, Nr. 5 (1999), S. 283–316.

[93] SSPF Lublin/Ausbildungslager Trawniki [gez. Grimm] an Ernst Heinkel Flugzeugwerke GmbH/Werksicherheitsleitung, Rostock, 13. Januar 1943, RG K-779, 16/312 „e"/411, S. 261, ZA FSB Moskau; Personalbogen 2882, o.D., Z. Kosicki TPF, RG SSPF Lublin, CA-Akte 891/18, S. 61, AGK; Vern. Paul Becker, 15. September 1969, K.-Franz-Verfahren, Bd. 19, S. 5037, BA-ZdL. Die Disziplin blieb offenbar ein Problem bei den Trawniki-Männer in Rostock, von Trunkenheit über Angriffe auf Vorgesetzte und Verbrüderung mit Zwangsarbeiterinnen bis zu Diebstahl aus der Flugzeugfabrik. Siehe: Werksicherheitsleitung Ernst Heinkel Flugzeugwerke [gez. Kraatz] an SS-Standortverwaltung Lublin/Zweigstelle Trawniki, 26. Oktober 1943, Z. Kosicki TPF, RG SSPF Lublin, CA-Akte 891/18, S. 71, AGK.

[94] Z. B.: SS-Standortverwaltung Lublin, „Aufstellung über die der SS-Standortverwaltung Lublin zugeteilten Wachmänner", 8. April 1944, RG K-779, 16/312 „e"/411, S. 6, ZA FSB Moskau. Zu den Verbindungen zwischen der SS-Standortverwaltung und der „Reinhard"-Beute siehe: Vern. Georg Wippern, 17. April 1962, Hoffmann-Verfahren, Bd. 36, S. 3425–36, HHA; SCHULTE, Zwangsarbeit und Vernichtung S. 416 ff.

antwortlich.[95] Dass die Trawniki-Männer bei der „Aktion Reinhard" eine entscheidende Rolle spielten, lässt sich an den Auszeichnungen und Beförderungen ablesen, mit denen ihre deutschen Kommandeure belohnt wurden. In seinem Antrag auf Streibels Beförderung zum SS-Sturmbannführer schrieb Globocnik, dieser leite das Ausbildungslager in Trawniki „mit größter Umsicht und Verständnis für die besondere Führungsweise dieser Truppe. In vielen Einsätzen zur Bandenbekämpfung haben sich diese Einheiten bestens bewährt, insbesondere aber im Rahmen der Judenumsiedlung."[96] Nach einem Besuch in Sobibor und Treblinka im Februar 1943 genehmigte Himmler die Beförderung einer Reihe von SS-Offizieren, die an der „Aktion Reinhard" beteiligt gewesen waren, darunter Wirth und die Kommandanten der Tötungszentren, Stangl, Hering und Reichleitner.[97] Aber auch die Trawniki-Männer selbst wurden bedacht. 1942 begründete Streibel Wassili Chlopezkis Anrecht auf Familienunterstützung mit dessen Rolle bei „Einsätzen" im Zuge der „Judenumsiedlungen". Fjodor Jaworow wurde für eine Auszeichnung vorgeschlagen und dabei als jemand gewürdigt, der sich „besonders im Einsatz R[einhard]. verdient gemacht" habe; zwei Jahre habe er „dem Sonderkommando Belczec [sic!], Sobibor und Treblinka" angehört und sich „dort zur größten Zufriedenheit geführt". Und über Alexei Milutin hieß es lobend: „Er gehörte lange Zeit dem Sonderkommando Treblinka an und hat sich dort [...] gut geführt."[98] Bei einem Blick auf die Karrieren der in Trawniki ausgebildeten Wachmänner, die im April/Mai 1943 bei der

---

[95] Diese Schätzung stammt aus: Nationalsozialistische Massentötungen durch Gas. Eine Dokumentation, hg. v. EUGEN KOGON u. a., Frankfurt/M. 1986, S. 192; ARAD, Belzec, Sobibor, Treblinka, S. 379; Nationalsozialistische Vernichtungslager, S. 150–158, 197–200; Höfle-Bericht, in WITTE/TYAS, S. 468–473.

[96] SSPF Lublin [gez. Globocnik] an HSSPF Ost, 15. Mai 1943, SS-Offiziersakte K. Streibel, RG 242, A3343/SSO, Rolle 166B, Fotos 206 f., NARA.

[97] „Beförderungsliste: Mitglieder des SS-Sonderkommandos ‚Einsatz Reinhard' auf Befehl des Reichsführers-SS", o. D., SS-Offiziersakte C. Wirth, RG 242, A3343/SSO, Rolle 251B, Fotos 328 f., NARA; Globocnik an von Herff, 13. April 1943, ebd., Foto 309; Aktennotiz von Globocnik, 22. Mai 1943, ebd., Fotos 310 f.; ARAD, Belzec, Sobibor, Treblinka, S. 165–170. Himmler besuchte Trawniki zweimal, im Januar und im Juli 1942 (Dienstkalender Heinrich Himmlers, S. 311, Anm. 26 [Eintrag vom 7. Januar 1942], S. 496 [Eintrag vom 19. Juli 1942]).

[98] Zu Chlopezki siehe: SSPF Lublin/Ausbildungslager Trawniki [abgez. Streibel] an Bevölkerungswesen und Fürsorge/Kreishauptmannschaft Zloczow, 12. August 1942, W. Chlopezki TPF, Chlopezki-Verfahren, 6105/11043, S. 118, ASBU Lwiw. Zu Jaworow siehe: SSPF Lublin/SS-Ausbildungslager Trawniki [gez. Streibel], „Vorschlagsliste Nr. 4 für Tapferkeitsauszeichnungen für Angehörige der Ostvölker 2. Kl. I. Bronze m. Schw.", 7. Juni 1944, Wnioski Odznaczenia/SSPF Lublin, Sign. VII/I, S. 96-99, AGK. Zu Milutin: SSPF Lublin/SS-Ausbildungslager Trawniki [gez. Streibel], „Vorschlagsliste Nr. 5 für Verdienstauszeichnungen für Angehörige der Ostvölker 2. Kl. in Bronze o. Schw.", 7. Juni 1944, ebd., S. 100 f.

Niederschlagung des Aufstandes im Warschauer Ghetto und im Juli 1944 an der Ermordung der letzten jüdischen Zwangsarbeiter im Arbeitslager Treblinka beteiligt waren, fällt ein hoher Prozentsatz von Beförderungen auf.[99]

Andererseits waren die Trawniki-Männer aufgrund der unmenschlichen Bedingungen ihrer anfänglichen Gefangenschaft (im Fall der sowjetischen Kriegsgefangenen), der Härte ihrer Ausbildung und der Brutalisierung durch Mord und Beihilfe zum Mord, die in einigen Fällen durch den Hass auf Juden und Kommunisten sowie, als sich der Krieg gegen die Deutschen wandte, durch die lähmende Furcht vor Vergeltung verstärkt wurde, manchmal nur schwer im Zaum zu halten. Die häufigsten Verstöße waren unerlaubtes Entfernen von der Truppe, Diebstahl, Überziehung der Ausgangszeit, Trunkenheit, Schlafen auf Wache und Korruptheit. Bestraft werden konnten sie mit drei bis 21 Tagen Arrest oder Peitschenhieben. Hunderte von Trawniki-Männern desertierten; vermutlich verließen nicht weniger als ein Drittel der in Trawniki Ausgebildeten auf Dauer und ohne Erlaubnis ihre Posten. Trotz der Androhung schwerer Strafen ist in den Personalakten der Trawniki-Männer ein breites Spektrum von Disziplinarverstößen vermerkt, von Trunkenheit und Plünderung während einer Deportation bis hin zu offener Meuterei.[100]

Wassili Schindekewski zum Beispiel erhielt 14 Tage verschärften Arrest, weil er nach dem Ende eines Urlaubs nicht pünktlich nach Trawniki zurückgekehrt war; die Erfahrung im „Bau" bei Brot und Wasser war ihm dann offenbar Grund genug, um zwei Wochen nach der Entlassung aus dem Arrest richtig zu desertieren. Alexander Potschinok wurde wegen Trunkenheit im Dienst mit 14 Tagen Arrest und vier Wochen Dienst im Strafzug

---

[99] Zu Warschau: SSPF Lublin/Ausbildungslager Trawniki, „Aufstellung über die an das Kdo. Warschau abgestellten Wachmänner (S. B.)", 17. April 1943, RG K-779, 16/312 „e"/411, S. 127-130, ZA FSB Moskau; und bspw.: Streibel an SS-Wachmann Joseph Glista, 1. Juni 1943, J. Glista TPF, 3676/4/327, S. 184, ZDAWO Kiew. Zum Arbeitslager Treblinka siehe die Kommandolisten vom April 1944 und August 1944: Kommandoliste der Wachmannschaft im Arbeitslager Treblinka, in Trawniki eingegangen und von Majowski beglaubigt am 6. April 1944, RG K-779, 16/312 „e"/410, S. 343 ff., ZA FSB Moskau; SS-Führer in Bauabschnitt AI/IIIa, „Kommando-Liste", o. D. [vermutlich August 1944], Akte 114-242-6, S. 14, SUA Prag.

[100] Neben der Bestrafung einzelner Trawniki-Männer war die mangelnde Disziplin regelmäßig Gegenstand der täglichen Bataillonsbefehle. Zur Urlaubsüberziehung siehe: Kommandeur SS-Ausbildungslager Trawniki [gez. Streibel], „Bataillonsbefehl Nr. 166/43", 1. Dezember 1943, RG K-779, 16/312 „e"/409, S. 290, ZA FSB Moskau. Später im selben Monat bemerkte der Trawniki-Stab in einem der täglichen Bataillonsbefehle streng, es sei „wiederholt beobachtet worden, dass die Angehörigen des SS-Ausbl. speziell samstags und sonntags in stark betrunkenem Zustand in Trawniki angetroffen" wurden (Kommandeur SS-Ausbildungslager Trawniki [gez. Majowski], „Bataillonsbefehl Nr. 178/43", 31. Dezember 1943, ebd., S. 334).

belegt.[101] Paul F., der im Sommer 1942 an der Deportation von Juden aus Warschau beteiligt gewesen und im März 1943 in das Arbeitslager Treblinka versetzt worden war, wurde wegen ständiger Trunkenheit – ein Zustand, in dem er nach dem Krieg noch über drei Jahrzehnte verblieb – nach Trawniki zurückgeschickt.[102] Gerhard Blendowsky musste eine Woche verschärften und zwei Wochen normalen Arrest absitzen, weil er einem jüdischen Häftling für 100 Reichsmark einen Liter Wodka verkauft hatte.[103] Fjodor Duschenko wurde wegen Diebstahls aus dem Judenlager mit drei Wochen verschärftem Arrest bestraft.[104] Mit Diebstahl und einem tätlichen Angriff auf einen reichsdeutschen Ingenieur handelte sich Iwan Schalamow im Sommer 1942 einen vorübergehenden Aufenthalt im Kriegsgefangenenlager Lublin ein.[105] Am 24. Juni 1943 wurde Iwan Kostinow, der am 2. Mai 1943 aus der Wachmannschaft des KZ Krakau-Plaszow desertiert war, hingerichtet. Alexander Wisgunow wurde in Poniatowa auf der Stelle erschossen, weil er einen Vorgesetzten angegriffen hatte.[106] Im Juli 1943 weigerte sich ein geradliniger Bauernjunge zunächst, in Trawniki zu dienen, nachdem er erfahren hatte, um welche Art Dienst es sich handelte; nachdem man ihn gezwungen hatte, das Antragsformular doch zu unterschreiben, desertierte er zwei Wochen später. Nach seiner Gefangennahme wurde er in Lublin-Majdanek eingesperrt, wo er drei Monate darauf an „Herzmuskelschwäche" starb.[107]

---

[101] Personalbogen 3301, 8. April 1943, W. Schindekewski TPF, Verfahren gegen W. F. Schindekewski (fortan: Schindekewski-Verfahren), 6791/6392, S. 4, ASBU Iwano-Frankiwsk; Personalbogen 1893, o. D., A. Potschinok TPF, RG 20869, Bd. 10, S. 268, ZA FSB Moskau.

[102] Vern. Paul F., 23.–24. Juli 1969, K.-Franz-Verfahren, Bd. 18, S. 4765–70, BA-ZdL; eidesstattliche Erklärung von Paul Fessler, 30. November 1981, Kairys-Verfahren, Beweisstücke, S. 11878–938.

[103] Personalbogen 69, 30. Januar 1942, G. Blendowsky TPF, RG 20869, Bd. 13, S. 68, ZA FSB Moskau.

[104] Personalbogen 1450, 2. Mai 1942, F. Duschenko TPF, Verfahren gegen F. A. Duschenko (fortan: Duschenko-Verfahren), Nr. 27960, S. 120, ASBU Charkiw.

[105] Personalbogen 1574, o. D., I. Schalamow TPF, Knysch-Verfahren, 5336/37099, S. 352, ASBU Donezk.

[106] Personalbogen 1989, o. D., I. Kostinow TPF, RG 20869, Bd. 8, S. 200, ZA FSB Moskau; Personalbogen 2133, 13. Juli 1942, A. Wisgunow TPF, ebd., S. 16.

[107] SS-WVHA/Kommandeur, Ausbildungslager Trawniki an SSPF Lublin, 20. Oktober 1943, und Personalbogen 4012, o.D., P. Hul TPF, 3676/4/327, S. 251, 253, ZDAWO Kiew. Als Huls Vater sich brieflich beim Generalgouverneur in Krakau über die brutale Behandlung seines Sohnes in Trawniki beschwerte, verlangte Streibel, den Vater wegen „schwerer Angriffe und Beleidigungen gegen die Lagerführung" von Trawniki zu bestrafen: Waffen-SS/Kriegsgefangenenlager Lublin/Kommandantur an Kommandeur SS-Ausbildungslager Trawniki, 11. November 1943, ebd., S. 252; SS-WVHA/Kommandeur, SS-Ausbildungslager Trawniki an SSPF Lublin, 20. Oktober 1943, ebd., S. 254.

Bei buchstäblich allen durch Akten belegten Deportationen haben sich in Trawniki ausgebildete Wachmänner an offiziellen und privaten Plünderungen beteiligt. Nikolai Soljanin beispielsweise wurde während der Warschauer Deportation im Sommer 1942 bei der „Unterschlagung jüdischer Wertsachen" erwischt.[108] Wassili Litwinenko gab in einer Vernehmung nach dem Krieg zu, dass er den jüdischen Opfern aus dem Arbeitslager in der Janowska-Straße, die er zur Erschießungsstätte in einer Sandgrube außerhalb des Lagers eskortierte, Wertgegenstände abgepresst hatte, die er „vertrunken" habe.[109] Dass Korruption und privater Handel mit geraubten Wertsachen nicht auf in Kriegsgefangenenlagern angeworbene Trawniki-Männer beschränkt waren, geht aus einer außergewöhnlich zynischen und abgebrühten Bemerkung eines zivilen Rekruten hervor, der seine Beteiligung an der Liquidation des Ghettos von Bialystok in einem Brief an seine Schwester als zweiwöchige „Mission in Byalystoka [sic!], [wo wir] Gäste der Juden waren" beschrieb; er habe dort „sehr gut gelebt" und „viel zu trinken und zu essen [gehabt], so viel ich wollte".[110]

Ein reichsdeutscher Kompaniechef, der zwei zeitweise im Kriegsgefangenenlager der Waffen-SS in Lublin stationierte Kompanien von Trawniki-Männern befehligte, beklagte sich Ende Januar 1943, als er sechs der Wachmänner, die eine Typhusquarantäne gebrochen hatten, um, wie sie sagten, Zwiebeln und andere Lebensmittel zu beschaffen, zu 25 Peitschenhieben verurteilte,[111] bitter über die unter seinem Befehl stehenden Männer: „Wenn es ans Räubern und Totschlagen ginge, ständen sie an erster Stelle.

---

[108] Nachdem er 48 Stunden nach seiner Rückkehr aus Warschau zu zehn Tagen verschärftem Arrest und täglich einer Stunde Strafexerzieren verurteilt worden war, wurde er am 17. Oktober 1942 entlassen und ins Kriegsgefangenenlager in Cholm zurückgeschickt. Ob er den Krieg überlebte, ist nicht bekannt: Personalbogen 1277, 2. August 1942, und Führer II. Bataillon/Ausbildungslager Trawniki [gez. Franz], 23. September 1942, N. Soljanin TPF, RG 20869, Bd. 24A, S. 578 f., ZA FSB Moskau.

[109] Vern. Wassili Nikiforowitsch Litwinenko, 9. Oktober 1968, Litwinenko-Verfahren, Bd. 1, S. 38–55, 158/57252, ASBU Lwiw. Vgl. auch: Vern. Nikolai Nikitowitsch Skorochod, 22. November 1947, Skorochod-Verfahren, 6075/11042, S. 27–33, ASBU Lwiw.

[110] Brief von Iwan Pilipiuk an seine „liebe Schwester Chondja", 10. September 1943, J. Pilipiuk TPF, RG-20869, Bd. 11, S. 113, ZA FSB Moskau; SSPF Lublin/Ausbildungslager Trawniki/Kommando Lublin [gez. Basener] an Ausbildungslager Trawniki, 20. August 1943, mit angehängter Aktennotiz: Kommando Lublin an Arbeitslager Bialystok, 14. August 1943, RG K-779, 16/312 „e"/411, S. 85-87, ZA FSB Moskau.

[111] Ausbildungslager Trawniki/Kommando K.G.L. der Waffen-SS Lublin [gez. Erlinger] an Kommandantur/K.G.L. der Waffen-SS Lublin, 20. Januar 1943, Akte I.f. 5: Korrespondenz des SS-Totenkopf-Bataillons, Liste der SS-Männer, 1941–1944, S. 17, Archiwum Państwowego Muzeum na Majdanku (Archiv des staatlichen Museums in Majdanek); Schreiben mit demselben Absender und demselben Empfänger, 20. Januar 1943, 1173/4/6, S. 3, LVA Wilna.

Eine Zuverlässigkeit für anderen Dienst könne man nicht voraussetzen. " Darüber hinaus sei die „Begeisterung für den Dienst unter deutscher Kommandogewalt [...] in dem Augenblick restlos verschwunden, als die Räumung der Ghettos (Warschau, Tschenstochau, Radom und viele andere Städte) beendet war und die Ukrainer ordnungsmäßigem Dienst zugeführt wurden. Bei den Räumungsarbeiten hätten sie im Geld geschwommen; das fehle ihnen jetzt. "[112]

Das ständige unerlaubte Entfernen von der Truppe stellte für die SS- und Polizeidienststellen ein schwieriges Problem dar. Als „fremdvölkische Wehrmachtsangehörige" unterstellte man den Trawniki-Männern, dass es ihnen an einem „besonderen Treueverhältnis" zu ihrer Truppe fehlte. Ihnen könne daher anstelle von Desertion nur „unerlaubte Entfernung" vorgeworfen werden. Noch schlimmer sah es bei denjenigen aus, die keine Volksdeutschen waren, beispielsweise bei Ukrainern, denn ihnen fehlte angeblich die „soldatische Haltung u. Pflichttreue, wie sie dem Deutschen eigen ist".[113]

Tatsächlich hatten die SS- und Polizeidienststellen im ersten Halbjahr 1943 mit mehreren Fällen von Massendesertion und Meuterei von Trawniki-Männern zu tun. Die erste Kompanie von in Trawniki ausgebildeten Wachmännern in Belzec wurde abgezogen, nachdem am 3. März 1943 zwölf von ihnen desertiert waren. Die Ersatzkompanie, die am 27. März eintraf, um die jüdischen Zwangsarbeiter beim Abriss des Lagers zu bewachen, meuterte am 10. April. Der SS-Stab richtete die Rädelsführer hin und verlangte die Rückverlegung der anderen.[114] Anfang Juli 1943 flohen 15 der 150 nach

---

[112] SS-Totenkopf-Sturmbann/KgL der Waffen-SS Lublin (abgez. Langleist) an Kommandantur/KgL der Waffen-SS Lublin, 24. Januar 1943, 1173/4/6, S. 1, LVA Wilna.

[113] SS- und Polizeigericht VI/Zweiggericht Lublin, Urteil im Verfahren gegen den Trawniki-Mann Wlodzimierz Bruchacki, 4. Mai 1944, W. Bruchacki TFP, 3676/4/327, S. 83 ff., ASBU Kiew.

[114] Personalbogen 1162, o. D., M. Korschikow TPF, RG 20869, Bd. 20, S. 19, ZA FSB Moskau; Vern. Pjotr Petrowitsch Browtsew, 25. August 1964, Matwienko-Verfahren, 4/100366, Bd. 10, S. 90–99, AFSB Krasnodar; Vern. Michail Jegorowitsch Korschikow, 10. September 1964, ebd., S. 141–145; SSPF Lublin/Ausbildungslager Trawniki [gez. Schwarzenbacher] an SS-Arbeitslager Belzec, „Übergabeverhandlung", 27. März 1943, RG K-779, 16/312 „e"/411, S. 280 f., ZA FSB Moskau; Personalbogen 81, 24. Oktober 1941, E. Binder TPF, RG 20869, Bd. 2, S. 283, ZA FSB Moskau. Zwei Tage später, am 12. April, traf eine weitere Ersatzkompanie ein, die überwiegend aus neuen Zivilrekruten bestand und die jüdischen Zwangsarbeiter bewachte, bis diese Anfang Juni, als das Lager aufgelöst war, zur Ermordung nach Sobibor transportiert wurden: SSPF Lublin/Ausbildungslager Trawniki [gez. Schwarzenbacher] an SS-Sonderkommando Belzec, „Übergabeverhandlung", 12. April 1943, RG K-779, 12/312 „e"/410, S. 242, ZA FSB Moskau; Personalbogen 3427, P. Popeliuk TPF, Popeljuk-Verfahren, Nr. 1569, S. 295, ASBU Iwano-Frankiwsk; Personalbogen 3451, 17. Februar 1943, I. Huminiuk TPF, Verfahren gegen I. I. Gumenjuk [fortan: Gumenjuk-Verfahren], 5515/2515, unpaginiert, ASBU Iwano-Frankiwsk.

Auschwitz abgestellten Trawniki-Männer in voller Bewaffnung aus dem Lager. Nach intensiver Suche, an der 500 SS-Männer aus dem Lager sowie Gendarmen und Polizisten aus den Nachbardistrikten beteiligt waren, und mindestens einem Schusswechsel wurden acht Deserteure getötet und einer gefangen genommen. Nach Aussage des gefangenen Mannes waren sie geflohen, weil „der Dienst zu schwer und das Essen nicht ausreichend" sei und weil sie gedacht hatten, „dass es ihnen bei den Banden besser gehen würde".[115] Nur acht Wochen darauf desertierten 16 in Trawniki ausgebildete Wachmänner von ihren Posten in Krakau-Plaszow.[116]

Trawniki-Männer, die den Deutschen gewissenhaft bei ihren grausamen Unternehmungen halfen, wurden von ihren deutschen Vorgesetzten mit Zeichen der Höflichkeit und des Respekts bedacht. Nach Aussage eines volksdeutschen Trawniki-Mannes gab Streibel eines Tages bekannt, dass die Auspeitschung als Disziplinarstrafe abgeschafft werde, und vermittelte den Trawniki-Männern den Eindruck, dass sie fortan „als deutsche Soldaten gelten" würden.[117] Verlor ein Trawniki-Mann in Ausübung seines Dienstes das Leben, wurde er mit allen Ehren auf einem deutschen Militärfriedhof beigesetzt.[118] Der Familie von Wolodymer Chytrenia, der von Partisanen getötet worden war, drückte Streibel im Namen „aller Angehörigen des SS-

---

[115] Kommandantur Konzentrationslager Auschwitz [gez. Höß] an SSPF Lublin Globocnik, 6. Juli 1943, mit angehängtem Bericht vom 5. Juli 1943, RG K-779, 16/312 „e"/410, S. 231–234, ZA FSB Moskau; Personalbogen 798, 1. Dezember 1941, P. Wergun TPF, RG 20869, Bd. 8, S. 70, ZA FSB Moskau; SSPF Lublin/Ausbildungslager Trawniki [gez. Heintze] an Kommandantur Konzentrationslager Auschwitz, „Übergabeverhandlung", 29. März 1943, RG K-779, 16/312 „e"/410, S. 179–182, ZA FSB Moskau.

[116] SSPF Krakau/Zwangsarbeitslager Plaszow [gez. Raebel] an KdS Krakau, 31. August 1943, ebd., S. 7.

[117] Aussage von Abram Thießen, 29. Mai 1973, Streibel-Verfahren, 147 Js 43/69, S. 26190–219, StA Hamburg. Wenn Thießens Aussage zutrifft, könnte Streibel diese Ankündigung im Zusammenhang mit der Unterstellung der Trawniki-Männer unter die Disziplinarvorschriften der Ordnungspolizei im Frühjahr 1943 gemacht haben.

[118] Vgl. den Fall von Borys Odartschenko, der im April 1943 während des Aufstandes im Warschauer Ghetto ums Leben kam und auf einem deutschen Militärfriedhof beigesetzt wurde. Dienstausweis 1573, o.D., B. Odartschenko TPF, RG 20869, Bd. 10, S. 79, ZA FSB Moskau; Meldung über die Lage des Grabes von B. Odartschenko, Akte der Wehrmachtauskunftsstelle; Stroop-Bericht, Verlustliste, S. 628. Zu anderen Beerdigungen auf deutschen Militärfriedhöfen siehe: SS-WVHA/SS-Ausbildungslager Trawniki [gez. Streibel] an die Familie von Jurko Uchatsch, 20. September 1943, N. Uchatsch TPF, RG 20869, Bd. 7, S. 114, ZA FSB Moskau; SSPF Lublin/Ausbildungslager Trawniki [gez. Streibel] an Michail Flunt, 24. Juli 1943, M. Flunt TPF, ebd., Bd. 10, S. 57; SS-WVHA/SS-Ausbildungslager Trawniki [gez. Streibel] an Olexander Babijtschuk, 8. Januar 1944, O. Babijtschuk TPF, 3676/4/327, S. 11, ZDAWO Kiew.

Ausbildungslagers Trawniki" sein „herzlichstes Beileid" aus.[119] Nachdem Josef Glista bei einem Unfall ertrunken war, unterzeichnete Streibel den Beileidsbrief, in dem die Familie darüber unterrichtet wurde, dass Glista mit allen Ehren auf einem Militärfriedhof beerdigt worden war.[120] Als der an Tuberkulose erkrankte Nikolai Petriuk, ein altgedienter Trawniki-Mann, der in den Gendarmerieposten in Cholm und Tomaszow Lubelski gedient hatte, im Sterben lag, erkundigten sich die örtlichen Beamten vom volksdeutschen Verbindungsbüro, ob er „als Wachmann, in diesem Fall als deutscher Soldat behandelt werden muss". Die Antwort darauf ist zwar nicht überliefert, aber Petriuk starb in Lublin, wohin ihn die Beamten von Zamosc im Fall einer bejahenden Antwort schicken wollten, und wurde dort auf einem deutschen Militärfriedhof bestattet.[121] Am 16. November 1942 wurde Iwan Walnyski, obwohl er Russe war, weniger als fünf Monate als Trawniki-Mann gedient hatte und während des Dienstes als Wachmann in einer dem SSPF Krakau unterstehenden Zwangsarbeitsstätte an Herzversagen verstorben war, in Krakau zusammen mit fünf deutschen Soldaten mit allen militärischen Ehren beigesetzt. Vertreter des SSPF Krakau, Walnyskis in Krakau-Plaszow dienende Kameraden aus Trawniki und die SS-Standortverwaltung in Krakau legten auf seinem Grab Kränze nieder, während eine Militärkapelle „Ich hatt' einen Kameraden" spielte, und am Ende der Zeremonie erwies ein Ehrenzug der Wehrmacht „den verstorbenen Kameraden die letzte Ehre", indem er mehrere Salven abschoss.[122]

Wiederholt ermahnten SS- und Polizeistellen die mit Trawniki-Männern zusammenarbeitenden Reichsdeutschen, diese als Gleichgestellte zu behandeln. Bei der Begrüßung von Angehörigen des SS-Totenkopfbataillons in Trawniki Ende November 1943 ermutigte der Kommandeur des 1. Bataillons, Willi Franz, zur Verbrüderung zwischen SS-Männern und in Trawniki ausgebildeten Unteroffizieren, indem er ihnen erlaubte, außerhalb des Dienstes gemeinsam in die Stadt zu gehen, ohne eine Ausgangserlaubnis be-

---

[119] SS-WVHA/SS-Ausbildungslager Trawniki [gez. Streibel] an die Familie Pawlo Chytrenia, 26. November 1943, W. Chytrenia TPF, RG 20869, Bd. 7, S. 126, ZA FSB Moskau.

[120] SSPF Lublin/Ausbildungslager Trawniki [gez. Streibel] an Maria Glista, 25. Juni 1943, J. Glista TPF, 3676/4/327, S. 187, ZDAWO Kiew; SSPF Lublin/Ausbildungslager Trawniki, „Aufstellung über die an das Kdo. Warschau abgestellten Wachmänner (S. B.)", 17. April 1943, RG K-779, 16/312 „e"/411, S. 127-130, ZA FSB Moskau.

[121] Personalbogen 881, o. D., und weitere Korrespondenz in: N. Petriuk TPF, RG 20869, Bd. 8, S. 192, 196 f., ZA FSB Moskau.

[122] Personalbogen 2022, 22. Juli 1942, und Acktenbemerk [sic!] des Kommandeurs der Wachmannschaft der jüdischen Zwangsarbeitslager I und II des SSPF in Krakau, 17. November 1942, I. Walnyski TPF, RG 20869, Bd. 4, S. 186–190, ZA FSB Moskau.

antragen zu müssen.[123] Am 7. Januar 1944 legte Streibel den reichsdeutschen Unteroffizieren in Trawniki nachdrücklich Himmlers Befehl vom 27. November 1943 ans Herz, selbst sprachlich keinerlei Unterschiede zwischen Reichs- und Volksdeutschen zu machen.[124] Nachdem im November 1943 eine Kompanie von Trawniki-Männern, die vorher im Vernichtungslager Treblinka gedient hatten, via Trawniki in Stutthof eingetroffen war, wies der Lagerkommandant das gesamte Personal darauf hin, dass die Neuankömmlinge „sich bereits im Bandeneinsatz hervorragend bewährt" hätten und „entsprechend ausgezeichnet" worden seien. Er forderte alle Ränge auf, „diesen Männern, die zunächst hier noch fremd sind, zu helfen und sie in jeder Weise zu unterstützen". Es gebe keinen Grund, sie „zweitrangig zu behandeln", nur weil sie nicht so gut Deutsch sprächen. Die Männer hätten sich „freiwillig zum Waffendienst für Deutschland gemeldet, stehen in unseren Reihen, tun den gleichen Dienst wie wir und sind deshalb auch unsere Kameraden".[125]

Das Datum, an dem die „Aktion Reinhard" in allen Belangen abgeschlossen war, ist nicht genau festzustellen. Die schlecht geplante „Eindeutschung" von Zamosc und Umgebung, die zum Teil mit Hilfe von Trawniki-Männern durchgeführt wurde, löste im gesamten Distrikt Partisanenaktivitäten aus, die zusammen mit Globocniks Unfähigkeit, mit dem neuen Gouverneur des Distrikts Lublin, SS-Gruppenführer Richard Wendler, auszukommen, dazu führten, dass der SSPF Mitte September 1943 Lublin verließ und eine neue Stelle als Höherer SS- und Polizeiführer (HSSPF) in Triest antrat.[126] Vor

---

[123] SS-Ausbildungslager Trawniki/Führer des I. Bataillons [gez. Franz], „Bataillonsbefehl Nr. 165/43", 30. November 1943, RG K-779, 16/312 „e3"/409, S. 292, ZA FSB Moskau.

[124] Kommandeur SS-Ausbildungslager Trawniki [gez. Streibel] an 1., 2., 3. Kompanie und Verwaltung, „Bataillonsbefehl Nr. 4/44", 7. Januar 1944, RG K-779, 16/312 „e"/409, S. 370, ZA FSB Moskau.

[125] Kommandantur/Konzentrationslager Stutthof [gez. Hoppe], „Kommandanturbefehl Nr. 83", 16. November 1943, Sign. I-IB-2, APMS. Zur Verlegung von Treblinka über Trawniki nach Sachsenhausen-Stutthof: SS-Sonderkommando Treblinka, „Beförderungsvorschlag" [gez. Kurt Franz], 1. September 1943, RG KL-Kommandantur Stutthof, CA 903, Sign. 2, S. 11, APSM; Stammkarte, o. D., und Personal-Bogen, 10. Dezember 1943, Stutthof-Personalakte W. Tscherniawskyj, RG KL-Kommandantur Stutthof, CA 903, Ordner 2, S. 7, 12, APSM; Stammkarte, o. D., Stutthof-Personalakte D. Dosenko, ebd., S. 5; Stammkarte, o.D., und Personal-Bogen, 25. Februar 1944, Stutthof-Personalakte W. Schischajew, ebd., S. 17, 20; Vern. Iwan Danilowitsch Schwidki, 10. Juli 1951, Schwidki-Verfahren, 7168/56433, S. 16–20, ASBU Donezk.

[126] Globocnik betrachtete die „Aktion Reinhard" mit seiner Abreise sicherlich als beendet: HSSPF Operationszone Adriatisches Küstenland [gez. Globocnik] an SS-Personalhauptamt [von Herff], 27. Oktober 1943, Sammlung vermischter Dokumente, Ordner Verschiedenes, Bd. 274, S. 5 ff., BA-ZdL. Zu Trawniki-Männern in Zamosc: SSPF Lublin/Ausbildungslager Trawniki [gez. Schwarzenbacher] an SS-Sonderkommando I, Zamosc, „Übergabeverhandlung", 1. April 1943, RG K-779, 16/312 „e"/411, S. 250, ZA FSB Moskau.

seiner Abreise vereinbarte er mit WVHA-Chef Oswald Pohl die Übernahme von Einrichtungen, Gefangenen sowie Verwaltungs-, Führungs- und Wachpersonal der Zwangsarbeitslager für Juden der Operation „Reinhard" (einschließlich Poniatowa, Trawniki, Budzyn und Krasnik) durch dessen Amt. Die Lager sollten zu Unterlagern von Lublin-Majdanek und die Häftlinge als KZ-Insassen registriert werden, während die Trawniki-Männer von der Inspektion der Konzentrationslager übernommen werden sollten.[127]

In den folgenden Monaten wurden fast 1000 Trawniki-Männer in das KZ-System des WVHA eingegliedert und dienten in allen großen WVHA-Lagern, außer Auschwitz und Lublin-Majdanek, als Wachen. Die Trawniki-Männer in Auschwitz waren im Juli 1943 auf Drängen von Höß nach Buchenwald versetzt worden; weitere Trawniki-Männer kamen später über Sachsenhausen nach Buchenwald.[128] Im September 1943 wurde das in Plaszow Dienst tuende Kommando von Trawniki-Männern zur dritten Kompanie des am gleichen Ort stationierten SS-Totenkopfbataillons, und am 1. Oktober 1943 wurden 140 Trawniki-Männer ins KZ Flossenbürg versetzt, wo sie bis zum Kriegsende blieben.[129] Zwischen dem 9. November und 1. Dezember 1943 trafen in Sachsenhausen 561 Trawniki-Männer ein, von denen nur ein Teil dort blieb, während der Rest in andere Lager in Deutschland weiterverteilt wurde.[130]

---

[127] Erlass des SS-Wirtschafts-Verwaltungshauptamts [gez. Pohl], 13. August 1943, SS-Offiziersakte G. Wippern, RG 242, A3343, NARA; Notiz von Pohl, 7. September 1943, RG 238, NO-599, NARA.

[128] Vern. Fjodor Platonowitsch Gorun, 19. März 1951, Gorun-Verfahren, 6035/4277, S. 69–78, ASBU Kiew; Vern. Jewdokim Semjonowitsch Parfinjuk, 24. Oktober 1961, Schults-Verfahren, 14/66437, Bd. 24, S. 145–151, ASBU Kiew. Zu einem Beispiel für eine spätere Verlegung siehe: Krankenakte von Dmytro Kramer, 6. April 1945–27. Juni 1945, Deutsches [Wehrmacht-]Krankenbuchlager Berlin; nicht unterschriebene Erklärung von Dimitri Kramer, o.D. [Mai oder Juni 1945], Akte 429 AR-Z 23/74, Bd. 1, S. 80, BA-ZdL.

[129] „Namentliche Nachweisung der aus Trawniki kommandierten Unterführer und Wachmänner der 3. SS-T. Stuba., K.L. Krakau-Plaszow", o. D. [vermutlich September 1943, da die Namen der am 31. August 1943 aus Plaszow desertierten Männer in der Liste fehlen], RG K-779 16/312 „e"/210, S. 212 f., ZA FSB Moskau; SS-WVHA/SS-Ausbildungslager Trawniki an Lagerführung/KL Flossenbürg, „Übergabeverhandlung", 1. Oktober 1943, RG K-779, 16/312 „e"/410, S. 193–195 Rückseite, ZA FSB Moskau; Bescheinigung, gez. vom Führer des SS-Totenkopfsturmbann/KL Flossenbürg, 7. Oktober 1943, ebd., t. 409, S. 396. Die meisten der in Plaszow verbliebenen Trawniki-Männer wurden Ende Mai 1944 nach Sachsenhausen verlegt: Kommandantur KL Plaszow an Kommandantur KL Sachsenhausen, 4. Juli 1944, 1367/1/143, S. 21 f., GWA Moskau.

[130] Am 11. November 1943 trafen 200 Trawniki-Männer in Sachsenhausen ein (SS-WVHA/SS-Ausbildungslager Trawniki an SS-T.Wachbataillon Sachsenhausen, 9. November 1943, RG K-779, 16/312 „e"/410, S. 42–46, ZA FSB Moskau). Weitere 241 kamen am 20. November in zwei Gruppen nach Sachsenhausen (SS-WVHA/SS-Ausbildungslager Trawniki an SS-T.Wachbataillon Sachsenhausen, 20. November 1943 [zwei Dokumente], ebd.,

Nachdem Globocnik den größten Teil des deutschen „Reinhard"-Personals, 70 seiner Lieblingswachmänner aus Trawniki sowie – zur Verärgerung seines Nachfolgers in Lublin, SS-Gruppenführer Jakob Sporrenberg – auch Bataillonskommandeur Johann Schwarzenbacher nach Triest mitgenommen hatte,[131] bewachten die restlichen Trawniki-Männer, deren Reihen durch Hunderte von Desertionen ausgedünnt waren,[132] die leeren Lager in Poniatowa, Trawniki und Sobibor sowie die noch in Betrieb befindlichen Arbeitslager in Budzyn und Krasnik.[133]

Nach dem Mordunternehmen „Erntefest" brachte die SS eine kleine Gruppe Juden aus einem Arbeitslager in Milejow nach Trawniki. Die Männer mussten die ermordeten Gefangenen verbrennen und die Frauen die Kleidung der Opfer sortieren und verpacken. Als diese grausigen Arbeiten getan

---

S. 108–112, 117 f.). Eine letzte Gruppe von 120 Wachmännern aus Trawniki traf am 1. Dezember ein (SS-WVHA/SS-Ausbildungslager Trawniki an SS-T.Wachbataillon Sachsenhausen, 1. Dezember 1943, ebd., S. 55 ff.). Zur Weiterverlegung nach Mauthausen: Kommandeur SS-Wachbataillon Sachsenhausen, „Stärkemäßige Veränderungen im Monat März 1944", 3. April 1944, 1367/1/79, S. 93 f., GWA Moskau. Zur Weiterverlegung nach Stutthof: Kommandantur/Konzentrationslager Stutthof [gez. Hoppe], „Kommandanturbefehl Nr. 83", 16. November 1943, Sign. I-IB-2, APMS; Personalbogen, 6. Dezember 1943, und Ausweis, o. D., Stutthof-Personalakte D. Dosenko, RG Kommandantur Stutthof, 903/2, S. 2, 5, AGK. Zu Trawniki-Männern in Ravensbrück zwischen November 1943 und Januar 1944: Stammkarte von Wassili Witenko, o. D., Verfahren gegen W. I. Witenko (fortan: Witenko-Verfahren), 5729/2847, S. 3, ASBU Iwano-Frankiwsk. Zu Neuengamme: Vern. Valentin Iwanowitsch Plugatar, 28. Juni 1949, Litwinenko-Verfahren, 158/57252, Bd. 6, S. 19–27, ASBU Lwiw. Zu Natzweiler: Kommandantur KL Natzweiler, „Kommandanturbefehl Nr. 16/43", 24. November 1943, NS 4 Na/9, S. 29 ff., BA Berlin.

[131] Globocnik an von Herff, 27. Oktober 1943, SS-Offiziersakte J. Schwarzenbacher, Rolle 123B, Fotos 408 f., NARA.

[132] Z. B.: SSPF Lublin/SS-Ausbildungslager Trawniki/Führer, I. Bataillon [gez. Raake] an Lagergeschäftszimmer, Pol. Abteilung und 3. Kompanie, 26. Mai 1944, RG K-779, 16/312 „e"/410, S. 236, ZA FSB Moskau.

[133] Führer Kommando Poniatowa [gez. Schubert], „Namentliche Liste des Wachkommandos Poniatowa", [in Trawniki eingegangen am] 31. März 1944, ebd., S. 332 f.; SSPF Lublin/Ausbildungslager Trawniki/I. Bataillon [abgez. Raake] an SS-Arbeitslager Poniatowa, 1. Mai 1944, ebd., t. 411, S. 45 ff.; SSPF Lublin/SS-Ausbildungslager Trawniki/1. Bataillon [gez. Raake], „Bataillonsbefehl Nr. 25/44", 3. Juli 1944, ebd., S. 145; SS-WVHA/SS-Ausbildungslager Trawniki an SS-Sonderkommando Sobibor, 2. Februar 1944, ebd., p. 34. Zu Krasnik: SS-WVHA/SS-Ausbildungslager Trawniki/Kommando Lublin [gez. Basener] an SS-WVHA/SS-Ausbildungslager Trawniki, 19. Februar 1944, ebd., t. 409, S. 204; SSPF Lublin/Arbeitslager Krasnik [gez. Bartetzko] an SSPF Lublin/SS-Ausbildungslager Trawniki, 29. März 1944, ebd., t. 410, S. 326.

waren, wurden die Männer erschossen, während die Frauen im Arbeitslager als Putzfrauen und Wäscherinnen verwendet wurden.[134]

Auch auf dem Lande wurden Trawniki-Männer eingesetzt; sie suchten nach Partisanen oder versteckten Juden, erfüllten für die SS-Standortverwaltung und den SSPF in Lublin Sicherheits- und Verwaltungsaufgaben und bewachten SS-Güter im gesamten Distrikt Lublin.[135] Schließlich unterstützten in Trawniki ausgebildete Wachmänner Kommandos von Sicherheitspolizei und Gendarmerie im Kampf gegen die politische Opposition, bei der Beschlagnahme von Landwirtschaftsprodukten, beim Transport von Zwangsarbeitern in das Reich und beim Schutz von Nachschubdepots der Waffen-SS

---

[134] Zur Bewachung der überlebenden Juden in Trawniki: Kommandeur SS-Ausbildungslager Trawniki [gez. Rolixmann], „Bataillonsbefehl Nr. 5/44", 10. Januar 1944, RG K-779, 16/312 „e"/409, S. 319, ZA FSB Moskau. Die Frauen wurden im Mai 1944 buchstäblich alle nach Lublin-Majdanek gebracht. Mehrere von ihnen überlebten den Krieg (siehe bspw.: Auszüge aus Nachkriegsaussagen von Zina Czapnik, 28. März 1966, und Raja Mileczina, 30. Juli 1975, abgedruckt in GRABITZ/SCHEFFLER, Zwangsarbeit und Vernichtung, S. 269–272; Vern. Hela Ender, 7. Mai 1969, Streibel-Verfahren, 143 Js 43/69, Bd. 82, S. 15731 ff., StA Hamburg; Vern. Linda Penn, geborene Kremer, 10. April 1973, ebd., Bd. 96, S. 18332–42; Vern. Sabina Szejnberg, 5. Mai 1969, Michalsen-Verfahren, 8 AR-Z 74/60, Bd. 51, S. 9742–46, BA-ZdL; Vern. Eva Tusk, 18. April 1963, Hahn-Verfahren, 147 Js 7/72, Bd. 48, S. 9210–16, StA Hamburg). Obwohl es an Belegen dafür fehlt, könnten kleine Gruppen auch für Hausarbeiten in den leeren Lagern in Poniatowa und Sobibor eingesetzt worden sein. Wenn dies der Fall war, ist bis heute kein Hinweis über ihr Schicksal aufgetaucht. Zu Trawniki-Männern in Poniatowa siehe die Quellen in Anmerkung 74. Zu Sobibor als einem SS- und Polizeistützpunkt, der im Winter 1943/44 von Trawniki-Männern bewacht wurde: Bescheinigung der 2. Reiter-Ausbildungs-Schwadron/SS-Kavallerie-Ausbildungs- und -Ersatz-Abteilung, 6. Februar 1944, RG K-779, 16/312 „e"/409, S. 302, ZA FSB Moskau; Sonderkommando Sobibor, „Namensliste", 30 März 1944, ebd., t. 410, S. 347.

[135] „Namentliche Liste der Einsatzkompanie", unterz. in Trawniki, 31. März 1944, RG K-779, 16/312 „e"/410, S. 322 f., ZA FSB Moskau. Zu Verwaltungsaufgaben: SS-WVHA/SS-Ausbildungslager Trawniki/Kommando Lublin [gez. Basener], „Namentliche Verzeichnis der SS-Wachmänner vom Kommando Lublin", 21. März 1944, ebd., S. 311 f.; SS-Standortverwaltung Lublin, „Aufstellung über die der SS-Standortverwaltung Lublin zugeteilten Wachmänner", 21. März 1944, ebd., S. 350; SS-Standortkommandantur Lublin der Waffen-SS an SS-Ausbildungslager Trawniki, „Namentliche Liste der nach hier kommandierten SS-Wachmänner", 21. März 1944, ebd., t. 411, S. 193 f.; SSPF Lublin an SS-WVHA/SS-Ausbildungslager Trawniki, 20. März 1944, ebd., S. 3. Zu den SS-Gütern siehe: SS-WVHA/SS-Ausbildungslager Trawniki [gez. Streibel] an SS- und Polizeistützpunkt Rachow, 28. Februar 1944, ebd., t. 410, S. 199; SS-WVHA/SS-Ausbildungslager Trawniki [gez. Streibel] an SS- und Polizeistützpunkt Cholm, 28. Februar 1944, ebd., t. 409, S. 60; SS-WVHA/SS-Ausbildungslager Trawniki/Kommando Lublin [gez. Basener] an SSPF Lublin, 29. Februar 1944, ebd., S. 70 f.

vor Plünderern und Partisanenangriffen, während die Rote Armee unaufhaltbar nach Westen vorrückte.[136]

Aufgrund der Vereinbarung über Globocniks Abgang aus Lublin übernahm Pohls WVHA im August und September 1943 das Ausbildungslager Trawniki, die „Reinhard"-Lager und die in Trawniki ausgebildeten Wachmänner. Trawniki wurde in „SS-Ausbildungslager Trawniki" umbenannt, und die Trawniki-Männer trugen fortan den Zusatz „SS" vor ihrem Dienstrang, so dass aus einem „Wachmann" nunmehr ein „SS-Wachmann" wurde. Im Spätwinter 1944 erlangten Globocniks Nachfolger Sporrenberg und Streibel jedoch die Kontrolle über das Ausbildungslager und dessen verbliebenes Personal zurück.[137]

Als die Rote Armee Ende Juli 1944 Lublin, Trawniki und Poniatowa überrannte, zogen sich die Trawniki-Männer und ihre deutschen Kommandeure zurück und sammelten sich zunächst in Kielce, bevor sie in Jedrzejow, Pinczow und Zlota am Westufer der Weichsel Stützpunkte einrichteten. Dort führten die zum „Bataillon Streibel des SSPF Lublin" reorganisierten Trawniki-Männer neben Operationen gegen Partisanen und der Bewachung von Brücken und Gebäuden auch Razzien durch, bei denen polnische Arbeiter ausgehoben wurden, die unter Bewachung der Trawniki-Männer an der Weichsel Verteidigungsanlagen errichten mussten, um den sowjetischen Vormarsch aufzuhalten.[138] Durch die Offensive der Roten Armee im Janu-

---

[136] „Nachweisung der vom Kommandeur der Sicherheitspolizei und des SD für den Distrikt Lublin mit Wirkung vom 1.2.1944 zu übernehmenden Wachmänner des Ausbildungslagers in Trawniki", unterz. in Trawniki, 22. Februar 1944, ebd., *t.* 410, S. 215. Zu Gendarmerieeinheiten siehe bspw.: Gendarmerieposten in Piaski an SS-WVHA/SS-Ausbildungslager Trawniki, 29. März 1944, ebd., S. 128; SS-WVHA/SS-Ausbildungslager Trawniki/Kommando Lublin [gez. Basener] an SS-WVHA/SS-Ausbildungslager Trawniki, 4. März 1944, ebd., S. 229; Gendarmeriezug Krasnystaw/Gendarmerieposten Zolkiewka an SS-Ausbildungslager Trawniki, 16. Februar 1944, ebd., *t.* 411, S. 22. Zu militärischen Depots: SS-WVHA/SS-Ausbildungslager Trawniki [gez. Mickeleit] an Truppenwirtschaftslager Lublin, 18. Februar 1944, ebd., *t.* 409, S. 206.

[137] Im April 1944 war das WVHA aus dem Briefkopf der Trawniki-Korrespondenz verschwunden und durch das früher übliche „SS- und Polizeiführer Lublin" ersetzt (siehe bspw.: SSPF Lublin/SS-Ausbildungslager Trawniki [gez. Puhr] an SS- und Polizeistützpunkt Cholm, 14. April 1944, RG K-779, 16/312 „e"/409, S. 210, ZA FSB Moskau; SSPF Lublin/SS-Ausbildungslager Trawniki [gez. Mickeleit] an SS-Arbeitslager Poniatowa, 25. Mai 1944, ebd., S. 218).

[138] SS-Bataillon Streibel an SS-Sonderstab Sporrenberg in Jedrzejow, 30. Oktober 1944, RG Wnioska Odznaczenia, VII/12, S. 11, AGK. Über die Aktivitäten hier siehe: Eugeniusz Adamczyk, 17. November 1949, SAL, Sign. 193, Bd. 4, S. 988 f., AGK; Vern. Jakob Sporrenberg, 4.-6. Februar 1950, Kopie in: Hoffmann-Verfahren, 8 Ks 1/70, unpaginiert, Leitzordner IX-ÜE, HHA; Bericht über die Vern. Jakob Sporrenberg, 25. Februar 1946, mit Anhang: Bericht der United States Army War Crimes Investigative Unit No. 1030, „Extracts From Consolidated Report No. PWIS Dat (n) 22 (dated 6 Sep 1945) on interrogation of Ostuf

ar 1945 wurde das Bataillon Streibel westlich bis nach Dresden getrieben, wo es gerade rechtzeitig eintraf, um die Verwüstungen mitzuerleben, die angloamerikanische Phosphorbomben am 13./14. Februar in der Stadt anrichteten.[139]

Wie die *Askaris,* von denen ihr Spitzname abgeleitet war, blieben einige der in Trawniki ausgebildeten Wachmänner bis zum Ende bei ihren deutschen Kommandeuren. Nur noch weniger als 700 Köpfe zählend, floh das Bataillon Streibel im April 1945 nach Böhmen. Dort verbrannten die Trawniki-Männer auf Drängen der Kommandeure ihre persönlichen Papiere und setzten sich ab. Die meisten tauchten in den Massen ausländischer Arbeiter unter, die durch das geschlagene Deutschland zogen; viele kehrten in die Sowjetunion zurück und wurden dort verhaftet, als die sowjetische Justiz Ende der vierziger Jahre ihre Ermittlungen intensivierte. Die volksdeutschen Trawniki-Männer blieben überwiegend in Deutschland; andere wanderten nach Nord- und Südamerika aus, darunter mindestens zwei Dutzend in die Vereinigten Staaten.[140]

Waren die in Trawniki ausgebildeten Wachmänner für die Durchführung der „Aktion Reinhard" unentbehrlich? Diese Frage ist schwer zu beantworten, da wir nicht wissen, welche anderen Optionen die Deutschen in Erwägung gezogen hätten, wenn es die Trawniki-Männer nicht gegeben hätte. Doch so überzeugend die Annahme klingt, dass SS und Polizei im Generalgouvernement andere für die Drecksarbeit gefunden hätten, wenn sie nicht die einmalige Truppe in Trawniki an der Hand gehabt hätten, so unwahrscheinlich ist es, dass Globocnik und der Distrikt Lublin ohne diese Männer die gleiche herausragende Rolle gespielt hätten. Aber ob unentbehrlich oder

---

Offermann, Johann, Uschaf Klein, Karl by PWIS Det (Norway) at Akershus Prison, Oslo", o.D., ebd.; Vern. Alexander Iljitsch Moskalenko, 22. Dezember 1947, Moskalenko-Verfahren, 2871/11991, S. 95–100, ASBU Lwiw; Vernehmungen von Nikolai Belous, 15. und 31. März 1949, Belous-Verfahren, 2391/27090, S. 15–19, 26–35, ASBU Lwiw; Vern. Heinrich Otto, 22. Juni 1965, Streibel-Verfahren, Bd. 59, S. 11616, StA Hamburg.

[139] Der Weg des Bataillons Streibel ist dessen persönlichen Papieren zu entnehmen (Akten 114-242-6 und 114-242-7, SUA Prag; vgl. in Letzterer: 4. Kompanie, SS-Bataillon Streibel, „Namentliches Verzeichnis der 4. Kompanie, SS-Batl. Streibel", 14. Februar 1945, S. 20, 22; sowie: Vern. Alexander Iljitsch Moskalenko, 22. Dezember 1947, Moskalenko-Verfahren, 2871/11991, S. 95–100, ASBU Lwiw). Neben anderen Aufgaben wurden die Trawniki-Männer in Dresden eingesetzt, um verschüttete Leichen zu bergen und fortzubringen.

[140] Ein Beispiel für einen ehemaligen Trawniki-Mann, der in die Sowjetunion zurückkehrte, war Alexander Iljitsch Moskalenko (siehe dessen Vernehmung am 17. November 1947, Moskalenko-Verfahren, 2871/11991, S. 45–61, ASBU Lwiw). Ein Trawniki-Mann, der im Westen blieb, war Franz Swidersky (siehe dessen Vernehmung am 13. November 1968, Swidersky-Verfahren, 8 Ks 4/70, S. 129–138, S. 136, StA Düsseldorf). Bis zum April 2003 hat die Abteilung für Sonderermittlungen des US-Justizministeriums Gerichtsverfahren gegen 16 in den USA lebende frühere Trawniki-Männer eröffnet.

nicht, Historiker können sie allemal als Fußvolk der „Endlösung" im Generalgouvernement, ja sogar als Fronttruppen der „Aktion Reinhard" bezeichnen.

KLAUS-MICHAEL MALLMANN

„MENSCH, ICH FEIERE HEUT' DEN TAUSENDSTEN GENICKSCHUSS". DIE SICHERHEITSPOLIZEI UND DIE SHOAH IN WESTGALIZIEN*

Wer beim derzeitigen Stand der Täterforschung mehr als nur Spekulation oder Gemeinplätze über die Angehörigen der Sicherheitspolizei als Exekutoren der Shoah darbieten will, wer empirisch Substantielles über ihre Zusammensetzung und Rekrutierung, soziale Herkunft und politische Sozialisation, Motivation und Selbstdeutung formulieren möchte, wer Dispositionen freilegen, Situationen erkunden und Ursachenfaktoren ordnen will, der tut gut daran, mit einer regionalen Tiefenbohrung zu beginnen und deren Ergebnisse dann im Prozess des Vergleichs auf ihre Gültigkeit hin abzuklopfen. Nur auf diese Art und Weise – so scheint mir – werden wir sukzessive zu flächendeckenden Panoramen gelangen, die der Vielfalt innerhalb dieser Tätergruppe Rechnung tragen und mehr als nur einzelne Exponenten oder spezifische Funktionseliten ausleuchten.[1]

---

* Der Aufsatz erschien zum ersten Mal in: Die Täter der Shoah. Fanatische Nationalsozialisten oder ganz normale Deutsche?, hg. v. GERHARD PAUL, Göttingen, 2002, S. 109-136.
  [1] Bahnbrechend für die Ebene der Stapo-Stellenleiter GERHARD PAUL: Ganz normale Akademiker. Eine Fallstudie zur regionalen staatspolizeilichen Funktionselite, in: Die Gestapo. Mythos und Realität, hg. v. GERHARD PAUL/KLAUS-MICHAEL MALLMANN, Darmstadt 1995, S. 236-254; JENS BANACH: Heydrichs Elite. Das Führerkorps der Sicherheitspolizei und des SD 1936-1945, Paderborn u.a. 1998; am biographischen Beispiel ULRICH HERBERT: Best. Biographische Studien über Radikalismus, Weltanschauung und Vernunft 1903-1989, Bonn 1996; für die Einsatzgruppen KLAUS-MICHAEL MALLMANN: Die Türöffner der ‚Endlösung'. Zur Genesis des Genozids, in: Die Gestapo im Zweiten Weltkrieg. ‚Heimatfront' und besetztes Europa, hg. v. GERHARD PAUL/KLAUS-MICHAEL MALLMANN, Darmstadt 2000, S. 437-463.

Forschungsdesiderate und Überlieferungsstruktur

Meine Wahl fiel auf eine Gruppe im Epizentrum des Völkermordes, die historiographisch bisher noch kaum erforscht ist,[2] in Ermittlungsverfahren, Anklageschriften und Urteilen jedoch extrem genau exploriert wurde:[3] die Sicherheitspolizei im Distrikt Krakau (Kraków),[4] dem südwestlichen und südlichen Teil des Generalgouvernements. Diese westgalizischen Befunde werden in einem zweiten Schritt dann mit den bereits vorliegenden Erkenntnissen für die Distrikte Lemberg (Lwów/Lvív) und Lublin verglichen,[5] um so wenigstens für das Generalgouvernement zu repräsentativen Aussagen zu gelangen. In einem dritten Schritt werden die Resultate schließlich mit axiomatischen Aussagen der älteren Holocaustforschung konfrontiert und auf der Basis des sichtbar werdenden Kontrasts erste Schlussfolgerungen hinsichtlich der Täter gezogen.[6]

---

[2] Bisher dazu GABRIELE LESSER: Leben als ob. Die Untergrunduniversität Krakau im Zweiten Weltkrieg, Köln 1990; „Sonderaktion Krakau". Die Verhaftung der Krakauer Wissenschaftler am 6. November 1939, hg. v. JOCHEN AUGUST, Hamburg 1997; eher populärwissenschaftlich JÓZEF BRATKO: Gestapowcy, Kraków 1985; WŁODZIMIERZ BORODZIEJ: Terror und Politik. Die deutsche Polizei und die polnische Widerstandbewegung im Generalgouvernement 1939-1944, Mainz 1999, konzentriert sich entgegen seinem Titel fast ausschließlich auf den Distrikt Radom.

[3] Bundesarchiv-Außenstelle Ludwigsburg (=BAL), 206 AR-Z 283/60, 206 AR 641/70, SA 240 I, SA 535 (Krakau); 206 AR-Z 31/60, SA 191, SA 238 (Neu-Sandez); 206 AR-Z 46/61, SA 155 (Zakopane); 206 AR-Z 288/60, SA 365 (Reichshof); 206 AR-Z 827/63, SA 436 (Jaslo); 206 AR 376/63, SA 314 (Mielec); 206 AR-Z 232/60, SA 146, SA 411, SA 425 (Tarnów); 206 AR-Z 220/60, SA 144, SA 347, SA 348 (Gorlice); 206 AR-Z 13/64, SA 446 (Sanok); 206 AR-Z 39/60, 206 AR 865/71, SA 337, SA 566 (Przemyśl); 206 AR-Z 806/63, SA 455 (Krosno); 206 AR 1119/72, ASA 52 (Jaroslau); 206 AR-Z 280/59, SA 466 (Debica).

[4] Hier ist eine Anmerkung zur Terminologie nötig: Ich verwende generell die Bezeichnung während der deutschen Besetzung, selbst wenn Umbenennungen stattfanden. Dies entspringt natürlich nicht revisionistischen Aspirationen. Es will lediglich verdeutlichen, dass beispielsweise das KL Auschwitz eine deutsche Institution war und nichts mit dem polnischen Oświęcim zu tun hat.

[5] DIETER POHL: Von der „Judenpolitik" zum Judenmord. Der Distrikt Lublin des Generalgouvernements 1939-1944, Frankfurt/M. u.a. 1993; DERS.: Nationalsozialistische Judenverfolgung in Ostgalizien 1941-1944. Organisation und Durchführung eines staatlichen Massenverbrechens, München 1996; THOMAS SANDKÜHLER: „Endlösung" in Galizien. Der Judenmord in Ostpolen und die Rettungsinitiativen von Berthold Beitz 1941-1944, Bonn 1996.

[6] Als derzeit bester Überblick THOMAS KÜHNE: Der nationalsozialistische Vernichtungskrieg und die „ganz normalen" Deutschen. Forschungsprobleme und Forschungstendenzen der Gesellschaftsgeschichte des Zweiten Weltkrieges. Erster Teil, in: Archiv für Sozialgeschichte 39 (1999), S. 580-662; DERS.: Der nationalsozialistische Vernichtungskrieg im kulturellen Kontinuum des Zwanzigsten Jahrhunderts. Forschungsprobleme und Forschungstendenzen der Gesellschaftsgeschichte des Zweiten Weltkrieges, ebd. 40 (2000), S. 440-486.

Ausschlaggebend für die Auswahl von Westgalizien waren jedoch nicht nur die Forschungslücke und die Chance des Vergleichs mit angrenzenden Distrikten. Auch der spezifischen Quellendichte und -qualität kam dabei erhebliche Bedeutung zu. Denn pro Ort sagte eine Fülle von christlichen Polen, unbeteiligten Deutschen und jüdischen Überlebenden aus – verteilt auf Nordamerika, Israel und Europa und überdies zu den verschiedensten Zeitpunkten. Diese Breite paarte sich zudem mit tendenzieller Hochwertigkeit der Aussagen. Denn die extreme Dauer der Okkupation in Polen implizierte die Einrichtung stationärer Dienststellen der Sicherheitspolizei und relativ lange Ghettoisierung. Es war kein überraschender Überfall wie 1941 in der Sowjetunion, wo die Terrorwelle plötzlich zuschlug und für die Betroffenen in aller Regel anonym blieb. In Westgalizien dagegen waren die Täter überschaubar und namentlich bekannt, existierte ein Höchstmaß an Wissen und Differenzierung bei den Opfern. Die in den Ermittlungsakten sichtbar werdende erstaunlich große Fähigkeit zur Unterscheidung war Resultat dieser spezifischen Existenzbedingungen: Überleben hing nicht zuletzt davon ab, zwischen den einzelnen Deutschen differenzieren und das jeweilige Gefährdungspotential abschätzen zu können.

Während diese intensive Nähe geradezu individuelle Charakterstudien der Täter ermöglicht, erlaubte umgekehrt die Kommunikationsstruktur des „Deutschen Hauses" – der allerorten eingerichteten Kneipe, zu der nur die Besatzer Zutritt hatten – Angehörigen der Zivilverwaltung dort intimes Wissen um die Taten und die Täter. Die Quellensituation stellt sich damit völlig anders dar als im mittlerweile berühmten Fall Jedwabne.[7] Nicht singuläre Zeugnisse jüdischer Überlebender müssen gegen massenweise polnische Aussagen ins Feld geführt werden, die unisono behaupten, dass „deutsche Gendarmen" die Mörder gewesen seien[8] – obwohl es damals dort noch keine deutsche Gendarmerie gab. Für Westgalizien hingegen reicht es aus, die breite und in sich kaum widersprüchliche Überlieferung auszubreiten und daraus Schlüsse zu ziehen, um diesen zentralen Bestandteil der Destruktivitätsgeschichte des 20. Jahrhunderts besser verstehen zu können.

---

[7] JAN TOMASZ GROSS: Nachbarn. Der Mord an den Juden von Jedwabne, München 2001; konträr dazu THOMAS URBAN: Sie kamen – und sie sprachen deutsch, in: Süddeutsche Zeitung v. 1.9.2001.

[8] BAL, 205 AR-Z 233/74; 205 AR-Z 13/62.

Apparat und Personal

Die allermeisten Angehörigen der Sicherheitspolizei in Westgalizien kamen bereits 1939 als Mitglieder der von SS-Brigadeführer Bruno Streckenbach[9] geführten Einsatzgruppe (EG) I nach Polen. Deren Einsatzkommando (EK) 1 stellte ab November das Personal der Dienststelle des Kommandeurs der Sicherheitspolizei und des SD (KdS) Krakau, während sich aus deren EK 2, 3 und 4 die Mitarbeiter der diversen Außenkommandos rekrutierten.[10] An der Grenze zur Slowakei waren dies die Grenzpolizeikommissariate (GPK) Zakopane, Neu-Sandez (Nowy Sącz), Jasło, Sanok mit Außenstellen in Krosno und Gorlice sowie Przemyśl. Im nördlichen und östlichen Teil Westgaliziens dagegen wurden bis 1943 KdS-Außendienststellen (ADS) in Miechów, Tarnów, Dębica, Mielec, Reichshof (Rzeszów), Jaroslau (Jarosław), Stalowa Wola und Dobromil eingerichtet.[11]

Im Vergleich zum Altreich war die absolute Zahl der Polizeikräfte beträchtlich; so entfielen auf die Sicherheitspolizei im Generalgouvernement im März 1940 2250 Planstellen, im Mai 1943 waren dort 2200 Mann eingesetzt, im Dezember 1944 sogar 4938.[12] Doch diese Größenordnung relativierte sich erheblich durch die starke Dislozierung. Sieht man von den personalstarken KdS-Stellen ab – Krakau selbst hatte 1940 479 Planstellen[13] –, so waren die Dienststellen vor Ort relativ klein. Die KdS-ADS Jaroslau etwa war einschließlich der Dolmetscher und Schreibkräfte gerade 6–10 Mann stark, die in Tarnów bestand aus 8 – 12 Personen, das GPK Przemyśl aus rund 20.[14]

---

[9] MICHAEL WILDT: Der Hamburger Gestapochef Bruno Streckenbach. Eine nationalsozialistische Karriere, in: Hamburg in der NS-Zeit. Ergebnisse neuerer Forschungen, hg. v. FRANK BAJOHR/JOACHIM SZODRZYNSKI, Hamburg 1995, S. 93-123.

[10] Runderlass Chef der Sicherheitspolizei und des SD (=CdS) v. 20.11.1939, Bundesarchiv Berlin (=BAB), R 58/241; Erklärung Bruno Streckenbach v. 26.12.1960, BAL, 208 AR-Z 52/60, Bd.3, Bl. 414ff.

[11] Zentrale Stelle der Landesjustizverwaltungen Ludwigsburg (=ZSL): Einsatzgruppen in Polen, H.2, Ludwigsburg 1963, S. 135.

[12] RSHA I an Reichsminister der Finanzen v. 11.3.1940, BAB, R 2/12138; Aktennotiz RFSS v. 10.5.1943, ebd., NS 19/1706; Stärkemeldung Höherer SS- und Polizeiführer Ost v. 1.12.1944, BAL, Dok .Slg. Polen 157.

[13] Stellenbesetzung KdS Krakau (Undat.), BAL, Dok. Slg. Verschiedenes 301 Ef (0.218); ALWIN RAMME: Der Sicherheitsdienst der SS. Zu seiner Funktion im faschistischen Machtapparat und im Besatzungsregime des sogenannten Generalgouvernements Polen, Berlin (DDR) 1970, S. 163.

[14] Verfügung Zentralstelle Dortmund v. 9.6.1971, BAL, 206 AR 1119/72, Bd. 4, Bl. 646 ff.; Vernehmung Karl Oppermann v. 2.12.1960, ebd., 206 AR-Z 232/60, Bd. 1, Bl. 165 ff.; Urteil Landgericht (=LG) Hamburg v. 14.1.1969, ebd., SA 337.

Als weiteres Strukturmerkmal kam die separate Position von Kriminalpolizei und Sicherheitsdienst hinzu: Zwar waren Kripo und SD in die Krakauer KdS-Dienststelle nach dem Muster des Reichssicherheitshauptamtes (RSHA) integriert, im Distrikt selbst aber nur durch eigene, äußerst schwach besetzte Dependancen vertreten, die nicht selten nur aus einem Mann bestanden. Das gelegentlich kolportierte Bild vom SD als Polizeiexekutive und der Gestapo übergeordnete Führungsinstanz[15] besaß also keinerlei Realitätsgehalt. Dies implizierte einerseits, dass Kripo und SD – im Gegensatz zu den besetzten Teilen der Sowjetunion – in Westgalizien kaum in die Shoah involviert waren, dass sich die KdS-ADS und GPK andererseits ausschließlich mit dem Aufgaben der Geheimen Staatspolizei befassten.

Während Streckenbach in die Position des Befehlshabers der Sicherheitspolizei und des SD (BdS) für das gesamte Generalgouvernement aufrückte, wurde Sturmbannführer (Stubaf.) Walter Huppenkothen, zuvor Verbindungsführer der EG I bei der 14. Armee, erster KdS in Krakau. Huppenkothen, Jahrgang 1907, repräsentierte geradezu perfekt das neue Führungspersonal des RSHA: Jurastudium, Beitritt zu NSDAP und SS 1933, ein Jahr später zum SD beurlaubt, seit 1935 beim Gestapa, ab 1937 Leiter der Stapo-Stelle und des SD-Abschnitts Lüneburg.[16] Als er im Februar 1940 als KdS nach Lublin versetzt wurde, folgte ihm mit Stubaf. Dr. Ludwig Hahn ein ähnliches Kaliber. Hahn war Jahrgang 1908, gleichfalls Jurist, trat 1930 noch als Student der NSDAP und 1933 der SS bei, arbeitete ab 1935 hauptamtlich für den SD, wurde 1936 stellvertretender Leiter der Stapo-Stelle Hannover, 1937 dann Leiter der Stapo-Stelle Weimar und führte 1939 das EK 1/I nach Polen; im August 1940 wurde er als Sonderbeauftragter des Reichsführers-SS (RFSS) nach Preßburg (Bratislava) versetzt.[17]

Hahns Nachfolger, Obersturmbannführer (Ostubaf.) Dr. Max Großkopf, brach hingegen in mehrfacher Weise aus diesem Schema aus. Er war bereits 1892 geboren, promovierter Jurist und Ökonom, Kriegsfreiwilliger 1914, als Leutnant mit dem EK II ausgezeichnet. 1920 hatte Großkopf die väterliche Mühle übernommen und ab 1926 bei den Reichsverbänden des Müllereigewerbes gearbeitet. 1933 wechselte er zum Gestapa und leitete dort seitdem das recht unbedeutende Referat II E für wirtschafts-, agrar- und sozialpolitische Angelegenheiten. 1935 trat er der SS bei, nachdem er bereits 1932 die

---

[15] So RAMME, Sicherheitsdienst, S. 60 ff.
[16] Urteil LG Augsburg v. 15.10.1955, BAL, SA 48.
[17] BAB, SSO Dr. Ludwig Hahn; Urteile LG Hamburg v. 5.6.1973 und 4.7.1975, BAL, SA 443 und 522.

Parteimitgliedschaft erworben hatte.[18] Großkopf blieb bis Sommer 1943 in Krakau, leitete dann die Stapo-Stelle Graz und wurde Anfang 1945 Verbindungsführer beim Stab der Wlassow-Armee.[19] Letzter KdS Krakau wurde Ostubaf. Rudolf Batz, Jahrgang 1903, gleichfalls Jurist, Mitglied der NSDAP seit 1933 und der SS seit 1935, im selben Jahr zum Gestapa, stellvertretender Leiter der Stapo-Stelle Breslau seit 1936, ab 1938 Leiter der Stapo-Stellen Linz und Hannover, dazwischen abgeordnet als stellvertretender BdS Den Haag und 1941 als Chef des EK 2 in Lettland.[20]

Obwohl Huppenkothen, Hahn und Batz der Kriegsjugendgeneration, Großkopf dagegen der im RSHA recht raren Frontkämpfergeneration angehörte, überwogen doch die Übereinstimmungen. Sie waren durchgehend Akademiker mit Abschluss, zwei sogar mit dem Doktortitel. Gemeinsam prägte sie das Rotationsprinzip, wechselten sie periodisch zwischen der analytisch-bürokratischen Tätigkeit in der Berliner Zentrale und der operativ-exekutiven Aktivität auf den Gestapo-Chefsesseln in der Provinz oder in einer Kommandeursposition an der Peripherie des Reiches. Vor allem aber einte sie der unbedingte Wille zur völkischen Neuordnung Europas, der den späteren Genozid konzeptionell einschloss. Sie waren nicht Rädchen einer anonymen Vernichtungsmaschinerie, sondern Konstrukteure jener Apparate, die den millionenfachen Mord möglich machten. Dass sie einen fundamentalen Zivilisationsbruch begangen hatten, war ihnen durchaus bewusst; Großkopf, unter dessen Regie die Shoah in Westgalizien weitgehend vollzogen worden war, beging noch im April 1945 Selbstmord, Batz in der Untersuchungshaft 1961.[21]

Allerdings finden sich Vertreter dieser – in der Regel jungen – Weltanschauungselite bestenfalls in den wenigen Spitzenpositionen. Die Ebene der Dienststellenleiter vor Ort[22] war von Herkunft, Werdegang und Habitus her anders gestrickt. Ebenso wie ihre Männer waren sie kaum oder gar nicht geprägt von den Leitvorstellungen der „Generation der Sachlichkeit", die in

---

[18] BAB, SSO Dr. Max Großkopf; Geschäftsverteilungsplan Gestapa v. 1.7.1939, ebd., R 58/840; Anschriftenverzeichnis RSHA Stand 1.10.1941, BAL, Dok. Slg. Verschiedenes 301 yy (0.75).

[19] Dienststellenverzeichnis der Sicherheitspolizei und des SD April 1943, BAB, Slg. Schumacher 458; Befehlsblatt CdS Nr. 1 v. 6.1.1945, ebd., RD 19/2.

[20] BAB, SSO Rudolf Batz; Vernehmungen Rudolf Batz v. 11., 14., 15. und 17.11.1960, BAL, 207 AR-Z 7/59, Bd. 5, Bl. 1029 ff.

[21] Auskunft ZSL.

[22] Vgl. Verzeichnis der im Generalgouvernement eingesetzten SS-Führer des RSHA (Undat./Ende 1943), Bundesarchiv Koblenz, All.Proz. 6, Anklagedok. 1531.

der völkischen Studentenbewegung der 20er Jahre verbreitet gewesen waren.[23] Obwohl auch sie fast alle der nach 1901 geborenen Kriegsjugendgeneration angehörten und in aller Regel erst knapp über 30 waren, also mit den KdS durchaus gemeinsame Erfahrungsmomente teilten und ihnen auch an Radikalität nicht nachstanden, waren sie keine Gestalten vom Schlage eines Dr. Werner Best. Ihr Weltbild war weit weniger intellektuell, ihr Antisemitismus handfester, blutrünstiger, ihr Verhältnis zu unmittelbarer Gewalt bedeutend direkter. Sie befahlen nicht nur, sie schossen und folterten auch.

Nicht in den Universitäten und auch nicht primär in den Polizeischulen entstand ihr Weltbild, sondern zum beträchtlichen Maße in den SS-Kasernen. Denn in der Mehrzahl handelte es sich um Seiteneinsteiger, die ab 1933 in die Gestapo eingesickert waren. Robert Weißmann etwa, Jahrgang 1907, kaufmännischer Angestellter und erwerbslos in der Weltwirtschaftskrise, trat 1929 der NSDAP und 1930 der SS bei und kam 1933 über die Hilfspolizei als Kriminalangestellter zum Geheimen Staatspolizeiamt in Dresden. 1937 bestand er den Kriminalkommissar (KK)-Lehrgang, wurde 1939 zum Hauptsturmführer (Hstuf.) befördert und noch im Oktober dieses Jahres Chef des GPK Zakopane, wo er bis 1943 als „ungekrönter König" regierte.[24] Hanns Mack, geboren 1904, musste sein Technikstudium mehrfach aus wirtschaftlichen Gründen unterbrechen, wurde 1931 NSDAP- und SS-Mitglied und von dort 1933 zur Württembergischen Politischen Polizei empfohlen. Als technischer Angestellter war er zunächst mit Werkschutzaufgaben befasst, ehe er 1938 den KK-Lehrgang absolvierte und zum Hstuf. ernannt wurde. Ab 1939 baute er die KdS-ADS in Tarnów auf und wechselte 1940 nach Reichshof, wo er bis 1944 blieb.[25]

Heinrich Hamann wiederum, bekennender Antisemit noch vor Gericht, war Jahrgang 1908, selbständiger Kaufmann, trat 1931 der NSDAP und der SS bei und gelangte über die Hilfspolizei und die SS-Stabswache Hamburg zum SD-Hauptamt, wo er die Registratur leitete. 1937 kam er als KK-Anwärter zur Gestapo und bestand 1940 den KK-Lehrgang, nachdem er bereits 1939 die Leitung des GPK Neu-Sandez übernommen hatte, wo er bis Mitte 1943 bleiben sollte.[26] Männer dieses Zuschnitts, die allesamt 1939 zur EG I kommandiert worden waren, hinterließen als frischgebackene KK

---

[23] ULRICH HERBERT: „Generation der Sachlichkeit". Die völkische Studentenbewegung der frühen zwanziger Jahre in Deutschland, in: Zivilisation und Barbarei. Die widersprüchlichen Potentiale der Moderne. Detlev Peukert zum Gedenken, hg. v. FRANK BAJOHR/WERNER JOHE/UWE LOHALM, Hamburg 1991, S. 115-144; HELMUT LETHEN: Verhaltenslehren der Kälte. Lebensversuche zwischen den Kriegen, Frankfurt/M. 1994.

[24] Urteil LG Freiburg/B. v. 25.6.1965, BAL, SA 155.

[25] Anklage Staatsanwaltschaft München I v. 27.11.1963, ebd., ASA 365.

[26] Urteil LG Bochum v. 22.7.1966, ebd., SA 238.

keine Lücken in ihren bisherigen Dienststellen, da sie noch längst keine eingearbeiteten Spezialisten waren, auf die man nicht verzichten konnte. Zugleich bewirkte eine derartige Personalpolitik, die aus dem Egoismus der jeweiligen Stapo-Stellen resultierte und sich natürlich auch an der Basis fortsetzte, eine „negative Auslese",[27] eine Selektion verzichtbarer Mitarbeiter, die man, ‚loswerden' konnte oder sogar wollte. Auf der Ebene der Dienststellenleiter in Westgalizien bewirkte sie jedenfalls eine Präponderanz zunächst in der SS sozialisierter Polizeioffiziere.

Dennoch gab es auch auf dieser Ebene langjährige Laufbahnbeamte, die der Polizei bereits in der Weimarer Republik beigetreten waren. Rudolf Bennewitz etwa, Jahrgang 1902, gehörte seit 1924 der sächsischen Schutzpolizei an, wurde 1935 zur Politischen Abteilung des Polizeipräsidiums Dresden versetzt und 1937 mit ihr in die Gestapo übernommen. Im selben Jahr trat er der NSDAP, 1938 der SS bei. Als Kriminalobersekretär ging er ab 1939 bei Weißmann im GPK Zakopane gewissermaßen in die Lehre. Als er 1942 selbst in die Leiterposition von Przemyśl aufrückte, hatte er sich haltungs- und gesinnungsmäßig so weit angeglichen, dass er von Weißmann nicht mehr zu unterscheiden war.[28] Gerade beim Vollzug der Shoah hilft die Differenzierung zwischen ‚sauberen' Beamten und SS-Schlägern – so relevant sie für die Vorkriegszeit oft sein mag[29] – nicht unbedingt weiter. Hier waren Assimilationsprozesse am Werk, die einebnend wirkten und bisherige Verhaltenskodizes nivellierten, ja erodierten.

Auch an der Basis des Personalsockels gab es eine Fülle von Gestapo-Bediensteten vom altgedienten Kriminalsekretär bis zum frisch verpflichteten Kriminalassistentenanwärter.[30] Doch obwohl die GPK und KdS-ADS reine staatspolizeiliche Funktionen erfüllten, existierten dort außerdem noch drei weitere Rekrutierungslinien von erheblicher Bedeutung. Zunächst einmal gab es überall eine gewisse Anzahl von Reservisten der Waffen-SS, die das 35. Lebensjahr überschritten hatten und zur Auffüllung der Personalstärke zur Sicherheitspolizei abkommandiert oder notdienstverpflichtet worden waren.[31] Zum zweiten finden sich dort in noch größerem Maße Angehörige

---

[27] BORODZIEJ, Terror, S. 50.

[28] BAB, SSO Rudolf Bennewitz.

[29] Überzeugend HANS-DIETER SCHMID: ‚Anständige Beamte' und ‚üble Schläger'. Die Staatspolizeistelle Hannover, in: PAUL/MALLMANN, Die Gestapo. Mythos und Realität, S. 133-160.

[30] Etwa Urteil LG Bochum v. 10.7.1969, BAL, SA 411; dto. LG Hamburg v. 23.7.1981, ebd., SA 566.

[31] Etwa dto. LG Bochum v. 22.7.1966, ebd., SA 238; dto. LG Memmingen v. 10.7.1969, ebd. SA 365; dto. LG Arnsberg v. 5.12.1972, ebd., SA 436; vgl. BERND WEGNER: Hitlers Politische Soldaten: Die Waffen-SS 1933-1945. Leitbild, Struktur und Funktion einer national-

der Grenzpolizei, die zwar formal integraler Teil der Gestapo war; faktisch aber kamen sie alle aus der SS-Verfügungstruppe, hatten nach vier Dienstjahren die Grenzpolizeischule Pretzsch besucht und gerade eben ihren Arbeitsplatz bei den GPK im Reich angetreten, um dann nach Westgalizien versetzt zu werden.[32] Zum dritten tauchen hier regelmäßig Volksdeutsche aus Polen oder dem Sudetenland auf, die als Dolmetscher angeworben worden waren, trotz dieser scheinbar subalternen Funktion jedoch oft eine beträchtlich radikalisierende Sogwirkung ausübten.[33] Denn sie waren alle in den „Volkstums"-Kämpfen seit 1918 sozialisiert, hatten der Jungdeutschen Partei und dem Volksdeutschen Selbstschutz bzw. der Sudetendeutschen Partei und dem Freiwilligen Schutzdienst angehört und waren so durchaus nationalsozialistisch infiziert.[34]

Neben altgedienter Routine existierte an der Basis also eine beträchtliche Jugendlichkeit, ein hohes Maß an Seiteneinsteigern aus der SS und ein Defizit an polizeilicher Qualifikation. Letzteres war im Generalgouvernement auch nicht unbedingt nötig, da kein zielsicherer Zugriff gegen Juden und Polen beabsichtigt war; im Zweifelsfall reichten hier präventive und kollektive Schläge, und dafür genügten die Befähigungen. Zum anderen muss die „radikalisierende Wirkung dieser Durchmischung",[35] die ja nicht nur unterschiedliche Qualifikationsebenen, sondern auch Deutsche aus dem Altreich und der Ostmark sowie Volksdeutsche aus den angrenzenden Ländern miteinander verkoppelte, als bedeutsam eingestuft werden. Denn das Zusammenspiel unterschiedlicher Rollenverständnisse und Handlungsentwürfe favorisierte angesichts zunehmender Engpässe die jeweils radikalste Lösungsvariante und aktivierte und beschleunigte so den Vernichtungswillen,

---

sozialistischen Elite, Paderborn 1982; GEORGE H. STEIN: Geschichte der Waffen-SS, Königstein 1978; CHARLES W. SYDNOR: Soldiers of Destruction. The SS Death's Head Division 1933-1945, Princeton 1977.

[32] Etwa Urteil LG Bochum v. 22.7.1966, BAL, SA 238; dto. LG Kiel v. 19.3.1968, ebd., SA 240 I; dto. LG Hamburg v. 14.1.1969, ebd., SA 337; dto. LG Arnsberg v. 5.12.1972, ebd., SA 436; vgl. HANS BUCHHEIM: Die SS – das Herrschaftsinstrument, in: Anatomie des SS-Staates, Bd. 1, München 1967, S. 145 ff.; THOMAS SANDKÜHLER: Von der „Gegnerabwehr" zum Judenmord. Grenzpolizei und Zollgrenzschutz im NS-Staat, in: „Durchschnittstäter". Handeln und Motivation, Berlin 2000, S. 95-154.

[33] Etwa Urteil LG Freiburg/B. v. 18.5.1967, BAL, SA 314; dto. LG Nürnberg-Fürth v. 9.8.1968, ebd., SA 347; dto. LG Bonn v. 3.7.1973, ebd., SA 455; dto. LG Berlin v. 23.8.1973, ebd., SA 446; dto. LG Hamburg v. 23.7.1981, ebd., SA 566; Anklage Zentralstelle Dortmund v. 4.11.1976, ebd., ASA 52.

[34] Vgl. RICHARD BLANKE: Orphans of Versailles. The Germans in Western Poland 1918-1939, Lexington 1993; am lokalen Beispiel BEATE KOSMALA: Juden und Deutsche im polnischen Haus. Tomaszów Mazowiecki 1914-1939, Berlin 2001; CHRISTIAN JANSEN/ARNO WECKBECKER: Der „Volksdeutsche Selbstschutz" in Polen 1939/40, München 1992.

[35] POHL, Judenverfolgung, S. 96.

da antisemitisches Kalkül jede Deeskalation verbot, keinen Schritt zurück zuließ.[36]

Weitere Strukturelemente stützten diese immanente Tendenz zur Radikalisierung: Falls das Personal der GPK und KdS-ADS überhaupt rotierte, dann geschah dies fast ausschließlich innerhalb des Distrikts selbst; dies begünstigte sowohl die Cliquenbildung als auch die Entwicklung einer *Corporate Identity*, die auf angemaßten Herrenmenschentum und usurpierter Macht basierte und im kollektiven Blutrausch kulminieren sollte. Zudem waren die Dienststellen alles andere als hierarchisch strukturierte, bürokratisch funktionale Gebilde, in denen Geschäftsverteilungspläne und Dienstvorschriften das Handeln bestimmten. Arbeitsteilung war angesichts der dünnen Personaldecke geradezu ein Fremdwort; statt dessen machten alle alles – je nach den momentanen Erfordernissen.[37] Diese Aufweichung hierarchischer Befehlsverhältnisse und geordneter Abläufe implizierte erheblichen Raum für Anregungen und Initiativen von ‚unten', entbürokratisierte die Herrschaft und personalisierte die Formen der Machtausübung. Es lag in der Konsequenz dieses kolonialen Stils, dass man bei Juden ganz auf Schriftlichkeit verzichtete und – im Gegensatz zu betroffenen Polen – über sie keinerlei Personalakten bei individuellen Verfehlungen anlegte.[38] Zugleich waren die Dienststellen Biotope der Kumpanei und Kameraderie. Der Leiter galt zwar als unumstrittener *primus inter pares*, doch duzte man sich in aller Regel und feierte gemeinsame Gelage, bei denen der Alkohol in Strömen floss.[39]

Die „Endlösung" in Westgalizien

Bevor wir uns den Taten und den Tätern selbst zuwenden, soll zunächst jedoch der äußerliche Ablauf der „Endlösung" in Westgalizien dargestellt

[36] Wichtig dazu CHRISTIAN GERLACH: Krieg, Ernährung, Völkermord. Forschungen zur deutschen Vernichtungspolitik im Zweiten Weltkrieg, Hamburg 1998, S. 167 ff.; BOGDAN MUSIAL: The Origins of „Operation Reinhard": The Decision-Making Process for the Mass Murder of the Jews in the Generalgouvernement, in: Yad Vashem Studies 28 (2000), S. 113-153.

[37] Etwa Urteil LG Freiburg/B. v. 25.6.1965, BAL, SA 155; dto. LG Bochum v. 22.7.1966 und 27.6. 1972, ebd., SA 238 und 425.

[38] Vernehmung Gerhard Gaa v. 21.6.1963, ebd., 206 AR-Z 232/60, Bd. 5, Bl. 1470 ff.; dto. Walter Reinhardt v. 27.9.1963, ebd., 206 AR-Z 13/64, Bd. 1, Bl. 130 ff.

[39] Dto. Arno Sehmisch v. 25.1.1962, ebd., 206 AR-Z 46/61, Bd. 3, Bl. 715 ff.; dto. Lieselotte E. v. 9.5.1962, ebd., 206 AR-Z 232/60, Bd. 4, Bl. 1102 ff.; Urteil LG Hamburg v. 14.1.1969, ebd., SA 337.

werden, um den Rahmen des Geschehens zu fixieren.[40] Bei Kriegsausbruch lebten 250 000 Juden im späteren Distrikt Krakau. In den ersten Monaten der Okkupation trafen einerseits über 20 000 Juden ein, die man aus Litzmannstadt (Łódź), Schlesien und Kalisch (Kalisz) ausgesiedelt hatte; andererseits flüchteten viele Juden aus dem östlichen Grenzgebiet in das sowjetisch besetzte Ostpolen. Unterm Strich reduzierte sich so die Zahl der westgalizischen Juden auf 215 000 Personen im Juni 1940. Auch in der Folgezeit blieb ein eigentümliches Nebeneinander von Konzentration, Umsiedlung und Ausweisung kennzeichnend, das bis Mai 1941 zu einer weiteren Verringerung der jüdischen Einwohnerzahl auf 200 000 Menschen führte. So zwang man bis September 1940 35000 Krakauer Juden zum Verlassen der Stadt, um den Sitz des Generalgouverneurs möglichst „judenrein" zu machen. Auch im Bergland, wo sich viele Kur- und Erholungsorte befanden, durften sie nicht wohnen bleiben. Ebenso führte die Anlage von Flug- und Truppenübungsplätzen – wie etwa in Debica (Dębica) – zur großflächigen Ausweisung der dort wohnenden Juden.[41]

Parallel zu dieser Politik der Vertreibung verfolgte man eine Politik der Konzentration, indem man die Juden der Landgemeinden vielerorts zum Umzug in die Kreisstädte zwang. Die Ghettoisierung hingegen vollzog sich im Vergleich zu Warschau (Warszawa) und Litzmannstadt[42] eher zögerlich. So wurde erst am 21. März 1941 in Krakau das erste westgalizische Ghetto errichtet. In Bochnia wurde dies am 15. März 1942 befohlen, in Tarnów sogar erst nach der ersten Aussiedlungsaktion am 20. Juni 1942.[43] Allerdings sollte man diese fehlende Linearität nicht mit Passivität oder gar

---

[40] Knappe, wohlinformierte Überblicke bieten DIETER POHL: Die Ermordung der Juden im Generalgouvernement, in: Nationalsozialistische Vernichtungspolitik 1939-1945. Neue Forschungen und Kontroversen, hg. v. ULRICH HERBERT, Frankfurt/M. 1998, S. 98-121; DERS.: Der Völkermord an den Juden, in: Deutsch-polnische Beziehungen 1939-1945-1949. Eine Einführung, hg. v. WŁODZIMIERZ BORODZIEJ/KLAUS ZIEMER, Osnabrück 2000, S. 113-134 sowie FRANK GOLCZEWSKI: Polen, in: Dimension des Völkermords. Die Zahl der jüdischen Opfer des Nationalsozialismus, hg. v. Wolfgang Benz, München 1991, S. 411-497; als unverzichtbare Quelleneditionen Faschismus-Getto-Massenmord. Dokumentation über Ausrottung und Widerstand der Juden in Polen während des zweiten Weltkrieges. Hrsg. vom Jüdischen Historischen Institut Warschau, Frankfurt/M. 1962; Das Diensttagebuch des deutschen Generalgouverneurs in Polen 1939-1945, hg. v. WERNER PRÄG/WOLFGANG JACOBMEYER, Stuttgart 1975.

[41] Zahlen nach Bulletin des Jüdischen Historischen Instituts Warschau Nr. 30, April-Juni 1959, S. 87-92.

[42] Vgl. CHRISTOPHER R. BROWNING: Die nationalsozialistische Ghettoisierungspolitik in Polen 1939-1941, in: ders.: Der Weg zur „Endlösung". Entscheidungen und Täter, Bonn 1998, S. 37-65.

[43] The Jewish Agency for Palestine: Records of War Criminals, File Nr. K (1945), BAL, Dok. Slg. Polen 98.

Gleichgültigkeit verwechseln. „Die Judenfrage kann in absehbarer Zeit im Generalgouvernement nicht gelöst werden", befand zwar die Krakauer Distriktregierung vor Beginn der Deportationen. Sie nutzte jedoch genau diese Feststellung zugleich für ein Plädoyer zur Beibehaltung der Todesstrafe, falls Juden das Ghetto verließen: „Es wäre deshalb wenig verständlich, wenn auf eine der Möglichkeiten, legal gewisse Dezimierungen vorzunehmen, verzichtet würde."[44]

Die eigentlichen Deportationen in Westgalizien begannen am 1. Juni 1942 in Krakau, setzten sich dann nach Osten über Tarnów und Reichshof bis Jaroslau und Przemyśl fort, um dann die Richtung zu wechseln und von Ost nach West die Städte Krosno, Jaslo (Jasło), Gorlice, Neu-Sandez (Nowy Sącz), Bochnia und Neumarkt (Nowy Targ) zu erfassen. Am 10. September 1942 fand diese Welle, bei der fast täglich ein Zug mit vergitterten Viehwagen in das Vernichtungslager Belzec rollte, in Sanok ihren Abschluss. Allerdings bedeuteten diese Deportationen noch keine Totalliquidierung der Ghettos, sondern zielten auf die Ausscheidung der „unproduktiven" Juden, die jünger als 16 und älter als 35 Jahre waren, durch Selektionen vor Ort. Da angesichts der Größenordnung der jeweiligen jüdischen Populationen sowohl die Polizei aller Sparten als auch häufig das Waffen-SS-Bataillon von Debica eingesetzt werden mussten, fiel die Koordinierung dem SS- und Polizeiführer (SSPF) Krakau, dem Blutordensträger und SS-Oberführer Julian Scherner, zu. Dessen Stabsführer, Hstuf. Martin Fellenz, bzw. dessen Adjutant, Untersturmführer Hans Bartsch, sorgten jeweils für die Zusammenarbeit der lokalen deutschen Instanzen.[45]

Ihre Einsatzbesprechungen am Vortag mit den Kreishauptleuten, Stadtkommissaren, den Repräsentanten der Sicherheits- und Ordnungspolizei, des Arbeitsamtes, den Betriebsleitern mit jüdischen Arbeitskräften und häufig auch mit Vertretern der Wehrmacht arteten regelmäßig in ein Feilschen um die Zahl der zu vernichtenden Juden und der verbleibenden „Arbeitsjuden" aus.[46] Denn die Sicherheitspolizei war auf diesem Feld zwar die wichtigste, aber keineswegs die alleinige oder gar allmächtige Instanz. Alle Institutionen redeten mit, alle artikulierten ihre Interessen; das Ergebnis resultierte quasi aus dem Kräfteparallelogramm. Zugleich gebot die jedermann bewusste dünne deutsche Personaldecke Amtshilfe, Schulterschluss und konzertierte örtliche Aktion. Der Zwischenfall von Przemyśl, als Oberleutnant Dr.

---

[44] Gouverneur Distrikt Krakau an Regierung Generalgouvernement v. 14.3.1942, ebd., Dok. Slg. Polen 257.

[45] Ebd., 206 AR-Z 28/60; Urteil LG Kiel v. 27.1.1966, ebd., SA 204; dto. LG Bochum v. 14.2.1967, ebd., SA 191; dto. LG Arnsberg v. 5.12.1972, ebd., SA 436.

[46] Vernehmung Willi B. v. 18.1.1961, ebd., 206 AR-Z 232/60, Bd. 2, Bl. 329 ff.; dto. Wilhelm Rosenbaum v. 20.10.1961, ebd., 206 AR-Z 46/61, Bd. 1, Bl. 197 ff.

Albert Battel, der Adjutant des dortigen Wehrmachtskommandanten, einen Vormittag lang die Sanbrücke durch Soldaten sperren ließ, um die Deportation der „Wehrmachtsjuden" zu verhindern,[47] markiert dabei den Sonderfall der Sonderfälle. In aller Regel aber verstand man sich über die Instanzengrenzen hinweg, gelang es immer wieder, einen Minimalkonsens herzustellen. Im Teamwork vereinbarte eine kleine NS-spezifische Öffentlichkeit so jeweils zeitgebundene Projekte, die genau überschaubar waren und sich als regionale Mordkampagnen begreifen lassen.

Nach dieser ersten Vernichtungswelle im Sommer 1942, der im Distrikt Krakau insgesamt mehr als 100 000 Menschen zum Opfer fielen, kam es im Herbst dieses Jahres sowie im Frühjahr 1943 erneut zu mehreren kleinen Aktionen,[48] die anscheinend jedoch nicht zentral gesteuert waren; ihre Opfer wurden teilweise nach Belzec deportiert, teilweise unmittelbar vor Ort erschossen. Am Ende dieser Entwicklung stand gewöhnlich die Aufteilung in ein Arbeitsghetto A und ein „unproduktives" Ghetto B, das kaum noch mit Nahrungsmitteln beliefert wurde; wer dort nicht verhungerte, fiel im Laufe des Jahres 1943 der endgültigen Liquidierung anheim. Dabei kam es auch zur unmittelbaren Mitwirkung der Wehrmacht; so wurden Pioniere mit Sprengmitteln und Gashandgranaten gegen die ausgebauten Bunkerverstecke im Ghetto von Przemyśl am 2. und 3. September 1943 eingesetzt.[49] Im selben Jahr wurden die Arbeitsghettos in Zwangsarbeitslager (ZAL) umgewandelt, die nunmehr unmittelbar dem SSPF unterstanden.[50] Die Überlebenden kamen 1944 in aller Regel in das ZAL Plaszów im Südosten von Krakau, dessen letzte Häftlinge im Januar 1945 in das nahe Auschwitz deportiert wurden.[51]

---

[47] Ausführlich BAB, NS 19/1765; SEEV GOSHEN: Albert Battels Widerstand gegen die Judenvernichtung in Przemyśl, in: Vierteljahrshefte für Zeitgeschichte 33 (1985), S. 478-488.

[48] Etwa „Aussiedlungs"-Bekanntmachung für Tarnów am 10.9.1942, BAL, Dok. Slg. Verschiedenes IV.

[49] Urteil LG Hamburg v. 23.7.1981, ebd., SA 566; als Überblick WOLFGANG SCHEFFLER: The Forgotten Part of the „Final Solution": The Liquidation of the Ghettos, in: Simon Wiesenthal Center Annual 2 (1985), S. 31-51.

[50] Vorzüglicher Überblick bei DIETER POHL: Die großen Zwangsarbeitslager der SS- und Polizeiführer für Juden im Generalgouvernement 1942-1945, in: Die nationalsozialistischen Konzentrationslager. Entwicklung und Struktur, hg. v. ULRICH HERBERT/KARIN ORTH/ CHRISTOPH DIECKMANN, Bd. 1, Göttingen 1998, S. 415-438; vgl. Urteil LG Bochum v. 30.4.1964, BAL, SA 146; dto. LG München I v. 18.6.1970, ebd., SA 388; dto. LG Stuttgart v. 18.5.1992, ebd., SA 646.

[51] Urteil Oberster Volks-Gerichtshof Krakau gegen Amon Goeth v. 5.9.1946, BAL, Dok. Slg. Polen 365 A 7.

Taten und Täter

Wenn wir uns nun den Taten und den Tätern zuwenden, so gilt es zu betonen, dass tödliche Gewalt bereits seit Herbst 1939 massenhaft und periodisch wiederkehrend praktiziert wurde, dass Demütigungen und Quälereien von Juden seitdem zum alltäglichen Repertoire der Sicherheitspolizei – und längst nicht nur bei ihr – gehörten. Bereits im September 1939 zündete man in Mielec drei Synagogen an und verbrannte mindestens 50 Juden bei lebendigem Leibe.[52] In Sanok wurden im selben Monat zwei Synagogen angesteckt und fromme Juden, die die Thora retten wollten, in das Feuer geworfen.[53] Auch in Przemyśl erschoss man schon im September 1939 mehrere hundert jüdische Männer aus der Intelligenz.[54] Seitdem drehte sich die Spirale der Erniedrigung unaufhörlich weiter: „Es fanden Einzelerschießungen statt, Bärte und Schläfenlocken wurden samt Haut herausgerissen, es erfolgte das Auffangen zur Zwangsarbeit, Herauswerfen aus den besseren Wohnungen, ‚Pelz-Aktionen' und ‚Gold-Aktionen' wurden durchgeführt,"[55] erinnerte sich ein jüdischer Überlebender aus Tarnów, und einer aus Przemyśl befand: „Es verging überhaupt kein Tag, ohne dass Erschießungen, schwere Misshandlungen usw. stattfanden."[56]

Was sich seitdem etablierte, war kein lediglich von „oben" determinierter und gestalteter Prozess, sondern ein quasi rechtsfreier Raum terroristischer Gewalt, der als Spielwiese unterschiedlichster privater Interessen benutzt wurde. Es entstand ein Klima der Rechtlosigkeit, in dem man sich gegenüber Juden alles, gegenüber Polen fast alles erlauben konnte. Diese Offerte von „oben" wurde „unten" dankbar aufgenommen, ausgestaltet und ausgelebt. Als Schlüsselanekdote dafür mag ein Beispiel aus Neu-Sandez dienen: Am 28. April 1942 veranstaltete Hamann dort einen Bierabend, weil an diesem Tag etwa 300 angebliche jüdische Kommunisten erschossen worden waren. Bei steigendem Promillegehalt kam er auf die Idee, nochmals „Remmi-Demmi" zu machen und begab sich mit Angehörigen des GPK, der Gendarmerie und der Zivilverwaltung in das unbeleuchtete Ghetto. Mindestens 20 Leichen, darunter Frauen und Kinder in ihren Betten, wurden am nächsten Morgen gefunden. Unglücklicherweise hatte Hamann jedoch auch seinen Stellvertreter im Eifer des nächtlichen ‚Gefechts' erlegt. Da er jedoch glaubhaft machen konnte, diesen für einen flüchtenden Juden gehalten zu haben, wurden keinerlei disziplinarische oder gerichtliche Maßnahmen gegen

---

[52] Urteil LG Freiburg/B. v. 18.5.1967, ebd., SA 314.
[53] Aussage Leiser K. v. 5.4.1967, ebd., 206 AR-Z 13/64, Bd. 4, Bl. 644 ff.
[54] Urteil LG Hamburg v. 23.7.1981, ebd., SA 566.
[55] Aussage Josef D. (Undat.), ebd., 206 AR-Z 232/60, Bd. 2, Bl. 269 ff.
[56] Dto. Izak E. v. 25.4.1960, ebd., 206 AR-Z 39/60, Bd. 1, Bl. 70 ff.

ihn ergriffen.[57] Dass die behauptete „Abwesenheit jeglicher Form von Spontaneität" das „entscheidende Merkmal" des Vernichtungsprozesses gewesen sein soll,[58] wird wenigstens hier nicht sichtbar.

Dieser Befund beinhaltet zwei weitreichende Implikationen: Zum einen relativiert er die Bedeutung des Sommers 1941 als „Wasserscheide", da der Quantensprung in die gänzliche Vernichtung ohne die Besetzung Polens und die dort eskalierende Barbarei nicht möglich gewesen wäre; mit anderen Worten: der Vernichtungskrieg begann nicht erst 1941. Zum anderen belegen Ausmaß und Art des Tötens, dass es nicht erst einer zentralen Direktive bedurfte, um es auszulösen. Unklar bleibt allerdings, ob die Angehörigen der Sicherheitspolizei diese Einstellung bereits mitbrachten oder ob dieses Verhalten dominant einem Veränderungsprozess vor Ort entsprang. Sicher ist jedoch, dass ein derartiges Vorgehen bald schon innerhalb der Dienststellen mehrheitsfähig war und das Klima nachhaltig prägte, nachdem man die Chancen der Situation erkannt und sich wechselseitig kommunikativ abgesichert hatte.

Nicht der so gern zitierte Befehlsnotstand, sondern Initiativfreudigkeit und Erfindungsreichtum, Lust am Töten und die völlige Erosion zivilisatorischer Werte zeichneten das Handeln vor Ort aus. Nur zum kleinen Teil lassen sich die Gewaltmaßnahmen als Befehlstaten klassifizieren. Vielfach gingen KdS-Angehörige in ihrer Freizeit allein oder in kleinen Gruppen in das jüdische Viertel oder in das Ghetto, um Menschen zu erschießen, zu quälen oder zu erpressen, und sie taten dies bereits, noch ehe der Deportationsbefehl ergangen, also die Zustimmung zur Vernichtung von „oben" erteilt war.[59] Man gewann dem Genozid geradezu Unterhaltungswert ab, indem man Juden etwa Sprengpatronen in die Tasche steckte und sie mit dem Versprechen, der Sieger dürfe nach Hause gehen, zum Wettlauf aufforderte; während des Rennens wurden alle in Stücke gerissen.[60] Oder man zwang in betrunkenem Zustand zwei jüdische Mädchen, „ihr Gesäß zu entblößen" und schoss dann mehrfach auf sie; beide starben qualvoll.[61] Und über den GPK-Chef von Zakopane berichteten Überlebende: „Man konnte sich glücklich und froh betrachten, wenn Weißmann bloß die Wohnung mit allen beschlagnahmten Sachen verließ und nicht noch mehrere oder wenig-

---

[57] Anklage Zentralstelle Dortmund v. 30.3.1965, ebd., ASA 238; Vernehmung Ernst M. v. 30.9.1960, ebd., 206 AR-Z 31/60, Bd. 1, Bl. 186 ff.

[58] HANS MOMMSEN: Barbarei und Genozid, in: DERS.: Von Weimar nach Auschwitz. Zur Geschichte Deutschlands in der Weltkriegsepoche, München 2001, S. 273.

[59] Etwa Aussage Siegfried K. v. 6.10.1961, BAL, 206 AR-Z 39/60, Bd. 3, Bl. 875 ff.; dto. Leonard W. v. 4.1.1963, ebd., Bd. 5, Bl. 1403 ff.

[60] Vernehmung Therese M. v. 2.2.1962, ebd., 206 AR-Z 232/60, Bd. 3, Bl. 819 ff.

[61] Dto. Johann G. v. 9.8.1961, ebd., 206 AR-Z 46/61, Bd. 1, Bl. 133 f.

stens eine Leiche als Erinnerung an ihn zurückließ."[62] „Man sah, dass ihm das Morden von Menschen Vergnügen bereitet",[63] charakterisierten Überlebende jene nicht unbeträchtliche Gruppe von Tätern, die aus völlig freien Stücken handelte.

Der Massenmord wurde in den Alltag der KdS-Angehörigen integriert und fungierte als geradezu vergemeinschaftendes Medium einer Kultur der Gewalt.[64] „Ich roch den Geruch von verbrannten Leichen und sah, dass die Gestapo-Leute an Feuern saßen, sangen und tranken", beschrieb eine Jüdin das Ende einer „Aktion" in Przemyśl.[65] Fast immer fanden im Anschluss Siegesfeiern statt, auf denen die gesamte Dienststelle die „Befreiung von den Juden" begoss.[66] Dabei herrschte „großer Trubel" und eine Stimmung wie beim Schützenfest; mehr als einmal dürfte es vorgekommen sein, dass man sich Bierdeckel mit der Zahl 1000 ansteckte und herumgrölte: „Mensch, ich feiere heut' den tausendsten Genickschuß."[67] Dass allgemein bekannt war, was am Zielort mit den deportierten Juden geschah,[68] vermag angesichts solcher Genozidmentalität nicht zu überraschen.

Die Dienststellenleiter unterstützten geschlossen dieses Projekt des Völkermordes. Zwar legten sie in unterschiedlichem Maß selbst Hand an, aber sie ließen allen Exzessen freien Lauf – sei es, dass sie sie selbst anführten, sei es, dass sie sie bewilligten, sei es, dass sie sie nicht sanktionierten und zum Gewohnheitsrecht werden ließen. An der Basis wiederum repräsentierte ein harter Kern überzeugter und passionierter Mörder lokal jeweils die Mehrheit oder doch wenigstens die Hälfte der Dienststellen;[69] wie viele dutzend Aussagen von Überlebenden belegen, handelte es sich dabei pro Ort um jeweils 6–12 Mann, die aus allen genannten Rekrutierungsreservoirs kamen. „Die Mitglieder des Grenzpolizeikommissariats waren bis auf wenige Ausnahmen gerne bereit, bei Erschießungen mitzumachen. Das war für

[62] Aussage Henry J. v. 16.11.1961, ebd., Bd. 4, Bl. 966 ff.

[63] Dto. Josef D. (Undat.), ebd., 206 AR-Z 232/60, Bd. 2, Bl. 269 ff.

[64] Inspirierend WOLFGANG SOFSKY: Traktat über die Gewalt, Frankfurt/M. 1996; Kulturen der Gewalt. Ritualisierung und Symbolisierung von Gewalt in der Geschichte, hg. v. ROLF PETER SIEFERLE/HELGA BREUNINGER, Frankfurt/M.–New York 1998.

[65] Aussage Irene P. v. 12.8.1962, BAL, 206 AR-Z 39/60, Bd. 5, Bl. 1339 f.

[66] Vernehmung Günther Labitzke v. 7.3.1961, ebd., 206 AR-Z 31/60, Bd. 2, Bl. 376 ff.

[67] Dto. Johann G. v. 4.7.1962, ebd., 206 AR-Z 46/61, Bd. 5, Bl. 1304 ff.; dto. Marthe B. v. 9.8.1962, ebd., Bl. 1497 ff.

[68] Etwa dto. Gerhard Gaa v. 21.6.1963, ebd., 206 AR-Z 232/60, Bd. 5, Bl. 1470; dto. Hans Bartsch (Undat.), ebd., 206 AR-Z 827/63, Bd. 1, Bl. 114 ff.

[69] CHRISTOPHER R. BROWNING: Nachwort, in: DERS.: Judenmord. NS-Politik, Zwangsarbeit und das Verhalten der Täter, Frankfurt/M. 2001, S. 266, kommt für Czeladź in Ostoberschlesien, Mir im Generalbezirk Weißruthenien und Marcinkance im Bezirk Bialystok zu dem gegenteiligen Schluss, dass sie „eine gewichtige Minderheit, nicht die Mehrheit" bildeten.

sie ein Fest! Die sollen doch heute nicht so reden! Da hat keiner gefehlt", stellte ein Angehöriger des GPK Neu-Sandez klar; „ich betone nochmals, dass man sich heute ein falsches Bild macht, wenn man glaubt, die Juden-aktionen wurden widerwillig durchgeführt."[70] In der Erinnerung der Über-lebenden spiegelte sich dies in einer erstaunlich übereinstimmenden Hier-archie des Schreckens wider, die keineswegs mit den formellen Rängen der KdS-Angehörigen übereinstimmen musste und häufig genug volksdeutsche Dolmetscher oder notdienstverpflichtete SS-Mitglieder an die Spitze stellte.

Gleichwohl wäre es falsch, von einer absoluten Uniformität, einem einhelligen Enthusiasmus der Täter auszugehen. Die Antwort auf die Frage, ob es Bruchstellen oder retardierende Momente gab, jene ‚Widerlager' also, die zu einer Unterbrechung der Dynamik von Gewalt beitrugen, fällt al-lerdings ernüchternd aus. Im gesamten Distrikt Krakau findet sich unter dem KdS-Personal keinerlei Fall von Verweigerung und lediglich ein einziger Hinweis auf eine Warnung vor der bevorstehenden „Aussiedlung" an einen persönlich gut bekannten Juden, weil dieser ein „ordentlicher Mann" gewe-sen sei.[71] Ansonsten existierte in jeder Dienststelle lediglich ein kleiner, sich innerlich distanzierender Kreis, der höchstens auf Befehl mitmachte, aber keine Exzesse beging.[72] Das Verhalten dieser Gruppe, der von jüdi-scher Seite bescheinigt wurde, dass sie „kein(e) Verbrecher" waren, char-gierte zwischen völliger Passivität und Momenten aktiver Hilfe, indem sie bei Selektionen etwa ein Auge zudrückten.[73] Diese Ausnahmeerscheinungen – pro Dienststelle eine eindeutige Minderheit von 3–4 Mann, also propor-tional allenfalls 20% – setzten sich meist aus ehemaligen Weimarer Lauf-bahnpolizisten zusammen. Im Grunde genommen handelte es sich also lediglich um unterschiedliche, wenngleich wesentliche Grade an Intensität.

Angesichts solcher Befunde vermag das funktionale Argument, dass die besondere Grausamkeit des Vorgehens den Personalmangel und den Zeit-druck kompensieren sollte,[74] nicht zu überzeugen. Allein die Proportionen stellen diese Behauptung in Zweifel. Bei der ersten „Aussiedlung" in Tar-nów, die am 11. Juni 1942 begann, wurden etwa nach Angaben des Judenra-tes 8000 Menschen deportiert, jedoch 4000 vor Ort getötet.[75] Es gab also

---

[70] Vernehmung Johannn Bornholt v. 10.9.1963, BAL, 206 AR-Z 31/60, Bd. 10, Bl. 2386 ff.

[71] Urteil LG Bochum v. 22.7.1966, ebd., SA 238.

[72] Symptomatisch Vernehmung Josef K. v. 22.2.1962, ebd., 206 AR-Z 46/61, Bd. 3, Bl. 796 ff.

[73] Aussage Izzak F. v. 19.7.1962, ebd., 206 AR-Z 39/60, Bd. 5, Bl. 1319 ff.; Urteil LG Hamburg v. 23.7.1981, ebd., SA 566.

[74] CHRISTOPHER R. BROWNING: Mehr als Warschau und Lodz: Der Holocaust in Polen, in: DERS.: Der Weg zur „Endlösung", S. 143.

[75] Aussage Dr. Josef K. (Undat.), BAL, 206 AR-Z 232/60, Bd. 2, Bl. 230 ff.

ein gewaltiges lokales Massaker, das sich zweckrationalen Begründungen entzieht, da es Zeit kostete, statt sie einzusparen. Vor allem aber die Art des Mordens spricht gegen das Argument der Kompensation: Vielfach nahmen Angehörige der KdS-Dienststellen Säuglinge an den Beinen und schlugen deren Köpfe vor den Augen ihrer Mütter gegen einer Mauer.[76] Ein volksdeutscher Dolmetscher wiederum erschoss eine elegante Jüdin, „knöpfte seine Hose auf und urinierte auf die Leiche".[77] In Przemyśl wurden die Insassen des jüdischen Kinderheims „mehrere Stockwerke heruntergeworfen auf die Lastwagen",[78] schleuderte man Handgranaten in die Menge und veranstaltete „ein richtiges ‚Tontaubenschießen'".[79] In Reichshof wiederum, wo am ersten „Aussiedlungs"-Tag, am 7. Juli 1942, 360 Menschen – darunter 90 Kinder – auf dem 1500 Meter langen Weg zum Bahnhof erschossen wurden, warf man Säuglinge zum Teil mehrmals in die Luft und erlegte sie quasi im Flug.[80] Dass man sich in Gorlice verbotenerweise zusammen mit den getöteten Kindern photographieren ließ, spricht gleichfalls nicht unbedingt für ein funktional geleitetes Handeln.[81] Die Mordaktionen gerieten so zu öffentlichen Schauveranstaltungen, entfernten sich von jedwedem Kalkül und wurden zu Orgien lustvoll ausgelebter Gewalt.

Unstrittig ist hingegen, dass antisemitische Feindbilder und Klischees[82] in den KdS-Dienststellen gang und gäbe waren. Begriffe wie „Dreckjuden" oder „Schweine" waren allgemein gebräuchlich,[83] dem Personal wurde „eingehämmert, daß die Juden unser Unglück seien".[84] „Räumt den Scheißdreck weg" oder „Räumt den Mist von der Straße" lauteten die deutschen Kommandos zur Beseitigung von Leichen.[85] Weißmann erklärte bei der Deportation der Juden von Neumarkt: „Es ist Krieg. Nahrung ist selbst für

---

[76] Dto. Aszer O. (Undat.), ebd., Bl. 221 ff.; dto. Maria W. (Undat.), ebd., Bl. 261 ff.

[77] Dto. Josef K. (Undat.), ebd., Bl. 306 ff.

[78] Dto. Siegfried K. v. 10.5.1960, ebd., 206 AR-Z 39/60, Bd. 1, Bl. 58.

[79] Vernehmung Kurt H. v. 10.5.1967, ebd., 206 AR-Z 1119/72, Bd. 2, Bl. 219 ff.

[80] Aussage Szulim F. (Undat.), ebd., 206 AR-Z 288/60, Bd. 2, Bl. 273 ff.; dto. Abraham O. v. 8.11.1961, ebd., Bd. 4, Bl. 934 ff.; Anklage Staatsanwaltschaft München I v. 27.11.1963, ebd., ASA 365.

[81] Urteil LG Nürnberg-Fürth v. 9.8.1968, ebd., SA 347.

[82] Wichtig dazu STEFAN ROHRBACHER/MICHAEL SCHMIDT: Judenbilder. Kulturgeschichte antijüdischer Mythen und antisemitischer Vorurteile, Reinbeck 1991; Antisemitismus. Vorurteile und Mythen, hg. v. JULIUS H. SCHOEPS/JOACHIM SCHLÖR, München – Zürich 1995; Feindbilder in der deutschen Geschichte. Studien zur Vorurteilsgeschichte im 19. und 20. Jahrhundert, hg. v. CHRISTOPH JAHR/UWE MAI/KATHRIN ROLLER, Berlin 1994.

[83] Vernehmung Karl E. v. 2.8.1962, BAL, 206 AR-Z 46/61, Bd. 5, Bl. 1443 ff.; dto. Elisabeth D. v. 2.6.1965, ebd., 206 AR-Z 827/63, Bd. 2, Bl. 531 ff.

[84] Dto. Wilhelm Rosenbaum v. 19.10.1961, ebd., 206 AR-Z 46/61, Bd. 1, Bl. 184 ff.

[85] Urteil LG Berlin v. 23.8.1973, ebd., SA 446.

die bevorrechtigten Leute knapp. Warum sollte Nahrung durch euch elende Juden vergeudet werden?"[86] Mack kommentierte die Erschießung schwangerer Jüdinnen in Reichshof mit den Worten: „Wir brauchen keine jüdischen Kinder."[87] In Sanok entgegnete ein GPK-Angehöriger jüdischen Kindern, die um ihr Leben bettelten: „Ihr Schweine habt kein Recht zum Leben."[88] Hamann ließ in Neu-Sandez den Bürgersteig vor der Dienststelle mit jüdischen Grabsteinen auslegen,[89] und als sich dort die Erde über den frischen Gräbern hob, weil manche Juden lediglich angeschossen worden waren, trampelte ein Kriminalangestellter darauf herum und schrie: „Das Dreck muß doch hinein!"[90] Noch in den Nachkriegsvernehmungen bekannten etliche Täter „eine innere Ablehnung gegen die jüdische Rasse" und erklärten: „Ich erkannte es als richtig an, daß der Jude als Todfeind der Deutschen hingestellt wurde."[91]

Doch obwohl hier zweifellos eine Fülle bekennender und eliminatorischer Antisemiten am Werke war, sollte man das Geschehen nicht monokausal als Vollzug einer Weltanschauung deuten. Denn natürlich verstand man sich auch als Beutegemeinschaft. „Mit der Pistole einkaufen gehen" nannte man das im benachbarten Sosnowitz (Sosnowiec).[92] Auch in Westgalizien praktizierte man Erpressung, Plünderung und Leichenfledderei in großem Maßstab und legitimierte diese Form der Bereicherung durch die Charakterisierung des jüdischen Eigentums als Diebes-, Hehler- und Hamstergut.[93] „Die Juden waren Freiwild, das Vermögen stand zu unserer Verfügung", befand ein volksdeutscher Dolmetscher des GPK Neu-Sandez kurz und knapp.[94] Im Keller der dortigen Dienststelle befand sich ein „Textilwarenlager, auf das manch' Textilhandlung heute stolz sein könnte", erinnerte sich der damalige Registrator. „Hamann und sein engerer Kreis um ihn hatte immer größere Summen Geld zur Verfügung. Hamann hatte sehr oft seine Sauftage, er spielte Nächte hindurch Karten mit sehr hohen Einsätzen."[95] „Der Haß gegen die Juden war groß, es war Rache, und man wollte Geld und Gold.

---

[86] Aussage Henry J. v. 16.11.1961, ebd., 206 AR-Z 46/61, Bd. 4, Bl. 966 ff.

[87] Dto. Abraham O. (Undat.), ebd., 206 AR-Z 288/60, Bd. 2, Bl. 299 ff.

[88] Dto. Leiser K. v. 31.8.1967, ebd., 206 AR-Z 13/64, Bd. 4, Bl. 691 ff.

[89] Vernehmung Max Domanski v. 14.10.1963, ebd., Bd. 1, Bl. 147 ff.

[90] Aussage Salomon J. (Undat.), ebd., 206 AR-Z 31/60, Bd. 1, Bl. 119 f.

[91] Vernehmung Gerhard S. v. 30.1.1962, ebd., 206 AR-Z 232/60, Bd. 3, Bl. 794 ff.

[92] Dto. Johann B. v. 12.11.1963, ebd., 205 AR-Z 308/67, Bd. 7, Bl. 53 ff.

[93] Vgl. JAN TOMASZ GROSS: Polish Society under German Occupation. The Generalgouvernement, 1939-1944, Princeton 1979; S. 145 ff.; FRANK BAJOHR: Parvenüs und Profiteure. Korruption in der NS-Zeit, Frankfurt/M. 2001, S. 75 ff., 120 ff.; mit Beispielen des KdS Krakau BRATKO: Gestapowcy, S. 33, 37, 196, 202; BANACH, Heydrichs Elite, S. 167 f.

[94] Vernehmung Max Domanski v. 14.10.1963, BAL, 206 AR-Z 13/64, Bd. 1, Bl. 147 ff.

[95] Dto. Walter Reinhardt v. 27.9.1963, ebd., Bl. 130 ff.

Wir wollen uns doch nichts vormachen, bei den Judenaktionen gab es etwas zu holen", erläuterte ein dortiger Kriminalangestellter die Atmosphäre und beschrieb, wie auch die anwesenden Ehefrauen von Deportationen profitierten: „Die Frau W. und Frau F. waren schlimmer als mancher Gestapoangehörige. Diese beiden Frauen konnten nicht genug bekommen. Die beiden Frauen wußten über die beschlagnahmten Sachen besser Bescheid als mancher Angehörige der Gestapo und sicherten sich ihren Teil."[96] Rassenmord verband sich so mit ganz gewöhnlichem Raubmord. Dass der Prozess der Judenvernichtung stets auch eine höchst materialistische Dimension besaß, die ihn in den Augen der Täter zum Selbstbedienungsladen werden ließ, verweist zugleich auf die Komplexität der individuellen Antriebe. Denn „selbst bei einem erklärten Antisemiten konnte die Motivlage aus mehr als einer Schicht bestehen".[97]

Diese Melange gilt auch für die gleichfalls allgegenwärtige sexuelle Dimension. Denn die Allmacht gegenüber den ghettoisierten Juden und die Stillung des männlichen Geschlechtstriebes erwiesen sich als überaus kompatibel. Vielfach veranstalteten KdS-Angehörige ganz private Haussuchungen und befahlen dabei jüdischen Frauen, sich nackt auszuziehen, „um angeblich nach in der Wäsche eingenähten Schmuckstücken zu suchen".[98] Verhöre von Jüdinnen wurden nicht selten in nacktem Zustand und mit der Peitsche durchgeführt,[99] und natürlich kam es auch zu Vergewaltigungen im Ghetto, wobei man die Opfer hinterher oft als unliebsame Zeugen erschoss.[100] Drohte dennoch ein Verfahren wegen „Rassenschande", so wusste man sich zu helfen: Als etwa Kriminaloberassistent Walter Thormeyer, der Leiter der KdS-Außenstelle Mielec, denunziert wurde, weil er sexuelle Beziehungen zu seiner jungen jüdischen V-Frau unterhielt, erschoss er sie kurzer Hand und erklärte, sie habe sich als unzuverlässig erwiesen.[101] Selbst die Deportation

---

[96] Dto. Johann Bornholt v. 10.9.1963, ebd., 206 AR-Z 31/60 , Bd. 10, Bl. 2386 ff.

[97] CHRISTOPHER R. BROWNING: Die Vollstrecker des Judenmords. Verhalten und Motivation im Lichte neuerer Erkenntnisse, in: DERS.: Judenmord, S. 250.

[98] Vernehmung Karl E. v. 2.8.1962, BAL, 206 AR-Z 46/61, Bd. 5, Bl. 1443 ff.; ähnlich dto. Alexandra S. v. 21.3.1962, ebd., Bd. 4, Bl. 952 ff.; Zwischenbericht Nr. 2 der Untersuchungsstelle für NS-Gewaltverbrechen beim Landesstab der Polizei Israel v. 12.2.1963, ebd., 206 AR-Z 827/63, Bd. 1, Bl. 14 ff.

[99] Aussage Helena S. (Undat.), ebd., 206 AR-Z 46/61, Bd. 2, Bl. 290 f.; Vernehmung Josef K. v. 22.2.1962, ebd., Bd. 3, Bl. 796 ff.

[100] Vernehmung Gustav P. v. 30.3.1962, ebd., 206 AR-Z 232/60, Bd. 4, Bl. 952 ff.; Zwischenbericht Nr. 1 der Untersuchungsstelle für NS-Gewaltverbrechen beim Landesstab der Polizei Israel v. 15.1.1963, ebd., 206 AR-Z 827/63, Bd. 1, Bl. 4 ff.; Aussage Siegfried K. v. 6.10.1961, ebd., 206 AR-Z 39/60, Bd. 3, Bl. 875 ff.; dto. Izzak F. v. 19.7.1962, ebd., Bd. 5, Bl. 1319 ff.; dto. Leonard W. v. 4.1.1963, ebd., Bl. 1403 ff.; Urteil LG Bochum v. 22.7.1966, ebd., SA 238.

[101] Anklage Staatsanwaltschaft Freiburg/B. v. 9.3.1966, ebd., ASA 314.

in das Gas von Belzec barg noch eindeutig sexuell konnotierte Momente: „Ohne Rücksicht auf das Geschlecht mußten sich die Juden ausziehen und es wurde alles nach Wertgegenständen durchsucht", gab Hanns Mack zu Protokoll. „Die körperliche Durchsuchung erstreckte sich auch auf die Geschlechtsteile... Es gab damals viele Zuschauer bei diesen körperlichen Durchsuchungen und zwar von Dienststellen, die absolut mit der Sache nichts zu tun hatten."[102] Als Erlebnisangebot besaß der Nationalsozialismus durchaus vielfältige Reize.

„Exzesse waren aber die Regel, die Juden waren Freiwild."[103] Diese Aussage eines GPK-Angehörigen von Neu-Sandez klingt auf den ersten Blick absurd, da der Exzess stets den Normverstoß, die Ausnahme beinhaltet und als Dauerzustand die Existenz jeglicher Vorgabe ad absurdum führt. Bei näherer Betrachtung freilich erscheint sie als treffende Formulierung für das Paradoxon, dass Normen massenhaft, flächendeckend und überaus nonchalant missachtet wurden und praktisch nur auf dem Papier existierten. Denn in der Realität bedeutete die Erklärung der Juden zum „Freiwild", dass individuell und kollektiv jegliche Obsession ausgelebt werden konnte, dass diese einmalige Chance der Alltagskriminalität bald schon den Horizont der allermeisten Angehörigen der Sicherheitspolizei bestimmte und zur Struktur, zur gelebten Norm wurde.

Selbst SS-Verhaltensgebote wurden souverän ignoriert, falls sie störten: Die von Himmler als „Grundgesetz der SS" proklamierte „Heiligkeit des Eigentums"[104] bedeutete faktisch nichts. Die Barriere der „Rassenschande" wurde vielfach überschritten, das Verbot des Geschlechtsverkehrs mit „andersrassigen" Frauen geradezu generell missachtet;[105] sexuelle Beziehungen von KdS-Angehörigen mit Polinnen gab es allerorten.[106] Wurde dies zum Problem, so nutzte man die Kompetenz der Definition; als Weißmann, der mit seiner polnischen Geliebten im Pferdeschlitten öffentlich und ungeniert durch Zakopane fuhr, deswegen in Krakau aneckte, deklarierte er sie einfach zur Volksdeutschen um.[107] Himmlers Diktum vom „anständig

---

[102] Vernehmung Hanns Mack v. 21.11.1961, ebd., 206 AR-Z 288/60, Bd. 4, Bl. 955 ff.
[103] Dto. Walter Reinhardt v. 27.9.1963, ebd., 206 AR-Z 13/64, Bd. 1, Bl. 130 ff.
[104] Die Pflichten für den SS-Mann und SS-Führer (Undat./ Dezember 1940), BAB, NS 19/3973.
[105] Schnellbrief CdS v. 8.7.1939, ebd., R 58/261; Erlasse RSHA I v. 23.7.1941 und 16.8.1942, ebd.; Mitteilungen über die SS- und Polizeigerichtsbarkeit, Bd. I, H.5, September 1941, ebd., NSD 41/306.
[106] Etwa Vernehmung Walter Reinhardt v. 27.9.1963, BAL, 206 AR-Z 13/64, Bd. 1, Bl. 130 ff.; Urteil LG Hamburg v. 14.1.1969, ebd., SA 337.
[107] Vernehmung Arno Sehmisch v. 25.1.1962, ebd., 206 AR-Z 46/61, Bd. 3, Bl. 715 ff.; Urteil LG Freiburg/B. v. 25.6.1965, ebd., SA 155.

geblieben zu sein" – so in seiner Posener Rede am 4. Oktober 1943[108] – war angesichts dessen ein Wunschtraum, eine Fiktion des RFSS, eine ideologische Nebelwand für die Um- und Nachwelt. Die Interpretation, dass „Plünderungen und Massenvergewaltigungen" von den „Männer(n) der deutschen Einsatzgruppen als höchst unehrenhaft empfunden" wurden, da sie „ihr Tun als Pflicht" auffassten,[109] plappert derartige Ideologeme lediglich nach.

Dass zwischen realem Verhalten und den Normen der SS-Ordensgemeinschaft eine erhebliche Kluft bestand, bietet jedoch zugleich eine Erkenntnischance. Denn die Differenz verweist darauf, dass das Handeln der Täter keineswegs allein aus ihrer Weltanschauung erklärt werden kann. Andererseits aber ist es ohne sie nicht zu verstehen, da der Antisemitismus stets als Generalabsolution diente. Beides musste zusammenkommen: die begründende Legitimation, die den Rahmen schuf und das eigene Verhalten absicherte und der spezielle Anreiz, der den jeweils besonderen Kick ermöglichte. Erst die Einheit dieser Elemente – die sanktionierende Hintergrundfolie und der Vordergrund individueller Interessen und Chancen – balancierte die Situation aus, gab dem Handeln Richtung und Rechtfertigung, Zweck und Ziel und kalkulierte die Risiken ‚überschüssiger' Aktivitäten ein.

Implikationen und Perspektiven

Der Vergleich der westgalizischen Befunde mit den Distrikten Lemberg und Lublin kann denkbar knapp ausfallen, da keine gravierenden Unterschiede zutage treten und die Ähnlichkeiten, ja Übereinstimmungen mehr als evident sind. Der Apparat der Sicherheitspolizei war identisch aufgebaut, die KdS und die örtlichen Dienststellenleiter waren Männer ähnlichen Kalibers; ein Heinrich Hamann besaß in Hans Krüger in Stanislau (Stanisławów) sogar geradezu einen Doppelgänger.[110] Die Rekrutierungslinien des Personals stimmten im Wesentlichen überein, ebenso die Gepflogenheiten innerhalb der Dienststellen. Auch dort waren die Angehörigen der Sicherheitspolizei

---

[108] Der Prozeß gegen die Hauptkriegsverbrecher vor dem Internationalen Militärgerichtshof Nürnberg 14. November 1945 – 1. Oktober 1946, Bd. XXIX, Nürnberg 1948, S. 145; vgl. KARIN ORTH: Die „Anständigkeit" der Täter. Texte und Bemerkungen, in: Sozialwissenschaftliche Informationen 25 (1996), S. 112-115.

[109] ARMIN HEINEN: Gewalt-Kultur. Rumänien, der Krieg und die Juden (Juni bis Oktober 1941), in: Rumänien und der Holocaust. Zu den Massenverbrechen in Transnistrien 1941-1944, hg. v. MARIANA HAUSLEITNER/BRIGITTE MIHOK/JULIANE WETZEL, Berlin 2001, S. 51.

[110] DIETER POHL: Hans Krüger and the Murder of the Jews in the Stanisławów Region (Galicia), in: Yad Vashem Studies 26 (1997), S. 239-264.

Profiteure des kolonialen, rassistischen NS-Milieus im Osten, in dem ihnen eine Machtfülle zufiel, die noch Monate zuvor für sie unvorstellbar gewesen war. Rassismus war eben kein „schöner Schein des Dritten Reiches" (Peter Reichel), durch den manipulativ ein richtiges Sein im falschen vorgespiegelt worden wäre. Rassismus war auch kein bloßes Propagandaprodukt auf der Diskursebene. Rassismus war vor allem ein reichhaltiges Partizipationsangebot, eine Einladung zur Machtteilhabe, zur handfesten Aneignung von Herrschaft im Feindesland.

Auch in den Distrikten Lemberg und Lublin herrschte eine Klima entgrenzter Macht und kreativer krimineller Energie, gab es fast ausschließlich Gewalt-, ja Intensivtäter. Auch dort war das ‚Du sollst' stets von einem ‚Du darfst' begleitet, gab es die Lust an der Überschreitung zivilisatorischer Barrieren und den von Omnipotenzphantasien gespeisten Blutrausch. Auch dort handelte man gewissermaßen mit gutem Gewissen und kriminellem Über-Ich und nutzte das vielleicht erfolgreichste NS-Angebot: Gewaltimpulsen nicht nur ungestraft folgen, sondern sich dabei noch als besonders tugendhaft erleben zu dürfen. Wirklich differierend – so scheint es – war lediglich der Zeitpunkt der Deportationen. Doch der hing mit den Kapazitäten von Belzec zusammen, das ja für alle drei Distrikte „arbeitete" und resultierte folglich aus einer täterunabhängigen Variablen.[111]

Wesentlich bedeutsamer sind jedoch die Implikationen der westgalizischen Befunde hinsichtlich der populären Denkfiguren über die Shoah: Momente eines anonymen, bürokratischen und industriellen Prozesses – jene zentralen Topoi des vorherrschenden Ausweichdiskurses – sind nicht zu entdecken. Alle legten Hand an, und sie taten dies Auge in Auge und mehrheitlich voller Lust. Keine gesichtslose „Machinery of Destruction" (Raul Hilberg) war hier am Werk, keine „Banalität des Bösen" (Hannah Arendt), keine Täter wider Willen, die unter Zwang, in blinder Ergebenheit oder voller Autoritätshörigkeit handelten. Nicht Strukturen mordeten, sondern konkrete Menschen, und sie taten dies in derartigem Ausmaß, dass es nicht reicht, lediglich eine Reihe pathologischer höherer und mittlerer Chargen für die Verbrechen haftbar zu machen. Auch das beliebte Bild des Schreibtischtäters geht in die Irre. Denn zum einen erforderte der Massenmord weit mehr als nur die Unterschrift eines Bürokraten. Und zum anderen waren selbst die Referenten im RSHA weit mehr als bloße Administratoren, sondern rotierten hochmobil zwischen Zentrale und Peripherie, zwischen Büro und Erschießungsgrube. Nicht zuletzt aber entstehen auch erhebliche Zweifel an den

---

[111] Vgl. für Lublin DERS., Von der „Judenpolitik" zum Judenmord, S. 34 ff., 38 ff., 55 ff., 113 ff.; für Ostgalizien DERS., Judenverfolgung, S. 83 ff., 94 ff., 267 ff., 300 ff.; SANDKÜHLER, „Endlösung", S. 77 ff., 83 ff., 166 ff.

diversen Modernisierungstheorien unterschiedlichster Couleur, die eine abnehmende Gewalt in der Moderne prognostizieren, aber auch an einem Großtheoretiker wie Norbert Elias und dessen Annahme einer wachsenden Kontrolle der Affekte im Laufe des Zivilisationsprozesses.[112]

Betrachtet man das Gelände des Genozids genauer, insbesondere das Ausmaß an Delinquenz und die Spielräume der Akteure, dann verlieren nicht nur bisherige Zusammenhangsannahmen und Deutungsmuster erheblich an Aussagekraft, dann enthüllt sich auch eine zweite Wirklichkeit hinter den bisher bekannten Fakten:

1) Die Vorstellung, dass der Prozess der Judenvernichtung umfassend von „oben" normiert und gesteuert war, zerbricht. Sichtbar wird statt dessen ein beträchtliches Maß an Selbstregulierung und Eigeninitiative, wird die individuelle und kollektive Perspektive der Täter vor Ort, dass es sich zu ‚lohnen' hatte, dass man auch Gewinn – pekuniären, sexuellen und/oder symbolischen, möglichst alles zusammen – davontragen wollte. Sichtbar wird ein Subtext des Vernichtungskrieges, der eigensinnig formuliert, aber deswegen nicht weniger grausam war. Sichtbar werden Profiteure mit eigenen Zielen und eigener Logik, wird eine Eigendynamik subjektiver Interessen. Sichtbar wird ein ‚wilder Osten' als Eldorado bisher unerfüllter Sehnsüchte, als Arena real ausgelebten Herrenmenschentums, die den Tätern als großes Warenhaus mit breiter Angebotspalette erschien, in dem man kostenlos zupacken, sich beliebig bedienen durfte. Sichtbar wird die individuelle Aneignung des Rassenkrieges, die Exekution eines Feindbildes zum privaten Gebrauch. Sichtbar wird ein Beutezug zur persönlichen Bereicherung gieriger Konjunkturritter, der sich mit dem antisemitisch motivierten Kreuzzug untrennbar vermengte.

2) Die Täter waren weder Automaten noch Marionetten und noch weniger Befehlsempfänger als bisher angenommen. Sie drückten dem Vernichtungskrieg ihren eigenen Stempel auf, indem sie Befehle eigenmächtig erweiterten oder völlig auf eigene Faust handelten, die Normen, die ihnen nicht ‚passten', schlichtweg ignorierten und die Situation durchaus subjektiv und geradezu postmodern als einmalige Chance zur Selbstverwirklichung begrif-

---

[112] Erhellend dazu: Physische Gewalt. Studien zur Geschichte der Neuzeit, hg. v. THOMAS LINDENBERGER/ALF LÜDTKE, Frankfurt/M. 1995; DIRK SCHUMANN: Gewalt als Grenzüberschreitung. Überlegungen zur Sozialgeschichte der Gewalt im 19. und 20. Jahrhundert, in: Archiv für Sozialgeschichte 37 (1997), S. 366-386; BERND WEISBROD: Sozialgeschichte und Gewalterfahrung im 20. Jahrhundert, in: Perspektiven der Gesellschaftsgeschichte, hg. v. PAUL NOLTE/MANFRED HETTLING/FRANK-MICHAEL KUHLEMANN/HANS-WALTER SCHMUHL, München 2000, S. 112-123.

fen. Mehr noch: Gerade weil sie sich im Vollzug der Shoah auch ihre privaten Bedürfnisse miterfüllten – ein Foto als vorzeigbarer ‚Held‘, ein Pelzmantel für die Gattin zuhause, ein kostenloser sexueller Selbstbeweis –, bekam die Massenvernichtung Schubkraft, wuchsen ihr individuelle Sinndimensionen zu.

3) Die Vorstellung, der nationalsozialistische Verhaltenskanon, insbesondere der rigide eingeforderte und sanktionierte Tugendkodex der SS habe sich in etwa im Verhältnis 1:1 in der Realität abgebildet, erweist sich als nicht länger haltbar. Der *de jure* streng normierte Raum war *de facto* nicht klar strukturiert, sondern eher ein gestaltungsfähiges Vakuum. Befehl und Gehorsam – die perhorreszierten Grundprinzipien der SS – hatten in der Praxis längst nicht die ihnen nachgesagte Reichweite. Angesichts der verbreiteten Doppelmoral, der breiten Kluft zwischen Norm und Wirklichkeit war die Ordensmentalität der SS, ihre vielfach proklamierte „Anständigkeit" häufig nur ein Paravent für andere Interessen, für eine SS-geprägte Form der Spaßgesellschaft, die ihre spezifischen Events abfeierte. Nicht die moralischen Skrupel der Täter, die es zu überwinden galt, bildeten darum ein Problem im Vernichtungsprozess, sondern die geradezu unlösbare Aufgabe, deren Verhalten real zu regulieren und in seiner korruptiven Dimension zu begrenzen.

4) Die selektive und völlig disproportionale Nutzung der Spielräume impliziert zugleich ein Lehrstück über den Umgang mit der Freiheit. Bildete die systematische Leichenfledderei gewissermaßen ein Massenphänomen, so blieb die verweigerte Teilnahme an Massakern insgesamt hingegen auf wenige Einzelfälle beschränkt. Das Töten war also kaum Anlass, Normierungen zu unterlaufen; im Gegenteil: es war geradezu die Voraussetzung zur Erfüllung jener offiziell verbotenen Sehnsüchte, die gleichwohl zum Risiko herausforderten. Mord war die Prämisse zur vollständigen Beraubung, erst recht zur fotografischen Konservierung eigener Leistung. Und verbotener Geschlechtsverkehr mit Jüdinnen hinderte auch keinen der Täter daran, das Objekt seiner Lust nach einiger Zeit zu liquidieren; die Zeiten des Beischlafs bedeuteten lediglich einen Aufschub. Die Überschreitung von Verboten hatte also ihre immanenten Grenzen, beschränkte sich im Wesentlichen auf Sektoren, die individuellen Lustgewinn versprachen.

5) Das systematische Unterlaufen zentraler Vorgaben geschah nicht nur heimlich und verstohlen, sondern mehr noch in halb-öffentlicher oder gar öffentlicher Form. Es hatte demnach meistens Zeugen, besaß Mitwisser, benötigte *vice versa* Komplizen, um Sanktionen von „oben" zu verhindern. Die Einbindung in die *Face-to-Face-Group*, die „dichthalten" musste, ge-

wann damit erhebliche Bedeutung, denn nur Kameraderie, die Einhaltung der männerbündischen Spielregeln garantierten den notwendigen Schutz. Dass sie gefährliche Geheimnisse miteinander teilten – gegenüber den übergeordneten Instanzen wie gegenüber der Nachwelt-, wurde so zu einem Ferment des Zusammenhalts, sorgte für Gruppenkonsens, beförderte den Assimilationsprozess. Mit anderen Worten: die *Corporate Identity* von SS und Polizei wurde bereits lange vor 1945 geboren, und sie beruhte längst nicht nur auf weltanschaulicher Konkordanz.

6) All dies bedeutet keineswegs, dass Antisemitismus schlichtweg durch Raubgier ersetzt, ein weltanschauliches Motiv mit einem kriminellen vertauscht werden soll. Eher impliziert dies, dass ein ideologischer Antrieb so materiell unterfüttert wurde, dass er durch unmittelbare Gewinnaussichten zusätzliche Attraktivität erhielt. Denn die in den Strategien der Selbstbedienung sichtbar werdenden Bedürfnisse suchten sich quasi automatisch die passende Ideologie und bildeten somit ein genuines Einfallstor für den Antisemitismus. Nur wenn man dessen Begründungszusammenhänge für sich reklamieren konnte, legitimierte man sich auch in seinem Tun, fand Rechtfertigungen für Verstöße gegen Normen, die man ja in Deutschland selbst in aller Regel einhielt. Einerseits mussten die Täter darum keine ideologisch beinharten Antisemiten mit jahrelanger rassistischer Bewusstseinsbildung sein. Es reichte aus, ein Feindbild zu akzeptieren und seinen spezifischen Gewinn daraus zu ziehen. Andererseits lieferte diese Ideologie mit ihren zweckdienlichen Mythen die notwendige Gerechtigkeitsaura, bot die Absolution fürs Beutemachen aller Art, die man nur allzu gern für sich in Anspruch nahm.

7) Neben dem akademischen Antisemitismus jener SS-Führer, die im Grunde keine Befehle brauchten – Prototyp Dr. Werner Best –, tritt damit ein zweiter Typus, ein Antisemitismus der Profiteure, der nicht weniger gewaltsam war, wohl aber weniger eloquent, der instrumentelleren Charakter hatte, brachialer daherkam. Sichtbar wird so das Bündnis zweier Trägergruppen des Judenmords, für die der Antisemitismus jeweils unterschiedliche Bedeutung besaß: Für die *„True Believers"*, die SS-Offiziere an den Schaltstellen vor allem, war er primär ein mental tiefsitzendes Muster der Weltdeutung, für viele *„Ordinary Men"*, die Nutznießer an der Basis der Formationen, war er dominant eine legitimatorische Fassade für den selbstdeklarierten Ausnahmezustand – jenseits des Strafgesetzbuches und jenseits der SS-Normen. Die Türöffner der „Endlösung" koalierten also gewissermaßen mit deren Trittbrettfahrern. Vielleicht – so ließe sich mutmaßen – war es gerade dieses Bündnis unterschiedlicher Gruppen, Motivationen und Denkweisen,

das der Shoah innerhalb von SS und Polizei die unbedingte Mehrheitsfähig-keit verschaffte und sicherte.*

* Die Recherchen zu diesem Aufsatz wurden im Rahmen des Forschungsprojekts „Die Täter der Shoah. Norm und Verhalten im Prozess der Judenvernichtung" an der Universität Flensburg (Projektleiter Prof. Dr. Gerhard Paul) begonnen; mein Dank gilt darum der Volkswagen-Stiftung, die dieses Forschungsprojekt finanziert. Mein Dank gilt jedoch auch dem Historischen Institut/Abteilung Neuere Geschichte der Universität Stuttgart, an deren Forschungsstelle Ludwigsburg der endgültige Text entstand, sowie meinem Doktoranden Jacek Mlynarczyk M.A. (Universität Essen), der Übersetzungen aus dem Polnischen besorgte.

Der Völkermord und die Aussenwelt

GUNNAR S. PAULSSON

DAS VERHÄLTNIS ZWISCHEN POLEN UND JUDEN IM BESETZTEN WARSCHAU, 1940–1945

In diesem Aufsatz will ich, unter kurzer Erläuterung von Quellen und Methoden, einige Statistiken präsentieren, auf deren Grundlage ich sodann gewisse Thesen über Flucht, Überleben und die polnisch-jüdischen Beziehungen im besetzten Warschau aufstellen werde.

Statistiken, Quellen und Methoden

Tabelle 1 enthält die Zahlenangaben, auf denen die folgende Darstellung beruht.

Tab. 1: Flucht, Verstecken und Überleben im „arischen" Warschau, 1940–1945

A. Flucht und Verstecken

zumindest zeitweise abgetauchte Juden	28 000
Davon:	
– waren nie im Ghetto	2 400
– flohen aus dem Ghetto, aus Lagern oder Zügen	11 850
– versteckten sich in Warschau	2 750
Höchstzahl gleichzeitig abgetauchter Juden	25 000
1943/44 durchschnittlich abgetauchte Juden	20 000
Zahl der Abgetauchten vor dem Warschauer Aufstand (Juli 1944)	17 000

B. Überleben

Verstorbene	16 450
Davon:	
– starben im Hotel Polski und beim Warschauer Aufstand	8 000
– wurden verraten oder ermordet	3 600
– wurden gefangen genommen (nicht verraten) oder kehrten ins Ghetto zurück	3 000
– andere (natürliche Ursachen, von Warschau fortgegangen, unbekannt)	1 850
Überlebende	11 500

Quelle: GUNNAR S. PAULSSON, Secret City. The Hidden Jews of Warsaw 1940–1945, London 2002, S. 57, 213, vgl. auch S. 199–224 zu einer genaueren Erklärung der Methodologie.

Diese Zahlen sind allesamt Näherungswerte mit erheblichem Fehlerbereich. So ergibt eine rein statistische Analyse, dass die Zahl derjenigen, die nach Warschau kamen, um sich dort zu verstecken, irgendwo zwischen 1600 und 3900 liegt, aber die Gesamtzahl ist unabhängig davon verifiziert worden und steckt den anderen statistischen Werten Grenzen. Hauptquelle dieser Schätzungen sind die Unterlagen von drei Organisationen, die Geld an versteckte Juden verteilten: die des Jüdischen Nationalkomitees (ŻKN), die des „Bundes" und die des Rates für Judenhilfe (Żegota). Quittungen, Empfängerlisten, Bittbriefe und andere das ŻKN betreffende Dokumente befinden sich unter den Adolf-Berman-Dokumenten im Beit Lohamei Hagetaot in Israel. Die Akten des „Bundes" werden im Archiwum Akt Nowych in Warschau aufbewahrt, und fragmentarische Żegota-Empfängerlisten wurden vor einigen Jahren von Teresa Prekerowa veröffentlicht.[1] Ich habe die Angaben aus diesen Akten in eine Computerdatenbank eingegeben, die am Ende 9374 Zeilen und 22 Spalten umfasste. Nach Sortierung und Analyse ergab sich, dass sie rund 4000 konkrete Namen enthielt, die etwa 7000 Personen repräsentierten. Auf dieser Grundlage errechnete ich, dass die drei genannten Organisationen in der von den Akten umfassten Periode (Oktober 1943–Juli 1944) insgesamt rund 9000 Menschen betreuten; dabei zog ich ins Kalkül, dass die Akten von „Bund" und ŻKN anscheinend nahezu vollständig sind, während vier Fünftel der Żegota-Akten fehlen. Aus einem Vergleich der Namen in der Datenbank mit denen von Juden, von denen aus Erinnerungen von Zeitzeugen bekannt ist, dass sie sich in dieser Periode versteckt hielten, zog ich den Schluss, dass diese Zahl nur etwa die Hälfte der Juden umfasst, die in dieser Zeit untergetaucht waren. Deren Zahl belief sich am Vorabend des Warschauer Aufstandes von 1944 auf etwa 17 000, die den Rest der nach meiner Schätzung 24 000 bis 25 000 Personen darstellten, die sich nach dem Ghettoaufstand von 1943 versteckt hatten. Zieht man die Zu- und Abwanderungen in Rechnung, ist die Zahl der Juden, die irgendwann einmal in Warschau im Untergrund lebten, sogar noch größer und liegt ungefähr bei 28 000. Von diesen Zahlen ausgehend, habe ich die Zahl der zu verschiedenen Zeiten aus dem Ghetto Geflohenen und der auf „arischer" Seite Verstorbenen geschätzt, indem ich die in Memoiren und Tagebüchern erwähnten Fälle aufgelistet habe. Bei der Schätzung der Sterblichkeit habe ich ausschließlich Angaben von Dritten verwertet, um zu vermeiden, dass die Stichprobe zugunsten der Überlebenden verfälscht wurde. Die auf dieser Grundlage geschätzte Gesamtzahl der letztlich Über-

---

[1] Archion Beit Lohamei Hagetaot, Akten 37–358; Archiwum Akt Nowych 30/III t.501; TERESA PREKEROWA, Komórka „Felicji". Nieznane archiwum działacza Rady Pomocy Żydom w Warsazawie, in: Rocznik Warszawski XV (1979) (abgedruckt in DIES., Konspiracyjna Rada Pomocy Żydom w Warszawie 1942–1945, Warschau 1982).

lebenden stimmt mit der anhand verschiedener Beweise errechneten Zahl der tatsächlich Überlebenden überein.

Thesen über Flucht und Verstecken

Die Zahl der untergetauchten Juden kann einerseits als sehr klein angesehen werden – es waren nur rund fünf Prozent der Menschen, die das Warschauer Ghetto durchliefen –, andererseits aber auch als sehr groß, denn in absoluten Zahlen war sie größer als irgendwo sonst. Man kann daher zwei komplementäre Fragen über die Flucht stellen: Warum waren es so wenige? Und warum so viele?

Was die erste Frage angeht, so war der wichtigste eine Flucht einschränkende Faktor der Zeitpunkt. Schaut man sich die in Memoiren genannten Fluchtzeitpunkte an, stellt man fest, dass sie zumeist nach der Großen Deportation von 1942 lagen, als die Ghettobevölkerung bereits dezimiert war; tatsächlich flohen etwa 13 600 Juden nach dem Ende der Deportationen im September 1942, fast ein Viertel der rund 60 000, denen es gelungen war, der Deportation zu entgehen. Vor den Deportationen hatten nur wenige die Notwendigkeit gesehen zu fliehen; damals hatte das Ghetto nicht vor der Auslöschung gestanden, sondern vor wirtschaftlichen Problemen, für die wirtschaftliche Lösungen gesucht wurden, vor allem in Form des Schwarzhandels. Während der Deportationen begriffen immer mehr Menschen, dass die Verschleppten getötet wurden; deshalb erschien die Flucht immer erstrebenswerter, war aber, solange die Deportationen im Gang waren, nur schwer zu bewerkstelligen. Das Ghetto war nahezu hermetisch abgeriegelt, der Schmuggel war unterbunden worden, und es herrschten Chaos und Panik, während die Menschen versuchten, den Razzien zu entkommen und am Leben zu bleiben. Als erfolgreichste Reaktion auf die Deportationen erwies sich der Bau von Verstecken innerhalb des Ghettos: Etwa 25 000 „wilde" Juden entgingen auf diese Weise der Deportation, während nur 6000 aus dem Ghetto flohen. Erst nach dem Ende der Deportationen war eine Flucht im größeren Umfang möglich; erst dann war die notwendige Mischung aus Wissen und Gelegenheit vorhanden.

Die Flucht entwickelte sich wie ein Schneeballsystem: Zuerst etablierten sich einige wenige Konvertiten und hoch assimilierte Juden, die nie in das Ghetto gekommen waren, auf der „arischen" Seite; später stießen Angehörige der assimilierten Intelligenz dazu, die enge Freunde und gute Kontakte auf der anderen Seite hatten. Diese beiden Gruppen bildeten den Kern der wachsenden Gruppe von Juden im Untergrund. Sie verhalfen ihrerseits Familienangehörigen und Freunden zur Flucht, so dass die Zahl der Juden, die durch indirekte Kontakte den Weg nach draußen fanden, im Lauf der

Zeit schnell anstieg. Insbesondere nach der zweiten Deportationsaktion im Januar 1943 stieg die Fluchtwelle stark an, und als die Deutschen im April 1943 in das Ghetto eindrangen, um es endgültig zu liquidieren, erreichte sie ihren Höhepunkt. Hätten die Nationalsozialisten diese dritte und letzte „Aktion" länger hinausgeschoben, wären noch wesentlich mehr Juden geflohen. Wenn sich die Fluchtbewegung weitere sechs Monate im selben Tempo weiterentwickelt hätte, wären die meisten der verbliebenen Juden geflohen, und bis zum Sommer 1944 hätten nahezu alle das Ghetto verlassen. Natürlich ist es unwahrscheinlich, dass sich die Fluchtbewegung derart hätte entwickeln können; letzten Endes wären mehrere einschränkende Faktoren ins Spiel gekommen. Andererseits scheint die Aufnahmekapazität der Stadt im April 1943 noch nicht ausgeschöpft gewesen zu sein.

An dieser Stelle möchte ich mich gegen drei Thesen in Bezug auf die Flucht aus dem Ghetto wenden. Die erste ist Raul Hilbergs Annahme, die Juden seien deshalb nicht geflohen, weil sie „gelähmt" gewesen seien – unfähig zum Widerstand, weil ihnen, laut Hilberg, durch das jahrhundertlange Leben in der Diaspora die Passivität in Fleisch und Blut übergegangen war.[2] Diese Schlussfolgerung ist falsch, weil die erste Voraussetzung nicht zutrifft: Die Juden, nicht nur diejenigen von Warschau, flohen in weit größerem Umfang, als Hilberg bewusst war (nach seiner Schätzung waren in Warschau nur 5000 bis 6000 geflohen). Und wenn sie blieben, dann nicht aufgrund einer „Lähmung", sondern weil sie sich für eine alternative Methode des Ausweichens, den Bau von Verstecken im Ghetto, entschieden hatten. Als die Deutschen am 19. April 1943 in das Ghetto eindrangen, stießen sie nicht nur auf bewaffneten Widerstand, sondern auch auf verlassene Straßen; diejenigen Juden, die nicht kämpften, waren entweder geflohen oder hatten sich versteckt. Kurz, die Reaktion der Juden entsprach dem jeweiligen Stand ihres Wissens: Sobald sie die Wahrheit über Treblinka kannten, ließen sie sich nicht mehr still und leise dorthin bringen. Die früheren „Erfolge" der Nationalsozialisten beruhten auf ihrer Fähigkeit, zu verschleiern, zu täuschen und irrezuführen, auf der Schnelligkeit und beispiellosen Art der Deportationen von 1942, und weniger auf mangelnder Initiative seitens der Juden.

Zweitens möchte ich der Ansicht widersprechen, die Juden seien nicht geflohen, weil es „zu gefährlich" war. Dagegen spricht, dass sie nicht wissen konnten, was sie erwartete, bevor sie tatsächlich geflohen waren. Sie konnten raten, spekulieren, Vermutungen anstellen oder Gerüchte aufschnappen, aber wissen konnten sie es nicht. Viele mögen geglaubt haben, dass eine Flucht „zu gefährlich" sei, aber es ist ein voreiliger Schluss, deshalb anzunehmen, dieser Glaube hätte notwendigerweise etwas mit der Realität zu

---

[2] RAUL HILBERG, Die Vernichtung der europäischen Juden, (erweiterte Neuausgabe), Frankfurt/M. 1990, Bd. 2, S. 1100–1115.

tun gehabt. Auf jeden Fall hing die Einschätzung, dass die Flucht „zu gefährlich" sei, von einer Abwägung der Alternativen ab. Gewiss waren die Juden vor den Deportationen im Ghetto sicherer aufgehoben als auf der „arischen" Seite, wenngleich auch in dieser Zeit täglich Hunderte die Grenze überschritten, um Schwarzhandel zu treiben. Aber sobald sich herumgesprochen hatte, dass die Alternative Treblinka war – und man wusste, was dies bedeutete –, wäre die Vorstellung, die Flucht sei objektiv oder auch nur subjektiv „zu gefährlich", absurd gewesen. Schließlich zeigt die von mir präsentierte Überlebensstatistik, dass die Überlebenschancen auf der „arischen" Seite zwar nicht gut, aber auch nicht allzu schlecht waren (nicht schlechter als zum Beispiel in Amsterdam, wie wir später sehen werden).[3] Trotz aller Gefahren war die „arische" Seite nach dem 22. Juli 1942 der sicherste Ort für Juden in Warschau.

Eine dritte Ansicht, die ich für unbegründet halte, besagt, dass die Flucht nur etwas für wenige Glückliche gewesen sei, die über bestimmte Eigenschaften verfügten: ein „gutes Aussehen" (das heißt eine nichtjüdische Erscheinung), gute Freunde, gute polnische Sprachkenntnisse und vor allem Geld. Das klingt plausibel und wird in vielen Memoiren wiederholt und von solch bedeutenden Autoren wie Emmanuel Ringelblum und Israel Gutman bekräftigt.[4] Sieht man sich aber die Erfahrungen entkommener Juden näher an, so stellt man fest, dass kaum einer von ihnen diese angeblich notwendigen Eigenschaften besaß und dass auch einige, die keine einzige davon aufwiesen, zu fliehen – und zu überleben – vermochten. Es gab zum Beispiel Hunderte von Fällen, in denen die Flucht völlig unvorbereitet war, wie etwa bei Menschen, die aus einem Eisenbahnzug sprangen oder aus einem Arbeitslager flohen. Andererseits wurden diejenigen, die über finanzielle Mittel verfügten, durch *szmalcowniki* (Erpresser), die ihr „gutes Aussehen" durchschauten, ihrer Mittel beraubt und sahen sich gezwungen, von Ort zu Ort zu ziehen und sich auf die Hilfe von Menschen zu verlassen, zu denen die Beziehungen immer angespannter wurden. Insofern waren die *szmalcowniki* die großen Gleichmacher auf der „arischen" Seite, da sie die Bevor-

---

[3] Gunnar S. Paulsson, Secret City. The Hidden Jews of Warsaw 1940–1945, London 2002, S. 230.

[4] Typisch sind Israel Gutmans Ausführungen: „Auf die ‚arische' Seite der Stadt zu wechseln war naturgemäß nur den Wenigen möglich, die den ‚Gesichtstest' bestanden, das heißt Gesichtszüge besaßen, die ihre jüdische Herkunft nicht verrieten, die einen polnischen Akzent hatten und durch nichts als ‚Ausländer' erkennbar waren – Eigenschaften, die unter den polnischen Juden selten waren. Wer vertrauenswürdige Freunde oder genug Geld hatte, um sich einen Unterschlupf für eine längere Zeit zu kaufen, konnte sein Glück auch auf der ‚arischen' Seite versuchen. Aber nur wenige waren so glücklich, und alle, die sich dafür entschieden, das Ghetto zu verlassen, [...] gingen ein großes Risiko ein" (The Jews of Warsaw, Bloomington, Ind., 1989, S. 285).

zugten in die gleiche Lage versetzten wie alle anderen. Schließlich hatten
mehr Juden Kontakte auf der anderen Seite, als allgemein angenommen
wird. So sprachen fast alle Warschauer Juden Polnisch, auch wenn es nicht
ihre Muttersprache war; nach zwanzigjähriger polnischer Unabhängigkeit
hatte jeder unter 30-Jährige seine Schulbildung auf Polnisch erhalten, und
die ältere Generation hatte zwanzig Jahre in einem Staat gelebt, in dem
Polnisch die einzige Amtssprache war. Und obwohl Polen und Juden gesell-
schaftlich voneinander getrennt lebten, gab es viele Berührungspunkte.
Rafael Scharf beispielsweise schrieb über seine Jugend in Krakau, zwischen
Juden und Polen habe es zwar „keine gesellschaftlichen Kontakte" gegeben,
er habe aber „an der Universität viele nichtjüdische Freunde" gehabt und es
seien auch „viele solche Mandanten in unsere Anwaltskanzlei gekommen".[5]
Daher fielen den meisten Juden, wenn sie darüber nachdachten, mehrere
Polen ein, denen sie ihrer Meinung nach vertrauen konnten. Es stimmt zwar,
dass die Angehörigen des assimilierten Bürgertums die besten Fluchtaussich-
ten hatten – die direktesten Kontakte und die meisten Ressourcen – und dass
sie die Mehrheit der Untergetauchten stellten. Sie bildeten die Vorhut. Aber
angesichts des Umfangs der Fluchtbewegung nach dem September 1942
dürfte es auf der Hand liegen, dass auch andere eine Chance hatten. Während sich so auf der „arischen" Seite eine jüdische Gemeinde herausbildete,
konnten sich die Nachkommenden dort zunehmend auf Kontakte zu jüdischen Freunden und Verwandten stützen, auch wenn sie keine Beziehungen
zu Polen hatten. Mit anderen Worten, die Flucht wurde immer mehr zur
Selbsthilfe.

Kurz, einer Flucht standen viele Hindernisse im Weg, aber keines von
ihnen war unüberwindlich. Nach den Deportationen von 1942 suchten die
Juden aktiv nach Mitteln und Wegen, um sich zu verstecken oder zu fliehen.
Die Flucht auf die „arische" Seite bedeutete relative Sicherheit, und als die
Fluchtbewegung schneeballartig zunahm, wurde sie für immer mehr Juden
zu einer realen Alternative. Physische wie soziale Barrieren wurden nach
und nach überwunden. Der Hauptfeind war die Zeit.

Wenden wir uns nun der Komplementärfrage zu – warum so viele? Aus
dem Warschauer Ghetto flohen sowohl in absoluten Zahlen als auch relativ
gesehen weit mehr Menschen als aus jedem anderen Ghetto, und der Haupt-
faktor in dieser Hinsicht war wiederum die Zeit. In Warschau vergingen
zwischen dem Beginn der Deportationen 1942 und der endgültigen Liquidierung im folgenden April neun Monate voller Unterbrechungen und Neu-
ansätze, was wenigstens dem verbliebenen Rest der Juden genügend Zeit
gab, um sich darüber klar zu werden, was da im Gange war, und sich

---

[5] RAFAEL SCHARF, Ethical Problems of the Holocaust, in: My Brother's Keeper? Recent
Polish Debates on the Holocaust, hg. v. ANTONY POLONSKY, London 1990, S. 192.

entsprechend zu organisieren. In kleineren Zentren dauerten die Deportationen häufig nicht länger als einen Tag, oder sie konnten in einer einzigen, ununterbrochenen „Aktion" durchgeführt werden. Dort hatten die Juden kaum eine Chance zu fliehen. Ein zweiter wichtiger Faktor waren die zentrale Lage des Warschauer Ghettos und die Durchlässigkeit der Ghettomauer. Dies kam dem Schmuggel zugute, und durch diesen wiederum wurden wichtige Kontakte geknüpft und Kanäle geöffnet – insbesondere zwischen jüdischen, polnischen und deutschen Polizisten –, die eine Flucht möglich machten. Zudem war Warschau das Zentrum der jüdischen Assimilation in Polen, und es gab eine vergleichsweise große Zahl von Konvertiten und assimilierten Juden, die eine Art Brückenkopf für die anderen bilden konnten. Zahlreiche weitere Faktoren kamen hinzu. Die deutsche Politik etwa war widersprüchlich und stand sich selbst im Wege. So etwa hatten die Deutschen, nachdem das polnische Arbeitskräftereservoir durch die Deportation von Polen zur Zwangsarbeit nach Deutschland ausgeschöpft worden war, als Ersatz jüdische Arbeiter heranziehen müssen, und jetzt wurde vorgeschlagen, die Juden ihrerseits durch (nicht vorhandene) Polen zu ersetzen. Das Ergebnis war, dass erstens jeden Tag jüdische Arbeitskolonnen das Ghetto verließen, was einen der verlässlichsten Fluchtwege eröffnete, und zweitens für Arbeitskräfte, wie für alles andere auch, ein schwarzer Markt entstand, der den Juden zumindest begrenzte Möglichkeiten eröffnete, auf der „arischen" Seite ihren Lebensunterhalt zu verdienen.

Die kurze Antwort auf die Frage „Warum so viele?" lautet also, dass in Warschau zahlreiche spezifische Faktoren vorlagen, die für die nötigen Kontakte und Gelegenheiten sorgten. Es ist daher nicht überraschend, dass Warschau das Hauptzentrum für untergetauchte Juden war, in dem auch Flüchtlinge aus anderen Orten Unterschlupf fanden, und dass, obwohl dort vor dem Krieg nur ein Zehntel der polnischen Juden gelebt hatte, rund ein Viertel derjenigen, die auf der „arischen" Seite überlebten, auf Warschau entfiel.

Thesen zum Überleben

Tabelle 1 ist zu entnehmen, dass von 28 000 Warschauer Juden 11 500 oder rund 40 Prozent überlebten. Wenn man sich nach vergleichbaren Fällen umsieht, könnte man Budapest anführen, wo die Mehrheit der Juden außerhalb des Ghettos blieb, als es im Dezember 1944 geschlossen wurde. Die meisten von ihnen lebten allerdings nicht im Untergrund, sondern offen, unter diplomatischem Schutz. Zudem war die Zeitspanne, in der es eine „arische Seite" gab, zu kurz, um einen aussagekräftigen Vergleich anstellen zu können. In Paris gab es kein Ghetto und daher auch keine „arische Seite"; die rund 30 000 Juden, die dort lebten, mussten bis zur Befreiung nicht untertauchen. Das passendste Vergleichsobjekt dürfte Amsterdam sein, wo sich vermutlich etwa 20 000 Juden versteckt hielten, von denen etwas mehr als die Hälfte überlebte.[6] In Warschau versteckten sich also, in absoluten Zahlen ausgedrückt, mehr Juden, aber sie hatten schlechtere Überlebenschancen.

Für etwa die Hälfte der Todesfälle unter den in Warschau versteckten Juden waren zwei Ereignisse verantwortlich: die Hotel-Polski-Episode im Sommer 1943, als sich rund 3500 Juden ergaben, nachdem ihnen ausländische Pässe und Visa in Aussicht gestellt worden waren, und der Warschauer Aufstand von 1944, der aufgrund unglücklicher Umstände hauptsächlich dort stattfand, wo Juden konzentriert waren, so dass auf sie ein unverhältnismäßig hoher Anteil an den Opfern entfiel. Nach meiner Schätzung kamen bei diesen beiden Ereignissen rund 8000 Juden ums Leben.

Für keines dieser beiden Ereignisse gab es in den Niederlanden eine Parallele. Es wurden zwar auch niederländische Juden für die „Austauschaktion" angeworben, in deren Rahmen die Hotel-Polski-Episode stattfand, aber nicht die untergetauchten, sondern jene, die als von der Deportation Zurückgestellte legal in der Stadt lebten, und die meisten von ihnen überlebten. Und natürlich gab es in den Niederlanden keinen Aufstand. Wenn man also nur die etwa 24 000 Juden betrachtet, die nicht in die Hotel-Polski-Falle tappten, dann kommt man – bei 17 000, die bis zum Vorabend des Aufstandes überlebten – auf eine Überlebensrate im „arischen" Warschau von rund 70 Prozent, was besser ist als die günstigste Schätzung für die Niederlande. Anders gesagt, es gab in Warschau etwa 7500 Opfer auf der „arischen" Seite, die festgenommen, verraten oder getötet wurden oder in das Ghetto zurückkehrten oder aus Gründen starben, die man beschleunigte natürliche Ursachen nennen könnte. In den Niederlanden war ihre Zahl wahrscheinlich wesentlich größer – Schätzungen sprechen von 10 000 bis 15 000 –, obwohl weniger Juden untergetaucht waren. Auch niederländische

---

[6] Zu dem Zeitpunkt, da ich dies schreibe, gibt es noch keine verlässliche Schätzung der Zahl der Juden, die in Amsterdam im Untergrund lebten. Schätzungen für die Niederlande insgesamt finden sich in Jacob Presser, Ashes in the Wind. The Destruction of Dutch Jewry, Detroit, Mich., 1988, S. 383, und Bob Moore, Victims and Survivors. The Nazi Persecution of the Jews in the Netherlands 1940–1945, London, New York, Sydney, Auckland 1997, S. 146. Danach belief sich die Zahl der untergetauchten Juden auf 20 000 bis 25 000 und die der Überlebenden auf 10 000 bis 17 000. Mehr als 15 000 niederländische Juden waren allerdings von der Deportation zunächst ausgenommen, das heißt, sie hielten sich nicht versteckt, sondern lebten zumindest für die Dauer ihrer Zurückstellung (die in vielen Fällen schließlich aufgehoben wurden) ganz offen. Es bedürfte einer eingehenden Untersuchung, um diese Fragen zu klären und zu bestimmen, wie viele der untergetauchten holländischen Juden sich in Amsterdam versteckt hielten. Presser und Moore nehmen an, dass sich die Mehrheit in Amsterdam aufhielt und etwas mehr als die Hälfte von ihnen überlebte.

Juden wurden hin und wieder verraten (Anne Frank ist das berühmteste Beispiel dafür), und es scheint, als wären sie öfter verraten worden als die Warschauer Juden.

Die Zahl von 11 500 Überlebenden in Warschau ist mit einiger Skepsis aufgenommen worden, weil sie nicht zu den besten Schätzungen der Zahl der Überlebenden in ganz Polen passt. Shmuel Krakowski ist der Ansicht, dass in ganz Polen nur 20 000 Juden „auf der arischen Seite" überlebt haben und in Lagern mehr Menschen (30 000) am Leben geblieben sind als in Verstecken. Gleichzeitig weist Andrzej Żbikowski auf der Grundlage der im Jüdischen Historischen Institut erfassten Memoiren darauf hin, dass die Warschauer Überlebenden nur zehn Prozent der jüdischen Überlebenden in ganz Polen ausmachten.[7] Nimmt man beide Zahlen ungeprüft hin, hätte es in Warschau höchstens 2000 Überlebende geben dürfen. Doch das ist offensichtlich zu gering geschätzt: Unter anderem müsste man, um diese Zahl mit der vorhandenen Liste der Menschen, die sich Anfang 1944 versteckt hielten, in Übereinstimmung zu bringen, eine katastrophale Sterblichkeit während des Warschauer Aufstandes und danach annehmen, für die es keinerlei Belege gibt.

Diese Berechnungen sind aus mehreren Gründen problematisch. Alle heutigen Schätzungen der Zahl der Überlebenden in Polen gehen letztlich auf einen Artikel von Philip Friedman zurück, der 1946 für die Hauptkommission zur Untersuchung der deutschen Verbrechen in Polen geschrieben wurde.[8] Friedman begann mit den 55 509 Überlebenden, die sich bis zum 15. Juni 1945 beim Zentralkomitee der Juden in Polen (CKŻP) hatten registrieren lassen, und kam nach mehreren Additionen und Subtraktionen zu dem Schluss, dass es „auf polnischem Boden" 40 000 bis 50 000 Überlebende gegeben habe. Von dieser Zahl müsste man dann jene abziehen, die in Arbeitslagern überlebten, insbesondere die 11 000, die im HASAG-Lager in Tschenstochau befreit wurden, 3000 in anderen Lagern sowie weitere 3000, die als Partisanen und in Familienlagern überlebten. Damit käme man auf eine Zahl von 23 000 bis 33 000, die im Versteck überlebten. Nach manchen Schätzungen war die Zahl der Partisanen und der Überlebenden von Familienlagern wesentlich größer, bis zu 13 000, was bedeuten würde, dass nur zwischen 13 000 und 23 000 im Versteck überlebt hätten. Dies ist die Grundlage der sehr niedrigen Schätzung von Professor Krakowski, der darüber hinaus vielleicht noch andere Abzüge vorzuschlagen hat.

---

[7] Dr. Żbikowski und Prof. Krakowski haben diese Einwände auf der Konferenz über die „Aktion Reinhard" erhoben, während der dieser Aufsatz präsentiert worden ist.

[8] PHILIP FRIEDMAN, The Extermination of the Polish Jews during the German Occupation, 1939–1945, in: Roads to Extinction. Essays on the Holocaust, hg. v. ADA JUNE FRIEDMAN, New York 1980, S. 211–243.

Aber es gibt gute Gründe für die Annahme, dass die CKŻP-Zählung vom Juni 1945 höchst unvollständig war. Zunächst einmal wurde im Dezember 1945, vor der Massenrepatriierung aus der Sowjetunion, eine zweite Liste veröffentlicht, die 80 000 Namen enthielt – darunter zugegebenermaßen viele, die aus Lagern kamen, aber auch einige, die sich verspätet hatten registrieren lassen. Mein Argwohn wurde geweckt, als ich herausfand, dass von drei meiner nächsten Verwandten, die in Warschau überlebt haben, nur meine Großmutter in der Liste aufgeführt war. Um meine damals dreijährige Schwester hatten sich polnische Verwandte gekümmert, die sie nicht registrieren ließen; sie wurde schließlich von unserer Großmutter gemeldet, aber nicht rechtzeitig genug für die Listen von Juni und Dezember. Meine Mutter war verhaftet worden, während sie sich versteckt hielt, und hatte das Kriegsende, nachdem sie Auschwitz und Ravensbrück durchlaufen hatte, in Schweden erlebt; ihr Name erschien auf einer dortigen Liste von 6000 jüdischen Überlebenden. Außerdem gibt es eine Liste mit 6000 Mitgliedern der Warschauer Landsmannschaft allein in der damaligen amerikanischen Besatzungszone in Deutschland, und es gab weitere Landsmannschaften und Besatzungszonen.[9] Kurz, in Westeuropa hatten Tausende, wahrscheinlich sogar Zehntausende jüdischer Lagerinsassen überlebt, die nach der Befreiung entweder gar nicht oder erst später nach Polen zurückgingen. Friedman selbst schätzte, dass außerhalb Polens weitere 40 000 bis 50 000 Juden überlebt hatten, die am 15. Juni 1945 noch nicht nach Polen zurückgekehrt waren. Dazu gehörten auch Tausende von Juden, die sich in der Sowjetunion angegliederten Gebieten Vorkriegspolens versteckt gehalten hatten, wodurch sich Friedmans Schätzung der Zahl aller Überlebenden – ohne Heimkehrer aus den Tiefen der Sowjetunion – auf 80 000 bis 100 000 erhöht.

Außerdem gab es auch auf polnischem Boden viele Nichtregistrierte. Meine Schwester war eines von Tausenden jüdischen Kindern, die von polnischen Familien adoptiert wurden und zum überwiegenden Teil auf keiner Liste auftauchen. Selbst aus jüdischen Familien, die den Krieg unbeschadet überlebt hatten, wurden häufig nur die Erwachsenen registriert, damit Verwandte oder Freunde sie finden konnten, während man es nicht für nötig hielt, die Kinder ebenfalls anzumelden. Wer nur nach den Kriterien der Nürnberger Gesetze Jude war, ließ sich ebenso wenig registrieren wie diejenigen, die es vorzogen, unter ihrer „arischen" Identität weiterzuleben. Kommunisten hatten Anweisung, sich nicht zu melden. Und schließlich gab es, wie bei meiner Mutter, zahlreiche Mischfälle: Menschen, die festgenom-

---

[9] List 1: About Jews Liberated from German Concentration Camps Arrived in Sweden in 1945, WJC Relief and Rehabilitation Department, Stockholm 1946; Liste fun di lebngeblibene warszewer jidn in der US Zone in Dajczland, Centrale fun di Warszewer Landsmanszaftn in der US Zone in Dajczland, 1948, einzusehen im USHMM.

men worden waren, während sie sich versteckt hielten, und als Überlebende der Lager zählten; Partisanen, die sich zeitweise versteckt gehalten hatten; Menschen, die als „Arier" in einem Lager gesessen hatten und deshalb in gewissem Sinn Überlebende „auf der arischen Seite" waren, wenn auch nicht „auf polnischem Boden". In letztere Kategorie gehören rund 3000 Warschauer Überlebende, die nach dem Warschauer Aufstand nach Deutschland deportiert worden waren.

Die Situation ist also sehr verwirrend. Die Hauptschwäche von Friedmans Analyse besteht darin, dass seine Schätzung der Zahl der Nichtregistrierten eine reine Mutmaßung ist – es könnten auch Tausende oder sogar Zehntausende mehr gewesen sein. Darüber hinaus ist seine Kategorie der Überlebenden „auf polnischem Boden" nicht identisch mit derjenigen der Überlebenden „auf der arischen Seite", die auch diejenigen umfasst, die in den Lagern als „Arier" überlebten.

Während ich mit Andrzej Żbikowski darin übereinstimme, dass die Warschauer Überlebenden nur zehn Prozent der im ŻIH erfassten Fälle ausmachen, muss ich hinzufügen, dass ihr Anteil an denjenigen, die „auf der arischen Seite" überlebten, wesentlich größer ist. Die beiden größten Gruppen überlebender Juden waren diejenigen aus Lodz und Warschau: Die Lodzer Juden überlebten fast ausschließlich in Lagern, während 80 Prozent der Warschauer Juden auf der „arischen" Seite überlebten. Wenn tatsächlich mehr Juden in den Lagern überlebten als in Verstecken, dann ist dies der Grund dafür, dass es mehr Überlebende aus Lodz als aus Warschau gab. Aus den von mir angeführten Gründen war Warschau das Hauptzentrum für untergetauchte Juden; sie machten, wie ich glaube, ein Viertel aller Versteckten aus. Obwohl weitere Forschungen notwendig sind, um sowohl den exakten jeweiligen Anteil als auch die Anzahl der Menschen in den verschiedenen „Vermisstenkategorien" zu bestimmen, stellen die in Tabelle 2 wiedergegebenen Zahlen eine begründete Schätzung auf der Grundlage der hier dargestellten Fakten dar.

Tab.2: Mögliche Verteilung jüdischer Überlebender in Polen

Art des Überlebens	Aufenthaltsort bei Kriegsende		Summe
	Polen	außerhalb Polens	
„arische Seite", Warschau	8 500	3 000*	11 500
„arische Seite", anderswo	33 500	1 000*	34 500
„arische Seite" insgesamt	42 000	4 000	46 000
in Lagern als Juden	14 000	29 000	43 000
Partisanen, Familienlager	6 000	7 000	13 000
Gesamtsumme	62 000	40 000	102 000

* Überwiegend in Lagern als „Arier"; nach der Befreiung schlossen sich manche auch der polnischen „Berling"-Armee an.

Um diese Zahlen mit Friedmans Schätzung in Übereinstimmung zu bringen, bedarf es nur geringer Anpassungen: Die Gesamtsumme liegt im Bereich der von ihm angenommenen Gesamtzahl von 80 000 bis 100 000 Überlebenden, sie passt zu der Tatsache, dass bis Dezember 1945 80 000 Juden registriert wurden, und macht es nur erforderlich, zusätzlich etwa 10 000 unregistrierte Überlebende „auf polnischem Boden" zu finden (wo sich nach manchen Schätzungen allein die Zahl der versteckten Kinder bereits auf über 20 000 belief).[10] Kurz, es gibt keine großen Unvereinbarkeiten zwischen Friedmans und meinen Zahlen, zumal er bereitwillig einräumt, dass seine Schätzungen nicht mehr als Mutmaßungen waren.

Sowohl in Bezug auf das Überleben wie auch hinsichtlich der Flucht stellen sich die komplementären Fragen „Warum so wenige?" und „Warum so viele?", doch diese Diskussion muss zurückgestellt werden, bis wir das Thema der polnischen Haltung zu den Juden und des Verhaltens ihnen gegenüber behandelt haben.

Thesen über das Verhältnis zwischen Polen und Juden

Als erstes kann ich Professor Gutmans Beobachtung bestätigen, dass fast alle untergetauchten Juden erpresst wurden, für gewöhnlich sogar mehrmals. Ich habe versucht, die Zahl der Erpresser zu schätzen, und bin dabei von den folgenden Annahmen ausgegangen:

- dass es von September 1942 bis Juli 1944 in Warschau zwischen 50 000 und 100 000 Erpressungsfälle gab, also 2000 bis 4000 pro Monat;
- dass ein Erpresser jeden Monat drei oder vier Opfer finden musste, um mit diesem Geschäft seinen Lebensunterhalt bestreiten zu können (und die Erpresser lebten nach allgemeiner Überzeugung ziemlich gut); und
- dass es daher rund 1000 Erpresser in Warschau gab (Ringelblum hat also nicht sehr weit danebengelegen, als er von „nach Hunderten, vielleicht sogar nach Tausenden zählenden Erpressern" sprach).[11]

---

[10] Die Zahl 10 000 ist das angenommene Mittel (genauer wäre die Zahl 17 000) aus der Differenz zu den oben angeführten 23 000 bis 33 000 oder, nach der niedrigeren Schätzung, 13 000 bis 23 000 überlebenden Partisanen und Familienlagerhäftlingen. Im ersteren Fall müssten 7000 bis 17 000, im letzteren Fall 17 000 bis 27 000 „gefunden" werden, um auf die Gesamtzahl von 40 000 zu kommen.

[11] EMMANUEL RINGELBLUM, Polish-Jewish Relations during the Second World War, hg. v. JOSEPH KERMISH/SHMUEL KRAKOWSKI, New York 1978, S. 124. Ich komme in „Secret City" (s. FN 3), S. 148 f., zu einem ähnlichen Schluss, indem ich aufgrund der Annahme, dass die Erpresserbanden in der Regel aus drei bis vier Personen bestanden, die Zahl der Erpresser auf 3000 bis 4000 schätze. Bei der nochmaligen Beschäftigung mit dieser Frage habe ich allerdings festgestellt, dass mir ein Fehler unterlaufen ist, da ich einer ganzen Bande

Daneben hatten die Juden noch andere Feinde: einen Teil der polnischen Polizei (die uniformierte „blaue" Polizei und die zivil gekleidete Kriminalpolizei), wenn auch keineswegs ihre Gesamtheit, sowie ideologische Antisemiten, die sie anonym anzeigten oder in einigen wenigen Fällen auch einfach ermordeten. Zieht man all dies in Rechnung, kommen zur Zahl der Polen, die eine aktive antijüdische Haltung einnahmen (über das bloße Verbreiten von antisemitischer Propaganda, an der kein Mangel herrschte, hinaus), vermutlich mehrere Tausend hinzu. Ich habe geschätzt, dass 3600 Juden verraten oder ermordet wurden; wenn man daraus auf 3600 Denunzianten und Mörder schließt, von denen einige bereits als *szmalcowniki* gezählt wurden, dann belief sich die Zahl der aktiven Feinde der Juden möglicherweise auf 4000 bis 5000, also vier bis fünf Promille der polnischen Bevölkerung.

Wie viele Menschen ließen den Juden andererseits ihre Hilfe angedeihen? Bisherige Schätzungen ihrer Zahl haben sich einfach auf Vermutungen über das Zahlenverhältnis zwischen Juden und Helfern gestützt, wobei manche annahmen, dass ein einziger Jude ein halbes Dutzend Menschen brauchte, um zu überleben. Andere haben darauf hingewiesen, dass es umgekehrt auch Menschen gegeben habe, die Dutzenden von Juden halfen. Nach der am häufigsten zitierten Annahme, die wiederum von Friedman stammt, hatte jeder Jude fünf Helfer.[12] Emmanuel Ringelblum schätzte, dass in Warschau 40 000 bis 60 000 Menschen Juden geholfen haben; da er annahm, dass sich 10 000 bis 15 000 Juden in der Stadt versteckt hielten, entsprach dies ungefähr Friedmans Zahlenverhältnis. Teresa Prekerowa geht dagegen von der bescheideneren Zahl von zwei oder drei Helfern pro Jude aus. Da sie die Zahl der Juden, die sich im ganzen Land versteckt hielten (und von denen die Hälfte überlebte), auf 80 000 bis 120 000 schätzt, beziffert sie die Zahl der Helfer in Polen mit 160 000 bis 360 000.[13] Aber keine dieser Schätzungen beruht auf einer empirischen Basis. Um eine solche zu erhalten, habe ich die Darstellungen in Memoiren analysiert; insbesondere habe ich 30 *meliny* (Verstecke) untersucht, für die detaillierte Beschreibungen und Geschichten vorliegen.[14] Sie dienten 122 Juden als Unterschlupf und wurden von 68 Nichtjuden (67 Polen und einem Deutschen) versorgt, was einem Durchschnitt von vier Juden und 2,3 Nichtjuden pro *melina* entspricht. Wie erwähnt, haben sich in den letzten beiden Kriegsjahren durchschnittlich

---

die gleichen Einnahmen unterstellte, die vermutlich jeder Einzelerpresser hatte; Erpresser, die in Banden operierten, dürften aber mehr Opfer gefunden haben als Einzeltäter, ansonsten hätte es sich für sie nicht gelohnt, sich zur Bande zusammenzuschließen.

[12] PHILIP FRIEDMAN, Their Brothers' Keepers, New York 1978.
[13] TERESA PREKEROWA, The „Just" and the „Passive", in: My Brother's Keeper?, S. 73.
[14] PAULSSON, Secret City, S. 129–131.

20 000 Juden in Warschau versteckt gehalten; für sie wurden also 5000 *meliny* benötigt, die von 11 500 Nichtjuden (überwiegend katholischen Polen, aber auch einigen Deutschen und nichtkatholischen Polen sowie einer Hand voll Schweizern und anderen Ausländern) versorgt wurden. Aber so gut wie jeder Jude, der sich versteckt hatte, berichtete darüber, dass er umziehen musste, für gewöhnlich mehrere Male; im Durchschnitt werden in den Erinnerungen sieben verschiedene Verstecke genannt, die Fälle nicht mitgezählt, in denen ein Jude in ein zuvor „ausgebranntes" Versteck zurückkehrte (was relativ selten vorkam, da sowohl Polen als auch Juden es für zu gefährlich hielten; nach den Memoiren zu urteilen, wurde nur eines von 15 Verstecken nochmals benutzt). Daraus kann man schließen, dass etwa 80 500 Menschen – wissentlich oder unwissentlich – Juden Unterschlupf gewährt haben. Es ist schwer zu sagen, wie viele von ihnen wussten, dass sie Juden beherbergten, aber es gibt gute Gründe für die Annahme, dass die meisten Vermieter es früher oder später vermuteten, wenn sie es nicht schon von Anfang an gewusst hatten. (Wenn Polen für ihre jüdischen Freunde ein Versteck suchten, weihten sie den Vermieter sowohl aus ethischen wie auch aus praktischen Gründen gewöhnlich ein. Gingen die Juden selbst auf die Suche, hatten sie dagegen im Allgemeinen zu viel Angst, um sich dem Vermieter zu offenbaren. Dennoch dürften die meisten Vermieter zumindest Verdacht geschöpft haben.) Die Tatsache, dass fast jeder untergetauchte Jude erpresst wurde, zeigt, dass selbst hoch assimilierte Juden ihre Identität nicht geheim halten konnten, wie sie gehofft oder geglaubt hatten. Das besetzte Warschau war überfüllt, und eine Privatsphäre war nur schwer herzustellen. Wohnungsbesitzer vermieteten häufig Zimmer in der eigenen Wohnung, manchmal auch nur einen durch einen Vorhang abgetrennten Bereich. Bei einer solchen Nähe war es schwierig, seine Identität lange geheim zu halten, zumal die Vermieter aus Furcht vor deutschen Repressalien aufmerksam auf Anzeichen achteten, die darauf hindeuteten, dass ihre Mieter Juden waren. Es ist daher eine ziemlich konservative Annahme, dass etwa 60 000 Nichtjuden wissentlich mit der Bereitstellung von *meliny* in Warschau zu tun hatten; wieder einmal hat es den Anschein, als hätte Ringelblum das richtige Gespür gehabt.

Nicht alle, die den Juden helfen wollten, konnten ihnen ein Versteck anbieten, doch es gab andere wichtige Hilfestellungen: bei der Flucht, der Beschaffung falscher Papiere, der Suche nach Verstecken, der finanziellen Unterstützung und so weiter. In vielen Erinnerungen kommt ein „Schutzengel" vor, der, im Hintergrund schwebend, darauf wartet, auftauchende Schwierigkeiten zu bereinigen. Eine solche Figur war beispielsweise „Tante Maria" (Maria Bułat), das ehemalige Kindermädchen von Janina Baumans Mutter, oder Maria Uklejska, Zofia Kubars frühere Schulleiterin, oder Mieczysław Tarwid, ein „blauer" Polizist, der Bernard Mandelkern und seiner Frau half.[15] Außerdem gab es Żegota-Mitglieder, die Geld verteilten und als „Legalisierungszelle" fungierten, Menschen, die flüchtigen Juden für ein oder zwei Nächte ein Bett zur Verfügung stellten, und so fort. Es gab viele Arten derartiger mittelbarer Hilfe; ihr Ausmaß ist schwer abzuschätzen, da die Grenze zwischen echter Hilfe und schlichtem Anstand schwer zu ziehen ist. Als Daumenregel habe ich bei der Anfertigung dieser Analyse alle Hilfestellungen als signifikant betrachtet, welche die Memoirenschreiber der Erwähnung wert befunden haben, und auf dieser Grundlage die Zahl der mittelbaren Helfer auf 10 000 bis 30 000 geschätzt, so dass die Gesamtzahl der Menschen, die Juden geholfen haben, auf 70 000 bis 90 000 ansteigt. Unter der Voraussetzung, dass sich in Warschau etwa ein Viertel aller untergetauchten Juden versteckt hielt, würde dies bedeuten, dass den 100 000 flüchtigen Juden in ganz Polen (von denen – laut Tabelle 2 – 46 000 überlebten) zwischen 280 000 und 360 000 Menschen halfen, was im Rahmen von Teresa Prekerowas Schätzung liegt.

Wie passen diese Schätzungen zu der Tatsache, dass bis zum 1. Januar 2002 erst 5632 Polen als „Gerechte Nichtjuden" anerkannt worden sind? Grund dafür ist vor allem, dass viele Helfer, wahrscheinlich die Mehrheit von ihnen, die Yad-Vashem-Kriterien nicht erfüllen: Ihre Hilfe war nicht bedeutsam genug, oder sie wurde um materieller Vorteile willen gewährt. Aber es gibt auch Belege dafür, dass die von Yad Vashem anerkannten „Gerechten" nur einen Bruchteil der Gesamtheit potentieller Kandidaten darstellen.[16] Ich habe eine Liste von Personen aufgestellt, die nach dem, was in jüdischen Memoiren über sie berichtet wird, diese Ehrung verdient hätten, und sie mit der von Yad Vashem zur Verfügung gestellten Liste der polnischen „Gerechten" verglichen. Dabei fand ich nur 20 Prozent der Namen wieder, das heißt, selbst von den dokumentierten Fällen wird nur ein Fünftel von Yad Vashem aufgeführt. Die meisten Menschen haben jedoch weder Memoiren noch Tagebücher geschrieben, und die in Yad Vashem und im Jüdischen Historischen Institut in Warschau vorhandenen Erinnerungen repräsentieren vermutlich nicht einmal ein Zwanzigstel der Juden, die sich versteckt gehalten haben. Daraus folgt, dass nicht mehr als ein oder zwei Prozent der Menschen, die diese Ehrung verdient hätten, offiziell als „Gerechte unter den Völkern der Welt" anerkannt sind. Und dies gilt nicht nur für Polen. Die Zahl der „Gerechten" aus allen Ländern belief sich am

---

[15] JANINA BAUMAN, Winter in the Morning, New York 1986, passim; ZOFIA KUBAR, Double Identity, New York 1989, S. 43 f.; BERNARD MANDELKERN, Escape from the Nazis, Toronto 1987, S. 90 ff.

[16] The Rescue of Jews by Non-Jews in Nazi-Occupied Poland, in: Journal of Holocaust Education 7 (1998), S. 19–44. Zu den Kriterien von Yad Vashem siehe MORDECAI PALDIEL, The Righteous among the Nations at Yad Vashem, in: ebd., S. 45–66.

1. Januar 2002 auf 19 141. 1995 waren es rund 13 000, 1985 etwa 5000, 1969 nur 1000, und 1961 gab es noch gar keinen. Zum jeweiligen Zeitpunkt erschien jede dieser Zahlen manchen Beobachtern nahezu vollständig zu sein, und doch wissen wir, dass die bis 1969 – 24 Jahre nach Kriegsende – Anerkannten nur ein Zwanzigstel derjenigen ausmachten, die heute anerkannt sind. Es könnte also gut sein, dass auch diese nicht mehr als ein Zwanzigstel der tatsächlichen Gesamtheit darstellen.

Um dies zu überprüfen, kann man sich einige Testfälle ansehen: In dem französischen Dorf Le Chambon-sur-Lignon hatten 5000 Protestanten eine gleich große Zahl von Juden versteckt, und doch sind bis heute nur 40 Bewohner von Le Chambon geehrt worden – weniger als ein Prozent. In Dänemark haben Tausende von Menschen Juden versteckt und im Oktober 1943 nach Schweden gebracht, und doch gibt es nur 17 dänische „Gerechte" – vermutlich wiederum weniger als ein Prozent. Friedman schätzte die Zahl der Juden, die in Verstecken überlebten, auf 200 000[17] – bei wahrscheinlich mindestens 300 000, die untergetaucht waren –, und zu diesen Zahlen passen weit eher, sagen wir, 400 000 „Gerechte unter den Völkern" – oder sogar eine Million, wie Friedman vorschlug – als 19 141. Es ist daher, kurz gesagt, nicht überraschend, dass bei rund 300 000 Polen, die Juden halfen, bisher nur gut 5000 als „Gerechte Nichtjuden" geehrt worden sind. Neue Fälle zu dokumentieren ist 60 Jahre nach den Ereignissen naturgemäß recht schwer; dennoch kommen jedes Jahr 1000 neue Fälle ans Licht – eine Zahl, von der man 1969 dachte, sie würde die Gesamtheit der Helfer wiedergeben.

Aber zurück zum Fall Warschau. Ich hoffe – von Diskussionen über die exakten Zahlen abgesehen – gezeigt zu haben, dass der Teil der Bevölkerung, der Juden aktiv unterstützte, wesentlich größer war als derjenige, der ihnen Schaden zufügte – vielleicht etwa zwanzig Mal so groß. Doch aktive Freunde und Feinde der Juden bildeten zusammengenommen nur eine kleine Minderheit der Gesamtbevölkerung; 92 Prozent der nichtjüdischen Bevölkerung von Warschau hatten weder auf die eine noch auf die andere Art mit Juden zu tun. Ist es fair, diese schweigende Mehrheit der Gleichgültigkeit zu zeihen? Ich habe die flüchtigen Juden zusammen mit den Nichtjuden, die mit ihnen (im Guten oder im Bösen) umgingen, eine „geheime Stadt" genannt: eine Stadt, weil sie eine große Zahl von Menschen beherbergte, die sich zum großen Teil fremd waren, aber dennoch wie alle Städter durch komplexe Netzwerke, die sie zumeist nicht bewusst wahrnahmen, miteinander in Verbindung standen; geheim, weil sie vor den Deutschen versteckt werden musste, aber auch, weil sie fast allen anderen ebenfalls verborgen war (sogar denjenigen, die sie bevölkerten). Mit anderen Worten, die 92 Prozent der

---

[17] FRIEDMAN, Their Brothers' Keepers.

Bevölkerung, die weder erpressten noch denunzierten, noch halfen, wurden bewusst aus der geheimen Stadt ausgeschlossen. Sie ahnten, dass sich in Warschau Juden versteckt hielten, hatten aber keine klare Vorstellung davon, wie viele es waren und wo sie zu finden waren. Deshalb kann nicht viel in ihre Nichtbeteiligung hineingelesen werden, da sie keiner freien Entscheidung entsprang. Sogar die Hilfsorganisationen, die angetreten waren, Juden aktiv zu unterstützen, hatten große Schwierigkeiten, die konspirativen Mauern der geheimen Stadt zu durchdringen. Am Ende erreichten sie nur einen Teil der Versteckten, und das auch erst recht spät.

Die Netzwerke, aus denen die geheime Stadt bestand, bildeten eine sich selbst organisierende Verschwörung, die auf der Grundlage persönlicher Beziehungen zu Menschen, die von den Juden für vertrauenswürdig gehalten wurden, spontan entstand, und es liegt in der Natur einer Verschwörung, dass sie nur so viele umfasst, wie gebraucht werden, und nicht mehr. Antisemiten wurden im Allgemeinen nicht aufgenommen, weshalb der Schaden, den sie anrichten konnten, relativ gering war, es sei denn, sie machten sich daran, die geheime Stadt zu infiltrieren. War zufällig ein Antisemit eingeweiht – etwa weil ein Familienangehöriger einen Juden versteckte –, war er für gewöhnlich durch die Regeln der Verschwörung zum Schweigen verpflichtet und sich bewusst, dass er durch einen Verrat an den Juden auch Polen belasten würde. Was zählte, war, mit anderen Worten, nicht, wie viele Feinde die Juden hatten, und noch nicht einmal, wie viele Freunde sie hatten, sondern dass es genügend Menschen gab, die bereit waren zu helfen, wenn man sie fragte, oder zumindest so klug, den Mund zu halten. An anderer Stelle[18] habe ich darauf hingewiesen, dass das Paradigma der Rettung, nach dem die Initiative beim Retter liegt, während der zu Rettende in Passivität verharrt, im Zusammenhang mit dem Holocaust nicht zutrifft. In der Praxis kam die Initiative fast überall in Europa fast immer von den Juden, die sich mit Menschen in Verbindung setzten, denen sie vertrauten, sie um Hilfe baten und selbst Schritte unternahmen, um den Nationalsozialisten auf die eine oder andere Weise zu entkommen. Die meisten Menschen helfen erst, wenn man sie darum bittet, und das gilt auch für die Wohltätigkeit im Allgemeinen; nur wenige werden von sich aus im Kampf gegen Hunger aktiv oder führen Obdachlosenasyle, aber die meisten Menschen werden ein paar Münzen in eine Sammelbüchse werfen.

Andererseits konnten die Erpresser und Denunzianten, denen es gelang, in das Netzwerk einzudringen, unverhältnismäßig großen Schaden anrichten, und sie waren wesentlich auffälliger als die Menschen, die den Juden halfen. Dem einzelnen untergetauchten Juden erschien es, als gäbe es Tausende, die

---

[18] GUNNAR S. PAULSSON, The Rescue of Jews by Non-Jews in Nazi Occupied Poland, in: Journal of Holocaust Education 7 (1998), S. 19–44.

ihn – oder sie – jagten (zwei Drittel der flüchtigen Juden waren Frauen), und nur eine Handvoll, auf die er oder sie sich verlassen konnte. Dabei waren die Jäger immer dieselben wenigen tausend Erpresser und Polizisten, während die jeweilige Hand voll Helfer mit anderen zu einem beachtlichen, wenn auch verborgenen Netzwerk verknüpft war. So erklärt sich die Diskrepanz zwischen der in vielen Memoiren beschriebenen Wahrnehmung und der durch empirische Forschungen enthüllten Wirklichkeit.

Der Antisemitismus und die untergetauchten Juden

Welchen Einfluss hatte der damals in der polnischen Gesellschaft weit verbreitete Antisemitismus auf die Flucht- und Überlebenschancen der Juden? Die Diskussion über diese Frage ist lange Zeit von zwei Auffassungen beherrscht worden: Grob umrissen besagt die eine, dass fast alle Polen Antisemiten und im Allgemeinen froh darüber waren, dass Hitler das „Judenproblem" für sie löste, und sie seien deshalb (von ehrenwerten Ausnahmen abgesehen) bereit gewesen, Juden, wann immer möglich, zu verraten oder zu denunzieren. Nach der zweiten Auffassung war der Antisemitismus in Polen im Gegenteil nur ein Randproblem, selbst eingefleischte Antisemiten hätten angesichts der Bestialität der Nationalsozialisten ihre Meinung geändert, und die große Mehrheit der Polen habe Mitgefühl mit den Juden gehabt und sei bereit gewesen, ihnen zu helfen. Ringelblum gab der ersten Auffassung Ausdruck, als er schrieb: „Der polnische Faschismus hat, im Bündnis mit dem Antisemitismus, den größten Teil der polnischen Gesellschaft erobert", und weiter:

> „... die Dummheit der polnischen Antisemiten, die nichts gelernt haben, ist schuld am Tod Hunderttausender von Juden, die, den Deutschen zum Trotz, hätten gerettet werden können. Möge sie die Anklage treffen, dass sie nicht Zehntausende von jüdischen Kindern retteten, die in polnischen Heimen oder Einrichtungen hätten untergebracht werden können. Es ist ihre Schuld, dass Polen nur höchstens einem Prozent der [polnischen] Juden, den Opfern von Hitlers Verfolgung, Unterschlupf gewährte."[19]

Die zweite Auffassung findet sich zum Beispiel in Jan Ciechanowskis Beitrag zur *Cambridge History of Poland*: „Auf die Herausforderung der nationalsozialistischen Besatzung reagierten, bis auf ein paar Extremisten, alle Polen ... damit, dass sie den Juden tapfer zu Hilfe eilten, aber die Macht der Deutschen war überwältigend, und sie waren entschlossen, die Juden zu

---

[19] RINGELBLUM, Polish-Jewish Relations, S. 177 f.

vernichten."[20] Seit Jan Błońskis Aufsatz von 1978 und den seit 1989 eingetretenen „Veränderungen" sind diese beiden unvereinbaren Standpunkte in gewissem Maße überwunden worden; die meisten ernsthaften polnischen Wissenschaftler akzeptieren mittlerweile zumindest, dass der Antisemitismus im damaligen Polen eine starke Kraft darstellte, auch wenn nicht jeder Błońskis Ansicht, dass Polen deshalb eine moralische (wenn auch keine juristische) Mitschuld an den auf seinem Boden begangenen Verbrechen trage, teilen mag.

Ich will hier nicht den Knoten der jüdisch-polnischen Beziehungen im Allgemeinen lösen, sondern nur der begrenzteren Frage nachgehen, wie viel Einfluss der einheimische Antisemitismus auf die Chancen von Juden hatte, zu fliehen und im Versteck zu überleben. Dass die Flucht von anderen Faktoren bestimmt und die Furcht vor dem Antisemitismus (die Vorstellung, dass die Juden nicht flohen, weil sie es für „zu gefährlich" hielten) von geringer Bedeutung war, habe ich bereits ausgeführt. Was das Überleben angeht, möchte ich hier eine dritte Auffassung formulieren: Der Antisemitismus grassierte in Polen (und ist bis heute eine starke Kraft geblieben), aber es gab nicht notwendigerweise eine Verbindung zwischen Haltung und Verhalten. Der direkte Verrat von Juden war nicht sehr weit verbreitet. Durch ihre Politik der kollektiven Vergeltung, die darauf hinauslief, dass, wenn ein Antisemit einen Juden verriet, auch Polen darunter zu leiden hatten, untergruben die Nationalsozialisten in gewissem Ausmaß ihr eigenes Programm. Es ist daher nicht überraschend, dass die für die Denunziation von Juden ausgelobten Belohnungen, nach Aussage des SS-Offiziers Franz Konrad, nur „in seltenen Fällen" beansprucht wurden.[21] Daher scheint die in Memoiren häufig wiederholte Vorstellung, dass Erpresser ihre Opfer, nachdem sie sie ausgenommen hatten, den Deutschen übergaben, so etwas wie ein urbaner Mythos zu sein. Die Erpresser konnten mehr herausschlagen, wenn sie den Juden selbst Geld abverlangten, statt sie zu denunzieren und eine Belohnung einzustreichen: Da die Belohnung aus einem Anteil am Eigentum des Betroffenen bestand (laut Konrad 20 Prozent), hätten sie, wenn sie den Juden nichts mehr gelassen hatten, auch nichts erhalten. Außerdem war das Tun der Erpresser ungesetzlich: Man war angehalten, die Juden auszuliefern, nicht sie selbst auszubeuten. Deshalb wollten die Erpresser lieber nichts mit der Polizei zu tun haben, zumal sie sich dadurch der Gefahr von Gegenanzeigen ausgesetzt und möglicherweise selbst ihrer Geschäftsgrundlage beraubt hätten.

Antisemiten gab es jedoch nicht nur unter Erpressern und Denunzianten. In einem Land mit weit verbreitetem Antisemitismus war es unvermeidlich,

---

[20] The History of Poland since 1863, hg. v. R. F. LESLIE, Cambridge 1980, S. 217.
[21] Archiwum ŻIH, 301/5034, S. 67.

dass auch einige Antisemiten in die Hilfsanstrengungen für Juden verwickelt waren, entweder um Geld zu verdienen oder weil Familienangehörige zu den Helfern gehörten. Es gab sogar antisemitische Gründe, Juden zu helfen: So glaubte Zofia Kossak-Sczucka, indem sie ein Beispiel reiner christlicher Nächstenliebe gebe, könne sie Juden zur Konversion bewegen (aus diesem Grund wollte sie sich nicht *Żegota*, einer gemeinsamen jüdisch-christlichen Organisation, anschließen und trat stattdessen der von der Demokratischen Partei gegründeten SOS (*Społeczna Organizacja Samopomocy*) bei, die als Bindeglied zwischen *Żegota* und den Klöstern diente). Doch auch wenn keine derart abwegigen Motive im Spiel waren, stand der ideologische Antisemitismus einer aktiven Hilfe nicht unbedingt im Weg: Häufig unterscheiden Antisemiten zwischen dem mythischen Juden, für den sie Hass und Verachtung empfinden, und dem konkreten Juden, zu dem sie normale menschliche Beziehungen unterhalten können. Jeder konkrete Jude ist irgendwie eine Ausnahme und „anders als die anderen". In den Memoiren werden zahlreiche Begebenheiten geschildert, bei denen Menschen, ohne ihre allgemeinen Ansichten über Juden zu ändern, einzelnen Juden halfen. Schließlich gibt es viele Arten und Grade des Antisemitismus. In einem Land, in dem er eine gesellschaftliche Norm war, war er nicht notwendigerweise auch ein Anzeichen für die Art von pathologischer Persönlichkeit, mit der wir ihn heute in Verbindung bringen. Anders gesagt, viele Menschen wiederholten einfach Parolen, die sie gehört hatten, ohne sich große Gedanken darüber zu machen und ohne ihre Menschlichkeit aufzugeben. Manchmal zählten sogar Juden zu ihren besten Freunden.

Der einheimische Antisemitismus hatte daher, jedenfalls unter den besonderen Bedingungen im besetzten Warschau, keinerlei direkten Einfluss auf das Ergebnis der NS-Politik. Es gab nur wenige polnische Kollaborateure, da die Nationalsozialisten keine Machtpositionen mit Polen besetzten und die fanatischsten Antisemiten gleichermaßen antideutsch wie antisemitisch eingestellt waren. Nur eine kleine Minderheit der Antisemiten wandte sich der Erpressung von Juden zu; sie denunzierten selten, halfen gelegentlich sogar und waren zum größten Teil von dem Milieu ausgeschlossen, in dem sich die untergetauchten Juden bewegten. Ich will nicht unterstellen, dass die Warschauer Antisemiten den Tätern des Massakers von Jedwabne, der Vorkriegspogrome oder der nach dem Krieg verübten Morde an Juden moralisch überlegen waren; diese Frage würde den Rahmen dieses Aufsatzes sprengen. Ich vertrete nur die Ansicht, dass Antisemiten unter den spezifischen Bedingungen im besetzten Warschau aus mehreren Gründen zumeist nicht gegen Juden aktiv wurden. Im besetzten Warschau bestanden antisemitische Aktivitäten überwiegend aus Worten: Worten, die Juden auf der Straße oder zu Hause hörten und in verschiedenen Organen der Untergrundpresse lasen.

Auf Menschen, die sich bereits in einem Zustand tiefster Verzweiflung befanden, nachdem sie ihre Familien und ihre Gemeinde auf derart schreckliche Weise verloren hatten, wirkte eine solche höhnische und demütigende Sprache beängstigend und demoralisierend. Um im Untergrund zu überleben, mussten die Juden ihre Gefühle im Griff haben; nur so konnten sie vermeiden, dass sie jene Verzagtheit und Furchtsamkeit an den Tag legten, an denen Erpresser und Polizeispitzel sie erkennen konnten. (Eine Methode, mit der solche Leute Juden gelegentlich zu „entlarven" versuchten, bestand darin, an öffentlichen Orten laute antisemitische Bemerkungen von sich zu geben und dann die Reaktionen zu beobachten.) Antisemitische Äußerungen ihrer polnischen Nachbarn trugen daher indirekt dazu bei, dass Juden zur leichten Beute von Erpressern wurden. Verzagtheit und Furchtsamkeit waren auch der Grund, weshalb 3500 Juden in die Falle des Hotels Polski tappten, andere in das Ghetto zurückkehrten oder den Entschluss, es zu verlassen, hinausschoben, bis es zu spät war, und wieder andere Selbstmord begingen oder sich selbst stellten. So kostete das gedankenlose und aggressive Verhalten der verbalen Antisemiten indirekt Tausende von Menschen das Leben.

Schließlich hatte die von den rechten Parteien und der katholischen Kirche jahrelang verbreitete antisemitische Propaganda moralische Verwirrung gestiftet. Sie bot denjenigen, die gegen Juden aktiv waren, Vernunftgründe und moralische Vorwände, was ihnen nicht nur gestattete, ihr schändliches Handeln mit ihrem Gewissen zu vereinbaren, sondern sie sogar davon überzeugte, dass ihr Tun patriotisch sei und von der Öffentlichkeit gebilligt werde. Aber nicht nur die „patriotischen" Erpresser und Denunzianten waren verwirrt. Ich habe in meinem Buch zwei Fälle von anständigen, aufopferungsvollen Frauen geschildert, die sich bemüßigt fühlten, die „Sünde", Juden versteckt zu halten, zu beichten. Beiden wurde von ihren Beichtvätern gesagt, sie sollten mit ihrem guten Werk fortfahren, aber nicht alle Priester waren so verständig, und weniger anständige und aufopferungsvolle Menschen machten sich gar nicht erst die Mühe, einen Priester zu Rate zu ziehen: Sie entschieden selbst, dass es anrüchig sei, Juden zu verstecken. So machte die Kirche, die nach eigenem Verständnis eine Kraft des Guten sein sollte, viele der guten Taten ihrer Priester und Nonnen zunichte, indem sie eine unmoralische Lehre verbreitete.

Auch die rechten Parteien zeichneten sich nicht gerade durch eine aufgeklärte Haltung aus. Obwohl zahlreiche einzelne Menschen mit politisch rechter Gesinnung an Hilfsaktivitäten beteiligt waren, hielten die Nationale Partei und ihre Ableger auffällig Distanz zu Żegota, dem interkonfessionellen Rat für Judenhilfe; sie waren schon gegen seine Gründung gewesen, und ihre Presseorgane warnten die Polen davor, Juden Unterschlupf zu gewähren, weil sie von ihnen hintergangen werden könnten, und ritten darauf

herum, dass selbst noch die Reste des polnischen Judentums die Vorhut des
Kommunismus seien und eine Gefahr für die Nation darstellten.

Hätte es die Kultur des Antisemitismus nicht gegeben – und hätten sich
die Juden auf die gleiche Solidarität und Unterstützung wie der polnische
Untergrund stützen können –, dann hätte Polen eine wahrhaft einzigartige
Bilanz der Hilfe für seine verfolgte Minderheit aufzuweisen. Aber wie die
Dinge nun einmal liegen, lässt sich bestenfalls sagen, dass es sich nicht
wesentlich von anderen Ländern unterschieden hat.

Daniel Blatman

Reaktionen jüdischer Funktionäre und Organisationen auf die Neuigkeiten aus Polen in den Jahren 1942/43

In den 1950er- und 1960-Jahren wurde die Frage, wie die jüdischen Organisationen in der freien Welt auf Meldungen über die Vernichtung der Juden im Jahr 1942 reagiert hatten, Gegenstand heftiger Debatten, die zum großen Teil vom politischen Hintergrund der Beteiligten geprägt waren. Den Auseinandersetzungen lag die Absicht zugrunde, diese oder jene jüdische Organisation von dem Vorwurf zu befreien, sie sei nicht tätig geworden oder hätte die Sache nicht ernst genommen – oder die Schuld anderen Organisationen in die Schuhe zu schieben, für gewöhnlich solche am entgegengesetzten Ende des politischen Spektrums. In den letzten fünfzehn Jahren hat sich die Situation jedoch verändert. Neue Studien haben sich aus unterschiedlichen Blickwinkeln sowohl mit verschiedenen Organisationen, Institutionen und politischen Parteien als auch mit den Bemühungen einzelner Aktivisten von Organisationen beschäftigt, die während des Krieges in der freien Welt tätig waren.[1]

Der vorliegende Aufsatz konzentriert sich auf drei Persönlichkeiten und ihre Aktivitäten innerhalb von Organisationen, die einen breiten und ziemlich repräsentativen, wenn auch nicht vollständigen Querschnitt der jüdischen Öffentlichkeit und des jüdischen politischen Systems in der freien Welt darstellten. Erörtert werden soll, welche Haltung sie in der Zeit, als die Meldungen über die Vernichtung des polnischen Judentums eintrafen, zu dessen Notlage einnahmen und wie sie darauf reagierten. Die erste dieser

---

[1] Raya Cohen, Ben „sham" le-„khan". Sipuram shel Edim la-Hurban, Shwaits 1939–1942, Tel Aviv 1999; David Engel, In the Shadow of Auschwitz. The Polish Government-in-Exile and the Jews 1939–1942, Chapel Hill, N.C., London 1987; ders., Facing a Holocaust. The Polish Government-in-Exile and the Jews 1943–1945, Chapel Hill, N.C., London 1993; Gulie Ne'eman Arad, America, Its Jews, and the Rise of Nazism, Bloomington, Ind., 2000; Dariusz Stola, Nadzieja i Zagłada. Ignacy Schwarzbart – żydowski przedstawiciel w Radzie Narodowej RP (1940–1945), Warszawa 1995; Daniel Blatman, For Our Freedom and Yours. The Jewish Labour Bund in Poland 1939–1945, London, Portland 2003.

Persönlichkeiten ist Gerhard Riegner, der Vertreter des Jüdischen Weltkongresses (*World Jewish Congress,* WJC) in Genf, die zweite Ignacy Schwarzbart, Mitglied des Polnischen Nationalrats in London, der im Namen der „Vertretung der polnischen Juden" (*Reprezentacja Żydowstwa Polskiego*) handelte, und die dritte Szmuel Zygielbojm, der im Vorkriegspolen der Führung des Allgemeinen Jüdischen Arbeiterbundes in Polen (kurz: Bund) angehört hatte und Polen 1940 verließ, nachdem er mehrere Wochen lang Mitglied des ersten Judenrats von Warschau gewesen war. In New York angekommen, wurde Zygielbojm einer der rührigsten Funktionäre des Bundes und der jüdischen Gewerkschaften in Amerika. Im März 1942 wurde er als Vertreter des Bundes in den Polnischen Nationalrat in London entsandt. Außerdem war er der Hauptrepräsentant zweier anderer Gruppierungen: der jüdischen Arbeiterschaft in Polen und der einflussreichsten jüdischen Arbeiterorganisationen in den Vereinigten Staaten, des *Arbeter Ring* (Arbeiterring) und des *Jewish Labor Committee.*

Diese drei Männer waren aus unterschiedlichem Holz geschnitzt, und die Organisationen und Gruppen, die sie vertraten, hatten verschiedene ideologische Anschauungen und politische Zielsetzungen. Riegner war ein liberaler deutscher Jude, der vor 1933 nichts mit jüdischen Angelegenheiten zu tun gehabt hatte. Als in Genf ausgebildeter Rechtsanwalt hatte er dort seit 1934 als Sekretär des *World Jewish Congress* gearbeitet. Der WJC war 1932 gegründet worden, aber erst etwa vier Jahre später zur vollen Handlungsfähigkeit gelangt. In den dreißiger Jahren verschrieb er sich vor allem dem Kampf gegen die Politik des in Deutschland herrschenden Regimes gegenüber den jüdischen Bürgern des Landes.

Ignacy Schwarzbart, ein jüdischer Rechtsanwalt aus Krakau und vor dem Krieg eine bekannte politische Persönlichkeit, hatte eine politische Karriere im polnischen Staat angestrebt, bis die deutsche Besetzung des Landes im September 1939 seine Hoffnungen zunichte machte. Die 1940 gegründete Vertretung der polnischen Juden, deren Repräsentant er war, bestand aus führenden Repräsentanten der polnisch-jüdischen Emigrantengemeinde, die 1939/40, in der Anfangsphase der deutschen Besatzung, das sichere Ufer erreicht und sich überwiegend in Palästina niedergelassen hatten.

Von Anfang an betrachtete sich die Vertretung als „überseeische Führung" des polnischen Judentums. In den ersten Kriegsjahren sahen ihre Funktionäre in Palästina und Amerika ihre Aufgabe ausschließlich darin, mit allem Nachdruck die jüdischen Rechte in Polen zu verteidigen. Insbesondere versuchten sie, von der polnischen Exilregierung eine grundsätzliche Erklärung mit einem Bekenntnis zur Stellung und zu den Rechten der Juden in Nachkriegspolen zu erhalten. Es ging ihnen darum, wie sie es im September

1940 formulierten, „gleiche bürgerliche, religiöse und nationale Rechte für die jüdische Gemeinschaft im wiedergeborenen Polen zu sichern".[2]

Die Vertretung ruhte auf dem Fundament eines breiten Konsenses innerhalb der zionistischen und religiösen jüdischen politischen Führung im Vorkriegspolen. An ihrer Spitze standen herausragende Persönlichkeiten der polnisch-jüdischen Führungsschicht, vor allem aus dem zionistischen Lager: Moshe Kleinbaum, Leon Lewitte, Benjamin Minz, Abraham Stupp, Anszel Reiss und Rabbi Itzchak Meier Levin.[3] Ein weiteres bedeutendes Mitglied der Vertretung war Arieh Tartakower, ein in New York ansässiger WJC-Führer. Die engen Beziehungen zwischen WJC und Vertretung beruhten nicht nur auf persönlichen Verbindungen, sondern auch auf ähnlichen Ansichten über die Notwendigkeiten und politischen Arbeitsmethoden der jüdischen Führung in der Diaspora während des Krieges. So legte die Vertretung 1941 in Palästina als Leitlinien ihres Handels fest:

a) volle Identifikation mit dem Ziel der Wiedererrichtung eines unabhängigen, auf den Prinzipien von Freiheit, Demokratie und Gleichheit beruhenden polnischen Staates und dem Kampf für dieses Ziel;

b) Erlangung einer Garantie der bürgerlichen, religiösen und nationalen Rechte der künftigen jüdischen Gemeinschaft in Polen in allen Lebensbereichen und die kategorische Ablehnung von Lösungen des Problems des polnischen Judentums, die vom Antisemitismus oder von der Doktrin der Evakuierung geprägt waren; und

c) Aufrufe zu Hilfsunternehmen für polnische Juden und Flüchtlinge in verschiedenen Ländern sowie deren effiziente Organisation und Koordination.[4]

Gegenüber der polnischen Exilregierung betonte die Führung der Vertretung mit allem Nachdruck zwei weitere Grundprinzipien: das Recht des jüdischen Volkes auf eine nationale Heimat und ein nationales Leben in Palästina sowie die Zusicherung der bürgerlichen und nationalen Rechte von Juden in allen Ländern, in denen sie lebten.[5] Indem sie auf diese Weise ihre politischen Ziele absteckte, schloss die Vertretung zwei bedeutende politische Lager im Polen der späten dreißiger Jahre aus: den antizionistischen Bund und die von Zeev Jabotinsky gegründete Neue Zionistische Organisation. Jabotinsky hatte mit seinem Evakuierungsplan 1936 in der polnisch-jüdischen Öffentlichkeit einen heftigen Streit ausgelöst und sich selbst

---

[2] Reprezentcja Żydowstwa Polskiego, Sprawozdanie z działalności w latach 1940–1945, S. 7; ENGEL, In the Shadow of Auschwitz, S. 78.

[3] Skład centralnej Reprezentacji Żydowstwa Polskiego w Tel-Awiwie, o. D. (Ende 1940/Anfang 1941): Yad Vashem Archives (YVA), M-2/600.

[4] Vertretung der polnischen Juden an Zentralkomitee der New Zionist Organization, Tel Aviv, 17. April 1941: YVA, M-2/600.

[5] Reprezentacja Żydowstwa Polskiego do Rządu Rzeczypospolitej Polskiej, 24. Juli 1941: YVA, M-2/600.

schwere Vorwürfe eingehandelt.[6] Nachdem weitere polnisch-jüdische Partei-
funktionäre in New York eingetroffen waren, schuf die Vertretung Ende
1941 einen amerikanischen Ableger. Im Gründungsdokument hieß es:

> „Wie in Palästina besteht die Vertretung der polnischen Juden auch in Amerika
> aus Repräsentanten der folgenden jüdischen Organisationen in Polen: der Zioni-
> stischen Organisation, Agudath Israel, Mizrachi, Poale Zion-Hitachduth und
> Poale Zionistische Linke."[7]

Zygielbojm und die Delegation des Bundes in New York unterschieden sich
von den anderen beiden hier Vorgestellten. Zygielbojm war ein politischer
Funktionär, der in den dreißiger Jahren in die Führung seiner Partei aufge-
stiegen war, indem er seine ganze Kraft für jüdische Gewerkschaften in
Polen eingesetzt hatte. Ihm fehlte eine systematische Ausbildung, und er
besaß keinerlei Erfahrungen mit politischen Aktivitäten außerhalb der jüdischen Sphäre. Doch besaß er die Unterstützung einer Partei mit Tradition
und tiefen Wurzeln im jüdischen Leben Osteuropas. In den USA verfügte
die jüdische Arbeiterschaft über einige der am besten organisierten und
aktivsten Vereinigungen und Institutionen auf den Gebieten des kulturellen
Lebens, der Bildung und der Gewerkschaftsarbeit. Doch die Mitglieder
dieser Organisationen – und das *Jewish Labor Committee* ist dafür nur ein
Beispiel – waren Leute, die erst vor kurzem eingewandert waren, es existierten keine fruchtbaren Beziehungen zu amerikanischen Entscheidungsträgern
und Politikern, und sie besaßen keinen wirklichen Einfluss auf sie.[8]

Um die Reaktionen dieser Organisationen und ihrer Vorkämpfer zu
verstehen, muss man mehrere Fragen im Auge behalten:

– Beurteilten diese Vertreter jüdischer Organisationen die Situation richtig,
  als sie von den Deportationen und der Vernichtung der Juden erfuhren,
  und vermittelten sie ihren Organisationen ein zutreffendes Bild und eine
  präzise Einschätzung der Vorgänge, das heißt der wahren Bedeutung der
  nationalsozialistischen „Endlösung"?
– In welchem Ausmaß konnten diese Personen und Organisationen, die sich
  in Herkunft sowie kurz- und langfristigen Zielen so sehr unterschieden,
  die Berichte über die Vernichtung der Juden, die 1942 aus Polen eintrafen, richtig verstehen und beurteilen?
– Inwieweit beeinflussten die organisatorischen Strukturen dieser Organisationen, ihr traditionelles Weltbild und ihre Verhaltensweisen, die sich in

---

[6] EMANUEL MELZER, No Way Out. The Politics of Polish Jewry 1935–1939, Cincinnati,
Ohio, 1997, S. 136–140.
[7] Vertretung der polnischen Juden, Amerikanische Abteilung, an Schwarzbart, 30.
Dezember 1941: YVA M-2/554.
[8] BLATMAN, For Our Freedom and Yours, S. 128–134.

den dreißiger Jahren, wenn nicht früher, herausgebildet hatten, ihre Reaktionen auf die ihnen zugetragenen Informationen?

I.

Der in Genf ansässige Gerhard Riegner gewann im Herbst 1941 und Anfang 1942 ein ziemlich genaues Bild von der Deportation von Juden aus dem Reich in den Osten, und im Frühjahr 1942 wurde er über den beginnenden Abtransport von Juden aus Frankreich informiert.[9]

Die Berichte, durch die Riegner im Herbst 1941 von den Morden erfuhr, die nach dem deutschen Angriff auf die UdSSR im Osten einsetzten, stammten aus verschiedenen Quellen. Obwohl die Zahlen, die man ihm nannte, viel niedriger lagen als die der tatsächlich ermordeten Juden, dämmerte ihm und seinen Mitstreitern in Genf nach eigener Aussage zu diesem Zeitpunkt, dass in den Ostgebieten ein furchtbares Blutbad an Juden verübt wurde. In einem Brief an Nahum Goldmann vom 27. Oktober 1941 gab Riegner diesen Eindruck wieder:

„[…] es wird ja immer klarer, daß in Europa für die Juden auf die Dauer kein Leben mehr sein wird. Das, was jetzt vor sich geht, ist vielleicht schon das letzte Stadium der völligen Niederdrückung des europäischen Judentums […]."[10]

Dieser Brief zeigt, unter welchem Schock Riegner und seine Mitstreiter in Genf standen. Besonders beunruhigt war Riegner darüber, dass im Herbst 1941 Juden gleichzeitig aus verschiedenen Gegenden Europas deportiert und ermordet wurden, was dem Phänomen eine neue, bedrohliche Dimension verlieh. Er zog aus den Ereignissen den Schluss, dass die Strategie der stillen, gediegenen Diplomatie als Mittel, um diverse Akteure dazu zu bewegen, sich für die Juden in den deutsch besetzten Ländern einzusetzen, nicht mehr angemessen war. Statt dessen schlug er vor, offen zu agieren und die Berichte zu publizieren, um die Öffentlichkeit für die Rettung der Juden zu mobilisieren. In seinen Memoiren schrieb Riegner, er hätte Ende 1941, Anfang 1942 weitere Berichte über die Ermordung von Juden mit Gas und Giftspritzen erhalten. Die Vergasungen seien, den Berichten zufolge, in speziellen Lastwagen durchgeführt worden. Er habe Paul Guggenheim, einem Professor der Rechte und juristischen Berater der WJC-Vertretung in Genf, mitgeteilt, was er über die Mordmaschine der Nationalsozialisten

---

[9] COHEN, Ben „sham" le-„khan", S. 139.
[10] GERHART M. RIEGNER, Niemals verzweifeln. Sechzig Jahre für das jüdische Volk und die Menschenrechte, Gerlingen 2001, S. 65.

erfahren hatte, weil er mit ihm zusammen das amerikanische Konsulat in Genf aufsuchen wollte, um dort seine Informationen vorzulegen.[11]

Woher diese Berichte kamen, hat Riegner nicht enthüllt, und es ist durchaus möglich, dass er in seinen Memoiren das Wissen, das er im Sommer 1942 gewann, in die Monate davor zurückprojiziert hat. Denkbar ist allerdings auch, dass die Berichte über die Ermordung von Juden in Gaswagen aus unbekannten Quellen, von Informationssplittern, Zeitungsberichten und Gerüchten herrührten. Ende 1941 und Anfang 1942 trug Riegner viel Material aus unbestätigten Quellen wie diesen zusammen. Aber wie dem auch sei, sollte er diese Berichte wirklich erhalten haben, dann bezogen sie sich offensichtlich auf die Ermordung von Juden in Kulmhof, die im Dezember 1941 begann und tatsächlich mit Gaswagen erfolgte. Insofern entsprachen die Informationen den Tatsachen der NS-Vernichtungspolitik, wie sie in dieser Phase umgesetzt wurde.[12]

Zu diesem Zeitpunkt – Anfang 1942 – gingen die WJC-Führer Nahum Goldmann und Arieh Tartakower nicht auf Riegners entsprechende Vorschläge ein. Bis auf weiteres sahen sie das richtige Vorgehen wie bisher in der Bereitschaft der Exilregierungen (Polens, der Niederlande, Belgiens und der Tschechoslowakei), die Deportationspolitik als unrechtmäßig zu verurteilen.[13]

Als sich im Juni und Juli 1942 die Nachrichten über die Ermordung von Juden zu häufen begannen, schrieb Riegner einen Sonderbericht darüber, der dem Beirat des WJC zugeleitet wurde. Der Bericht bestand aus einer nach Ländern geordneten Zusammenfassung seiner Informationen über die Not des europäischen Judentums, die er den in seinem Besitz befindlichen Quellen und Zeitungsausschnitten entnommen hatte. Doch Riegners intensiven Bemühungen und das entsetzliche Bild, das er in seinen Berichten malte, vermochten die Haltung der WJC-Führer nicht zu ändern; diese teilten ihm vielmehr mit, dass die für seine Tätigkeit bereitgestellte monatliche Unterstützung aufgrund von Budgetschwierigkeiten gekürzt werden müsse.[14]

Die Affäre um das „Riegner-Telegramm" vom 8. August 1941[15] bestätigt nur die Unterschiede zwischen der Haltung eines jüdischen Funktionärs, der ein direkter Empfänger von Informationen über die Tötungsaktionen war, einerseits und derjenigen einer Organisation oder Führung im Hinter-

---

[11] Ebd., S. 66.
[12] COHEN, Ben „sham" le-„khan", S. 139; CHRISTOPHER R. BROWNING, Hitlers endgültige Entscheidung zur „Endlösung"? Riegners Telegramm in neuem Licht, in: DERS., Der Weg zur „Endlösung". Entscheidungen und Täter, Bonn 1998, S. 150 f.
[13] COHEN, Ben „sham" le-„khan", S. 140.
[14] Ebd., S. 141.
[15] Der Text des Telegramms ist abgedruckt in BROWNING, Hitlers endgültige Entscheidung, S. 150.

grund, deren Handeln von komplizierten Erwägungen hinsichtlich einer Vielzahl von Sachzwängen bestimmt wurde, andererseits. Riegners Informationen über das offensichtliche Vorhandensein eines Plans zur Vernichtung der Juden stammten von dem deutschen Industriellen Eduard Schulte aus Breslau, der sie einem Schweizer Geschäftsmann mitgeteilt hatte, über den sie zu Benjamin Sagalowitz gelangt waren, einem kämpferischen Schweizer Juden und Journalisten, der zugleich Leiter des Informationsbüros des Verbandes der Schweizerischen Jüdischen Gemeinden war, und dieser hatte sie schließlich an Riegner weitergeleitet. Dabei hatte Sagalowitz vor allem dessen direkte Verbindung zu Stephen Wise im Auge gehabt, der als der jüdische Führer in der freien Welt mit den besten Kontakten zu US-Präsident Franklin D. Roosevelt galt. Tatsächlich wurde der Inhalt von Riegners Telegramm über das amerikanische und das britische Konsulat in Genf an den britischen Unterhausabgeordneten Sidney Silverman, der zugleich den WJC in London vertrat, und an Stephen Wise in New York übermittelt.[16]

Riegner glaubte, dass die kumulativen Informationen, die er von Ende 1941 bis zum Sommer 1942 erhalten hatte, zutreffend und genau waren und dass sie das Vorhandensein eines umfassenden nationalsozialistischen Vernichtungsprogramms bewiesen. Die neu hereingekommene Information, im Führerhauptquartier sei ein Plan besprochen und beschlossen worden, viereinhalb Millionen Juden aus ganz Europa auf einmal umzubringen, bestärkte ihn nur in seiner Meinung über den Kern der NS-Politik gegenüber den Juden in Europa. Darüber hinaus war er überzeugt, dass Wise und der WJC die Macht besaßen, den US-Präsidenten zu einem entscheidenden Schritt in Richtung auf eine Rettungspolitik zu bewegen, da der WJC der Hauptträger des jüdischen Kampfs gegen Hitler zu sein schien. In Riegners Augen war es selbstverständlich, dass die Alliierten solch einen Schritt unternehmen würden; die politischen Entscheidungsträger mussten dafür nur mit korrekten und verlässlichen Informationen versorgt werden. Er dachte sogar daran, sein Telegramm auch den Sowjets zukommen zu lassen, konnte aber keinen sicheren Kanal finden, da die Sowjetunion damals keine diplomatischen Beziehungen zur Schweiz unterhielt.[17] Wahrscheinlich hätte er sich in seinen schlimmsten Albträumen nicht vorstellen können, dass das OSS (der amerikanische Geheimdienst *Office of Strategic Services*) sein Telegramm entschieden als „wildes, von jüdischen Ängsten inspiriertes Gerücht" abtun würde.[18]

---

[16] RICHARD BREITMAN, Staatsgeheimnisse. Die Verbrechen der Nazis – von den Alliierten toleriert, München 1999, S. 188 f.; BROWNING, Hitlers endgültige Entscheidung, S. 149 f.; COHEN, Ben „sham" le-„khan", S. 144–146.

[17] RIEGNER, Niemals verzweifeln, S. 66 f.

[18] Zit. in BREITMAN, Staatsgeheimnisse, S. 189.

Nach dem Krieg wurde Wise heftig angegriffen, weil er nach Erhalt von Riegners Informationen allem Anschein nach nichts getan hatte. Seine energischsten Kritiker scheuten nicht davor zurück, ihm in Bezug auf den Umgang mit dem Riegner-Telegramm Ignoranz, Gleichgültigkeit und oberflächliches Verhalten vorzuwerfen.[19] Tatsächlich aber hatte er den Text des Telegramms, nachdem er ihn am 29. August von Silverman in London erhalten hatte, sofort an Unterstaatssekretär Sumner Welles weitergeleitet, einen der engsten Vertrauten des Präsidenten im Außenministerium. Außerdem ließ er ihn Felix Frankfurter zukommen, einem Richter am Obersten Gerichtshof, der ebenfalls das Vertrauen des Präsidenten besaß, um ihn Roosevelt zur Kenntnis zu bringen. Darüber hinaus unternahm Wise zusammen mit anderen jüdischen Organisationen im September und Oktober 1942 gesteigerte Anstrengungen, um die öffentliche Meinung und die Sympathien von Politikern und anderen Kreisen der Öffentlichkeit für die jüdische Sache zu gewinnen.[20]

Der wesentliche Unterschied zwischen Riegners Sichtweise und derjenigen der New Yorker WJC-Spitze, die damals praktisch die Führung des amerikanische Judentums bildete, trat in der Haltung zum Bruch der Verschwörung des Schweigens zutage. Die Informationen, die Riegner erhalten hatte, ähnelten ihrer Art nach denjenigen über die Deportationen aus dem Warschauer Ghetto, die andere, in London angesiedelte Aktivisten in der freien Welt erreicht hatten. Nachdem Riegner im Herbst 1942 von diesen Deportationen erfahren hatte, tat er alles, um sie jedem internationalen Akteur, zu dem er Verbindung hatte, mitzuteilen.[21] Tatsächlich vertrat er die auch von polnischen Untergrundkämpfern geteilte Auffassung, dass das Ausbleiben von Aktionen, um die Vernichtung der Juden zu beenden, und die Ignoranz gegenüber dem Schicksal der Juden vor allem darauf zurückzuführen waren, dass die jüdischen und nichtjüdischen Führer der freien Welt nicht genügend über die Geschehnisse informiert waren. Der erste Schritt auf dem Weg zur Beendigung der Vernichtung der Juden, so glaubte man, sei es, die nationalsozialistische Verschwörung der Mundtotmachung, die das schreckliche Geschehen umgab, aufzubrechen. Auch die jüdische Untergrundpresse im Warschauer Ghetto brachte diese naive Überzeugung zum Ausdruck. Aufgrund von oberflächlichen Beweisen, die sie zitierte, behaup-

---

[19] Ebd., S. 193. Wises Reaktion auf die Neuigkeiten aus Europa ist weiterhin umstritten, obwohl die Historiker die Zwänge, unter denen er handelte, nachvollziehen können (DAVID S. WYMAN/RAFAEL MEDOFF, A Race against Death; PETER BERGSON, America, and the Holocaust, New York 2002, S. 8).

[20] BREITMAN, Staatsgeheimnisse, S. 193 f.; NE'EMAN ARAD, America, Its Jews and the Rise of Nazism, S. 216 ff.

[21] RIEGNER, Niemals verzweifeln, S. 77 f.

tete sie, der Westen habe die Informationen aus Polen erhalten und sei zutiefst betroffen und schockiert. Die Verschwörung des Schweigens sei gebrochen; da die Welt nunmehr explizite Informationen besitze, könne sie das Schicksal der Juden nicht mehr ignorieren:

„Der Leser dieser Ausgabe wird konkrete Beweise dafür finden, dass die Welt uns hört, von unseren Qualen und Heimsuchungen weiß und Zeuge unseres schrecklichen Martyriums, des furchtbaren Schicksals der jüdischen Massen ist. [...] Wir glauben, dass die Regierung Seiner Majestät und die alliierten Regierungen die geeigneten Vergeltungsmaßnahmen ergreifen und die Deutschen auf diese Weise zwingen werden, das Blutbad zu beenden."[22]

In Warschau und Genf war man sich also darüber einig, dass es notwendig sei, die Informationen rückhaltlos und ungeschminkt zu verbreiten. In New York aber war man anderer Ansicht. Am 28. Oktober 1942 trat der von Nahum Goldmann geleitete WJC-Beirat für europäische jüdische Angelegenheiten zusammen. Die Teilnehmer sparten nicht mit Kritik an der jüdischen Führung in Amerika, weil sie nicht genug getan habe, um die Informationen aus Europa an die Öffentlichkeit zu bringen. Einer der herausragenden Sprecher war Zorach Warhaftig, ein Mitglied des Rettungskomitees, das 1940 in Wilna tätig gewesen war. Nachdem er über Japan in die Vereinigten Staaten gelangt war, hatte er sich dem 1941 in New York gegründeten Ableger der Vertretung der polnischen Juden angeschlossen. Solange die Juden, erklärte er, davor zurückschreckten, die ihnen bekannten Informationen nachdrücklich und offen zu präsentieren, könnten sie nicht erwarten, dass andere ihre Sache mit Sympathie betrachteten und sie unterstützten. Obwohl Goldmann einiges für Warhaftigs Auffassung übrig hatte, stellte er fest, dass der WJC unter Zwängen stehe, die jedes undiplomatische Vorgehen ausschlössen.[23] In dieser Debatte wurden die unterschiedlichen Ausgangspunkte deutlich sichtbar – derjenige der jüdischen Persönlichkeit des öffentlichen Lebens aus Polen, die aufgrund angelernter Handlungsweisen nicht unbedingt auf die Abhängigkeit von politischen und öffentlichen Kräften außerhalb der jüdischen Sphäre Rücksicht nahm, und derjenige eines jüdischen Führers, der in einer breiten öffentlichen Konstellation agierte, aus der er nicht einfach ausbrechen konnte. Auch Stephen Wise unterwarf sich den Zwängen des Systems. Solange das US-Außenministerium seine Handlungsmöglichkeiten einschränkte, ging er mit dem Riegner-Telegramm nicht

---

[22] Sturm, 5. Juli 1942; Itonut-ha-mahteret ha-Yehudit be-Varshah, hg. v. ISRAEL SHAHAM, Bd. 6, Jerusalem 1997, S. 488, 490; vgl. auch EMMANUEL RINGELBLUM, Ksovim fun geto, Bd. 1, Tel Aviv 1985, S. 376–380.
[23] ZORACH WARHAFTIG, Palit ve-'sarid bi-yeme ha-Sho'ah, Jerusalem 1984, S. 320 f.; NE'EMAN ARAD, America, Its Jews and the Rise of Nazism, S. 218.

an die Öffentlichkeit, schon gar nicht mit dessen heikelstem Punkt, der Information von der Existenz eines Programms der totalen Vernichtung.[24]

Nach Raya Cohens Auffassung hätten das Telegramm und der darin enthaltene Hinweis auf ein umfassendes Programm zur Vernichtung der Juden gar keine Wirkung erzielen können, da Wise und der WJC im Grunde nicht in der Lage gewesen seien, ihrem Wissen Taten folgen zu lassen. Zu den Umständen, die das Schicksal der von Riegner weitergegebenen Informationen besiegelten, gehörten, laut Cohen, die Diskrepanz zwischen dem Mythos von der Macht und den Beziehungen von Wise und seiner Organisation einerseits und deren tatsächlichen Möglichkeiten andererseits, die fehlende Bereitschaft, zu außergewöhnlichen Mitteln zu greifen, und die Tatsache, dass ihnen die Hände gebunden waren.[25] Nach langwierigen Vorbereitungen kam Wise am 8. Dezember 1942 mit Roosevelt zusammen. Für ihn war es ein großer Erfolg in seinen Bemühungen, den Präsidenten, dem er Bewunderung und Vertrauen entgegenbrachte, mit direkten Informationen zu versorgen und ihm die jüdische Tragödie zu erklären. Nach der Begegnung schrieb er an David Niles, einen jüdischen Aktivisten und Sonderberater des Weißen Hauses:

> „Danken wir Gott für Roosevelt. Wir sollten überall im Land Karten verteilen, auf denen nur die vier Buchstaben TGFR [Thank God for Roosevelt] stehen, und ihm, wie der Psalmist sagt, jeden Tag und jede Stunde danken."[26]

II.

Die Informationen über den Massenmord an Juden auf polnischem und sowjetischem Territorium stammten aus dem polnischen Untergrund und erreichten im August 1941 London, obwohl sie der polnischen Exilregierung erst im Oktober bekannt wurden. Darunter befand sich ein Bericht über die Ermordung von 6000 Juden bei Lomza im Distrikt Bialystok. Im November 1941 sandte der polnische Untergrund weitere Informationen mit Einzelheiten über die Tötung von Juden in diesen Gebieten. Die Führer des polnischen Untergrundes hatten allerdings den Eindruck, dass zwar Massenmorde begangen wurden, aber nicht im Rahmen eines umfassenden Vernichtungsprogramms.[27]

---

[24] YEHUDA BAUER, American Jewry and the Holocaust. The American Jewish Joint Distribution Committee, 1939–1945, Detroit, Mich., 1981, S. 191.

[25] Cohen, Ben „sham" le-„khan", S. 146 f.

[26] Zit. in ARAD, America, Its Jews and the Rise of Nazism, S. 219 f.

[27] DARIUSZ STOLA, Early News of the Holocaust from Poland, in: Holocaust and Genocide Studies 11-1 (1997), S. 4.

Seit November 1941 erhielt Ignacy Schwarzbart vom stellvertretenden Ministerpräsidenten und Innenminister Polens, Stanisław Mikołajczyk, Informationen über die Vernichtung von Juden im Osten. Gleichzeitig begannen im *JTA Bulletin* und der polnischen Presse in London Meldungen und Informationssplitter über die Ermordung von Juden in verschiedenen Orten in Litauen und Weißrussland zu erscheinen.[28] Auch in den folgenden Monaten trafen solche Berichte ein, bis hin zu dem berühmten Bund-Bericht vom Mai 1942, der aus jüdischen Untergrundquellen im Warschauer Ghetto stammende Informationen über die Mordaktionen enthielt.[29]

Dass Schwarzbart die Berichte, die 1942 bei ihm eingingen, weder in seiner Korrespondenz mit verschiedenen jüdischen Akteuren noch bei den Treffen mit führenden Mitgliedern der polnischen Exilregierung erwähnte, zeigt nach Ansicht von Dariusz Stola, dass er sie für nicht sehr verlässlich hielt.[30] In zwei Gesprächen mit dem polnischen Ministerpräsidenten, Władysław Sikorski, und Präsident Władysław Raczkiewicz in der ersten Märzwoche 1942 kam er mit keinem Wort auf diese Informationen zu sprechen. Sikorski speiste ihn mit Klischees über das Mitgefühl und die Unterstützung des polnischen Volks für die verfolgten Juden ab, und Raczkiewicz tadelte ihn wegen der Gespaltenheit des jüdischen politischen Systems gegenüber dem, was er die nationale Einheit der Polen im Kampf gegen den nationalsozialistischen Feind nannte.[31]

In den Monaten vor der großen Deportation aus dem Warschauer Ghetto gab es eine ganze Reihe von Punkten, in denen Schwarzbart anderer Meinung war als die Führer der jüdischen Organisationen, zu denen er Verbindungen unterhielt. Obwohl er die Bedeutung der Berichte über die Ermordung von Juden in den deutsch besetzten Gebieten der Sowjetunion noch nicht voll begriffen hatte, versuchte er Sympathie für das polnische Judentum zu erwecken und öffentliche Protestaktionen zu initiieren. Mit Arieh Tartakower besprach er die Idee, in New York einen Tag des polnischen Judentums zu veranstalten. Doch hatte er den Eindruck, dass seine Mitstreiter es ihm allein überlassen wollten, sich mit der polnischen Politik und seinen Gegnern in jüdischen Kreisen auseinander zu setzen, während es die jüdischen Organisationen – der WJC, die Vertretung der polnischen Juden und die Vereinigung der polnischen Juden in den USA – aufgrund interner Streitigkeiten nicht fertig gebracht hatten, irgendwelche Aktivitäten zu organisieren.[32] Nach Tartakowers Ansicht hätten jüdische Proteste von

---

[28] STOLA, Nadzieja i Zagłada, S. 157 ff.
[29] BLATMAN, For Our Freedom and Yours, S. 138.
[30] STOLA, Early News of the Holocaust, S. 5.
[31] Tagebuch Schwarzbart, 4. und 6. März 1942: YVA, M-2/767.
[32] Schwarzbart an Tartakower, 16. April 1942: YVA, M-2/447.

einer Mehrheit der großen jüdischen Organisationen getragen werden müssen: dem *American Jewish Congress*, dem *American Jewish Committee*, *B'nai B'rith*, dem *Jewish Labor Committee* und dem *Joint Distribution Committee*. Anfang Juni 1942 sprach er von der Notwendigkeit, sich für Hilfsaktionen zugunsten des polnischen Judentums Präsident Roosevelts Unterstützung zu sichern. Er befürchtete jedoch, das Unvermögen der amerikanischen Juden, sich auf einen Handlungsrahmen und auf Schwerpunkte in den Appellen an den Präsidenten zu einigen, würde ihre Fähigkeit, sich im Weißen Haus Gehör zu verschaffen, schmälern, sofern sie diese Möglichkeit überhaupt existierte. Tartakower zog es vor, zu warten, bis die Verständigungsprobleme und Koordinationsschwierigkeiten zwischen allen Organisationen ausgeräumt waren. Doch die Auseinandersetzungen der jüdischen Organisationen untereinander sowie zwischen diesen und den polnischen Emigrantenorganisationen in den USA, die sie ebenfalls in die jüdischen Protestaktionen einzubeziehen versuchten, setzten sich in den folgenden Monaten unvermindert fort.[33]

Ende Juni oder Anfang Juli 1942 scheint sich Schwarzbarts Haltung gegenüber dem Blutbad in Polen grundlegend gewandelt zu haben. Insbesondere begann er die Bedeutung des zögerlichen, ausweichenden und opportunistischen Verhaltens der polnischen Exilregierung gegenüber der Notlage des polnischen Judentums wahrzunehmen. Auch in der Vertretung der polnischen Juden war man zu dieser neuen Einsicht gelangt. So teilte der Sekretär der Vertretung in Tel Aviv, Abraham Stupp, Schwarzbart in einem Telegramm mit:

„[...] TELEGRAFIERTE ZWEITENS REGIERUNG ÜBER DEPORTATION UND EVAKUATION ALLE BERICHTE SEHR ERNST SITUATION UNERTRÄGLICH MÜSSEN ALLES UNTERNEHMEN DIES ZU ÄNDERN KEINE FRAGE VON ERKLÄRUNGEN SONDERN DES LEBENS VON HUNDERTTAUSENDEN STOPP VERTRETUNG POLNISCHE JUDEN."[34]

In der Feststellung, dass dies nicht die Zeit für leere Rhetorik sei, da es um das Leben von Hunderttausenden gehe, spiegeln sich deutlich Verärgerung und Sorge des Absenders über die verschwendete Zeit wider. Schwarzbart begann zu erkennen, dass seine Möglichkeiten, einen dramatischen Wandel der Haltung der polnischen Kräfte in London zur jüdischen Frage herbeizuführen, recht begrenzt waren. Obwohl er selbst die Bedeutung der Berichte aus Polen nicht in vollem Umfang verinnerlicht hatte, nahm er doch wahr, wie ungläubig die polnischen Führer die Meldung aufnahmen, in Polen

---

[33] Tartakower an Schwarzbart, 12. Juni und 8. August 1942: YVA, M-2/447.
[34] Abraham Stupp an Schwarzbart, 19. Juni 1942: YVA, M-2/601.

würden Massenmorde an Juden begangen. Nach einem Gespräch mit Innenminister Mikołajczyk hielt er Folgendes in seinem Tagebuch fest:

„Oh mein Gott, wo bist du, wo bist du?
Im Licht dieser Ereignisse hat mir Mikołajczyk auf erhebliches Drängen hin seine Unterstützung für meine Kontakte zum polnischen Judentum in Polen zugesichert. Polen wie Mikołajczyk sind sehr christlich, nachdem Juden ermordet worden sind. Niemals vorher. Mikołajczyk übergab mir Kopien von Berichten des Bundes in Polen an Zygielbojm. Die Antisemiten hier verbreiten verstärkt Gerüchte über einen wachsenden Antisemitismus in Polen, um die Regierung davon abzuhalten, gegenüber dem polnischen Judentum Großzügigkeit und Mitgefühl zu zeigen oder politische Schritte zu seinen Gunsten zu unternehmen."[35]

Gegenüber seinen Mitstreitern in New York beklagte sich Schwarzbart, dass ihm die Hände gebunden seien und man ihm nicht erlaube, die Informationen, die er an sie weitergeleitet habe, zu publizieren.[36]

Im Juli 1942 veröffentlichte die Vertretung der polnischen Juden in den USA ein Protestschreiben über die Ereignisse in Polen. Darin hieß es: „Zehntausende von polnischen Juden werden von diesen Bestien in Menschengestalt hingeschlachtet, die dabei keinen Unterschied machen zwischen Männern, Frauen und Kindern." Die Alliierten wurden aufgefordert, alles zur Rettung der polnischen Juden zu unternehmen und jene Zehntausende von Kindern vor dem Hungertod zu bewahren, deren Leid die Bilder und Berichte aus den Straßen des Warschauer Ghettos bezeugten.[37] Noch verstand man die deutschen Mordaktionen nicht als Teil eines klaren Vernichtungsprogramms.

Ende Juli 1942, nach dem Beginn der Deportation der Juden aus dem Warschauer Ghetto, teilte Schwarzbart dem WJC telegrafisch mit, was er in London von Mikołajczyk über die Deportation erfahren hatte. Merkwürdigerweise brachte er diese Informationen nicht an die Öffentlichkeit. Darin unterschied er sich vom Delegierten des Bundes im polnischen Nationalrat, Szmuel Zygielbojm, der als einziger eine öffentliche Erklärung zu der im Gang befindlichen Ermordung der Juden von Warschau abgab und die diesbezüglichen Anweisungen der polnischen Regierung ignorierte.[38] Es lässt sich kaum nachvollziehen, weshalb Schwarzbart diese Informationen der Öffentlichkeit vorenthielt; weder in seinem Tagebuch noch in seiner Korrespondenz findet sich eine schlüssige Erklärung dafür. Vielleicht ver-

---

[35] Tagebuch Schwarzbart, 30. Juni 1942: YVA, M-2/767.
[36] Schwarzbart an Kalman Stein (Vertretung der polnischen Juden in New York), 6. Juli 1942: YVA, M-2/445.
[37] Mitteilung der Zentralvertretung der polnischen Juden in Amerika, Juli 1942: YVA, M-2/554.
[38] STOLA, Early News of the Holocaust, S. 8 f.

suchte er – mit der für ihn typischen Vorsicht und entsprechend seinem Wunsch, eine breite jüdische Front für Protestaktionen zusammenzubringen, um den polnischen Politikern und ihrer Kritik nicht allein gegenübertreten zu müssen – unter führenden Zionisten und britischen Juden in London, wie Berl Locker und Professor Selig Brodetsky, Verbündete zu finden.[39]

Am 16. November 1942 hatte Schwarzbart ein langes Gespräch mit Mikołajczyk, in dem dieser die Angaben in den Berichten aus Warschau bestätigte, nach denen nur noch 140 000 Juden in der Stadt verblieben waren. Außerdem teilte der stellvertretende Ministerpräsident dem jüdischen Delegierten beim Nationalrat mit, dass er den Vertreter der Regierung in den besetzten Gebieten aufgefordert habe, ihm einen genauen Bericht über die Lage der Dinge zu schicken.

In seinem Tagebuch machte Schwarzbart seiner Meinung über die polnische Exilregierung Luft:

„Berichte, Berichte, Berichte, anstelle von Taten. Es ist meine tiefste Überzeugung, dass diese Herren das Werk der Zerstörung durch Hitlers Hände getan sehen wollen. Danach, wenn es keine Juden mehr gibt, können sie dann in den Kirchen niederknien und Jesus Christus um Erbarmen anflehen."[40]

Der Rest der Unterredung mit Mikołajczyk drehte sich weitgehend um Fragen, die im Vergleich mit der Tragödie, die sich in Polen abspielte, eher belanglos waren, wie die Reisekosten für einen Besuch von Tartakower in London, die Schwarzbart den Innenminister zu übernehmen bat, und die revisionistische Propaganda gegen die polnische Regierung in den USA. Gegen Ende des Gesprächs ging Mikołajczyk jedoch auf Schwarzbarts Vorwurf ein, die Regierung lasse ihren Worten über die Vernichtung der Juden keine Taten folgen. Schwarzbart, der sich gezwungen sah, sich zu rechtfertigen, erwiderte, erst müssten die polnischen Juden ihre völlige Treue zum polnischen Staat und ihre unauflösliche Bindung an die Heimat demonstrieren und dann müsse die Regierung die Ernsthaftigkeit ihrer Absichten gegenüber den Juden beweisen – was sie bisher noch nicht getan habe.[41] Auch in diesem Gespräch blieb Schwarzbart bei seiner Linie, die er seit Beginn seiner Zugehörigkeit zum Nationalrat verfolgt hatte – eine oppositionelle Stellung gegenüber der Regierung um jeden Preis zu vermeiden und im Dialog mit deren Führern keine „Brücken abzubrennen".

Mitte November 1941 bestätigte Schwarzbart in einem Telegramm an die WJC-Vertretung die Berichte darüber, dass die meisten Juden aus Warschau in den Tod geschickt worden waren:

---

[39] Schwarzbart an Tartakower, 7. August 1942: YVA, M-2/447.
[40] Tagebuch von Schwarzbart, 16. November 1942: YVA, M-2/769
[41] Ebd.

„LAUT OFFIZIELLEN BERICHTEN VON ANFANG SEPTEMBER DIE HIER VOR EINIGEN TAGEN EINTRAFEN WAREN ZU JENEM ZEIT-PUNKT GERADE EINMAL HUNDERTVIERZIGTAUSEND JUDEN MIT RATIONEN FÜR NUR HUNDERTTAUSEND IM WARSCHAUER GHETTO VERBLIEBEN STOP ANDERE DEPORTIERT ODER ABGESCHLACHTET [...]."[42]

Erst im Herbst 1942 (zwischen Oktober und Dezember), als die Berichte aus Polen eine neue Dimension der Vorgänge offenbarten und nach Jan Karskis Ankunft in London aus erster Hand bestätigt worden waren,[43] nahm die polnische Exilregierung explizit Stellung zur Vernichtung der Juden.[44] Ausgerechnet zu diesem Zeitpunkt, als in Großbritannien und den Vereinig-ten Staaten die Proteste lauter wurden und die Öffentlichkeit immer besser über die Verbrechen in Polen informiert war, musste Schwarzbart bei den Führern der Vertretung um zusätzliche Geldmittel bitten, um handlungsfähig zu bleiben. Seine Gesundheit ließ zu wünschen übrig, und ihm fehlten die Mittel, die Mitarbeiter und die Unterstützung, die er nach seiner Ansicht gebraucht hätte, um Türen öffnen und größeren Einfluss auf die öffentliche Meinung und die Politiker in England nehmen zu können.[45] In einem Tele-gramm vom 10. Dezember 1942 wiesen ihn die Führer der Vertretung in Tel Aviv an, umgehend nachdrückliche Schritte zu unternehmen, um die polnische Regierung und britische Regierungsbeamte dazu zu bewegen, dem Mord an den Juden in Polen Einhalt zu gebieten.[46] Gleichzeitig wandten sie sich, unter Umgehung der Hierarchie, direkt an die polnische Exilregierung und verlangten ihr sofortiges Einschreiten zugunsten der noch am Leben befindlichen Juden in Polen.[47]

Ende 1942 scheint Schwarzbart das Vertrauen in die Führung der Ver-tretung in Tel Aviv verloren zu haben. Von dem zu Besuch in London weilenden Leiter der Politischen Abteilung der Jewish Agency, Moshe Shertok (Sharett), erfuhr er, dass sie ihn verachtete und als zögerlichen Kämpfer betrachtete, dessen Verhalten gegenüber der polnischen Exilregie-rung aus Angst, ein energischeres Auftreten würde seine Stellung gefährden,

---

[42] Schwarzbart an die Vertretung der polnischen Juden, Tel Aviv, 17. November 1942: YVA, M-2/601.

[43] JAN KARSKI, The Story of a Secret State, Boston, Mass., 1944, S. 380–389; STOLA, Early News of the Holocaust, S. 15.

[44] ENGEL, In the Shadow of Auschwitz, S. 199–202; STOLA, Early News of the Holo-caust, S. 13.

[45] Schwarzbart an die Vertretung der polnischen Juden, 22. Oktober 1942: YVA, M-2/601.

[46] Vertretung der polnischen Juden an Schwarzbart, 10. Dezember 1942: YVA, M-2/601.

[47] Sitzungsprotokoll des Sekretariats der amerikanischen Abteilung der Vertretung des polnischen Judentums, 25. November 1942: YVA, M-2/558.

von Zaghaftigkeit geprägt war. Schwarzbart wehrte sich mit dem Hinweis, dass er derjenige gewesen sei, der der polnischen Regierung am 17. September 1942 eine in deutlichen Worten formulierte Forderungsliste mit Schritten zugunsten der Juden übergeben habe – eine Liste, vor deren Übergabe die Vertretung in Tel Aviv zurückgeschreckt sei und die sie dann ganz auf Eis gelegt habe.[48]

Auch die Funktionäre der Vertretung der polnischen Juden in Amerika standen vor vielen Problemen und legten in jenen Monaten eine schwankende Handlungsweise an den Tag. Während sich die jüdischen Proteste in den USA zu organisieren begannen, bemühten sich die Führer der Vertretung (Levin, Warhaftig, Finkelstein und andere) im Herbst 1942 um gemeinsame Protestaktionen mit anderen jüdischen Persönlichkeiten, die die alte politische Führung des polnischen Judentums repräsentierten, vor allem mit Mitgliedern der amerikanischen Vertretung des Bundes. Ein Problem der Vertretung der polnischen Juden in den USA war „hausgemacht": Ihre Mitglieder waren überwiegend Flüchtlinge aus Polen, für amerikanische Juden war sie daher kein offensichtliches Aktionsinstrument. Die Vertretung hielt es für überaus wichtig, ihr Handeln mit anderen Organisationen jüdischer und polnischer politischer Flüchtlinge abzustimmen. Dies war jedoch angesichts der Streitigkeiten einerseits zwischen Bund und Vertretung, deren Funktionäre zumeist Zionisten waren, andererseits zwischen der Vertretung und polnischen Emigranten- und Flüchtlingsorganisationen, die sich nicht an Protesten beteiligen wollten, die eine Kritik an der polnischen Exilregierung einschlossen, kein einfaches Unterfangen.[49]

Der Versuch, eine Vorgehensweise zu finden, die zum Charakter der Vertretung der polnischen Juden in Amerika passte, führte in eine Sackgasse. Ihre einzigartige Stimme als öffentliche Repräsentantin der Juden im besetzten Polen ging in den Protestaktionen der jüdischen Organisationen in Amerika größtenteils unter. Die polnische Exilregierung, die Wert auf die Meinung der jüdischen Öffentlichkeit in den Vereinigten Staaten legte, wandte sich über den Kopf der Vertretung hinweg direkt an das amerikanische Judentum und ignorierte die polnisch-jüdischen Flüchtlinge als vom amerikanischen Judentum abgesonderte Gruppe. Andererseits schlug den Funktionären der Vertretung in New York aus Palästina der Vorwurf entgegen, sie würden die Führung der amerikanischen Juden in den Gremien, in denen sie mit ihr zusammenkamen – wie dem WJC –, nicht nachdrücklich

---

[48] Tagebuch von Schwarzbart, 19. Dezember 1942: YVA, M-2/770.

[49] Sitzungsprotokoll des Sekretariats der amerikanischen Abteilung der Vertretung des polnischen Judentums, 25. November 1942: YVA, M-2/558.

genug dazu drängen, mit aggressiveren Aktionen und Protesten zu erreichen, dass die Vereinigten Staaten den Vernichtungsprozess aufhielten.[50]

Die letzten Monate des Warschauer Ghettos bis zum Aufstand und zur endgültigen Liquidierung im April 1943 waren für Schwarzbart eine bittere und frustrierende Zeit. Nachdem im Januar 1943 Berichte über die teilweise Deportation der Ghettobevölkerung in London eingegangen waren, notierte er in seinem Tagebuch:

„Heute erhielt ich ein Telegramm der Vertretung, in dem mitgeteilt wurde, dass fast alle Juden aus Warschau deportiert würden. Ein Aufschrei der Verzweiflung wird an mich gerichtet. Aber was kann man tun. Alle unsere Anstrengungen erweisen sich als vergeblich. Und jetzt ist es fast zu spät. "[51]

Funktionäre der Vertretung in Tel Aviv bombardierten Schwarzbart mit Forderungen, mehr zu tun, um die Öffentlichkeit aufmerksam zu machen, die Unterstützung von Politikern zu gewinnen, Versammlungen und Demonstrationen zu organisieren und so weiter. Sie schickten ihm Informationen, die von Vertretern der *Jewish Agency* und des *Hechaluz* in Genf nach Palästina weitergeleitet worden waren, und fragten ihn, warum sie von seiner Seite nichts davon gehört hätten. Zwischen Schwarzbart und seinen Mitstreitern, insbesondere denjenigen in Tel Aviv, hatte sich ein Graben aufgetan, der sich stetig verbreitete, bis er nicht mehr überbrückt werden konnte. Schwarzbart war eingezwängt zwischen den überzogenen Erwartungen der Organisation, der er diente, und seiner Unfähigkeit, diese Erwartungen auf wirkungsvolle Weise zu erfüllen, das heißt die Vernichtung der Juden in den Mittelpunkt der öffentlichen Aufmerksamkeit und der Politik der freien Welt zu rücken. Er war von tiefer Frustration erfüllt:

„Interessant an diesem ganzen Spiel ist, dass manche untergeordnete Mitglieder der Vertretung sich in ihren Gesprächen mit Vertretern der polnischen Regierung beklagen, ich würde radikalere Forderungen stellen, und mir gleichzeitig gegenüber der Außenwelt übertriebene Mäßigung vorwerfen. "[52]

Inwieweit hätte Schwarzbart 1942/43 einen Kurs initiieren können, der den polnischen Juden geholfen hätte? Und inwieweit war die Vertretung eine Organisation, die in der Lage war, die Lage zu begreifen und etwas dagegen zu unternehmen? Auch in diesem Fall steckten der jüdische Funktionär und

---

[50] Sitzungen der amerikanischen Abteilung der Vertretung des polnischen Judentums am 17. Januar und 9. Februar 1943: YVA, M-2/558. An letzterer Sitzung nahm Rabbi Meir Berlin teil, ein führender Vertreter der Misrachi in Palästina, der der Vertretung besonders scharfe Vorwürfe machte, weil sie sich in seinen Augen zu passiv verhielt und nicht in der Lage war, die amerikanischen Juden zu Massendemonstrationen zu bewegen.

[51] Tagebuch von Schwarzbart, 7. Februar 1943: YVA, M-2/771.

[52] Ebd., 9. März 1943.

seine Organisation in einem Dickicht aus Sachzwängen und Beschränkungen fest. Die Vertretung richtete ihre Anstrengungen im Sommer und Herbst 1942 vor allem auf die Veröffentlichung der Informationen über den Vernichtungsprozess und auf den Versuch, die polnische Exilregierung dazu zu bewegen, öffentlich zu erklären, dass in Polen eine weit reichende Mordkampagne gegen die jüdische Bevölkerung im Gange sei. Im zweiten Halbjahr 1942 widmete sich Schwarzbart in London ebenso wie die Mitglieder der Vertretung in Tel Aviv der Sisyphusaufgabe, die polnische Exilregierung öffentlich dazu zu bewegen, dass sie die Bevölkerung Polens aufforderte, den Juden zu helfen, dass sie jüdische Vertreter zu Regierungsinstitutionen neutraler Länder abstellte, die von dort aus Hilfsaktionen organisieren sollten, oder dass sie, unter der Schirmherrschaft der polnischen Armee, Fallschirmspringer aus Palästina schickte, um Hilfe zu leisten. Außerdem brachte Schwarzbart die Idee ins Gespräch, die polnische Heimatarmee (*Armia Krajowa,* AK) anzuweisen, die Vernichtungslager im Generalgouvernement anzugreifen, ein Vorschlag, den die Exilregierung in London jedoch nicht ernst nahm.

Die großen Erwartungen der Vertretung in Tel Aviv und die immense Frustration, die Schwarzbart bei seinen Versuchen erfuhr, einen angemessenen Handlungsrahmen zu finden, in dem er sie erfüllen konnte, führten auf beiden Seiten zu Misstrauen und Enttäuschung. Sowohl Schwarzbart als auch die Funktionäre in den USA waren in einem Netz aus Zwängen, Interessen und komplexen politischen Machenschaften gefangen, in dem die Rettung der polnischen Juden vor der Abschlachtung keine besondere Priorität besaß.[53]

III.

Szmuel Zygielbojm, der Bund und das *Jewish Labor Committee* in New York stehen für einen dritten Aspekt der Reaktion auf die Berichte aus Polen.[54] Offensichtlich hatte Zygielbojm weiter verzweigte und einflussreichere Verbindungen als die Funktionäre anderer jüdischer Organisationen in der freien Welt. Hinter ihm standen nicht nur die jüdischen Gewerkschaften in den USA, sondern auch die Mitglieder der Polnischen Sozialistischen Partei (PPS) in London, Funktionäre der britischen *Labour Party* und der britischen Gewerkschaften sowie emigrierte Führer der europäischen

---

[53] ENGEL, In the Shadow of Auschwitz, S. 197, 199; STOLA, Nadzieja i Zagłada, S. 223 f., 226 f.

[54] DANIEL BLATMAN, On a Mission against All Odds. Samuel Zygielbojm in London (April 1942–May 1943), in: Yad Vashem Studies 20 (1990), S. 237–271.

sozialistischen Parteien, die der Sozialistischen Arbeiter-Internationale angehörten.[55] Im Mai 1942 schickte Leon Feiner, ein Funktionär des Bund-Untergrundes in Warschau, den ersten Bericht mit Informationen über in verschiedenen Teilen Polens verübte Massenmorde nach London. Er enthielt Einzelheiten über Völkermord-Aktionen gegen Juden in der Gegend um Lemberg, die Morde in Wilna und die Massaker in Kulmhof sowie über die Deportationen aus Lublin, die im März 1942 begonnen hatten. Außerdem schilderte Feiner noch einmal die Ereignisse der schrecklichen Nacht in Warschau im April 1942 und schätzte die Zahl der bis zum Mai von den Deutschen ermordeten polnischen Juden auf 700 000. Ohne konkrete Maßnahmen zur Beendigung des Gemetzels, konstatierte Feiner, würden bei Kriegsende keine Juden mehr in Europa leben. Er forderte die polnische Exilregierung im Namen des Bundes auf, umgehend Schritte zu unternehmen, um dem Morden Einhalt zu gebieten, und andere Länder dazu zu drängen, Deutschland mit Vergeltung an seinen in alliierten Ländern lebenden Staatsbürgern zu drohen, falls die Vernichtungskampagne gegen die Juden fortgesetzt werden sollte.[56]

Die polnische Exilregierung misstraute jedoch den Angaben in Feiners Bericht. Nach Ansicht von Beamten des Außenministeriums, einschließlich dessen amtierenden Chefs Edward Raczyński, waren sie übertrieben. Seit Kriegsausbruch hatte die polnische Regierung das Leid der Juden als Sonderfall dargestellt und das gesamte polnische Volk als Opfer von Schrecken und Terror in den Vordergrund gerückt. Ministerpräsident Sikorski erwähnte am 9. Juni 1942 in einer Rundfunkansprache, die Nationalsozialisten hätten Zehntausende von Juden ermordet,[57] und im Juli beschrieb sein Stellvertreter Mikołajczyk in einer Sitzung des Nationalrats die Qualen der Juden als Teil des Leids, das die Besatzer über ganz Polen gebracht hatten.[58] Die polnische Führung in London versuchte die Bedeutung von Feiners Bericht herunterzuspielen, zumindest bis weitere Informationen aus anderen Quellen eingingen. Obwohl Zygielbojm den Bericht in der dritten Maiwoche erhalten hatte, konnte er die Informationen nicht veröffentlichen. Über ein Monat verging, bevor die polnischen Behörden ihm gestatteten, britischen Politi-

---

[55] ISABELLE TOMBS, „Morituri vos salutanat". Szmuel Zygielbojm's Suicide in May 1943 and the International Socialist Community in London, in: Holocaust and Genocide Studies 14-2 (2000), S. 242–265.

[56] Zu den Einzelheiten von Feiners Bericht siehe STOLA, Early News of the Holocaust, S. 6.

[57] ENGEL, In the Shadow of Auschwitz, S. 176–180.

[58] Zygielbojm an Emmanuel Nowogrodzki, Sekretär der Vertretung des Bundes in New York, 13. Juli 1942: YIVO, Bund-Archiv (BA, RG-1400), MG-2/5.

kern, *Labour*-Abgeordneten und sozialistischen Führern im Londoner Exil Einzelheiten aus dem Bericht mitzuteilen.[59]

Zygielbojm fand Feiners Informationen kaum glaubhaft. Erst Mitte Juli 1942, nachdem er weitere Berichte aus polnischen Quellen über die Ermordung der Juden in Polen erhalten hatte, begriff er, dass die Angaben, die Feiner aus Warschau übermittelt hatte, der neuen, schrecklichen Realität entsprachen.[60] Außerdem erkannte er etwas, das für die jüdischen Untergrundkämpfer von größter Bedeutung war: dass es einen entscheidenden Schritt in Richtung auf eine Beendigung des Schreckens darstellte, wenn man die von den Deutschen an Juden begangenen Gräuel an die Öffentlichkeit brachte. Bei einem Treffen mit Ministerpräsident Sikorski äußerte er zwei Bitten: Erstens solle die Exilregierung die Berichte aus Polen öffentlich bestätigen und ihr Mitgefühl mit dem Leid der Juden zum Ausdruck bringen, und zweitens solle sie die Regierungen der USA und Großbritanniens zu Aktionen gegen Deutschland aufrufen. Sikorski lehnte diese Ansinnen ab und wies Zygielbojm darauf hin, dass er schon vor langer Zeit eine Erklärung zum Leid der Juden abgegeben habe und vorläufig nicht beabsichtige, dem etwas hinzuzufügen.[61]

Im September und November 1942 ging Zygielbojm auf, dass die Ereignisse in Polen ganz und gar nicht dem entsprachen, was er sich vorgestellt hatte, als die ersten Berichte über den Genozid eingegangen waren. Daraufhin begann er seinen *Modus operandi* entsprechend zu ändern. Sämtliche traditionellen politischen Ziele verloren für ihn ihre Bedeutung; seine Hauptaufgabe wurde statt dessen die Rettung der polnischen Juden. Gleichzeitig nahm seine psychische Belastung zu. Die Bund-Führung in New York dagegen betrachtete die Entwicklung aus ihrer hergebrachten politischen Perspektive. Diese altgedienten Parteiführer aus der Vorkriegszeit beurteilten die Dinge aus dem traditionellen Blickwinkel, das heißt, dass der Bund in enger Zusammenarbeit mit seinem Verbündeten in der polnischen Politik, der PPS, zu handeln hätte und keineswegs den Anschein erwecken dürfe, in Opposition zur Exilregierung zu stehen, denn dies hätte, wie sie befürchteten, den Widerstandsaktivitäten des Bundes im besetzten Polen geschadet. Als die Kluft zwischen Zygielbojm und der New Yorker Führung tiefer wurde, trennten sich ihre Wege.

Ende August oder Anfang September 1942 traf ein weiterer Bund-Bericht von Feiner aus Warschau ein, der der Exilregierung vorgelegt und Ende November offenbar auch Zygielbojm zugänglich gemacht wurde. Er enthielt

---

[59] TOMBS, „Morituri vos salutanat", S. 245.
[60] Zygielbojm an Nowogrodzki, 13. Juli 1942: BA, MG-2/5.
[61] Zygielbojm an Nowogrodzki, 3. Juli 1942: MG-2/5; ENGEL, In the Shadow of Auschwitz, S. 180.

Einzelheiten über die große Deportation aus Warschau sowie Informationen über Vernichtungslager in Polen und Deportationen aus anderen Städten im Generalgouvernement.[62] Zygielbojm hatte schon, bevor er Feiners Bericht las, von der Deportation aus Warschau gewusst, da er Mitte November ein Telegramm von der polnischen Botschaft in Istanbul gesehen hatte. Am 18. November schrieb er Emmanuel Nowogrodzki, dem Sekretär der Bund-Delegation in New York:

> „Ich habe vorläufig nichts unternommen, um die Sache zu veröffentlichen. Die Regierung hat die Anweisung gegeben, die Angelegenheit, sobald dies möglich und das Material vollständig sein wird, in vollem Umfang bekannt zu machen. Ich werde Ihnen in zwei Tagen telegrafieren, und dann werden Sie mich fragen, wieso ich Ihnen diesen Brief geschrieben habe. [Ich tat es,] weil ich nicht schweigen kann. Ich wollte Ihnen über mein Auftreten in der jüngsten Ratssitzung schreiben, aber ich kann mich nicht konzentrieren. Im Vergleich mit dem, was hier geschieht, ist alles, was gesagt und getan wird, überflüssig und unwichtig."[63]

Es ist unübersehbar, wie frustriert Zygielbojm darüber war, dass er jetzt, da er über die Situation vollständig im Bilde war, nicht sofort etwas unternehmen konnte. Dass er nur Anspielungen machte und die Details wegließ, lässt sich darauf zurückführen, dass er die Zensur der polnischen Exilregierung umgehen wollte, die noch nicht bereit war, die Informationen in ganzem Umfang zu veröffentlichen.

Im Dezember 1942, nachdem die furchtbaren Neuigkeiten aus Polen bekannt geworden waren, verteilte Zygielbojm Hunderte von Kopien des Feiner-Berichts an britische Parlamentsabgeordnete, Mitglieder des polnischen Nationalrats, Journalisten und in der Öffentlichkeit stehende Persönlichkeiten. Zu seinem Erstaunen ließ die britische Regierung jede substanzielle Reaktion missen, obwohl die Nachricht von der Vernichtung der Juden in der britischen Öffentlichkeit tiefe Bestürzung ausgelöst hatte. Zygielbojm war sich der britischen Haltung gegenüber der Reaktion der Großmächte auf die Vernichtung der polnischen Juden wohl bewusst. Am 15. Dezember 1942 schickte er dem britischen Außenministerium ein an Premierminister Winston Churchill adressiertes Telegramm, das das Außenministerium vier Tage später mit der Empfehlung, eine ausweichende und nichtssagende Antwort zu geben, an das Büro des Premierministers weiterleitete.[64] Noch bevor er dessen offizielle Antwort erhalten hatte, schrieb Zygielbojm an

---

[62] Genaueres über diesen Bericht findet sich in: In di yorn fun yidishn khurbn, 1948, S. 24–37.

[63] Zygielbojm an Nowogrodzki, 18. November 1942: BA, MG-2/5.

[64] Vermerk des britischen Außenministeriums für das Büro des Premierministers, 11. Dezember 1942: PRO, FO 371/31097.

seine Mitstreiter in New York, dass er die Haltung der britischen Regierung verstehe, das heißt deren Zögern, größere Sympathie für die jüdische Sache in der öffentlichen Meinung hervorzurufen, da dies den britischen Kriegsanstrengungen schaden könnte.[65]

Feiners zweitem Bericht konnte Zygielbojm entnehmen, wie isoliert die Juden in Polen waren und mit welcher Entschiedenheit ihnen der polnische Untergrund seine Unterstützung versagte. Bei einer Begegnung mit Mikołajczyk am 14. Dezember 1942 brachte er das Thema zur Sprache. Der polnische Untergrund, forderte er, müsse auf die Vernichtung der Juden, die immerhin vollgültige Bürger Polens seien, mit einem Aufstand antworten. Den Deutschen müsse gezeigt werden, dass sie das polnische Judentum nicht auslöschen könnten, ohne eine Reaktion der gesamten polnischen Bevölkerung auszulösen. Doch der stellvertretende Ministerpräsident weigerte sich, über eine solche Forderung an den polnischen Untergrund auch nur zu sprechen, und fügte aus Verärgerung über Zygielbojms Vorwürfe gegen die polnische Führung in London hinzu, wenn er nicht aufhöre, mit der Exilregierung im Nationalrat „Sträuße auszufechten", werde er, Mikołajczyk, Informationen über unpatriotisches Verhalten von Juden in Polen veröffentlichen.[66]

Nach und nach wurde Zygielbojm klar, dass er die Erwartungen Feiners und seiner Mitkämpfer in Polen nicht erfüllen konnte. Seine persönlichen Qualen wuchsen, denn er wusste, dass jeder Tag der Untätigkeit mit einer weiteren Vernichtungswelle endete. Er verzweifelte an seiner eigenen Unfähigkeit, die Geschehnisse in Polen aufzuhalten, desillusioniert über die Haltung der polnischen Exilregierung und deren Reaktion auf die antisemitischen Exzesse in Polen und enttäuscht von den Handlungsrichtlinien, die seine Mitstreiter in New York ihm geschickt hatten. Zygielbojm betrachtete sich selbst als Vertreter des polnischen Judentums und als dessen Sprecher in der freien Welt, und im selben Maß, wie sein Verantwortungsgefühl gegenüber den Juden wuchs, nahmen auch seine Niedergeschlagenheit und Verzweiflung zu. Seinen Genossen in New York schilderte er seinen Kummer:

„All dies [die Mordaktionen, die im Frühjahr 1942 begonnen hatten – D. B.] dauerte vier Monate an. Wie viele [Juden] sind heute noch am Leben, und wo sind sie? Unsere Protestaktionen haben keinerlei praktische Bedeutung. Wir haben nach dem ersten, im Juli eingegangenen Bericht über die Morde in Ostpolen, die im Frühjahr einsetzten, zu handeln begonnen. [...] Zum selben Zeitpunkt waren in Warschau und ganz Polen Massenmorde im Gange. [...] Wir

---

[65] Zygielbojm an die amerikanische Vertretung des Bundes, 11. Dezember 1942: BA, MG-2/26.

[66] Sitzungsprotokoll der amerikanischen Vertretung des Präsidiums des Bundes, 16. Februar 1943: BA, ME-18/39.

haben nichts erreicht, ich habe nichts erreicht, indem wir etwas unternahmen, als die öffentliche Aufmerksamkeit geweckt war, irgendetwas, das auch nur einen Menschen, auch nur ein jüdisches Kind vor dem schrecklichen Tod gerettet hätte [...]."[67]

Die Bund-Mitglieder in New York, die Zygielbojms innere Anspannung spürten, fanden, dass er seine Funktion im Nationalrat nicht mehr ausüben könne. Er selbst forderte sie Anfang Januar 1943 brieflich auf, ihn abzulösen.[68] Anfang März 1943 erhielt er ein Telegramm der Warschauer Bund-Führung mit dem verzweifelten Aufruf des Untergrundes, die nach der „Aktion" im Januar 1943 im Ghetto verbliebenen Juden zu retten. Der polnische Außenminister Raczyński sagte Zygielbojm bei einem Treffen zu, den Aufruf des Bundes, wie von diesem erbeten, an Papst Pius XII. weiterzuleiten. Um die Wirkung in der Öffentlichkeit zu erhöhen, bat Zygielbojm seine Kollegen in New York, ihm diesmal zu gestatten, die Protestaktionen mit Schwarzbart zu koordinieren.[69]

Es waren Zygielbojms letzte Tage. Der Streit mit Schwarzbart und den jüdischen Organisationen, die er verachtete und von denen er sich getrennt hatte, besaßen für ihn keine Bedeutung mehr. Bei seinen letzten Versuchen, irgendeine Aktion, wie klein auch immer, in Gang zu bringen, spielten weder Partei- noch persönliche Aspekte eine Rolle. Aus New York, wo sich seine Genossen nicht darüber einig werden konnten, ob man sich gemeinsam mit Schwarzbart an den Papst wenden sollte oder nicht, erhielt er in dieser Frage keine eindeutigen Anweisungen.[70] Nach Ansicht mehrerer Mitglieder der Bund-Vertretung in New York sollte die Bewegung selbst in diesem düsteren Augenblick, da in Polen die Juden ermordet wurden, ihre Eigenständigkeit bewahren und ihrer traditionellen konzeptionellen Linie folgen. Nowogrodzki stellte ausdrücklich fest, dass der Bund selbst angesichts des Unheils, von dem das polnische Judentum heimgesucht wurde, bei seiner traditionellen, historisch begründeten Haltung bleiben müsse.[71]

Ende März oder Anfang April 1943 fasste Zygielbojm dann den Entschluss, seinem Leben ein Ende zu setzen. Während er die laufenden Angelegenheiten weiterhin erledigte, als hätte sich nichts geändert,[72] trennte er sich langsam von seinen engsten Mitstreitern, der Gruppe von Bund-Mitgliedern, die in Warschau geblieben waren. Als im April 1943 Berichte über

---

[67] Zygielbojm an Nowogrodzki, 1. Januar 1943: BA, MG-2/5.
[68] Zygielbojm an Nowogrodzki, 4. Januar 1943: BA, MG-2/5.
[69] Telegramm Zygielbojm an Nowogrodzki, 11. März 1943: BA, MG-2/5.
[70] Sitzungsprotokoll der amerikanischen Vertretung des Bundes, 16. März 1943: BA, ME-18/35.
[71] Nowogrodzki an Zygielbojm, 4. Mai 1943: BA, M-16/151.
[72] Zygielbojm an Iwenska, 1. Februar 1943: BA, M-16/151; Zygielbojm an Nowogrodzki, 7. April 1943: BA, MG-2/26; Brief von Raczyński, 16. Februar 1966: YVA, 055/5.

den heldenhaften Widerstand des Ghettos eintrafen, wurde sein Entschluss offenbar unumkehrbar. Er fühlte sich zunehmend isoliert von seinen Parteigenossen in New York, von seinen Mitkämpfern beim polnischen *Rada Narodowa* (Nationalrat) und von seinen Unterstützern aus dem Kreis der Exilsozialisten. Es ist jedoch wenig einleuchtend, seinen Entschluss, sich das Leben zu nehmen, auch auf die Enttäuschung über das Ergebnis seiner Bemühungen zurückzuführen, eine politische und ideologische Verständigung mit damals in London lebenden Mitgliedern der europäischen sozialistischen Parteien zu erreichen, wie in einer Studie ausgeführt worden ist.[73]

Sein Londoner Freund Yitzchak Deutscher war der Letzte, der ihn lebend sah. Am Abend des 11. Mai 1943 rief Zygielbojm ihn aus seiner Wohnung an. Laut Deutscher klang er entmutigt und niedergeschlagen. Er wollte nicht sagen, worüber er mit ihm sprechen wollte, sondern bat ihn nur eindringlich, zu ihm zu kommen. Ihr letztes Gespräch drehte sich um Zygielbojms Absicht, gegenüber dem Wohnsitz des Premierministers einen Hungerstreik zu organisieren – ein Vorhaben, das er einige Monate zuvor noch ausgeschlossen hatte. Deutscher erklärte ihm, dass es sinnlos sei, da die britische Polizei ihn sowieso vertreiben und die Zensur die Sache unter den Tisch kehren würde. Stattdessen solle er lieber aus Protest gegen die Weigerung des polnischen Untergrunds, die Juden zur Selbstverteidigung mit Waffen zu versorgen, sein Mandat im Nationalrat niederlegen. Zygielbojm wies dieses Ansinnen zurück – sein Rücktritt hätte womöglich den in Polen gebliebenen Bund-Mitgliedern geschadet – und beharrte auf der Notwendigkeit einer Demonstration gegenüber dem Wohnsitz des Premierministers.[74] An seinen Bruder in Johannesburg schrieb er folgenden Abschiedsbrief:

„Eine Nacht im April 1943. Ich gehe mit zwei Männern durch die Straßen von London. Denke an das Warschauer Ghetto – warum bin ich fern von dort? Warum kämpfe ich nicht zusammen mit ihnen um die Überreste und Ruinen des Ghettos? [...] Besonders betrübt mich die Tatsache, dass ich vorher dort war, zusammen mit ihnen allen. Welches Recht habe ich zu überleben? Habe ich nicht ihr Schicksal geteilt? Ich bin der Erleichterung beraubt, die von der Illusion hervorgerufen werden könnte, dass meine Arbeit irgendwie wichtig dafür wäre, jemanden aus den brutalen Klauen der Auslöschung zu retten."[75]

---

[73] TOMBS, „Morituri vos salutanat", S. 256 f.

[74] R. AINSZTEIN, New Light on Szmul Zygelbojm's Suicide, in: Yad Vashem Bulletin 15 (August 1964), S. 8–12.

[75] FAYVEL ZYGIELBOJM, Der koyakh tsu shtorbn, Tel Aviv 1976, S. 280.

Schlussbetrachtung

Die Vertreter der jüdischen Organisationen in Europa, die 1942 Informationen über die Vernichtung der Juden erhielten, reagierten rasch und entschieden. Riegner zog aus den Berichten recht weitgehende Folgerungen über deren Bedeutung, obwohl es unwahrscheinlich ist, dass er den umfassenden und absoluten Charakter der Endlösung völlig begriffen hatte.

Im Herbst 1942 zeigte sich Riegner erstaunt und enttäuscht über die Verzögerungen, die langwierige Korrespondenz und die Hinhaltetaktik, deren sich die WJC-Vertreter in London und New York bedienten, während sie auf eine Verifizierung der gegenseitigen Informationen über die Bedeutung der in Polen und Westeuropa stattfindenden Deportationen, das heißt die Durchführung eines umfassenden Vernichtungsprogramms, warteten. Dennoch erfüllte er weiter die ihm vom WJC übertragene Aufgabe: immer neue Beweise dafür zu liefern, dass die Berichte über die Existenz eines solchen Plans, die er im August 1942 übermittelt hatte, fundiert und zutreffend waren. Nach Ansicht der WJC-Aktivisten benötigten sie diese zusätzlichen Beweise, um die Politiker in London und Washington in konventioneller Weise davon zu überzeugen, dass es sich bei dem in Gang befindlichen Prozess tatsächlich um die Ermordung der gesamten jüdischen Bevölkerung handelte.

Was die Enttäuschung über vergebliche Bemühungen anging, unterschied sich Schwarzbart nicht von Riegner. Die Vertretung verstand sich als Repräsentantin des politischen Systems des polnischen Judentums, und als solche hielt sie sich an die Regeln, die von der polnischen Exilregierung, die während des Krieges das souveräne Polen verkörperte, aufgestellt wurden. Daher konzentrierte Schwarzbart als Vertreter des polnischen Judentums im Nationalrat seine Anstrengungen darauf, die politischen Kräfte Polens dazu zu bewegen, den jüdischen Bürgern des Landes zu helfen, und sei es auch nur in kleinen Dingen. Die Gleichgültigkeit, die ihm entgegenschlug, trieb auch ihn in Frustration, Erschöpfung und Verzweiflung. Nachdem er im Mai 1943 von der Zerstörung des Warschauer Ghettos erfahren hatte, beschrieb er seine Verzweiflung in einem Tagebucheintrag:

„Alles um mich herum ist schwarz. Das jüdische Problem in Europa ist nahezu vollständig ausgelöscht worden. Offenbar werden wir Palästina nicht erhalten. […] Das russische Judentum – zur Assimilation verdammte Überreste. Ich sehe keinen Ausweg. Es gibt nur noch Ausrottung […]."[76]

---

[76] Tagebuch Schwarzbart, 18./19. Mai 1943: YVA, M-2/771; vgl. STOLA, Nadzieja i Zagłada, S. 238.

Zygielbojms Reaktion auf die Mauer von Formalismus und Unbeweglich-
keit, auf die er in seinen polnischen Kreisen in London stieß, und zweifellos
auch auf die Haltung der Führung seiner eigenen Bewegung und der jüdischen Gewerkschaften in New York war die schwerwiegendste von allen. Er
nahm sich am 12. Mai 1943 das Leben und hinterließ einen *j'accuse*-Brief,
in dem er sowohl die polnische Exilregierung als auch die Alliierten wegen
ihrer hilflosen und gleichgültigen Reaktion auf die jüdische Tragödie geißel-
te:

> „Durch meinen Tod möchte ich meinem tiefsten Protest gegen die Untätigkeit,
> mit der die Welt der Vernichtung des jüdischen Volkes zusieht und sie zulässt,
> Ausdruck verleihen. [...] Mein Leben gehört dem jüdischen Volk von Polen,
> und daher gebe ich es jetzt in seine Hand."[77]

Eine tiefe, zu äußerster Frustration führende Kluft trennte die Vertreter der
jüdischen Organisationen in Europa, die von den Aktivisten der Organisationen, die sie repräsentierten und in deren Namen sie handelten, Berichte über
den Vernichtungsprozess erhalten hatten, voneinander. Riegner, Schwarzbart
und Zygielbojm – von denen jeder auf seine eigene Weise verfolgt hatte,
was den Juden in den von den Nationalsozialisten besetzten Ländern seit
Kriegsbeginn widerfuhr – erkannten im Sommer und Herbst 1942 rasch und
ohne eines komplizierten Beweises zu bedürfen, dass das europäische Judentum im Osten nach einem umfassenden Plan ausgerottet wurde.

Bald jedoch mussten sie feststellen, dass sie unter unhaltbaren Bedingungen agierten. Zwischen Gleichgültigkeit und zynischen politischen Spielchen
diverser internationaler Akteure gefangen, wurden sich diese Zeugen beziehungsweise Zuschauer, während im Osten der Vernichtungsprozess wütete,
bewusst, dass sie nichts tun konnten, um ihn aufzuhalten. Und sie begriffen
dies sehr schnell, noch bevor dies ihre Mutterorganisationen in Palästina
oder den Vereinigten Staaten taten. Sie rieben sich auf zwischen den Erwartungen ihrer Organisationen und ihrem eigenen Wissen darum, dass sie sie
nicht erfüllen konnten; zwischen jüdischen Interessen und internen Streitigkeiten; zwischen polnischen, britischen und amerikanischen Politikern, die
stärker waren als sie, und verfielen schließlich in tiefe Verzweiflung und
Frustration. Samuel Zygielbojms Selbstmord symbolisiert mehr als alles
andere die Hilflosigkeit dieser Aktivisten, die während des Holocaust die
jüdische Gemeinschaft in der freien Welt vertraten.

---

[77] Brief von Szmuel Zygielbojm, 11. Mai 1943, in: Documents on the Holocaust, hg. v.
YITZHAK ARAD/YISRAEL GUTMAN/ABRAHAM MARGALIOT, Jerusalem 1981, S. 326.

STEPHEN TYAS

DER BRITISCHE NACHRICHTENDIENST: ENTSCHLÜSSELTE FUNKMELDUNGEN AUS DEM GENERALGOUVERNEMENT

Vor dem deutschen Angriff auf Polen am 1. September 1939 hatte der polnische Nachrichtendienst schon jahrelang deutsche militärische Funkmeldungen entziffert, die mit der Enigma-Chiffriermaschine der Abwehr der deutschen Wehrmacht verschlüsselt worden waren. Im Juli 1939 hatte der polnische dem britischen und französischen Nachrichtendienst aus Sorge über die militärischen Absichten der Deutschen das Geheimnis dieser Entschlüsselungsfähigkeit ausgehändigt – einen polnischen Nachbau der Enigma-Maschine.[1] Damit war dem britischen Nachrichtendienst der Weg zur ständigen Entschlüsselung des geheimen deutschen Funkverkehrs im Zweiten Weltkrieg geebnet. Für die hier besprochenen entschlüsselten Funkmeldungen aus dem Umkreis von Ordnungs- und Sicherheitspolizei wurde 1997 die Geheimhaltung aufgehoben.[2]

Diese Funkmeldungen umfassen die gesamte Bandbreite der von Reichsführer-SS Heinrich Himmler beherrschten Organisationen. Es muss jedoch von vornherein eine Einschränkung gemacht werden: Die Meldungen sind wie die Teile von Tausenden von gleichzeitig in die Luft geworfenen Puzzle-Spielen, von denen man einzelne Teile auffängt. Ebenso wie solchermaßen herausgegriffene Teile ergeben die Meldungen kein zusammenhängendes Bild. Sie sind vielmehr Bruchstücke mehrerer größerer Bilder der Vernichtungsaktionen gegen die Juden im Generalgouvernement und der Aktivitäten des SS- und Polizeiführers in Lublin, SS-Brigadeführer Odilo Globocnik.

Aus den Meldungen erhält man einen Eindruck von Globocniks Beziehungen zu den nationalsozialistischen Zivilbehörden im November 1939 und von der Umsiedlung von Volksdeutschen aus Wolhynien in das Gebiet um

---

[1] STEPHEN BUDIANSKY, Battle of Wits. The Complete Story of Codebreaking in World War II, London 2000, S. 94.

[2] Die Funkmeldungen der deutschen Kriegsmarine und der Wehrmacht waren bereits einige Jahre zuvor in Großbritannien freigegeben worden.

Lublin, die Globocnik nicht so schnell beenden konnte, wie er es Himmler offenbar versprochen hatte, weshalb er den Reichsführer-SS um eine Fristverlängerung bitten musste. Diese Bitte wurde von Rudolf Brandt, Himmlers persönlichem Sekretär, abgelehnt, weil sie zu spät kam.[3]

---

message transmitted[1] 29 February 1940   (msg[2] 19)

SS Brigadeführer GLOBOCNIK/LUBLIN.
Bezug dortiges Ft.[3] vom 13/2/40. In Beantwortung Ihres Ft. vom
13/2/40 teile ich Ihnen mit, dass die Nachfrage des RfSS beim
Auswärtigenamt, ob dort ebenfalls eine entsprechende Anfrage
auf Fristverlängerung bis zum 31/3/40 für die Tätigkeit der
russischen Umsiedlungskommission eingegangen ist, ergebnislos
war. Im auswärtigen Amt weiss man von einem Offiziellen
russischen Antrag, der von Moskau hinsichtlich einer
Fristverlängerung gestellt worden sein soll, nichts. Eine
Befürwortung des Antrages seitens des RfSS war daher nicht
möglich.
BRANDT, SS Hauptsturmführer

---

[1] Nachricht übermittelt (am) [2] msg = message = Nachricht [3]
Funktelegramm

Im Oktober 1940 wird Adolf Eichmann zum ersten Mal im Zusammenhang mit Globocnik erwähnt, wobei es um die Umsiedlung von Polen aus „Litzmannstadt" (Lodz) nach Lublin und in das nahe gelegene Lubartow ging.[4] Danach trat, was Globocnik anging, bis Juli 1941 Funkstille ein.

GPD 55 transmitted 7 October 1940   (msg 30)

An SS und Pol.führer, Major Holst, LUBLIN, und
Reichssicherheitshauptamt IV Revier, SS Sturmbannführer
EICHMANN, BERLIN.
Betrifft: Polentransport CHOLMER Aktion. Zug VP 55 hat am
7.10.40 um 0730 Uhr LITZMANNSTADT mit 541 Polen
Richtung LUBLIN verlassen. 35 Kinder unter 2 Jahren
mitbefördert. Verpflegung: Grütze 3300 Kg, Brot 2200 Kg,
Marmelade 161 Kg, Vollmilch 40 Liter.
Umwanderungszentrale LITZMANNSTADT

---

[3] Public Record Office (fortan: PRO), Kew (Richmond upon Thames, Outer London), HW 16/28.
[4] PRO, HW 16/30.

Am 17. Juli 1941 wurde Globocnik von Himmler zu dessen „Beauftragtem für die Errichtung der SS- und Polizeistützpunkte im neuen Ostraum", das heißt in der Sowjetunion, ernannt,[5] und zwischen Juli 1941 und April 1942 wurde viel Funkverkehr zwischen Globocnik und den Kommandeuren der SS- und Polizeistützpunkte abgefangen. In Riga war dies SS-Obersturmführer Georg Michalsen, in Bialystok und später in Minsk SS-Untersturmführer Kurt Claasen, in Mogilew SS-Hauptsturmführer Hermann Höfle und in Starakonstantinow, später in Zwiahel und schließlich in Kiew SS-Obersturmführer Richard Thomalla; von Oktober bis Dezember 1941 war auch SS-Sturmbannführer Dolp in diesen Einrichtungen tätig, insbesondere in Minsk und Mogilew. Nachdem Globocnik am 27. März 1942 von seiner Aufbauarbeit entbunden worden war, sollten diese fünf SS-Offiziere eine bedeutende Rolle in der „Aktion Reinhard" spielen.[6]

Im Mai 1942 waren Globocniks Truppen in seinem Zuständigkeitsbereich in Kämpfe mit Partisanen verwickelt. Am 1. Mai hatte Globocnik dem Höheren SS- und Polizeiführer (HSSPF) Krüger in Krakau mitgeteilt, dass er Alarmstufe 1 in Kraft gesetzt habe.[7]

ZIP/GPDD 19 transmitted 1 May 1942	(msg 3/4)

Geheim.
An den Höheren SS und Pol.Führer Ost, SS Obergruppenführer KRUEGER.
Durch die derzeitige Lage in der Partisanenbekämpfung, sowie durch Aussagen festgenommener Funktionäre der Wiederstandsbewegungen (sic), Ihr gestriges Ft. Ia/H A 346/42 G veranlasst, habe ich mich sofortiger Wirkung die Alarmstufe I des 3 SicherungsPVUDXO (sic) in Kraft gesetzt.
GLOBOCNIK, Brigadeführer und Gen.major der Pol.

Am 12. Mai teilte er seinem Nachbarn, dem SSPF Brest (SS-Brigadeführer Wappenhans), mit, dass im Gebiet von Wlodawa und Hrubieszow am Bug an der Grenze zu dessen Zuständigkeitsbereich in Kürze eine große Polizeiaktion stattfinden würde.[8]

---

[5] Der Dienstkalender Heinrich Himmlers 1941/42, hg. v. PETER WITTE/MICHAEL WILDT/MARTINA VOIGT/DIETER POHL/PETER KLEIN/CHRISTIAN GERLACH/CHRISTOPH DIECKMANN/ANDREJ ANGRICK, Hamburg 1999; vgl. auch: PRO, HW 16/32 (ZIP/GPD 347, Mitteilung 1, gesendet am 5. September 1941, in der Globocnik seinen neuen Titel benutzt).

[6] Berlin Document Center (BDC), SS-Offizierssakte Odilo Globocnik.

[7] PRO, HW 16/17 (ZIP/GPDD 19, Mitteilung 3/4, gesendet am 1. Mai 1942).

[8] PRO, HW 16/54 (PRIT.292, gesendet am 12. Mai 1942).

[decode] PRIT.292 transmitted 12 May 1942.

An SS und Polizeiführer, SS Brigadeführer WAPPENHANS.
Geheim.
Ich beabsichtige vom 15/5 bis ungefähr 24/5 im Raume
WLODAWA-HRUBIESZOW eine grössere Polizeiaktion unter
Sperrung der BUG-Grenze durchzuführen. Ich unterrichte sie
hiervon und bitte sie gleichzeitig im selben Abschnitt ihren
Befehlsbereich zur doppelten Absicherung ebenfalls, wenn irgend
möglich starkere Streifen einzusetzen. Fernschrift Kommandeur
LUBLIN Nummern 344 vom 12/5/42.
Von GLOBOCNIK, SS Brigadeführer und Generalmajor der
Polizei.

Am 13. Juni 1942 erhielt Globocnik eine Funkmeldung des Amts von SS-
Gruppenführer Grawitz, dem Reichsarzt SS und Polizei, das damit auf eine
Nachricht des SSPF vom vorangegangenen Tag antwortete.[9] Grawitz hatte
dessen Mitteilung an das SS-Sanitätsamt in Berlin weitergeleitet. Möglicherweise hatte Globocnik Grawitz gefragt, ob es möglich sei, ein Hygiene-
Institut der Waffen-SS für das Generalgouvernement in Lublin – möglicherweise in Bevorzugung vor Krakau – einzurichten.

ZIP/GPDD 124 transmitted 13 June 1942　　　　　　　　(msg 36/37)

Geheim!
An den SS und Pol.führer SS Brigadeführer GLOBOCNIC (sic),
LUBLIN.
Der Reichsarzt SS und Pol. SS Gruppenführer GRAWITZ
bestätigt den Eingang des Fernschreibens vom 12.6.42 Betr.
Hygiene Institut der Waffen SS für das Gen.Gouv. und hat die
Angelegenheit zuständigkeitshalber dem SS FHA SS San.Amt zur
Erledigung weiter gegeben.
Gez. WILLZ (sic – Dr Ernst WILLE?), Sturmbannführer.

---

[9] PRO, HW 16/19 (ZIP/GPDD 124, Mitteilung 36/37, gesendet am 13. Juni 1942). Es ist
unwahrscheinlich, dass dies im Zusammenhang mit Grawitz' Suche nach Gold „jüdischer
Herkunft" stand; vgl. Grawitz' Korrespondenz mit den SSPF Warschau und Lublin sowie
Himmlers Sekretär Rudolf Brandt in der Zeit von April bis Juli 1942 (Nürnberger Dokumente
[fortan: Nürnb. Dok.] NO-3163 bis NO-3166).

Am 22. beziehungsweise 24. August lud das Wirtschaftsverwaltungshauptamt der SS (WVHA) – gezeichnet Liebehenschel – die Kommandanten der
Konzentrationslager Auschwitz (Höß) und Buchenwald (Pister) zu einer für
den 28. August im Reichssicherheitshauptamt (RSHA) – Berlin, Kurfürsten-
straße 116 – anberaumten Sitzung bei SS-Obersturmbannführer Eichmann
ein.[10] Möglicherweise waren auch andere KZ-Kommandanten eingeladen
(wie die Menge des vom britischen Nachrichtendienst abgefangenen Funkverkehrs andeutet).

ZIP/GPDD 213b transmitted 22 August 1942	(msg 38/39)

OMF de OMA [KL Auschwitz von WVHA]
[4 groups missed[1)]] ... Sie sollen am ... [10 groups missed[1)]] ...
einer Dienstbesprechung des RSHA (... SS Obersturmbannführer
EICHMANN) in Berlin, Kurfürstenstr. 116, teilnehmen.
Dienstreisegenehmigung wird hiermit erteilt.
LIEBEHENSCHEL

[1)] 4 bzw. 10 (Zeichen-)Gruppen fehlen

ZIP/GPDD 215b transmitted 24 August 1942	(msg 55/56)

OMD de OMA [KL Buchenwald from WVHA]
[4 groups corrupt[1)]] ... 28.8.42 im Anschluss an die Arbeitstag
und am 28.8.42, 0930 Uhr, in BERLIN bei Obersturmbannführer
EICHMANN. Wollen Sie sich beim Chef der Amtsgruppe D, SS
Brigadeführer und Gen.maj. der Waffen SS GLUECKS melden?
LIEBEHENSCHEL.

[1)] 4 (Zeichen-)Gruppen verstümmelt

Laut einem Funkspruch vom 24. August 1942 von Globocnik an SS-Sturmbannführer Rolf Günther vom RSHA (Eichmanns Stellvertreter im Referat
IV B4) über die „Evakuierung von Juden aus Rumänien" sollten alle Deportationszüge nach Trawniki geschickt werden, wo man die weitere Verteilung

---

[10] PRO, HW 16/21 (ZIP/GPDD 213b, Mitteilung 38/39, gesendet am 22. August 1942;
ZIP/GPDD 215b, Mitteilungen 55/56 und 64/65, gesendet am 24. August 1942). Über die
Sitzung am 28. August 1942 ist ein Bericht von SS-Untersturmführer Ahnert aus der Dienststelle des Befehlshabers der Sicherheitspolizei und des SD (BdS) in Frankreich vorhanden, der
bei dem Treffen seinen Chef, Heinz Röthke, den Judenreferenten in Paris, vertrat. Ahnert
betont die Folgen der Sitzung für die Deportationen aus Frankreich und bestätigt die Anwesenheit von Höß bei der Besprechung (vgl. ROBERT W. KEMPNER, Eichmann und Komplizen,
Zürich, Stuttgart, Wien 1961, S. 220 ff.).

vornehmen würde.[11] Diese Mitteilung deutet auf frühzeitige Planungen Eichmanns und Globocniks für künftige Vorhaben hin, da die nächste Besprechung von Vertretern des RSHA-Referats IV B4 im Reichsverkehrsministerium über die logistische Seite der „Evakuierung" der rumänischen Juden in das Generalgouvernement erst einen Monat später stattfand, nämlich vom 26. bis 28. September 1942.[12]

ZIP/GPDD 215a transmitted 24 August 1942	(msg 47/48)

OMY de OMQ [RSHA Berlin from LUBLIN]
Geheim! An das RSHA, zu Händen SS Sturmbannführer GUENTHER.
Betr.: Evakuierung von Juden aus Rumänien.
Bezug: Fs. 151976 vom 24.8.42.
Als Zielbahnhof ist K TRAWNIKI (sic) anzugeben, von wo aus weitere Verteilung erfolgt. Dahin können alle Transporte geleitet werden.
Der SSuPf. LUBLIN, GLOBOCNIK, SS Brigadeführer und Gen.major der Pol.

Aus dem September 1942 sind eine ganze Reihe von Funkmeldungen bekannt. SS-Untersturmführer Johann Oppermann aus der Verwaltung des SSPF Lublin war, vermutlich um einzukaufen, nach Holland gereist, und Globocnik verwies ihn auf die Hamburger Firma August Harms, bei der er zwei Eimerbagger erwerben sollte.[13] Eine Antwort auf die Frage, wozu ein SS-Brigadeführer und Generalmajor der Polizei Bagger brauchte, lautet wahrscheinlich: zum Ausheben von Massengräbern. Weniger abscheuliche Zwecke könnten die Aushebung von Entwässerungsgräben und die Uferbefestigung in der Nähe von volksdeutschen Ansiedlungen gewesen sein, da

---

[11] PRO, HW 16/21 (ZIP/GPDD 215a, Mitteilung 47/48, gesendet am 24. August 1942). Die auf dieser Ebene geführte Diskussion über die beabsichtigte Deportation von 200 000 rumänischen Juden, die später im Jahr beginnen sollte, war völlig neu und ging der von Eichmann einberufenen Sitzung zur Planung dieser Operation voraus. Der Hinweis auf die weitere Verteilung in Trawniki dürfte so zu verstehen sein, dass nicht alle rumänischen Juden sofort nach der Ankunft getötet, sondern einige zur Zwangsarbeit eingesetzt werden sollten. Die Mehrheit sollte in Belzec ermordet werden.

[12] Protokoll der Sitzung vom 26.–28. September 1942 in Berlin, in: Dokumente über Methoden der Judenverfolgung im Ausland, vorgelegt von der United Restitution Organization, Frankfurt am Main 1959, S. 75 f. Im Protokoll werden die gewünschten Deportationen in Zusammenarbeit mit der rumänischen Eisenbahn aufgeführt; zu Eichmanns Leidwesen sagten die Vertreter der rumänischen Eisenbahn im letzten Augenblick ihre Teilnahme an der Sitzung ab. Die Deportationen der rumänischen Juden fanden nie statt.

[13] PRO, HW 16/21 (ZIP/GPDD 226a, Mitteilung 54/55, gesendet am 4. September 1942).

Globocnik auch dafür verantwortlich war. Die Firma August Harms existiert heute noch und bietet auf ihrer Webseite eine Vielzahl von Geräten für Erdarbeiten an.

ZIP/GPDD 226a transmitted 4 September 1942	(msg 54/55)

Über Sicherheitspol. DEN HAAG an SS Untersturmführer OPPERMANN, SS Mannschafthaus LEIDEN, Rafenburg, 6, Holland.
Bei der Firma August HARMS, HAMBURG, Telefon-Nr. 330351, sind 2 Eimerbagger[1]) hollaendischen Angebotes Nr. 118 und 119 zu haben. Ich will beide sofort kaufen. Setzen Sie sich mit der Firma in Verbindung, besprechen Sie alle Einzelheiten und geben Sie mir Bescheid, worauf ich fernschriftlich Kaufbestätigung durchgebe.
GLOBOCNIK, SS Brigadeführer und General (sic).

---

[1]) In GPD 240a msg 19/20 wird erwähnt, dass die Eimerbagger „für Erdarbeiten" benötigt würden.

Der Name Belzec tauchte am 12. September 1942 als Ziel eines Eisenbahnzuges mit Arbeitern auf, der von Lublin über Debica nach Belzec fuhr. Möglicherweise handelte es sich bei diesen Arbeitern nicht um Juden, sondern um Polen. Die Fahrtroute ist jedenfalls rätselhaft. Außerdem wird in der Mitteilung erwähnt, dass Materialien und Maschinen in offenen Waggons von Warschau nach Lublin transportiert wurden. Aus dieser Zeit ist kein Zwangsarbeitsprojekt in der Gegend von Belzec bekannt, und warum Globocnik die Generaldirektion der Ostbahn (GEDOB) im Namen des Reichsführers-SS wegen dieser Zugführung rügte, ist nicht ganz klar.[14]

---

[14] PRO, HW 16/21 (ZIP/GPDD 234a, Mitteilung 32/34, gesendet am 12. September 1942). Eine mögliche Erklärung für die Zurechtweisung könnte ein Zugunglück sein. Am 8. September 1942 war ein Deportationszug mit Juden, der über Lemberg nach Belzec fuhr, auf einer eingleisigen Strecke mit hoher Geschwindigkeit in einen entgegenkommenden zivilen deutschen Zug voller deutscher Zivilisten und Soldaten gerast. Der Zusammenstoß passierte in Hrebenne, 14 Kilometer südöstlich von Belzec. Es gab viele Tote und erheblichen Sachschaden. Die polnischen Arbeiter und die Maschinen könnten auf dem Weg zum Unfallort gewesen sein, um ihn aufzuräumen und das Gleis zu reparieren (für diese Information danke ich Mike Tregenza in Lublin).

ZIP/GPDD 234a transmitted 12 September 1942   (msg 32/34)

OLQ de OMX

An den Befehelshaber der Sipo und des SD, KRAKAU.

Betr.: Arbeitertransportzug LUBLIN-DEBICA-BELZEC.

Bezig: dort. Fs. vom 11.9.42 Nr. 15432.

1) Arbeitertransportzug LUBLIN–DEBICA–BELZEC muss gefahren werden. Ich gebe bei Verweis der GEDOB, morgen um 12 Uhr mittags Meldung an den RfSS dass ... Befehl nicht durchgeführt werden kann, da trotz vorhandenen Zugsmöglichkeiten diese nicht zur Verfügung gestellt werden.

2) Transportzug WARSCHAU–LUBLIN ist Arbeitertransport für GEDOB und Fachkräfte, sowie diverse Materialien und Maschinen. Wenn Transport bei Tag durchgeführt und offene Waggons möglich, bitte Bescheid bis 10 Uhr.

GLOBOCNIK, SS Brigadeführer und Generalmajor der Pol.

Geheim!

Gleichfalls im September wurde in einer teilweise abgefangenen Funkmeldung die „Aktion Reinhard" zum ersten Mal erwähnt. Das WVHA erteilte dem KZ Auschwitz die Erlaubnis für eine Fahrt nach Litzmannstadt, um die dortige „Versuchsstation für Feldöfen" der „Aktion Reinhard" zu besichtigen.[15] Da SS-Standartenführer Paul Blobel damals im nahe Lodz (Litzmannstadt) gelegenen Chelmno (Kulmhof) weilte, war der Grund für die Reise die Erprobung des Verbrennens von Leichen auf Scheiterhaufen. Außerdem deutet die Funkmeldung darauf hin, dass die Bezeichnung „Aktion Reinhard" mittlerweile auch außerhalb des Generalgouvernements verwendet wurde.

---

[15] PRO, HW 16/21 (ZIP/GPDD 237b, Mitteilung 42/43, gesendet am 15. September 1942). Obwohl Sicherheitspolizei und SS gegen Kriegsende so viele Dokumente und Akten vernichtet haben, fand sich im Archiv des Auschwitzer KZ-Museums ein Exemplar dieser Mitteilung (APMO, Höß-Prozess, Bd. 12, Bl. 168, und Bd. 38, Bl. 114, Ablage 59). Ich danke Peter Witte für dieses Beispiel, das die Echtheit der vom britischen Nachrichtendienst entschlüsselten Funksprüche und die Verlässlichkeit der Entschlüsselung belegt. Höß berichtet in seinen Memoiren über einen Besuch in „Culmhof", wo er sich gemeinsam mit SS-Untersturmführer Franz Hößler (Birkenau, Schutzhaftlagerführer) und SS-Obersturmführer Walter Dejaco (Bauleitung KZ Auschwitz) ansah, wie Blobel mit Holz und Erdölrückständen Leichen verbrannte (Rudolf Höß, Kommandant in Auschwitz, hg. v. MARTIN BROSZAT, München ²1981, S. 161 f.). Ein Bericht von Dejaco bestätigt den Besuch in Lodz am 17. September 1942 (Nürnb. Dok. NO-4467).

ZIP/GPDD 237b transmitted 15 September 1942   (msg 42/43)

OMF de OMA (KL Auschwitz from WVHA]
Betr.: Fahrgenehmigung
Bezug: dort. Antrag vom 14.9.42.
Fahrgenehmigung für einen PKW von AU nach
LITZMANNSTADT und zurück, zwecks Besichtigung der
Versuchsstation für Feldöfen, Aktion „Reinhard" wird hiermit für
den 16.9.42 erteilt ... [remainder missed[1)]].

[1)] Rest entgangen

Im Oktober 1942 brachte Höß gegenüber Eichmann die jüdischen Deportationszüge aus „polo-czech-niederländischen Gebieten" nach Auschwitz zur
Sprache (eine Kopie der Mitteilung ging an Liebehenschel im WVHA). Die
niederländischen Züge, verlangte er, dürften nicht in Kosel (Kędzierzyn-
Koźle, Eisenbahnknotenpunkt zwischen Oppeln und Auschwitz) halten,
sondern müssten nach Auschwitz durchfahren.[16] Höß wollte um jeden Preis
verhindern, dass sie von Truppen des SS-Brigadeführers Albrecht Schmelt,
der für den Einsatz ausländischer Arbeiter in Kattowitz mit seiner wachsenden Kohle- und Stahlindustrie verantwortlich war, gestoppt und kräftige
Arbeiter herausgesucht wurden, die dann nicht mehr für den Einsatz in
Auschwitz zur Verfügung standen. Schmelt war auf Initiative von Albert
Speer, dem Minister für Bewaffnung und Munition, angehalten, mit anderen
SS-Organisationen in Konkurrenz um Arbeitskräfte zu treten, und die Rekrutierung arbeitsfähiger Juden aus den Deportationszügen belastete die Bezie-
hungen zum KZ Auschwitz.

---

[16] PRO, HW 16/21 (ZIP/GPDD 259b, Mitteilung 1/4, gesendet am 7. Oktober 1942).

ZIP/GPDD 259b transmitted 7 October 1942   (msg 1/4)

OMA de OMF
RSHA IV B 4 BERLIN zu Händen SS Obersturmbannführer
EICHMANN, nachrichtlich an die Amtsgruppe D,
ORANIENBURG, zu Händen SS Obersturmbannführer
LIEBEHENSCHEL.
Betr.: Abbeförderung von Juden aus den polo-czech-
niederländischen Gebieten nach AUSCHWITZ.
Bezug: dort. Fs. vom 5.10.42, Nr. 181212, 1755 Uhr.Geheim!
Bezüglich der aufgegebenen Judentransporte aus HOLLAND wird
noch um Angabe der Zugnummern und der voraussichtlichen
Ankunftszeiten durch Funk gebeten, um auf Grund dieser
Unterlagen bei der Reichsbahndirektion OPPELN veranlassen zu
können, dass diese Transporte in KOSEL nicht anhalten, sondern
nach AUSCHWITZ durchfahren, um sie, wie vereinbart, von
dem Zugriffe der Beauftragten der Schmeldtaktion zu bewahren.
Gez. HOESS, SS Obersturmbannführer

Am 22. Oktober 1942 fragte das WVHA (gezeichnet Maurer) in Auschwitz
an, wie viele Uhren, Füllfederhalter und andere zur Reparatur bestimmte
Waren aus der „Aktion Reinhard" noch vorrätig seien. Die Anlieferung nach
Berlin sei vorläufig aufzuschieben, da in Auschwitz eine Reparaturwerkstätte
errichtet werde.[17]

ZIP/GPDD 274b transmitted 22 October 1942   (msg 35/36)

OMF de OMA [KL Auschwitz from WVHA]
Leiter der Verwaltung
Betr.: Aktion „REINHARDT".
Ich bitte hierdurch um Mitteilung, welche Bestände an Uhren,
Füllfederhaltern usw., die zur Reparatur gelangen sollen, jetzt
dort noch vorrätig sind. Mit der weiteren Anlieferung nach
BERLIN bitte ich zu warten, da in AUSCHWITZ eine
Reparaturwerkstätte errichtet wird. Ich bespreche diese
Angelegenheiten am kommenden Dienstag dort. Es genügt, wenn
mir die Aufstellung am Dienstag übergeben wird.
Gez. MAURER

Die nächsten Funkmeldungen mit Bezug auf die „Aktion Reinhard" wurden
im Januar 1943 abgefangen. Es handelte sich um Bruchstücke zweier Mitteilungen, die jedoch zweifellos mehr oder weniger denselben Inhalt hatten.

---

[17] PRO, HW 16/21 (ZIP/GPDD 274b, Mitteilung 35/36, gesendet am 22. Oktober 1942).

Am 11. Januar 1943 um 10.00 Uhr wurde eine als „Geheime Reichssache"
gekennzeichnete Funkmeldung von SS-Sturmbannführer Höfle in Lublin an
SS-Obersturmbannführer Eichmann im RSHA in Berlin teilweise abgefan-
gen. Um 10.05 Uhr schickte Höfle eine zweite, ebenfalls als „Geheime
Reichssache" gekennzeichnete Nachricht an SS-Obersturmführer Heim in
Krakau, den Stellvertreter des dortigen BdS, SS-Oberführer Eberhard Schön-
garth. Die Funkmeldung an Heim war sowohl eine „14-tägige Meldung" der
„Aktion Reinhard" (für die zwei Wochen vor dem 31. Dezember 1942) als
auch ein Bericht zum Jahresende, in dem jeweils ein Buchstabe mit einer
Zahl kombiniert ist. Ich glaube, dass es sich bei diesen Zahlen um genaue
Angaben über die Opfer der „Aktion Reinhard" bis zum Ende des Jahres
1942 handelt:

ZIP/GPDD 355a transmitted 11 January 1943 @ 1000   (msg 12)
OMX de OMQ [Berlin from Lublin] Geheime Reichssache! An das Reichssicherheitshauptamt, zu Händen SS Obersturmbannführer EICHMANN, BERLIN ... [rest missed]

ZIP/GPDD 355a transmitted 11 January 1943 @ 1005 (msg 13/15)
Geheime Reichssache! An den Befehlshaber der Sicherheitspol., zu Händen SS Obersturmbannführer HEIM, KRAKAU. Betr.: 14-tägige Meldung Einsatz REINHART. Bezug: dort. Fs. Zugang bis 31.12.42, L 12761, B O, S 515, T 10335 zusammen 23611. Stand... 31.12.42, L 24733, B 434508, S 101370, T 71355, zusammen 1274166. SS und Pol.führer LUBLIN, HOEFLE, Sturmbannführer.

Aus den angegebenen Zahlen lässt sich folgende Tabelle erstellen:

Buchstabe (Lager)	„14-tägige Meldung" („Zugang [18.] bis 31.12.42")	Jahresbericht („Stand 31.12.42")
L (Lublin)	12 761	24 733
B (Belzec)	0	434 508
S (Sobibor)	515	101 370
T (Treblinka)	10 335	713 555[1]
Summe	23 611	1 274 166

[1] Auch Funker und Kryptologen sind fehlbar: Im entschlüsselten Text
der Funkmeldung wird die Zahl 71 355 angegeben, doch dann stimmt
die Summe nicht; 713 555 ist die richtige Zahl.

Diese Funkmeldungen sind entscheidend für die Bestimmung der Zahl der Menschen, die der „Aktion Reinhard" bis zum Ende des Jahres 1942 zum Opfer fielen, und belegen, wie die „Reinhard"-Lager in dieser Phase operierten. Die Gesamtzahl von 1 274 166 Ermordeten stimmt mit der im so genannten Korherr-Bericht an Reichsführer-SS Himmler vom 23. März 1943 genannten Zahl der durch die Lager im Generalgouvernement „durchgeschleusten" Opfer überein. Zusammen mit Peter Witte habe ich diese beide Meldungen an anderer Stelle ausführlich dargestellt.[18]

Im Mai 1943 baten Globocnik und Dr. Horn, der Geschäftsführer der „Ostindustrie", eines Globocnik unterstehenden SS-Unternehmens im Gebiet Lublin, um eine Unterredung mit WVHA-Chef SS-Obergruppenführer Pohl in Berlin.[19]

ZIP/GPD 473d transmitted 8 May 1943   (msg 10/11)

An SS Obergruppenführer und General der Waffen SS POHL, BERLIN.
Erbitte unter Bezugnahme auf mein Schreiben vom 2?-4.43 (sic) für SS Gruppenführer GLOBOCNIK und mich Termin für mündlichen Vortrag zum 14. oder 15.5.43.
Gez. Dr HOEN-BRAHORN [sic – Dr Horn?], SS Obersturmführer, LUBLIN.

Anfang Juni war Globocnik erneut in Berlin, um in getrennten Treffen mit Eichmann und SS-Gruppenführer vom WVHA (Amtschef der Amtsgruppe A: Truppenverwaltung) zusammenzukommen.[20]

---

[18] PRO, HW 16/23 (ZIP/GPDD 355a, Mitteilungen 12 und 13/15, gesendet am 11. Januar 1943). Zum Korherr-Bericht vom 23. März 1943 siehe: Bundesarchiv Berlin, NS 19/1570 (Begleitschreiben, Nürnb. Dok. NO-5195; der Bericht selbst hat die Signatur NO-5194). Eine ausführliche Dokumentation der beiden Funkmeldungen findet sich in PETER WITTE/STEPHEN TYAS, A New Document on the Deportation and Murder of Jews during „Einsatz Reinhardt" 1942, in: Holocaust and Genocide Studies 15-3 (2001), S. 468–486.

[19] PRO, HW 16/25 (ZIP/GPDD 473d, Mitteilung 10/11, gesendet am 8. Mai 1943).

[20] PRO, HW 16/25 (ZIP/GPDD 498a, Mitteilung 15 und 16, gesendet am 2. Juni 1943). August Frank hat das Gespräch möglicherweise in seiner Eigenschaft als stellvertretender WVHA-Chef geführt.

ZIP/GPD 498a transmitted 2 June 1943 @ 1300h   (msg 15)

An Reichssicherheitshauptamt, zu Händen SS Obersturmbannfhr.
EICHMANN, BERLIN.
Bin ab 3.6.43 früh in BERLIN. Melde mich telefonisch bei
Ihnen.
Der SS und Pol.fhr. LUBLIN, GLOBOCNIK, SS Gruppenführer
und Gen.ltn. der Pol.

– ditto –   sent @ 1330h[1)]   (msg 16)

An WVHA zu Händen SS Gruppenführer FRANK.
Bin ab 3.6.43 früh zur gewünschten Besprechung in BERLIN.
Werde mir Termin telefonisch erfragen.
SS und Pol.führer LUBLIN, GLOBOCNIK, SS Gruppenführer
und Gen.ltn der Pol.

[1)] versandt um 13.30 Uhr

– ditto –   sent @ 1730h   (msg –)

An Hotel Eden, BERLIN. Dringend sofort verlegen.
Erbitten ein Zimmer für SS Gruppenführer GLOBOCNIK für 3.
und 4.6.43.
SS und Pol.führer LUBLIN, i.A. Dr Horn, SS Obersturmführer.

Ein weiteres Treffen zwischen Globocnik und Eichmann fand in Lublin statt. Am 7. Juli 1943 bat Globocnik Eichmann, bei seinem Besuch am 9. Juli einen „Pass" für „Wilhelm Caesar Toebbens" mitzubringen.[21] Als sie nur zwei Wochen später, am 21. Juli, erneut zusammenkamen, besprachen sie offenbar irgendein künftiges Vorhaben. Globocnik machte Eichmann darauf aufmerksam, dass der ins Auge gefasste Endtermin, der 1. September 1943, nicht mehr zu halten sei und neue Anweisungen nötig seien. Es gibt starke Hinweise darauf, dass es in der Unterredung am 9. Juli um die endgültige Liquidierung des Ghettos von Bialystok ging. Ende Juli oder Anfang August

---

[21] PRO, HW 16/26 (ZIP/GPDD 533a, Mitteilung 11, gesendet am 7. Juli 1943; ZIP/GPDD 547a, Mitteilung 23, gesendet am 21. Juli 1943). Bei Wilhelm Caesar Toebbens handelte es sich höchstwahrscheinlich um W. C. [Walter Caspar] Toebbens, und Globocnik benutzte für die Initialen der Vornamen der besseren Verständlichkeit halber das deutsche Buchstabieralphabet. Die zweite Frage ist, wozu Toebbens einen „Pass" brauchte, es sei denn, er sollte ein Vernichtungslager besuchen. Das einzige Vernichtungslager, das damals im Gebiet um Lublin noch in Betrieb war, war Sobibor.

besuchte Globocnik den KdS Bialystok, um den Termin für den Beginn der Liquidationsoperation zu besprechen.

ZIP/GPDD 533a transmitted 7 July 1943   (msg 11)

An Reichssicherheitshauptamt, BERLIN, zu Händen SS
Obersturmführer (sic) EICHMANN.
Bitte an Freitag [9 July 1943] den Pass für Wilhelm Caesar
TOEBBENS mitbringen.
SS und Pol.führer LUBLIN, GLOBOCNIK, SS Gruppenführer
und Gen.ltn. der Pol.

ZIP/GPDD 547a transmitted 21 July 1943   (msg 23)

An Reichssicherheitshauptamt, zu Händen SS
Obersturmbannführer EICHMANN, BERLIN.
Bitte dringendst um Nachricht bezüglich Weiterarbeit, da sonst
Termin 1.9.43 schwer einhaltbar.
Gez. GLOBOCNIK, SS Gruppenführer und Gen.ltn. der Pol.,
LUBLIN.

Am 13. September 1943 wurde Globocnik zum SS-Gruppenführer und Generalleutnant der Polizei befördert und eine Woche darauf nach Italien versetzt. Sein Nachfolger als SSPF Lublin wurde SS-Gruppenführer Jakob Sporrenberg. Am 15. Oktober 1943 um 11.15 Uhr teilte dieser seinem Nachbarn, dem SSPF in Sluzk, SS-Brigadeführer Wilhelm Günther, mit, dass rund 700 Juden aus dem Lager Sobibor ausgebrochen und in seine Richtung unterwegs seien. Gegenmaßnahmen sollten eingeleitet werden.[22] Tatsächlich befanden sich zu diesem Zeitpunkt 700 Häftlinge in Sobibor, aber nicht alle flohen; einige blieben im Lager und wurden später von SS-Einheiten erschossen.

---

[22] PRO, HW 16/38 (ZIP/GPD 1956 CC-HH, Mitteilung DD 12, gesendet am 15. Oktober 1943, 11.15 Uhr).

ZIP/GPD 1956 CC-HH transmitted 15 October 1943 @ 1115h.(msg DD12)

[An] SS Pol.führer LUZK, SS Brigadeführer GUENTHER.
Geheim!
Aus dem Lager SOBIBOR sind circa 700 Juden ausgebrochen. Es
ist anzunehmen, dass dieselben über die Bug-Grenze fliehen
werden. Es wird gebeten, entsprechende Gegenmassnahmen
einzuleiten. SOBIBOR liegt im Distrikt LUBLIN, 5 Km. vom
Bug zwischen CHOLM und WLODAWA.
Von SS Pol.führer LUBLIN.

Ende Oktober 1943 erhielt das „SS-Durchgangslager Sobibor" vom HSSPF
Russland-Mitte unbrauchbare Munition zur Aufarbeitung in neue Munition.[23]

ZIP/GPD 2041 DD-FF transmitted 27 October 1943   (msg DD14)

An Pfs [Polizeifunkstelle] LUBLIN, Weiterleitung an SS
Durchgangslager SOBIBOR.
Abrollten am 29.10.43, Fahrt-Nr. 6448551, MÜNCHEN 38616,
unbrauchbare Munition.
HSSuPf. RUSSLAND MITTE

Obwohl Globocnik von seinen neuen Pflichten als HSSPF Adriatisches
Küstenland in Triest voll in Anspruch genommen war, scheinen seine Lubli-
ner Aufgaben noch nicht erledigt gewesen zu sein. Jedenfalls befand er sich
Anfang Dezember 1943 wieder in Berlin, um sich mit seinen früheren
Verwaltungsbeamten SS-Sturmbannführer Wippern und SS-Hauptsturmführer
Horn und wahrscheinlich auch mit Vertretern des WVHA zu treffen. Dabei
ging es vermutlich um offene Fragen im Zusammenhang mit der finanzielle
Bilanz der „Aktion Reinhard". Die Finanzfragen waren immer noch nicht
gelöst, als Globocnik zusammen mit dem Kassenleiter der „Aktion Reinhard", SS-Oberscharführer Rzepa, Ende März 1944 weiter versuchte, eine
abschließende Entlastung zu erreichen.[24]

---

[23] PRO, HW 16/39 (ZIP/GPD 2041 DD-FF, Mitteilung DD 14, gesendet am 27. Oktober 1943).

[24] PRO, HW 16/39 (ZIP/GPD 2187 EE-HH, Mitteilung HH 4, gesendet am 5. Dezember 1943); HW 16/40 (ZIP/GPD 2509, gesendet am 17. März 1944). Am 5. Januar 1944 schickte Globocnik Reichsführer-SS Himmler aus Triest eine vorläufige finanzielle Bilanz der „Aktion Reinhard" für die Zeit vom 1. April 1941 bis zum 15. Dezember 1943 bei, die einen Gesamt-gewinn von 178 745 960,59 Reichsmark auswies (Nürnb. Dok. PS-4024).

ZIP/GPD 2187 EE-HH transmitted 5 December 1943   (msg HH4)

An SS Hauptsturmführer VON MOHRENSCHILD,
KLAGENFURT, Gasometergasse 8.
Bezug: SSD SS Pol.fhr. LUBLIN Nr. 78 vom 5.12.43.
Bitte SS Gruppenführer GLOBOCNIK sofort mitteilen, dass SS
Sturmbannführer WIPPERN in AROLSEN und ich mich mit ihm
Dienstag den 7.12.43 in BERLIN treffe. Es bleibt bei Treffen
zwischen 8. und 12. Genauer Terminvorschlag von BERLIN aus
am 7.12.43.
Gez. SS Hauptsturmführer HORN, Ministerium

ZIP/GPD 2509 transmitted 17 March 1944

An Standortverwaltung LUBLIN, SS Obersturmführer HUBER.
SS Oberscharführer CZEPA [sic – RZEPA] muss noch bis
20.3.44 auf Gruppenführer GLOBOCNIK warten. Bitte
Verzögerung zu genehmigen, sonst CZEPA zurückzuführen.
Abrechnung konnte bisher nicht erfolgen.
Gez. SS Sturmbannführer LERCH, TRIESTE.

Im letzten vorhandenen Funkspruch aus Lublin wird gemeldet, dass in der
Nacht des 24. Februar 1944 etwa 20 „Geheimnisträger" aus einem nicht
näher bezeichneten Lager im Distrikt Lublin geflohen seien. Diesen Unglücklichen war es gelungen, ihre Fesseln zu entfernen und einen Flucht-
tunnel zu graben, durch den sie aus dem Lager entkamen. Der KdS Lublin,
ein Kriminalbeamter, verlangte genaue Informationen über die Flucht.[25] Es
scheint keine veröffentlichten Angaben über diese „Geheimnisträger" und
ihre Tätigkeit im Distrikt Lublin zu geben.

---

[25] PRO, HW 16/69 (PEARL/ZIP/AT 669, gesendet am 27. Februar 1944).

PEARL/ZIP/AT 669 transmitted 27 February 1944 – extract from[1] GPD 2454.

===

An alle Gend.züge.
Betr.: Flucht von 2? [second figure not determined[2]]
Geheimnisträgern.
Am 24.2.44 gegen 23 Uhr sind aus Eisenbunker eines Lagers im Distrikt LUBLIN 2? Arbeitskräfte (Geheimnisträger) ausgebrochen. Die Flüchtigen hatten sich ihrer Fussfesseln entledigt und das Lager durch einen unterirdischen Gang, den sie von Fussboden des Bunkers aus bis ausserhalb der Lagerumzäunung gegraben hatten, verlassen. Ich bitte im dortigen Distrikt nach den Flüchtigen im Raume der verstärkten Kriegsfahndung mitzufahnden. Sachdienliche Wahrnehmungen bitte ich durch Fs. an den Kds, Abtlg. V, LUBLIN, und nachrichtlich an mich zu geben.
Von BdS und des SD im GG, Abtlg. V.   Geheim!

===

[1] Auszug aus ...   [2] zweite Ziffer nicht ermittelt

Am Anfang habe ich die entschlüsselten Funkmeldungen vermischte Teile von vielen Puzzeln genannt. In dem größeren Bild belegen sie regelmäßige Kontakte zwischen Globocnik und Eichmann sowohl in Berlin als auch in Lublin sowie, unabhängig davon, Begegnungen Eichmanns mit Höß in Berlin. Globocnik hielt Eichmann über den Fortgang der „Aktion Reinhard" auf dem Laufenden. Dass die Funkmeldung vom 11. Januar 1943 eine „14-tägige Meldung" enthielt, legt den Schluss nahe, dass Eichmann auch vorher schon solche Berichte erhalten hatte. Diese Funksprüche mit ihren Hinweisen auf die „Aktion Reinhard" ergänzen unser Wissen über die Vorgänge, auch wenn der britische Nachrichtendienst zum Zeitpunkt ihrer Entschlüsselung kaum ahnen konnten, dass sie sich bereits auf die Ermordung von über einer Million Menschen bezogen.

Verzeichnis der Autorinnen und Autoren

Dr. Peter Black, United States Holocaust Memorial Museum, United States Holocaust Memorial Museum, 100 Raoul Wallenberg Place, SW Washington, DC 20024, e-mail: PBlack@ushmm.org

Dr. Daniel D. Blatman, Institute of Contemporary Jewry, The Hebrew University of Jerusalem, Jerusalem, e-mail: msblat@mscc.huji.ac.il

Dr. Patricia Heberer, United States Holocaust Memorial Museum, United States Holocaust Memorial Museum, 100 Raoul Wallenberg Place, SW Washington, DC 20024, e-mail: PHeberer@ushmm.org

Dr. Janina Kiełboń, Państwowe Muzeum na Majdanku, ul. Droga Męczenników Majdanka 67, 20-325 Lublin, e-mail: archiwum@majdanek.pl

Tomasz Kranz, Państwowe Muzeum na Majdanku, ul. Droga Męczenników Majdanka 67, 20-325 Lublin, e-mail: tomkranz@wp.pl

Robert Kuwałek, Państwowe Muzeum na Majdanku, ul. Droga Męczenników Majdanka 67, 20-325 Lublin, e-mail: robkuwalek@gmx.net

PD Dr. Klaus-Michael Mallmann, Forschungsstelle Ludwigsburg, Universität Stuttgart, Historisches Institut, Abteilung Neuere Geschichte, Schorndorfer Str. 58, 71638 Ludwigsburg,
e-mail: Heidrun.Baur@po.hi.uni-stuttgart.de

Jacek Młynarczyk, Doktorand (Universität Stuttgart) ul. Popiełuszki 6/40, 01-501 Warszawa, e-mail: panjacek@gmx.de

Dr. Bogdan Musial, Elsa-Brändström-Weg 3, 31061 Alfeld (Leine)

Dr. Gunnar S. Paulsson, 49 Yonge Blvd, Toronto ON, M5M 3G7, Canada, e-mail: GSPaulsson@aol.com

Dr. Dieter Pohl, wissenschaftlicher Mitarbeiter am Institut für Zeitgeschichte München, Leonrodstr. 46b, 80636 München,
e-mail: pohl@ifz-muenchen.de

David Silberklang, Chefredakteur der „Yad Vashem Studies", Yad Vashem Studies, Yad Vashem, P.O.B. 3477, Jeruzalem
e-mail: david.silberklang@yadvashem.org.il

Stephen Tyas, 248 The Ridgeway, St. Albans, England AL4 9XQ,
e-mail: stephen.tyas@ntlworld.com

DEUTSCH-POLNISCHE ORTSNAMENSKONKORDANZ

Adamow (poln. Adamów)
Adampol
Annopol
Augustowka (poln. Augustówka)
Auschwitz (poln. Oświecim)
Auschwitz-Birkenau

Baltow (poln. Baltów)
Bartfeld (slowak. Bardejov)
Belzec (poln. Bełżec)
Belzyce (poln. Bełżyce)
Bendkow (poln. Bendków)
Biala Podlaska (poln. Biała Podlaska)
Biala Rawska (poln. Biała Rawska)
Bialobrzegi (poln. Białobrzegi)
Bialystok (poln. Białystok)
Bilgoraj (poln. Biłgoraj)
Biskupice
Blizyn (poln. Bliżyn)
Bobrowniki
Bochnia
Bogusze
Boryslaw (poln. Borysław)
Brünn (tschech. Brno)
Brzezany (poln. Brzeżany)
Buczacz
Budzyn (poln. Budzyń)
Busko
Bychawa
Bystrzyca

Checiny (poln. Chęciny)
Chmielnik
Cholm (poln. Chełm Lubelski)
Cieszanow (poln. Cieszanów)
Culm s. Kulm
Czemierniki

Dabrowa Tarnowska (poln. Dąbrowa Tarnowska)
Deblin (poln. Dęblin)
Deutschendorf (slowak. Poprad)
Dorohucza
Drohobycz
Drzewica
Dubienka
Dynow (poln. Dynów)
Dzikow (poln. Dzików)

Firlej

Garbatka
Gielniow (poln. Gielniów)
Gliniki (poln. Glinice)
Glowaczow (poln. Głowaczów)
Glowno (poln. Głowno)
Glusk (poln. Głusk)
Goraj
Görlitz (poln. Zgorzelec)
Gorzkow (poln. Gorzków)
Goscieradow (poln. Gościeradów)
Goslawice (poln. Gosławice)
Gostynin
Grodno (ukr. Hrodna)

Hermannsbad (poln. Ciechocinek)
Hinterberg (poln. Zagórów)
Hohensalza (poln. Inowrocław)
Hrebenne
Hrubieszow (poln. Hrubieszów)

Ilza (poln. Iłża)
Izbica

Jablon (poln. Jabłon)

Janiszow (poln. Janiszów)
Janow Lubelski (poln. Janów Lubelski)
Janowo Podlaskie
Jasionowka (poln. Jasionówka)
Jaslo (poln. Jasło)
Jastkow (poln. Jastków)
Jedlinsk (poln. Jedlińsk)
Jedlnia
Jedrzejow (poln. Jędrzejów)
Jozefow an der Weichsel (poln. Józefów n. Wisłą)
Jozefowa Bilgorajska (poln. Józefowa Biłgorajska)

Kalisch (poln. Kalisz)
Kamionka
Kauen (litau. Kaunas, russ. Kowno)
Kazimierz Biskupi
Kazimierz Dolny
Kielbasin (poln. Kiełbasin)
Kielce
Kielczewice (poln. Kiełczewice)
Klimontow (poln. Klimontów)
Kock
Kolomyja (poln. Kołomyja)
Komarow (poln. Komarów)
Komarowka
Koniecpol
Konin
Konskie (poln. Końskie)
Konskowola (poln. Końskowola)
Kosel (poln. [Kędzierzyn-]Koźle)
Kosow (poln. Kosów)
Kozienice
Kozlow (poln. Kozłów)
Krakau (poln. Kraków)
Krasniczyn (poln. Kraśniczyn)
Krasnik (poln. Kraśnik)
Krasnobrod (poln. Krasnobród)
Krasnystaw
Krepiec(-Wald) (poln. Krępiec)
Krosno
Krychow (poln. Krychów)
Krynki
Krzczonow (poln. Krzczonów)

Kulm (Culm) (poln. Chełmno [n. Fryba])
Kulmhof (poln. Chełmno [n. Ner])
Kurow (poln. Kurów)
Kutno

Labunie (poln. Łabunie)
Lask (poln. Łask)
Leczna (poln. Łęczna)
Lemberg (ukr. Lwiw, poln. Lwów)
Lentschütz (poln. Łęczyca)
Leslau (poln. Włocławek)
Lida, Weißrussland
Liegnitz (poln. Legnica)
Lipsk
Lipsko
Litzmannstadt s. Lodz
Lodz (poln. Łódź)
Lomazy (poln. Łomazy)
Lomza (poln. Łomża)
Lopuszno (poln. Łopuszno)
Lowicz (poln. Łowicz)
Lubartow (poln. Lubartów)
Lublin
Lukow (poln. Łuków)
Lysobyki (poln. Łysobyki)

Majdan Tatarski
Majdanek
Malaszewice (poln. Małaszewice)
Malkinia (poln. Małkinia)
Mariampol
Markuszow (poln. Markuszów)
Memel (litau. Klaipėda)
Michow (poln. Michów)
Miedzyrzec Podlaski (poln. Międzyrzec Podlaski)
Mielec
Milejow (poln. Milejów)
Minsk, Weißrussland
Mircze
Mlawa (poln. Mława)
Modliborzyce
Mogilew, Weißrussland

Naleczow (poln. Nałęczów)

Narol
Neutra (slowak. Nitra)
Niedrzwica Duza (poln. Niedrzwica Duża)
Niemlischez (Krs. Radzyń, poln. ?)
Novaky (Slowakei)
Nowosiolki (poln. Nowosiółki)
Nowy Targ

Okzow (poln. Okzów)
Opatow (poln. Opatów)
Opoczno
Opole Lubelskie
Osmolice
Osowa
Ossowa
Ostrow Lubelski (poln. Ostrów Lubelski)
Ostrowiec
Ozarow (poln. Ożarów)
Ozorkow (poln. Ozorków)

Pacanow (poln. Pacanów)
Palecznica, Gut (poln. Pałecznica)
Parczew
Petrikau (poln. Piotrków Trybunalski)
Piaski
Pilica
Pinczow (poln. Pińczów)
Plaszow (poln. Płaszów)
Plazow (poln. Płazów)
Podhale, Region in Südpolen
Podlodow (poln. Podlodów)
Poniatowa
Posen (poln. Poznań)
Potworow (poln. Potworów)
Preschau (slowak. Presov)
Pressburg (slowak. Bratislava)
Proküls, Memelgeb. (litau. Priekulė)
Pruzany (poln. Prużany)
Przemysl (poln. Przemyśl)
Przysucha
Puchaczow (poln. Puchaczów)
Pulawy (poln. Puławy)
Pustkow (poln. Pustków)

Rachow a. d. Weichsel (poln. Rachów n. Wisłą)
Radom
Radomsko
Radzanow (poln. Radzanów)
Radzyn (poln. Radzyń Podlaski)
Rawa Mazowiecka
Rawa Ruska
Rejowiec
Riga
Riwne, Ukraine
Rogoznica (poln. Rogoźnica)
Rohatyn
Rozwadow (poln. Rozwadów)
Rusinow (poln. Rusinów)
Ryki
Rzeszow (poln. Rzeszów)

Sajczyce
Sandomierz
Sanniki
Sanok
Sawin
Sawino, Arbeitslager
Schitomir (ukr. Shetomer, russ. Shytomyr)
Sedziszow (poln. Sędziszów)
Sered, Slowakei
Serokomla
Siedlce
Siennica Rozana (poln. Siennica Różana)
Sillein (slowak. Žilina)
Skaryszew
Skarzysko Kamienna (poln. Skarżysko Kamienna)
Skierniewice
Skrzynsko (poln. Skrzyńsko)
Slawatycze (poln. Sławatycze)
Sobibor (poln. Sobibór)
Sokolka (poln. Sokólka)
Sokolow (poln. Sokołów Podlaski)
Sosnowica
Stalowa Wola
Stanislau (poln. Stanisławów)
Starachowice

Starakonstantinow (ukr. Starokonstanteniw)
Staszow (poln. Staszów)
Staw
Stezyce (Stezyca?) (Steżyca Nadwieprzańska?)
Stoczek
Stopnica
Stropkov, Slowakei
Stryj
Strzyzowice (poln. Strzyżowice)
Suchedniow (poln. Suchedniów)
Suchowo
Suwalki (poln. Suwałki)
Swidnik (poln. Świdnik)
Swierze Gorne (poln. Świerże Górne)
Szczebrzeszyn
Szczekarkow (poln. Szczekarków)
Szczucin
Szebnia
Szydlowiec (poln. Szydłowiec)

Tarlo (poln. Tarło)
Tarlow (poln. Tarłów)
Tarnobrzeg
Tarnogora (poln. Tarnogóra)
Tarnopol
Tarnow (poln. Tarnów)
Tomaszow (-sch-) Lubelski (poln. Tomaszów Lubelski)
Tomaszow (-sch-) Mazowiecki (poln. Tomaszów Mazowiecki)
Trawniki
Treblinka
Tschenstochau (poln. Częstochowa)
Turek
Turobin

Ujazd
Ujazdow (poln. Ujazdów)
Ulan
Uscimow (poln. Uścimów)

Warschau (poln. Warszawa)
Warthbrücken (poln. Koło)
Wawolnica (poln. Wąwolnica)

Wegrow (poln. Węgrów)
Welungen (poln. Wieluń)
Wieniawa
Wilna (litau. Vilnius)
Wisznice
Wlodawa (poln. Włodawa)
Wloszczowa (poln. Włoszczowa)
Wodzislaw (poln. Wodzisław)
Wohyn (poln. Wohyń)
Wojcieszkow (poln. Wojcieszków)
Wolanow (poln. Wolanów)
Wolka-Okraglik (poln. Wólka-Okrąglik)
Wolkowysk (poln. Wołkowysk)
Wysokie

Zabia Wola (poln. Żabia Wola)
Zadniestrzanski (poln. Zadniestrzański)
Zaklikow (poln. Zaklików)
Zakopane
Zakrzow
Zambrow (poln. Zambrów)
Zamosc (poln. Zamość)
Zarki
Zarzyc
Zawichost
Zbaraz (poln. Zbaraż)
Zdunska Wola (poln. Zduńska Wola)
Zeben (slowak. Sabinov)
Zichenau (poln. Ciechanów)
Zipser Neudorf (slowak. Spišská Nová Ves)
Zloczow (poln. Złoczów)
Zlota (poln. Złota)
Zolkiew (poln. Żółkiew)
Zolkiewka (poln. Żółkiewka)
Zwiahel (ukr. Nowohrad-Wolinskij)
Zwierzyniec
Zwolen (poln. Zwoleń)
Zychlin (poln. Żychlin)

In der gleichen Reihe:

Jürgen Hensel (Hg.)
POLEN, DEUTSCHE UND JUDEN
IN LODZ 1820–1939
Eine schwierige Nachbarschaft
ISBN 3-929759-41-1
370 S. · 11 Abb. · 1999
(EINZELVERÖFFENTLICHUNGEN
DES DHI WARSCHAU 1)

Das Lodzer Industriezentrum, geprägt von den dort lebenden Polen, Deutschen und Juden, bildete im 19. und frühen 20. Jahrhundert ein einzigartiges Zeugnis für ein fruchtbares, wenn auch nicht konfliktfreies Zusammenleben unterschiedlicher Kulturen auf engem Raum. Die 21 Autoren des Sammelbandes haben sich zum Ziel gesetzt, die spezifische multiethnische Lodzer Gesellschaft in ihren unterschiedlichen Aspekten in politischer, wirtschaftlicher und kultureller Hinsicht auszuloten. Dabei berücksichtigen sie die Entwicklung der Stadt von ihren Anfängen als Industriezentrum bis zum Untergang des multiethnischen Lodz im Jahre 1939.

Valentina Maria Stefanski
ZWANGSARBEIT IN LEVERKUSEN
Polnische Jugendliche
im I.G. Farbenwerk
ISBN 3-929759-43-8
585 S. · 41 Abb., 1 Karte · 2000
(EINZELVERÖFFENTLICHUNGEN
DES DHI WARSCHAU 2)

Die Studie bietet eine differenzierte Sicht auf das Problem Zwangsarbeit. Sie stützt sich gleichermaßen auf das Werksarchiv der Bayer-AG wie auf Interviews mit über 50 Betroffenen in Polen. Der Autorin war es so möglich, die Perspektive von „oben" mit einem Blick von „unten" zu kombinieren. Die Zwangsarbeiterinnen und Zwangsarbeiter erscheinen in der Darstellung nicht nur als Opfer, sondern auch als handelnde Personen: Individuelle Strategien mussten entwickelt werden, um sich in Leverkusen zurechtzufinden und zu überleben.

Robert Traba (Hg.)
SELBSTBEWUSSTSEIN UND
MODERNISIERUNG
Sozialkultureller Wandel in Preu-
ßisch-Litauen vor und nach dem
Ersten Weltkrieg
ISBN 3-929759-44-6
196 S. · 2000
(EINZELVERÖFFENTLICHUNGEN
DES DHI WARSCHAU 3)

Im Mittelpunkt des Bandes steht die gesellschaftliche Entwicklung eines heute nicht mehr existierenden, bereits vergessenen Landes: „Preußisch-Litauen" oder „Kleinlitauen". Die Autoren – Historiker und Kulturwissenschaftler aus Deutschland, Polen und Litauen – beleuchten in ihren Beiträgen die kulturellen und sozialen Veränderungen, die Richtungen und Folgen von Akkulturationsprozessen sowie die Schwerpunkte im kollektiven Bewusstsein der Preußisch-Litauer an der Wende zum 20. Jahrhundert.

Sophia Kemlein (Hg.)
GESCHLECHT UND NATIONALISMUS IN
MITTEL- UND OSTEUROPA 1848-1918
ISBN 3-929759-45-4
259 S. · 2000
(EINZELVERÖFFENTLICHUNGEN
DES DHI WARSCHAU 4)

Welchen Anteil haben Frauen an nationalen Bewegungen? Was für Weiblichkeits- und Männlichkeitsbilder verwenden solche Bewegungen? In welchem Verhältnis stehen die Frauenbewegungen zum Nationalismus? Verändern Kriege das Verhältnis der Geschlechter zueinander? Diesen Fragen gehen die Autorinnen des Bandes in russischen, weißrussischen, lettischen, ukrainischen, polnischen und deutschen Fallbeispielen nach. Sie decken die vielschichtigen Verknüpfungen und Abhängigkeiten der beiden Identitätskonzepte Nation und Geschlecht auf. Die Beiträge eröffnen der internationalen Debatte um Geschlecht und Nation Vergleichsmöglichkeiten zu Osteuropa.

Włodzimierz Borodziej /
Klaus Ziemer (Hg.)
DEUTSCH-POLNISCHE BEZIEHUNGEN
1939 – 1945 – 1949
Eine Einführung
ISBN 3-929759-46-2
348 S. · 2000 *(z. Z. vergriffen)*
(EINZELVERÖFFENTLICHUNGEN
DES DHI WARSCHAU 5)

Die Jahre 1939-1949, der Überfall auf Polen, die deutsche Vernichtungspolitik im Zweiten Weltkrieg und die Vertreibung der Deutschen nach dem
Kriege bilden den Zeitraum, der die deutsch-polnischen Beziehungen historisch am stärksten belastet. In den zehn Beiträgen des Bandes wird anhand
systematischer Schwerpunkte wie Besatzungspolitik, Terror, Völkermord an
den Juden, Widerstand und Bevölkerungsverschiebungen der deutsch-polnische Konflikt analysiert. Dargestellt wird auch die Vergangenheitspolitik in
Polen wie in den beiden deutschen Staaten. Erstmals behandeln hier deutsche
und polnische Historiker gemeinsam die deutsche Besatzungspolitik in Polen
u n d die Vertreibung der Deutschen nach 1945.

Ute Caumanns / Mathias Niendorf (Hg.)
VERSCHWÖRUNGSTHEORIEN
Anthropologische Konstanten –
historische Varianten
ISBN 3-929759-47-0
222 S. · 2001
(EINZELVERÖFFENTLICHUNGEN
DES DHI WARSCHAU 6)

Verschwörungstheorien, so scheint es, sind überall: in der Politik, im Inter-
net und als Gegenstand kulturkritischer Betrachtung im Feuilleton. Dabei
steht die Erforschung dieses Phänomens noch am Anfang. Warum Spekulationen über geheime Pläne und Machenschaften häufig so wirksam sind,
lässt sich gewinnbringend dann erörtern, wenn Experten aus unterschiedlichen Bereichen zusammenkommen. Der Band vereinigt Ansätze von Litera-
turwissenschaftlern und Politologen, von Historikern und Psychologen.

Johanna Gehmacher / Elisabeth Harvey
Sophia Kemlein (Hg.)
ZWISCHEN KRIEGEN
Nationen, Nationalismen und
Geschlechterverhältnisse in
Mittel- und Osteuropa 1918–1939
ISBN 3-929759-48-9
327 S. · 2004
(EINZELVERÖFFENTLICHUNGEN
DES DHI WARSCHAU 7)

Im Prozess der Konstituierung der neuen politischen Einheiten nach dem
Ersten Weltkrieg wurden auch die Verhältnisse zwischen den Geschlechtern
neu ausgehandelt. Geschlechtercodes in nationalen Erinnerungskulturen,
populäre Mythologien und nationale Ikonen von „Weiblichkeit" und „Männ-
lichkeit" spielten dabei ebenso eine Rolle wie Visionen von „Modernität"
und die Forderung nach der Realisierung des Ideals der Gleichberechtigung.

Markus Krzoska
FÜR EIN POLEN AN ODER UND OSTSEE
Zygmunt Wojciechowski (1900–1955)
als Historiker und Publizist
ISBN 3-929759-49-7
482 S. · 2003
(EINZELVERÖFFENTLICHUNGEN
DES DHI WARSCHAU 8)

Der Historiker Zygmunt Wojciechowski (1900–1955) war eine der zentralen
Persönlichkeiten der polnischen Wissenschaft und Publizistik in der ersten
Hälfte des 20. Jahrhunderts. Der Band untersucht neben seinen historiogra-
phischen Wurzeln und der Bedeutung als Mediävist und Rechtshistoriker
auch seine politische Publizistik. Als Gründer und erster Direktor des West-
Instituts in Posen spielte er auch nach dem Zweiten Weltkrieg eine führende
Rolle in der polnischen Westforschung – der Auseinandersetzung mit
Deutschland.

Peter Oliver Loew
DANZIG UND SEINE VERGANGENHEIT
1793–1997
Die Geschichtskultur einer Stadt
zwischen Deutschland und Polen
ISBN 3-929759-73-X
621 S. · 2003
(EINZELVERÖFFENTLICHUNGEN
DES DHI WARSCHAU 9)

Die Arbeit ist ein Versuch, den Umgang mit den Puzzlestücken der Danziger Geschichte nachzuzeichnen, zu untersuchen, wie sich zwischen der Inbesitznahme durch Preußen 1793 und der Tausendjahrfeier 1997 die Rolle des Vergangenen in der lokalen Gegenwart wandelte. Sie fragt für einen zentralen Ort deutsch-polnischer Begegnung nach der Vielzahl von Vergangenheitsbezügen lokaler Existenz, nach der Geschichtskultur der städtischen Gemeinschaft in einer Zeit neuer Konstruktionen des Lokalen.

Claudia Kraft / Katrin Steffen (Hg.)
EUROPAS PLATZ IN POLEN
Polnische Europa-Konzeptionen vom Mittelalter bis zum EU-Beitritt
ISBN 3-929759-85-3 · 2004
EINZELVERÖFFENTLICHUNGEN DES DHI WARSCHAU 11

Welche Bedeutung hat Europa für Polen, welche Polen für Europa? Diesen Fragen geht der vorliegende Sammelband nach, den das Deutsche Historische Institut Warschau anlässlich des EU-Beitritts Polens im Mai 2004 herausgibt. Vorgestellt werden polnische Ideen und Vorstellungen zu Europa, der polnische Europagedanke vom Mittelalter bis zur Gegenwart.

Jerzy Kochanowski (Hg.)
DIE „VOLKSDEUTSCHEN" IN POLEN, FRANKREICH,
UNGARN UND DER TSCHECHOSLOWAKEI
Mythos und Realität
ISBN 3-929759-84-5 · 2004
EINZELVERÖFFENTLICHUNGEN DES DHI WARSCHAU 12

*In der Reihe „Klio in Polen" – Polnisch-deutsche Übersetzungsreihe
des Deutschen Historischen Instituts Warschau:*

Benedykt Zientara
FRÜHZEIT DER EUROPÄISCHEN NATIONEN
Die Entstehung von Nationalbewußtsein im nachkarolingischen Europa
Aus dem Poln. v. Jürgen Heyde, mit einem Vorwort v. Klaus Zernack
ISBN 3-929759-36-5 · 452 S. · 1997 (KLIO IN POLEN 1)

Das Problem der Nationswerdung und der Entstehung von Nationalbewußtsein in Europa beschäftigt die internationale Geschichtsforschung seit langem. Einen wesentlichen Beitrag zu diesen Fragen hat der polnische Historiker Benedykt Zientara mit dem vorliegenden Werk geleistet, das erstmals
1985 erschienen ist. Zientara beschreibt hierin die Anfänge und die Herausbildung von Nationen im mittelalterlichen Europa, wobei der Schwerpunkt
auf der Entwicklung in Frankreich, Deutschland und Italien liegt.

Ruta Sakowska
MENSCHEN IM GHETTO
Die jüdische Bevölkerung im besetzten Warschau 1939–1943
Aus dem Polnischen von Ruth Henning
ISBN 3-929759-37-3 · 344 S. · 1999 (KLIO IN POLEN 2)

Nirgends sonst in Europa lebten vor dem Zweiten Weltkrieg mehr Juden als
in der polnischen Hauptstadt. Die Studie gibt einen komplexen Einblick in
den Alltag der jüdischen Bevölkerung unter deutscher Besatzung. Schwerpunkte der Darstellung sind die gesellschaftlichen Strukturen im Ghetto,
besonders die jüdische Selbstverwaltung und Selbsthilfe, sowie der zivile
Widerstand gegen die NS-Politik der indirekten und direkten Vernichtung.

Tomasz Szarota
DER DEUTSCHE MICHEL
Die Geschichte eines nationalen Symbols und Autostereotyps
Aus dem Polnischen von Kordula Zentgraf-Zubrzycka
ISBN 3-929759-38-1 · 442 S. · 100 Abb. · 1998 (KLIO IN POLEN 3)

Der „deutsche Michel" gilt als Verkörperung des Deutschen und als Symbol
typisch deutscher Eigenschaften. Zurückverfolgen läßt sich die Figur mit der
Zipfelmütze bis in das 16. Jahrhundert. Sie hat seitdem zahlreiche Wandlun-
gen durchlaufen. Tomasz Szarota arbeitet in seiner materialreichen Studie
die Vielgestaltigkeit des Michels und die ihm zugeschriebenen Konnotationen
in verschiedenen historischen Phasen heraus. Das Buch bietet eine facetten-
reiche Außensicht auf deutsche Geschichte und Mentalität in fünf Jahrhun-
derten.

Henryk Samsonowicz
POLENS PLATZ IN EUROPA
Aus dem Polnischen von Michael G. Esch
ISBN 3-929759-39-X · 172 S. · 1997 (KLIO IN POLEN 4)

In Deutschland, wie auch im westlichen Europa, weiß man im Allgemeinen wenig über das Nachbarland jenseits der Oder. Dies gilt ganz besonders für seinen wirtschaftlichen und kulturellen Anteil an der europäischen Geschichte. Seit 1989 wird aber auch in Polen im Hinblick auf den Beitritt zur Europäischen Union das Verhältnis zum Westen neu überdacht. Vor diesem Hintergrund läßt der Warschauer Historiker Henryk Samsonowicz in seiner Studie die europäischen Bezüge der polnischen Geschichte Revue passieren und diskutiert die Rolle und den Beitrag seines Landes für die Wirtschaft und Kultur Europas in verschiedenen Epochen der Geschichte.

Andrzej Wyczański
POLEN ALS ADELSREPUBLIK
Aus dem Polnischen von Michael G. Esch
Mit einem Nachwort von Hans-Jürgen Bömelburg
ISBN 3-929759-40-3 · 460 S. · 2001 (KLIO IN POLEN 5)

Dieses Buch bietet dem Leser ein faszinierendes Panorama des materiellen, politischen und geistigen Lebens der polnischen Adelsrepublik „dreier Nationen" des 16. und 17. Jahrhunderts. Gegliedert in drei große zeitliche Abschnitte, geht der Autor stets von den wirtschaftlichen Strukturen auf dem Lande und in den Städten aus, der Entwicklung und den Problemen von Landwirtschaft, Gewerbe und Handel. Danach behandelt er die innen- und verfassungsmäßige Ordnung der Adelsrepublik mit ihren Spezifika, der sog. Adelsdemokratie und dem Wahlkönigtum, sowie ihre außenpolitischen Beziehungen, Konflikte und Kriege. Schließlich schildert Wyczański die Kultur der Renaissance und des Barock in Polen, wobei er der materiellen Kultur (Ernährungsweise, Esskultur, Kleidung, Wohnen, Möbel, Architektur) ebenso Aufmerksamkeit schenkt wie dem privaten, gesellschaftlichen und religiösem Leben, den zwischenmenschlichen Beziehungen in Ehe, Familie und Gesellschaft sowie Erziehung, Kunst, Musik und Literatur.

Marian Biskup / Gerard Labuda
DIE GESCHICHTE DES DEUTSCHEN ORDENS IN PREUSSEN
Wirtschaft – Gesellschaft – Staat – Ideologie
Aus dem Polnischen von Jürgen Heyde und Ulrich Kodur
ISBN 3-929759-42-X · IV, 619 S. · 20 Karten · 2000
(KLIO IN POLEN 6; *der Titel ist vergriffen*)

Jerzy Tomaszewski
AUFTAKT ZUR VERNICHTUNG
Die Vertreibung polnischer Juden aus Deutschland im Jahre 1938
Aus dem Polnischen von Victoria Pollmann
ISBN 3-929759-63-2 · 331 S., Abb. · 2002 (KLIO IN POLEN 9)

Am 28. und 29. Oktober 1938 sind im Rahmen der sog. „Polenaktion" etwa 17.000 Juden polnischer Staatsangehörigkeit über Nacht aus dem Dritten Reich ausgewiesen worden – ein bisheriger Höhepunkt der Diskriminierungsmaßnahmen des NS-Regimes gegenüber den Juden. Vor dem Hintergrund der polnischen Innenpolitik wie der deutsch-polnischen Beziehungen und der internationalen Zusammenhänge behandelt der Autor detailliert Genese und Verlauf der Ausweisungsaktion, die Aufnahme der Deportierten in Polen sowie die Reaktionen auf diese Ereignisse in Polen wie im Ausland.

Jerzy Kochanowski
IN POLNISCHER GEFANGENSCHAFT
Deutsche Kriegsgefangene in Polen 1945–1950
Aus dem Polnischen von Jan Obermeier
ISBN 3-929759-62-4 · 2004 (KLIO IN POLEN 8)

Den deutschen Kriegsgefangenen, die in die Hände der Westalliierten gerieten, erging es mehrheitlich nicht allzu schlecht. Weitaus schlimmer traf es diejenigen, die am Ende des Zweiten Weltkriegs in sowjetische oder polnische Hände fielen. Die vorliegende Monographie behandelt auf einer breiten Quellengrundlage erstmals das Schicksal der etwa 50.000 deutschen Kriegsgefangenen in Polen. Der Autor untersucht detailliert das System der Lager in Polen, den Arbeitseinsatz sowie Lebensumstände, Sterblichkeit und Entlassung der Kriegsgefangenen. Behandelt wird auch die Tätigkeit des Internationalen Komitees vom Roten Kreuz und die komplizierten Beziehungen zwischen der polnischen Bevölkerung und den Gefangenen.

fibre

fibre Verlag · Martinistr. 37 · D-49080 Osnabrück
Telefon (05 41) 43 18 38 · Telefax (05 41) 43 27 86
e-mail: info@fibre-verlag.de · www.fibre-verlag.de
Online-Datenbank: www.ost-mittel-europa.de